김 영 삼 원 장 의 **노트 정리**

Easy Simple Safe Efficient

MASTERING

김영삼 원장의

임플란트 달인되기

DENTAL IMPLANTS

김영삼

편영훈 | 김지선 | 박영민

꼭 알아야 할 임플란트의 필수 성공요소

The Essential Elements for Success in Dental Implants

김영삼 원장의

임플란트 달인되기

첫째판 1쇄 인쇄 2021년 07월 15일
첫째판 1쇄 발행 2021년 08월 02일
첫째판 2쇄 발행 2022년 04월 15일

지 은 이 김영삼 외
발 행 인 장주연
출 판 기 획 한수인
책 임 편 집 이경은
편집디자인 양란희
표지디자인 양란희
일 러 스 트 유학영
발 행 처 군자출판사
등록 제 4-139호(1991. 6. 24)
(10881) **파주출판단지** 경기도 파주시 회동길 338(서패동 474-1)
Tel. (031) 943-1888 Fax. (031) 955-9545
홈페이지 | www.koonja.co.kr

ISBN 979-11-5955-735-4

정가 180,000원

김영삼 원장의

노트
정리

김영삼 원장의

임플란트 달인되기

Easy Simple Safe Efficient

저자 소개

김영삼 원장

- 전북대학교 치과대학 졸업
- 전북대학교 치과대학 치의학 박사
- 캐나다 토론토 치과대학 치주과 CE 코스
- 미국 UCLA 치과대학 치주과 Preceptor
- 미국 UCLA 치과대학 구강외과 Preceptor
- 오스템 임플란트 패컬티
- 덴티스 임플란트 세미나 디렉터
- 강남임플란트연구회 대표
- GIIA live surgery course 디렉터
- 강남레옹치과 원장

- **저서** "쉽고 빠르고 안전한 사랑니 발치" 외 다수

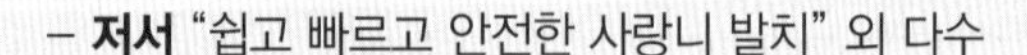

편영훈 원장

- 조선대학교 치과대학 졸업
- 인하대학교 대학원 의학석사
- 인하대학교병원 치과 인턴
- 인하대학교병원 구강악안면외과 수련
- 구강악안면외과 전문의
- 강남임플란트연구회 패컬티
- GIIA live surgery course 패컬티
- 강남사랑니발치아카데미 패컬티
- 강남레옹치과 대표원장

- **저서** "쉽고 빠르고 안전한 사랑니 발치" 공저

김지선 원장

- 서울대학교 공과대학 졸업
- 서울대학교 치의학전문대학원 졸업
- 서울대학교 치의학 석사
- 대한치과보철학회 인정의
- 통합치의학과 전문의
- 강남임플란트연구회 패컬티
- GIIA live surgery course 패컬티
- 서울선사인치과 대표원장

박영민 원장

- 이탈리아 피사대학교 졸업
- 피사대학교 심미치의학과 석사
- 서울대학교 구강악안면외과 박사 수료
- 뉴욕주립대학교 임플란트 심화과정 수료
- Oral Design Seoul 스마일 디자인과정 수료
- 통합치의학과 전문의
- 강남임플란트연구회 패컬티
- GIIA live surgery course 패컬티
- GISC 강남임플란트스터디클럽 운영자
- 강남레옹치과 대표원장

"내가 옳은 것이 중요한 것이 아니고
같이 행복한 것이 더 중요합니다."

● 혜민 스님 ●

필자가 강의할 때 매시간마다 반복적으로 보여주는 슬라이드의 마지막 글귀입니다.
누가 옳고 그름을 따지지 말고… 생각이 다름을 느끼고… 같이 발전해 나갑시다.
그렇게 다 같이 행복하면 좋겠습니다.

첫 임플란트 책을 마치고…

혹자들은 현대 치과의사에게 임플란트가 없었다면 치과의사들은 모두 빈민이 되었을 거라고들 한다. 1979년 우리나라 치과대학 정원을 두 배로 늘려버리는 대참사가 임플란트 대중화를 염두에 두고 한 선견지명이 아닌가 생각해 본다. 필자는 그때 늘어난 치과대학 중 하나인 전북대학교 치과대학을 간당간당하게 안 잘리는 정도로 졸업을 하였다. 멍청한 머리 탓에 지식을 머릿속에 많이 담는 능력은 좀 부족하지만, 세상의 지식을 한 가지라도 더 늘릴 수 있는 창조적인 능력을 지녔다는 평가를 받아왔다.

필자가 이전에도 많은 책들을 썼지만, 필자의 인생은 첫 번째 임상 저서인 《사랑니발치》가 히트를 치면서부터 바뀌었다. 이 책이 영문판으로 출간되면서 나름 세계적으로 이름을 알릴 수 있는 계기가 되었고, 올해는 스페인어, 이탈리아어, 일본어로까지 번역되어 출간을 앞두고 있다.

사랑니 발치가 전 세계적으로는 그다지 큰 흥미를 끄는 주제는 아니다. 선진국에서는 과별로 전문 진료시스템이 갖추어져 있어 대부분 사랑니 발치는 구강외과에서 하기 때문이기도 하다.

그러나 임플란트는 사랑니와 달리 외국에서도 소아치과, 교정과 등 몇몇 전문의들을 제외한 대부분의 치과의사들이 관심을 갖는 분야이다. 그래서 필자는 이 책의 국내 판매와 동시에 바로 영어와 기타 언어로 번역할 계획을 가지고 있다. 임플란트 책은 시중에 너무나도 많지만 이 책은 그동안 전 세계에 형성된 필자의 독자들을 바탕으로, 《사랑니 발치》보다 더 크게 히트할 수도 있다고 기대하고 있다. 김연아 선수가 한말이 있다. *"처음부터 겁먹지 말자. 막상 가보면 아무것도 아닌 게 세상엔 참으로 많다."* 필자가 세상에 나가보니 우리나라 임플란트 기술은 이미 세계 최고 수준이었다. 그래서 이 책에는 필자의 케이스 말고도 필자가 존경하는 국내 많은 대가들을 소개하고, 그들의 케이스를 공유하는 공간도 마련하였다. 필자의 책이 전 세계 베스트셀러가 될수록 필자뿐만 아니라, 함께 공부한 우리나라 치과의사 동료들도 같이 세계 임플란트 교육시장의 큰 주축이 될 수 있다고 생각하기 때문이다.

이 책은 필자의 개원 20주년을 맞이해서 쓰는 자서전 같은 느낌의 책이다. 다른 치료와 달리, 임플란트는 필자의 개원 역사를 고스란히 담고 있기 때문이다. 그래서 판매 성과를 떠나 이 책을 집필한 것만으로도 스스로 숙원을 이룬 것 같아 이미 너무나도 행복하다 느끼고 있다. 그렇지만 이를 넘어서 이 책이 널리 알려져 다시 글로벌하게 흥행한다면 오로지 그 공은 나를 가르쳐주고 아껴주고 따라준 우리나라 치과계 전체에 돌리고 싶다. 요즘 외국에서 잘나가는 것에 'K'를 자주 붙이는데… 바야흐로 이제 K-implant, K-dental 시대가 왔다고 감히 말하고 싶다. 이제 그 시대를 우리 동료들과 함께 누리고 싶다. 사랑합니다. 대한민국 치과의사 여러분…

2021년 7월 강남역에서

이 책이 있기까지 너무나 많은 분들께 감사드립니다.

필자에게 임플란트를 지도해주신

- 22세기 서울치과병원 조용석 원장님
- 중앙대학교병원 구강악안면외과 최영준 교수님
- 대구카톨릭대학교병원 손동석 교수님
- 남상치과 김기성 원장님
- 오스템임플란트 교육연구원 김경원 교수님
- 사람사랑치과 김지혜, 박정주, 김은주, 최상진, 송지은 원장님
- 융치과 안융 원장님

강남레옹치과에서 함께 근무한 구강외과전문의

- 이재욱, 김동성, 이경진, 박슬지, 편영훈 원장님
  형이 가끔 혼내기도 했지만, 나도 니들한테 많이 배웠다네. 수고했고 고맙네들…

강남레옹치과에서 필자의 임플란트 크라운을 해주신 보철과, 통합진료과전문의

- 장현민, 김경애, 양미라, 김민지, 경규영, 박영민 원장님
  어설프게 심은 것도 어떻게든 잘 보철해 주려 노력하고, 감을 못 잡고 있을 때도 보철적인 치료계획을 잘 세워서 바르게 심을 수 있도록 유도해 줘서 고맙고… 다 고맙네…

10년 가까운 세월 동안 한국에서 라이브 서저리를 도와주시는 패컬티 임종환, 서민교, 이재욱, 김대용, 최근락, 김현섭, 편영훈, 김민재, 이지혜, 홍정표, 백수현, 노희정, 박영민, 김지선 원장님께도 진심으로 감사드립니다.

미국에서 임플란트에 새로운 눈을 뜨게 해주신 존경하는 유진 킴 원장님을 비롯하여, 많은 가르침을 주신 진 킴, 정재은, 박기덕 원장님, 함께 배우며 공부하는 이정우, 안찬욱, 권기태, 조재우, 전혜진, 윤종호, 장유정, 유태은, 김정은, 허가미, 캐나다의 김용권, 박신영, 송병준, 호주의 이태희, 신오철, 허종욱, 이정호 선생님께도 진심으로 감사의 말씀을 드립니다.

강의 준비를 시작한 2009년부터 환자분들의 사진을 찍고 정리하느라 수고한 치과위생사이자 누구보다 사랑하는 우수진, 김정민, 김희정 선생님을 시작으로, 몸은 떨어져 있어도 언제나 내 편인 든든한 김다영, 송영희 실장님, 현재 강남레옹에서 바톤을 이어 받아준 한소담, 홍나래, 하름, 이예은 실장님을 비롯하여 이새희, 서미정, 강정현, 윤예서 선생님, 지금 제 팀을 맡고 있는 나의 브레인 김효성 팀장님 이하 오른팔 남미선, 왼팔 유채영 선생님께도 진심으로 감사의 말씀을 드립니다.

마지막으로 이 책의 제작을 총괄해 주신 군자출판사 한수인 팀장님, 첫 번째 임상저서인《사랑니 발치》에 이어서 일러스트를 계속 맡아주신 유학영 과장님, 이 책 구석구석 이쁘게 편집해 주신 이경은 책임 편집자와 디자이너 양란희 과장님께도 감사드리고, 언제나처럼 인세를 주기적으로 잘 전해주시는 장주연 대표님께도 감사드립니다. 😀

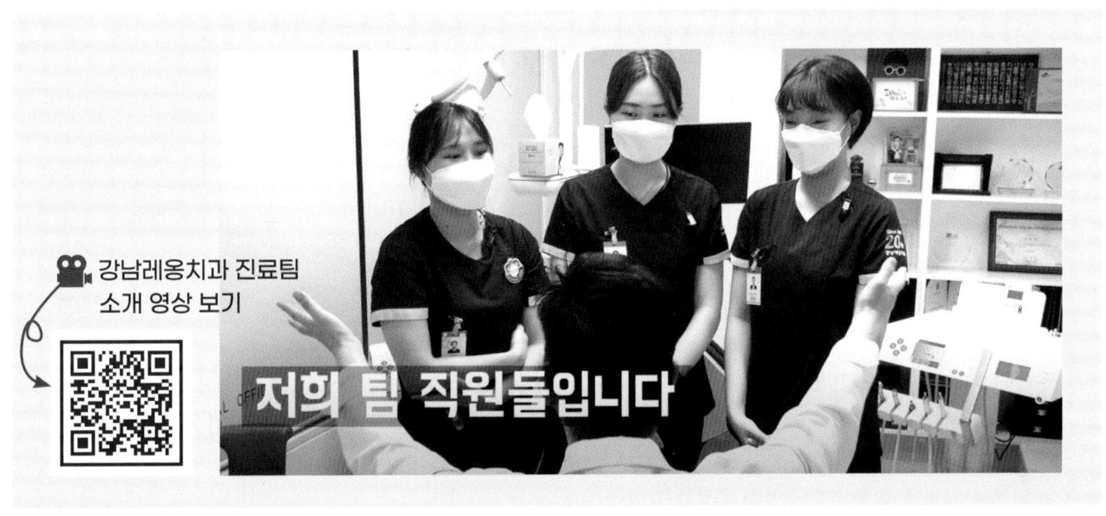

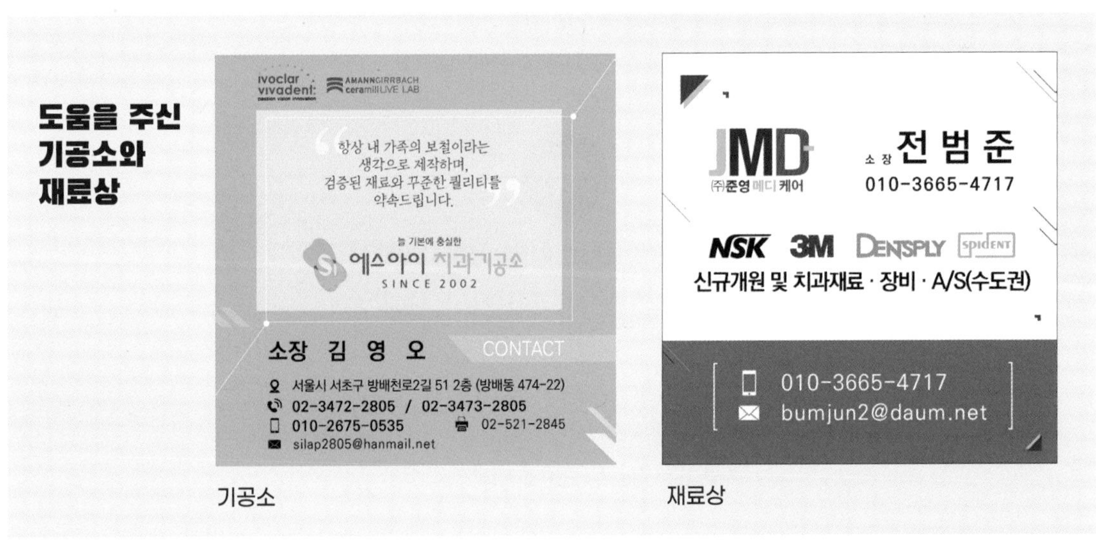

기공소 재료상

* 이 책에 사용된 사진은 정확한 내용 전달을 위한 거울 대칭, 크기 조정만 있을 뿐 이외의 색상 변경이나 수정 없이 원본 그대로 사용하였습니다.

목차

임플란트와 연조직

뼈가 살을 못 이긴다

임플란트의 골이식

공짜 점심은 없다

어버트먼트의 선택과 크라운

사랑했으니 책임져!

임플란트의 실패

임플란트의 실패는 성공의 어머니가 아니다

김영삼원장의

노트
정리

EASY SIMPLE SAFE EFFICIENT

MASTERING DENTAL IMPLANTS

임플란트 달인되기

꼭 알아야 할 임플란트의 필수 성공요소

The Essential Elements for Success in Dental Implants

PART 1

Introduction

역사를 잊은 치과의사에게 미래는 없다

1

Introduction

역사를 잊은 치과의사에게 미래는 없다

임플란트를 공부한 이야기

필자는 2001년 11월에 선배와 공동 개원을 결심하고 준비하여 2002년 2월 18일에 첫 진료를 시작하였다. 지금 "강남레옹치과" 건물 5층 39평의 체어 3대를 갖춘 작은 치과였다. 임플란트를 처음 시술하게 된 계기는 그해 5월 우리 치과에 체어를 납품한 회사의 직원이자 고등학교 친구 때문이었다. 친구의 46번 어금니가 빠지자 부랴부랴 임플란트 세미나를 등록하고 수강하면서 그렇게 필자의 첫 임플란트는 이 고등학교 친구를 환자로 시작하게 되었다.

첫 임플란트 세미나 수강은 2002년 5월 10일 금요일 오후부터 12일 일요일 오전까지 3일 동안의 세미나로, 비용은 370만 원 정도였던 것으로 기억한다. 비교적 고가의 수강료였음에도 당시 임플란트 평균 진료비가 국산 기준 250만 원, 수입산이 350만 원이었기 때문에 큰 부담 없이 수강할 수 있었다. 여러 가지 상황을 고려하여 재료비만 받고 식립한다는 전제하에 환자로부터 90만 원 정도를 받았던 것 같다. 그렇게 첫 임플란트는 시작되었다. 당시 강의를 해주신 분은 지금도 왕성하게 활동하시는 조용석 원장님으로 필자는 최고봉 원장님이라고 부르고 싶다. 시간이 지나 필자는 2017년 가을 오스템

AIC Implant Training Course

This is to certify that

Young-Sam Kim D.D.S.,M.S.D.

has successfully completed
AIC Implant Training Course of AVANA Implant System
based implant surgery and provisional/final restoration.

May 12, 2002

Director
Chang-Joon Yim D.D.S., Ph.D

Course Director
Yong-Seok Cho D.D.S., M.S.D, Ph.D

1.1 필자의 첫 임플란트 서티피케이트

1.2 오스템 20주년 기념 월드 심포지엄 포스터

1.3 **스승님과 함께.** 2017년 오스템 월드 심포지엄에서 필자가 감히 사진 한 장을 찍자고 요청드려 찍은 사진이다.

월드 심포지엄에서 강의를 진행하게 되었는데 그때 조용석 원장님도 연자로 참석하셨다. 그분은 모르시겠지만, 필자는 첫 임플란트를 가르쳐 주셨던 분과 15년 만에 같은 무대에 선다는 것에 마음이 벅찼다. 더더구나 마침 필자가 치과의사로서 처음 심었던 임플란트 제품의 20주년 기념 심포지엄이었기도 해 늘 추억에 잠겨 사는 필자로서는 큰 의미가 있는 경험이었다. 조용석 원장님을 우리나라에 현존하는 최고의 임플란트 강사(진료부터 연구, 강의까지 모두 포함)라고 해도 이견이 없을 것이다. 필자는 지금도 한 번 스승은 영원한 스승이라는 좌우명 아래 여러 학술대회장에서 조용석 원장님 강의는 빼놓지 않고 열심히 듣고 배우고 있다.

필자가 처음 임플란트를 심었던 당시에는 무조건 긴 임플란트를 선호하던 시대여서 4.8에 15 mm의 아바나(현 오스템) 임플란트를 식립하였다(1.4).

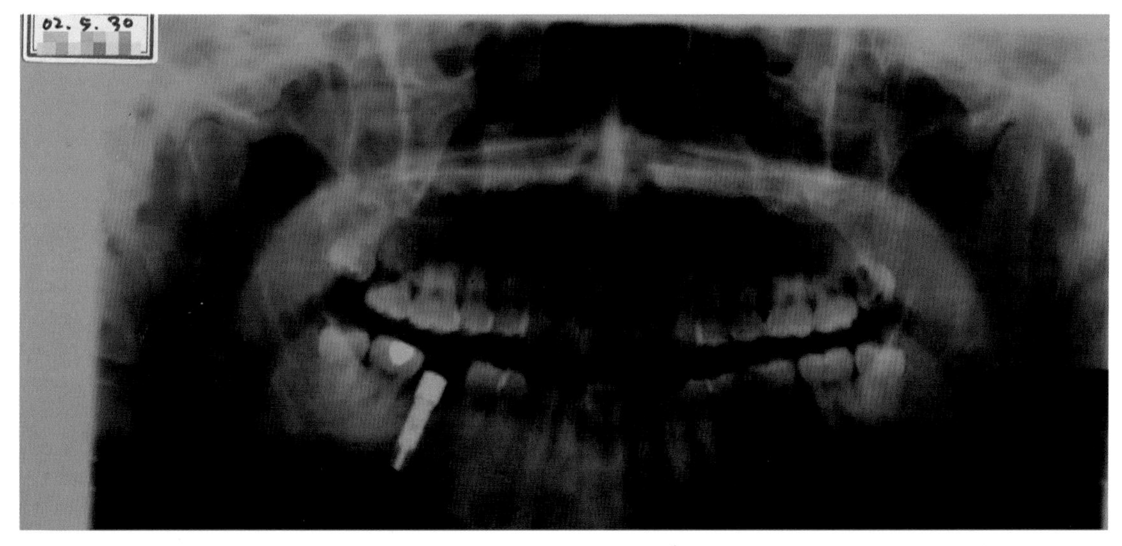

1.4 처음 임플란트를 심고 찍은 파노라마 방사선 사진이다. 당시에는 필름 파노라마여서 법정 보관 기간인 5년이 지나면 거의 변색됐기 때문에 대부분 폐기하였는데, 필자의 첫 임플란트를 기념하기 위하여 폐기 전에 스캔하였다.

초보자가 하면 늘 그렇듯 약간 disto-buccal로 심어진 걸 볼 수 있다. 당시 유행하던 external hexa type의 골드 UCLA 어버트먼트와 스크류 타입 크라운으로 제작하여 세팅하였는데, 그때만 해도 임플란트에 대한 확신이 없어서인지 크라운을 살짝 작게 만드는 경향이 있었기 때문에 bucco-lingua로 조금 작게 만들어진 것을 볼 수 있다.

1.5 식립 후 10년이 되었을 때 찍은 임상 사진

필자의 첫 임플란트 환자인 친구는 10년 동안 직장을 다니다 퇴사하여 지금은 치과 재료상을 하고 있고, 뭘 잘 바꾸지 않는 필자의 성향 때문인지 친구가 꾸준하고 성실해서인지 지금까지도 치과 재료를 우리 치과에 납품하고 있다. 그러다 보니 자연스럽게 1년에 한 번 정도씩 사진을 찍어보고 팔로업하고 있는데, 19년이 넘는 시간 동안 말썽을 부린 적이 거의 없다(**1.6**). External hexa type 임플란트의 고질적인 문제인 어버트먼트 픽스처 연결 부위의 마이크로 갭과 무브먼트(micro-gap & movement)에 의한 치경부 골소실(marginal bone loss) 또한 관찰되지 않는다. 이는 아무래도 골드 UCLA 어버트먼트 특유의 연성에 의한 마진씰링 효과에 의한 것이 아닌가 생각해 본다. 2006년 골드 값의 폭등 이전에는 어버트먼트와 크라운을 모두 골드로 만드는 경향이 많았는데, 의외로 필자의 케이스에서는 골소실이 전혀 나타나지 않는 것을 흔히 볼 수 있다.

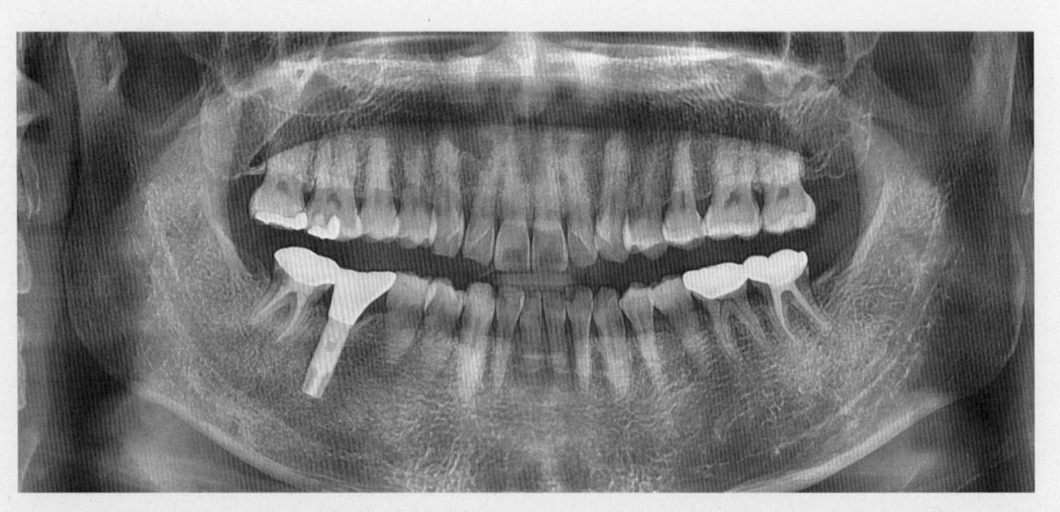

1.6 2021년 5월 4일 가장 최근 파노라마 사진이다. 19년의 세월 동안 잘 관리하였는지 더 빠진 치아는 없고 크라운만 두 개 추가되었다.

innova
Corporation

Certificate of Attendance

Dr. Kim, Young Sam

Has attended Two Day
Advanced Surgical & Periodontic Course
on Implantation & Restoration with the
Endopore Dental Implant System

June 15-16, 2002

Toronto University
Endopore Implant Executive Lecturer
Jong-Jin Suh

1.7
두 번째 임플란트 세미나 서티피케이트
2002년 6월 15-16일에 진행되었다는 것을 보니 2002 한일 월드컵이 한창일 때로, 포르투갈과의 경기에서 박지성이 골을 넣어 1-0으로 이긴 경기 다음날이었다. 세미나가 끝나고 이틀 후에 그 멋진 이탈리아와의 16강 경기가 열렸다.

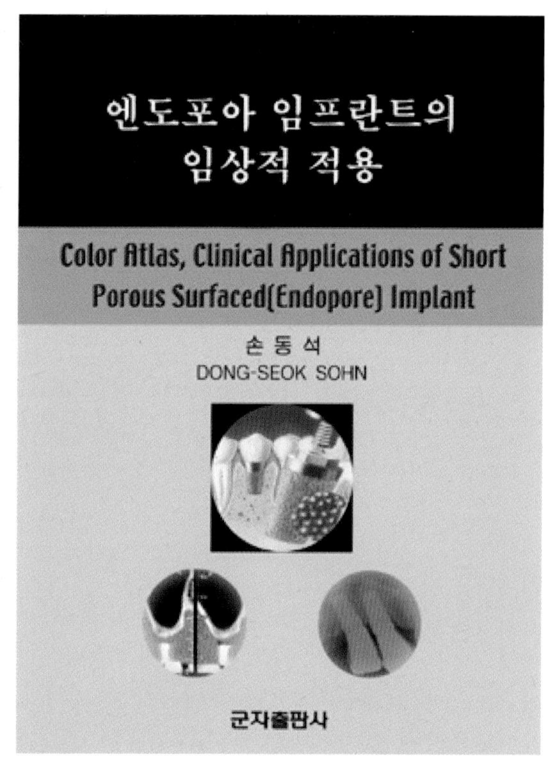

1.8
필자가 공부한 손동석 교수님의 엔도포어 임플란트 책

그렇게 임플란트를 시작한 후 2002년 6월에 우리 치과에 재료를 납품하던 재료상이 본인이 판매하는 캐나다산 “엔도포어”라는 임플란트의 장점을 설명하면서 관련 세미나를 추천하여 참가하게 된 적이 있다. 토요일과 일요일 이틀에 걸쳐 진행하는 세미나였는데, 당시 세미나 비용이 120만 원 정도였다(**1.7**). 여담이지만 이 책을 쓰려고 서티피케이트 날짜를 확인하기 전까지 필자의 기억 속에는 이 세미나가 여태껏 일요일에만 진행했던 것으로 남아있었다. 당시 일요일에 제공됐던 점심 도시락이 정말 맛있어서 유난히 일요일만 기억에 남았는지도 모르겠다. 어쨌든 이 세미나의 특징이라면 실습이 너무 간단해서 일요일 오후에는 할 일이 없었다는 것이다. 그래서 더 짧게 느껴졌을 수도 있다.

엔도포어 임플란트 세미나를 해주신 분께도 기본적인 것은 배웠지만, 실제 임상에서는 다른 교수님의 엔도포어 임플란트 관련 저서와 강의 등에서 많이 배웠다(**1.8**). 두 번째 임플란트 세미나와 엔도포어 임플란트는 아직까지 필자에게는 강렬하게 기억되고 있다. 당시 엔도포어 임플란트는 말렛으로 때려 박아서 심는 임플란트였기 때문에 하악골이 파절되거나 턱관절 외상을 염려하여 겁나서 하악에는 사용하지 않았다. 하악에는 주로 아바나(현 오스템) 임플란트를 사용하였고, 상악에는 엔도포어 임플란트를 심었었다.

임플란트 진료비가 수입산과 국산으로 나눠져 있었던 시절이었기 때문에 하악에 수입산 임플란트를 원하는 환자가 있을 경우에는 어떻게든 설득해서 국산으로 진행하였다. 당시에는 임플란트 진료비가 너무 고가였기에 대부분 수긍하였다.

초창기 엔도포어 케이스 사진을 보면 파노라마 방사선 사진은 알아볼 수 없도록 변해버렸지만, 표준촬영 영상은 역시 디지털이어서 그런지 깨끗하게 보존되어 있다(**1.9-1.12**).

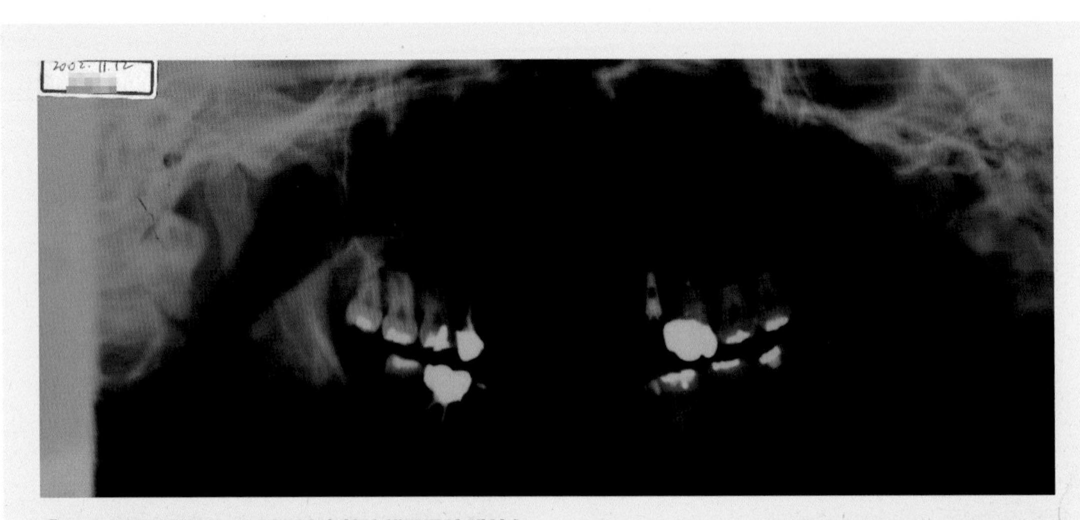

1.9 아직 남아있는 2002년 초창기 엔도포어 케이스
이 환자는 개그맨 후배의 전 여자친구여서 기억하는데, 몇 년 후에 이민을 가게 되어 더 이상 리콜이 되고 있지는 않다.

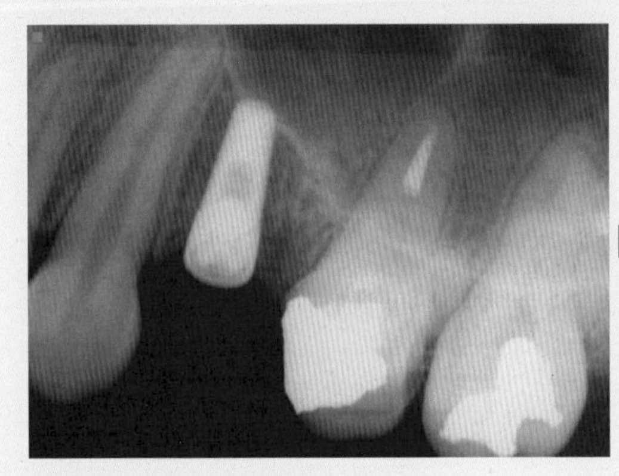

1.10 엔도포어 임플란트 식립 직후

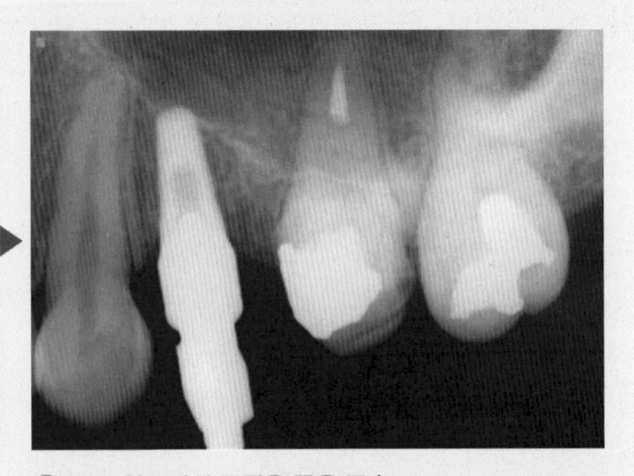

1.11 임프레션 코핑을 꽂은 모습

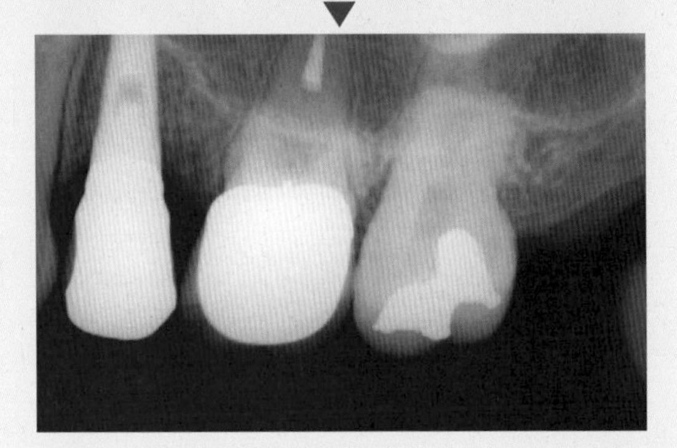

1.12 임플란트 크라운 장착 2년 후

임플란트를 심기 시작하고 6개월쯤 지난 2002년 12월 미국 미시간에서 치주과를 수련한 선배가 필자의 치과에 합류하였다. 그때 선배가 하악용 수입 임플란트로 미국 Zimmer사의 internal hexa type 임플란트를 구입하였고, 필자도 이쯤이면 어느 정도 실력이 쌓였다고 생각해 그 임플란트를 식립하기 시작했다(1.13). 필자가 이렇게 유명한 사람이 될 줄 알았다면 예전 자료들을 많이 모아뒀을 텐데 컴퓨터가 몇 번 고장나고 하면서 많은 자료들이 사라져서 아쉬울 뿐이다.

어쨌든 필자는 이렇게 임플란트를 시작하였고, 2003년부터 임플란트에 확신이 들면서 굳이 두 번 수술하지 않기 위해서 어금니에는 오스템의 티슈레벨 임플란트 SS2를 주로 심었다(1.14).

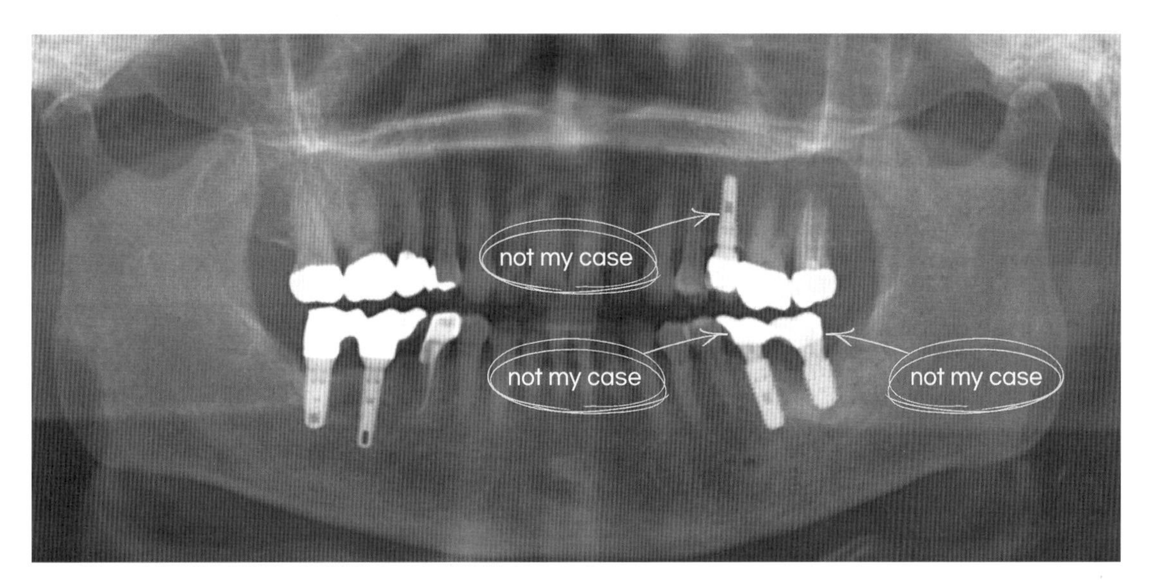

1.13 2002년 12월에 심은 46, 47번 Zimmer사의 임플란트이다. 환자는 필자의 외숙모로, 현재는 연로하셔서 서울까지 오시기 불편하여 지방의 후배 치과에서 치료받으신다. 위 파노라마 사진은 2016년에 후배가 촬영하여 보내준 것이다.

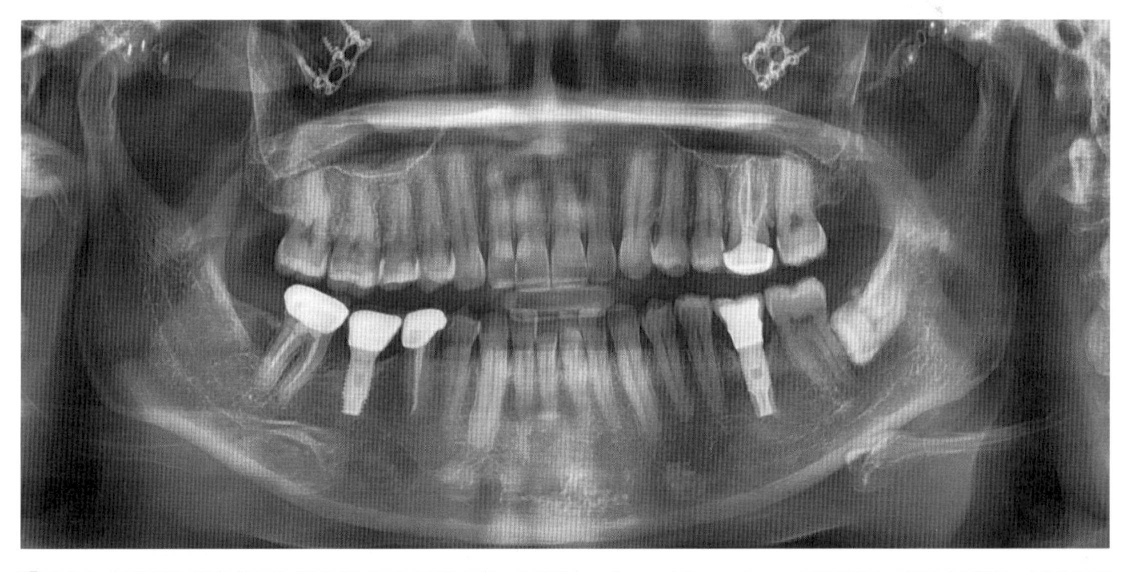

1.14 2003년 당시 20대 초반 여성으로 36번에는 본레벨 external hexa type 임플란트, 46번 부위에는 티슈레벨(tissue level) 임플란트가 심어진 것을 볼 수 있다. 이 사진은 2017년 오스템 20주년 기념 심포지엄 강의용으로 멀리 사는 환자를 억지로 리콜시켜서 찍은 파노라마 사진이다. 36번 external hexa type 임플란트 주변으로 전형적인 1.5 mm 정도의 크레스탈 본로스가 관찰된다.

이후 필자는 지인 교수님의 소개로 2005년 9월부터 12월까지 엔도포어 임플란트의 본고장인 캐나다 토론토 치과대학 치주과에 3-4개월 정도 연수를 가게 되었다. 당시에도 엔도포어 임플란트는 하향세이긴 했지만 여전히 판매되고 있었다.

토론토 시절은 나라별 문화의 차이를 많이 배운 시기이기도 했지만, 함께 간 한국 선생님들과 임플란트 논문들을 리뷰하면서 임플란트에 관련된 이론을 많이 공부하고, 혼자 토론토 대학 도서관에서 임플란트 관련 논문을 엄청 찾아서 읽고 정리했을 정도로 지적 욕구를 채웠던 시간이기도 했다. 나중에는 더 이상 읽을 논문이 없을 정도로 많은 양을 봤던 것 같다.

1.15 2005년 9월 토론토 치과대학 현관 앞에서 기념촬영

1.16 2005년 12월 토론토 대학 치주과 주임 교수님과 함께

*이 책의 일관된 편집을 위하여 본인이 사전 허락한 사람을 제외한 외국인들은 모자이크 처리함을 양해 바랍니다.

1.17 가을 캐나다 동부에서 기념촬영

1.18 캐나다 퀘벡에서 기념촬영

1.19 캐나다 나이아가라 폭포에서 기념촬영

평일에는 공부하고 주말에는 캐나다 동부를 여행하면서 나름 행복하게 지냈던 시간이었다. 밤에는 수영장에 다니면서 수영했고, 도서관에서 책을 보면서 한 시간에 10분씩 나가서 맨손체조를 했다. 그래서인지 그때가 필자의 인생에서 가장 건강하고, 날씬하고, 튼튼했던 시절이었던 것 같다. 그리고 한국에 와서 진료에 복귀하기 전에 척추에 구조적인 문제가 있다고 해서 수술을 받았는데, 그 후유증으로 지금까지 고생하고 있다. 그래서 그 토론토 시절이 너무 그리운지도 모르겠다.

그리고 한국에 돌아와서 2006년부터 본레벨 임플란트(임플란티움)를 처음 심으면서 임플란트 프로토콜의 전환이 시작되었다. 당시에는 나름 규모가 큰 치과에서만 임플란트를 심던 시절이었으므로 필자는 비교적 다른 치과의사들보다는 임플란트를 많이 심어볼 수 있었다.

필자는 늘 왕성한 사회 활동을 하며 지냈기 때문에 한 번도 혼자 근무해본 적이 없다. 인복이 좋아서 2004년 합류한 아주 훌륭한(인사치레가 아니라 정말 머리 좋고, 손 좋고, 실력 좋고, 체력도 좋은) 보철과의사와 함께 일하면서 큰 도움을 받으며 수술에 집중할 수 있게 되었다. 큰 케이스는 주로 보철과의사가 주치의로 치료계획을 세우고 보존과, 구강외과, 치주과에서 보철과의사의 지시대로 진료하는 형태로 병원이 돌아갔다. 2004년 함께 합류한 외과의사도 매우 교과서적인 진료를 하는 침착하고 꼼꼼한 사람이어서 정밀하고 난이도가 필요한 수술들은 상호 토론하고 도움을 주고받으면서 함께 진료하였다. 실력적으로 전문의에게 밀렸다고 생각했는지 아니면 필자 스스로 쉽고 간단한 것을 좋아해서 그랬는지는 모르겠지만, 필자는 "90%의 케이스를 90점으로 만들자"라는 모토로 필자가 할 수 있는 것 위주로 쉽고 안전한 치료를 하려고 노력해왔다. 크고 멋진 수술보다는 쉽고 간단한 해결책을 찾으려고 노력했던 것 같다. 내 실력에 벅차다면 과감하게 외과 친구에게 양보(?)하였고 보철과의사와도 그렇게 조율해왔다.

외과 친구가 실력은 최고지만 융통성이 약간 부족했는지, 아니면 필자가 융통성만 있었던 건지, 보철 치료계획에서 외과의사가 동의하지 않거나 수술비를 너무 크게 책정해서 환자의 동의가 쉽게 얻어지지 않는 경우들도 있었는데, 그럴 때는 필자가 수술을 간단하게 진행하는 방향으로 융통성 있게 처리하기도 했었다. 아무래도 당시에는 사이너스 래터럴 어프로치 하나만으로도 200만 원 정도를 책정하고, 블록본 그래프트나 큰 외과적 골이식도 대부분 최소 100만 원 이상으로 책정되어 있던 시기였기 때문에 크레스탈로 간단하게 하고, 수술을 크게 하지 않으려는 필자의 방식이 어쩔 수 없이 차선책으로 적용되었을 수도 있다.

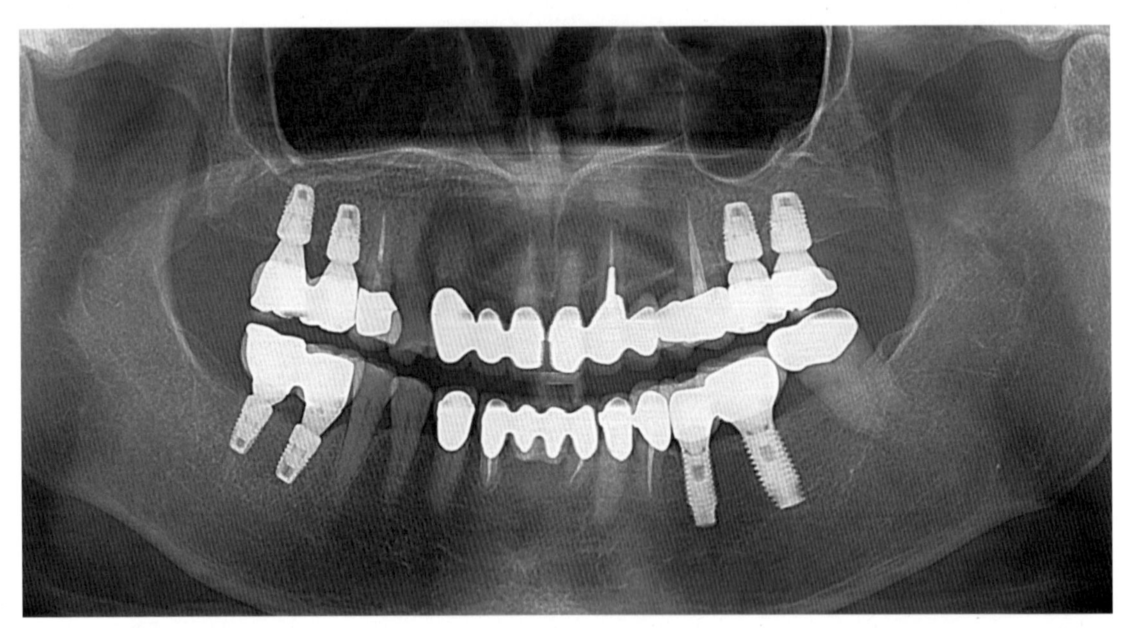

1.20 2000년 중후반의 필자 스타일을 보여주는 전형적인 케이스로 external hexa type 임플란트는 거의 사용하지 않고, 덴티움을 이용한 본레벨 임플란트와 오스템의 SS2를 이용한 것을 볼 수 있다. 이후에 2009년부터 오스템의 GS3를 심으면서 티슈레벨 임플란트도 거의 사용하지 않게 되었으며, 오스템의 GS3와 TS3를 심으면서 더 이상 본레벨 internal friction type 이외의 임플란트는 사용하지 않게 되었다.

어쨌든 그렇게 좋은 파트너들이 치과를 안정적으로 지켜줬기 때문에 필자가 치과를 맡겨두고 캐나다로 유학도 다녀올 수 있었다. 그러나 필자의 역마살과 지적 호기심을 채워주기에 캐나다 토론토는 좀 부족했었는지 2007년 9월에 다시 미국 UCLA 치주과에 preceptorship으로 1년 정도 가게 되었다.

처음에는 너무 긴장한 탓인지 치주과에 드나들기도 부담스러웠지만 거기서 만난 Reiji Suzuki라는 일본인 치과의사와 친구가 되면서 좀 더 자주 편하게 다닐 수 있었다. 2008년 초에는 Xavi Costa라는 스페인 치과의사가 3개월 정도 UCLA 치주과에 왔는데 워낙 사교성이 좋은 친구여서 당시 치주과에 와있던 외국인 친구들(이란 2명, 필리핀 2명, 스페인 1명, 일본 1명)과 수련의들까지 모두를 하나로 묶어서 친하게 어울리게 만들었다(**1.21**). 그때 UCLA 치주과의 임플란트 스타일과 철학도 많이 배울 수 있었다. 사실 UCLA는 토론토 치과대학 치주과처럼 이곳만의 차별화된 스타일이 있는 것이 아니라 그냥 여느 치주과와 비슷하다는 인상을 받았다. Carranza라는 세계적인 스타 교수를 배출한 곳이지만, 주립대로서의 한계인지 건물이 크고 화려하지는 않았다. 진료보다는 대학병원 본연의 취지대로 교육과 연구를 하는 곳이라는 인상을 받았다. 그럼에도 불구하고 미국과 한국 시스템의 다른 점을 배우고, 외국 치과의사들에게 그 나라의 방식과 문화를 배울 수 있던 값진 시간이었음은 분명하다.

1.21 2008년 3월 UCLA 치과대학 치주과 외국인 친구들과 함께

한국에 돌아와서 2009년에 치과를 더 크게 확장하면서 수련의들을 더 뽑음과 동시에 강의도 많이 하게 되었다. 2013년부터는 치과 내에서 외부 치과의사들을 데리고 라이브 서저리를 진행하기 시작했는데, 그게 언제나 안정적이고 평온한 생활을 바라던 동료들과 마찰을 일으키기도 했다. 세미나용 기구들과 병원용 기구들을 구분하여야 했고, 심지어는 초보자들이 사용하면 핸드피스가 쉽게 망가진다는 병원 내 반발도 있어 개인적으로 세미나용 핸드피스를 별도로 구비해서 사용하는 일도 있었다. 그리고는 오랜 설득 끝에 허락 아닌 허락을 받아 2009년 확장 이전하기 전까지 있었던 바로 옆 건물(처음 개원했던 그 건물)에서 2014년에 "강남레옹치과"라는 이름으로 다시 개원하게 되었다. 함께 일했던 직원들과 환자들이 따라와 시작을 같이하면서 작지만 온전히 필자만의 치과를 열게 된 것이다. 다시 한번 스스로의 진료를 돌아보고 혼자 헤쳐 나가면서 실력을 더 키울 수 있는 계기가 된 것이다. 사실 그때만 해도 필자는 필자가 세상에서 제일 잘하는 줄로 착각하고 있었는데, 지금 생각해 보면 참 어리석었다는 생각이 든다. 예전만큼 자신감이 많지 않은 이유는 최근까지도 늘고 있는 실력 때문이다. 필자는 아직도 갈길이 멀다. 지금도 수강생들을 가르치면서 실력이 부쩍부쩍 느는 걸 느낀다. 이것이 필자가 세미나를 좋아하는 이유이기도 하다.

강남레옹치과에서 혼자 진료하면서 보철적으로 큰 고민에 빠진 적이 있었다. '아…생각보다 내가 너무 멍청하구나…그동안 훌륭한 보철과의사 밑에서 시키는 수술이나 하고 살았구나' 하는 생각이 들었었다. 이후 진료 형태를 바꿔서 필자가 치료계획을 세우고 수술을 한 뒤에 그 뒤 마무리를 보철과 페이닥터에게 부탁하는 식으로 변경하면서 보철 실력뿐만 아니라 진단과 치료를 계획하는 실력까지 조금은 향상시킬 수 있게 되었다. 물론 그래봐야 지금도 그런 실력은 형편없지만, 최소한 보는 눈은 확실히 더 넓어진 것 같다. 그리고 페이닥터들이 망쳐놓은 케이스들을 보면서 수술을 크고 액티브하게 하는 것보다는 필자가 예전부터 해왔던 "ESSE 쉽고 빠르고 안전하고 효율적인 수술" 방식에 더 큰 확신과 자신감을 갖게 되었다.

또한 1회성으로 진행되던 필자의 국내 라이브 서저리는 2016년부터 한 달에 한 번씩 6개월 정도 지속되는 코스로 변경하였는데, 필자가 가장 긴장하면서도 좋아하는 코스이다. 대부분 이전 수강생들의 소개를 받은 대기자로 조기 마감되기 때문에 광고는 거의 하지 않는다.

1.22 2018년 한국 내 라이브 서저리 코스 5기 수료식

1.23 2021년 5월 한국 내 라이브 서저리 코스 9기 수료식

미국 UCLA 유학을 다녀온 지 10년째 되는 2018년 4월 UCLA 구강외과에 preceptorship으로 다시 가게 되었다. 이미 이때 한국도 임플란트는 어느 수준 정도에는 도달한 상태였으므로 임플란트보다는 한국과는 다른 사랑니나 여러 치아들을 발치하는 방식, 문화적 차이를 더 많이 배우는 계기가 되었다. 다만, UCLA 구강외과는 레지던트 뽑는 면접을 볼 때 손재주를 좀 보고 선발하나 하는 의구심

이 들 만큼 수련의들의 손재주가 좋았다. 보통 손이 좋은 한국 치과의사들은 미국 치과의사들 진료하는 걸 보면 매우 답답해하는 편인데, 속도는 문화적인 차이 때문에 좀 느리다고 해도 임플란트나 발치 모두 실력적으로는 훌륭하다고 느꼈다. 물론 6년이라는 긴 수련 기간 때문일 수도 있지만, 필자가 본 수련의들 모두 기본기를 잘 갖추고 있었고 임상에 나가서 훌륭한 구강외과의사가 될 가능성이 충분해 보였다.

필자는 미국에 있는 동안에도 한 달에 한 번씩 들어와 일주일은 한국에서 보내는 일을 거의 2년 동안 하게 되었고, 2020년 3월 코로나가 확산되면서 예정보다 조금 일찍 한국에 귀국하게 되었다.

1.24 UCLA 구강외과의 주임 교수님과 함께
실력과 인품이 모두 훌륭하신 분이다. 특이하게도 11월 4째 주 Thanks giving day 때부터 다음 해 2월까지 수염을 안 깎으시는데, 이것이 UCLA 구강외과의 전통처럼 자리 잡아서 수련의들도 그렇게 하고 있다.

1.25 2018년 여름, 가장 빨리 잘 심는 원장님과 함께
필자를 본인이 운영하시는 아카데미(PIA)에 강사로 초청해주셔서 그때 사랑니 발치 강의를 진행했었다. 그날 처음 뵙고 찍은 기념 사진이다. 그분께 임플란트에 대해서 이렇게 많이 배우게 될 줄 몰랐다.

미국에 있는 동안 필자와 비슷한 철학을 가지고 계신 보철과 선생님을 만나 임플란트에 대해 배우면서 이에 대한 확신을 갖게 되었다. 문화적인 차이와 살아온 날들이 다른 걸 감안하더라도 그 보철과 선생님은 필자가 개인적으로 본 사람 중에서 임플란트를 **가장 빨리 잘 심는 사람**이라고 단언할 수 있다. 필자는 임플란트의 패스를 가장 중요하게 생각하고 이에 대한 기준이 매우 깐깐한 편인데, 가장 빨리 잘 심는 선생님의 케이스는 '내가 심었나?'하는 착각이 들 만큼 필자와 비슷하게 잘 심어져 있다(재수 없게 생각해도 좋다. 가끔은 자뻑도 정신건강을 위해서 필요하다). 가끔 그 선생님도 필자의 케이스를 보고 본인이 심을 줄 알았다고 농담을 하실 만큼 임플란트 길이를 제외하고 심어 놓은 것만 보면 거의 비슷한 정도이다(골이식 등의 수술 방식은 많이 다른데, 나라별 차이라고 볼 수 있겠다). 가장 빨리 잘 심는 선생님은 **"PAD (Position, Angulation, Depth)"를 강조**하신다. 필자도 임플란트를 가르칠 때 가장 중요하게 생각하는 것이 "위치 · 방향 · 높이"이다. 사실 필자는 "위치 · 방향 · 높이"를 이야기하면서 영어로 "LDH (Location, Direction, Height)"라고 언급했는데 아무래도 필자의 콩글리시보다는 UCLA를 졸업하신 가장 빨리 잘 심는 선생님의 "Position, Angulation, Depth"가 더 적절할 거라 생각된다. 필자도 존경의 뜻을 담아 LDH를 과감하게 버리고, 그 선생님의 PAD라는 표현을 사용하고 있다.

미국 치과의사들은 대부분 중남미나 멕시코에서 라이브 서저리를 진행한다. 아마도 환자와의 의료소송 등의 문제가 가장 큰 이유일 것이다. 가장 빨리 잘 심는 선생님도 미국과 국경을 마주하고 있는 멕시코 티후아나에서 라이브 서저리 코스를 진행하시는데, 필자가 라이브 서저리 코스를 진행할 수 있도록 아낌없이 도와주셔서, 필자의 강의를 좋아하는 수강생들(스스로 영삼교라 주장)과 함께 필자만의 멕시코 라이브 서저리 코스를 진행할 수 있게 되었다.

그렇게 2020년 2월 멕시코에서 8기까지 100명 정도의 미국, 캐나다, 호주 치과의사들을 지도하면서 오히려 필자의 실력이 부쩍 늘어있음을 발견하였다. 역시 가르치는 것이 가장 많이 배우는 방법이라는 옛말이 맞는 것 같다.

1.26 2019년 2월 멕시코 라이브 서저리 코스 1기 수료식
필자가 인스타그램에 올린 사진 그대로이며, 5명의 미국 치과의사들이 참가하였다.

특히 즉시 임플란트 등 문화적인 차이로 한국에서는 많이 경험해보지 못한 케이스들을 멕시코에서 많이 해본 것이 큰 도움이 되었다. 한국에서 발치는 국민건강보험이 적용되어 몇천 원 정도로 매우 저렴하고, 임플란트는 그것의 100배 정도 되기 때문에 두 가지를 함께 상담한다는 것이 쉽지는 않았다. **필자는 환자와 돈 이야기를 절대 안 하는 것을 원칙**으로 하고 있기 때문에 직원들에게만 맡기는 편이다. 그러다 보니 동시에 하겠다는 환자가 그렇게 많지도 않았고, 필자도 굳이 지금 당장 아프다는 환자들에게 큰 금액이 들어가는 치료를 강요하는 것 같아서 선호하지 않았었다. 그런데 멕시코 라이브 서저리에는 최대한 짧은 기간에 많은 치료를 하려는 환자들이 많다 보니 즉시 임플란트 케이스가 많았고, 필자도 자연스럽게 이를 많이 접하게 되었다.

마침 한국에 들어왔을 때 환자를 며칠 동안 몰아서 봐야 했던 적이 있었다. 이로 인해 환자들을 좀 더 강하게 설득하여 즉시 임플란트를 많이 시행할 수 있었다. 이때 필자의 실력도 현저하게 늘게 되었다. 지금도 부쩍부쩍 늘고 있는 실력을 보면서, 늘 필자가 최고라는 자만심을 버리고 앞으로도 더 노력해야겠다는 생각을 많이 하게 되었다.

1.27 2019년 12월 6기 수료식
이 날은 미국에서 8명, 캐나다에서 6명, 호주에서 2명이 참가하였다.

1.28 2020년 2월 8기 수료식
이날은 호주 치과의사들 14명이 단체로 참가하여 진행하였다. 부쩍 늘어난 참가 인원을 볼 수 있다.

미국 UCLA 치과대학은 임플란트도 매우 잘 심는 편이었다. 앞서 언급했듯이 필자가 임플란트를 보는 눈이 매우 깐깐한 편임에도 수련의들치고는 비교적 필자가 가장 중요하게 생각하는 "위치 · 방향 · 높이" 면에서 실력이 좋았다. PRF나 외과 특유의 비교적 과도한 골이식 등도 충분히 상식적인 정도의 선이었다(필자는 이에 대해 부정적이지만).

그곳에선 사이너스 수술을 할 때는 네오바이오텍의 SCA 키트를 사용하였고, 래터럴 어프로치할 때는 덴티움의 DASK 키트를 사용하였다. 이럴 때면 국뽕이 차올라서 가슴 뿌듯하게 한국 임플란트를 자랑하곤 하였다. 마침 덴티스에서 필자의 세미나를 후원하곤 했는데, UCLA 구강외과에 덴티스의 크레스탈 키트를 기증해줘서 필자가 기념촬영을 하기도 했다. 수련의들이 한국산 제품들을 좋아하길래 수련의 마지막 연차들에게는 한국산 오스템의 오스테오톰을 선물했다. 고향인 샌프란시스코로 돌아가는 레지던트는 앞으로 본인이 일하기로 한 병원에서 Hiossen 임플란트(오스템)를 사용한다면서 특히나 좋아하며 관심을 갖기도 했었다.

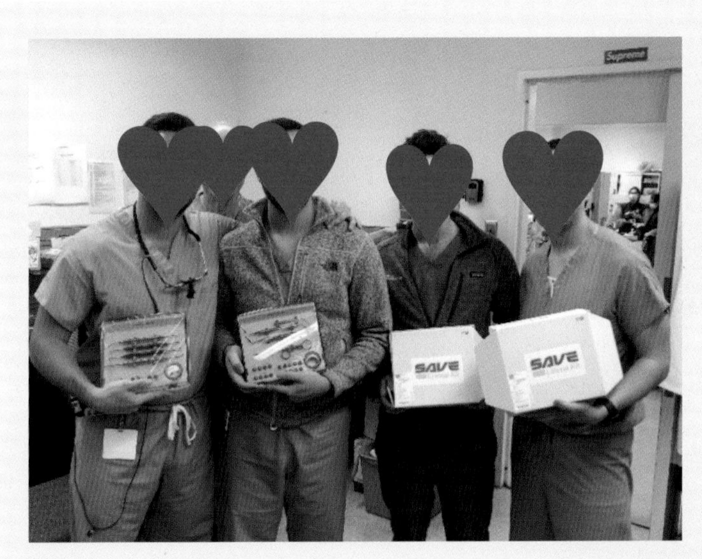

1.29 덴티스에서 기증해 준 키트와 기념촬영
UCLA 구강외과는 정말 분위기가 좋았다. 서로가 서로를 존중하고 배려하는 느낌뿐만 아니라 서로가 서로를 자랑스러워하는 듯한 느낌이 들 정도로 사이가 좋아 보였다. 이상할 정도로 모두 손재주도 좋았다.

1.30 필자가 선물한 오스테오톰과 기념촬영하는 치프 레지던트들
서로가 경쟁할 만도 하지만 사이가 매우 좋고 매력적인 친구들이다. 가끔 혼자 방 안에 누워있을 때 이 친구들이 생각나기도 한다. 한국산 덴티움의 DASK 키트와 네오의 SCA 키트를 매우 좋아했다. 스트라우만 임플란트의 한국 수술 키트도 좋아했는데, 혹시 미국에 갈 일이 있다면 하나 들고 가서 선물해 주고 싶다.

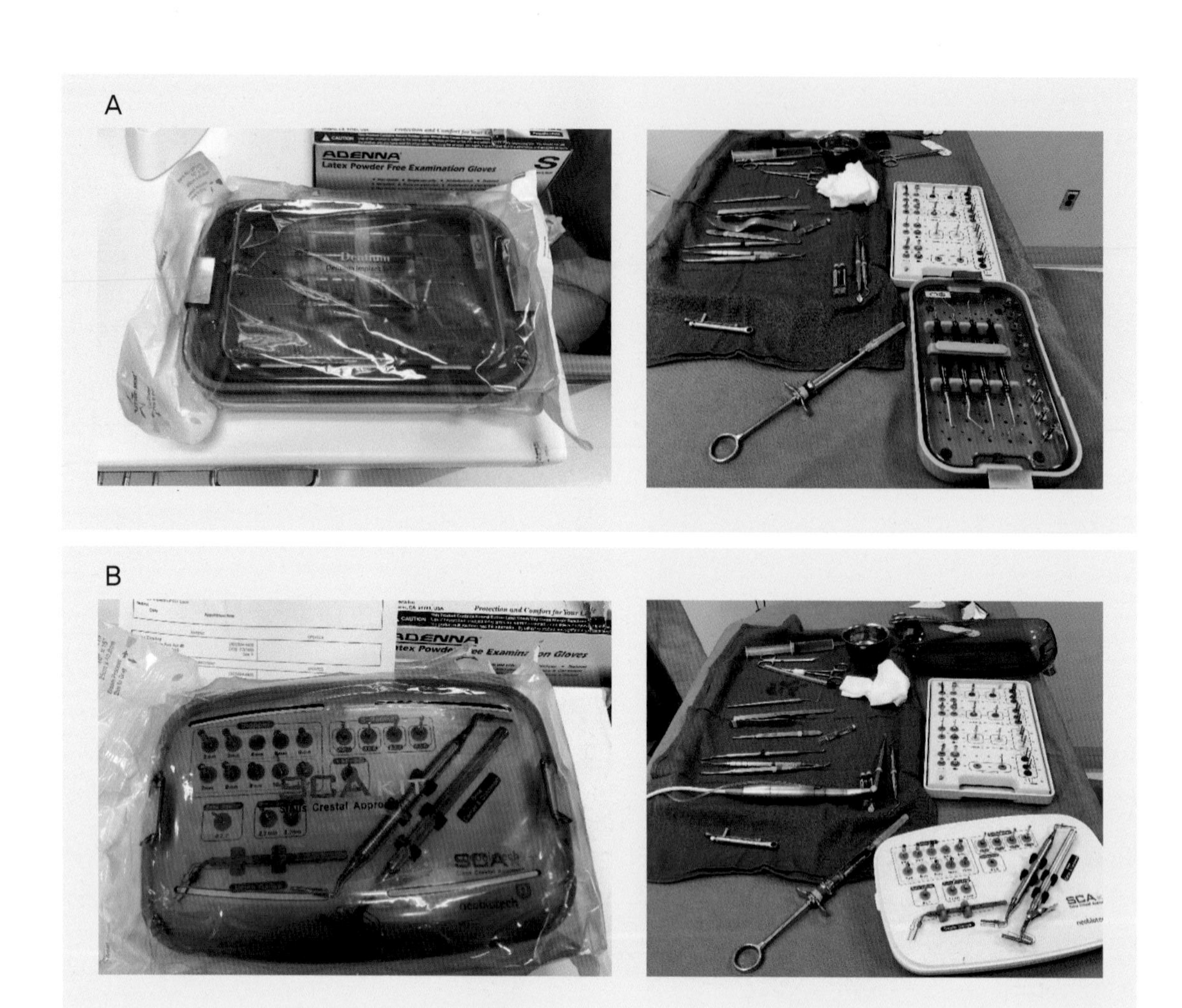

1.31 미국 UCLA 구강외과 임플란트 수술 기구들
A는 lateral approach에 사용하는 덴티움의 DASK 키트이다. 레지던트들 말로는 미국 구강외과의사들 중 80%가 DASK를 이용하여 lateral 수술을 한다고 하였다. **B**는 crestal approach에 사용하는 네오바이오텍의 SCA 키트이다.

이제부터 본격적으로 임플란트 이야기를 해보려 한다. 뒤에 이어지는 내용들은 필자의 임플란트 강의 자료를 그대로 글자화한 것이라고 봐도 좋다. **20년 동안의 임플란트 경험과 철학을 노트정리 형식으로** 정리하였다. 굳이 너무 형식에 치우치면 진부한 책이 되기 쉽기 때문에 필자만의 스타일의 쉽고 간략한 정리로 핵심적인 내용을 강조하면서 기술하겠다.

CHAPTER

1-1 임플란트의 역사와 최신 경향

M a s t e r i n g d e n t a l i m p l a n t s

임플란트의 역사와 최신 경향

'김영삼 원장의 책이면 좀 다를 줄 알았는데, 첫 장부터 임플란트의 역사 타령이라니'라고 생각하시는 분도 계실 수 있다. 그러나 임플란트는 다른 치료와 좀 다른 면이 있다. 나와는 무관한 그 역사들이 환자들의 입안에 고스란히 남아있고, 내가 그것들을 계속 보수 관리해야만 한다는 것이다. 또한 "역사를 잊은 민족에게 미래란 없다"라는 유명한 말처럼, **임플란트의 역사를 알아야만 자신의 임플란트에도 미래가 있다**고 장담한다. 다들 이미 알고 있겠지만, 필자가 재미나게 잘 설명하는 편이니 처음부터 차근히 잘 읽어보길 바란다.

필자가 치과대학을 다닌 1990년대에서나 임플란트가 임상적으로 어느 정도 안정적으로 인정받게 되었다. 그래도 당시에는 전 세계적으로나 한국 내에서나 임플란트는 그리 보편적인 치료는 아니었기 때문에, 임플란트를 시술하는 치과의사들은 선구자처럼 인식되기도 했었다. 국내에서 임플란트를 비교적 일찍 시작하신 교수님께서 임플란트에 대한 확신을 심어주기 위해 수업시간에 마야인이 조개를 갈아서 임플란트를 시도한 흔적이 있다는 내용으로 하악골 사진을 하나 보여주신 적이 있었다. 필자는 마음속으로 '저 사람은 저걸로 죽었겠군…'하고 생각하기도 했었다.

어쨌든 1960–1970년대로 거슬러 올라가 현대 임플란트의 시작을 공부하는 일은 큰 의미가 없다. 당시 사용했던 제품들은 이미 대부분 사라졌거나 완전히 변형되었기 때문이다(**1.32**). UCLA 구강외과에서는 종종 블레이드 임플란트와 subperiosteal 임플란트를 제거하는 일을 하곤 했지만, 일반 개원가에서 신경 쓸 필요는 없다고 생각한다.

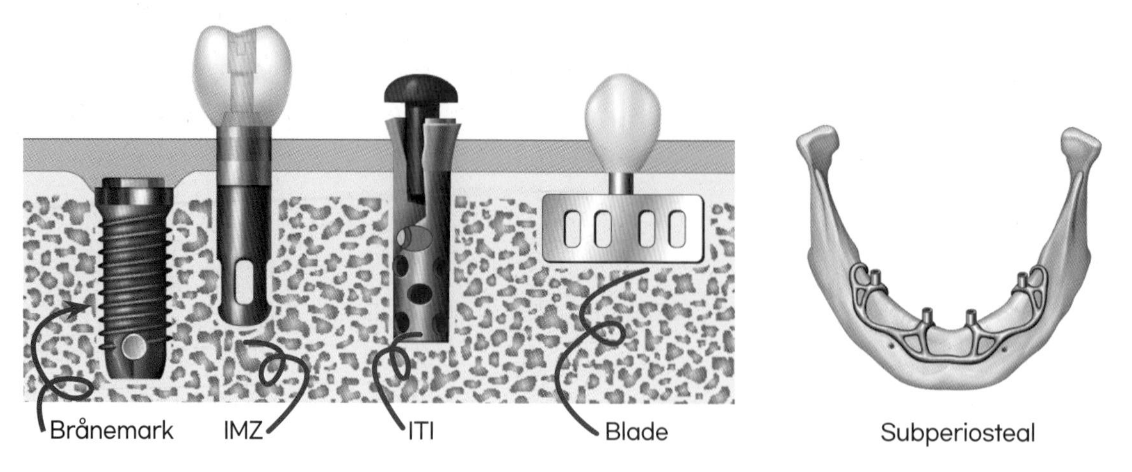

1.32 누구나 한 번은 봤을 법한 오래전 임플란트의 종류를 설명하는 그림

그래서 비교적 현실적으로 임플란트의 근원이 되는 시기를 생각해 본다면 임플란트의 형태나 구조적인 측면에서 1980년대를 생각해 볼 수 있다. **1.33**은 필자가 강의할 때 사용하는 그림이다. 지금까지 남아있는 임플란트의 형태는 이 정도로 볼 수 있다. 엔도포어는 이 책에서 그 장점 및 실패 사례를 주로 다루기 때문에 필자가 억지로 넣어 본 것이고, 바이콘 임플란트는 임플란트 형태와 술식이 매우 다르지만, 아직까지도 왕성하게 활동하면서 남아있기 때문에 포함시켰다. Nobel Biocare와 Straumann (ITI)은 현재에도 생산 판매되고 있는 현대 임플란트의 근본이라고 할 수 있을 것이다.

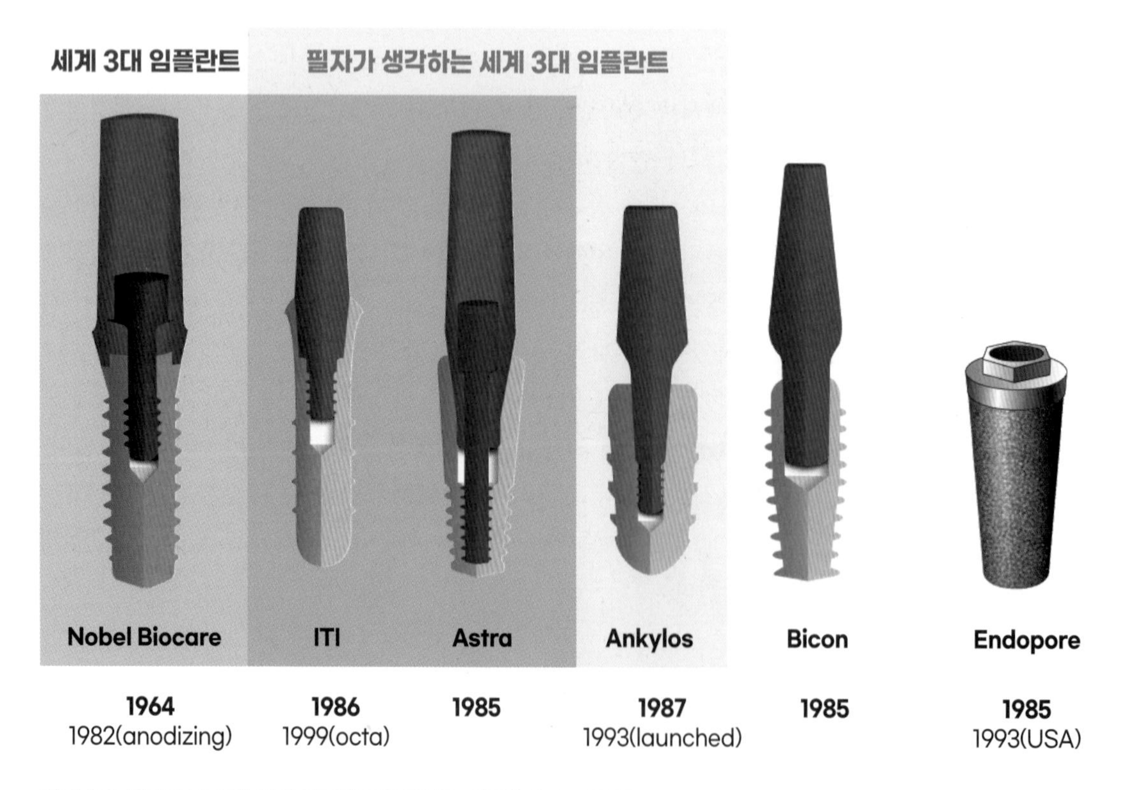

1.33 필자가 강의에 현대 임플란트의 근본을 설명하면서 사용하는 그림

지금도 사용되고 있다고는 하지만 실제 두 회사에서 현재 주력으로 판매하고 있는 제품은 전혀 다른 형태이기 때문에 현대적인 개념과는 맞지 않는 건 사실이다. 그러다 보니 두 회사의 현재 주력제품인 본레벨 internal friction type 임플란트의 원조격인 Astra 임플란트까지 포함하여 세계 3대 임플란트(ITI, Astra, Nobel Biocare)라고 하기도 한다(**1.34**).

그렇지만 필자는 과감하게 Nobel Biocare를 제외하고 Ankylos 임플란트를 포함하여 Straumann (ITI)과 Astra 임플란트를 세계 3대 임플란트(ITI, Astra, Ankylos)라고 말하고 싶다. 필자가 생각할 때 현대 임플란트는 이 세 가지 임플란트의 장점을 따서 만들었다고 본다. '앵킬로스의 픽스처 형태', '아스트라의 픽스처-어버트먼트 연결구조', '스트라우만의 표면처리'가 그것이다. 대부분의 현대 임플란트들이 이 세 가지 임플란트의 장점을 따서 만들었으며, 한동안은 큰 변함은 없을 것으로 예상되고 있다. 자세한 내용은 **2장 임플란트의 기초이론**에서 자세하게 다루고 있다.

2002년 필자가 개원하던 해에 국산 아바나(현 오스템) 임플란트에서도 노벨의 external hexa type의 유사 제품(US2)과 스트라우만의 티슈레벨 임플란트의 유사 제품(SS2)을 생산하면서 국산 임플란트 시장이 활성화되기 시작하였다. 그리고 비슷하거나 약간 늦게 덴티움이 아스트라 제품을 카피해서

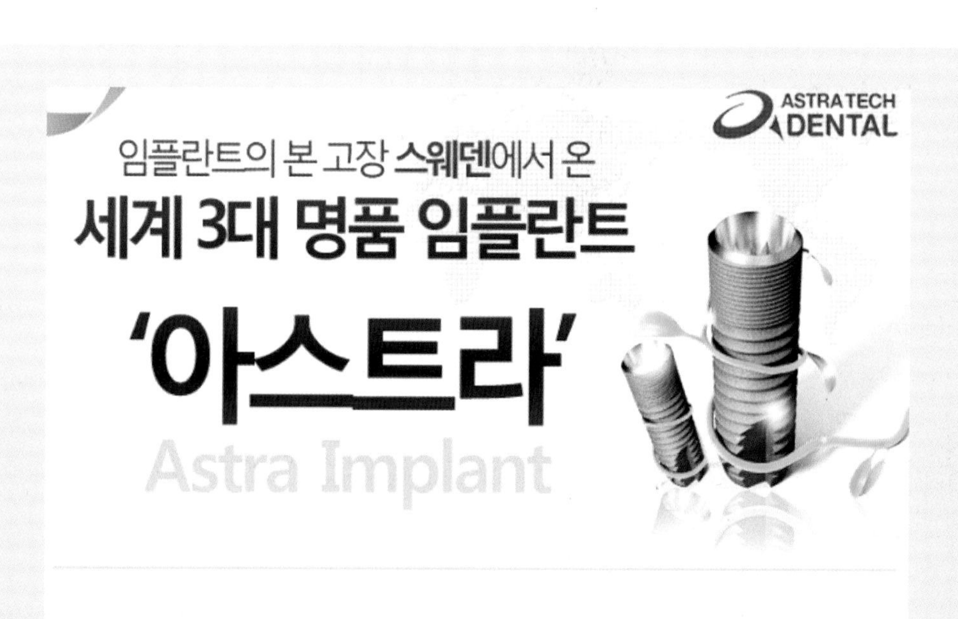

1.34 한국에서 세계 3대 명품 임플란트로 광고되고 있는 아스트라 임플란트
현재 유한양행에서 수입 판매하고 있지만, 그 양이 많지는 않다. 필자가 후회하는 일이 있다면, 초창기에 미국의 Zimmer 임플란트가 아니라 아스트라 임플란트를 구매했어야 했다는 것이다.

임플란티움이라는 제품을 생산 판매하기 시작하면서 수입 임플란트의 비중은 점점 낮아져갔다. 이후 덴티움은 마이크로 쓰레드를 없앤 슈퍼라인을 만들고, 오스템은 TS3를 생산하면서 현재까지 주력제품으로 사용되고 있는 실정이다.

수입 임플란트가 국산으로 전환되는 2000년대 중반 시점에 뜬금없는 수입 임플란트의 강자가 나타나게 되는데, "스위스 플러스 임플란트"라는 제품이다(**1.35**). 이름은 스위스 플러스이지만 미국 Zimmer사의 티슈레벨 임플란트이다. 같은 Zimmer사 제품이었지만 국내 수입 총판 회사가 달라서 가격에 큰 차이가 있었는데 초반 영업 전략이 잘 먹혀들었다. 실제 파라곤이라는 회사에서 수입 판매하던 Zimmer 임플란트의 픽스처 가격은 34만 원 정도, 어버트먼트가 10만 원이 넘었으므로, 순수 임플란트 재료비만도 50만 원 정도 되었다. 그러나 스위스 플러스 임플란트를 수입 판매하던 (주)데닉스라는 회사는 미국 내에서 판매 가격이 같은 스위스 플러스 임플란트를 국내에서는 27만 원에 저렴하게 판매하면서 마운트를 영구적인 어버트먼트로 사용할 수 있다고 광고까지 하였다. 그러다 보니 광고 내용대로 비용이 50% 정도 절감되면서 환자들에게 수입 임플란트를 심을 수 있게 된 것이다. 마침 임플란트 진료비는 하향세에 있었고, 수입 임플란트 진료비가 100만 원 정도 하락한 250만 원 선이었기 때문에 개원가의 정서와도 잘 맞았던 것 같다. 필자도 처음에 이 제품을 40개 패키지로 구매해서 사용하였으며, 이후로도 추가 구매해서 잘 사용하였다. 그러나 여기서 마운트를 영구적인 어버트먼트로 사용한 경우에 문제가 발생하기 시작하였다.

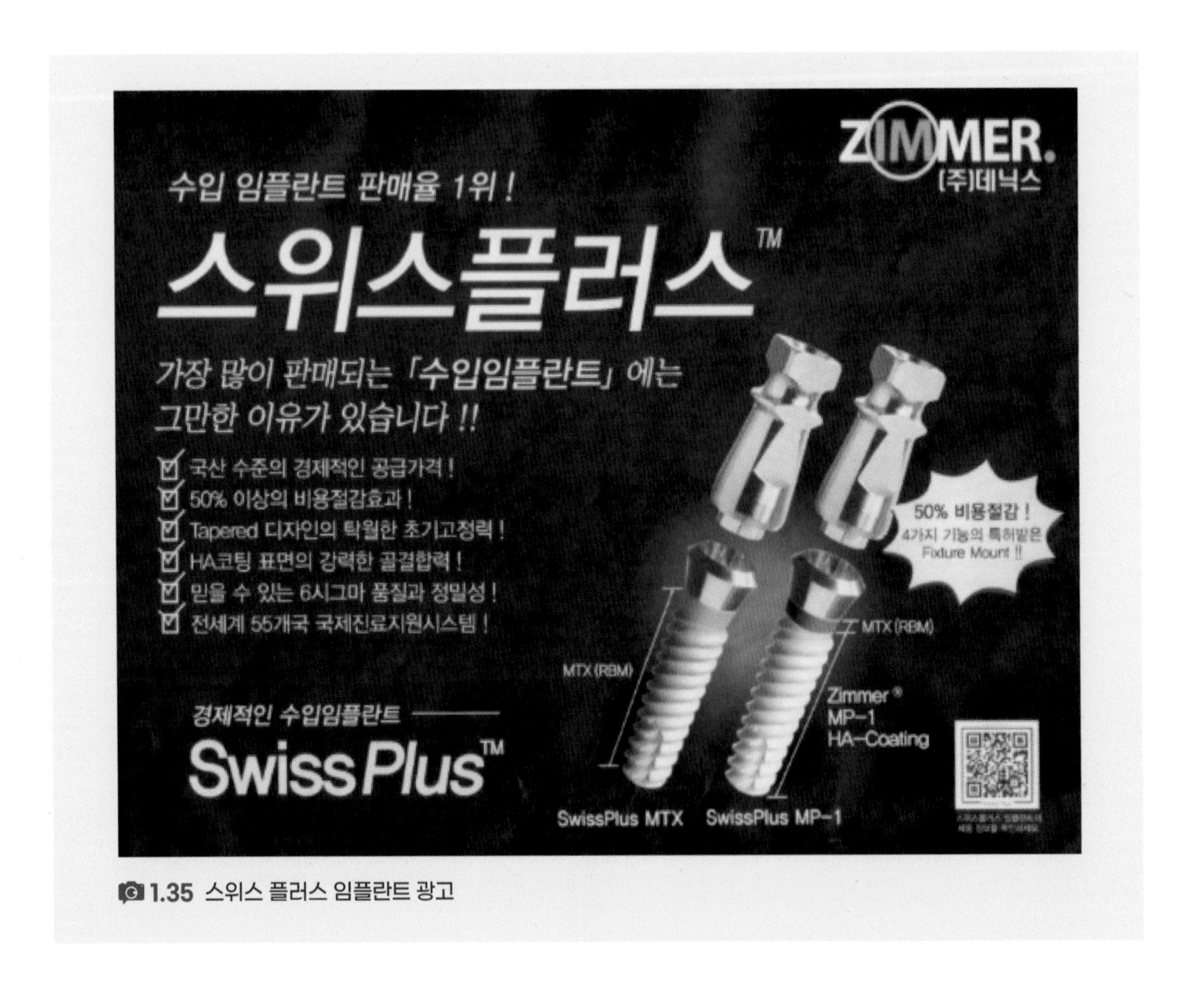

1.35 스위스 플러스 임플란트 광고

김영삼 원장

마운트의 특징은 무엇인가? 어떤 마운트가 좋은 마운트인가를 생각해 보자. 마운트는 임플란트를 턱뼈에 심기 전까지 술자가 잡고 있는 손잡이 같은 것이다. 스크류가 없으면 유지력이 전무한 external hexa type이나 옥타 구조가 없는 티슈레벨 임플란트 등은 술자가 임플란트를 잡아서 심을 수가 없다. 그렇기 때문에 마운트는 반드시 임플란트 식립에 필요한 것이었다. 그렇다면 어떤 마운트가 좋은 마운트일까? 두 가지를 명확히 해볼 수 있다. 우선, 임플란트보다 강도가 약해야 한다. 임플란트보다 강도가 강하다면 식립 과정에서 임플란트가 손상될 수 있기 때문이다. 어쩔 수 없이 식립 과정에서 과도한 힘을 사용한다고 해도 임플란트가 손상되는 것보다는 차라리 마운트가 손상되는 것이 좋다. 두 번째로 중요한 요소는 임플란트를 다 심고 나면 제거가 쉬워야 한다는 것이다. 특히나 골질이 약한 경우에 마운트를 제거하면서 임플란트가 함께 빠지는 경우를 누구나 몇 번은 겪어 봤을 것이다. 이러한 두 가지가 마운트의 특징이라고 한다면, 잘 만들어진 마운트라고 해도 영구적인 어버트먼트에 사용하기에는 적절하지 못했을 것이다.

이러한 이유로 많은 치과에서 어버트먼트가 픽스처에서 풀리는 일이 생기기 시작했다. 그래서 회사에 항의하면 "그런 경우에는 원래 정품 어버트먼트를 사용하는 것을 권장한다"라는 답변만 돌아왔다. 치과 입장에서는 환자를 불편하게 한 것뿐만 아니라, 크라운을 다시 제작해야 하고 10만 원이 넘는 어버트먼트를 재구매해야 했기 때문에 이후 이 임플란트의 사용은 크게 줄게 되었다. 더구나 임플란트의 국산화는 가속화되었고, 과도한 경쟁에 의한 진료비 폭락으로 인해 수입 임플란트는 거의 사용되지 않으면서 필자도 더 이상 구매하지 않게 되었다. 스위스 플러스 제품은 바디를 스트라우만 티슈레벨을 차용한 형태와 약간 테이퍼한 형태 두 가지가 있었는데, 필자는 개인적으로 테이퍼한 형태의 제품을 좋아했다. 그러나 테이퍼한 형태는 높이 조절이 쉽지 않다는 치명적인 약점을 가지고 있어 몇 번 고전한 적이 있다. 그래도 임플란트 제품 자체는 만족스러웠다.

외국 선진 회사들은 다른 회사의 특징을 자사 제품에 쉽게 적용하지 않는 편이지만, 다이나믹한 한국 임플란트 회사들은 여러 회사의 좋은 점을 차용하여 개발시킨 제품을 출시해 나갔다. 그러다 보니 요즘 국산 임플란트의 주력 제품들은 형태나 방식 모두가 거의 비슷한 것을 볼 수 있다.

어쨌든 필자에게 "어떤 임플란트가 좋은 임플란트냐?"라고 묻는다면 당연히 오로지 고객의 편의만을 생각하여 수많은 회사의 장점들을 끌어모아 제작된 **"검증된 한국산 임플란트가 세계 최고의 임플란트"**라고 답할 수 있다. "검증된"이라는 표현을 사용한 이유는 제품을 너무 빨리 출시하다 보니 장기적인 검증 과정이 생략되거나 나중에 문제가 발생하여 치과의사들을 곤혹스럽게 했던 기억이 많이 있기 때문이다. 주로 표면처리에서 문제가 발생하였는데, 오래전 몇몇 회사 제품의 쓰레드나 형태 이상 등으로 많은 치과의사들이 곤혹스러웠던 적이 있다. 또한 최근 모 회사의 표면처리 불량 이슈도 존재하는데, 이는 검증의 문제라기보다는 제조과정에서 발생한 것으로 확인되었다. 어쨌든 그래서 필자는 새로운 표면처리가 나와도 최소 1-2년 이상 관망하면서 사용 여부를 결정하곤 한다. 표면처리에 대해서는 **2-1장 임플란트의 재료와 표면처리**에서 더 깊게 다룰 예정이다.

필자에게는 우리나라 임플란트의 역사가 담겨있는 환자가 한 명 있다. 필자와 친한 고등학교 친구의 누나로 1996년에 필자의 모교 병원에서 스트라우만 티슈레벨 임플란트를 식립한 환자이다(**📷 1.36**). 환자가 전주에서 서울까지 치료받으러 오다 보니 적절한 치료 시기를 잡지 못해서 치료가 조금 아쉬운 면이 없지 않아 있지만, 아직까지도 치료를 잘 받으면서 지내고 있다. 이 환자의 치료과정을 한번 훑어보자.

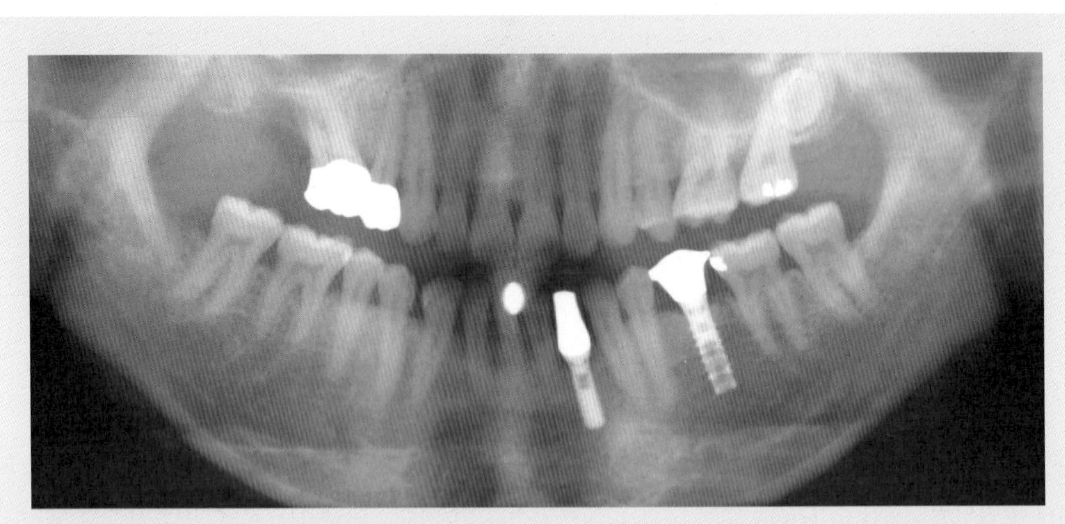

📷 1.36 1996년 시술된 스트라우만 임플란트(2005년 초진 당시 필자의 치과에서 촬영)

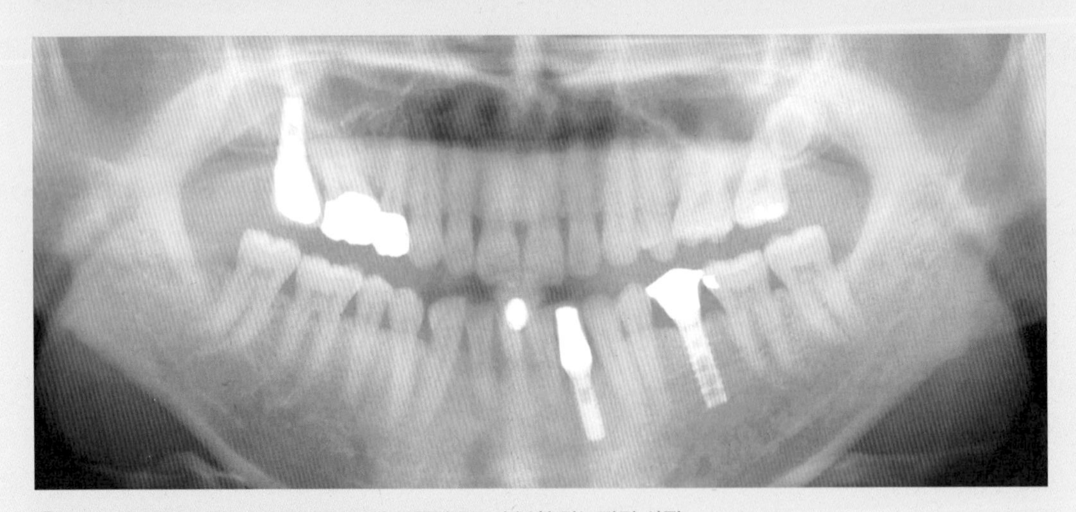

📷 1.37 2005년 17번 치아를 엔도포어 임플란트로 수복한 파노라마 사진

2005년 17번에 엔도포어 임플란트로 수복하였다(**📷 1.37**). 16번이 근심 경사가 너무 심해서 패스를 잡기 어려웠지만 아쉬운 대로 치료가 잘 되었다고 생각했다. 환자는 필자의 치과가 멀다고 한동안 내원하지 않았는데, 10년이 지난 2015년에 임플란트할 때 같이 치료했던 전치부 라미네이트 중 하나가 깨지고 나서야 서울로 내원하였다. **📷 1.38**은 당시 파노라마 사진이다. 10년 만에 떨어진 라미네이트 때문에 10년 전 엔도포어 임플란트도 다시 보게 되었는데 다행히 아주 튼튼하게 잘 쓰고 있었다.

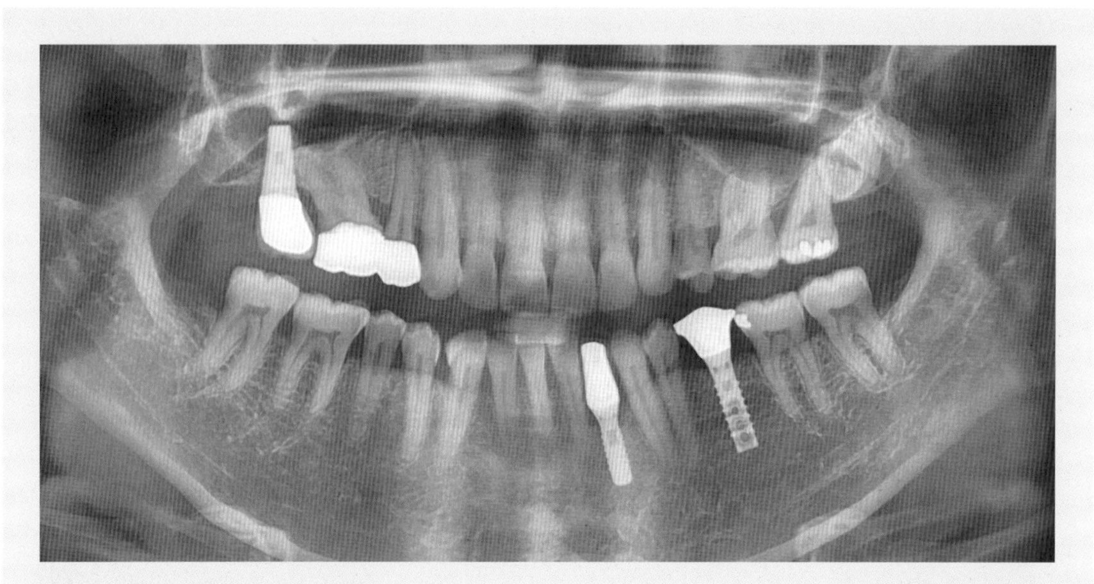

1.38 2015년 3월 촬영된 10년 팔로업 사진

그러다 2년이 지난 2017년 잇몸이 아파서 전주에 있는 치과에 갔더니 27번 치아를 뽑아야 한다고 해서 뽑았다며, 임플란트를 다시 하겠다고 서울로 왔다(1.39). 하지만 뽑은 직후인지라 도저히 임플란트는 불가능한 상태였다. 필자는 보통 발치 후 한 달 반 정도 지난 뒤에 임플란트를 심는 것을 원칙으로 하고 있었다. 뼈는 어떻게든 잘 만들어 보겠지만, 연조직은 최소 한 달 반(6주)은 지나야 완전 성숙하지는 않았더라도 어느 정도 다룰 수 있는 정도 두께가 되기 때문이다.

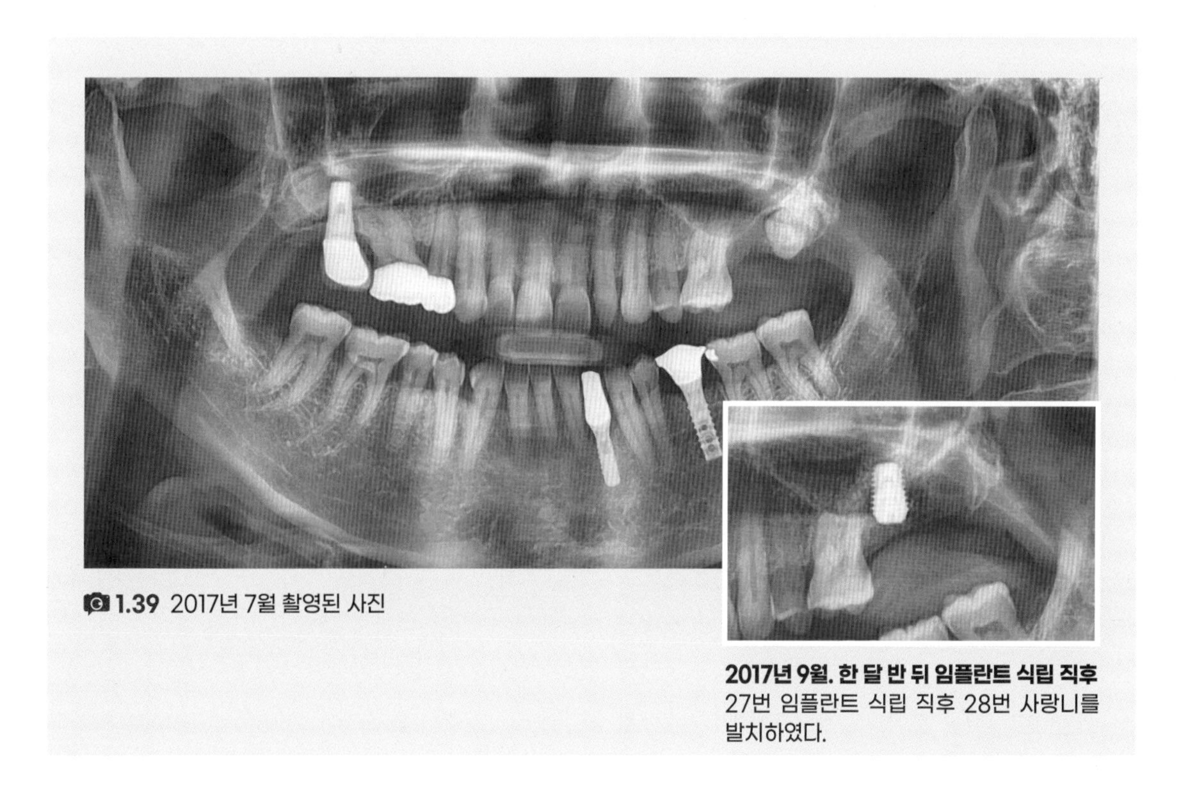

1.39 2017년 7월 촬영된 사진

2017년 9월. 한 달 반 뒤 임플란트 식립 직후
27번 임플란트 식립 직후 28번 사랑니를 발치하였다.

치조골이 거의 없는 상태였지만 사이너스 크레스탈 어프로치라면 어느 정도는 자신이 있어서 어떻게든 뼈는 만들어서 임플란트를 식립하였는데, 초기고정이 너무 안 나와서 어쩔 수 없이 직경 6 mm의 와이드 임플란트를 사용하였다. 필자는 직경 5 mm를 초과하는 임플란트를 거의 사용하지 않으며, 이와 같이 초기고정이 필요한 곳에만 선택적으로 사용한다(**3-2장 임플란트 지름의 선택** 참조). 어쨌든 환자가 지방에서 오다 보니 내원이 힘들고 내원 간격이 길어서 파이널 세팅은 6개월이 지난 2018년 4월 초에 하게 되었다(**1.40**).

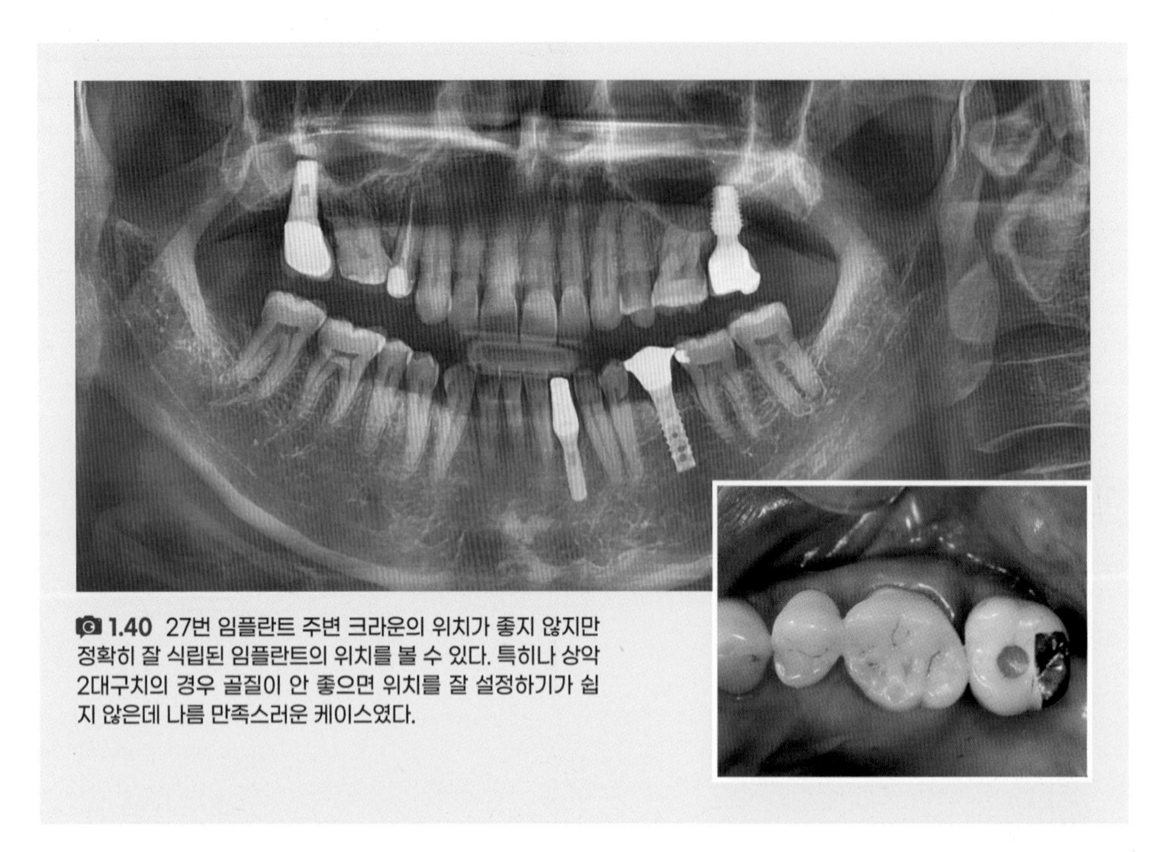

1.40 27번 임플란트 주변 크라운의 위치가 좋지 않지만 정확히 잘 식립된 임플란트의 위치를 볼 수 있다. 특히나 상악 2대구치의 경우 골질이 안 좋으면 위치를 잘 설정하기가 쉽지 않은데 나름 만족스러운 케이스였다.

그런데 왼쪽에 치아가 없어서 그동안 오른쪽으로만 씹었는지 오른쪽 위 임플란트가 아프다면서 한 달 만에 다시 내원하게 되었다. 방사선 사진 촬영 결과 한 달 전에 촬영된 사진과 큰 변화는 없었고, 잇몸은 약간 부어있는 정도였지만 임플란트 동요도는 전혀 없었다. 마침 필자가 미국에 머물다가 잠깐 들어온 상황이어서 최대한 치료를 미루고 싶었다. 그런데 미국으로 돌아가서 한 달도 되지 않은 상태에서 환자가 사진을 하나 보내왔다. 임플란트가 통째로 빠진 사진이었다(**1.41**). 어떻게 동요도가 전혀 없던 임플란트가 한 달 만에 온전한 채로 빠져나올 수 있었는지 궁금해하시는 분도 계실 것이다. 엔도포어 임플란트의 최대 단점

1.41 환자가 보내온 빠진 임플란트 사진

은 한번 염증이 생기면 걷잡을 수 없다는 것이고, 최대 장점은 그래서 이렇게 아주 쉽게 빠진다는 것이다. 웃지 않을 수 없는, 웃픈 장점이지만, 임상에서는 수고를 덜 수 있어서 좋은 면도 있다. 어쨌든 환자는 전주에서 서울에 있는 치과를 다니면서 1년 뒤에 17번 임플란트까지 마무리하였다. 오스템의 TS4 임플란트(골질이 안 좋은 상악에서만 필자가 선택적으로 사용하는 제품이다)로 심고, 최근 1년 만에 환자분을 억지로 재내원시켜서 파노라마와 임상 사진을 촬영하였다(**1.42, 1.43**). 중간에 35번 크라운 주변 충치 때문인지 임플란트 크라운이 흔들린다고 해서 충치치료 후 크라운을 재제작하였다(**1.44**). 이 재제작 과정과 티슈레벨 임플란트에 관한 내용은 **2-3장 어버트먼트의 분류와 이해**에서 다루며, 티슈레벨 임플란트의 크라운 방식과 주의할 점 등을 설명할 것이다.

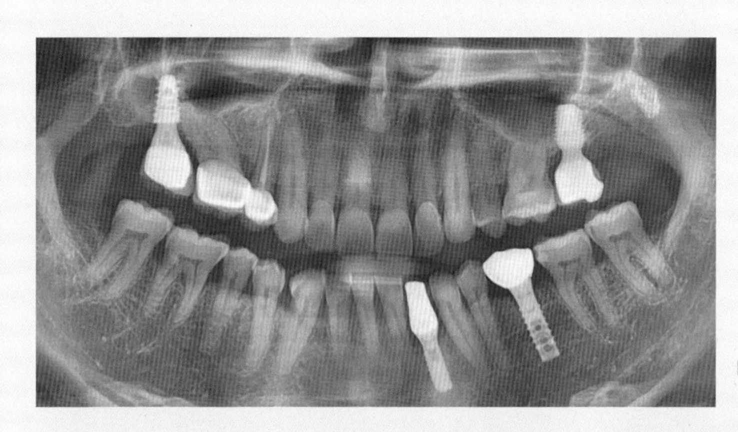

1.42 2020년 7월 촬영된 최근 방사선 사진

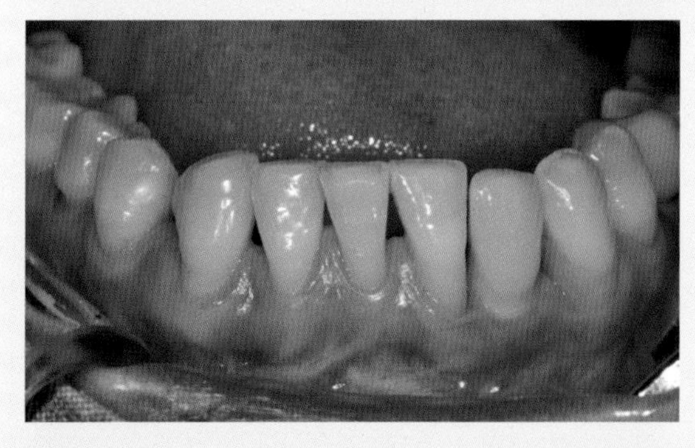

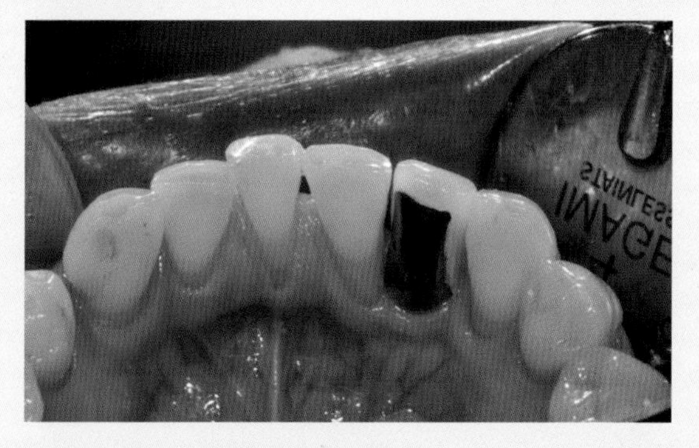

1.43 2020년 7월 함께 촬영된 하악 전치부 사진. 24년이 지났지만 아직도 보철물 상태가 좋다.

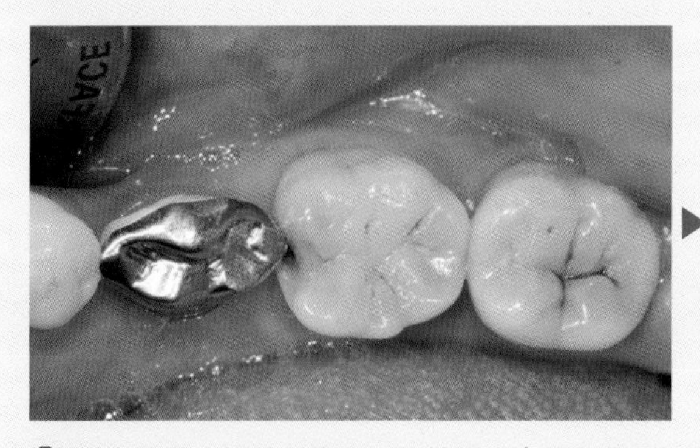

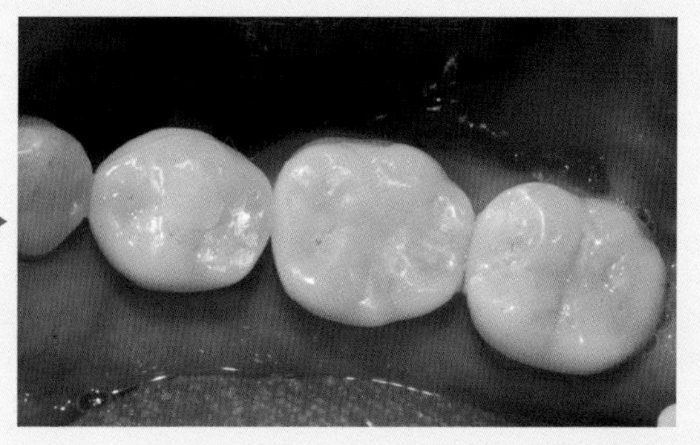

1.44 그러나 35번 임플란트 주변치아에 충치가 생기면서 크라운이 흔들리기 시작했고, 인접치아 충치치료 후 최근에 지르코니아 크라운으로 교체하였다.

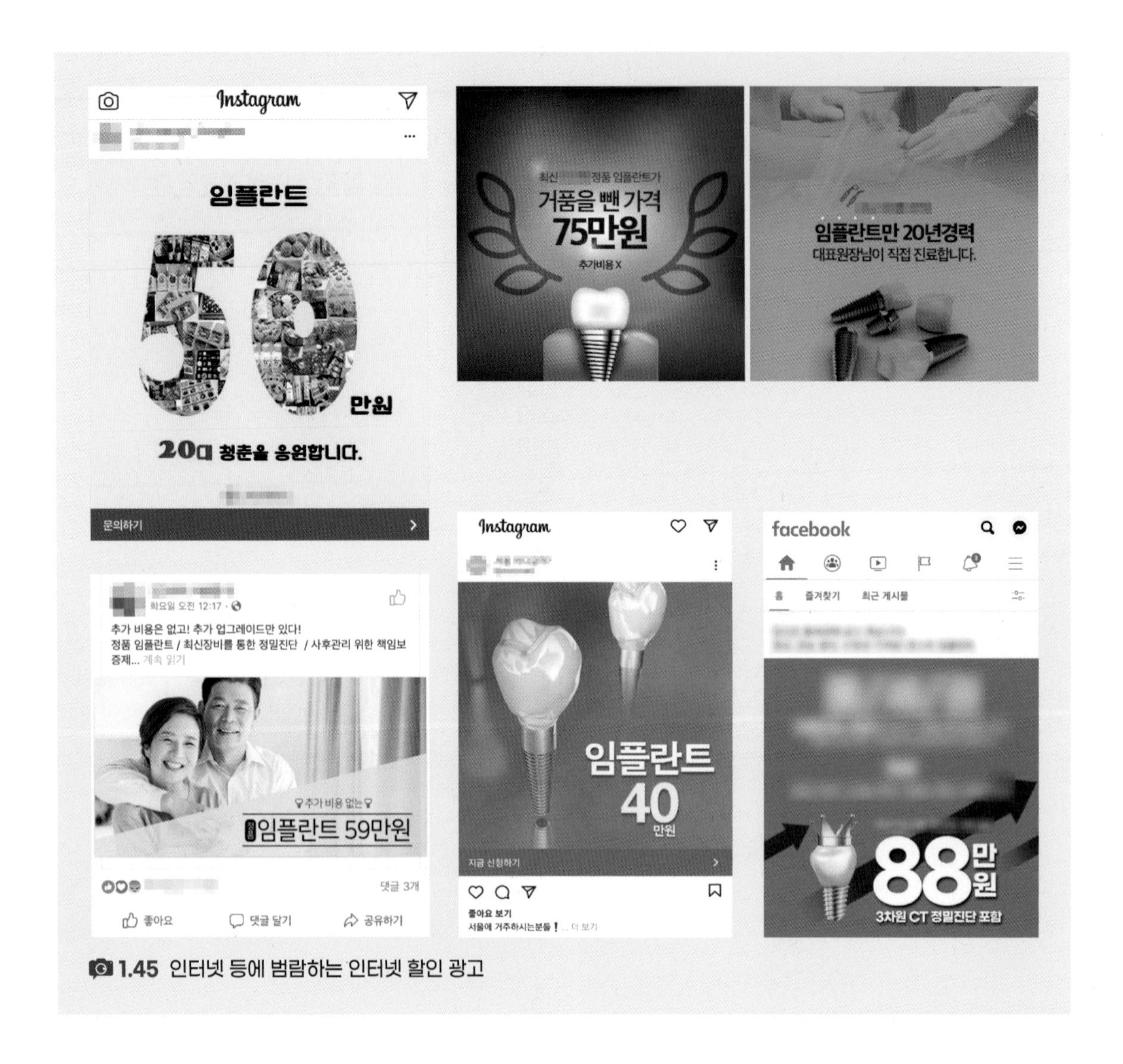

1.45 인터넷 등에 범람하는 인터넷 할인 광고

2014년 7월 노인 임플란트가 보험 적용되고 2018년 7월자로 원래 목표였던 65세까지 대상이 확대되면서 본인부담금도 다른 치료와 마찬가지로 30%로 줄어들었다. 비용이 너무 적다고 투덜대는 일부 치과의사들도 있지만 개원가 **전반적으로는 임플란트 진료비 하락을 막을 수 없는 추세**라는 것을 알고 있기 때문인지 나름 만족하면서 진료하고 있는 듯하다. 필자가 처음 진료를 시작한 2002년에 비하면 계속 비용이 줄어들고 있고, 심지어는 보험임플란트 진료비보다 한참 적은 금액의 광고들이 넘쳐나고 있다. 길거리에서는 "임플란트 50만 원"이라고 적힌 물티슈를 막 나눠주고 있고, 온갖 인터넷 뉴스에는 임플란트의 저렴한 가격을 광고하는 배너가 걸려있다. 게다가 페이스북이나 인스타 등의 SNS에도 이러한 광고가 넘쳐나고 있다(**1.45**). 물론 정말 그 금액을 내고 진료하는 사람은 거의 없는 것으로 알고 있지만, 임플란트 술식의 대중화와 임플란트 재료비의 하락 등으로 인해 전반적으

📷 **1.46 필자가 자주 다니는 미국 LA의 5번 고속도로 길목의 임플란트 광고 간판**
표시된 가격은 오로지 식립 비용이고, 여기에서 무조건 크라운을 해야 하는 조건 등이 붙어서 결국 3,000불 이상 들어간다고 한다(필자도 들은 소문으로 사실 여부는 모른다). 그러나 LA 한인타운만 가도 1,000달러 이하의 임플란트 광고를 흔히 볼 수 있고, 실제 진료비도 1,000달러를 조금 넘는 정도의 임플란트가 아주 많이 있다고 한다.

로 진료비가 낮아지는 것을 막을 수는 없는 것 같다. 이러한 임플란트 진료비의 하락은 비단 우리나라만의 문제일까? 이는 이미 전 세계적으로 벌어지고 있는 현상이다. 미국의 경우도 이러한 임플란트 진료비 덤핑이 처음에는 대도시 후진국 이민자들로 시작했지만, 나중에는 백인 사회까지 전반적으로 확대되고 있는 실정이다(📷 1.46). 물론 미국이라는 나라의 특성상 계급화되어 있는 사회구조 덕에 비싼 임플란트와 저렴한 임플란트가 공존하고 있지만, 우리나라에서는 일부 대학병원을 제외하고는 거의 하향 평준화되어 버렸다. 아직 호주와 캐나다 등은 비교적 덜하긴 하지만 속도의 문제일 뿐 방향은 같다고 봐야 한다. 유럽의 경우는 의료 자체가 사회주의적인 성격이 있음을 감안하더라도, 대부분 비급여 진료인 임플란트의 가격 하락은 막을 수 없어 보인다.

1.47 한 개에 만 원도 하지 않는 저렴한 임플란트 광고

굳이 원인을 따져보자면 임플란트 픽스처 가격의 하락을 들 수 있다(1.47). 임플란트 술식이 보편화되면서 기공료가 저렴해지고, 그로 인해서 기성 어버트먼트의 사용이 증가하였다. 요즘은 필자처럼 픽스처 레벨에서 임프레션 코핑을 이용해서 임플란트 본을 뜨는 경우가 거의 없다고 하니(치과기공소 소장들의 말에 의하면 대략 5% 미만), 굳이 가격의 하락이 잘못되었다고 볼 수도 없을 것 같기도 하다.

그렇다면 저렴하다고 무조건 좋은 것일까? 저렴하게 토탈 50만 원만 내고 임플란트 진료를 받았다고 해도 그만큼의 가치도 없는 케이스들을 간혹 볼 수 있다. 결국은 가격보다는 임플란트 진료의 퀄리티가 중요한 것이고, 굳이 가격을 감안해서 이야기한다면, 가성비가 좋아야 할 것이다. 이 책에 담긴 **필자의 임플란트 기본 철학 "Easy Simple Safe Efficient"**대로 한다면 술자로서의 **가성비를 높일 수도 있고, 향후 AS 등의 문제에서도 좀 더 자유로울 수 있다고** 생각한다. 이 책을 끝까지 읽고 나면 확실히 무엇이 중요한 포인트인지 알게 될 것이고, 그것이 가성비를 높이는 데 도움이 될 것이라 장담한다.

현대 임플란트의 또 하나의 흐름, 디지털화

현대 임플란트의 가장 큰 흐름이라고 하면 컴퓨터 가이드 임플란트를 위시한 "디지털화"를 들 수 있다. 이미 3-4년 전부터 임플란트 세미나 시장은 디지털 임플란트로 거의 바뀌어 있었다. 좀 규모가 있는 심포지엄이나 업체 주관 세미나도 디지털을 주제로 한 것들이 대부분이었다. 치과계 신문을 훑어봐도 대부분 디지털 세미나 광고와 여러 업체들의 가이드 시스템 광고가 주를 이루는 편이다.

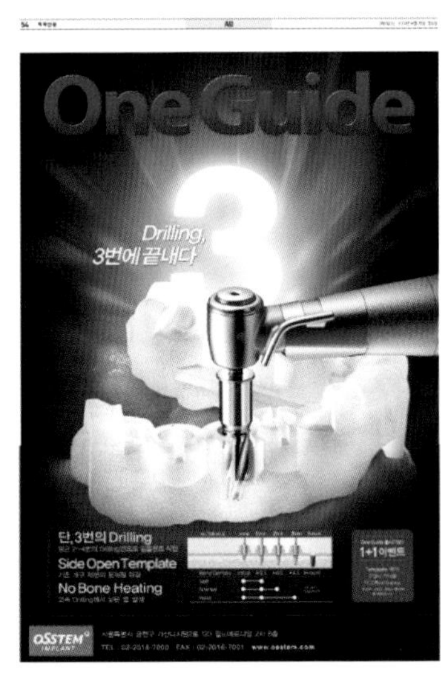

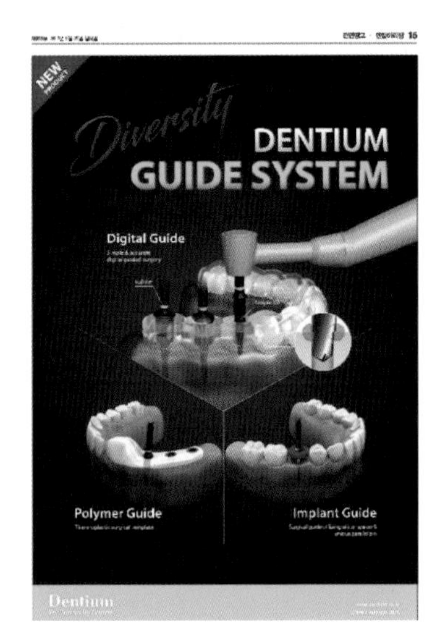

1.48 각종 업체의 디지털 임플란트 광고

몇 년 전에 디지털 임플란트를 주제로 하는 임플란트 월드 심포지엄에 간 적이 있다. 마침 필자가 미국에서 잠깐 들어와 있었고, 필자도 디지털을 도입해야 하나 말아야 하나 고민을 많이 하고 있던 시기였기 때문에 필자에게는 시기적절한 세미나였다. 당시 필자는 워낙 올바른 위치에 임플란트를 잘 심는 것을 강조해왔고, 실제로 나름 스스로 그 분야에서 잘하고 있다고 생각하고 있었기 때문에 가이드 임플란트의 필요성을 느끼지는 못하고 있었다.

그날은 일찍부터 라이브 서저리를 방송으로 생중계하고 있었다. 수술은 우리나라 임플란트 개발 분야의 선구자이자 최고라고 할 수 있는 원장님께서 진행하고 계셨다. '이 업체는 가이드 분야에서도 뒤처지지는 않는구나'라는 생각으로 라이브 서저리를 지켜보았다. 상악 완전무치악 환자에게 플랩리스로 8개의 임플란트를 디지털 가이드로 식립하고 바로 템포러리 크라운을 이용하여 로딩하려는 듯 보였다. 수술이 순조롭게 진행되는가 싶더니, 갑자기 술자가 플랩을 열기 시작했다. 플랩을 열어보니 임플란트는 치조골에서 완전히 벗어나 엉뚱한 위치에 심어져 있었다. 아마 술자도 수술하면서 이런 느낌을 느꼈을 것이다. 라이브 서저리를 많이 하는 필자로서 동병상련의 마음으로 지켜보았다. 지금 얼마나 답답하고 떨리고 당황스러울지, 지금 술자의 기분이 어떨지, 거기 앉아있는 2천 명의 치과의사들 모두 술자를 탓하기보다는 염려하는 마음으로 지켜보고 있었을 것이다. 결국 새롭게 아날로그로 드릴링하고 그래프트 하면서 수술을 진행하였고, 시간 관계상 다음 강의를 이어가야 한다며 수술은 끝이 났다. 몇 분의 강의를 마친 후에 그 환자의 수술을 마쳤다며 수술 후 사진을 첨부하여 보여주었지만, 처음 계획과는 완전 다른 위치에 5개의 임플란트만 박혀 있을 뿐이었다.

이 글을 쓰는 필자나 읽는 독자나 해당 술자의 실력이 최고라는 것을 부정하는 사람은 없을 것이다. 이 글의 포인트는 그런 대가도 철저한 준비 속에서도 실수할 수 있다는 것이다. 실력이 어느 누구보다 최고인 것은 알고 있지만, 준비 또한 얼마나 열심히 했을까? 라이브 서저리 특성상 케이스도 비교적 쉬운 케이스로 했을 것이고, 철저한 준비와 확인 작업이 있었을 것이다. 전 세계에서 모인 2천 명의 치과의사 앞에서 업체의 발전된 멋진 디지털 기술을 선보이고 싶었을 것이다. 그러나 결과는 그러지 못했다. 필자가 여기서 말하는 바가 바로 이것이다. 결국 **"아날로그를 먼저 마스터하고 나야 디지털을 할 수 있다"**는 것이다. 아날로그 임플란트가 마스터 되지 않은 사람은 디지털의 참맛과 멋을 알 수 없다. 필자가 강의 때 이런 말을 자주 한다. 결국 그 라이브 서저리 케이스를 그런대로 나름 잘 마무리한 것도 결국 술자의 아날로그 수술 실력 때문이었다.

최근 디지털 관련 세미나에서 좌장이셨던 어느 교수님께서 모든 발표가 끝나고 나서 이런 말씀을 하셨다. "아무리 좋은 차를 몰면 뭐 하냐, 차가 마이바흐라도 운전사가 김 여사라면 아무 의미 없다" 디지털 장비 관련 발표 내용이 있던 세미나였기 때문에 특히 청중들에게 와닿았던 강의였다. 결국 디지털도 그것을 다루는 사람이 우선이라는 생각이 든다.

미국에서 만난 사람 중에 필자에게 큰 영감을 주신 선생님이 한 분 더 계신다. 바로 필자가 가이드 여신이라 부르는 선생님이다. 늦은 나이에 미국으로 유학을 오는 바람에 비교적 늦게 치과대학을 졸업하여 경력은 짧지만, 디지털 분야에서는 필자에게 엄청난 영감을 준 분이다. 나중에 들은 이야기지만, 2017년 필자의 첫 미국 강의를 듣기 위해 LA에서 달라스까지 오시려고 했다고 한다. 조기 마감되어 좌석이 부족하다는 이유로 주최자가 거절했고, 결국 2018년 7월 필자의 첫 번째 LA 사랑니 발치 강의 때 만나게 되었다. 또 나중에 알게 된 사실이지만 친구들까지 단체로 몰고 와 주신 가장 고마운 분이셨다.

그렇게 알게 된 그 선생님의 치과에 견학을 가서 가이드 임플란트를 심는 것도 보게 되었는데 나름 신선한 충격을 받았다(**📷 1.49**). 필자는 임플란트 패스만큼은 나름 누구보다 자신있다고 생각했었다. 그런데 이렇게 짧은 경력의 선생님이 심은 임플란트 패스가 너무 좋았던 것이다. 필자의 눈높이에 맞추기 쉽지 않은데 말이다. 그리고 이미 디오나비로 2천 개 정도를 식립한 경험이 있어서 그런지 수술도 정말 빨리했다. 당시 필자는 큰 고민에 빠져있었다. 한국에 있는 페이닥터들의 임플란트 케이스가 너무 마음에 안 들었기 때문이다. 필자가 병원에 있었을 때는 필자 눈에 띄기만 하면 언제 심었던 간에 바로 빼버리고 다시 심곤 했는데, 멀리 나와 있다 보니 일일이 체크할 수도 없는 일이었다. 그런데다가 직원들이 카톡으로 찍어 보내오는 임플란트 식립 사진들이 필자의 가슴을 후벼파는 일들이 많았다. 그래서 필자도 한국 치과에서 디지털 가이드 식립을 도입하기로 하고, 덴티스의 심플가이드를 시작했었다. 어차피 필자가 치과의 모든 케이스를 통제할 수 없다면, 차라리 디지털이 답이라고 생각했던 것이다. 그 선생님과 달리 우리 치과의 페이닥터들은 모두 구강외과의사들이라 수술은 이미 능

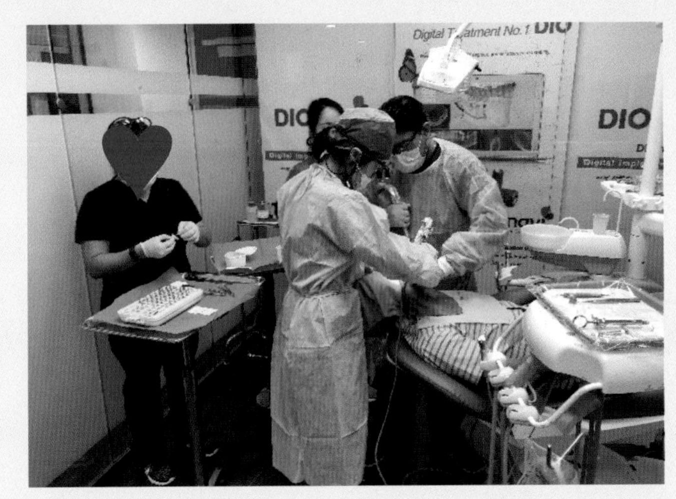

1.49 가이드 여신 선생님의 수술 장면

1.50 그날 수술할 환자의 디지털 가이드 정보가 벽면에 빼곡히 붙어있다.

숙했지만 임플란트 패스가 마음에 안 들었기 때문에 강남레옹치과의 모든 케이스에 가이드를 적용하라는 명령을 내렸다. 필자도 공부할 겸 해서 내린 결정이었다. '패스에 자신 있는 나도 가이드 수술을 하는데 누가 내 말을 거역하냐?'는 마음으로 모두 가이드로 심으라고 강제하였다. 필자는 이런 이유로 그 선생님께 '가이드 여신'이라는 예쁜 닉네임을 붙여드리고 지금도 모든 강의 때마다 그 선생님의 이야기를 하고 있다.

그리고 얼마 안 되어 필자가 임플란트 세미나를 하게 되었는데, 그 선생님이 참가를 주저하였다. 자기가 이미 2천 개나 심었는데 굳이 임플란트 세미나를 들어야 하는지 모르겠다며 약간의 투덜거림 아닌 투덜거림을 하였다. 필자는 그냥 수강생 없으니 도와주는 셈 치고 와달라고 부탁하였고 나름 성공적으로 강의를 마무리할 수 있었다.

◆ 디지털 덴티스트리 선도기업 '디오임플란트'

'디오나비' 누적 20만 홀 식립 돌파

지난해 10만홀 돌파 이어 1년 만에 두 배 성장

디지털 덴티스트리 선도 기업을 표방하고 있는 디오(대표 김진철 · 김진백)가 지난달 디지털 임플란트 '디오나비' 누적 20만 홀 식립을 돌파했다고 밝혔다. 이에 디오는 지난달 29일 기자간담회를 열고 디오나비 20만 홀 돌파 등 디지털 분야에서 국내는 물론 해외 시장에서 두각을 나타내고 있는 디오의 행보에 대한 브리핑에 나섰다.

'디오나비' 거침없는 행보는 계속

1.51 2018년 11월 우리나라 가이드 임플란트의 대중화에 크게 기여한 디오 임플란트의 디오나비 20만 홀 식립 돌파 기념 광고

1.52 디오나비 40만 홀 돌파 기념 광고

2년도 안 되어 40만 홀을 돌파하였다는 광고가 나왔다. 가이드 여신 선생님은 이 기사가 나오기 1년 전에 이미 4천 홀을 돌파하였다고 하니, 전 세계 디오나비 임플란트의 1% 이상을 혼자 심으셨다는 말이 된다.

그런데 최근 2년 내에 2천 개나 심었다는 가이드 여신 선생님이 필자의 임플란트 강의에 감동하였다며 자존심을 내려놓고 본인의 망친 케이스도 보여주기 시작했다. 이로써 필자는 아날로그 방식으로 원인을 분석하고, 가이드 여신 선생님은 디지털 노하우를 필자에게 전수하며 서로 함께 성장할 수 있게 된 것이다. 그 선생님은 현재 필자가 진행하는 멕시코 라이브 서저리에 패컬티로 참여하며 디지털 가이드 수술을 지도하고 있다. 멕시코 라이브 서저리를 통해 부족했던 아날로그 수술 방법을 배우고, 마침 디오나비에서 오스템의 원가이드로 바뀌가고 있던 차라 여러 면에서 실력을 늘려갈 수 있게 되었으리라 본다.

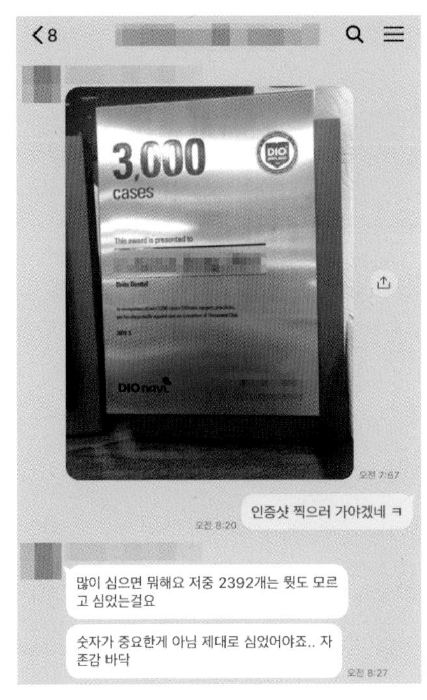

1.53 가이드 여신 선생님이 보내온 카톡
필자의 기분이 좋으라고 해준 말이긴 하지만, 아무리 디지털 고수라도 아날로그 임플란트를 모르면 안 된다는 뜻으로 받아들였다.

2019년 6월 19일 카카오톡 메시지를 받았다. 3천 개를 돌파했다는 기념패 사진이었다(**1.53**). 2천 개 인증샷을 필자와 함께 찍었기 때문에 필자가 인증샷을 찍으러 가야겠다고 카톡을 하자 참 듣기 좋은 답변을 보내왔다. 필자의 임플란트 강의를 듣기 전까지 심은 2,392개는 뭣도 모르고 심었다는 귀여운 카톡이었다. 필자에게는 최고의 칭찬이 아닐 수 없다. 아마도 필자가 캡처해서 강의에 써먹을 걸 알고 대충 임플란트 개수를 어림잡아서 멋진 멘트로 날려 준 듯하다.

2018년 LA 임플란트 2일 코스 이후로 가이드 여신 선생님과 같은 전도사가 몇 분 등장하여 미국 한인들 사이에 강의에 대한 호평이 퍼지게 되었다. 그렇게 해서 시애틀과 뉴욕에도 임플란트를 가게 되었고 "영삼교"라고 불리는 추종자들이 생기게 되었다. 특히나 시애틀에는 가이드 여신 선생님과 친한 선생님들이 몇 분 계셨는데, 지금도 필자를 아이돌 취급하며 좋아해 주고 있다. 필자의 한국인 팬을 숫자로 따지면 뉴욕에 가장 많은 편인데, 질적으로는 시애틀이 가장 높다고 할 만큼 필자를 좋아해 주는 분들이 많이 계신다. 그런 영삼교의 시작에 가이드 여신 선생님이 있다.

그 이후로는 가이드 여신 선생님도 오프라인 임플란트 세미나에 관심을 가지고 참여하였다. 필자에게는 나름 감명 깊은 날이었다. **1.55**는 필자가 인정한 가이드 여신과 아날로그 신과 함께 찍은 기념 사진이다. 두 분 다 필자를 좋아해주고 지지해주고 있어서 더욱 고맙고 좋아하는 분들이다.

1.54 가장 빨리 잘 심는 선생님의 세미나 포스터

1.55 가장 빨리 잘 심는 선생님의 세미나 후 셋이서 기념촬영
가이드 여신 선생님도 아날로그 수술의 중요성을 인식하고 필자와 함께 이런 세미나를 쫓아 다니면서 듣기 시작했다.

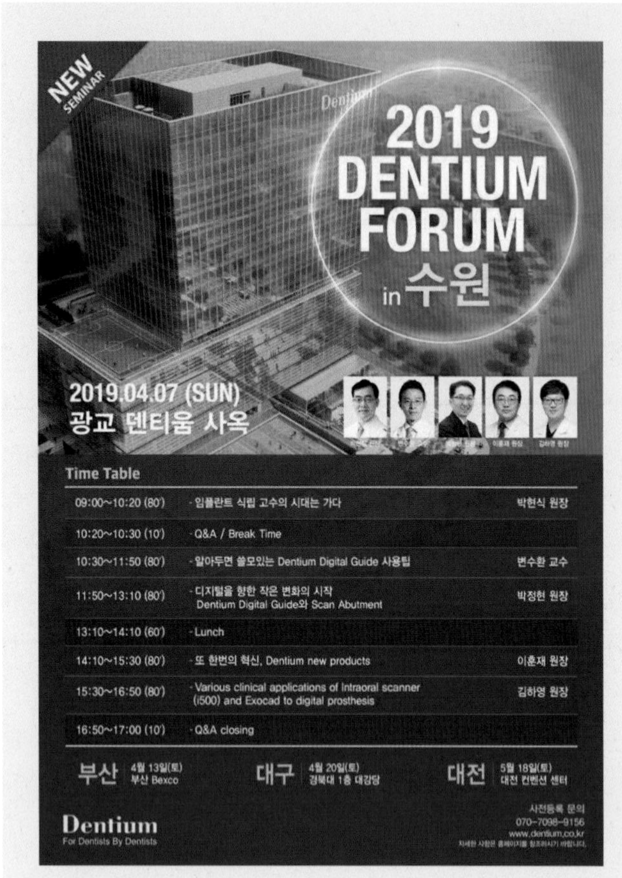

1.56 2019년 덴티움 임플란트 포럼 포스터

필자가 미국에 있어서 참여하지는 못했지만, 2019년에 열린 덴티움 심포지엄 역시 디지털 관련 주제들이었다. 첫 강의의 제목을 보면 〈임플란트 식립 고수의 시대는 가다〉이다. 이제는 디지털 가이드 임플란트가 대중화되면서 인스타그램이나 페이스북에도 잘 심어진 임플란트 케이스들을 흔하게 볼 수 있게 되었다. 임플란트 패스 좋기로 나름 자부하던 필자로서는 이런 디지털 시대가 마냥 반갑지만은 않지만 말이다.

디지털 가이드 식립의 본보기로 좋은 케이스가 하나 있다. 2019년 3월 필자는 보스턴에서 임플란트 강의가 있어 밤에 뉴욕행 비행기를 타기로 되어 있었다. 그런데 직원이 비행기를 타러 가기 한 시간 전에 수술 준비가 되었다고 콜을 한 것이다. 아무리 가이드로 준비되어 있다고 하지만 그래도 식립할 임플란트 개수가 너무 많았다.

환자는 필자 치과 페이닥터의 작은아버지였다. 심장판막 수술을 받은 적이 있으며 다른 전신 질환도 있으셔서 임플란트 수술 자체에 큰 두려움을 갖고 계셨다. 그래서 페이닥터 선생님과 상의하여 가이드로 수술하기로 결정하고, 마침 오스템에서 무치악용 가이드가 막 나오기 시작하던 시절이라 때마침 잘 되었다는 마음으로 수술하기로 하였다. 그런데 이런 중요한 수술을 비행기 타러 가기 한 시간 전에 마음 졸이면서 하게 될 줄이야. 직원들은 뉴욕이 어디 옆 동네 정도 되는 줄 아는 건지, 비행기를 놓치면 다음 비행기를 타고 가면 되는 줄 아는 건지… 그러나 **역시 가이드 수술의 장점은 시술 시간의 단축**에 있는 것 같다. 처음 써보는 무치악 가이드에 사이너스 엘레베이션까지, 중간에 임상사진을 다 찍어가면서 했지만 한 시간 안에 끝낼 수 있었다. 식립 후에 파노라마를 확인도 못한 채 부랴부랴 짐을 싸서 택시를 잡아탔다. 공항 가는 길에 인스타에 올리기 위해서 카톡으로 사진을 보내라고 하고, 사진을 프레임 작업을 했다. 필자도 나이가 들어 노안이 와서 스마트폰으로는 정확하게 사진을 볼 수가 없었다. 공항에 체크인을 하고 라운지에서 인스타에 올리려고 하다가 사진을 확대해 봤는데, 아니 이게 뭔가? 좌측 사이너스가 퍼포레이션 되어서 골이 모두 넘쳐난 것 아닌가? 필자가 사이너스 엘레베이션하면서 찢어진 경우가 거의 없기 때문에 통상적으로 시행하고 골이식 후에 임플란트를 식립했는데, 바로 여기서 가이드 수술의 가장 큰 단점이 드러난 것이다(**1.57**). 그 이후에 오스템에서 원카스 시스템이라고 해서 가이드용 사이너스 시스템을 만들기는 했지

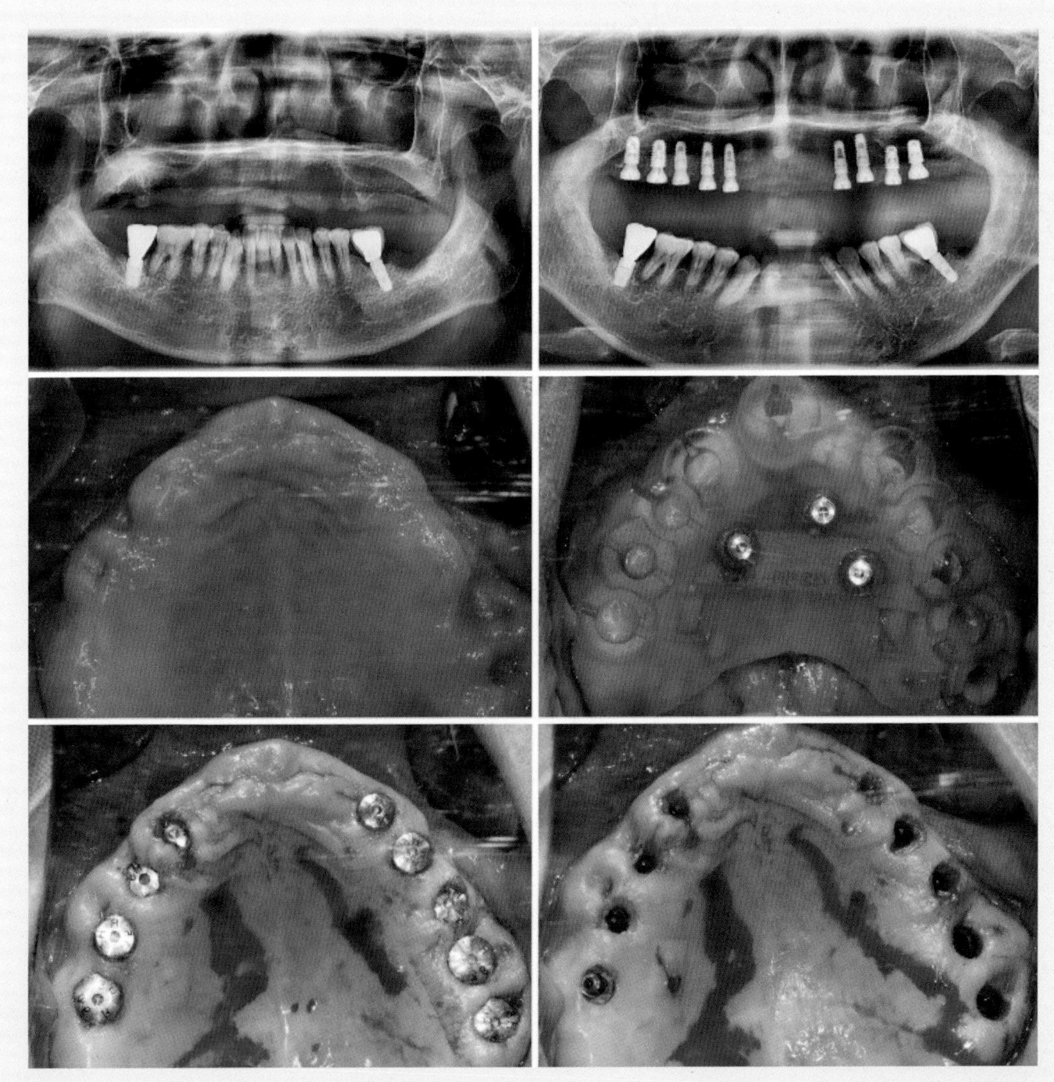

1.57 필자가 인스타에 올리려고 만들었다가 사이너스 퍼포레이션 되어 골이 많이 넘어간 것을 보고 그냥 올리기를 포기한 사진이다.

만, 그때까지는 그런 시스템이 없어서 필자는 적당히 가이드로 뚫고 오스테오톰으로 깨서 엘레베이션을 하려고 했었다. 하지만 가이드를 장착한 상태에서는 필자의 예상과 달랐던 것이다. 평소에 거의 실패 없이 잘 되던 케이스여서 신경도 안 쓰고 통법대로 했지만, 드릴링 과정에서 이미 뚫려버린 것 같았다. 평소 아날로그처럼 거리를 계산하고 버를 꽂아서 사이너스와의 거리도 보고 했더라면 좋았을걸, 그냥 가이드만 믿고 적당히 언더하고 한다는 것이 오버해서 뚫어버린 듯했다. 결국 인스타에 올리는 것을 포기하고 한국에 남아있는 다른 원장님께 수습을 부탁하는 메시지를 보내고 비행기를 탔다(1.58).

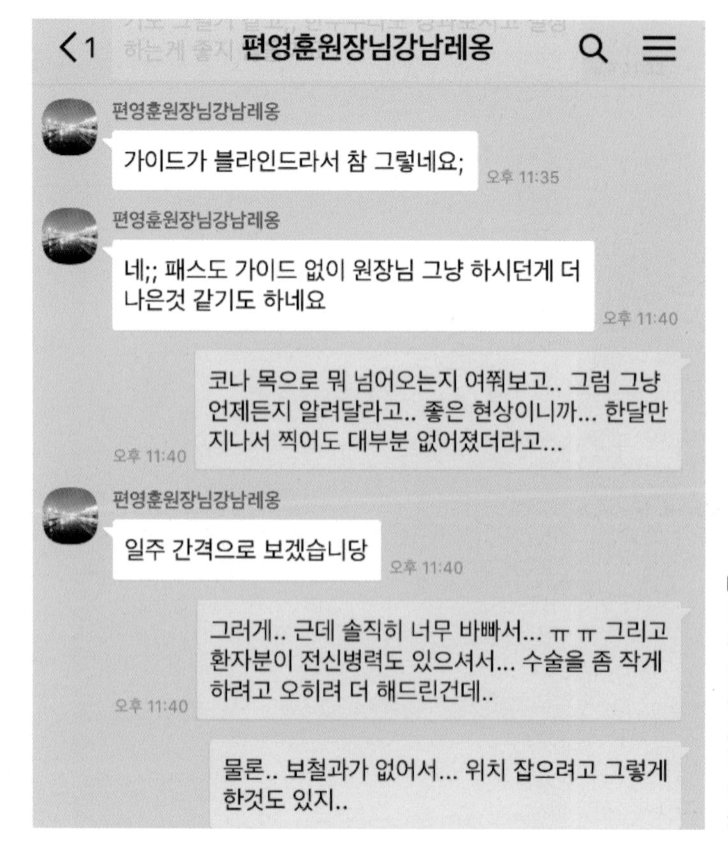

1.58 치과에 남아있는 이 책의 공저자인 파트너 원장님께 사태를 수습할 방법을 논의하는 카톡 내용
필자가 인정하는 실력자 선생님으로 당시에는 페이닥터였지만, 지금은 필자의 파트너이자 공동 원장으로 일하고 있는 선생님이다. 그래도 필자를 위로해 주기 위해서 아날로그로 심는 게 더 나았을 거라고 해주신 마음 넓고 좋은 분이다.

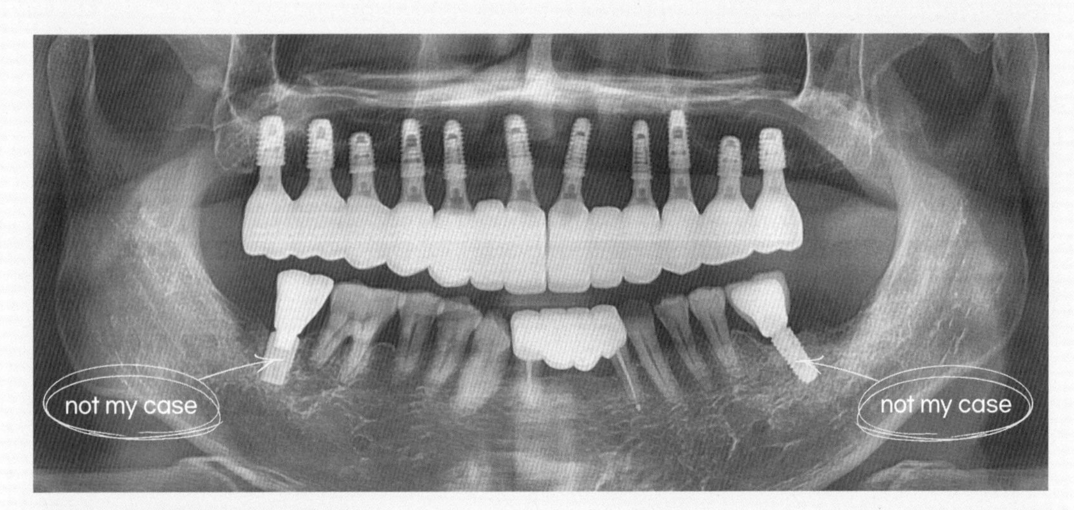

1.59 최종 파노라마 방사선 사진
몇 달 뒤에 임플란트의 구조적인 안정을 위하여 상악 전치부 11, 21번 임플란트를 추가로 식립하였다.

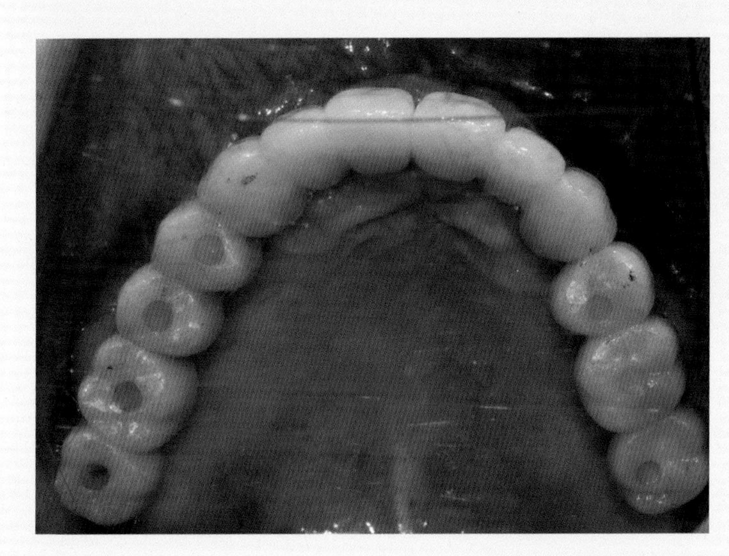

1.60 최종 보철물 세팅 후 사진
적응하기 위해 임시보철물 상태로 오래 지켜본 후 진행한 것으로 알고 있다. 필자가 미국에서 지냈기 때문에 새로 온 보철과 페이닥터 선생님이 보철을 진행하긴 했지만, 보철적으로 여러 가지 면에서 마음에 안 든 부분이 많다. 차마 정면 사진을 못 보여주는 이유이기도 하다. 임시치아 상태에서 최대한 진지바를 리모델링한 후에 최종 임프레션을 했으면 어땠을까 하는 아쉬움이 많이 남는 케이스이다. 전치부 임플란트의 미용적인 측면만 고려한다면 둘 중 하나만 식립하는 것도 나쁘지 않았을 거라고 후회해본다.

나중에 한국에 돌아와서 전치부에 두 개의 임플란트를 더 심어서 마무리를 하였다. 전치부 두 개는 처음 계획 단계에서부터 할까 말까 고민하다가 안 하기로 결정하고 진행하였는데, 구치부 임플란트가 마음에 안 들어서 구치부와 전치부를 분리보철하기 위해 추가 식립하기로 하고, 필자가 아날로그로 식립을 진행하였다. 페이닥터 선생님은 27번과 37번까지 추가로 식립하자고 하였지만, 필자가 정중히 거절하였다. 최종 교합면 임상사진을 보면 홀 위치도 생각만큼 아이디얼 하지 않은 것을 볼 수 있다. 드릴링부터 최종 임플란트 식립까지 가이드를 장착한 상태에서 했는데도 말이다(1.60).

디지털 가이드 식립의 향후 추세가 어떨지 예상해보자. 필자는 2017년 12월 오스템 패컬티 세미나에 참여하였다. 이때만 해도 필자가 디지털 가이드에 대해 전혀 관심도 없었고 이미 선구자의 길을 걸어오신 분들의 경험담을 듣는 자리였다. 강의하시는 원장님께서 가이드 임플란트를 해오시면서 불편했던 점들을 나열하며, 제목으로 "깊은 빡침의 순간들"이라는 표현을 쓰셨다. 제목에서부터 그동안의 고뇌가 느껴졌다. 그런데 이제 와서 필자가 디지털 가이드에 관심을 갖고 당시 강의 하시던 원장님의 슬라이드를 다시 보면 대부분 해결되거나 개선된 문제들이다. 그만큼 짧은 시간에 엄청난 발전이 있었다는 것이다.

최근 디지털 관련 세미나에서 마지막에 1G → 2G → 3G → 4G → 5G까지 발달하는 데 걸린 기간이 얼마나 짧아졌는지 보여주는 슬라이드를 보여줬던 적이 있다. 지금까지 우리가 걸어왔던 길보다 앞으로 기술이 발전하는 변화 속도가 빠를 것임을 보여주려 한 것일 것이다. 디지털 덴티스트리야말로 어떻게 얼마나 발전할지 그 누구도 알 수 없지만 당장 디지털 치과로 전환하지 않더라도 언제나 안테나를 켜고 변화하는 정도를 지켜보고 있어야 할 듯하다. 물론 **아직 아날로그 실력이 부족하다면 당연히 아날로그 임플란트 실력을 늘리는 것**이 우선되어야 할 것이다.

마지막으로 치과계의 에디슨이라 불리는 네오바이오텍의 허영구 원장님께서 본인이 개발한 바로가이드를 이용해 30분도 안 되어 만든 가이드로, 임플란트를 본인이 직접 본인에게 심었다고 나온 광고 화면을 올려본다(**📷 1.61**). 필자가 아직 디지털 분야도 초보이고, 특히나 네오 제품과는 인연이 없어서 아직 공부를 해보고 있지는 않지만, 네오 유저나 디지털 분야에 관심 있는 분이라면 적극 시도해 보기를 권한다. 사실 디지털 분야에서 가장 앞서갔던 회사들이 지금은 시장에서 조금 외면받는 존재가 된듯한 느낌이 들기도 한다. 이유는 가이드를 제작하여 판매하는 데 중점을 둔 것 때문이라고 생각한다. 회사가 가이드를 만들어서 비용을 받고 치과에 파는 시대는 이미 지났다고 생각한다. 오히려 그런 임플란트 회사들에서 소프트웨어를 일찍 오픈하고, 가이드 판매보다는 프로그램 판매나 선진 기술 홍보에 더 집중했다면, 세계적으로 이름있는 가이드 업체로 남을 수 있지 않았을까 하는 생각을 해본다.

바야흐로 임플란트 식립 고수의 시대는 지나갔다. 이제 가이드를 쉽게 만들어서 바로바로 임플란트를 똑바로 잘 심을 수 있게 되었다. **문제의 핵심은 "과연 어떤 임플란트가 잘 심은 임플란트냐"라는 것이다.** 이제부터 필자와 함께 보는 눈을 높일 때이다. 디자인만 하면 원하는 대로 심을 수 있도록 가이드를 만드는 시대가 왔고, **어떤 임플란트 디자인이 좋은 디자인인지 아는 것은 매우 중요**하다. 그러기 위해서 이제 임플란트 자체를 이해할 수 있어야 한다.

학술 2019. 11. 11(월) | 제2750호 | 치의신보 39

(주)네오바이오텍 임상 네오바이오텍이 지난 10월 13일 '2019 월드심포지엄'을 개최했다. 이날 허영구 대표가 환자가 돼 진행된 라이브 서저리 증례를 소개한다.

"네오, 바로가이드로 임플란트 자가 식립!"

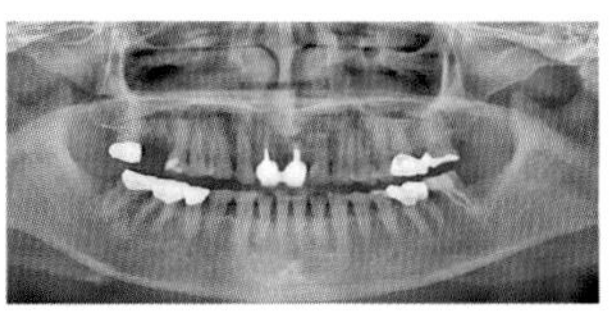

환자(허영구 원장)는 16번 치아가 Missing 된 상태였고, 잔존골이 9mm, 클래스 3로 Sinus Lifting 과정을 진행하기로 했다.

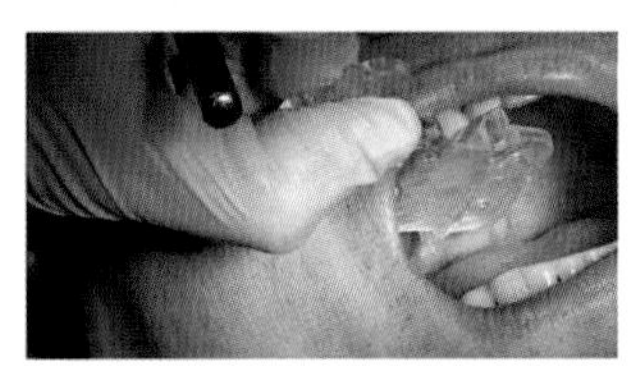

우선, 구강에 알맞은 Pre-Guide를 사용하기 위해 Trial-Tray로 Bite를 측정한다.

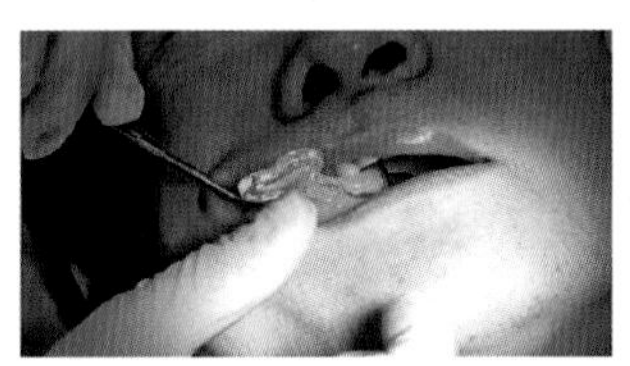

Composite Resine이 충전되어 있는 PGS13을 식립할 위치에 알맞게 위치시킨 후 수직으로 지긋이 누른다.

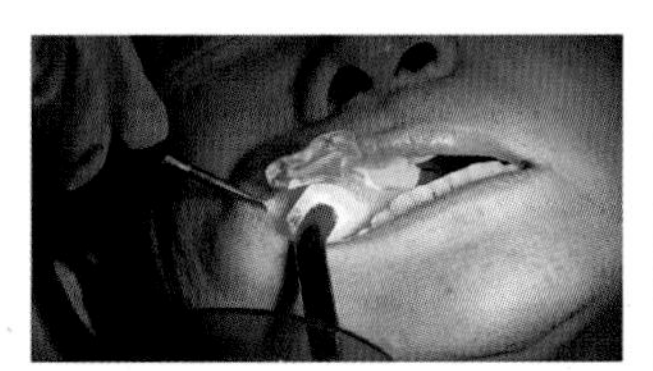

Buccal과 Occlusion, 교합면에 20초 정도 Curing을 한다. 중간중간 차가운 물에 담궈 Cooling을 시킨다.

Pre-Guide를 수직으로 분리한 후 치아가 닿은 부분도 20초 정도 Curing을 한다. Curing을 마친 Pre-Guide를 구강 내에 다시 장착하여 움직임이 있는지 확인한다. 움직임이 없는 것을 확인한 후, Pre-Guide를 문 상태로 CT를 촬영한다. 촬영한 CT 데이터는 바로가이드 소프트웨어에 전송되며 대략 2분 정도의 시간이 걸린다.

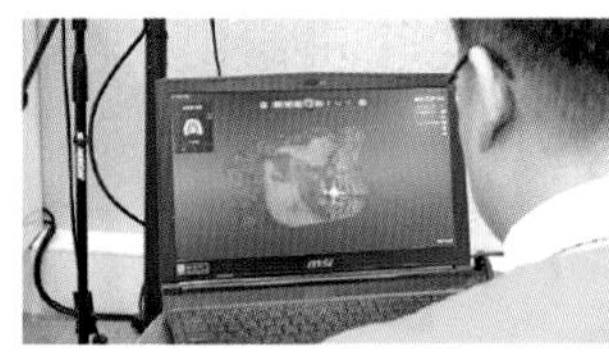

CT 데이터를 DICOM 파일 형태로 전용 소프트웨어에 옮긴다.

VARO Plan S/W는 CT 데이터 하나로 Surgical Guide를 제작 할 수 있기 때문에 구강 스캔 또는 모델 스캔 과정이 필요 없다.

Radiopaque Marker 5개 중 3개의 점을 골라 CT 데이터와 PGS13 트레이와의 데이터를 정확히 정합시킨다.

미리 치아를 디자인 하여 이를 토대로 자동으로 임플란트가 위치되며, 사이즈나 각도를 자유롭게 움직여 원하는 곳에 식립 계획을 세운다.

환자(허영구 원장)에게는 직경 5mm의 임플란트를 식립하기로 하고 Planning 과정이 마무리됐다. Planning을 마치면 STL파일이 NC파일로 자동 변환된다. 이 데이터를 VARO Mill로 전송한다.

Tray를 알맞은 곳에 위치시키면 10분 안에 Milling이 완성된다. 환자(허영구 원장)는 스스로 뼈 상태는 Crestal D2, 중간부분 D3, Apical D2 상태로 진단했다. 수술은 직경 5mm, 길이 10mm Fixture를 식립할 예정이며, 상악동 거상 2mm와 뼈 이식을 계획했다.

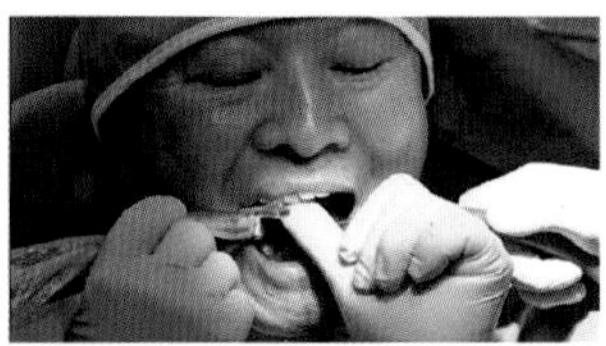

바로가이드를 Positioning 한 후 Initial Drilling이 시작됐다. 무절개 시술을 위한 Tissue Punching이 진행됐다. Bone Planner를 통해 뼈를 평평하게 했다. Pilot Drill 직경 2.2 직경, 길이 8.5로 드릴링이 시작되었다. 모든 과정은 환자(허영구 원자)가 직접 시술했다.

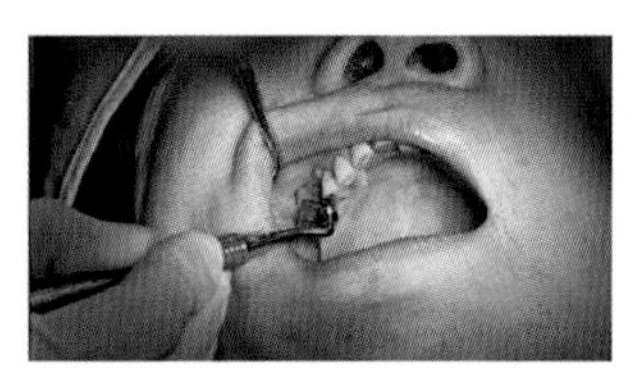

Sinus Imperial Cortical을 열기 위해 S-Leamer을 사용했다. 뼈이식은 DM Bone(합성골)을 수화시켜 뼈이식을 진행했다. 상악동 내부로 골이식이 진행됐다.

골이식을 끝낸 후 바로가이드를 다시 위치시켜 Final Drill이 진행됐다.

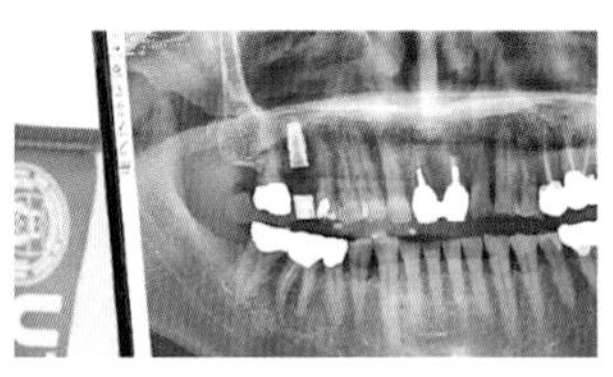

환자(허영구 원장)는 활성화 된 임플란트를 엔진 핸드피스에 연결하고 식립을 진행했다.

가이드 준비까지 걸리는 시간은 25분도 채 되지 않았다. 김종엽 원장이 토크 렌치를 사용해 마무리를 하고 초기 고정력을 확인한 결과 40Ncm로 좋은 수치가 나왔다.

허영구 원장은 "바로가이드를 직접 사용해 보니 고정이 잘 되어 가이드를 붙잡고 있지 않아도 되었다. 정확한 Impression으로 고정력이 우수했다"고 전했다.

또한 "30년간 임플란트 수술을 했지만 직접 식립하는 것은 처음이라 많이 긴장됐다. 환자, 술자, 경영자로서 큰 결단이 필요했다. 그러나 Self-Surgery를 진행하기로 결정한 것은 바로가이드에 관심을 갖고 계신 분들께 보여드리고 싶었다. 정확한 가이드가 있다면 가능하다고 생각했다"고 말했다.

네오바이오텍 관계자는 "Sinus Case에서 가이드를 활용한 Self 임플란트 식립 퍼포먼스는 전세계 최초다. 이번 라이브 서저리는 환자(허영구 원장)와 술자의 설명이 덧붙여졌고 Sinus까지 진행했으나 디지털 가이드 준비까지 30분도 채 걸리지 않았다. 신개념 디지털 가이드 '바로가이드'의 환자 상담 후 30분 만에 가이드 제작이라는 컨셉을 증명한 것"이라며 "본인이 개발한 제품에 대해 웬만한 자신감이 없었다면 시도조차 할 수 없는 일이었다. 허영구 원장님께서 바로가이드의 정확성과 안전성을 전세계에 알렸다"고 전했다.

1.61 네오바이오텍의 바로가이드 시스템 관련 칼럼

치과계의 에디슨 허영구 원장님께서 직접 환자가 되어 바로가이드를 이용하여 자가 식립하였다는 내용이다.

https://youtu.be/1fpyB_VwBns

CHAPTER 1-2

한국인의 교합력

Mastering dental implants

한국인의 교합력

미국에 있으면서 좋은 분들을 참 많이 만났는데, 그 중 한 분이 잘생긴 페리오 선생님이다(2.1). UCLA 치주과 출신이시고 국제적으로 세미나도 많이 하셨다. 한국과 교류도 많이 하셔서 이미 국내에도 잘 알려진 분이다. 아무래도 치주과 전공이다보니 전치부 심미적인 임플란트 등 강의도 많이 하셨다. 열정뿐만 아니라 체력도 대단한 분으로 마라톤도 하신다.

잘생긴 페리오 선생님 병원에 견학을 갔을 때 벽에 걸린 홍보 포스터를 봤다. 전치부 심미형 임플란트 케이스 사진이었다. 필자가 가장 부러워하는 전치부 심미형 임플란트였다.

김영삼 원장

솔직히 필자는 보철하는 것을 어려워하기도 하고, 비용 문제도 있고 해서 한국에서는 전치부 임플란트를 많이 하려고 하지는 않는다. 특히 필자가 겸손(?)한 사람이 아니라는 것을 감안하면 전치부는 정말 자신이 없는 거다. 전치부는 임플란트 수술만의 문제가 아니라 보철적인 마무리가 중요하고, 템포러리 크라운부터 gingival remodeling 등을 할 수 있는 능력과 환경이 갖춰져야 하기 때문이다. 필자가 보철에 자신이 없다 보니 언젠가 정말 마음에 맞는 보철과의사를 만난다면 좋은 상악 전치부 케이스를 함께 만들어 볼 생각이다.

2.1 LA에서 사랑니 발치 강의 후 촬영한 기념 사진

마침 견학 갔을 때 상악전치부 수술을 하고 계셨는데 직접 사진도 다 찍으면서 템포러리 크라운까지 직접 만드는 모습을 보면서 '참 내가 너무 안일하게 살아오지 않았나'라고 생각해 보게 되었다. 이런 대가도 이렇게 직접 몸소 다 하시는데 말이다.

어쨌든 본론으로 들어가 잘생긴 선생님의 세미나 포스터에서 상악전치부에 심어진 임플란트에 ANKYLOS®가 사용된 걸 볼 수 있었다. 필자가 임플란트 강의에서 가장 많이 언급하는 그 앵킬로스 임플란트이다. 독일제 임플란트로 독일 괴테대학의 Georg-H. Nentwig 교수가 개발한 것으로 알려져 있다.

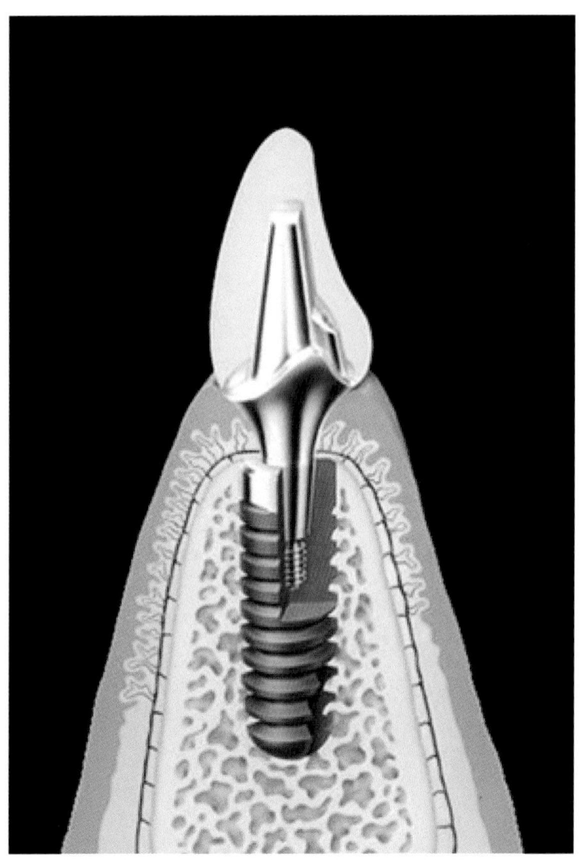

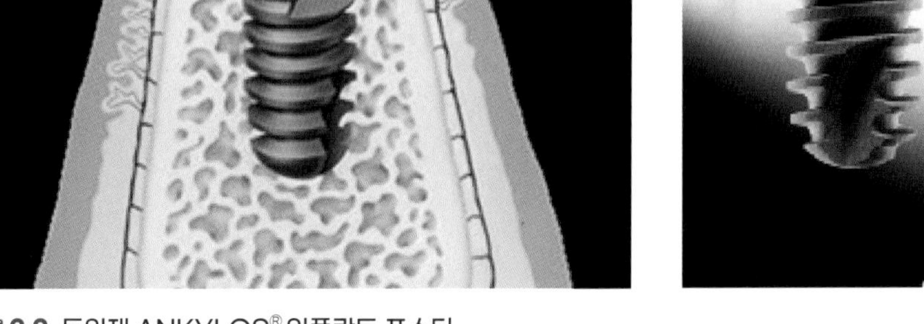

2.2 독일제 ANKYLOS® 임플란트 포스터

필자가 앞서 간단히 언급했지만, 현대 임플란트는 아스트라의 어버트먼트 연결구조와 스트라우만의 표면처리 그리고 앵킬로스의 바디 쉐입을 그 근본으로 하고 있다. 지금 보면 디자인적으로 아무런 이상함을 느끼지 못할 테지만 예전에는 참 특이하고 이상한 임플란트라는 생각을 했었다. 다만 다른 임플란트들의 픽스처 모양이 앵킬로스를 닮아가면서, 본래 자기 형태를 유지하고 있던 앵킬로스 모양이 이상하게 느껴지지 않게 된 것뿐이다. 쓰레드가 치근단으로 갈수록 깊어지고 코로날 부분에서는 거의 없이 실린더 형태에 가깝게 된다. 바디 자체는 스트레이트 형태지만 드릴링 시 코로날 부분은 거의 임플란트 사이즈와 같도록 확대하고, 골질이 약하고 쓰레드가 깊은 하방부는 작게 형성하여 임플란트의 apex에서 초기고정을 얻도록 하는 구조이다. 현대 임플란트의 식립 스타일이 모두 앵킬로스에서 나왔다고 봐도 될 정도이다.

어쨌든 앵킬로스는 그 이름은 유명하지는 않지만, 아직까지도 형태를 유지하면서 명맥을 이어온 전통 있는 명품 임플란트라고 할 수 있다. 여기서는 요즘 대세인 앵킬로스의 바디쉐입이 아니라, 가늘고 쭉 뻗은 어버트먼트에 대해 이야기 해보려고 한다(바디쉐입은 뒷장에서 다룬다).

요즘 나오는 "세계 3대 임플란트"라고 불리는 노벨, 스트라우만, 아스트라 임플란트 픽스처들을 보자. 대부분 앵킬로스와 비슷한 바디 쉐입임을 알 수 있다.

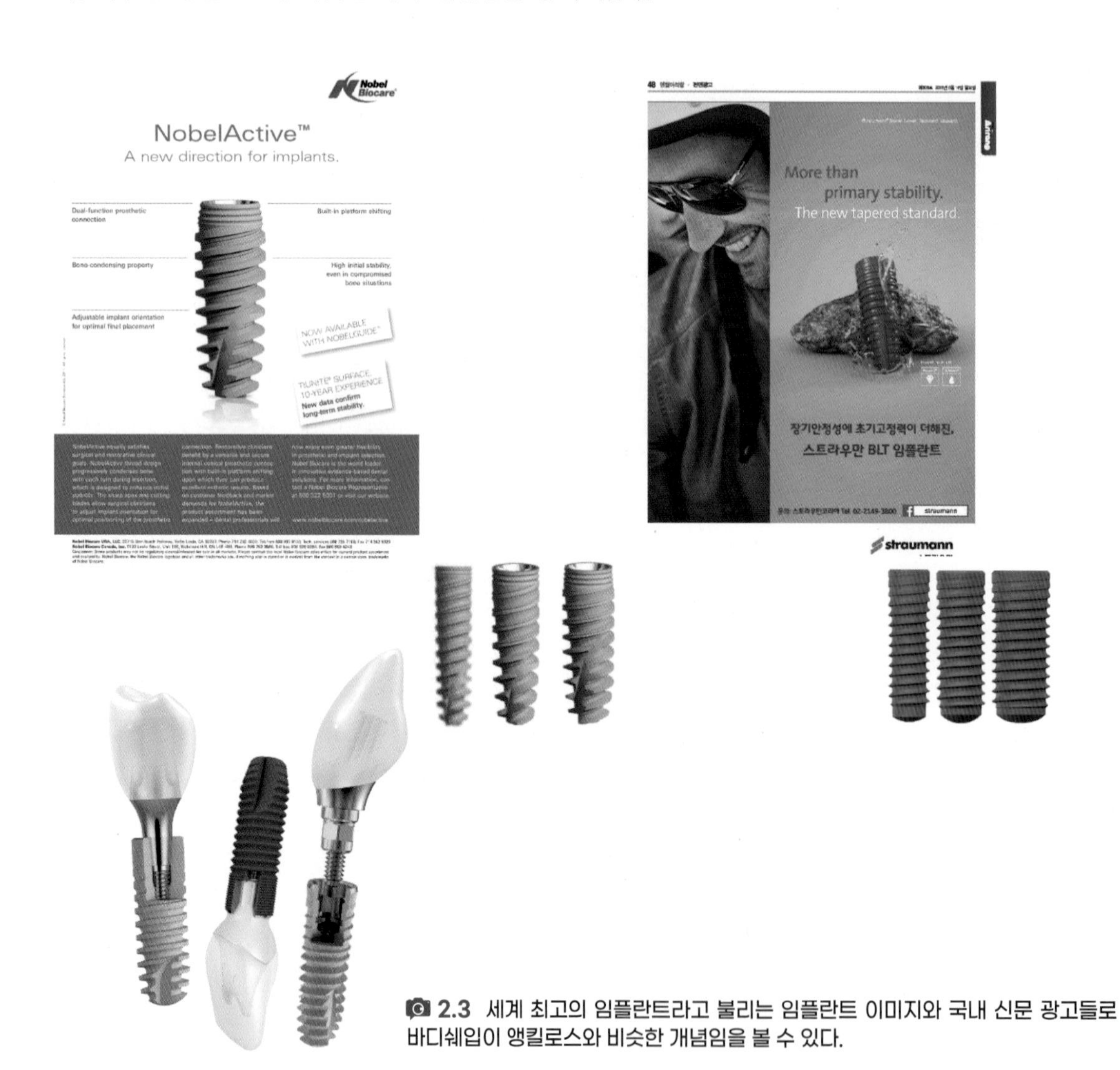

2.3 세계 최고의 임플란트라고 불리는 임플란트 이미지와 국내 신문 광고들로 바디쉐입이 앵킬로스와 비슷한 개념임을 볼 수 있다.

잘생긴 선생님께선 왜 앵킬로스로 전치부 심미형 임플란트를 하셨을까? 바로 가늘고 쭉 뻗은 어버트먼트 때문일 것이다. 앵킬로스는 internal friction type이고 그 각도가 "5.74°"이다. 그래서 거의 갭 없이 콜드웰딩(이견이 많지만, 거의 한 몸처럼 틈 없이 붙어있다는 정도로 이해하면 되고, 필자는 임상적 콜드웰딩이라 칭한다)이 일어나고 어버트먼트가 가늘고 길어서 그만큼 두껍고 건강한 치주조직을 가질 수 있다.

그보다 더 중요한 것은 앵킬로스가 보기 드물게 아직도 CP 타이타늄 Grade 2로 만든다는 것이다. 어버트먼트의 재질에 대해서 자세히 나와있지는 않지만, 같은 Grade 2라는 이야기도 있고, 최근 1-2년 사이에 전반적으로 Grade 4로 바뀌었다는 말도 있다(최근에 시덱스에서 영업 사원에게 물어보니 변화는 없다고 한다).

어쨌든 앵킬로스는 가늘고 긴 어버트먼트가 최대 장점인 임플란트이다. 그리고 앵킬로스의 또 하나의 특징은 임플란트의 지름이 커져도 어버트먼트 지름은 커지지 않는다는 것이다. 우리가 아는 일반적인 아스트라 타입 임플란트에 비유해보면 지름이 3.5인 미니 사이즈 임플란트에 사용하는 어버트먼트를 지름이 굵어지는 4.0, 4.5, 5.0 등에도 그대로 사용한다고 보면 된다(📷 2.4).

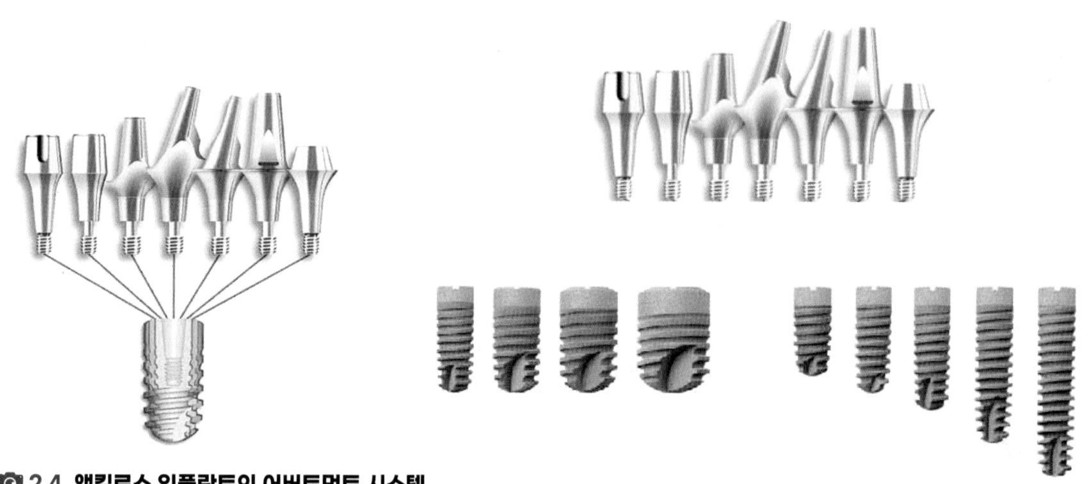

📷 2.4 앵킬로스 임플란트의 어버트먼트 시스템
앵킬로스는 지름이 굵어지든, 길이가 길어지든 같은 어버트먼트를 사용한다.

2017년 8월 오스템 패컬티 세미나에 참가해서 브라질 출신 원장님의 강의를 들었는데, 참 재밌는 내용의 발표였다(📷 2.5). 그 원장님은 브라질 상파울루 치과대학을 졸업하고 거기서 임플란트를 전공한 다음에 개원해서 10년 이상 근무하다가 2015년 한국 치과의사면허를 취득하고 한국으로 오신 분이다.

브라질 상파울루라면 참 유명한 도시지만, 아무래도 그 원장님의 환자들 중 70%는 동양인이었다고 한다. 그중에 반절 정도가 한국인이라고 하니, 전체 환자의 1/3 정도가 한국인이었던 것이다. 그 원장님도 브라질에서 독일제 앵킬로스 임플란트를 많이 심으셨다고 한다. 처음에는 앵킬로스 임플란트의 장점을 설명하시면서 위에서 언급한 대로 잇몸이 건강한 것을 가장 장점으로 꼽으셨다.

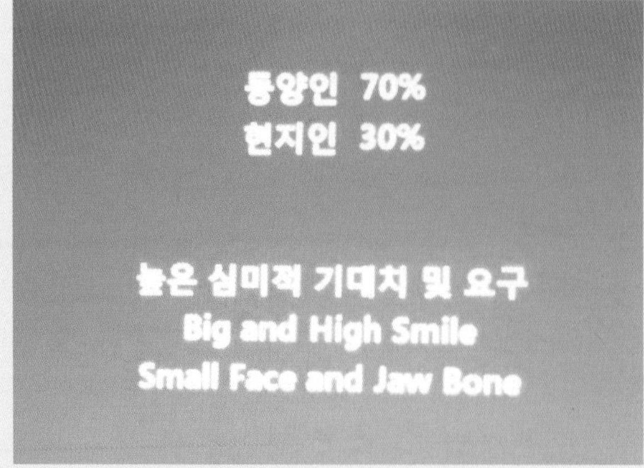

2.5 오스템 패컬티 세미나에서 강의하시는 브라질 원장님과 슬라이드 사진

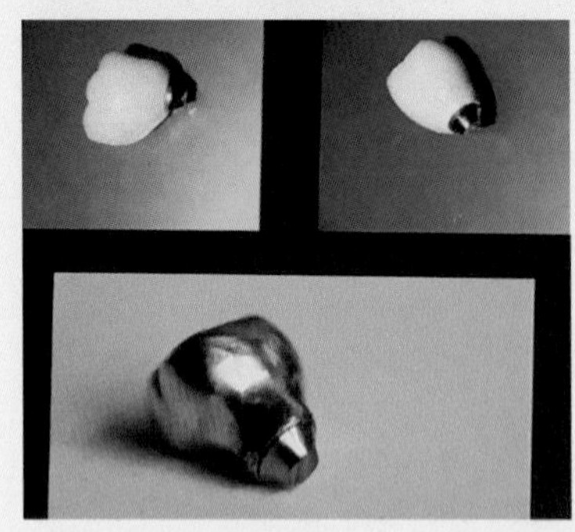

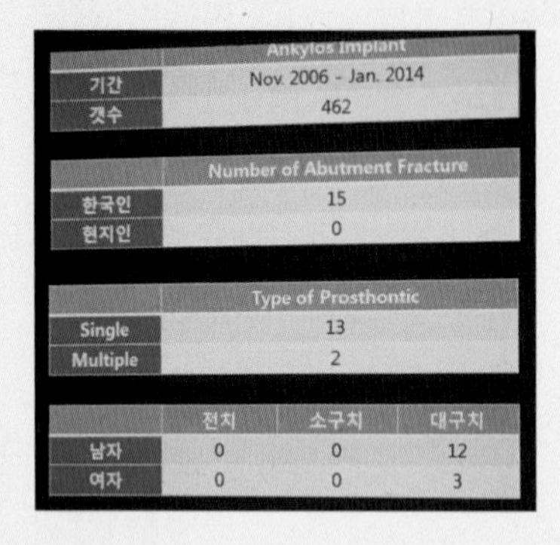

	Ankylos Implant	
기간	Nov. 2006 - Jan. 2014	
갯수	462	

	Number of Abutment Fracture
한국인	15
현지인	0

	Type of Prosthontic
Single	13
Multiple	2

	전치	소구치	대구치
남자	0	0	12
여자	0	0	3

2.6 브라질 원장님의 강의 슬라이드

이렇게 인연이 된 브라질 원장님께서는 브라질 현지 치과의사 3명, 포르투갈 치과의사 1명과 함께 필자의 사랑니 발치 책을 포르투갈어로 번역 중이시다.

그런데 시간이 지나자 앵킬로스의 어버트먼트가 부러지기 시작했다는 것이다. 그래서 제조 회사에 전화를 했더니 전혀 그런 문제 없이 잘 팔리는 제품이기 때문에 업체에서도 원인을 알 수 없다고 했다고 한다. 제조사에서 이렇게 나오니 원장님 스스로 원인을 분석하기로 마음을 먹고 파절 패턴을 분석했더니… 전체 462개 중에 15개가 부러졌는데, **2.6**에 보이는 것처럼 15개 모두 한국인이었다는 것이다. 3개는 여자였지만, 대부분 남자들 어금니에 심은 것들이 문제였다. '왜 한국인들한테서만 앵킬로스가 부러질까?' 한참 고심한 뒤 스스로 내린 결론은 '한국인은 얼굴이 크고 저작근이 강하며 식습관의 차이가 심하다'는 것이었다. 거기에 음식도 무말랭이, 마른 오징어 이런 것들을 많이 먹기 때문이라는 결론이었다.

필자도 한국에서 앵킬로스를 많이 심었던 골프를 잘 치는 선배한테 연락해봤더니 이 선배도 1998년부터 2010년까지 300개 가량을 심었는데 10개 넘게 부러졌고, 케이스 모두 젊은 남자였다고 했다. 브릿지도 한 케이스에서 부러졌다고 했다. 그래서 2010년 뒤로는 무서워서 식립을 하지 못하고 있었는데, 그때 앵킬로스를 판매했던 직원이 타 병원에서 심었다가 부러진 케이스를 몇 건 제거해달라고 부탁해서 해준 적이 있다고 한다.

그러다 갑자기 독일 괴테 대학에서 석사 과정을 했던 치과의사에게 예전에 필자가 앵킬로스에 대해 한번 물어봐달라고 했던 기억이 나서 연락을 해봤다고 한다. 이 분이 앵킬로스 자문 담당 스페셜리스트한테 앵킬로스가 한국에서 많이 부러진다고 문의를 했더니, 한국에서는 마른오징어 같은 걸 많이 먹어서 그렇다는 답변을 받았단다. 세계적 명품 브랜드인 앵킬로스가 유독 한국에서 잘 부러지는 이유는 바로 엄청나게 센 한국인의 교합력 때문이었던 것이다. 많은 교합면 충전재들이 다른 나라에서는 괜찮은데, 한국에서만 파절이나 마모로 고생했다는 이야기를 예전에도 들은 적 있다.

다른 예로 임플란트 구치부 교합면 재료를 들어보자. 외국에서나 한국에서나 골드 값이 비싸진 이후로는 주로 PFM을 사용했었다. 그러나 한국에서는 지르코니아 크라운이 아닌 경우에는 대부분 환자가 남자인 경우에는 메탈바이트로 가고, 대합치가 임플란트인 경우라면 특히 메탈바이트를 권하는 편이다. 환자가 여자인 경우라도 끝까지 치아 색을 원하면 하악 2대구치 원심쪽이라도 메탈로 하자고 우겨서 상담을 꼭 그렇게 해왔다. 그 이유는 안 그러면 시기의 문제일 뿐 교합면 포셀린이 뒤에서부터 깨져가는 것을 매우 흔하게 보기 때문이다. 한국 치과의사라면 대부분 이해할 텐데, 의외로 외국 치과의사들은 굳이 그렇게까지 할 필요가 있냐는 반응을 보였다.

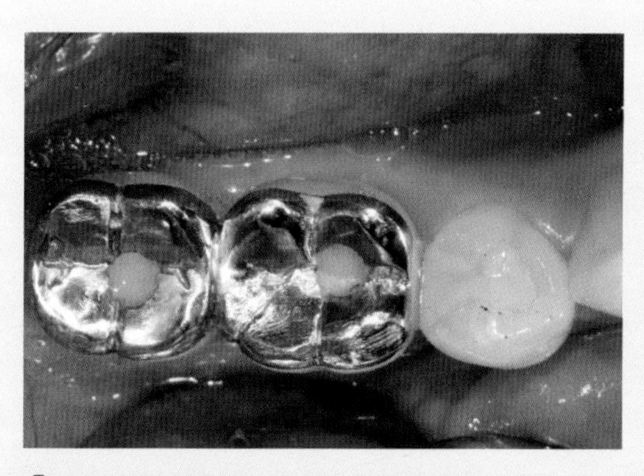
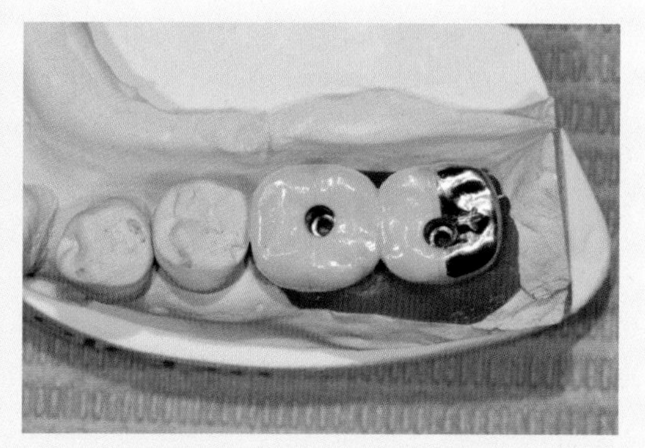

2.7 한국 임플란트 구치부 교합면 모습
환자가 치아색으로 바이트를 해달라고 하면, 필자는 어떻게든 우겨서 7번 디스탈 1/3 정도는 무조건 메탈바이트로 하였다.

한국에서 레진치료 대신 인레이나 온레이 등이 발달하고 근관치료 후에는 치관의 손상 여부와 관계없이 어지간하면 크라운을 하는 이유도(다른 많은 이유가 있겠지만) 결국 그렇게 치료를 해 놓으면 엄청난 교합력에 닳고, 깨지고, 부러지기 때문일 것이다.

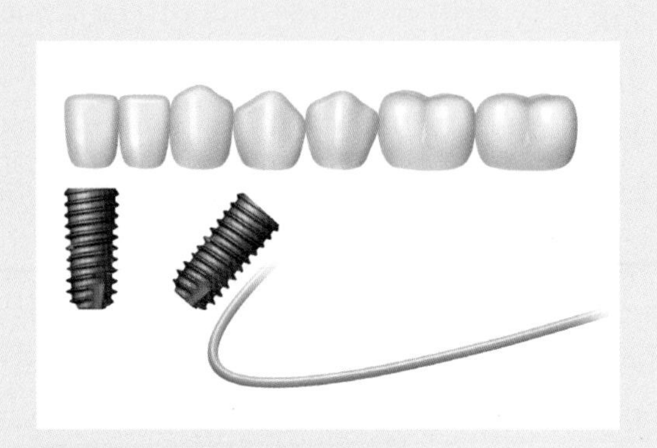
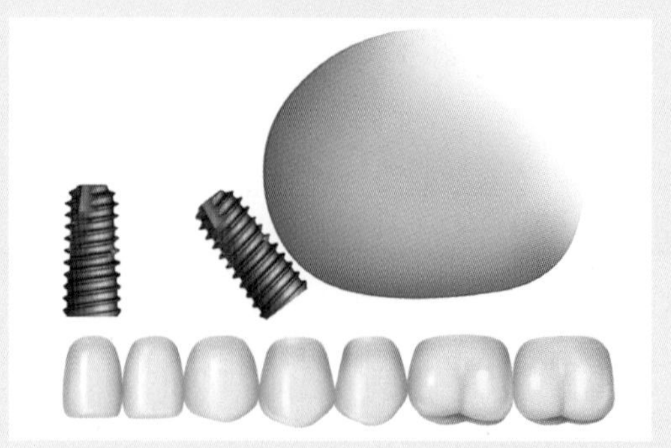

2.8 올온포 시스템의 기본 원리
하악은 하치조신경, 상악은 사이너스를 피해서 임플란트 근단부는 근심쪽에 심고, 코로날 부분은 뒤로 심는다는 개념이다.

또 한 가지 예로 15년 전부터 한참 유행했던 올온포All on 4에 대해 이야기해보자. 올온포는 유독 한국에서는 크게 히트하지 못했다. 왜 그랬을까? 대부분 덴쳐가 파절되기 때문이다. 임플란트가 4개로 아무리 튼튼하다고 해도 덴쳐가 파손되는 경우가 너무 흔했다. 덴쳐가 파손되지 않더라도 임플란트가 과부하가 걸려서 실패하는 경우도 있었다. 필자는 개인적으로 별로 좋아하지 않는 방식이지만 "왜 우리나라에서는 히트하지 못 했을까?"에 대해서는 고민해 볼 필요가 있다.

올온포의 기본 원리는 하악구치부에 골흡수가 심한 경우나 상악동이 너무 내려와서 골이 부족한 경우에 상악동과 하악관을 피해서 임플란트를 디스탈로 틸팅시켜 최대한 크라운을 뒤까지 확장하기 위해서 고안된 것이다(2.8). 그런데 이것이 좀 변형되어 뼈가 충분하더라도 임플란트를 삐딱하게 심어서 억지로라도 올온포 형태를 유지해서 심는 것이다. 그 이유는 똑바로 심었을 경우에 임플란트 픽스처의 쓰레드가 교합력을 받아야 하지만, 30° 정도 기울여서 심으면 교합력이 임플란트 바디 전체에 전달되어 이미디엇 로딩을 할 수 있다는 것이다.

실제로 몇 도 정도 삐딱하게 심어야 수직적으로 가해지는 로딩을 바디 전체가 잘 견디는지에 대한 연구결과가 있는데, 그게 바로 30°라고 한다. 이 부분도 필자는 별로 동의하지 못하지만, 굳이 뼈가 좋은 경우라면 굳이 삐딱하게 심지 않아도 이미디엇 로딩을 할 수 있다고 생각한다. 다만 임플란트 개수를 많이 심을수록 좋은 건 확실하다. 그러다 보니 이러한 올온포 세미나는 임플란트 가격이 비싼 유럽에서는 노벨이, 미국에서는 튼튼하게 알로이로 external hexa type을 만드는 바이오허라이즌 회사 등에서 많이 하는 것을 볼 수 있다.

이러한 올온포는 포르투갈의 Dr. Paulo Malo라는 의사가 개발한 것으로 알려져 있다. 필자는 2019년 9월 이탈리아에서 사랑니 발치 강의를 진행했는데, 마침 포르투갈에서 Dr. Luis Beres라는 치과의사가 참여하였다. 멀리서 와서 같이 관광도 하고 친하게 지내면서 올온포에 대한 그의 견해를 물어보았다. 포르투갈은 유럽에 있지만 참 못사는 나라이고(참고로 국민소득 2만 달러이다), 사람들이 꾸미는 데는 돈을 많이 쓰지만 구강건강을 위해선 돈을 잘 안 써서 포르투갈 치과의사들이 살기 힘들다는 농담을 했다. 그러면서 이가 전체적으로 썩었어도 앞니만 템포러리로 우선 예쁘게만 해달라는 환자

2.9 **2019년 9월 필자의 첫 번째 이탈리아 사랑니 발치 강의 사진**
맨 앞줄에서 열심히 듣고 있는 포르투갈 치과의사 Dr. Luis Beres를 볼 수 있다. 현재 브라질 상파울루 치대를 졸업한 한국 원장님과 브라질 치과의사 세 분과 함께 필자의 사랑니 발치 책을 포르투갈어(브라질)로 번역하고 있다.

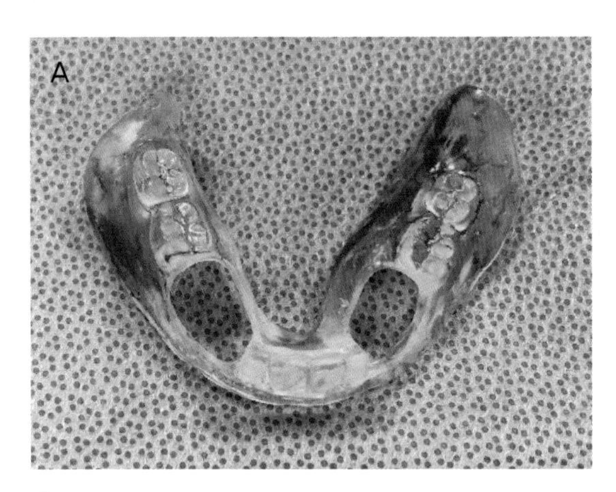

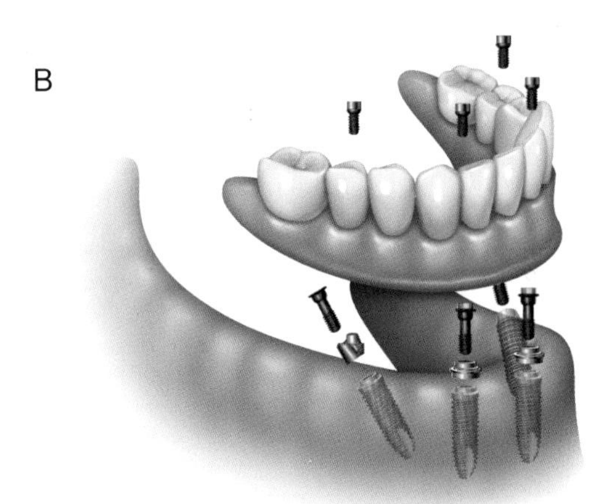

2.10 A: UCLA 치과대학 구강외과에서 올온포 수술을 위해 제작된 스텐트, **B**: 기본적인 올온포의 원리를 보여주는 그림

들도 많고, 상황이 이렇다 보니 올온포 같은 이상한 덴쳐가 탄생할 수 있는 환경이 된 것 같다고 했다(오로지 그 선생님의 진술이며 필자는 포르투갈에 대해 전혀 모른다). 필자가 UCLA 구강외과에 있을 때도 뼈가 충분한데 굳이 4개를 심고 구치부 임플란트는 디스탈로 틸팅시켜서 심는 것을 종종 보았다.

2.10은 위와 같은 케이스이다. 보철과에서 위와 같은 스텐트를 만들어 오면 그 구멍(견치부터 2소구치까지) 안에서 최대한 삐딱하게 심는 것 같았다. 그래서 스텐트 밑의 그림처럼 소구치 부위의 교합면에서 임플란트에 덴쳐를 고정하는 방식으로 보인다. 실제 엑스레이상으로는 하악골은 임플란트 16개를 골이식 없이 모두 다 심을 만큼 좋았었다. 그저 올온포를 해보려고 하는 억지 케이스 같았다. 그냥 6개 심어서 풀 픽스드로 해도 될 것 같았다.

아마도 필자라면 임플란트 픽스처 가격이 얼마 하지도 않는데(물론 미국은 비싸다. 주로 이런 임플란트 교육은 픽스처 값이 비싼 회사들에서 주도한다. UCLA에서도 위 케이스에 바이오허라이즌 external hexa를 심었던 것으로 기억한다), 굳이 4개가 아니라 8개, 10개로 심어서 최대한 치아별로 나눠서 식립하도록 했을 것이다.

케이스 보기

여기서 필자와 함께 필자의 비슷한 케이스 하나를 보자.

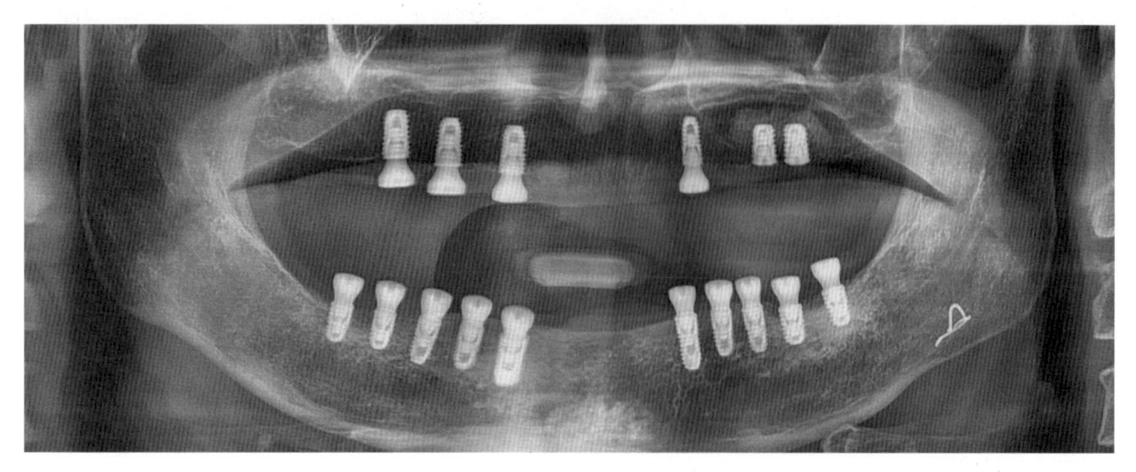

2.11 보철과 치료 계획과 무관하게 필자의 마음대로 더 심은 케이스(심으라는 대로 심지 무식하게 더 많이 심었다고 보철과 의사에게 혼났다)

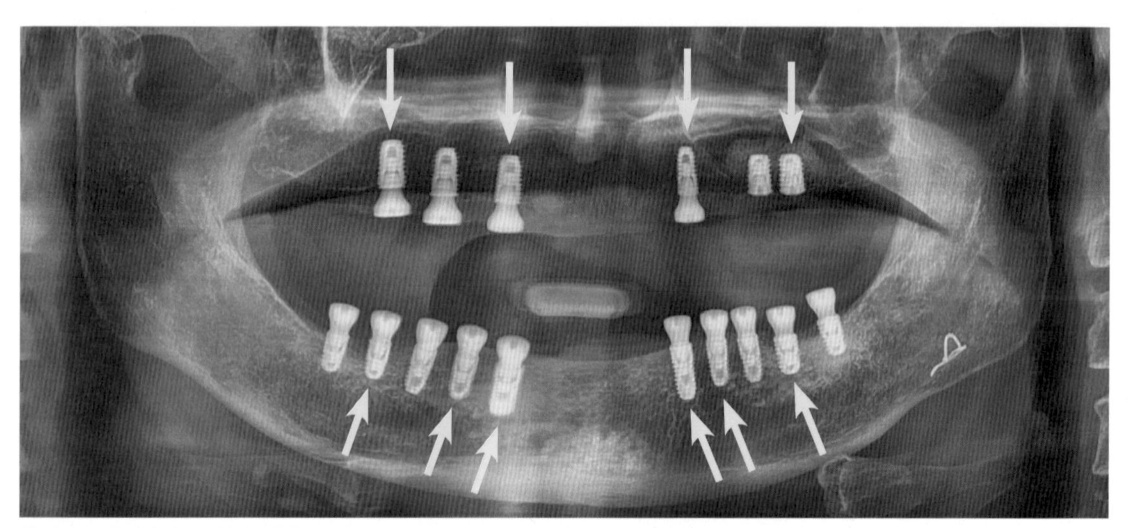

2.12 원래 보철과 치료계획(하악은 6개 식립해서 고정성, 상악은 4개 식립 후 오버덴쳐)

실제로 필자의 케이스를 보면 보철과에서 노란 화살표만큼만 심어 달라고 했지만, 환자가 아주 친한 개그맨 동생의 장인어른이셔서 그냥 심는 김에 좀 더 심었다(2.12). 달걀 프라이 하나를 부치나 두 개를 부치나 뭐 프라이팬 달구는 시간과 비용이 더 큰 법이니 크게 인심을 써드렸다. 그렇게 아래는 픽스드로 끝나고 위는 임시 덴쳐를 사용하는 상태가 되었다(2.13).

아래를 픽스드로 했더니 환자가 상악도 픽스드로 하기를 원했다. 보통 틀니를 하다가 임플란트 픽스드로 해드리면 다시 태어난 것 같다고 하는 환자들이 많다. 그래서 과감하게 아래를 픽스드로 해드리면 심미적인 것을 크게 신경쓰지 않는 대부분의 남자 환자들은 위도 픽스드를 원하는 경우가 많다. 한국 사람들은 씹는 맛으로 살기 때문이다.

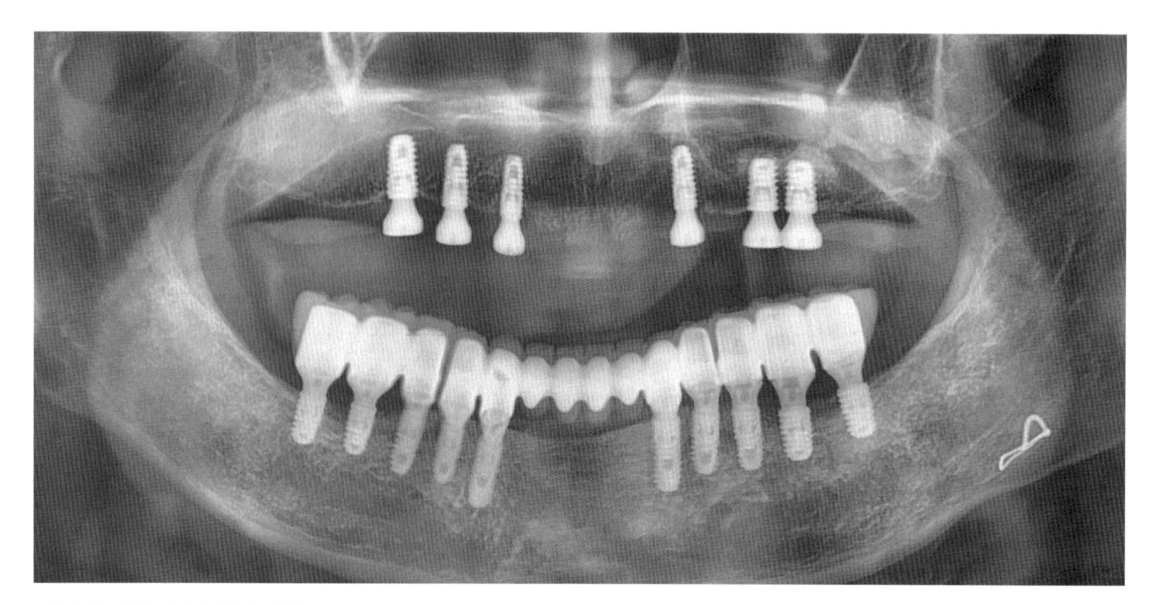

2.13 1차 진료가 끝난 상태

그래서 결국 위도 추가로 심어서 픽스드로 해드렸다(2.14). 환자도 좋고 의사도 좋게 된 케이스라고 생각한다. 2.14의 위 쪽에 PA 두 장은 파노라마상에서 12번이 팔라탈에 심어져 많이 경사진 것처럼 보이지만, 실제로는 그렇지 않다는 뜻에서 올려본 것이다.

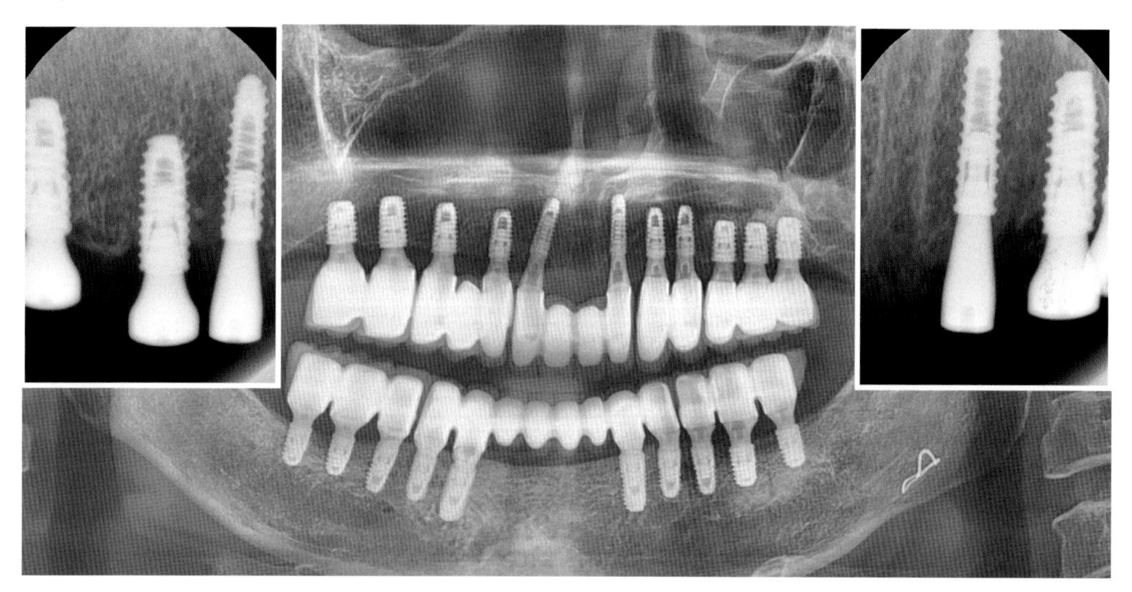

2.14 최종 진료가 끝난 상태

위 케이스에서도 보이듯이 한국에서는 디스탈에 캔틸레버를 하나도 허용하지 않는 편이다. 강한 최후방 교합력으로 인해 예후가 너무 안 좋기 때문에 한국의 치과의사들은 절대 최후방에 캔틸레버를 달지 않는다. 그러나 미국이나 호주 등 외국에 가보면 보통 디스탈에 캔틸레버 2개 정도를 루틴하게 다는 편이다. 보통 서양 치과의사들은 2대구치는 보철이 불필요하다고 생각하는 듯하다. 필자의 강의 자료나 인스타에 2대구치 임플란트 케이스를 올리면 '굳이 왜 2대구치까지 임플란트를 하느냐? 과잉진료 아니냐?'라며 따지는 사람도 있다.

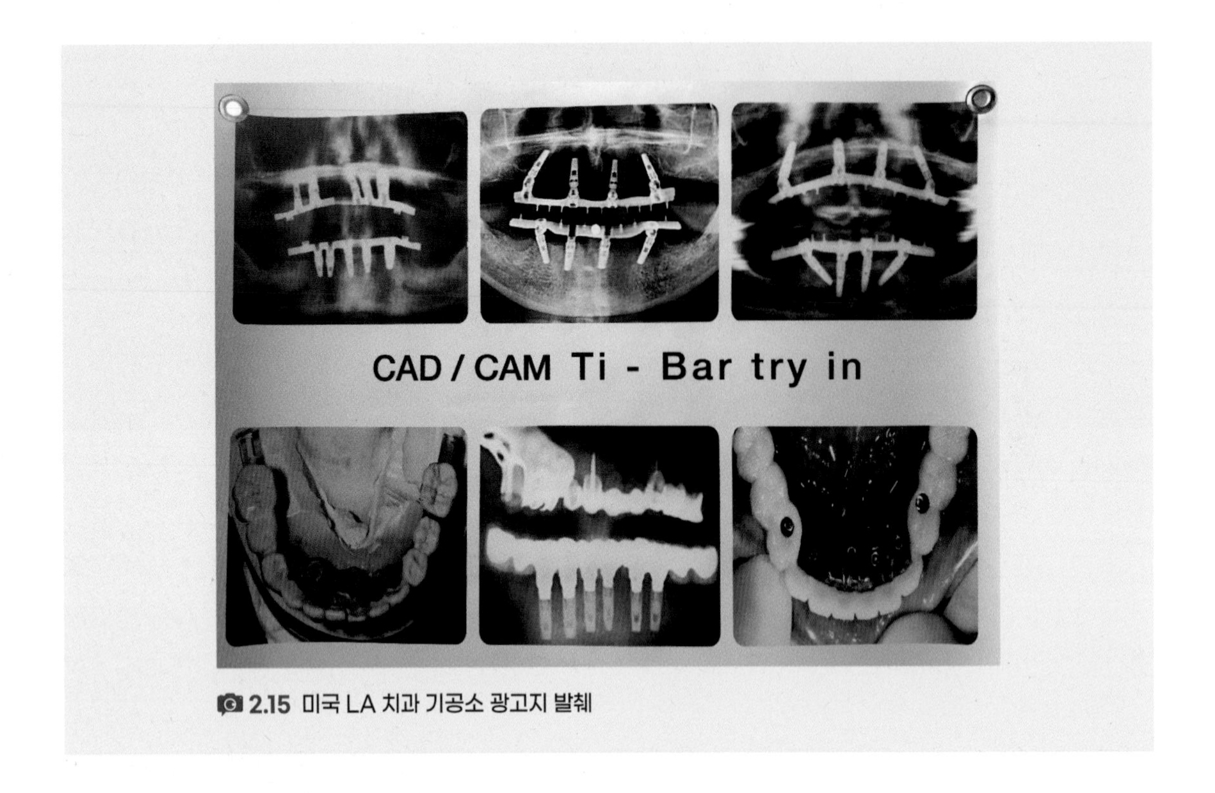

2.15 미국 LA 치과 기공소 광고지 발췌

미국 LA에서 한국 치과의사들의 임플란트 세미나에 갔을 때 이야기다. 한국인 치과기공소에서 본인들의 기공물을 보여주기도 하고, 위와 같이 사진이 있는 배너를 세워 두기도 했었다(2.15). 그래서 필자가 "미국에서는 이런 보철물들이 흔한 걸로 아는데, 혹시 한국 환자들한테도 이렇게 하나요?"라고 물었더니, 이건 어디까지나 외국인용이고, 한국 의사가 치료해도 한국인 환자들한테는 이런 올온포나 디스탈 캔틸레버를 두 개씩 다는 것은 추천하지 않는다고 했다. 세계적인 명품 임플란트인 생킬로스도 모가지가 훅훅 부러져 나가는 것이 한국 사람이다. 임플란트 브릿지 디스탈에 캔틸레버를 두 개씩 단다는 것은 거의 불가능하다. (신기하게도 기공사들도 한국 기공사들의 실력이 엄청 뛰어나다. 미국 유명 배우 심미보철물들은 거의 한국인 기공사들이 만들었다는 말도 있을 만큼…)

어금니로 꼭꼭 씹어먹는 맛으로 사는 민족답다. 그런데 그런 사람들한테 뼈가 충분히 좋은데도 기능적으로 큰 의미가 없는 후방 캔틸레버를 단다는 것은 말이 안 된다. 비싼 임플란트 4개보다 저렴한 국산 임플란트 6개, 8개가 훨씬 좋다. 그리고 유지관리 면에서 보면 올온포나 저런 고정성 덴쳐는 매우 불리하다. 굳이 설명하지 않아도 알 것이다.

임플란트 만족도 최후방 치아 '최고'

후치부 · 전치부 순 저작 · 심리 기능 개선

임플란트 식립 후 환자들은 최후방치에 대한 만족도가 가장 높은 것으로 나타났다.

특히 임플란트 식립 후 삶의 질에서는 저작 · 사회 · 심리적 기능이 모두 증진되는 것으로 분석됐다.

박지영 씨(대구대 산업 · 행정대학원)가 석사논문인 '임플란트 매식 전 · 후의 구강건강관련 치료만족도에 관한 연구'에서 대구광역시 소재 6개 치과 내원 환자 145명의 자료를 분석한 결과에 따르면 임플란트 식립에 대한 치료 만족도는 최후방치에서 96.6%로 가장 높았다. 이어 후치부가 85.9%, 전치부가 71.4%로 각각 조사됐다.

식립 후 재내원 의사에서는 최후방치(100%), 후치부(98%), 전치부(78.6%) 등 전 부위에서 전반적으로 높았으며, 임플란트 식립 후 추천 의사 역시 최후방치(96.9%), 후치부(93.9%), 전치부(71.4%) 등으로 높았다.

특히 이들 환자들의 경우 임플란트 식립 후에 삶의 질이 전반적으로 개선된 것으로 나타났다.

저작기능의 경우 2.67점에서 3.62점(5점 만점 리커드 척도), 사회적 기능은 2.67점에서 3.33점, 심리적 기능은 2.46점에서 3.75점으로 개선되는 등 저작 · 사회 · 심리적 기능에 대한 만족도가 높아진 것이다.

박 씨는 이번 논문과 관련 "임플란트 매식 전 · 후의 구강건강관련 삶의 질 변화와 치료 만족도를 측정해 분석함으로써 환자 관점에서 임플란트 매식의 효과에 대한 평가 자료를 축적하는 데 의미가 있다"고 밝혔다.

윤선영 기자 young@kda.or.kr

2.16 2013년 6월 10일자 치의신보 기사 중 일부를 발췌한 것이다. 임플란트 만족도는 최후방 치아가 최고란다. 역시.

어쨌든 이 챕터에서 특히 한국인의 교합력에 대해서 이야기한 이유는 **한국에서 되는 건 다른 나라에서도 다 된다**는 말을 하고 싶어서이다. 임플란트의 길이와 지름 등과 관련하여서도 우리나라에서 나온 결론이라면 전 세계가 따라 해도 된다고 생각해도 좋다는 뜻이다. 보통 서양인들이 덩치가 좋고 힘이 좋기 때문에 한국에서 된다고 외국인에게 그대로 적용하면 안 된다고 말하는 사람들이 있다. 교합력에서는 정 반대라고 생각한다. 한국이 휴대폰, 반도체, 조선, K-pop에서만 1등이 아니라 교합력도 세계 최고이다. 그래서 한국 치과의사들이 된다고 하는 건 세계 어디에 내놔도 손색이 없다.

김영삼원장의

노트 정리

EASY SIMPLE SAFE EFFICIENT

MASTERING DENTAL IMPLANTS

임플란트 달인되기

꼭 알아야 할 임플란트의 필수 성공요소

The Essential Elements for Success in Dental Implants

PART

임플란트의 기초이론

아는 것이 힘이다

2-1 임플란트의 재료와 표면처리

2-2 임플란트의 모양과 나사산

2-3 어버트먼트의 분류와 이해

2

• 임플란트의 기초이론

아는 것이 힘이다

1.1 필자에게 컴퓨터 가이드 임플란트에 대한 영감과 지식을 주신 가이드 여신 선생님과 함께

필자는 임플란트에 대해 가이드 여신 선생님과 자주 이야기를 나누곤 한다. 언젠가 평소와 같이 이야기를 나누던 도중 임플란트 머트리얼과 알로이에 대해 언급한 적이 있는데, 그걸 들은 가이드 여신 선생님이 "알로이가 뭐예요?"라고 물었다. 엥? 임플란트를 지난 2년 동안 2천 개나 심은 분이 알로이를 모른다니… 더구나 이야기하면 할수록 본인이 지금 하고 있는 임플란트의 특징 외에 임플란트 전반적인 것에 대해 너무 모른다는 것을 알게 되었다. 임플란트 치료를 하면서 지내다 보면 **다른 치과에서 시술한 임플란트의 사후 처리 및 내가 하는 임플란트와 이어지는 브릿지 등** 기타 신경 써야 할 일들이 얼마든지 있을 수 있다. 그렇기 때문에 임플란트의 전반적인 내용을 모르면 치료계획을 세우

는 것뿐만 아니라 타 치과 임플란트의 후속 진료에도 큰 문제가 될 수 있다. 그래서 필자가 LA에서 임플란트 강의를 할 때 "가이드 여신 선생님 헌정 강의"라고 해서 짧게 한 시간짜리 강의를 준비했었는데, 수강생들 반응이 너무 좋아서 두 시간 넘는 강의를 하게 되었다. **강의 전체 중에서 이 부분에 대한 반응이 매우 좋아서** 그 뒤로도 계속해서 진행해오고 있다.

김영삼 원장

필자는 이런 임플란트 기초이론 강의를 2006년에 가장 많이 했었다. 당시에는 클리니컬한 접근보다 이런 이론이 강의의 주가 되는 경우가 많았다. 마침 2005년 가을에 임플란트 이론에 대한 논문을 많이 읽었기 때문에 2006년 세미나에서 기초이론 파트를 담당해 강의를 진행할 수 있게 되었다. 그러나 이후에는 임플란트 강의도 임상적인 내용을 중심으로 변했고, 이런 기초적인 내용에는 사람들이 별로 관심을 갖지 않아서 그 뒤로는 이론에 대한 강의자료를 10년 넘게 묵혀두고 있었다. 그날은 어떻게 운좋게 예전 외장하드에서 강의자료를 찾아내 약간의 각색을 거친 후 강의를 하게 되었는데, 강의 반응이 너무 좋았던 것이다. 임플란트의 기초에 대해 강의가 너무 없다 보니 오히려 이런 강의를 필자에게 처음 듣는다는 분들이 대부분이었다. 그리하여 이론 내용을 이 책의 앞부분에까지 넣게 되었다. 지루하다고 생각하지 말고 전반적인 흐름을 이해한다는 느낌으로 읽어주길 바란다.

당장 임플란트를 심는 것이 급하신 분이라면 이 챕터는 건너뛰고 3장으로 바로 가주세요. 이 챕터는 이 책을 다 읽고… 또는 두 번째 읽을 때 읽으시면 더 좋을 수도 있습니다. 😊

CHAPTER 2-1

임플란트의 재료와 표면처리

Mastering dental implants

임플란트 재료

임플란트를 타이타늄으로 만든다는 것을 모르는 사람은 없다. 요즘은 임플란트 초창기와 달리 임플란트의 성공률에 별로 관심이 없다 보니 머트리얼에 대해서도 별로 관심들이 없는 듯하다. 그러나 영업사원들과 대화할 때 바보 취급받지 않을 기본적인 정도는 상식으로 알고 있어야 한다. 우선 타이타늄은 순수 타이타늄(commercially pure, CP)과 타이타늄 합금(alloy)으로 나뉜다. CP 타이타늄은 그 순도를 기준으로 가장 순수한 것을 Grade 1로 시작해서 Grade 4까지로 구분되고, 당연히 Grade 4로 갈수록 기계적 성질이 좋아진다. 다만 주조가 불가능해지기 때문에 주로 기계적으로 깎아서만 가공할 수 있다고 생각하면 된다.

타이타늄 알로이는 종류가 너무나도 많은데, 우리가 타는 자전거부터 비행기까지 가볍고 단단한 것들은 대부분 타이타늄 합금으로 생각해도 될 정도이다. 임플란트에 사용되는 타이타늄 알로이는 거의 Ti-6Al-4V (Grade 5)라고 봐야 한다. 요즘은 좀 더 확대되었기 때문에 이것을 1세대 치과용 타이타늄 합금이라고도 하지만, 아직까지는 이것이 가장 주된 재료라고 봐야 한다. 90%의 타이타늄에 6% 알루미늄과 4% 바나디움이 섞여있다고 보면 된다. 당연히 기계적 성질이 CP 타이타늄보다 두 배 정도 강하다. 최근에는 Ti-6Al-4V ELI (Grade 23)라는 재료가 Grade 5 알로이를 대신해서 임플란트 재료로 많이 사용된다고 한다. Ti-6Al-4V 합금에서 불순물인 산소, 질소, 수소, 철 원소의 함량을 극히 낮춘(극저 삽입, Extra Low Interstitial Elements, ELI) 것으로 계량된 Grade 5라고 생각하면 될 듯하다. 필자는 보통 구분하지 않고 타이타늄 알로이(Grade 5)라고 부른다.

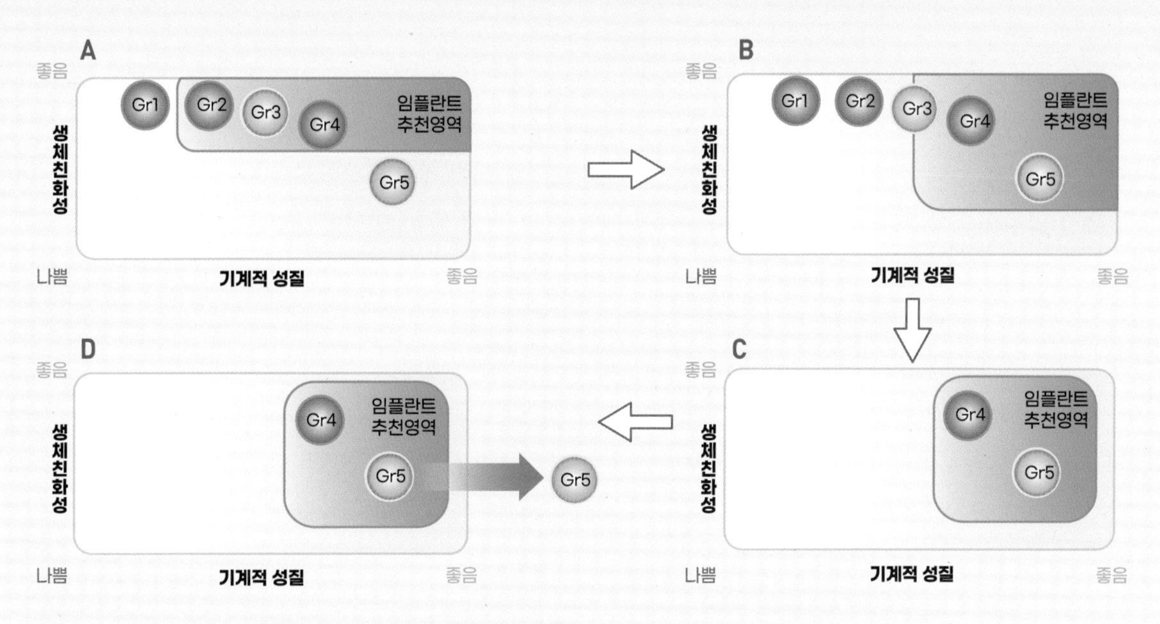

1.2 임플란트 제조 회사에서 광고하는 타이타늄 종류에 따른 임플란트 추천 영역의 변화

1.2A는 필자가 한참 임플란트 기초에 대해 많이 공부하던 시절에 오스템 임플란트에서 나온 그림이다. 당시에는 임플란트 픽스처를 Grade 3로 만들고, 어버트먼트는 픽스처를 손상시키면 안 되니 좀 더 강도가 약한 Grade 2로 만들고, 스크류는 단단해야 하니까 Grade 4나 알로이로 만든다는 말도 있었다. 최근에는 픽스처는 Grade 4로 만들고 나머지 어버트먼트나 스크류는 알로이로 만드는 것으로 대부분 변했기 때문에 임플란트 추천 영역이 **1.2A**에서 점차 **1.2B, C**로 변화하였다. 이제 굳이 이 그림을 손봐야 한다면 필자는 임플란트 추천 영역을 손보는 게 아니라 그래프에서 Grade 5 알로이를 조금 더 멀리 갖다 놓고 싶다(**1.2D**).

이제 **여러분이 보는 임플란트 픽스처는 모두 CP 타이타늄 Grade 4로 만들어지며, 스크류나 어버트먼트는 거의 모두 알로이(Grade5)로 만든다**고 생각해도 무방하다.

그렇다면 타이타늄 알로이는 안전한가?

필자가 우선 위키피디아에서 타이타늄 알로이를 검색해봤다. 참고로 알아만 두자.

> Grade 5 also known as Ti6Al4V, Ti-6Al-4V or Ti 6-4 is the most commonly used alloy.
> It has a chemical composition of 6% aluminum, 4% vanadium, 0.25% (maximum) iron, 0.2% (maximum) oxygen, and the remainder titanium. It is significantly stronger than commercially pure titanium while having the same stiffness and thermal properties (excluding thermal conductivity, which is about 60% lower in Grade 5 Ti than in CP Ti). Among its many advantages, it is heat treatable. This Grade is an excellent combination of strength, corrosion resistance, weld and fabricability.
>
> 출처: wikipidia

그렇다면 정말 타이타늄 알로이는 유해한가? 필자는 2005년 임플란트의 기초에 대해 공부할 때 관련 논문을 많이 읽었었다. 자료 원문을 다시 찾기는 어려워 여기에서는 요약만 하려 한다(필자의 기억이 잘못되었을 수도 있지만, 크게 중요한 내용이 아니기 때문에 이 정도만 알아도 된다는 마음으로…).

우선 알루미늄이 치매를, 바나디움이 암을 일으킨다는 등의 말이 있지만 근거가 부족한 상황이다. 또한 각종 논문뿐만 아니라 강의나 필자의 경험에 비추어 보아도 특별히 유의한 차이를 느끼지 못했다. 특히 필자가 당시에 한참 관심을 가졌던 엔도포어 임플란트도 알로이로 만들어져 있기 때문에 엔도포어와 관계된 분들로부터 관련 연구에 대해 많이 들을 수 있었다.

필자가 15년이 지난 지금 오로지 딱 하나의 문구가 기억난다. 바로 “Only minimally toxic”이다. 누가 타이타늄 알로이가 완벽하다고 했느냐. 각종 논쟁과 시비도 많고 약간의 유해성에 대해서 더 많은 연구가 필요하겠지만, 아직까지는 “Only minimally toxic”이라는 입장을 표명한 문구인 것이다. 여러분도 필자처럼 기억해두라. **알로이가 CP 타이타늄과 다르긴 해도 바로 “Only minimally toxic”** 이라는 것을… 그보다 중요한 것이 각종 금속에 대한 알레르기 반응이다. 아말감을 이야기할 때 수은의 유해성도 중요하지만, 함께 사용된 주석 등 각종 금속에 대한 알레르기가 있는 사람들의 특징적인 반응이 더 중요한 것처럼 말이다. 그렇기 때문에 필자는 알로이를 사용한 임플란트의 경우에는 알루미늄과 바나디움 또는 미량 사용된 금속에 의한 알레르기 반응 등으로 인해 지극히 낮은 확률로 이유 없는 실패가 발생할 수도 있다고 생각한다. 앞서 언급한 아말감이나 타이타늄 알로이뿐만 아니라 치과에서 사용하는 모든 금속들에서도 일어날 수 있는 일이다. 다른 이유를 다 고려해보고도 답이 안 나오면 그때 혹시 알레르기 반응인가? 하고 생각해 보면 되겠다.

1.3는 임플란트 회사별로 사용되는 재료를 나타내본 것이다. 여러분이 보는 일반적인 형태의 임플란트는 대부분 Grade 4라고 생각하면 된다. 다만 오랜 기간 동안 사용된 잘 부러지는 앵킬로스는

1.3 타이타늄 Grade를 설명할 때 사용하는 필자의 강의 슬라이드

표 1.1 타이타늄 종류별 강도 비교

Material	Modulus (GPa)	Ultimate Tensile Strength (MPa)	Yield Strength (MPa)	Elongation (%)	Density (g/cc)	Type of Alloy
Cp Ti grade I	102	240	170	24	4.5	α
Cp Ti grade II	102	345	275	20	4.5	α
Cp Ti grade III	102	450	380	18	4.5	α
Cp Ti grade IV	104	550	483	15	4.5	α
Ti-6Al-4V- ELI	113	860	795	10	4.4	α+β
Ti-6Al-4V	113	930	860	10	4.4	α+β
Ti-A1-7Nb	114	900-1050	880-950	8-15	4.4	α+β
Ti-5Al-2.5Fe	112	1020	895	15	4.4	α+β
Ti-15Zr-4Nb-2Ta-0.2Pd	94-99	715-919	693-806	18-28	4.4	α+β
Ti-29Nb-13Ta-4.6Zr	80	911	864	13.2	4.4	β

출처: Adopted from Lemons, 1990 [5]; Craig, 1993 [6]; Wataha, 1996 [4]; McCracken, 1999 [15].

표 1.1은 타이타늄 종류에 따른 강도를 비교한 내용이다. 필자도 학교를 졸업한 지 오래돼서 다 까먹었다. 굳이 공부하지는 말자. 필자처럼 임플란트 강의하는 사람도 각종 강도의 종류 같은 건 다 기억하지도 못 하는데 지금 이 책을 읽는 여러분이 여기서 시간을 보낸다면 너무 아까운 일인 듯하다. 이런 부분은 임플란트 회사와 연구소에 맡기고 우리는 잘 골라서 시술만 잘 하면 된다.

Grade 2로 만들어졌고, 어버트먼트도 같은 재질로 만들어져서 더 잘 부러진다는 말도 있다. 최근 1-2년 전부터 앵킬로스가 굵기를 굵게 하거나 Grade를 높이는 방식으로 어금니 부위에서 강도를 높이기 위한 시도들이 이루어지고 있다고는 한다(아니라는 말도 있는데, 필자가 사용하지 않고 있기 때문에 굳이 사실 확인까지 할 필요성은 못 느꼈다).

여기서는 알로이로 만드는 임플란트 종류에 대해서 한번 살펴볼 필요가 있다. 우선 바로 다음 장에 많이 나오는 숏임플란트의 대표주자였던 바이콘과 엔도포어 임플란트이다. 둘 다 형태가 특이하기도 하지만, 임플란트를 말렛으로 때려서 심기 때문에 강도가 더 중요할 것으로 생각된다. 그리고 전통적으로는 외국의 Zimmer와 우리나라에서는 철수한 바이오허라이즌 임플란트 두 개를 들 수 있다. 지금도 많은 제품을 알로이로 만들고 있는 것으로 안다. 우리나라에서는 마이너 중에서는 나름 높은 시장 점유율을 가지고 있는 IBS 임플란트가 그렇다. 쓰레드가 얇고 크며, 특히 코어(나사산을 뺀 임플란트 지름)가 얇아져서 강도 면에서 매우 취약해지기 때문일 것이다. 이렇게 나사산을 뺀 임플란트 지름이 작은 임플란트를 제외한 일반 임플란트 형태 중 아예 얇게 디자인되어 있는 3.3 mm 이하의 임플란트들은 대부분 알로이이며, 2.5 mm 원바디 임플란트 등 또한 모두 알로이라고 생각해도 될 듯하다. 지금 필자가 쓰는 제품 중에 알로이는 오스템의 원바디 임플란트인 MS뿐이다.

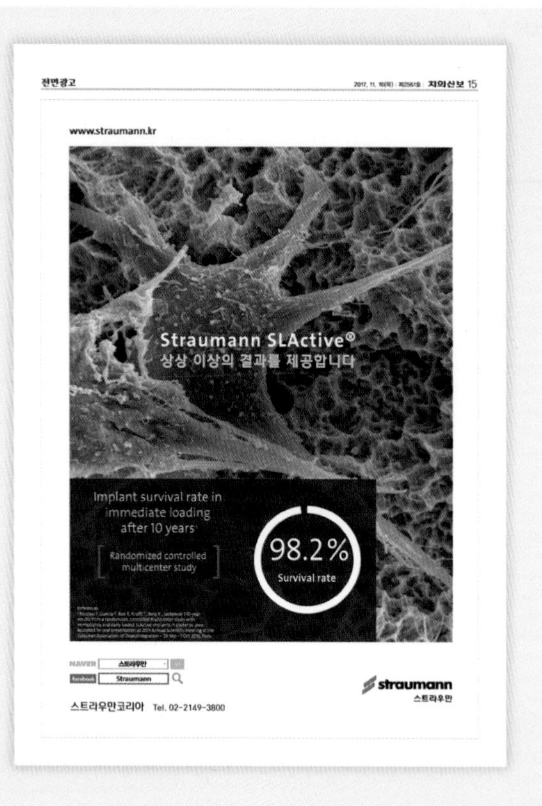

1.4 스트라우만 임플란트 광고

다음으로 살펴볼 것은 록솔리드라고 불리는 스트라우만의 지르코늄 15%와 티타늄 85%를 혼합해서 만든 합금이다(1.4). 이것도 Grade 4의 한 갈래 정도로 보는 사람들이 있는데, 그냥 지르코니아 합금 록솔이드라고 생각하면 될 듯하다. 바위처럼 단단하다고 해서 록솔이드라고 이름 지은 건 아닐까 생각해 본다. 가장 성공한 임플란트 재료라고 생각되며 특허 때문인지 기술력 때문인지 아직까지는 다른 업체에서 유사제품을 만들어내지 못하고 있다. 스트라우만의 보도자료에 따르면 Grade 4보다 70~80% 높은 인장강도를 발휘한다고 한다. 이는 Grade 5보다 살짝 못미치는 정도라고 보면 좋을 것 같다.

최근 들어서는 임플란트에 지르코니아의 사용이 늘고 있다(1.6). 크라운에서 시작한 지르코니아가 어버트먼트 상부에 티타늄베이스로 쓰이다가 요즘은 지르코니아 전체로 어버트먼트를 만들기도 하고, 이제는 임플란트까지 지르코니아로 만드는 것을 볼 수 있다. 아직 우리나라에서는 흔히 보기는 어렵지만 해외에 강의를 가보면 수강생들 중에 이미 사용해 본 경우들을 종종 볼 수 있다. 환자가 가장 비싼 재료로 해달라고 해서 이를 썼다는 경우도 봤다. 재료보다는 그것을 심는 사람의 실력이 중요한데 치과치료가 무슨 재료 딜리버리도 아닌데 말이다.

세계 임플란트의 흐름을 주도한다고 할 수 있는 스트라우만의 최근 카탈로그에서도 지르코니아 임플란트를 볼 수 있다(1.7).

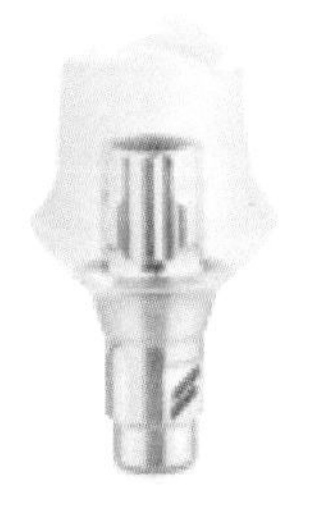
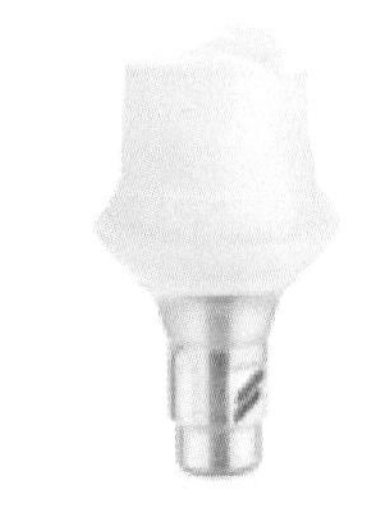

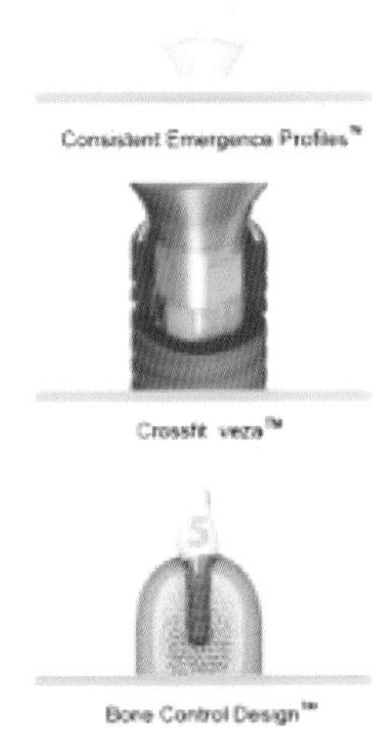

1.5 스트라우만의 각종 지르코니아 어버트먼트

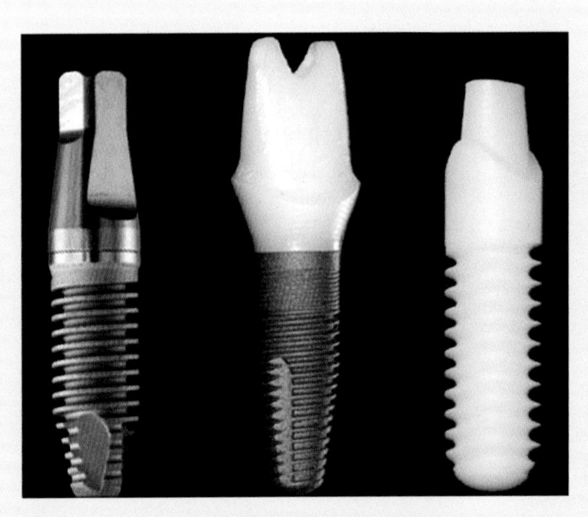

1.6 지르코니아 임플란트를 포함한 광고들

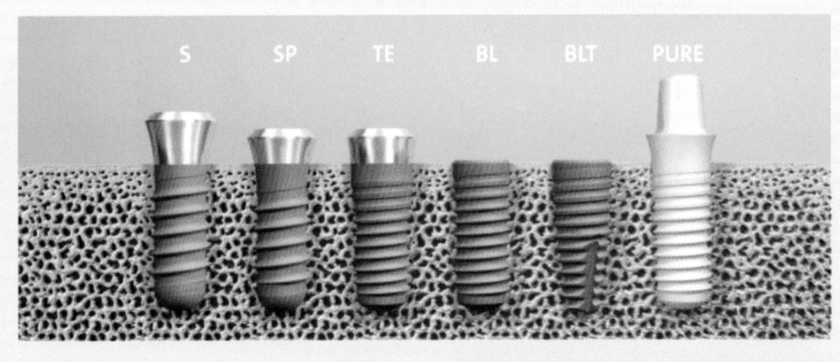

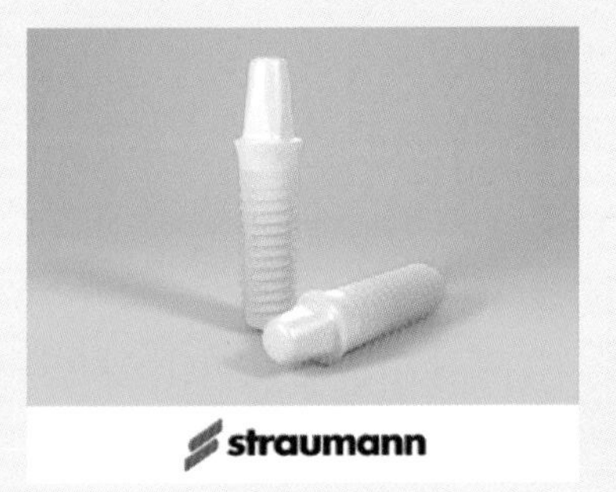

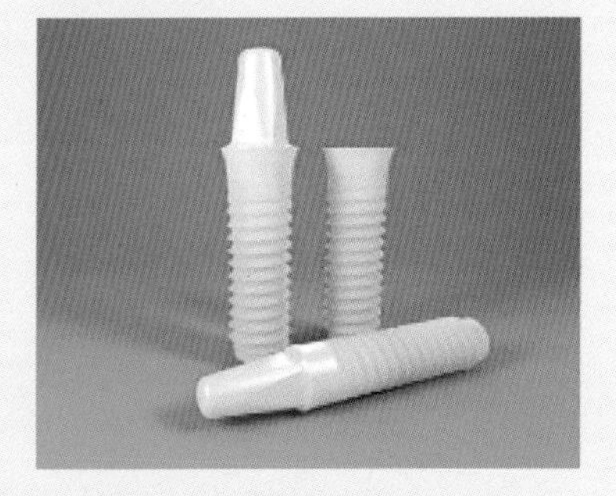

1.7 최근 스트라우만 임플란트 제품 라인업에 지르코니아 임플란트가 자주 등장하고 있다.

1.2 타이타늄과 지르코니아의 강도 비교

Features	Bone	Commercial pure titanium	Titanium alloy	Zirconia
Tensile strength (MPA)	104~121	662	993	1000
Compressive strength (MPA)	170	328	970	2000
Modulus of Elasticity (GPA)	10~15	103	113.8	200

출처: Paulo Leme. "Zirconia Implants-an overview". ISMI.

ISMI | INT. SOCIETY OF METAL FREE IMPLANTOLOGY

1.2는 타이타늄과 지르코니아의 강도 비교표이다. 강도 면에서 지르코니아를 앞서는 것은 많지 않은 것 같다. 역시 강도는 지르코니아가 최고다.

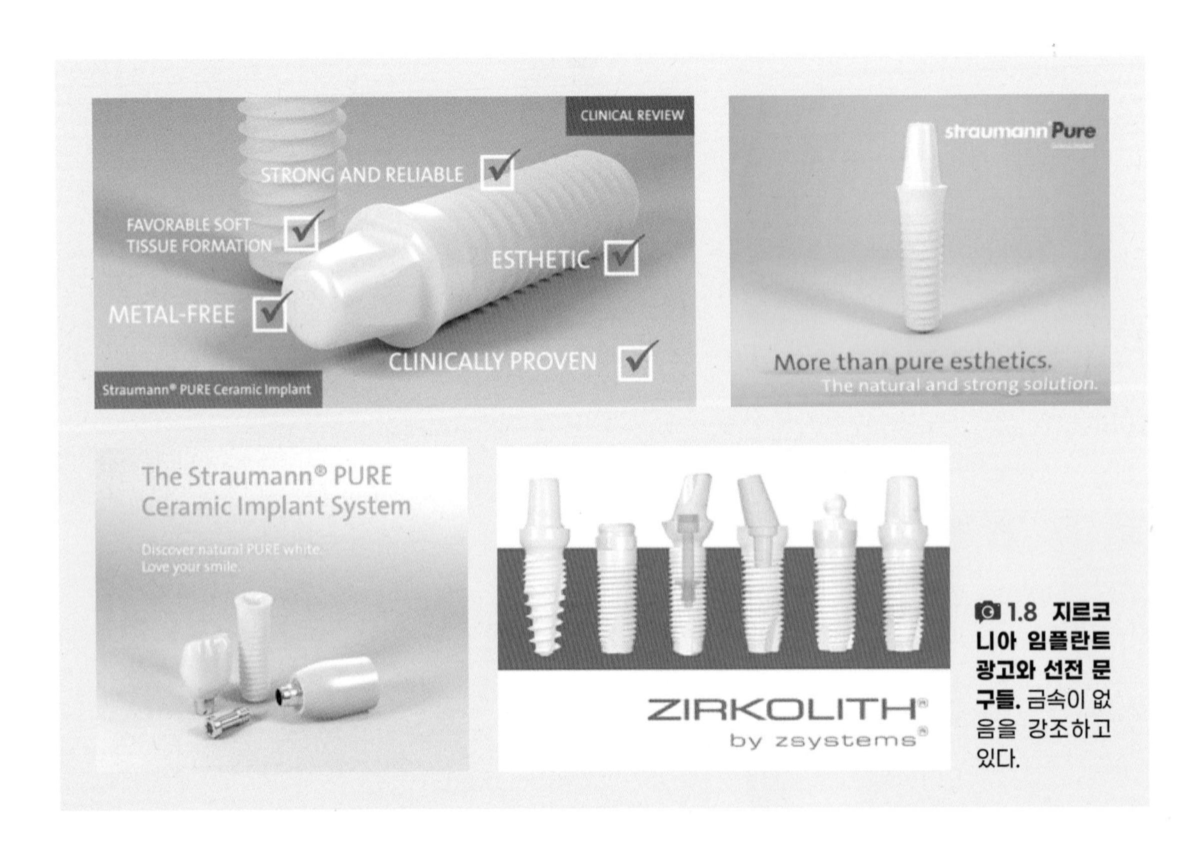

1.8 지르코니아 임플란트 광고와 선전 문구들. 금속이 없음을 강조하고 있다.

그런데 시중의 지르코니아 어버트먼트를 보면 대부분 픽스처 어버트먼트 일체형인 경우가 많다. 아무래도 적합도나 연결 부위의 강도 등에 문제가 있나 보다. 분리형으로 나와도 거의 티슈레벨 임플란트로 보이거나 연결 부위가 매우 두껍게 만들어진 것을 볼 수 있다. 최근 들어서야 연결 부위가 두껍지 않은 지르코니아 어버트먼트를 볼 수 있는데, 코로날 부분에 쓰레드가 없는 걸로 봐서는 아직도 뭔가 연결 부위에 적합도나 강도 문제는 해결이 덜 된 듯하다. 앞서가는 사람은 이런 고가의 재료를 사서 사용해 봐도 될 테지만 필자는 가성비를 따지기 때문에 한동안 좀 더 검증되고 안전한 일반 임플란트를 사용할 것이다. 실제로 지르코니아 임플란트의 좋은 증례라고 올라온 것들을 보면 결국 술자의 실력 차이이지 재료의 차이에 따른 좋은 사례라고 생각되지는 않는 케이스가 대부분이다.

임플란트의 표면처리

표면처리에서 시간을 끄는 건 너무 아깝다는 생각이 들어서 이 부분은 빨리 언급하고 넘어가겠다. 우선 표면처리에 대해서는 이미 결론이 난 상태라고 봐도 좋다. 필자는 사실 **표면처리 방식보다는 회사의 기술력이 중요**하다고 본다. 시판되고 있고 이미 몇 년 간의 검증이 된 것이라면 뭐든 믿고 써도 될 듯하다.

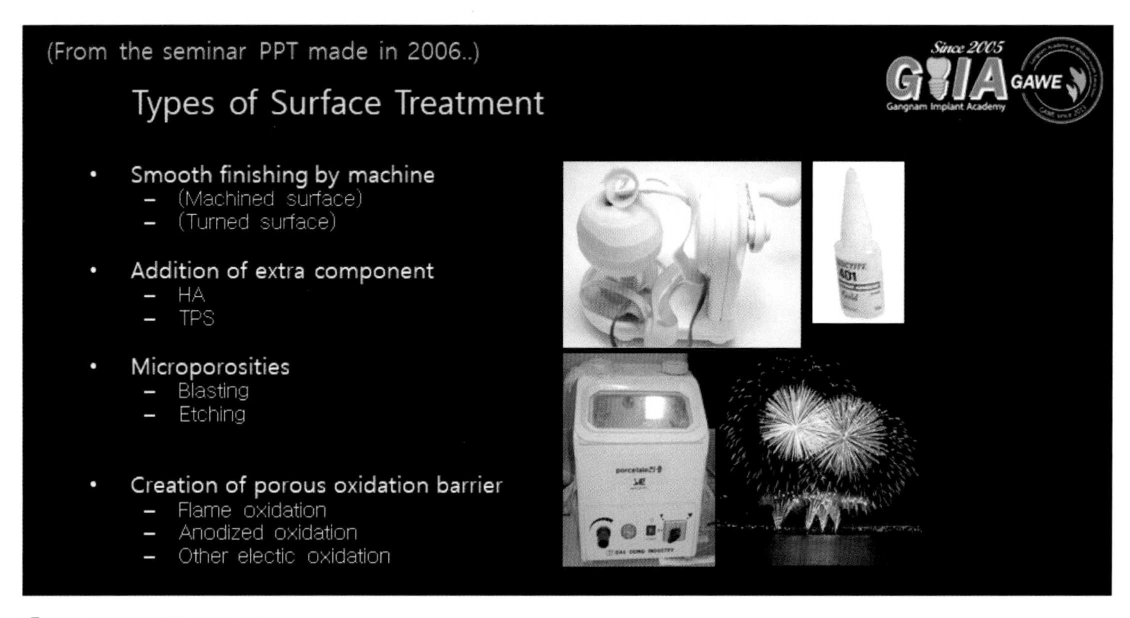

1.9 2006년도 강의 자료

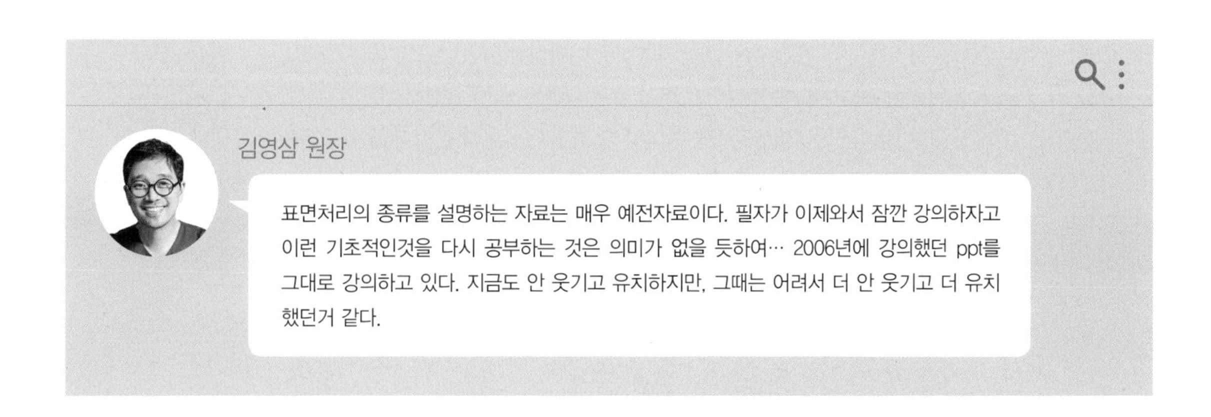

표면처리 방법에 따라서 간단히 분류해보자면 다음과 같이 나눌 수 있겠다.

- 기계로 깎아서만 형성한 매끈매끈한 표면처리법(machined surface)
- 기계로 깎은 타이타늄 표면에 추가적으로 코팅을 해서 거친 표면을 형성하는 방법들(HA coating, TPS coating, titanium sphere; 소결코팅법)
- 산 부식 혹은 블라스팅을 통해서 거친 표면을 형성하는 방법들(blasting, etching, SLA, RBM)
- 전기화학적 방법으로 산화타이타늄층을 두껍게 형성하여 표면을 거칠게 만드는 방법(flame oxidation, anodized oxidation, other electric oxidation)

한동안 위의 여러 표면처리 방식 등을 섞어서 사용하는 하이브리드한 표면처리 방식들이 유행하곤 했었다. 하이브리드 형태라고 하면 임플란트에 두 가지 이상의 방법으로 표면처리를 하거나 상부와 하부를 달리 처리하는 등의 복합적인 방법으로 표면처리한 임플란트들이라고 생각하면 될 것 같다.

이제 각각의 표면처리법들에 대해서 살펴보자.

기계로 깎아서만 형성한 매끈매끈한 표면처리법(machined surface)

• Machined surface

아무 처리도 하지 않은 표면처리라고 해야 하나?

임플란트 표면이 기계로 깎은 대로 부드럽게 되어 있는 표면이다. 처음에 임플란트를 만들 때 재료는 순수하고 표면은 매끄러워야 뼈랑 잘 붙을 거라고 생각했었다. 그러나 시간이 갈수록 뼈는 거친 표면을 좋아한다는 것을 알게 되었다. 그래서 필자는 이렇게 말하곤 한다. "뼈는 거친 표면을 좋아하고, 잇몸은 부드러운 표면을 좋아한다." 조금 더 바꿔 말하면 뼈는 거친 면에 더 잘 붙고, 잇몸은 거친 면을 안 좋아한다는 말로도 표현할 수 있겠다.

기계로 깎은 타이타늄 표면에 추가적으로 코팅을 해서 거친표면을 형성하는 방법들(HA coating, TPS coating, titanium sphere; 소결코팅법)

• TPS & HA coating

이 방법은 우리가 무엇인가를 어디에 붙일 때 본드를 사용하듯이 뼈에 잘 붙을 수 있도록 접착제를 붙였다고 생각하면 된다(끈적이는 건 아니지만). TPS는 titanium plasma spray의 약자로 임플란트 표면에 타이타늄 가루를 뿌린 것이다. TPS coating을 사용했더니 확실히 넓어진 표면 때문인지 임플란트와 잘 붙었다. 그런데 문제는 시간이 지나면서 뿌려 놓은 가루가 임플란트에서 떨어지는 현상이 발생했던 것이다. 또한 위에서 언급했듯이 표면이 너무 거칠어지다 보니 한번 염증에 노출되면 빠른 속도로 진행되어 임플란트 주위염도 문제가 되었다. HA도 TPS와 같은 과정을 밟았다. 다만 TPS보다 좀 더 효과는 좋고 부작용은 낮은 정도라고 생각하면 좋을 듯하다. 최근까지도 사용하고 있는 회사들도 있으나 거친 표면 때문에 염증의 진행 정도가 빨라서 점차 사용이 줄어들었다.

15년 전 슬라이드 제목 "다시 뜨는 HA"

International Journal of Oral Maxillofacial Implants 2005;20:124~130
Human Histologic and Histomorphometric Analyses of Hydroxyapatite-Coated Implants After 10 Years of Function: A Case report

Method
Reporting of biopsy of a 73-year-old patient, who had cylindrical implant with HA coating placed 10 years ago.
Result
Satisfactory with BIC 78%
Loss of HA coating by 27%, yet osseointegration was satisfactory in such area.
No reporting of inflammation of soft tissue
Conclusion
It is deemed that HA coating was well maintatined for over 10 years in patients with adequate prosthetic treatment and good plaque control.

International Journal of Oral Maxillofacial Implants 2005;20:238~244
Marginal Bone Loss (MBL) Pattern Around Hydroxyapatite-coated Versus Commercially Pure Titanium Implants After up to 12 Years of Follow-up

Method
Masurement of MBL of normal CP titanium implant vs HA=coated implant, for the past 12 years
Result
With respect to MBL value, HA is better than CP initially, but starts to get worse after 2 years, then much worse after 4 years.
CP is stable with respect to MBL after 2 years
Long-term success rate (over 12 years) was higher for HA (93.2%) than CP Titanium(89%).
Conclusion
The fact that HA-coated implant has higher survival rate over 12 years (despite higher MBL after 4 years) disprove minimal failure, if any, of the surgical procedure.
Failure rate (12/156 Vs 26/232)

위의 두 논문을 쉽고 간단하게 요약하면 이렇다. 첫 번째는 "10년 전에 HA 임플란트를 하고 사망한 사람을 해부한 결과, HA도 생각보다 많이 붙어 있더라"는 것이다.

두 번째는 "HA가 임플란트 주위염에 취약하여 염증 진행이 빠르지만 비교군에 비추어 볼 때 초창기 성공률이 상당히 높아서 12년 후에 봐도 HA가 더 높더라"는 내용으로, 문제는 비교군이 머신드 서페이스라는 것이다. 머신드 서페이스에 비하면 요즘 표면처리는 뭐든 훨씬 뛰어나기 때문에 굳이 이런 논문에 의미를 둘 필요는 없을 것 같다. 이미 퇴물이 된 머신드랑 싸워서 간신히 이긴 걸 자랑이라고 말할 수는 없을 것이다. 오히려 다른 표면처리가 싸웠으면 훨씬 월등하게 이겼을 것이다. 필자가 요즘은 어떤가 하고 논문을 좀 검색해봤지만 이제는 HA 표면처리가 잘 사용되지 않다 보니 연구 결과도 별로 없었다. 오히려 아래와 같은 부정적인 연구 결과가 있는 논문도 확인하였다.

Influence of surface treatment on osseointegration of dental implants: histological, histomorphometric and radiological analysis in vivo
Clinical Oral Investigations 2014 DOI: 10.1007/s00784-014-1241-2

We conclude that even if there seems to be a tendency to obtain better BIC results with surface A (blasted-etched and covered with hydroxyapatite (HA), no statistical differences were obtained in this study. The study shows the influence of different implant surfaces in increasing osseointegration for immediate loading implants.

HA는 단독으로 사용되는 경우는 별로 없고 다른 표면처리와 함께 사용되는 경우가 종종 있다.

뭘 가져다 붙인 형태의 표면처리를 이야기하다 보니 작은 구슬을 가져다 붙인 엔도포어 예시를 들어야 할 것 같다. 엔도포어의 경우 타이타늄 형태를 소결해서 붙인 방법이 사용되었다(**1.10**).

1.10 엔도포어 임플란트 광고

갖다 붙인 공은 맨들맨들하지만, 우리가 임플란트 표면을 볼 때 현미경적으로 보는 게 아니기 때문에 임상적으로 보면 가장 거친 표면이라고 볼 수 있다. 그래서 짧은 길이의 임플란트라도 충분히 기능한다고 홍보가 되어왔었다. 그런데 왜 망했을까? 바로 너무 거친 표면 때문이었다. 엔도포어 임플란트는 기본적으로 external hexa type 어버트먼트를 사용하고 있는데, 마진부의 갭과 무브먼트로 본로스가 1.5는 기본으로 깔고 시작한다고 봐야 한다. 그런데 머신드 서페이스는 1 mm와 2 mm 두 개가 있다. 물론 2 mm도 불안불안하지만 1 mm 머신드 서페이스는 애초에 임플란트가 잘못 시술되거나 임플란트와 어버트먼트 적합이 조금만 어긋나도 걷잡을 수 없게 염증이 진행된다는 것을 알 수 있다. 2005년 필자가 만났을 당시 개발자 교수님은 스무드 서페이스 1 mm가 아닌 2 mm 짜리만 심으라고 했지만, 이미 때는 늦었었다. 또한 그때 개발자 교수님은 자사 기성 타이타늄 어버트먼트보다 골드 UCLA 어버트먼트 사용을 더 권했었다. 왜 그랬을까? 결국 마이크로 갭과 무브먼트는 골흡수를 만들게 되는데, 그것을 막는 가장 좋은 재료는 골드였기 때문이다. 지금도 필자가 초창기 식립했던 external hexa type 임플란트 중에 골흡수가 전혀 없는 것들도 많다. 그 이유 중 하나는 대부분의 어버트먼트가 골드였기 때문이라고 생각한다. 인체에 미치는 화학적인 나쁜 영향도 없고 적합도가 좋아서 확실히 실링해 줄 뿐만 아니라 뛰어난 연성으로 마이크로 갭과 무브먼트도 막아주기 때문이 아닌가 생각해 본다. 어쨌든 뼈는 거친 표면을 좋아하기 때문에 치과의사들은 임플란트 표면을 거칠게 하려는 다른 시도를 하게 된다.

산부식 혹은 블라스팅을 통해서 거친 표면을 형성하는 방법들 (blasting, etching, SLA)

• Etching

우리가 치아에 레진을 붙일 때만 해도 에칭을 하게 되는데, 표면을 증가시킬 수 있는 가장 손쉬운 방법이기 때문일 것이다. 또한 에칭은 강력한 불순물 세척 작용도 있어서 세척효과는 덤으로 얻게 된다. 그런 에칭에는 치명적인 단점이 있다. 레진 필링할 때와 마찬가지로, 매끄럽게 잘 파인 써비칼 레진을 할 때 거기에 에칭만 하면 레진이 금방 떨어져 버린다는 것이다. 표면은 넓어지지만 물리적인 강도가 너무 작은 거칠기이기 때문이다. 그리고 레진할 때도 에칭한 표면을 세게 문지르지 말라고 하는 것도 그 표면이 뭉개지기 때문이다. 에칭된 임플란트 표면도 임플란트를 뼈에 심다 보면 표면이 다 뭉개져버린다. 그래서 치과의사들은 좀 더 크고 강한 거칠기를 필요로 하게 된다.

• Blasting

기공소에서 온 크라운을 보면 같은 재료라도 내면과 외면이 전혀 다른 것을 알 수 있다. 내면은 접착제가 잘 붙도록 거칠게 블라스팅 되어 있기 때문이다. 그렇다. 좀 더 거친 거칠기를 만들기에는 블라스팅이 좋은 방식이 되었다. 그런데 블라스팅의 가장 큰 문제는 블라스팅 했던 머트리얼이 임플란트 표면에 박혀서 안 빠지거나 표면이 더러워지는 것이었다. 우리는 표면이 더러우면 깨끗하게 하는 가장 좋은 방법을 안다. 무엇일까? 바로 에칭이다. 그래서 블라스팅한 후에 에칭을 하게 되는데 이게 바로 요즘 임플란트에서 가장 많이 사용되는 스트라우만의 SLA 표면이다. 오스템에서는 SA라고 하는데 이미 보편화된 이름인 SLA 대신 굳이 SA라고 하는 것은 자사 표면처리 라임을 맞추려고 하는(?) 귀여운 의도로 봐주면 될 것 같다. 실제로 회사별로 이름이 S&E, SBE, SMA 등 본인들이 붙이고 싶은 대로 붙였지만, 기본적인 내용은 SLA라고 봐도 좋을 듯하다.

• SLA (Sand blasted with Large grit and Acid etched)

앞서 블라스팅에서 언급했듯이 말 그래도 라지 그릿으로 블라스팅한 후에 에칭으로 세척해 낸 것이다. 큰 거칠기와 작은 거칠기를 모두 만들어 낼 수 있어서 현대에 가장 각광받고 있는 표면처리 방식이다. 요즘 한국에서 판매되는 임플란트는 대부분 SLA 방식이라고 봐도 좋을 정도이다. 가공 과정에서 마지막에 산을 완벽하게 잘 세척하는 것이 가장 중요한 기술력이라고 한다. 최근에 국내에서 임플란트 표면처리에 문제가 있었던 사건도 산 세척이 잘 안 되어서 그렇다는 소문이 있다.

• RBM (Resorbable Blasting Media)

여기서 뜬금없이 RBM이라는 표면처리가 나온다. 이것이 왜 나왔는고 하면... 앞서 HA의 거친 표면의 문제점에 대해서 언급했는데, '만약 HA가 식립 초기에만 붙어있다가 점점 사라지면 어떨까?' 이런 고민에서 RBM이라는 표면처리가 나타나게 되었다. 다시 말해서 블라스팅하는 머트리얼이 골유착을 유도할 수 있는 흡수성 물질인 것이다. 오스템의 경우도 초창기에 필자가 사용한 임플란트의 표면처리도 RBM 방식이었으나 대부분 좀 더 효과적인 SLA로 바뀌었다. 그런데 아직까지도 RBM을 고집하는 제품들이 있다. 바로 타이타늄 Grade 5의 알로이들이다. 알로이는 필자가 딱 하나만 알아두라고 언급했었다. 바로 "Only minimally toxic"이다. 그러나 표면이 너무 넓어지는 것에 약간의 부담은 있는 것이 사실이다. 산 세척까지 한다면 얼마나 표면이 넓어지겠는가?(술자가 잘 모르지만 기술적으로도 쉽지 않다고도 한다) 거기서 혹시나 인체에 해가 될지도 모르는 이온이 막 나올 수도 있고 하니, 표면을 너무 거칠게까지는 하지 않고 약간 거칠게 하면서 살짝 덮어준다면 알로이 특유의 기계적 강도를 유지하면서 과도한 표면 노출은 막을 수 있게 된다. 그래서 대부분의 알로이 제품들은 RBM 방식을 채택하고 있다. 앞서 언급한 얇고 큰 쓰레드의 IBS 임플란트도 당연히 RBM이다. 그럼 여기서 왜 메가젠의 애니리지가 생긴 걸로 봐서는 누가 봐도 알로이로 만들어졌어야 하는데, Grade 4로 만들어졌는지를 알 수 있다. SLA 표면처리 때문일 것이다. 알로이로 SLA를 하기에는 조금 부담을 느꼈을 수도 있다. 그리고 임플란트 표면에 뭔가 더 효과를 내려면 이미 거칠어진 SLA에 하는 것이 좋기 때문이기도 하다.

김영삼 원장

뜬금없는 이야기지만 오스템은 원바디 임플란트인 MS가 SLA로 표면처리가 되어 있다. 초창기에는 치경부에 마이크로 쓰레드가 있는 RBM 표면이었으나 지금은 마이크로 쓰레드가 없어지고 SLA로 되어 있다. 필자도 지금은 SLA로 된 MS를 사용하는데, 아직 필자는 표면처리 때문에 실패한 케이스는 없다. 싱글크라운 템포러리 대합치와 닿도록 만들어서 실패한 케이스 하나뿐이다. 혹시 이 책이 반응이 좋아 후속편을 출간한다면 그 케이스를 보여주겠다. 어쨌든 여러 원장님들의 요구에 힘입어 오스템에서 RBM으로 된 MS임플란트를 재생산하게 되었는데, RBM으로 된 것은 치경부에 예전처럼 마이크로 쓰레드가 있다.

전기 화학적 방법으로 산화타이타늄층을 두껍게 형성하여 표면을 거칠게 만드는 방법 (flame oxidation, anodized oxidation, other electric oxidation)

현재 시장에서 사용되는 대표적인 방식으로는 노벨바이오케어의 아노다이징이 있다.

• Anodizing

산화법이라고 해야 할까? 그냥 아노다이징이라고 부르겠다. 전 세계적으로 1982년에 노벨바이오케어에서 시작하였으나 다른 회사에서는 기술력 등의 문제로 따라하지 못하고 있다. 그렇기 때문에 실제로 거의 노벨바이오케어 임플란트만의 특징이라고 해도 좋을 것 같다. 우리나라에서도 몇몇 업체가 시도했다가 대부분 실패한 것으로 알고 있다.

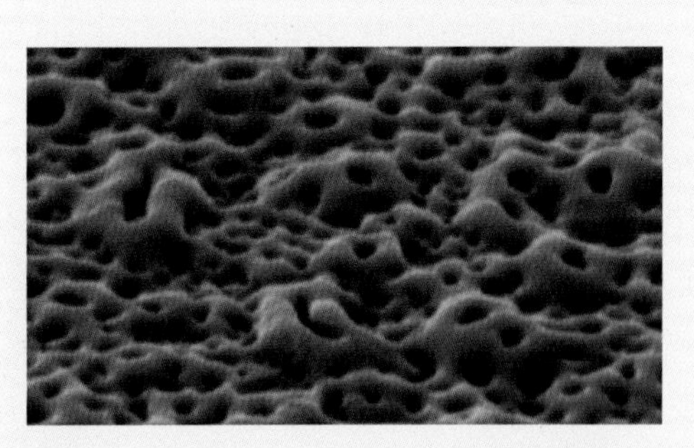

1.11 다른 표면처리와 달리 바깥으로 돌기가 돌출되었다기보다는 안에 구멍이 뚫려 있는 형태이다. 이것을 노벨에서는 "Cell nest"라고 부르는데, 필자는 살아보지 않아 잘 모르겠지만 세포가 살기 좋은 모양인가 보다.

필자가 한참 공부하던 시절에 봤던 내용들을 정리해 보았다. 요즘은 좀 다르게 생각할 수 있다. 언급한 김에 당시에 표면처리에 대해 기술한 리뷰 논문을 하나 보고 마무리하자.

International Journal of Oral Maxillofacial Implants 2005; 20:425-431
Early wound healing around endosseous implants A review of the literature

Research method
Systemic review of 1095 literature related to wound healing of endosseous implants from 1997 to 2004.

Conclusion
Despite various types of machined surface with increased roughness, there's no conclusive evidence to which type is the best as of yet.

당시 논문에도 "이제 머신드 표면은 아닌 것 같지만, 어떤 것이 더 좋은지 잘 모르겠다"라는 결론을 내렸다. 사실 알고 있었을지도 모른다. 그러나 이는 많은 회사의 이익과 관련된 문제이고, 여러 가지 이해관계가 얽혀 있었을 것이므로 아마 순수한 마음으로 결론을 내리지는 못했을 것이다.

표면처리의 하이브리드 형태

이제 그 이후 표면처리 흐름을 한번 보자. 한동안은 요즘 자동차처럼 하이브리드 형태가 유행했었다. 하이브리드 형태라고 하면 임플란트에 두 가지 이상의 방법으로 표면처리를 하거나 상부와 하부를 달리 처리하는 등의 복합적인 방법으로 표면을 처리한 임플란트라고 생각하면 된다. 최근에는 예전에 나왔던 표면코팅법보다 생체에 적합한 물질들을 사용한 기존의 코팅법을 개선한 방법들도 소개되고 있다. 이제 이러한 방법들에 대해서 살펴보도록 하자.

1.12 임플란트 픽스처의 부위마다 다른 종류, 다른 형태의 표면처리를 광고하는 이미지들

사진 1.12를 보면 임플란트 아랫부분은 골유착 효과가 좋은 것들로 하고 윗부분은 골유착 효과보다는 치주질환 관리에 유리하도록 처리한 형태들이다. 그래서 크레스탈 쪽 골흡수 경향이 높은 external hexa type이나 internal type은 최소한 윗부분이 1.5 mm는 내려간다는 전제하에 머신드 서페이스로 제작되었다. 반면에 원칙적으로 크레스탈 부위의 골흡수가 없는 internal friction type은 위쪽은 비교적 작은 거칠기, 아래쪽은 큰 거칠기로 처리하거나 HA 등을 붙이는 방식이 가장 흔하다.

Zimmer 임플란트의 표면처리 안내 모양과 그에 대한 설명

임플란트 중에 악어 같은 임플란트가 하나 있다. 바로 Zimmer® 임플란트이다. 왜 악어라고 했을까? 오래전부터 존재해왔지만 크게 변하지 않고도 지금까지 살아남아서 판매되고 있기 때문이다. Zimmer® 임플란트는 알로이로 만들어져 있는데 어버트먼트 연결구조가 internal fit type이라 치경부 골흡수도 자주 발생할 수 있다. 그러다 보니 치경부는 머신드나 약한 거칠기로 하고 픽스처 바디 쪽은 HA로 코팅된 제품 등을 판매하기도 한다. 필자는 Zimmer 임플란트를 많이 사용해봤지만 이런 표면처리는 한 번도 안 써봤다. 참고로 필자는 Zimmer 임플란트를 쓰면서 전혀 불만 없이 만족하며 사용했다. 다만 비싸서 맘대로 못 심었을 뿐이다.

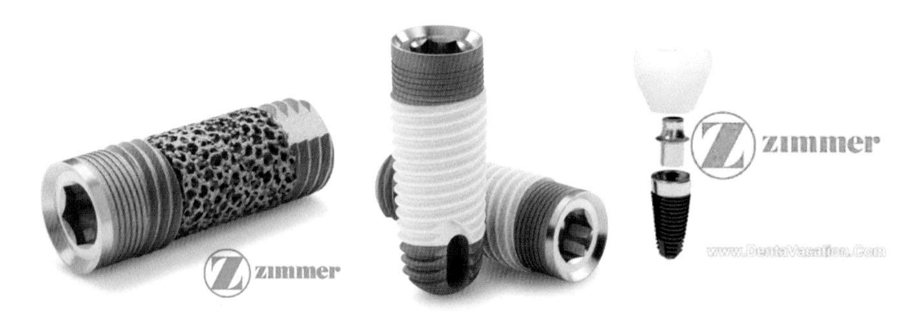

사진 1.13 **Zimmer® 임플란트**
Zimmer® implants are available with two surface texture options, a hydroxylapatite (HA) particle blasted and acid washed surface (MTX™) or a dual HA coated (MP-1®), MTX™ surface. The acid wash of the MTX™ surface roughening process is designed to remove embedded HA particle and does not etch the titanium surface. Zimmer's MP-1® HA coating procedure increases the HA crystal density to around 90 percent on the surface of the implant.

Zimmer® 임플란트의 표면처리를 보면 재미있는 게 MTX라고 하던가? Zimmer 임플란트 설명서를 보면 본인들은 산으로 세척하지 않고 증류수로 세척하였음을 강조하는 부분이 있다(HA 블라스팅 후 약산으로 HA 파티클만 제거한 micro textured surface). 역시 알로이는 산으로 에칭해서 굳이 넓은 표면을 만들 필요는 없나 보다. 가끔 알로이로 된 오스템 MS의 SLA 표면이 걱정될 때가 있다. 그러나 이런 생각으로 마음을 달랜다. 오스템 임플란트가 불량이라면 나만 죽는 게 아니라 우리나라 치과계가 다 죽는 것이나 마찬가지일 테니 외롭지는 않을 거라고… 최소한 외롭지 않게는 죽을 수 있을 테니… 그런 심정으로 말이다. 알아서 잘 검증했겠지 하는 마음과 함께….

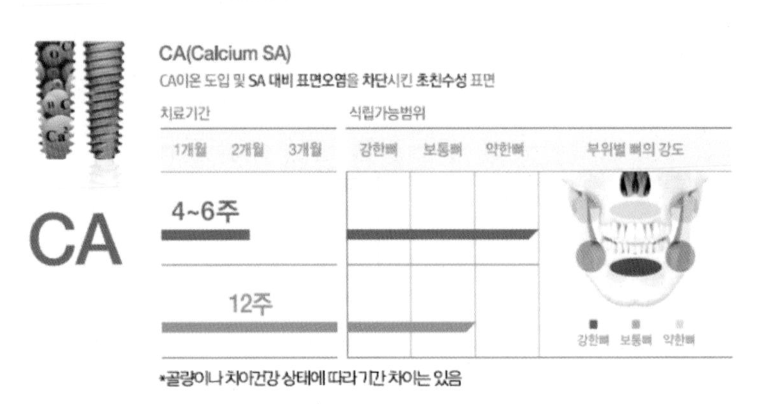

1.14 오스템의 CA 표면처리 광고

오스템 CA 표면은 SA 표면처리 후 칼슘 수용액 내에 보관하는 방법으로 친수성과 혈액 친화성을 향상시킨 제품이다.

오스템의 CA는 필자가 최근 지난달까지 가장 많이 사용한 임플란트 표면처리로 임플란트가 생리식염수에 담겨 있다. 기본적으로 임플란트는 소수성 표면을 가진다. 그러다 보니 임플란트 친수성을 테스트하기 위해 식염수에 끝부분만 살짝 담가보는 테스트를 하곤 하는데, 그런 테스트 자체를 못하게 하려고 식염수에 담가서 파나보다. 😊 임플란트를 깔 때마다 식염수가 수술포를 적셔서 지저분해지는 것 말고는 크게 신경 쓰지 않고 만족하며 사용해왔다. 괜히 CA 이온이 들어있어서 잘 붙는다고는 하는데 그건 뭐 일반인들한테 광고하려고 하는 문구겠지… 설마 치과의사들한테 그걸 믿으라고 하지는 않았을 것이다. 정말 그랬다면 어디서 약을 파냐고 여론의 뭇매를 맞았을 수도 있다.

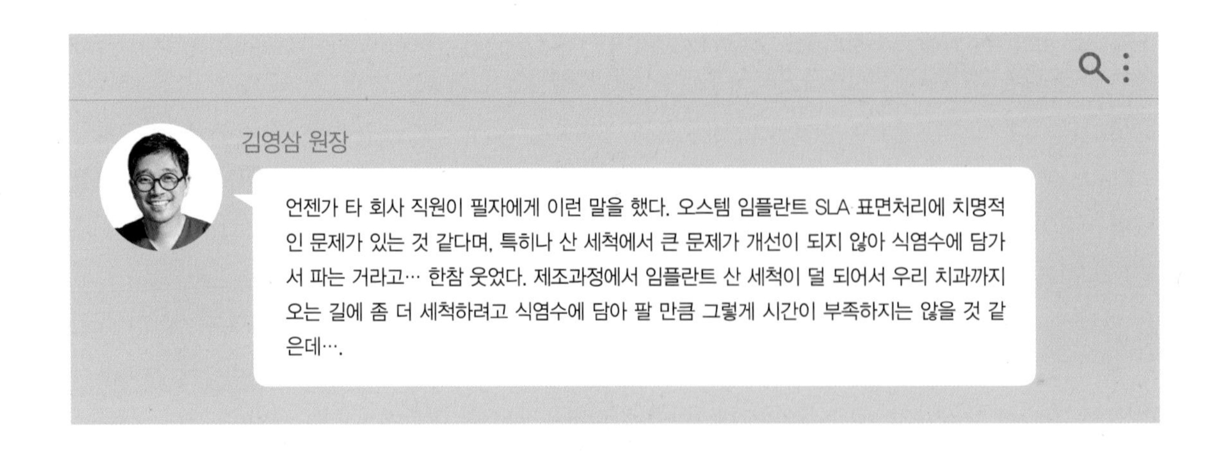

1.15 스트라우만의 SLAactive (식염수에 담가서 파는 임플란트의 원조)

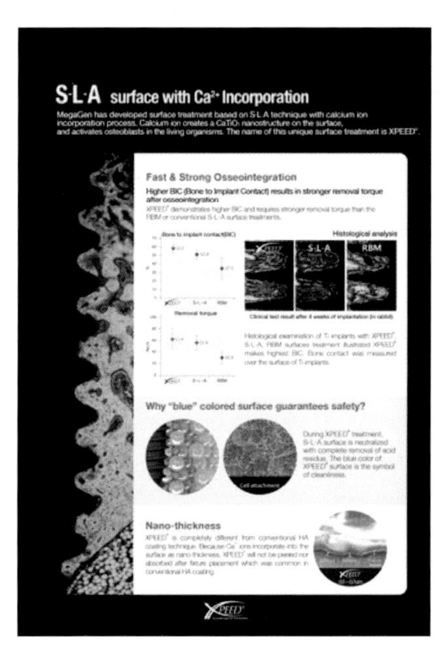

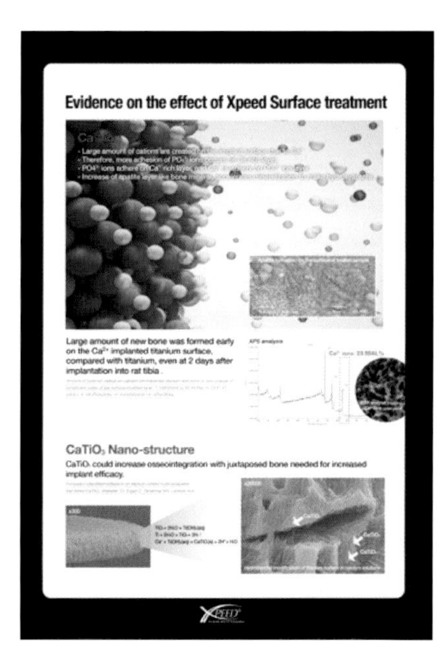

1.16 메가젠의 Xpeed 표면처리 광고들

메가젠을 보자(1.16). 메가젠에서 자사의 임플란트 색이 파란색이라고 광고하는 것을 자주 볼 수 있다. 무슨 임플란트가 스머프도 아니고 바디가 파란색일 필요는 없을 것 같은데 말이다. 어쨌든 SLA 표면에 Ca 이온을 붙였다고 광고하고 있다. 오스템도 마찬가지로 표면처리에 손상을 주지 않는 선에서 nano 크기의 입자들을 붙이는 방식이고, 메가젠 또한 CaTiO3 nano-structure를 붙였다고 한다. Xpeed라고 부르던데 필자는 아직 써보지는 않았지만 같은 임플란트에 다양한 표면처리된 제품을 판매한다면 굳이 이런 제품을 마다하지는 않을 것 같다. 물론 다른 사람들이 2년 정도 많이 써본 뒤라면… 필자는 언제나 새로 나온 표면처리는 시중에 시판되고 난 후 2년 뒤에 쓰는 걸 원칙으로 하고 있다. 한국인의 우수한 기술력은 믿지만 그 성급한 마음은 좀 덜 믿기 때문이다. 나라도 성급하지 말아야지 하는 마음으로….

오스템의 BA 광고지를 보면 SA 표면처리 후 체내 흡수가 가능한 성질의 apatite를 10 nm 이하의 나노 두께로 코팅한 제품으로 SA와 HA의 장점만을 담았다고 되어 있다. 오스템 관계자는 "BA는 10 nm 두께로 초박막 코팅을 적용했기 때문에 기존의 hydroxyapatite와 다르게 식립 시 마찰로 인한 코팅층 박리를 걱정할 필요가 없다"라고 설명했다.

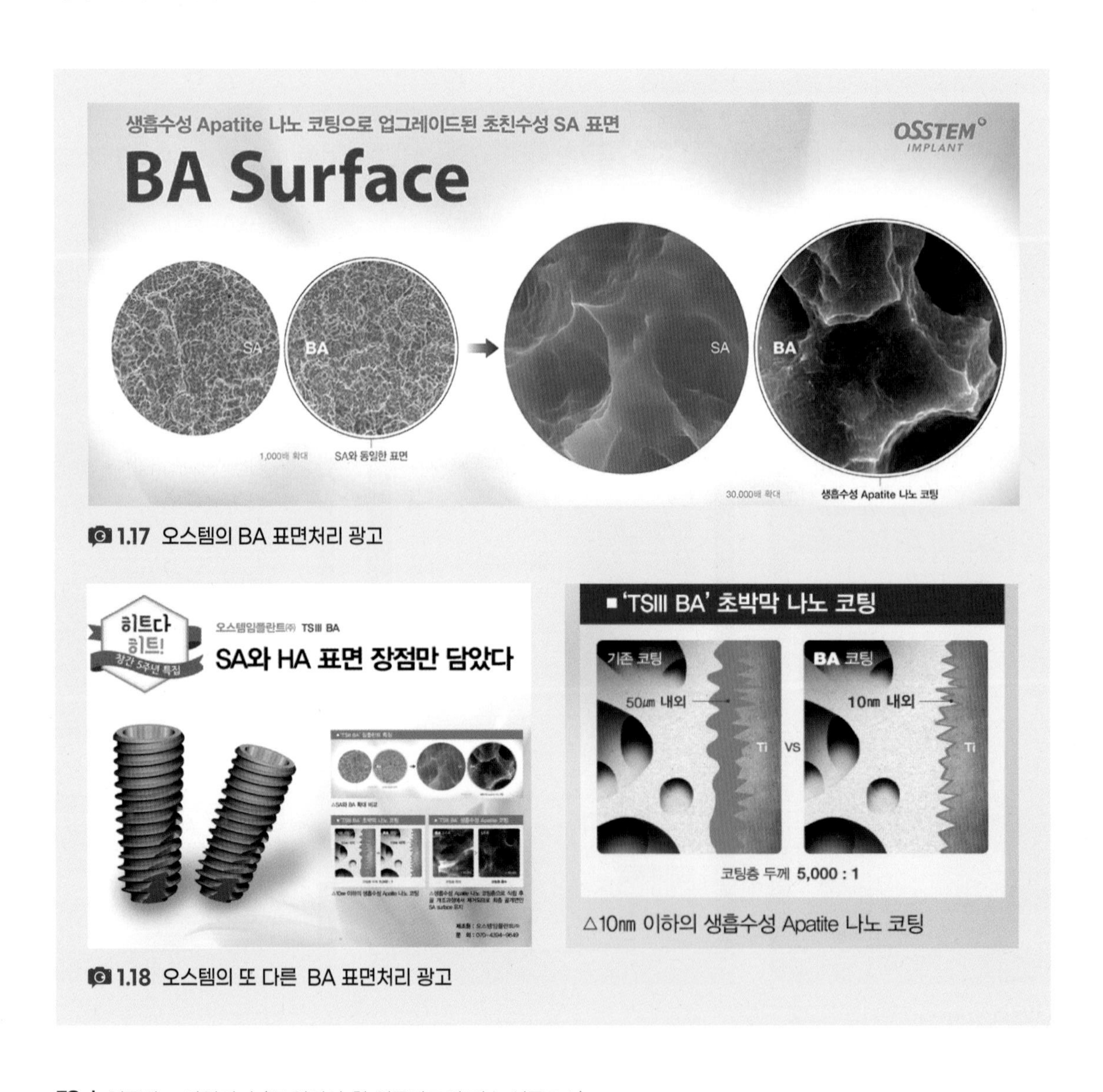

1.17 오스템의 BA 표면처리 광고

1.18 오스템의 또 다른 BA 표면처리 광고

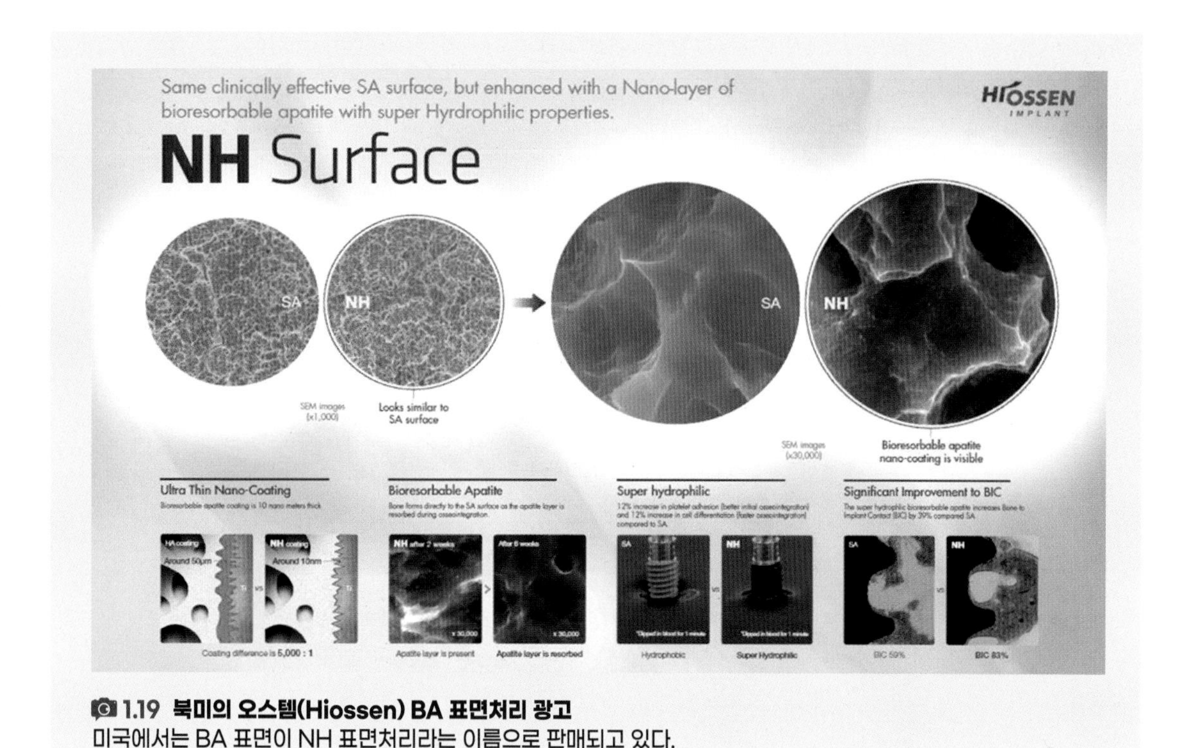

1.19 북미의 오스템(Hiossen) BA 표면처리 광고
미국에서는 BA 표면이 NH 표면처리라는 이름으로 판매되고 있다.

쉽게 표현하면 SLA로 이미 제대로 표면처리된 임플란트에 메가젠과 마찬가지로 뭔가 생체 적합한 흡수성 물질을 나노 크기로 붙였다고 한다. 필자가 봤을 때는 좀 더 과장해서 SA와 HA만의 장점을 합한 게 아니라 RBM의 장점까지 합한 것으로 보인다. 나오자마자 필자가 사용하려고 했지만 2년이 지난 다음에 쓴다는 원칙하에 이제 사용을 시작하고 있고, 지금은 한국에서도 SA보다 더 많이 팔리고 있다고 한다(미국에서는 주력으로 이 제품을 판매하고 있었다). 미국에선 Nano Hydrophilic이라고 해서 NH 표면이라고 부르는데, 아마 우리나라에선 NH라고 하면 농협에서 만든 것으로 착각하는 사람들도 있을 수 있기 때문에 BA라고 하는 것 같다.😂 참고로 오스템은 더 이상 HA 임플란트를 생산하지 않는다.

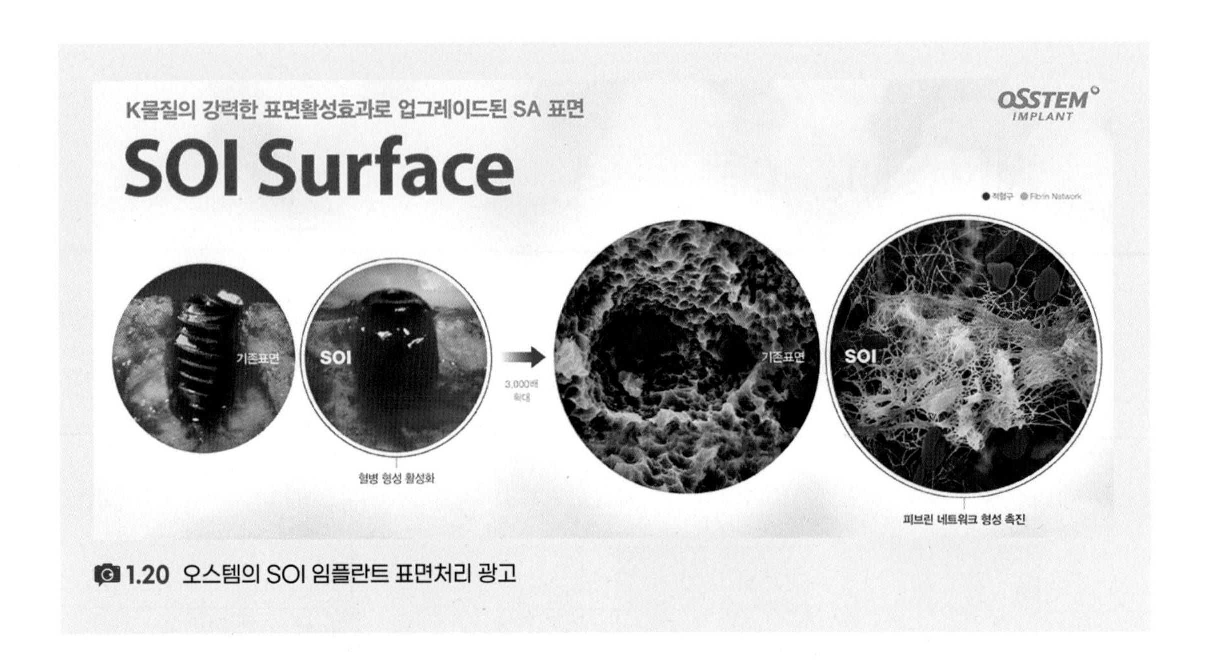

1.20 오스템의 SOI 임플란트 표면처리 광고

오스템에서 이번에는 SLA 표면에 BA와 달리 뭔가 다른 걸 발랐나 보다. 그것을 K 물질이라고 불렀다. 필자도 광고만 봤지 직접 만든 게 아니라서 그냥 이름만 접해봤다. SOI는 무엇의 약자인가 했더니 Super Osseo-Integration의 약자였다.

나중에 BA 표면 광고를 보니 필자가 이전에 못 봤는지는 몰라도 여기에 바른 물질은 A 물질이라고 되어 있다. 아마 K 물질이라고 부른 뒤에 그것과 구분하기 위해서 A 물질이라고 한 것으로 보인다. 어쨌든 결론적으로 필자가 책을 마무리하는 시점인 2021년 7월 현재 필자가 가장 많이 쓰는 표면처리이다.

자외선 임플란트

요즘은 치과계 임플란트 표면처리의 화두는 자외선이라고 할 수 있다. 이 영상을 한번 보자. 믿거나 말거나지만 기본적으로 반응은 나쁘지 않은 듯하다.

https://www.youtube.com/watch?v=k3mtpcx52d4

최근에 포인트닉스와 디오, 덴티스 등에서 자외선 임플란트를 대대적으로 하고 있다. 특히나 "임플란트도 늙는다"라는 등의 환자들을 대상으로 하는 광고도 통하는 듯하다. 그래서 그런지 오스템도 자외선에 대해서 언급하기 시작했다. 예전에 오스템 연구소장님의 강의에서 "임플란트의 노화라는 표현은 잘못되었다. '안정화'라는 표현이 더 적절하다"라고 말씀하셨던 것이 기억이 난다.

어쨌든 임플란트 표면은 원래 자외선으로 소독하게 되어 있고(의료기구들을 많이 그렇게 한다고 한다), 그럼 표면이 친수성으로 변해서 성능이 훨씬 좋아지지만 바로 aging이 시작되어 몇 시간만 지나도 이미 자외선을 쪼여준 효과는 사라지게 된다.

그러다 보니 요즘 판매되는 자외선 임플란트들은 식립하기 직전에 자체 보유 자외선기계를 이용하여 임플란트 표면을 자외선으로 처리한다. 굳이 나쁘다고 표현할 정도는 아닌 것 같다. 정말 좋은 것이라면 필자의 주 거래처인 오스템에서 잘 만들어서 판매하겠거니 했는데, 최근에 또 다른 거래처인 덴티스에서 자외선 임플란트 기계를 만들어서 한번 사볼까 고민이 되기도 한다. 지금까지 다른 제품들의 단점을 보완한 좋은 제품처럼 보였다.

그런데 최근 들어 오스템이 자외선 이야기를 다시 언급하였다. 덴올 TV 개국 세미나에서도 그랬고 얼마 전 패컬티 세미나에서도 자외선에 대해서 재차 언급하였다. 앞으로도 지속적으로 홍보할 것이라고도 했다. 오스템 측 요약은 이렇다.

"이제 와서 자외선 이야기를 하는 게 아니다. 원래 오스템도 10년 전부터 자외선에 관심이 있었다. 그리고 실제로 오스템에서도 자외선 처리를 하고 있다. 다만 금방 그 효과가 사라지기 때문에 '번개를 잡는다'라는 심정으로 자외선을 임플란트에 표면처리 한 후에 aging이 되기 전 자외선 처리 효과를 유지하고 노화를 막는 물질을 붙였다. 그것이 앞서 말한 K 물질과 A 물질이다."

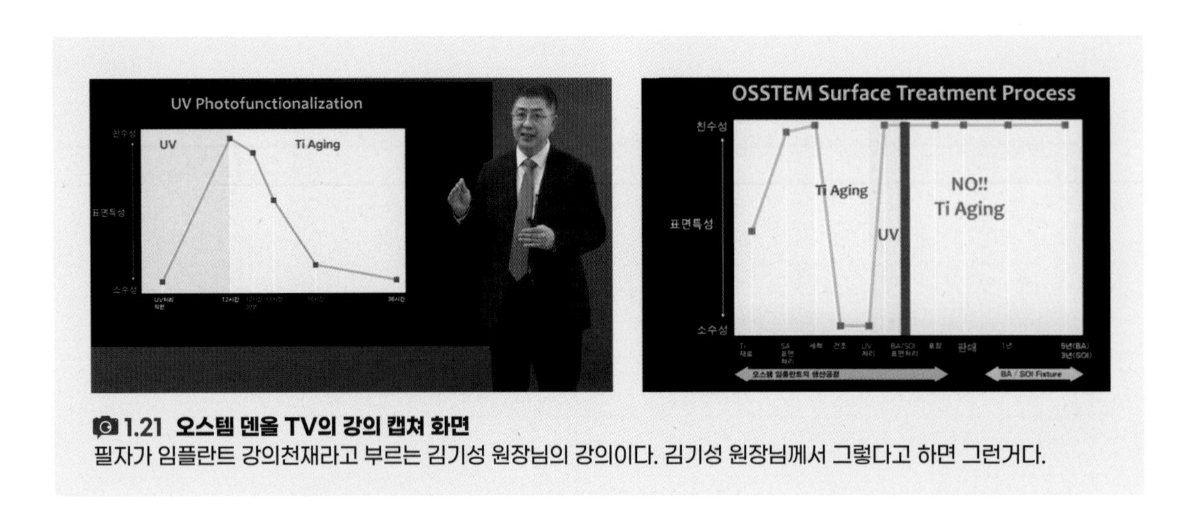

1.21 오스템 덴올 TV의 강의 캡쳐 화면
필자가 임플란트 강의천재라고 부르는 김기성 원장님의 강의이다. 김기성 원장님께서 그렇다고 하면 그런거다.

필자가 귀가 얇기도 하고, 강의를 진행하신 김기성 원장님을 매우 신뢰하기 때문에 이런 강의 내용을 듣고 SOI를 써보기로 했다. 그리고 이는 2021년 7월 현재 필자가 가장 많이 사용하고 있는 제품이다.

1.22 SOI 임플란트 표면처리 Youtube 광고영상

1.22의 동영상을 한번 보자. 필자가 책을 집필하고 있는 시점보다 약 1년도 더 된 동영상이다. BA가 2년이 넘었으니 한번 같이 써봐야겠다는 생각을 하고 '이제 수술포가 젖을 일은 없겠네' 하면서 제품의 사용을 시작하였다.

다시 한번 정리하자면 표면처리의 경우에 대해서는 이미 결론이 난 상태라고 봐도 좋다. 기본적으로 **Grade 4의 경우 SLA 표면처리 방식이 Grade 5의 경우 RBM 방식**이 추천된다고 볼 수 있고, 거기에 새로 나온 하이브리드 방식들 모두 장단점은 다르지만 검증이 되었다면 믿고 써도 된다고 생각한다. 앞에서 언급했던 것처럼 필자는 사실 표면처리 방식보다는 그 회사의 기술력이 중요하다고 본다. 시판되고 있고 이미 몇 년 검증된 것이라면 뭐든 믿고 써도 될 듯하다.

최근에 필자가 이 표면처리 파트의 리뉴얼을 마치면서 이에 관한 논문을 좀 찾아봤지만 많지 않았다. 이제 임플란트는 학문이라기보다는 산업이라고 보는 게 맞지 않을까 하는 생각이 들 정도이다. 그중 재미난 두 편 정도만 간단히 결론만 살펴보자.

Early osseointegration driven by the surface chemistry and wettability of dental implants
Journal of applied oral science : revista FOB 2015, DOI:10.1590/1678-775720140483

Conclusion The surface chemistry and wettability implants accelerate osseointegration and increase the area of the bone-to-implant interface when compared to those of other group.

딱 보면 알겠지만 식염수에 담가서 했더니 더 좋았다는 내용이다. 식염수에 임플란트를 담가서 판매하는 스트라우만과 연관이 있는 듯한 논문이라는 생각이 든다. 추가로 논문 하나를 더 보자.

Dental implant surfaces after insertion in bone: an in vitro study in four commercial implant systems Clinical Oral Investigations 2017

Primary healing of dental implants is influenced by their surface morphology.
However, little is known about any alterations in morphology during their insertion.
Therefore, the aim of this study was to evaluate the surface morphology of four different implant systems .. 중략 ..
Six new implants of four systems (Ankylos® 4.5 × 14 mm, Frialit Synchro® 4.5 × 15 mm, NobelReplace® Tapered Groovy RP 4.3 × 13 mm, Straumann SLA® Bone Level 3.3 × 14 mm) were inserted .. 중략.. Revealed that differences between the four systems were highly significant in the apical region of implants. ..중략.. The insertion process had an impact on the surface of all four implant systems.
Anodized implant surface modification seems to result in more alterations compared with subtractive surface modifications.
Therefore, surgical planning should take into consideration the choice of surface treatment because the characteristics of the implants may be modified during the installation process. The given information is of value for daily implantation practice and the course of osseointegration.

대략 내용을 보면 표면처리에서 심기 전에 표면을 분석하는 것은 의미가 없다는 것이다. 어차피 임플란트를 심고 나면 표면이 다 뭉개지기 때문이다. 그런데 심기 전후에 표면의 변화가 적은 것이 있는데, 바로 아노다이징이라는 것이다. 딱 봐도 이건 아노다이징 표면처리를 사용하는 노벨바이오케어 임플란트 회사와 관련 있는 논문이라고 봐도 될 것 같다. 이 논문이 잘못 되었다는 것은 아니지만 사실 필자라면 결론을 좀 다르게 하나 더 내렸을 것이다.

필자라면 "그러니 임플란트를 너무 세게 심지 마라"라는 말을 하나 더 붙였을 것 같다. 어차피 세게 심으면 표면처리가 다 뭉개져서 별 차이가 없게 되고, 발라놓은 것도 다 벗겨질 것이다. 게다가 내부 헥사 구조도 찌그러지거나 뭉개질 수도 있기 때문에 **절대 임플란트를 세게 심지 말아야** 한다고 말이다. 실제로 필자는 생각했던 것보다 토크가 너무 세게 나온다면 임플란트를 제거하고 다시 드릴링을 한 번 더 한 뒤에 새로운 임플란트를 심는다. 이미 한번 과도하게 문질러버린 임플란트는 가치가 떨어진다고 생각하기 때문이다. 그냥 탭드릴을 공짜로 한번 썼다고 생각하고 미련 없이 버려버린다. 국산 임플란트들은 무료로 교환해 주는데 굳이 안 할 이유가 없다. 조금만 능숙해져도 100개 중에 하나를 교환하는 비율도 안 되기 때문이다.

CHAPTER 2-2

임플란트의 모양과 나사산

Mastering dental implants

Implant Body Shape

세상에는 정말 다양한 종류의 임플란트들이 존재한다(📷 2.1).

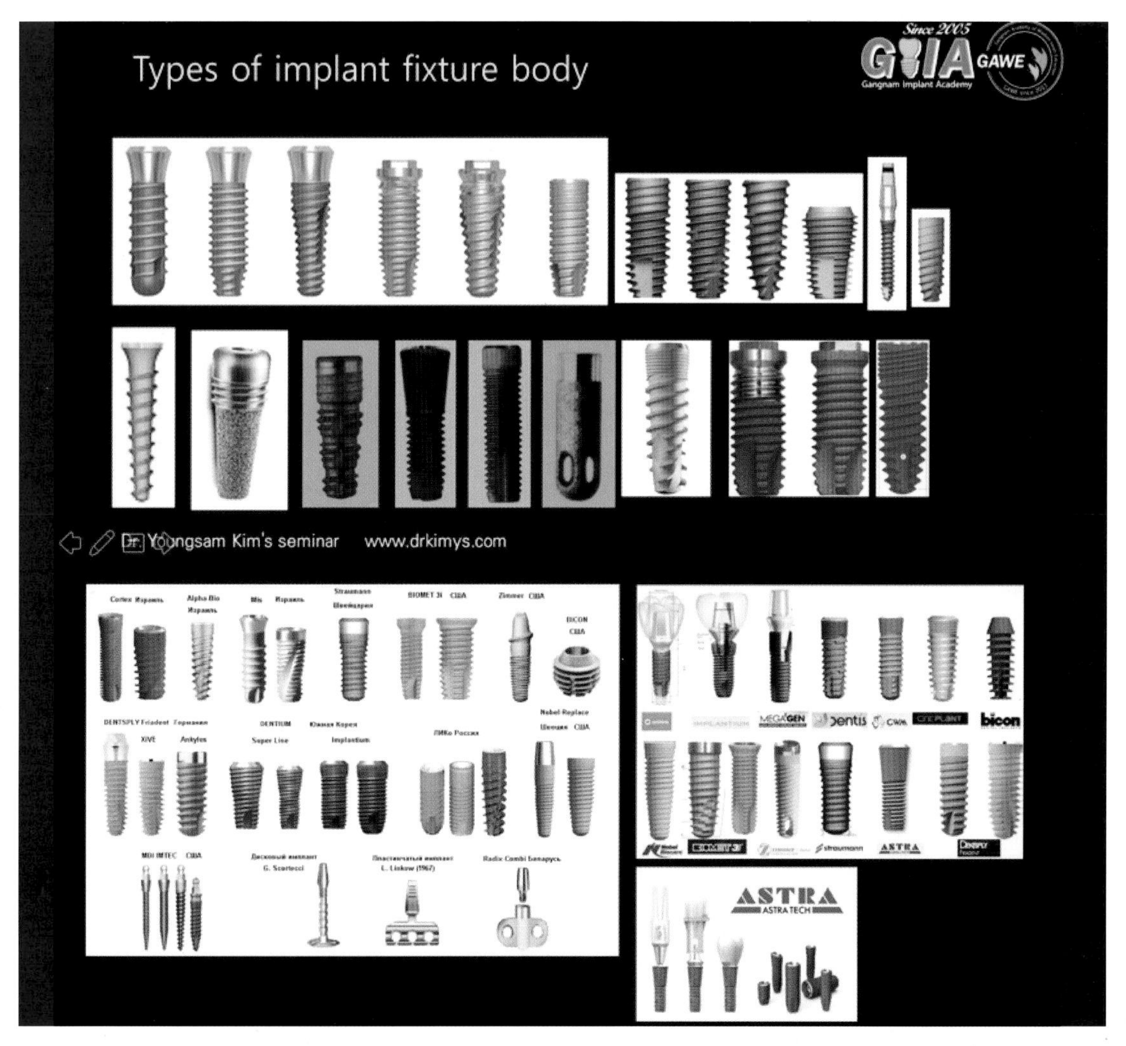

📷 2.1 임플란트 모양에 대해 강의할 때 사용하는 필자의 PPT 슬라이드

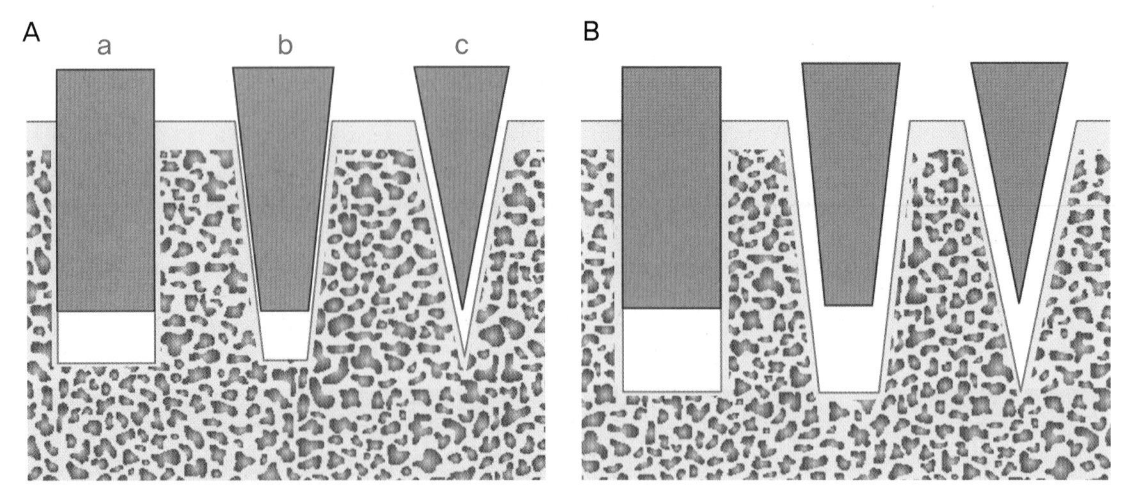

2.2 임플란트 드릴링 단면과 식립 깊이에 따른 임플란트 주변 공간 크기 비

2.2는 쓰레드를 무시한 채 바디 쉐입에 따른 임플란트 식립의 모식도를 그려본 것이다. **2.2A**는 임플란트와 같은 크기로 드릴링한 모습이다. 언뜻 봐도 테이퍼한 형태가 초기고정에는 유리할 것 같은 느낌이 들기는 한다.

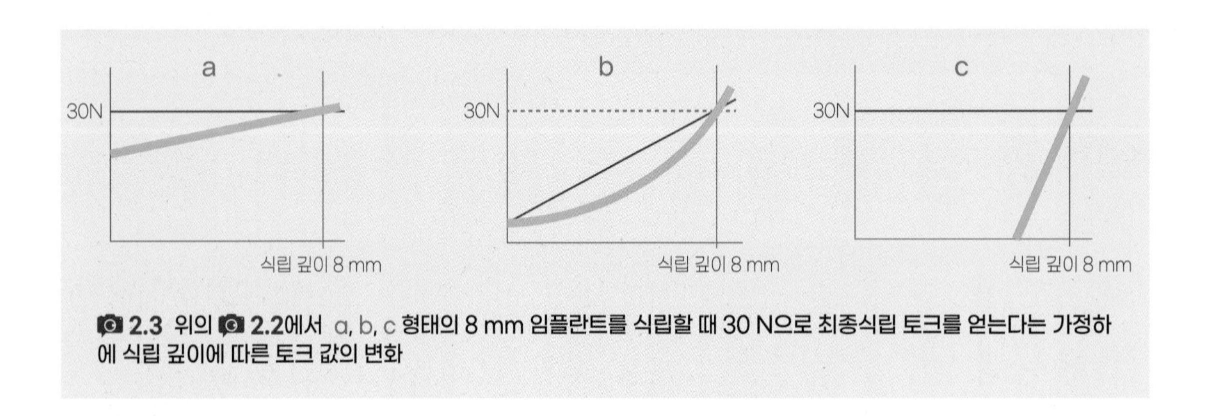

2.3 위의 **2.2**에서 a, b, c 형태의 8 mm 임플란트를 식립할 때 30 N으로 최종식립 토크를 얻는다는 가정하에 식립 깊이에 따른 토크 값의 변화

2.3은 바디쉐입에 따른 토크 값의 변화를 대략 그려본 그래프이다. 평행한 임플란트는 처음부터 식립이 완료될 때까지 비교적 일정한 토크 값이 유지될 것이다. **2.3b**와 **2.3c** 같이 테이퍼한 형태는 그 정도에 따라서 임플란트의 apex 부분이 코로날 쪽을 통과할 때는 토크가 없거나 약할 것이고 임플란트 식립 깊이에 가까울수록 갑작스럽게 토크 값이 증가하게 될 것이다.

평행한 임플란트가 테이퍼한 임플란트보다 초기고정이 떨어지는 첫 번째 이유는 평행한 임플란트의 초기고정은 거의 나사산에 의해 좌우가 되는데, 임플란트의 나사선이 같은 자리를 여러 번 지나가기 때문이다. 그리고 두 번째 이유는 같은 직경에서 임플란트 나사선의 깊이에 제한을 받기 때문일 것이다.

2.2B와 같은 상태에서 더 깊게 심고자 드릴링을 좀 더 깊게 했다면 어떤 일이 벌어질까? 스트레이트한 형태는 이러나저러나 임플란트가 드릴링한 apex에 닿기 전까지는 심는 높이에 따른 토크 값이 많이 달라지지는 않는다. 심지어 '너무 깊게 드릴링했나?'하는 생각에 조금 빼도 초기고정에서 큰 차이는 없고, 그러다 보니 높이 조절 면에서는 토크 값의 큰 변화 없이 쉽게 맞출 수 있을 것이다. 그

러나 테이퍼한 형태로 갈수록 임플란트가 바닥에 닿기 전까지 토크 값이 매우 낮을 것이라는 것을 예측해 볼 수 있다. 임플란트가 바닥에 가까워질수록 갑작스럽게 토크 값이 증가할 것이다. '너무 깊게 심었나?'해서 임플란트를 조금만 빼도 초기고정이 매우 나빠지는 것이다.

초기고정 이외에 테이퍼한 임플란트의 장점은 무엇일까? 우선 해부학적으로 링구알 플레이트나 하치조신경, 심지어 인접치도 손상시킬 확률이 적어진다. Apex에서라도 직경이 줄어드니까 말이다. 또한 상악 전치부나 소구치 부위의 버칼에서는 apex 부분이 오목한 곳이 많은데 이곳에서 버칼 본을 뚫고 나올 확률은 매우 적다. 교합력이 많이 전달되지도 않기 때문에 굵고 튼튼할 필요도 없다. 그렇기 때문에 여러가지 면에서 임플란트가 apex로 갈수록 작아지는 것을 굳이 싫어할 필요는 없다는 것이(?) 장점이라면 장점이다. 반대로 apex의 직경대로 치경부 직경을 유지하면 임플란트 파절 등의 문제가 발생할 수 있기 때문에 대부분 회사별로 치경부는 굵고 치근단부는 얇은 형태의 임플란트를 만들려고 노력하고 있다.

2.4처럼 최대한 치경부는 굵게 하고 근단은 얇게 하려는 노력들이 있었다. 테이퍼한 부분은 초기고정에 유리하고, 스트레이트한 부분은 높이 조절에 유리하기 때문에 두 가지 형태를 다 가지고 있다. 다만 반대로 두 가지 형태를 다 가지고 있다 보면 두 가지 단점이 발생할 수도 있다. 테이퍼한 부분 때문에 높이 조절이 어렵고, 평행한 부분 때문에 초기고정이 어려울 수 있는 것이다. 어쨌든 스트레이트와 테이퍼한 형태를 둘 다 가지고 있는 경우에는 드릴링도 두 가지 형태 모두 다 형성해줘야 하기 때문에 조금은 복잡해질 수 있다. 그래서 등장한 것이 계단식 테이퍼 형태이다.

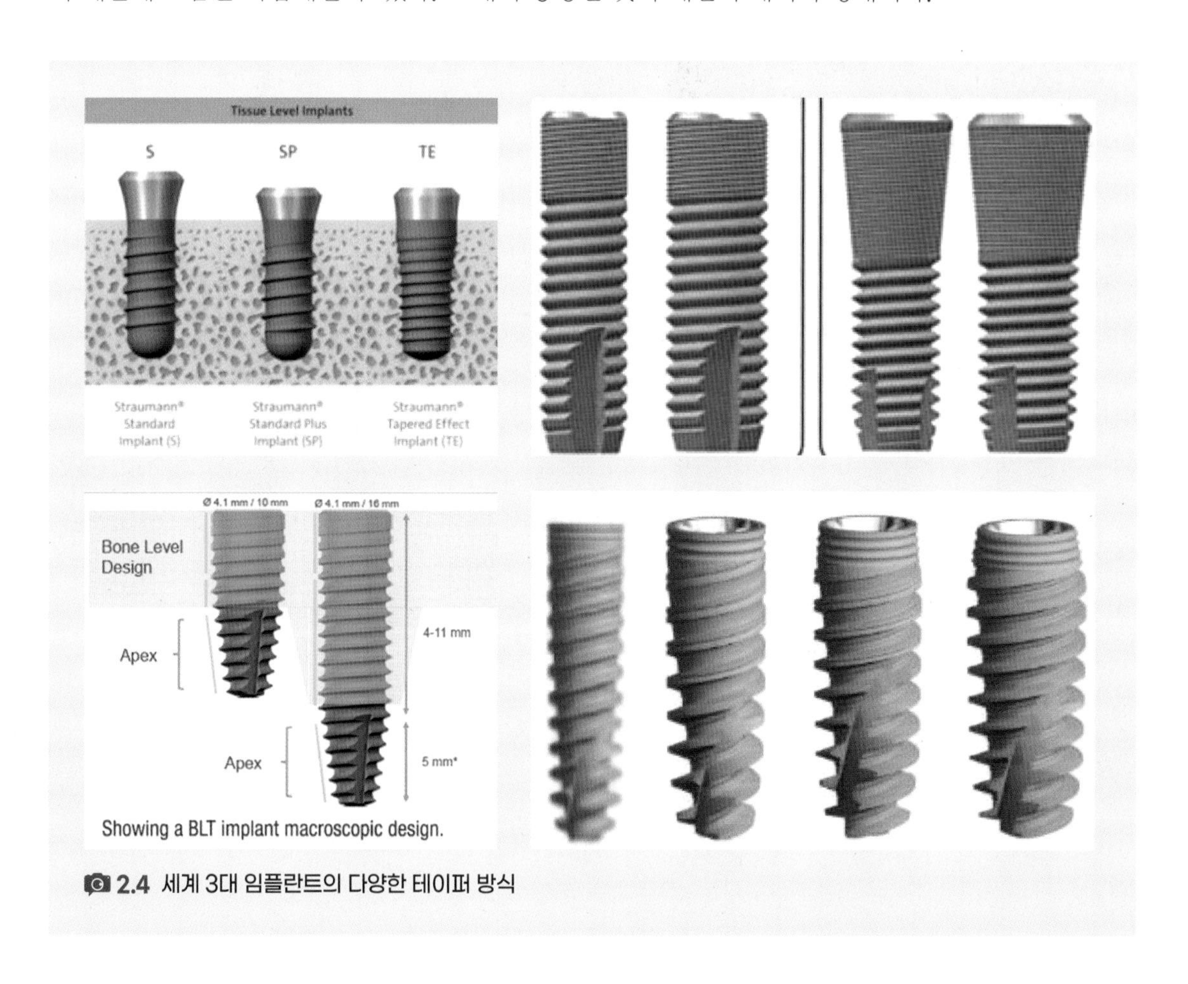

2.4 세계 3대 임플란트의 다양한 테이퍼 방식

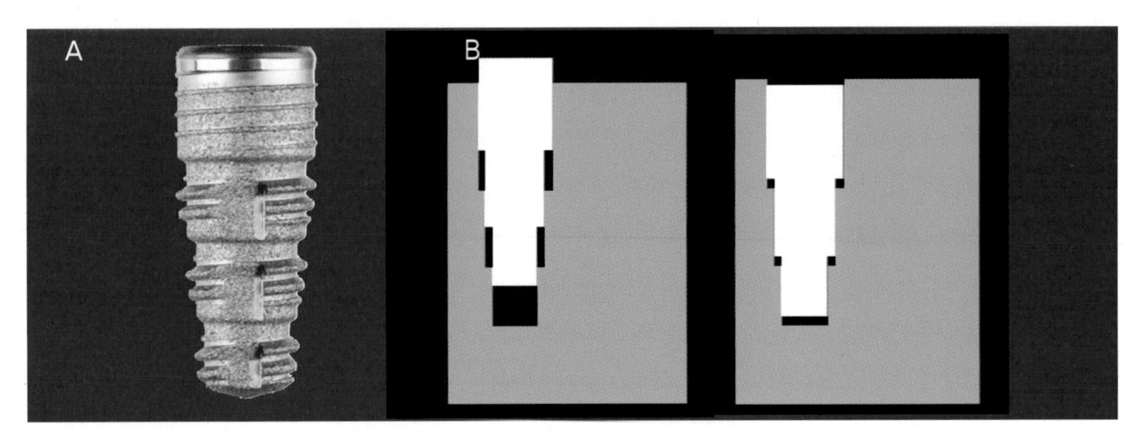

2.5 계단식 테이퍼 형태의 임플란트(필자가 강의할 때 사용하는 PPT 자료)
A: Frialit 임플란트(독일), B: 계단식 테이퍼 임플란트의 식립 과정 모식도

2.5는 "Frialit"라는 임플란트로 한 때 잘나갔던 역사적인 임플란트이다. 이러한 디자인이 바로 필자가 "계단식 테이퍼"라고 부르는 형태로 2–3 mm 정도의 평행한 면이 계단식으로 이루어져 있다. 우리가 임플란트 높이 조절을 1–2 mm 정도 단위로 한다고 보면, 테이퍼한 형태와 스트레이한 형태의 장점을 모두 가지고 있다. 전반적인 임플란트의 모양은 테이퍼하지만 각각의 평행한 면으로 이루어져 있어서 높이 조절이 용이하다. 이러한 개념을 바탕으로 여러 회사들에서 발전시켜서 임플란트를 만들었다고 할 수 있다. 요즘 임플란트들은 이러한 바디 형태에 나사산의 크기와 모양을 잘 접목하여 평행한 면과 테이퍼한 면의 장점을 모두 살리려고 노력하고 있다.

2.6A는 임플란트의 변화 단계를 그림으로 나타낸 것이다. 점점 계단식 테이퍼화 되어 가는 모습을 볼 수 있다. 다만 최근 들어 숏임플란트가 대세가 되면서 그 계단이 한두 개 정도로 줄게 되었다. 특히나 임플란트의 구조적인 안정성을 고려하면 윗 부분의 지름을 줄일 수가 없기 때문이기도 하다. 2.6B와 같이 숏임플란트가 최근 트렌드가 되면서 그 특징이 덜 나타나 있지만, 기본 개념은 계단식 테이퍼 형태이다.

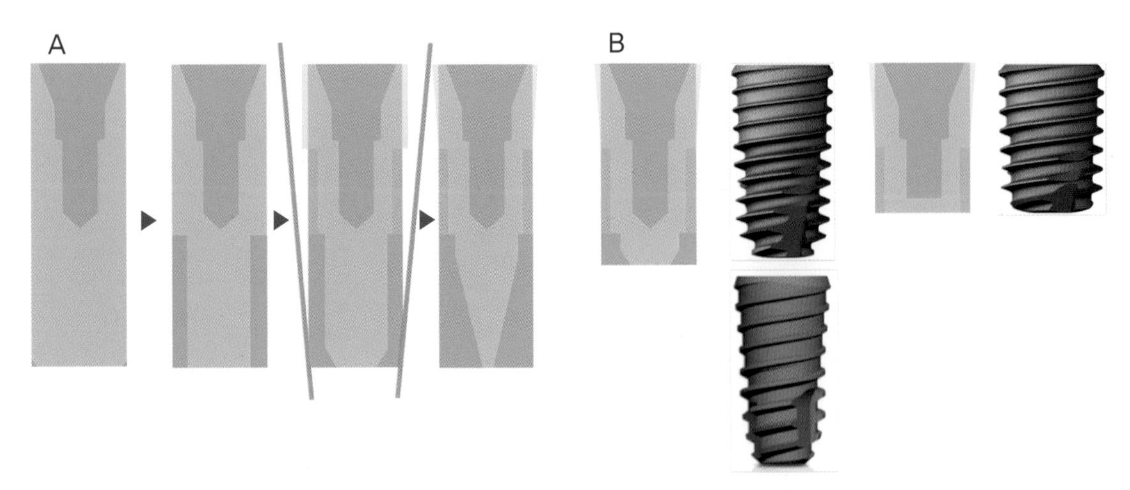

2.6 A: 12 mm 이상의 긴 임플란트에서 다양한 테이퍼 형태를 적용시켜가는 단계, B: 8 mm 이하의 임플란트와 6 mm 이하의 짧은 임플란트에서 적용되는 테이퍼 형태

Implant Threads

2005년도에는 한참 임플란트의 구조적인 내용에 관심이 커져서 많은 논문을 읽었다. 그때 아마 '세상 좋다는 것들을 다 끌어다 모아서 임플란트를 만들면 어떨까?'하는 생각도 해봤다. 그러다 "원플란트"라는 것을 보게 되었다.

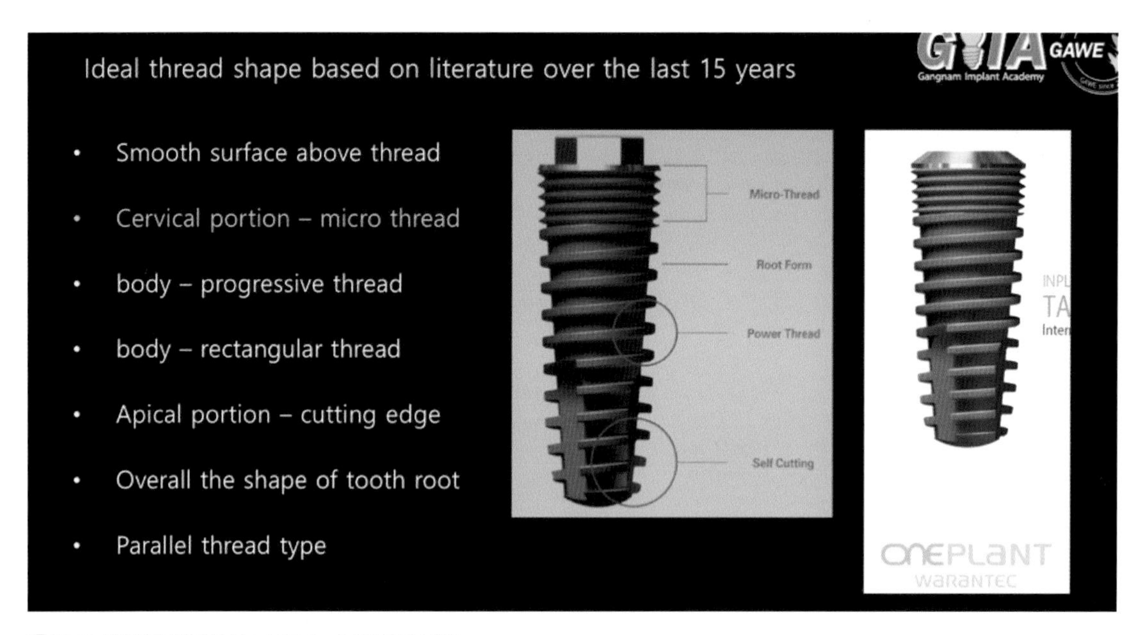

2.7 필자가 강의에서 보여주는 슬라이드 내용

2.8 원플란트의 임플란트 광고 이미지

임플란트 쓰레드의 좋은 점들은 모두 다 모아놓은 듯하다. 임플란트 수술을 많이 안 해보고 오로지 이론만을 동원해서 만든다면 이런 임플란트가 가장 좋게 느껴질 수 있다. 특히나 **2.8** 오른쪽의 internal friction 형태의 임플란트는 이론상으로는 최고라고 말하고 싶다.

그렇다면 이 임플란트의 문제점은 무엇일까? 앞서 살짝 언급했듯이 수술이 쉽지 않다. 심어놓고 나서는 참 좋은 임플란트일 수 있지만 심기가 쉽지 않다. **임플란트 성공의 가장 첫 번째 요소라면 "초기고정"**을 꼽을 수 있는데, 이러한 임플란트로는 초기고정을 얻기가 쉽지 않은 것이다. 좀 더 정확하게 말하면 올바른 위치와 높이에서 초기고정을 얻기가 쉽지 않다고 표현해야 할 것이다. 이제 쓰레드에 대해서 하나하나 배워보겠다.

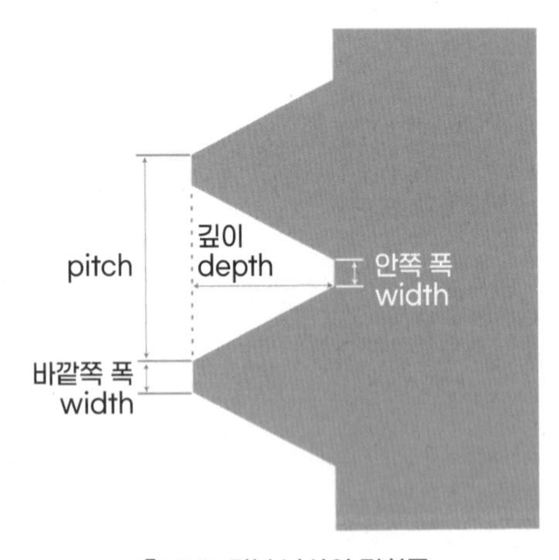

2.9 기본 나사의 명칭들

2.9는 일반적으로 나사를 설명할 때 사용하는 용어로 pitch, depth가 가장 중요한 요소 중 하나이다. 필자는 개인적으로 바깥쪽 폭은 좁고 안쪽 폭은 넓으면서 pitch가 비교적 크고 깊이가 깊을수록 좋다고 생각한다. 그러나 그렇게 할수록 또 다른 문제가 발생하기 때문에 나사산의 크기와 모양에 대해서도 천천히 공부해보도록 하자.

2.10의 역사적인 초창기 임플란트들의 쓰레드를 보자. 초창기 브렌막 임플란트는 정말 금속과 금속을 결합할 때와 같은 나사산 모양을 가지고 있으며, pitch는 0.6 mm으로 정삼각형을 나열해 놓은 것 같다. 나사산의 모서리 부분을 좀 다듬었는지 depth는 0.3 mm로 나와 있다. 스트라우만 임플란트의 나사산 크기는 거의 비슷하나 나사산과 나사산의 거리가 1.2 mm로, 나사산과 나사산 사이에 타이타늄보다 강도가 작은 골조직을 좀 더 두껍게 담으려고 한 듯하다.

그렇다면 이 두 회사의 디자인에 기본 바탕을 두고 탄생한 다른 회사들은 어떨까? 대부분 초창기에는 중간 정도의 크기로 만들기 시작하여 쓰레드가 0.8–1.0 mm 사이이다(**2.11**). 그러다가 최근에는 임플란트의 구조적인 안정성을 위해서 치경부는 쓰레드가 작고, 골질이 안 좋은 곳에서 사용하는 임플란트나 apex로 갈수록 쓰레드가 깊고 커지는 것을 볼 수 있다. 임플란트 바디쉐입과 잘 융화되도록 구성되어 있음을 알 수 있다.

2.10 초창기 브렌막(현 노벨바이오케어)과 ITI(현 스트라우만) 임플란트의 특징(필자의 강의 PPT 자료)

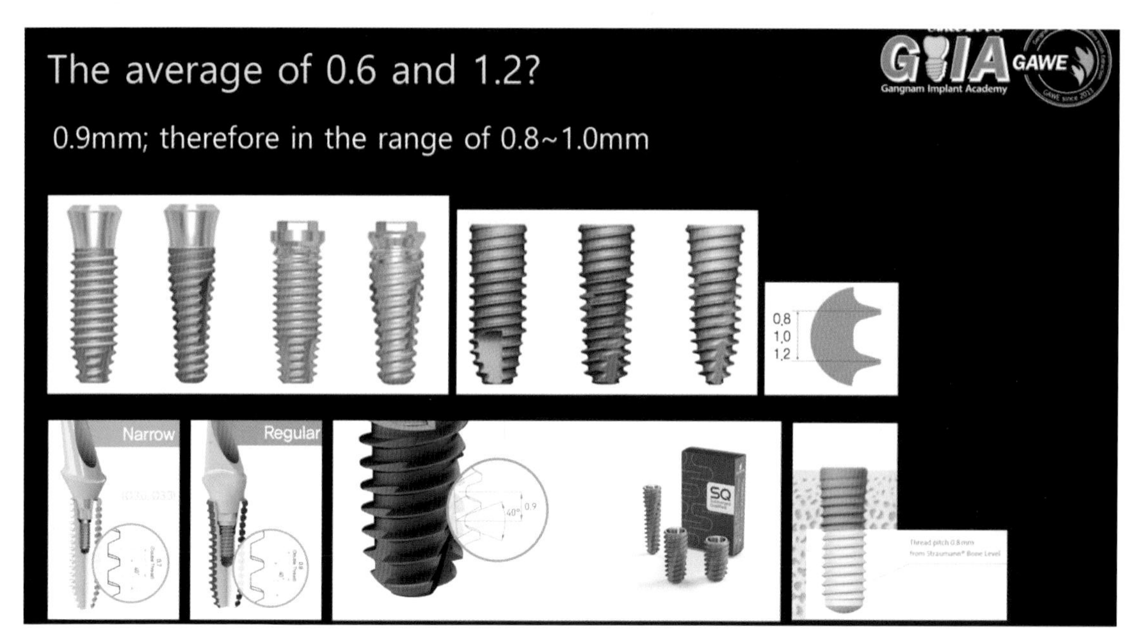

2.11 최근 임플란트 나사 모양(필자의 강의 PPT 자료)

우선 쓰레드의 모양부터 보자. 쓰레드의 끝이 날카로울수록(width가 작을수록) 심을 때 셀프커팅이 잘 될 것이고, 그로 인해서 초기고정도 좋을 것이다. 그러나 교합력의 분산에서 width가 조금 크고 각진 사각형 평행 쓰레드가 유리하다고 한다. 필자는 뭐 왜 그런지는 잘 모르겠고 이해도 잘 안 가고, 알고 싶지도 않지만… 그렇다고 한다. 어쨌든 필자 같은 사람도 사서삼경의 사서에 속하는 중용中庸(치우치거나 기대지 않고 지나침도 모자람도 없는 평상의 이치)의 가치를 높게 생각하는데, 임플란트 회사들이라고 중용의 가치를 모를 리 없다. 😊 이러한 이유로 쓰레드 모양 또한 두 가지를 합한 형태로 발전하게 된다(**2.12**).

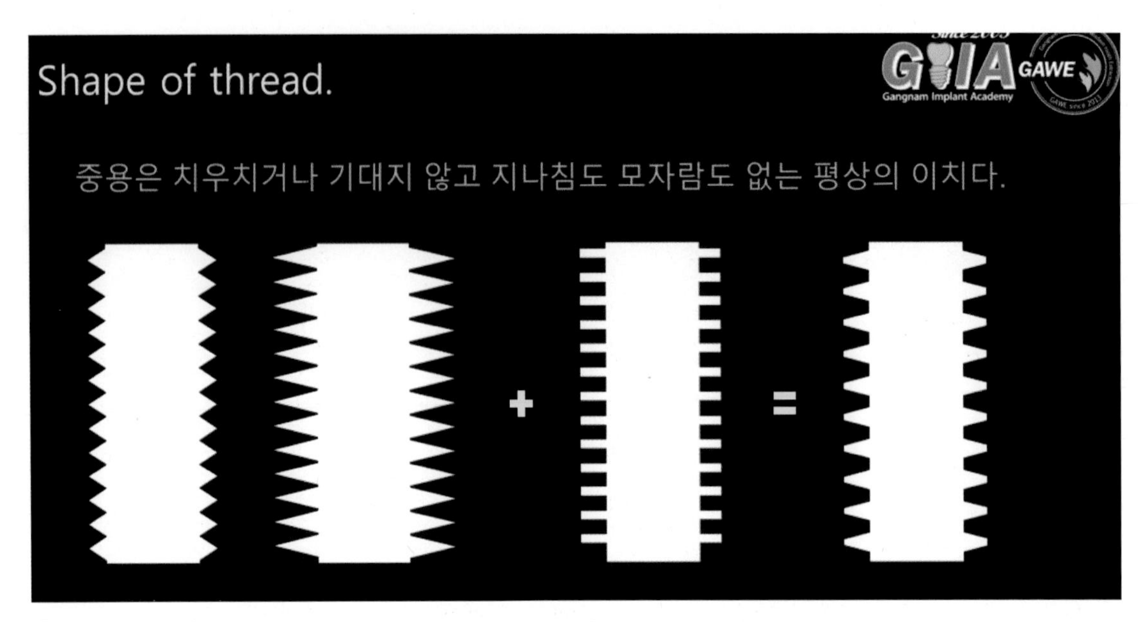

2.12A 임플란트 쓰레드 모양의 비교(필자의 강의 PPT 자료)

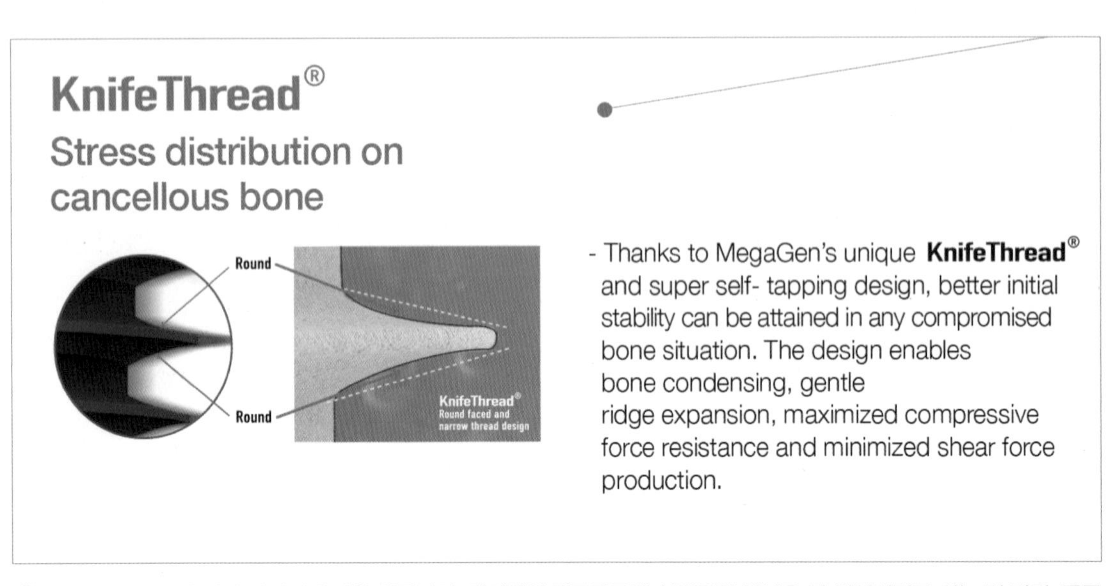

2.12B 메가젠의 자사 나사산에 대한 설명이다. 메가젠이 임플란트에 현대적인 개념을 잘 반영시키고 있는 것 같다. 둥글고 날카로운 메가젠만의 유니크한 디자인이라고 하였지만, 요즘 임플란트 나사산이 대부분 이렇게 변해가는 듯하다. 둥글다기보다는 타이타늄의 강도가 뼈보다는 훨씬 강하기 때문에 최대한 나사산과 나사산 사이에 뼈를 많이 담고자 오목하고 얇게 디자인되어 있다고 보는게 좋을 듯하다.

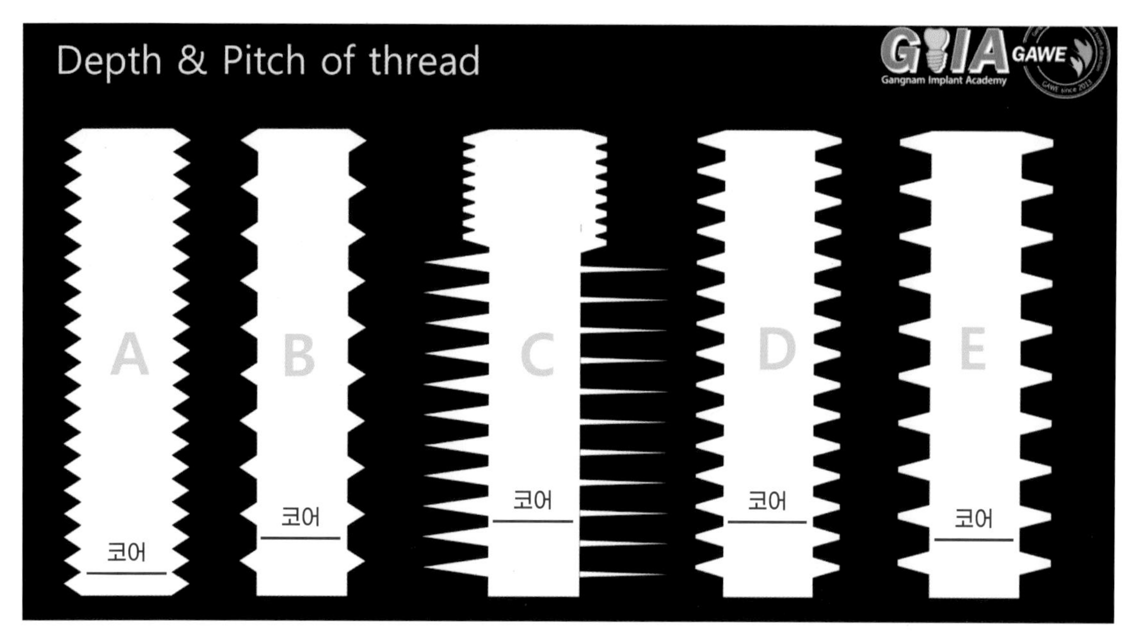

2.13 임플란트 코어와 쓰레드 모양과 간격(필자의 강의 PPT 자료)

이제 쓰레드의 깊이와 거리에 대해서 알아보겠다. 먼저 메가젠 애니리지의 코어 개념을 생각해보자. 일반적으로 임플란트의 사이즈는 가장 큰 바깥 부분의 사이즈로 말하는데, 쓰레드가 깊고 얇을수록 강도는 바깥 사이즈의 크기에 비례하지 않게 된다. 그래서 쓰레드를 제외한 픽스처의 바디 부분을 메가젠에서 코어라고 부른다. 여기에서도 코어라고 부르도록 하겠다.

우선 2.13A와 2.13B를 비교해보면 쓰레드의 크기는 같은데 나사산의 거리를 멀어지게 한 것이다. 임플란트 구조적으로는 2.13A가 더 튼튼하겠지만, 타이타늄보다 골조직의 강도가 약하기 때문에 식립 후 골조직 내에서의 안정성은 2.13B가 더 크다고 볼 수 있다.

2.13C에서 볼 수 있듯이 임플란트 쓰레드의 크기나 모양 등은 얼마든지 다양하게 만들 수 있다. 모두 각기 장단점을 가지고 있다. 최근 임플란트 쓰레드의 모양이 일반적으로 2.13D처럼 변한 걸 감안하면 전반적으로 2.13E처럼 쓰레드 사이에 많은 양의 골을 담고자 쓰레드가 길고 멀어지는 방향으로 변한 듯하다.

그렇다면 쓰레드가 길고 커지면 어떤 점이 좋을까?

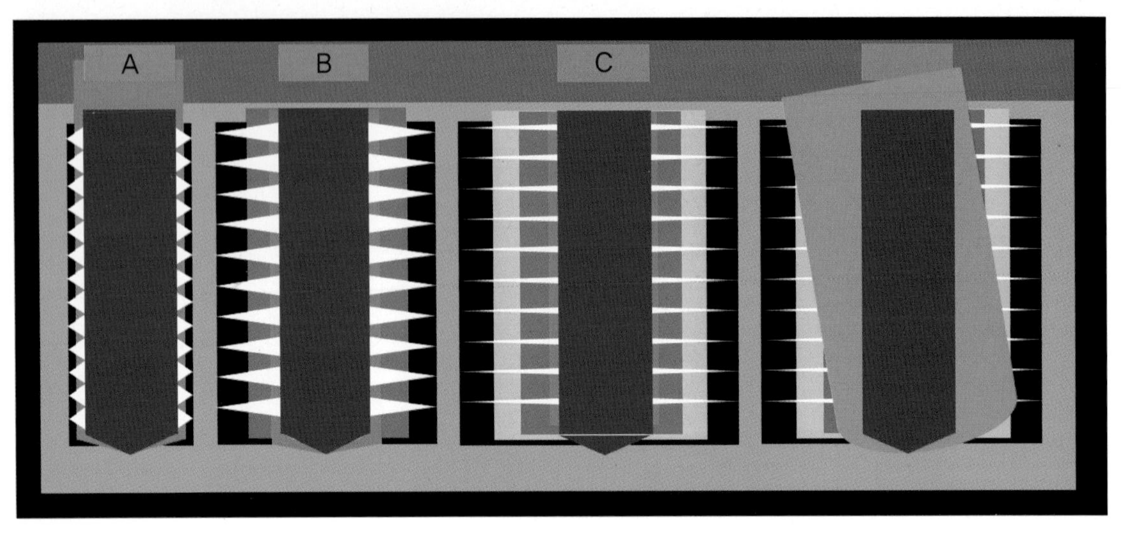

2.14 드릴링한 골 크기와 임플란트 쓰레드 사이즈에 따른 비교(필자의 강의 PPT 자료)

가장 일반적인 브렌막 스타일의 임플란트인 2.14A를 보자. 일반적으로 임플란트의 사이즈는 가장 바깥 사이즈를 말하므로 검은색 사이즈가 임플란트 사이즈라고 할 수 있다. 그렇다면 드릴링은 어떻게 할까? 골질이 매우 안 좋으면 임플란트의 코어 사이즈대로 빨간색만큼 드릴링을 하고, 일반적으로는 핑크색 정도의 사이즈만큼 드릴링을 할 것이다. 그런데 예상보다 골이 단단하다고 생각해서 조금 더 크게 검은색 사이즈에 가깝게 드릴링을 하면 어떻게 될까? 임플란트가 헐거워져서 초기고정을 얻기가 어려워지고 드릴링을 조금만 더 하거나 덜해도 임플란트를 심는 데 지장이 생길 것이다. 그러므로 환자별로, 부위별로 골질이나 골형태가 매우 다양하기 때문에 심을 때 그것들을 미리 파악하여 심혈을 기울여 심어야 올바른 초기고정을 얻을 수 있다.

이제 2.14B를 살펴보자. 임플란트 코어 사이즈는 그대로지만 임플란트의 쓰레드는 커졌다. 이렇게 임플란트의 쓰레드만 커진 경우에 코어 사이즈를 잊고, 임플란트 전체 사이즈만 생각해서 생각 없이 구치부에 심게 되면 나중에 큰 화를 당할 수 있다. 어쨌든 여기서 보면 핑크색부터 오렌지색까지 드릴링할 수 있는 범주가 넓게 형성되는 것을 볼 수 있다. 조금 덜하든 더하든 대세에 큰 지장을 주지 않고 임플란트를 식립할 수 있다.

좀 더 극대화해서 표현한 2.14C를 보자. 쓰레드가 좀 더 크지만 더 가늘어졌다. 골질이 좋든 나쁘든 적당히 코어보다만 크다면 식립하는 데 큰 지장이 없을 것이다. 심지어는 드릴링한 것과 전혀 다르게 심을 수도 있다. 그만큼 가용할 수 있는 공간이 많다는 것이다. 적당히 드릴링하고 심을 때만 정신 똑바로 차리고 심으면 임플란트를 매우 쉽고 빠르게 심을 수 있게 된다. 그래서 필자는 이 문제의 해결이 궁금해서 전 세계에서 메가젠 애니리지를 가장 많이 심었다는 후배 치과의사 전희경 원장을 찾아갔다. 필자가 애니리지 대마왕이라고 부르는 전희경 원장은 구강외과를 수련하였으며, 우리 동기와 결혼해서 더 각별하기도 하다. 워낙 대박 치과로 유명해서 다른 치과보다 진료비가 비싼 편임에도 불구하고 환자가 엄청나게 많다고 한다. 예약 시간보다는 내원 시간 순서대로 환자를 볼 만큼

2.15 애니리지 대마왕 전희경 원장과 함께

2.16 함께 근무하는 필자의 동기 허미자 원장(참 괜찮은 사람이다)

환자가 많다. 그렇다고 돈 안 되는 사랑니 발치나 다른 치료를 안 하는 것도 아니다. 그러다 보니 정말 엄청나게 빠른 속도로 환자를 보는 것 이외에 다른 해답은 없다고 한다. 이런 그가 임플란트를 애니리지 위주로 쓰는 이유는 뭘까? 메가젠의 애니리지는 쓰레드가 워낙 얇고 커서 적당히 드릴링하고도 매우 안정적으로 빨리 임플란트를 심을 수 있기 때문이라고 한다.

분명 쓰레드가 얇고 큰 것은 큰 장점이라 할 수 있다. 그러나 문제는 앞서 언급했듯이 그것이 임플란트 코어를 작게 하여 구조적 안정성을 떨어뜨린다는 것이다.

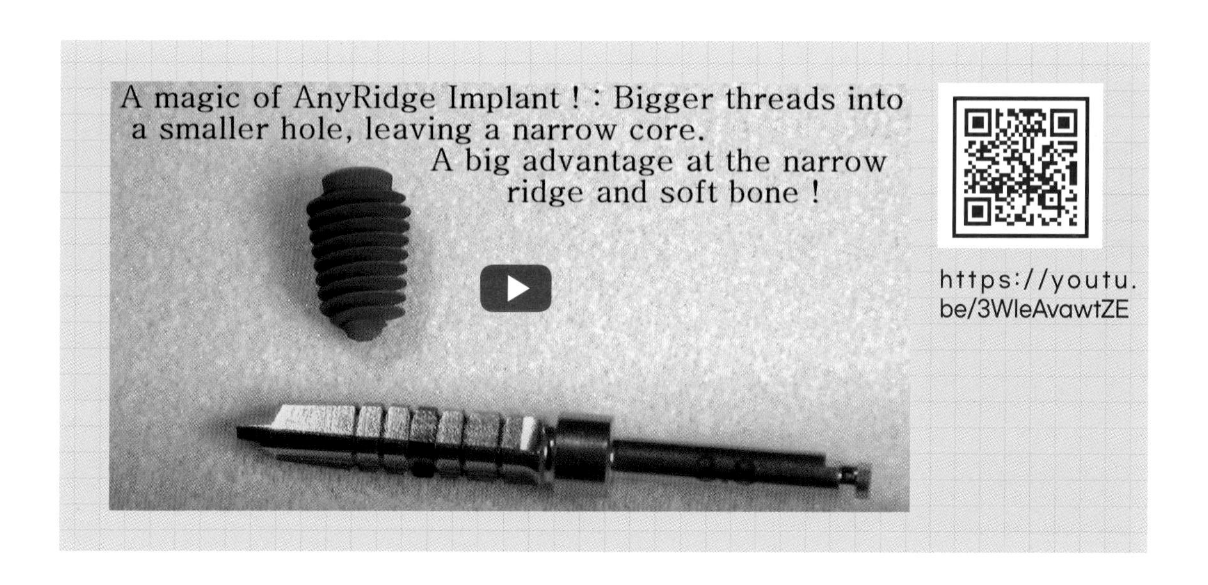

이 영상을 보자 가늘고 얇은 쓰레드가 식립에서 얼마나 편한지를 보여준다. 단순히 골질이 나쁠 때 좋은 초기고정을 얻을 수 있다는 정도로 생각해서는 안 된다. 술자가 넋 놓고 드릴링하고 심어도 적당히 잘 심을 수 있다고 생각해야 한다. 심지어 심었다가 다시 뺀 후 방향을 바꾸어 심어도 초기고정이 잘 나올 수 있다.

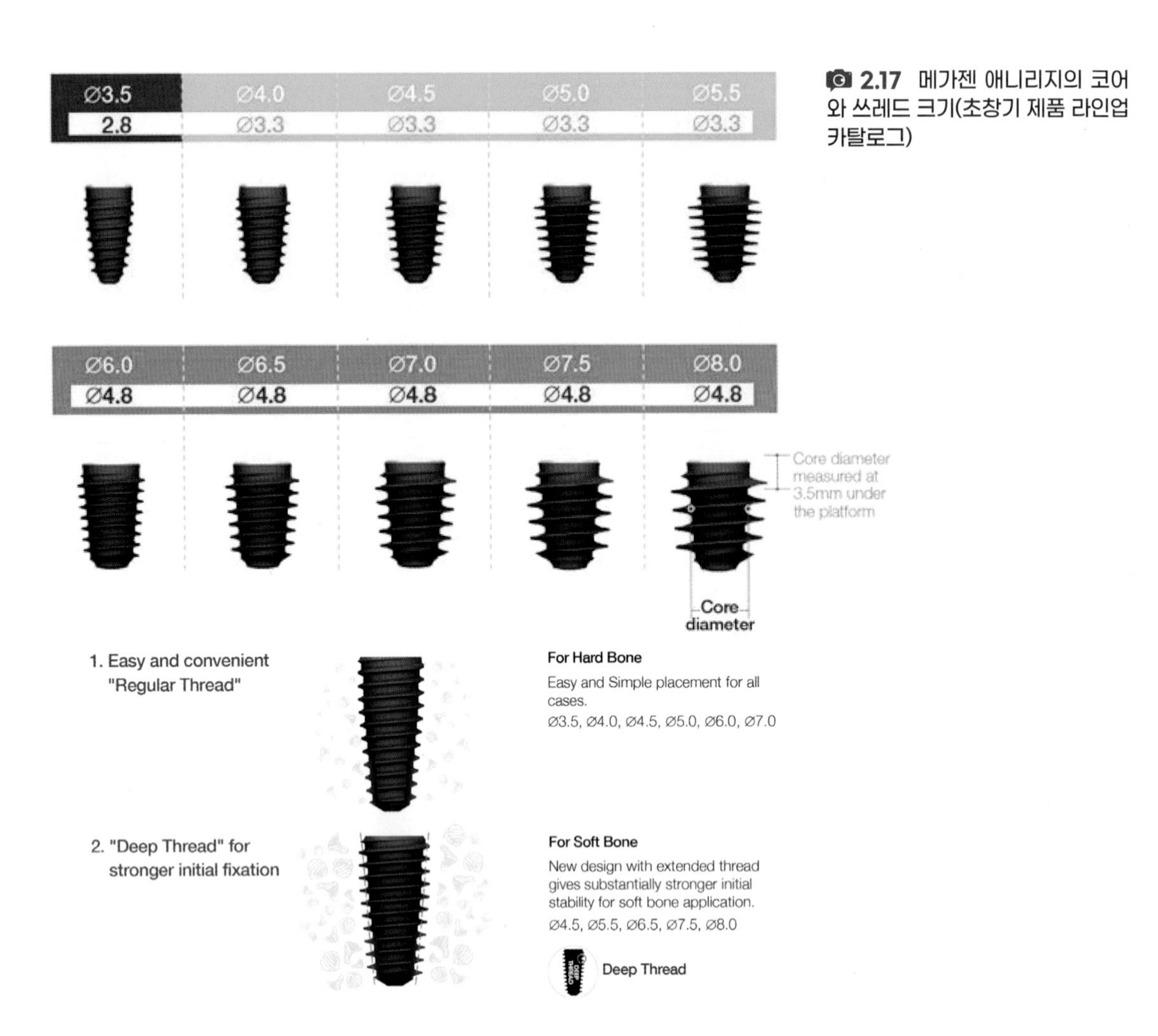

2.17 메가젠 애니리지의 코어와 쓰레드 크기(초창기 제품 라인업 카탈로그)

2.17의 임플란트를 보면 참 흥미롭다. 필자가 직접 본 건 아니지만, 임플란트 수술을 참 좋아하고 잘하는 분으로 알려진 메가젠 사장님의 고민이 느껴진다. 메가젠의 애니원은 일반적인 아스트라 타입 유사 제품이고, 애니리지는 박광범 원장님께서 직접 디자인하신 임플란트라고 들었다. 초창기 애니리지의 제품 라인업에서 필자가 대구치 부위에 가장 많이 사용하는 오스템의 지름 5.0 와이드 임플란트와 애니리지 지름 5.0을 비교해 보자(**2.17**). 애니리지 5.0에서 나사산을 뺀 코어 부분의 지름은 3.3으로 표기되어 있다. 이는 오스템에서는 4.0 레귤러 사이즈 임플란트의 코어 사이즈와 비슷한 크기이다. 더구나 애니리지의 경우는 크레스탈 부분에 코어를 잡아주는 나사산마저 없기 때문에 어버트먼트를 잡아주는 임플란트의 내면의 강도가 훨씬 약할 수 밖에 없다. 심지어 지름을 5.5 mm까지 확대한 경우까지도 코어 사이즈는 3.3 mm로 동일하다. 그러므로 어금니에 애니리지 5.0이나 5.5를 식립하는 건 어버트먼트와 픽스처 연결시스템을 고려하지 않은 상태에서는 오스템 레귤러 사이즈 4.0을 식립하는 것보다도 강도가 약하다고 생각된다.

앞장의 임플란트 재료와 표면처리 부분을 복습해 본다면, 아마도 이런 형태의 임플란트는 IBS 임플란트처럼 알로이로 만드는 것이 더 상식적일 것이다. 그러나 굳이 이렇게 강도가 요구되는 임플란트를 알로이가 아니라 Grade 4로 만든 이유는 기본적인 표면처리를 SLA로 바탕을 두기 위해서가 아닌가 생각해 본다(오로지 필자의 생각이다). 어쨌든 애니리지는 수많은 장점에도 불구하고 파절에 따른 문제를 피할 수 없었다. 그러다 보니 애니리지는 코어 사이즈를 키운 제품(5.0과 5.5 와이드 임플란트의 경우 3.3 하나의 코어 사이즈에서 3.8 mm와 4.0 mm 두 가지를 더 추가)을 만들어냈는데, 이는 반대로 쓰레드의 크기가 줄어든 것이라 할 수 있다. 반면에 애니원은 식립의 편이성을 위하여 오스템의 TS4처럼 deep thread 임플란트를 만들었다. 이렇게 어버트먼트 연결 부분을 제외하고 픽스처 형태는 점점 서로의 단점을 개선하다 보니 서로 닮아간다고 할 수 있다.

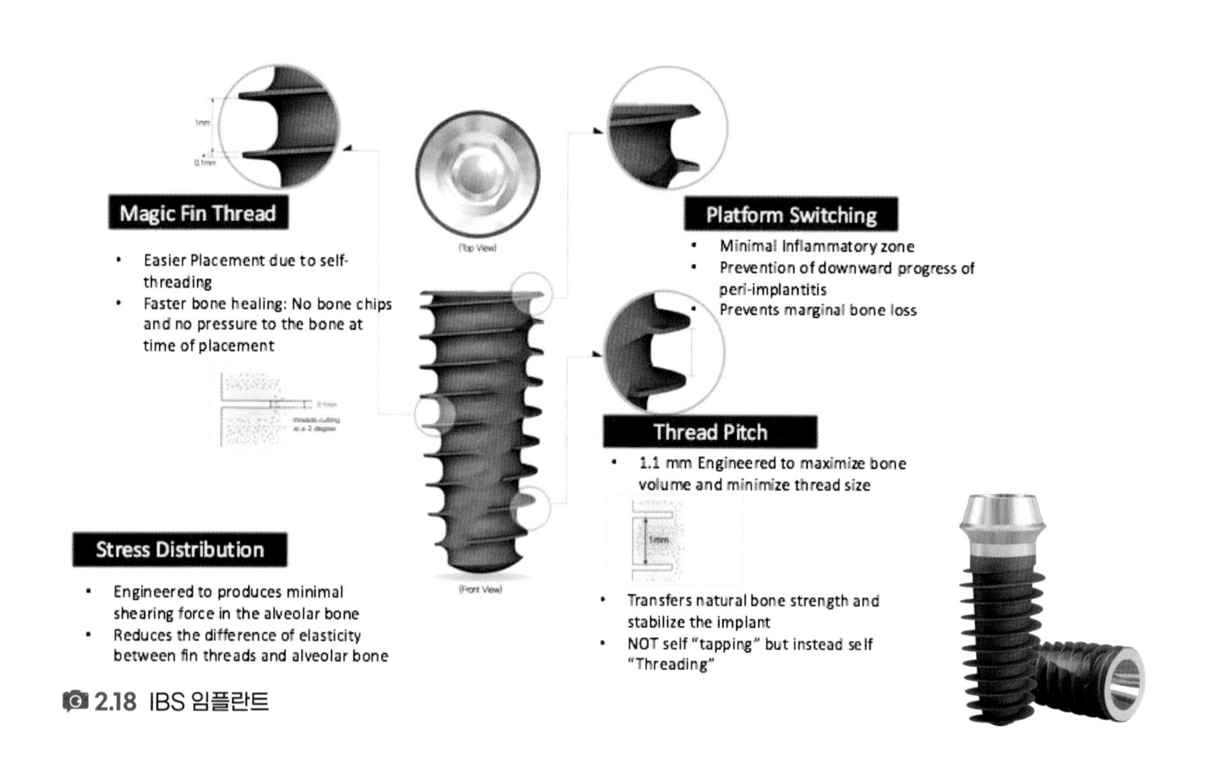

2.18 IBS 임플란트

여기서 IBS 임플란트라는 광고 문구를 보자(2.18). 타이타늄이 골보다 10배나 강하고 골은 1 mm 정도 폭에서 골볼륨이 가장 잘 형성된다고 하니 쓰레드를 0.1 mm로 해서 쓰레드가 가늘고 긴 임플란트를 만들었고, 그렇기 때문에 표면처리는 RBM이다. 다만 이렇게 되면 코어 사이즈가 줄어들고 주변에서 잡아주던 쓰레드도 약해지므로 구조적 안정성이 취약해질 수 있다. 그래서 이 임플란트는 재질이 조금 더 단단한 알로이로 만들어졌다. 또한 어버트먼트도 얇아져야 하기 때문에 기본적으로 티슈레벨 임플란트 형태로 어버트먼트를 골보다 좀 떨어진 높이에서 체결하도록 되어 있다. 이상과 현실을 반영한 디자인이라고 볼 수 있다. 필자는 기본적으로 심플하게 한 종류의 임플란트로 모든 수술을 다 할 수 있기를 바라는 바이기 때문에 기본적으로 본레벨 임플란트를 선호해서 사용하지는 않지만 이런 디자인은 참 마음에 든다. 임플란트 코어 사이즈를 줄이다 보니 본레벨로 만들 수가 없어서 티슈레벨 임플란트처럼 보철을 해야 하도록 만들었다. 그런데 어버트먼트와 크라운 연결이 기존의 티슈레벨과 조금 다른 형태로 만들어졌는데, 오히려 반응이 좋아서 다른 회사에서 각종 응용된 제품들도 나오고 있는 것으로 안다. 필자도 언제 써볼까 고민은 하고 있는데 보철을 직접 하지 않다 보니 시작을 못하고 있다.

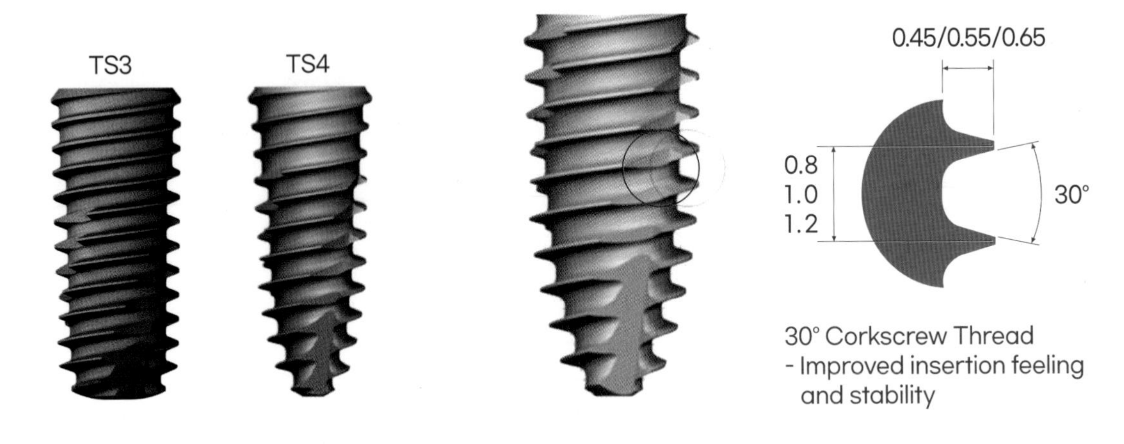

2.19 임플란트의 TS3와 TS4의 비교

2.20 오스템 TS4의 쓰레드에 관한 설명 팜플렛

2.19는 오스템 임플란트의 TS3와 TS4의 차이를 보여준다. TS4는 임플란트의 지름이 커질수록 쓰레드를 키우는 것을 볼 수 있다. 임플란트 자체의 구조적 안정을 지키면서 식립의 편이성을 위해서일 것이다. 작은 사이즈에서는 TS3와 TS4가 큰 차이가 없지만 5.0에서는 쓰레드에서 큰 차이를 볼 수 있다. 거기다 전체적인 바디 쉐입을 치근형으로 채택하고 있다. 이는 초기고정이 좋고, 특히나 골질이 안 좋은 곳에서도 좋은 초기고정을 얻을 수 있다. 그래서 필자는 상악구치부에서 골질이 좋지 않으면 한 사이즈 언더드릴링 후에 이 TS4를 종종 심는다. 또한 apex에서 버칼 플레이트를 뚫고 나오거나 인접 구조물을 손상시킬 수 있을 것 같은 상악전치 같은 데서도 치근형으로 이 임플란트를 선택한다.

최근에 필자도 디지털에 관심을 갖기 시작하면서 스캔바디를 이용한 이미디엇 로딩 등에도 관심이 좀 늘었는데 이런 경우에는 상악 소구치 등에도 TS4를 사용하고 있다. 쓰레드가 크고 치근형이라 초기고정력이 매우 좋다. 어쨌든 직경이 작은 사이즈에서는 치근형의 장점을 살리고, 직경이 큰 사이즈에서는 큰 쓰레드의 장점을 살려서 본다고 생각하면 될 듯하다.

TS4 케이스 보기

TS4 임플란트를 몇 년간 사용해본 결과 아직은 실패 사례가 하나도 없어서 앞으로 상악 2대구치에서는 대부분의 케이스에 사용해보려고 생각 중이다. 골질이 매우 떨어져도 식립감이 매우 좋은데다가 치근형이고 나사산도 커서 초기고정력 또한 매우 좋기 때문에 상악 대구치 부위에 발치 후 즉시 식립에도 좋다.

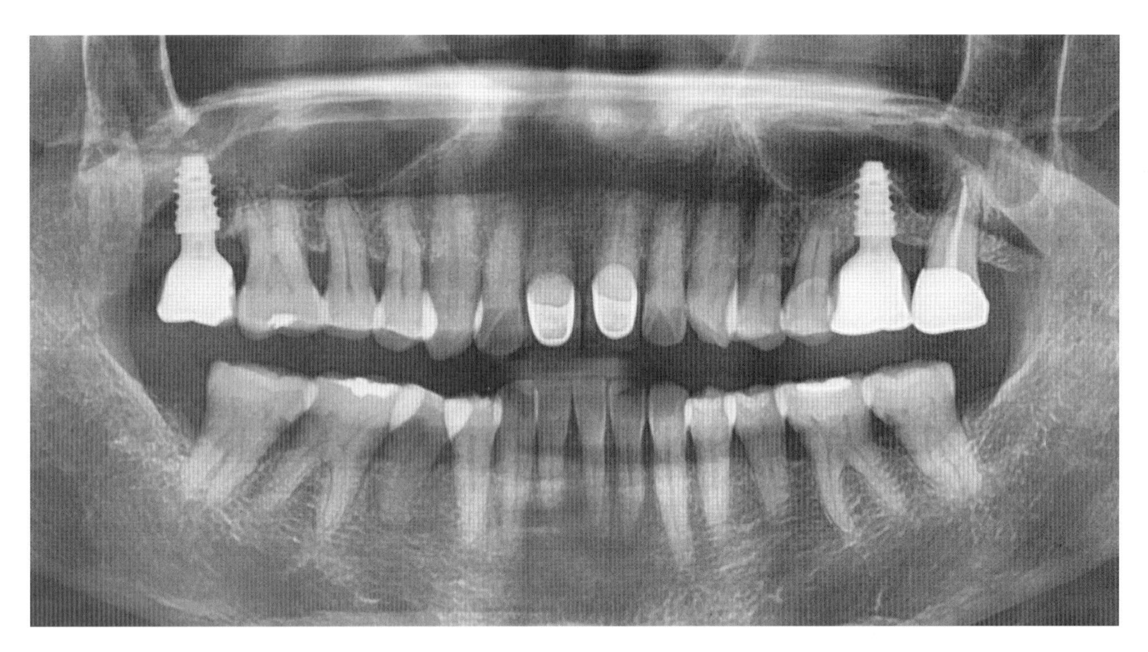

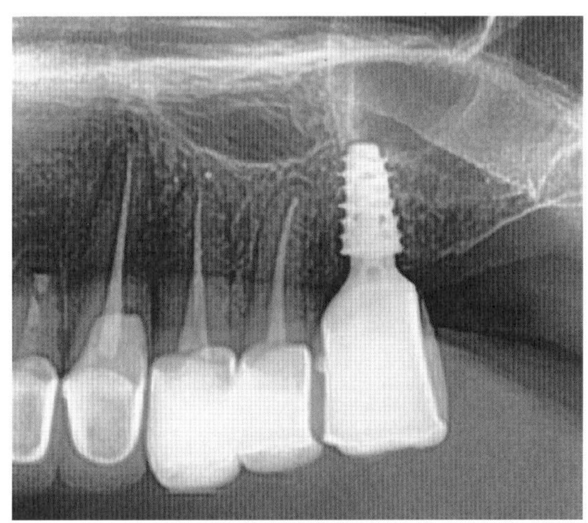

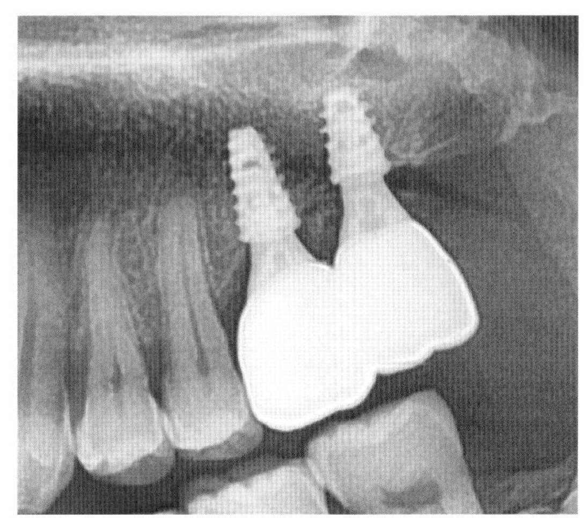

2.21 식립 후 3년 경과
비교적 골질이 안 좋은 중년 여성부터는 상악 대구치 부위에 첫 번째 선택용으로 해도 좋을 듯하다.

식립 과정 케이스 보기 1

발치한 지 오래된 중년 여성 환자로 사진상에서는 별 이상 없어 보이지만, 실제 수술에서 골질이 너무 떨어져서 끝이 뾰족한 이니셜 드릴(lance drill)을 그냥 손으로 꽂아도 들어갈 정도였다. 더 이상의 드릴링은 의미가 없다고 판단되어 TS3용 4.0 드릴(보통 지름이 3.3 mm 정도임)로 간단히 언드릴링만 시행한 후에 5.0에 10 mm 임플란트를 식립하였다. 필자가 어지간하면 8 mm보다 긴 임플란트를 잘 식립하지 않는 편인데 골질이 너무 좋지 않아서 10 mm를 식립하였다. 📷 **2.22**는 2년이 경과한 후의 파노라마 방사선 사진과 임상 사진이다.

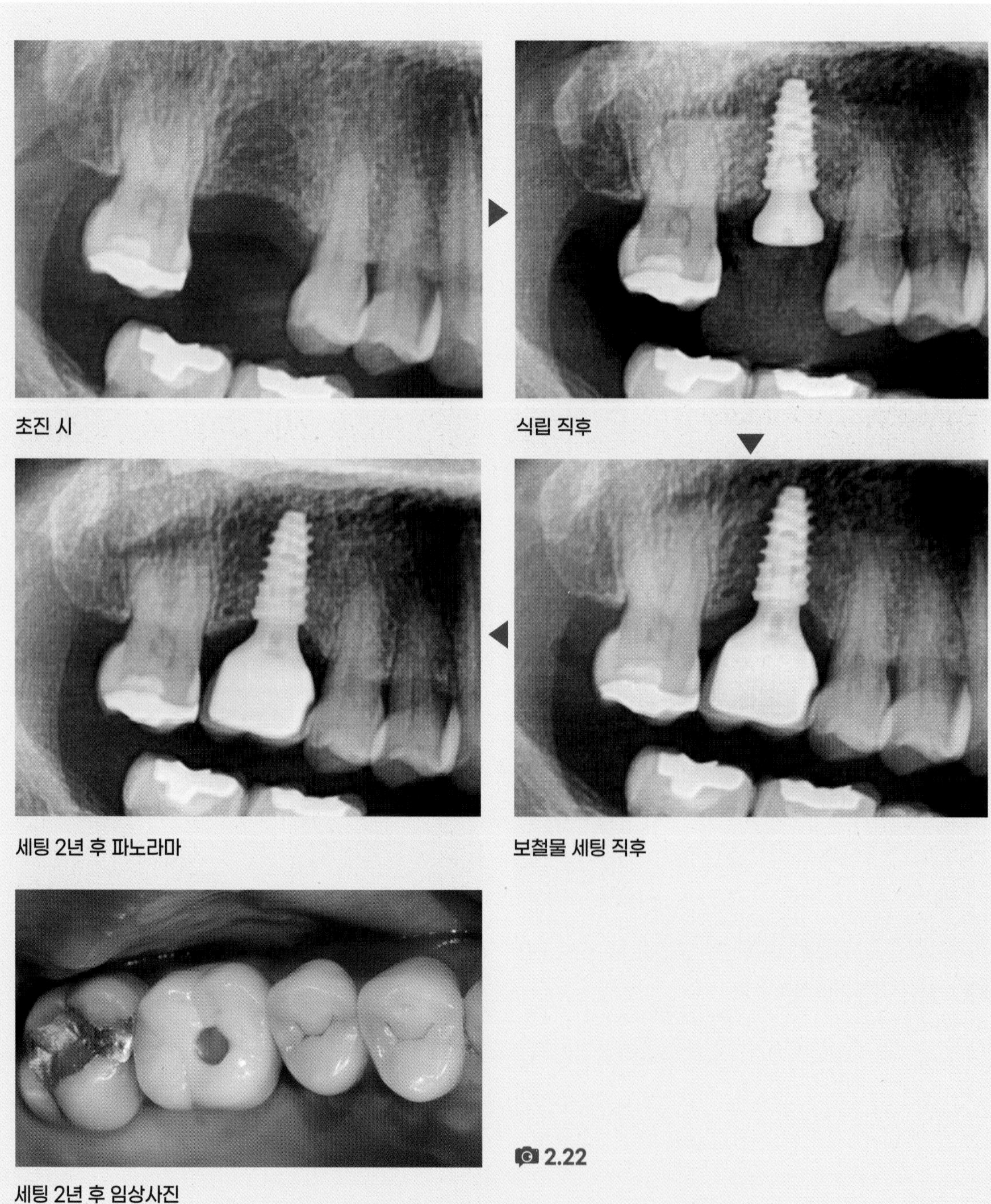

초진 시

식립 직후

세팅 2년 후 파노라마

보철물 세팅 직후

세팅 2년 후 임상사진

📷 **2.22**

식립 과정 케이스 보기 2

염증을 동반한 치근을 발치 한 달 후에 크레스탈로 사이너스 엘레베이션하면서 식립하였다(📷 2.23). 사이너스 플로어를 제외하고는 초기고정을 얻을 만한 곳이 없어서 드릴링 없이 직경 3.0 mm 오스테오톰으로 사이너스 플로어를 깨서 들어 올리고 본그래프트 후에 바로 TS4 5.0에 8.5 mm 임플란트를 식립하였다.

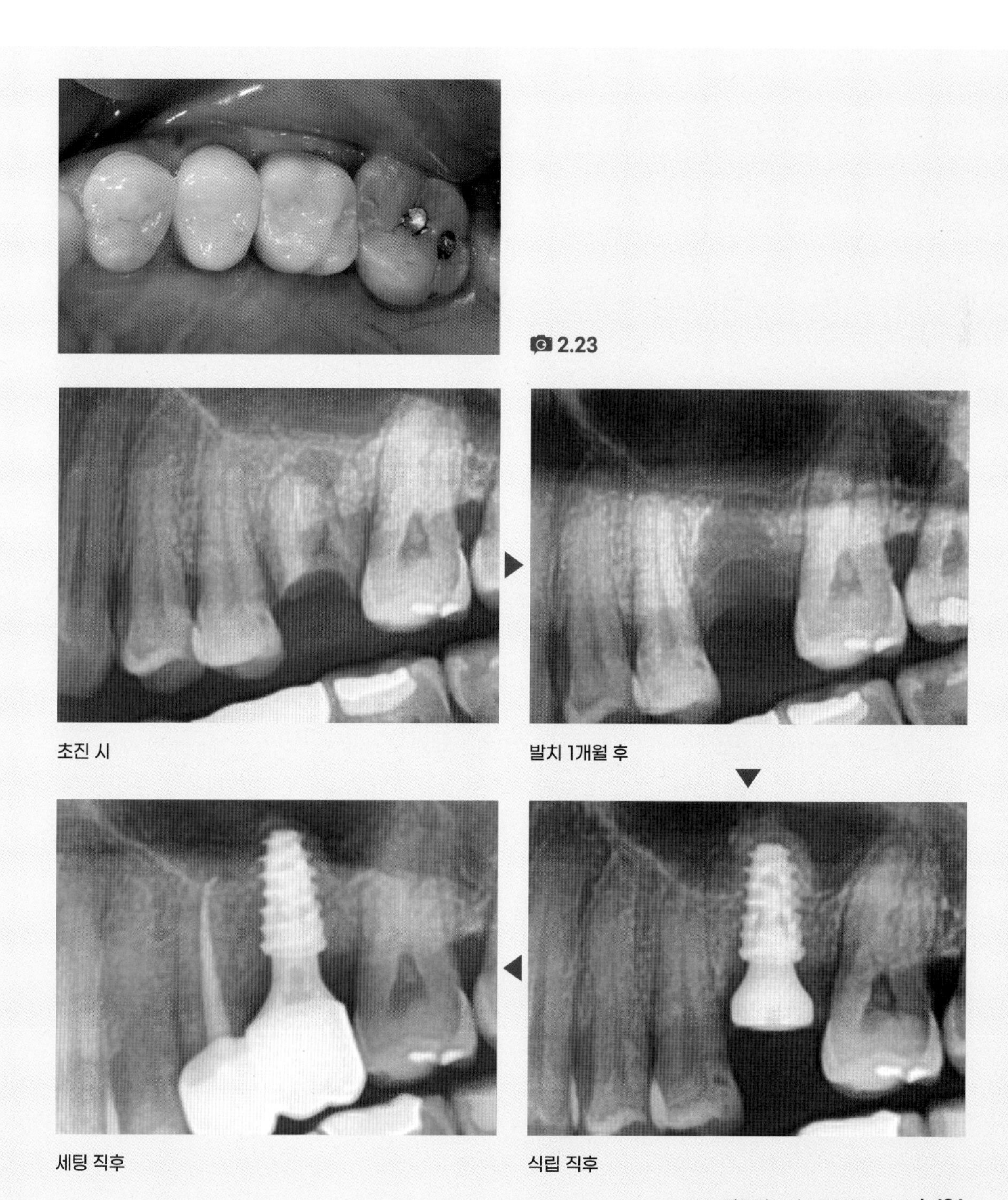

📷 2.23

초진 시

발치 1개월 후

세팅 직후

식립 직후

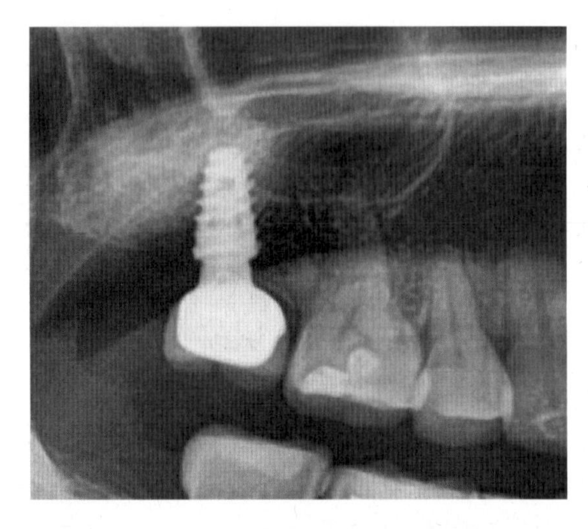

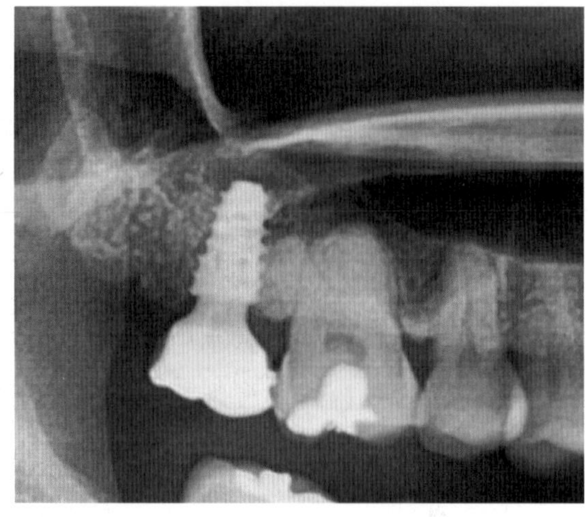

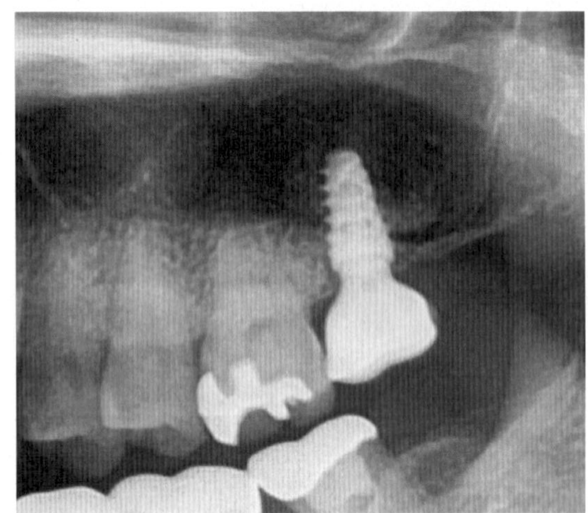

2.24 사이너스 엘레베이션이 동반된 2대구치 케이스

상악 2대구치는 사이너스도 많이 내려와 있고 골높이에서 대합치까지의 거리가 좁은 경우가 많다. 보통 이처럼 골 높이가 좋지 않은 경우에 크레스탈로 사이너스 엘레베이션을 하게 되면 초기고정에 집중해서 대합치까지의 거리가 충분하지 못함을 깜빡 잊고 수술을 마무리하는 경우가 많다. 필자는 이런 경우에도 어버트먼트와 크라운을 위한 최소 거리 8 mm(원래는 최소 10 mm를 권장하지만, 이 이야기는 **4-3장 임플란트의 깊이**에서 다루기로 하고…)를 확보하기 위해서 사이너스 엘레베이션 후에 TS4를 좀 깊게 심는 편이다(2.24). TS4는 쓰레드가 커서 골양이 적고 골질이 좋지 않아도 사이너스로 밀려 들어갈 가능성이 적기 때문이다.

여러분이 사용하는 임플란트는 몇 줄 나사인가요?

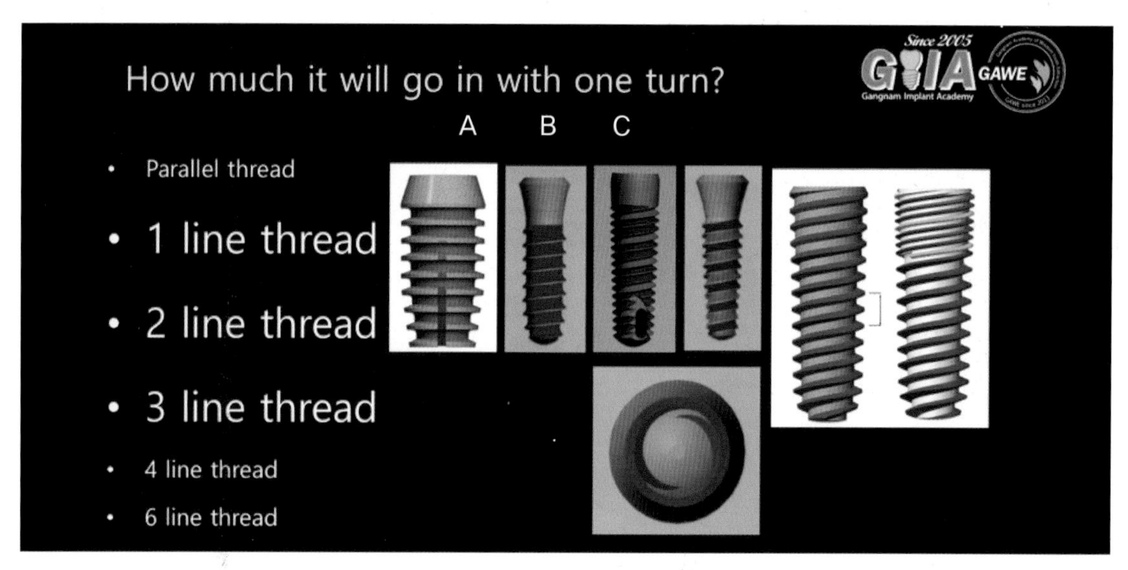

2.25 나사산 줄 수를 표시한 그림들(필자의 강의 슬라이드)

임플란트 쓰레드의 구조에서 나사산이 몇 줄인지는 매우 중요한 문제이다. 우선 **2.25A**의 바이콘과 같이 평행한, 나사가 아니라고 할 수 있는 평행 나사가 있다. 그리고 전통적인 **2.25B**의 한 줄 나사가 있다. 한 줄 나사는 나사를 한 바퀴 회전시킬 때 나사산이 하나씩 심어지는 구조이다. 임플란트를 심는 시간이 비교적 오래 걸리기 때문에 심는 과정에서 위치나 방향이 바뀌기도 하고, 임플란트 표면에서 너무 많은 마찰이 생겨 손상된다고 하기도 한다. 또한 많은 마찰로 인해서 골도 좋지 않은 영향을 받을 수도 있다.

2.25C와 같은 3줄 정도로 만들어서 빨리 심으면 어떨까? 이는 동시에 3개의 나사산이 시작하여 꼬여 내려가는 형태로 임플란트를 한 바퀴 돌리면 쓰레드가 3개씩 들어가는 형태이다. 그래서 한 줄 나사와 나사 크기가 같다면 세 배나 빨리 심을 수 있을 것이다. 그만큼 임플란트와 골의 마찰도 줄일 수 있다. 그러나 임플란트 픽스처를 조금만 돌려도 깊이가 많이 변하기 때문에 임플란트 식립 시 디테일한 높이 조절이 쉽지 않다. 또한 최근에 나사산이 커지고 피치가 길어지는 추세인데, 이런 나사가 3줄 나사를 채택하다 보면 정말 한두 바퀴만 돌려도 임플란트가 심어지는 형태가 되기 쉽다. 그렇게 되면 당연히 높이 조절이 쉽지 않을 수 있다. 또한 임플란트 지름이 작아질수록 나사산의 각도가 너무 가파르게 apex 방향으로 내려가야 하기 때문에 peri-implantitis의 진행에도 영향을 줄 수 있다고 한다. 필자는 크게 고민해 본 적은 없지만 나사산이 평행할수록 peri-implantitis가 하방으로 내려가는 배리어 역할을 하므로, 굳이 너무 가파른 것은 좋지 않을 수 있다.

그러다 보니 사람들은 "너무 지나치면 아니함만 못하다"라는 말과 함께 "중용"이라는 단어를 다시 떠올리지 않을 수 없어, **대부분 낯익은 요즘 임플란트들은 두 줄 나사를 채택**하고 있다. 또 다시 강조하면 임플란트를 360°로 한 바퀴 돌리면 나사산 두 개만큼 더 들어간다는 뜻이다. 물론 쓰레드가 매우 작고 코어 사이즈가 큰 애니리지 같은 제품이나 노벨액티브는 한 줄 나사를 채택하고 있다. 최소한 자기가 심는 임플란트가 한 줄 나사인지 두 줄 나사인지를 아는 것은 매우 중요하다.

임플란트 최종 높이는 임플란트의 회전 각도로 조절하기

김영삼 원장

필자가 사용하는 임플란트는 오스템의 MS를 제외하고는 모두 두 줄 나사이다. 다시 말해서 한 바퀴가 돌면 나사산이 두 개 들어가는 것이다. 필자가 강의하거나 실습할 때 매우 중요하게 생각하는 부분이다. 일반적으로 임플란트를 심다 보면 bleeding 때문에 임플란트가 얼마나 깊게 심어졌는지 눈으로는 파악하기 어려운 경우가 많다. 그런 경우에 필자는 반드시 조금 덜 넣었다고 생각되는 타이밍에 멈추고 엑스레이도 찍어보라고 한다. 그 다음부터는 엑스레이를 찍어봤을 때 쓰레드를 1개 정도만 더 넣으면 될 것 같다면 180° 돌리면 될 것이고, 쓰레드 한 개 반 정도 넣어야 할 것 같으면 270° 정도 돌리면 될 것이다. 이는 필자가 초보자들을 지도하면서 매우 중요하게 가르치는 대목이다. 반드시 임플란트를 덜 심고 높이를 체크한 뒤에 쓰레드 개수를 회전하는 각도를 통해서 높이를 조절하는 것이 키포인트이다.

임플란트 하나 심는 데 몇 바퀴나 돌리면 되나?

김영삼 원장

보통 필자는 구치부에 오스템 8.5 mm, 덴티스 8 mm 임플란트를 주로 식립한다. 모두 0.8 mm 피치로 나사산이 10개 정도 된다. 둘 다 약간 계단식 테이퍼 형태로 apex가 좀 작은 편이므로 쓰레드 2개 정도는 임플란트를 회전시키지 않고도 넣을 수 있다. 이런 경우에 쓰레드가 8개 남았다고 치고 4바퀴 정도 돌면 모두 심어진다고 볼 수 있다. 임플란트 모터를 10 RPM으로 식립하면 24초, 15 RPM이면 18초면 임플란트 하나를 심는 것이다.
단단한 하악골의 경우에 한 사이즈 큰 지름의 드릴을 사용하는데, 그런 경우에는 거의 반 정도가 그냥 회전 없이 들어간다. 그럼 10 RPM이면 20초, 15 RPM이면 10초도 안 돼서 임플란트 하나를 식립하는 것이다. 치근형인 TS4 같은 경우는 훨씬 더 빠른 속도로 식립이 가능하다. 그러므로 임플란트 식립할 때는 정신을 똑바로 차리고 1초도 놓치지 말고 집중해야 한다.

Body shape & Thread of implant

앞서 임플란트의 바디 쉐입과 쓰레드에 대해서 이야기했다. 그러나 사실 두 가지를 떼고 이야기하기는 어렵다. 바디 쉐입과 쓰레드는 각각의 장단점을 상호보완하며 임플란트로서 기능하기 때문이다.

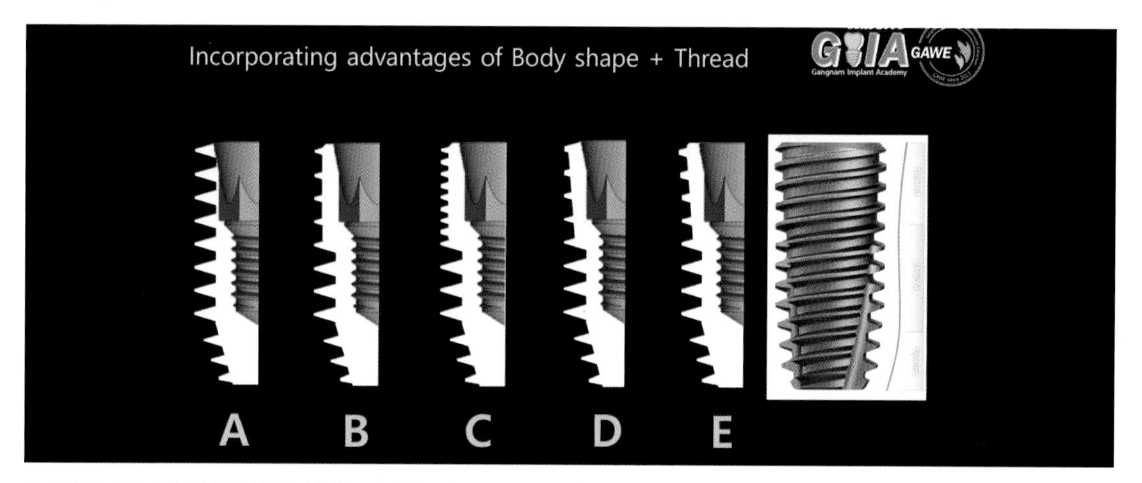

📷 **2.26** 임플란트 바디쉐입과 쓰레드 모양(필자가 PPT로 대충 그린 거니 어설퍼도 이해해 주기 바란다)

📷 **2.26**은 최근 필자가 관찰한 임플란트 바디쉐입과 쓰레드 모양의 변화이다. 쓰레드는 조금 커졌지만 📷 **2.26A**처럼 만들면 임플란트의 탑 부분이 너무 약해지기 때문에 어쩔 수 없이 그쪽 임플란트 코어를 증가시켜서 📷 **2.26B**처럼 만들 수밖에 없다. 덴티움의 첫 작품인 임플란티움이 이런 형태이다. 어차피 쓰레드가 작을 바에야 촘촘하게 만들어서 📷 **2.26C**처럼 마이크로 쓰레드 형태를 취하는 것도 나쁘지 않다. 오스템의 GS3와 같은 형태가 대표적이며, 예전에는 회사별로 이런 형태의 임플란트가 매우 많았었다. 그러나 오스템의 GS3에서는 이유를 알 수 없는 마이크로 쓰레드 주변의 크레스탈 본흡수가 빈번하게 발생하였다.

필자에게도 이런 케이스가 종종 있었다. 임플란트 식립 깊이와 어버트먼트 길이, 마이크로 갭과 무브먼트 이야기는 여기에서 제외하고, 모두 정상상태일 때를 말한다. 우선은 식립하면서 치조골이 과도한 압력을 받는 것을 우선적인 원인으로 생각할 수 있다. 물론 이런 문제는 앵킬로스나 아스트라 식립과 마찬가지로 코로날 부분을 임플란트 풀 사이즈에 가깝게 형성함으로써 어느 정도는 해결할 수도 있을 것이다.

그런데 오스템은 과감하게 GS3를 단종시켜 버렸다. 아마 지금까지도 필자가 단기간에 가장 많이 심은 임플란트를 말하라고 하면 바로 GS3일 것이다. 필자는 개인적으로 이 제품이 마음에 들었었다. 치경부가 매우 촘촘한 마이크로 쓰레드로 되어 있어서 임플란트 테어링에 대한 문제가 거의 없었기 때문이다. 한 케이스의 수직파절(tearing)도 없었다. 물론 필자는 TS3에서도 수직파절이 드문데 그 비결은 이 책을 쭉 보면 알게 될 것이다. 수직파절과 관련된 내용은 **3-2장 임플란트 지름의 선택**과 **8-2장 픽스처와 어버트먼트의 파절**에서 자세하게 다루니 여기서는 그냥 넘어가겠다. 그러나 필자는 아직도 결국 술자가 과도한 힘을 사용한 것이 가장 큰 원인일 것이라고 생각한다. 거기다 당시만 해도 오스템 유저들은 본레벨 internal friction type (아스트라 타입) 임플란트에 익숙하지 않은 상태였다. 기존의 임플란트들은 임플란트가 비교적 평행하고 나사산의 크기나 모양이 일정하기 때문에 임플란트의 근단부를 심을 때나 코로날 부분을 마무리할 때나 식립하는 느낌이 일정한 반면에, 아스트라 타입 본레벨 임플란트들은 치경부가 갑자기 두꺼워지거나 나사산이 작아지고 임플란트의 코로날 부분이 코티칼 본에 들어가기 시작하면서 급격히 토크가 올라가기 때문이었다. 또한 세팅 후에는 이 책에서 가장 중요하게 다루는 어버트먼트 하이트와 패시브 핏 등 본레벨 internal friction type 임플란트에서의 가장 중요한 내용을 놓치고 시술한 것이 이유 중의 하나라고 생각된다. 덴티움의 임플란티움은 GS3에 비하면 **2.26D**에 가깝다. **2.26B**에서 코로날 부분만 조금 더 두껍게 한 상태이다. 그리고 임플란트 탑 부분에 0.5 mm 높이의 베벨까지 주고 표면처리와 쓰레드를 조금 특별하게 해서 약간의 본 로스가 와도 잘 견디게 만들어졌다고 본다. 그러나 GS3은 이러한 세심한 배려가 좀 적었던 것이 아닌가 생각해 본다.

결국 마이크로 쓰레드는 사라졌다. 그럼 **2.26D**처럼 되어야 하는데 그렇게 되면 코로날 부분의 쓰레드가 너무 작아지기 때문에 가장 상부 쪽에서만 쓰레드를 조금 더 키운게 아닌가 생각된다. 실제로 오스템 임플란트의 사이즈도 3.5, 4.0, 4.5, 5.0이 아니라 3.7, 4.2, 4.6, 5.1이다. 심지어 덴티스 임플란트는 가장 주력 상품이었던 OneQ에서 아예 3.7, 4.2, 4.7, 5.2 mm 식으로 0.2mm 키워서 표기하였다. 참고로 오스템도 외국에서 종종 5.0, 4.5, 4.0 대신에 4.2, 4.6, 5.1 이런 식으로 표기되어 판매되는 경우를 본 적이 있다. 아마도 그 나라 법이 실제 사이즈를 표기하도록 되어 있어서 그런 게 아닌가 생각해 본다.

어쨌든 이후 **2.26E**와 같은 임플란트가 탄생하게 된다. 보통 헥사의 깊이가 2.8 정도 된다고 보면, 헥사의 깊이까지는 임플란트의 테어링을 막기 위해 코어가 크다. 그 밑으로는 일차 계단식 테이퍼 형태를 띠고 코어가 줄어들며 쓰레드는 커진다. 그리고 스크류의 길이가 6.5 mm 정도 되기 때문에 그보다 더 길어지는 apex 부분에서는 한 번 더 계단을 만들 수 있고, 쓰레드도 더 커질 수 있다. 오스템의 TS3에는 크게 잘 나타나지 않지만, TS4에서는 명확하게 나타나는 특징이다. 물론 꿈보다 해몽이 좋다는 이야기도 있지만, 필자는 TS3 형태가 이상과 현실을 반영한 아이디얼한 형태라고 생각된다. 우리나라 본레벨 임플란트는 모두(필자가 주로 사용하는 오스템의 TS3, TS4와 덴티스의 OneQ, 신흥의 루나) 이렇게 비슷한 형태를 띠고 있다(오로지 필자 혼자의 생각이다).

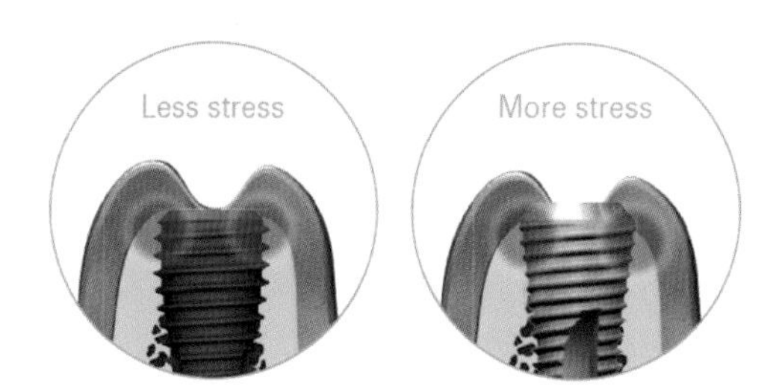

2.27 메가젠 애니원 임플란트 광고

2.27은 메가젠 임플란트의 광고 이미지이다. 다른 회사 임플란트의 탑 부분은 앞서 언급한 대로 지름이 약간 더 커져 있는데, 자사의 애니원은 코로날 부분이 평행하여 코티칼 본에 스트레스가 감소하여 크레스탈 본로스가 적다고 광고하고 있다. 이랬든 저랬든 크레스탈에서 스트레스를 많이 주는 것이 크레스탈 본로스의 원인 중에 하나로 인정받는 것은 사실인 듯하다.

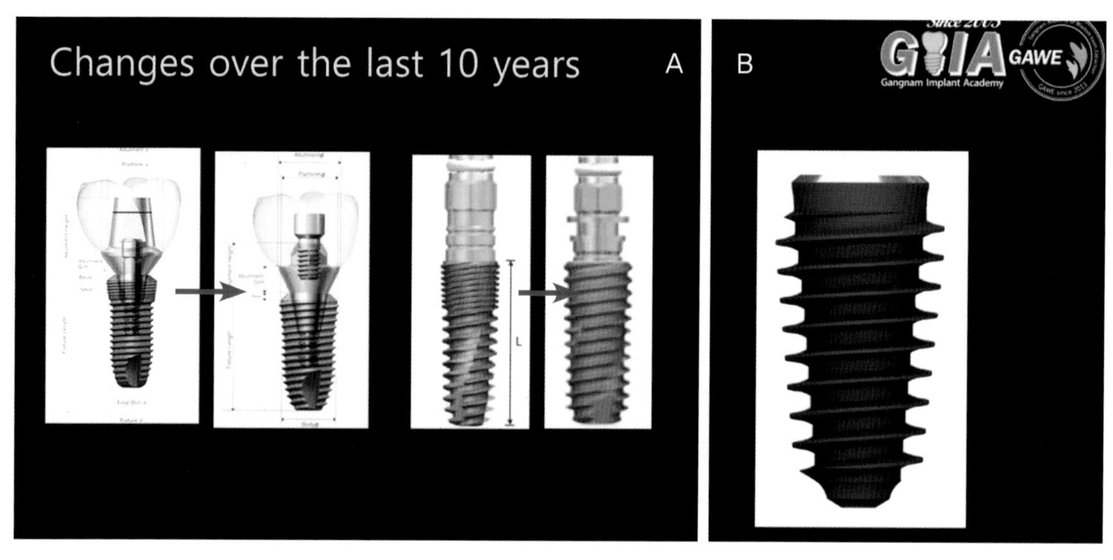

2.28 오스템과 덴티움 임플란트의 변화

그러다 보니 10여 년 전부터 점점 마이크로 쓰레드를 가진 임플란트들이 사라지기 시작했다 **(2.28A)**. 심지어 애니리지는 아예 코로날 부분에 쓰레드가 없는 형태이다**(2.28B)**. 물론 이런 점이 구조적으로 더 약하게 해서 임플란트가 찢어지는 원인이 될 수 있다고 필자는 생각하지만, 임플란트 심는 마지막 단계에서 힘을 "빡" 주고 심어서 코티칼 본에 과도한 스트레스가 가해지도록 심는 것은 구시대적인 이야기인 것만은 확실해지고 있다.

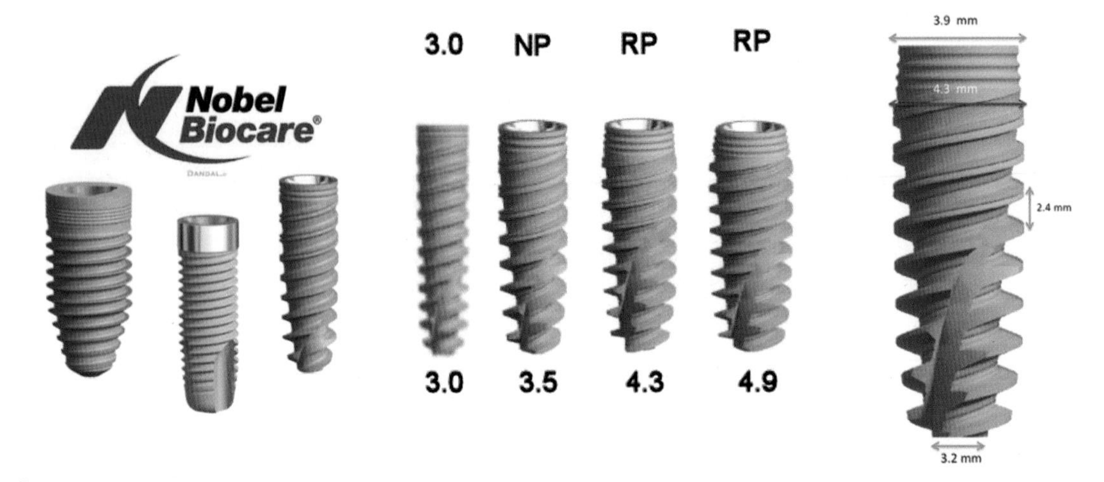

2.29 노벨액티브 임플란트 크기와 모양

2.29는 스트라우만에 이어 둘째가라면 서러울 노벨바이오케어의 주력 상품인 노벨엑티브이다. 이 임플란트 중 4.3 mm 직경부터는 치경부에서 테이퍼 형태는커녕 백테이퍼 형태를 취하고 있다. 물론 이로 인해 치경부 강도가 약해져 임플란트가 테어링되는 경우가 종종 발생하기도 한다. 아마 우리나라에서 많이 팔렸더라면 큰일 났을지도 모른다. 신흥이 노벨바이오케어 임플란트를 팔지 않게 되면서부터 그나마 있던 시장점유율도 더 낮아졌다. 좋은 딜러가 안정적으로 공급한다면 필자도 써볼 생각은 있는데 한국에서는 최종 철수를 결정했다고 한다. 아마도 필자 같은 사람이 몇백 명은 될 테고 세계 최고라는 명성 때문에라도 조금은 유지될 듯한데 말이다.

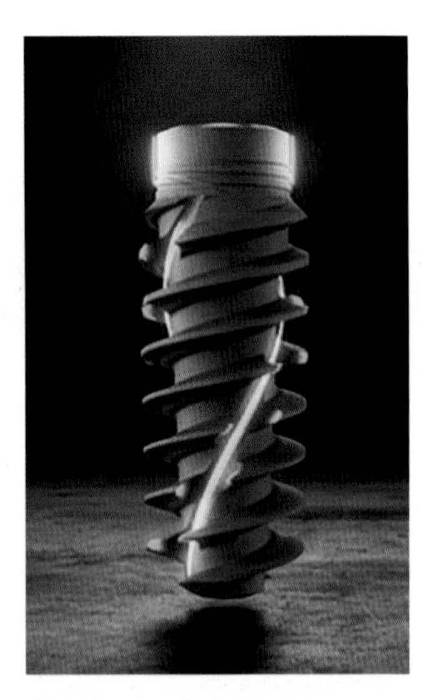

2.30 스트라우만 BLX 포스터

스트라우만의 신제품인 BLX의 디자인도 마찬가지이다. 이제 코로날 본에서 초기고정을 얻고자 "빡" 심는 것은 대세가 아닌 것이다. 그럼 초기고정을 어디서 얻어야 할까? 다시 예전부터 내려오는 앵킬로스 권법이다. **코로날에서의 초기고정은 포기하고 치근단 부위의 깊은 쓰레드로서 얻는 것이다.**

스트라우만 BLX는 나온지 얼마 안 돼서 아직 자료가 많지 않지만 노벨엑티브는 이미 많이 심어진 편인데, 치근단부에서 크기가 얇은 쓰레드를 만들다 보니 근래에는 찾아보기 힘든 치근단부의 픽스처 파절이 종종 눈에 띄기도 한다. 이러한 내용은 이 책의 끝부분의 **8-2장 픽스처와 어버트먼트의 파절**에서 다시 다루겠다.

어쨌든 스트라우만의 BLX는 록솔리드라는 지르코니움과 티타늄 합금으로 강도 면에선 이미 검증되고 성공한 임플란트이기 때문에 이러한 디자인을 채택한 게 아닌가 생각해 본다(2.30). 여기서 한 번 더 생각해 보자. 세계 최고라는 임플란트 회사들이나 메가젠이나 모두 기본적인 개념은 비슷해졌다. 임플란트의 나사산은 가늘고 커졌으며 임플란트의 코로날 부분은 오히려 더 작아졌다. 우리가 당장 이런 임플란트를 심지 않더라도 우리보다 더 많이 공부해 온 사람들이 지금으로서는 최상의 개념이라고 생각하는 것이 그렇다는 것쯤은 알아둬야 할 것이다.

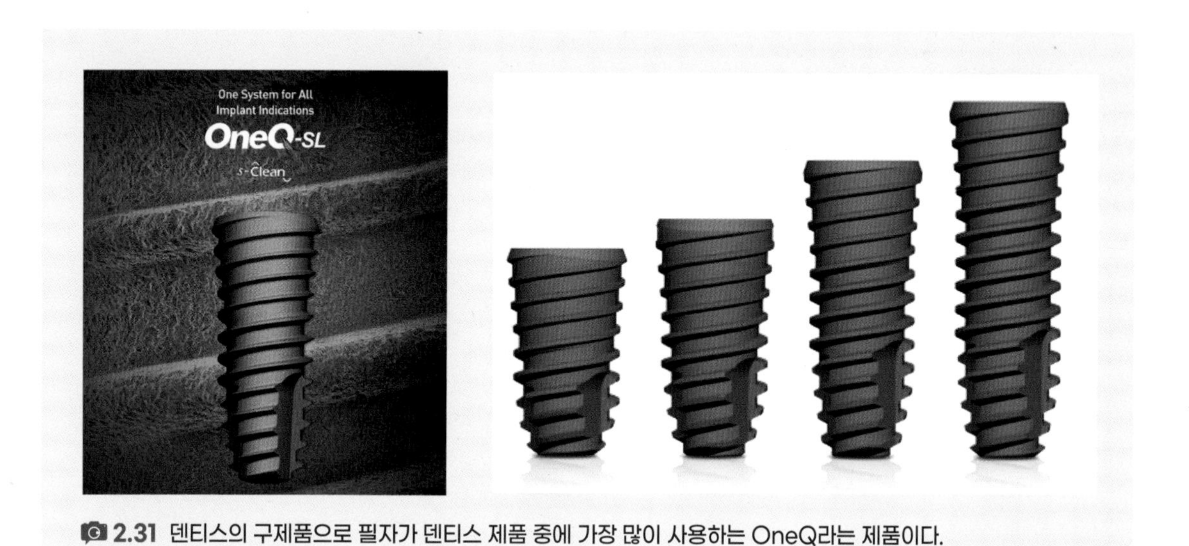

2.31 덴티스의 구제품으로 필자가 덴티스 제품 중에 가장 많이 사용하는 OneQ라는 제품이다.

2.32 덴티스의 신제품으로 필자가 최근에 새로 쓰기 시작한 SQ라는 제품이다.

덴티스의 구제품과 신제품이다(**2.31, 2.32**). 이전의 OneQ에서 크레스탈 부분의 지름을 줄인 SQ 제품을 새롭게 출시하였다. 물론 예전의 OneQ 제품은 여전히 생산되고 있고 아직도 많이 사용되고 있다. 필자는 상악의 골량이 적을 때, 상악 사이너스 엘레베이션 후에 사용하기 매우 좋다고 생각한다. 마지막에 크레스탈 쪽에서 밖으로 0.2 mm씩 더 커져서 사이너스로 밀려들어 갈 위험이 적고 초기고정도 좋게 잘 나오기 때문이다. 쓰레드의 크기도 전반적으로 비슷하다. 그래서 치경부에서 수직 파절(tearing)은 적지만, 필자가 좋아하는 치근단부에서의 초기고정 확보에는 아쉬운 면이있다. 지금 OneQ 제품에서 치근단부로 갈수록 쓰레드만 커진 제품이 나왔으면 좋겠다.

2.33 덴티스 신제품 SQ

SQ의 광고지이다(2.33). 스트레스 프리가 강조되어 있다. 원큐의 핵심인 크레스탈 부분의 S라인을 과감하게 없애버리고 평행(전반적인 바디쉐입은 치근형)하게 만들었는데 근단부로 갈수록 코어는 작아지며, 쓰레드가 얇고 깊어진다. 현대의 전형적인 개념을 담은 디자인이다. 그러나 지름과 길이 모든 면에서 표기된 사이즈보다 작게 만들어져 있다. 그래서 대구치 부위의 수직파절이 걱정되어서 필자는 아직까지 구제품인 OneQ를 더 좋아한다. 아니면 대구치 부위에는 아예 5.0보다 큰 사이즈로 표기된 임플란트를 식립하여야 한다.

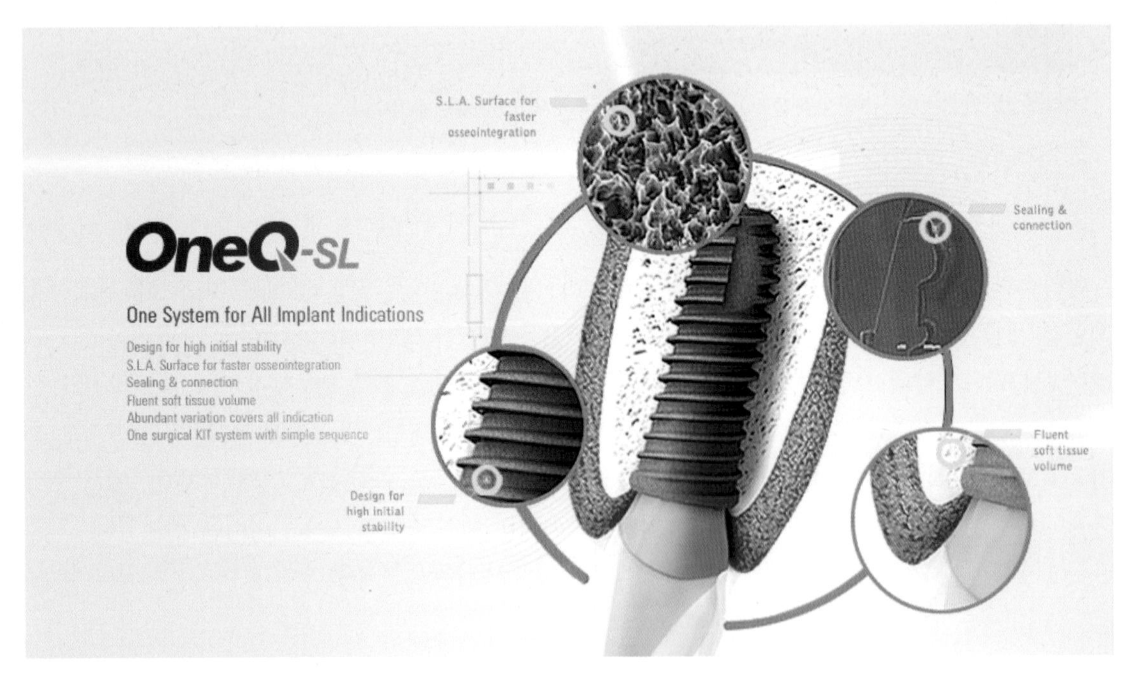

2.34 덴티스의 구제품 OneQ

이전의 OneQ 광고와 비교해보자(📷 2.34). OneQ가 초기고정을 위한 디자인이라고 강조하고 있다. 테이퍼한 형태가 초기고정에 유리한 것임은 이미 다 아는 사실이니, 마지막에 "빡"하고 0.2 mm씩 더 커지면서 초기고정도 좋게 하고 임플란트 구조적인 안정성에 중점을 둔 것으로 보인다. 필자가 치과에서 사용한지 오래되었고, 한국의 라이브 서저리에서 수년 동안 수백 개를 식립하였어도 아직까지 수직파절 케이스는 한 케이스도 없다. 임플란트 주위염이나 골흡수 등 여러 가지 면에서 단 한 번도 말썽을 부려본 적이 없는 효자 제품이다.

필자의 라이브 서저리 세미나 케이스

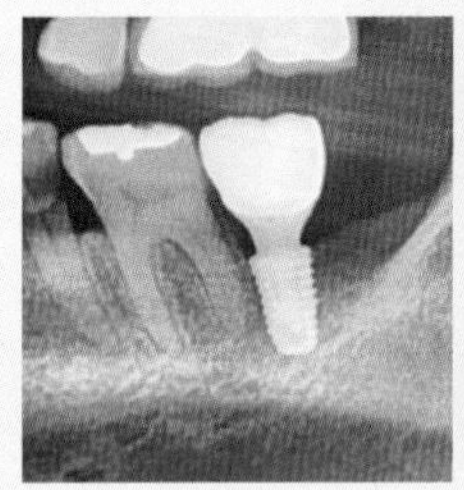
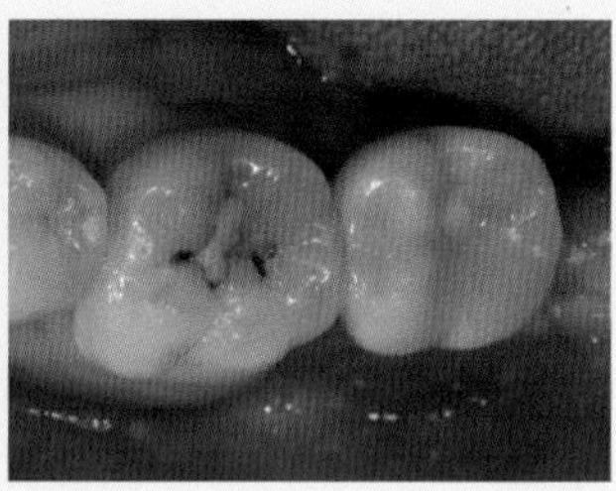

덴티스 올드 제품 OneQ 5.2에 8

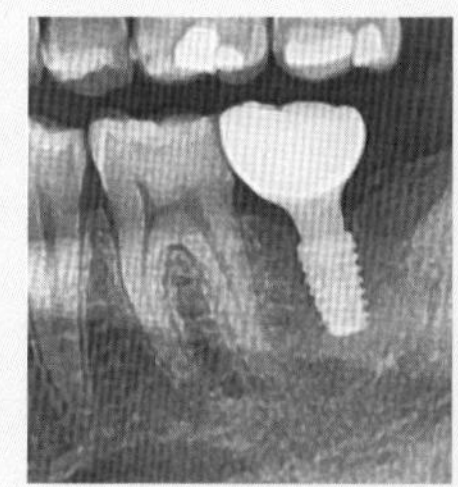
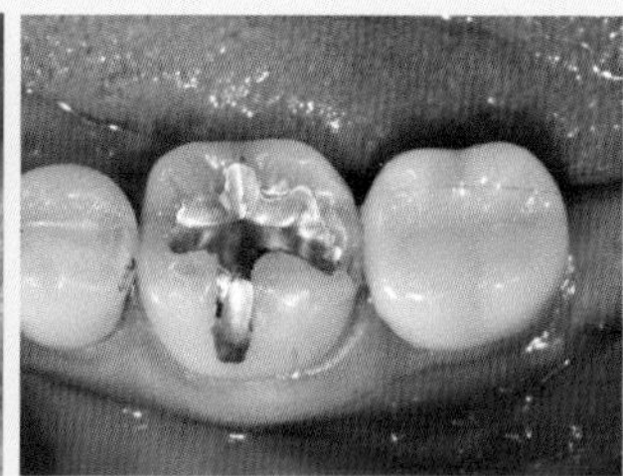

덴티스 새 제품 SQ 5.0에 8

필자가 대구치부에 가장 많이 심는 사이즈인데, 같은 사이즈라 보기에는 엑스레이의 확대율이 다름을 감안하더라도 차이가 커 보인다.

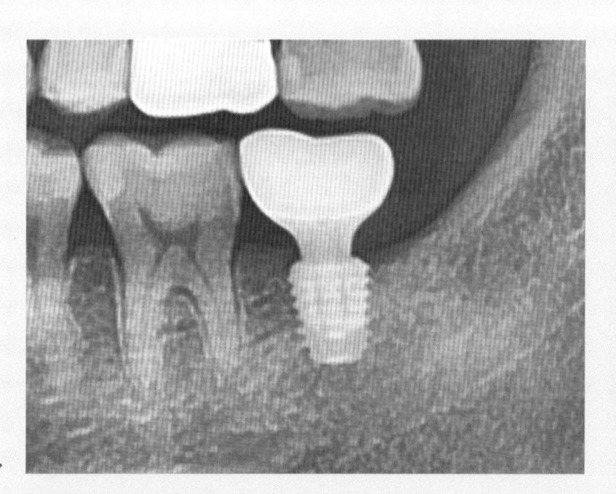
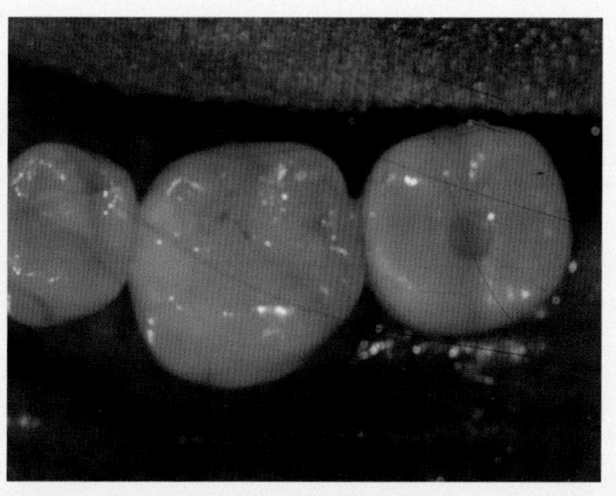

덴티스 OneQ 키트로 5.2 드릴링을 하였으나 직원이 SQ 5.0 픽스처를 주는 바람에 초기고정이 나오지 않아서 SQ 6.0으로 마무리한 케이스

모두 임플란트를 배우는 단계의 실습생들이 한 케이스지만 예쁘게 잘 시술된 것을 볼 수 있다. 왜 이렇게 예쁘게 심어졌는지는 이 책을 쭉 보면 알 수 있다.

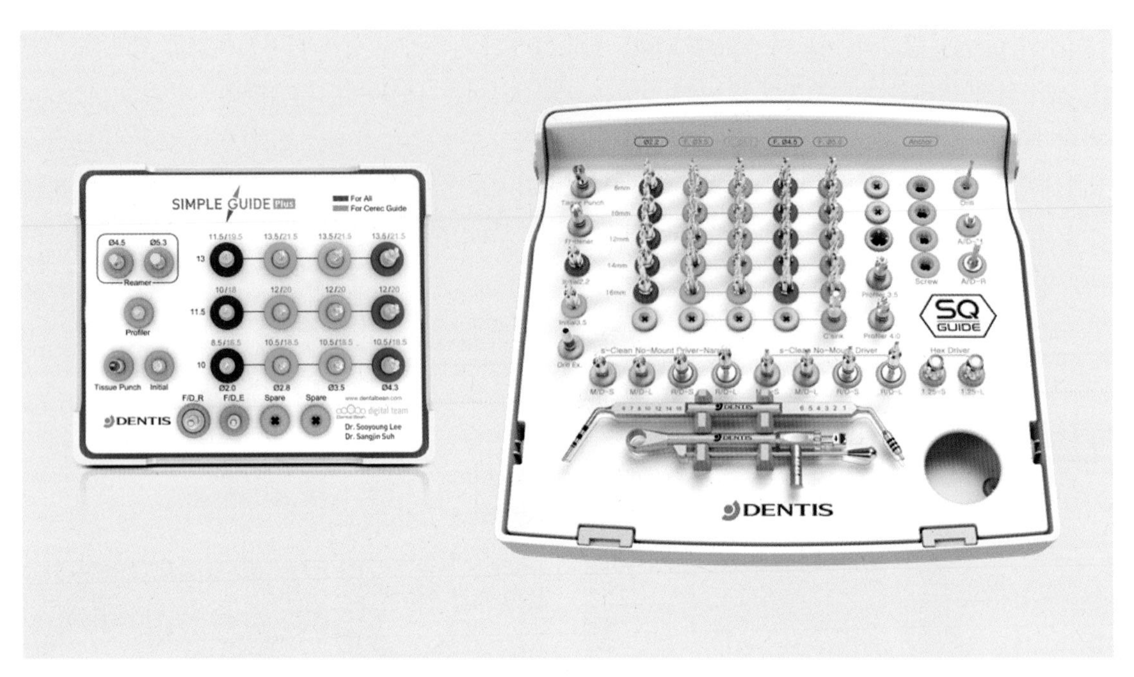

2.35 덴티스의 구 가이드와 신 가이드 키트

그렇다면 덴티스는 왜 갑자기 SQ라는 신제품을 만들었을까? 단순히 크레스탈에 스트레스를 덜 주기 위함일까? 이와 관련해서는 이미 적당히 술자에 의해 극복 가능하여 각자 요령이 생긴 상태였다. 필자도 개인적으로 OneQ를 매우 만족스럽게 사용하고 있었다. 그렇다면 뭐가 부족해서 SQ를 만들었을까? 바로 가이드 시스템에 잘 맞지 않기 때문이라고 생각한다. 가이드 임플란트에서의 가장 큰 문제는 "높이 조절"이다. 아무래도 직접 눈으로 보고 느끼면서 하는 것과 조금 다르기 때문에 술자들도 골질 판단이 쉽지 않았을 것이다. 심지어 골이 너무 단단한 경우에 드릴을 좀 들어서라도 홀 사이즈를 키우기도 하지만 가이드 수술에서는 그러기가 쉽지 않다. 가이드 수술을 플랩리스와 동일시하거나 너무 연관시키는 것에 대해서 필자는 반대하는 편인데, 아무래도 가이드가 초보자나 임플란트에 능숙하지 않은 사람들에게 어필이 되고 그렇게 홍보가 되다 보니 초보자들이 블라인드 테크닉으로 임플란트를 심으면서 높이 조절에 실패하는 사례가 자주 나왔을 것이다. 속된 말로 빼도 박도 못하게 되는 "빼박이"도 나오게 되고 말이다. 필자가 앞서 언급했듯이 테이퍼한 형태는 높이 조정에서 가장 큰 어려움을 갖게 되기 때문에 높이 조절에 조금은 더 유리한, 조금 작은 형태로 코로날 부위를 만든 것이라고 필자는 생각하고 있다. 그래서 새롭게 만든 가이드 시스템과 그것에 맞는 형태의 임플란트를 함께 내놓은 것이라고 말이다.

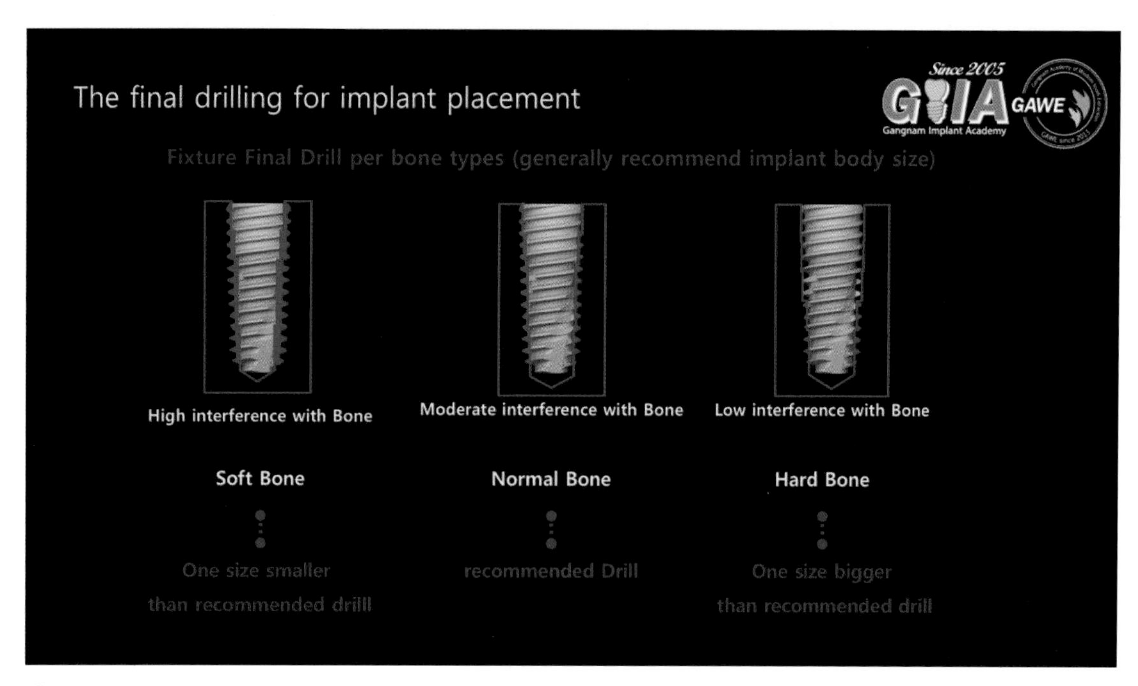

2.36 오스템 임플란트의 골질에 따른 드릴링 교육자료

2.36은 오스템 임플란트에서 교육용 자료로 사용하는 내용이다.

노멀한 본일 때의 드릴링과 소프트한 본이나 하드한 본일 때의 드릴링을 구분하여 그림으로 그렸다. 솔직히 여기서 소프트한 본에 대해서는 별로 생각할 필요가 없다. 이런 소프트한 본에 일반적인 본처럼 드릴링한다고 해서 크게 실패하는 경우는 거의 없기 때문이다. 필자가 이 책을 통해서 가장 강조하는 부분인 '절대 세게 심는 것이 좋은 것이 아니다'라는 전제하에 임플란트가 옆으로 움직이지만 않으면 손으로 힐링과 함께 잡아 심어도 절대 실패하지 않는다. 그나마도 고정이 안 나오면 커버스크류하고 덮으면 된다. 문제는 하드한 본에서이다. 실제로 하악에서는 그림에서 보이는 하드한 본이 소프트한 본보다 10배는 많은 듯하다. 그렇기 때문에 최소한 하악에서는 기본적으로 모두 하드한 본에 심는 것처럼 해야 한다. 최근 임플란트들의 디자인 또한 그런 형태로 만들어져 있다. 그래서 필자는 카운터싱크 버(코로날 쉐이핑 버)는 지금보다 조금 더 커지는 것이 좋다고 생각한다.

카운터싱크 버란 무엇인가?

2.37 카운터싱크에 대한 설명

여기서 카운터싱크 버라는 말을 생각해 보자(2.37). 왜 우리는 임플란트 코로날 부분을 넓혀주는 버를 카운터싱크 버라고 할까? 카운터싱크라는 말은 말 그대로 가라앉지 않게 한다는 뜻이다. 일반 나사에서 대가리 부분 나사가 빠지는 것을 막는다는 뜻으로 쓰였다. 초창기 브렌막의 임플란트를 보면 실제 일반 나사와 거의 비슷하게 생겼다.

임플란트가 처음 나올 당시는 임플란트가 뼈에 앵킬로시스 된다는 것보다는 기계적인 안정에 더 중점을 두었다. 그러다 보니 mandible 속으로 빠지지 말라는 뜻에서 코티칼 본에 턱을 만들었는데, 여기에 걸치는 부분이 카운터싱크 파트이다. 초창기 임플란트를 보면 드릴링(핑크색)을 한 뒤에 카운터싱크 파트는 코티칼 본의 기계적 안정을 위해서 딱 그 모양대로 정말 가라앉지 말라고 형성해 주었다. 그러다 보니 거기서부터 코로날 부분을 확대하거나 형성하는 버들을 "카운터싱크 버"라는 말로 표현하게 되었다. 최근 들어서는 회사별로 "코로날 쉐이핑 버", "코티칼삭제 버" 등의 이름들로 부르기도 하지만 개념은 비슷하다고 봐야 할 것이다.

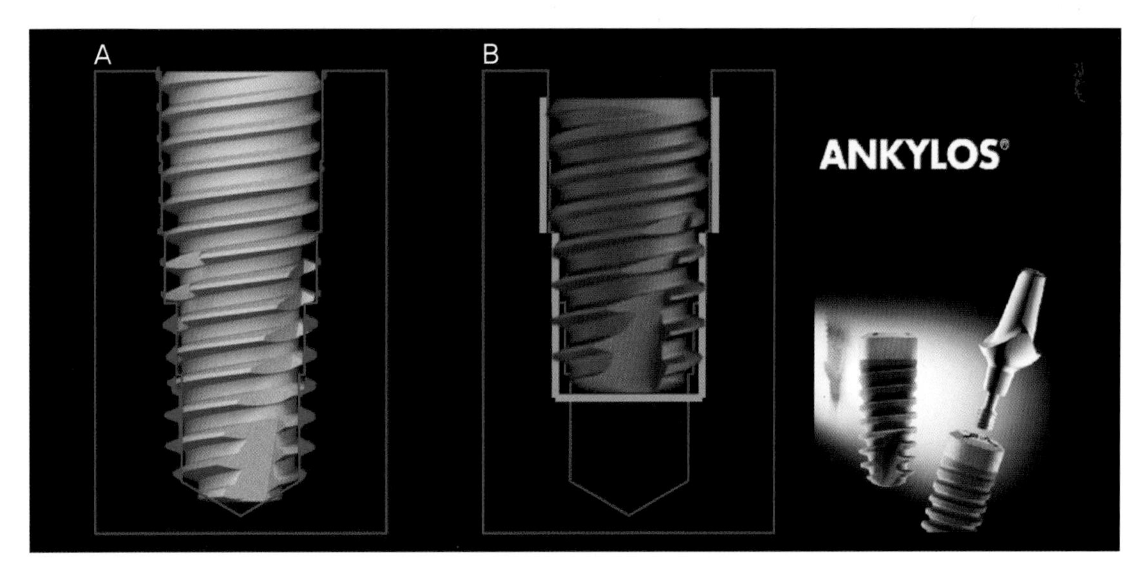

2.38 코로날 부분에서 초기고정 얻는 것을 줄이자는 취지의 그림

2.38A는 오스템에서 권장하는 하드한 본에 심는 모식도이다. 코로날 부분은 거의 임플란트 풀 사이즈 드릴이라고 봐야 하고, apex 부분에서만 고정을 얻는다는 앵킬로스 권법과 마찬가지다. 그러나 문제는 앵킬로스 권법은 좋은데 최근 임플란트가 숏임플란트가 대세라는 점이다. 필자는 아무리 뼈가 좋고 많아도 8 mm(오스템은 8.5 mm)를 초과하는 임플란트를 심지는 않는다. 어쨌든 숏임플란트가 대세가 되다 보니 초기고정을 얻어야 하는 파트가 비교적 적어진다는 데 문제가 있다. 그래서 필자는 임플란트가 짧을수록 구조적인 문제만 없다면 apex로 갈수록 쓰레드가 더 얇고 커졌으면 하는 바람이 있다. 어쨌든 기본적인 개념은 숏임플란트라도 동일하다. 코로날 부분은 임플란트가 옆으로 움직이지 않을 정도로 풀 사이즈 드릴링하고 **고정은 최대한 코티칼 본이 아닌 하방의 쓰레드**에서 얻는 방법이다.

CHAPTER 2-3

어버트먼트의 분류와 이해

Mastering dental implants

어버트먼트와 스크류

요즘은 어버트먼트에 헥사 구조가 있고 스크류와 분리되어 있는 것을 당연하게 생각하지만, 임플란트 역사에서 보면 이는 생각보다 짧은 역사를 지니고 있다. 물론 external hexa type 임플란트에서는 처음부터 이러한 회전방지용 헥사 구조가 있는 어버트먼트와 스크류가 따로 구성되어 있었다. 그러나 요즘 주로 사용하는 internal friction type에서 이러한 시스템을 사용하기 시작한 것은 별로 오래되지 않았다. 스트라우만의 티슈레벨 임플란트도 1999년에 회전 방지용 옥타 구조가 도입되었다. 국내에는 2000년이 넘어서 들어온 것으로 알고 있다. 또한 초창기에는 어버트먼트와 스크류가 일체형이었으며, 현재도 대부분의 회사에서는 이렇게 어버트먼트에 스크류가 붙어 있는 일체형 어버트먼트를 생산하고 있다. 그러므로 이런 구조를 잘 모르고 있거나 심지어 존재 자체를 모르고 있다면 기존 환자들을 보면서 큰 낭패를 당할 수 있다. 특히 일체형 어버트먼트는 회전방지용 헥사 구조가 없기 때문에 싱글 크라운의 경우 회전력에 취약하고 어버트먼트가 자주 풀리는 단점이 있다.

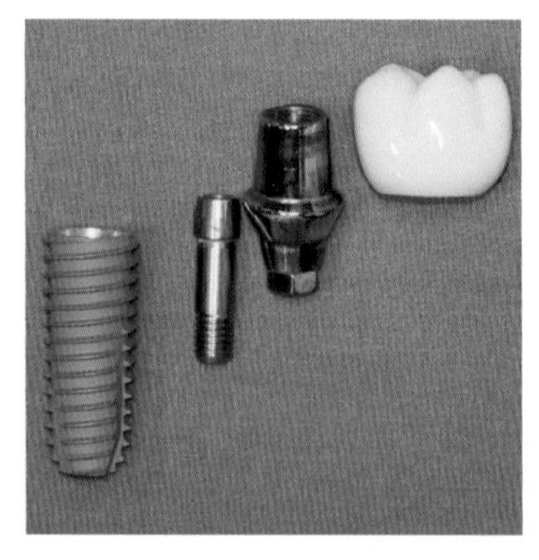

3.1 요즘 보편화된 헥사구조를 갖는 어버트먼트와 별도로 분리된 스크류

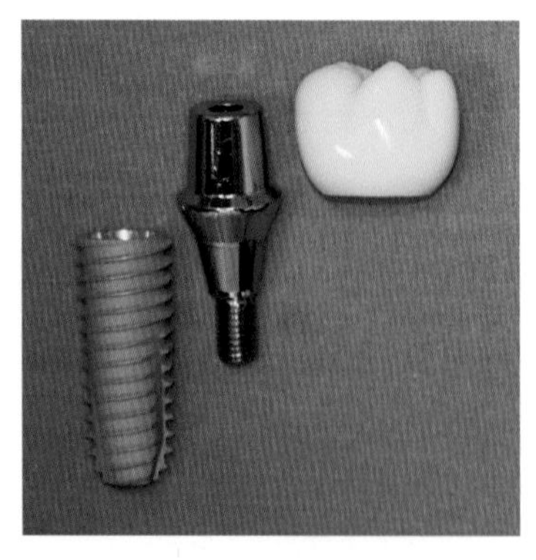

3.2 회전방지용 헥사구조 없이 어버트먼트와 스크류가 일체형

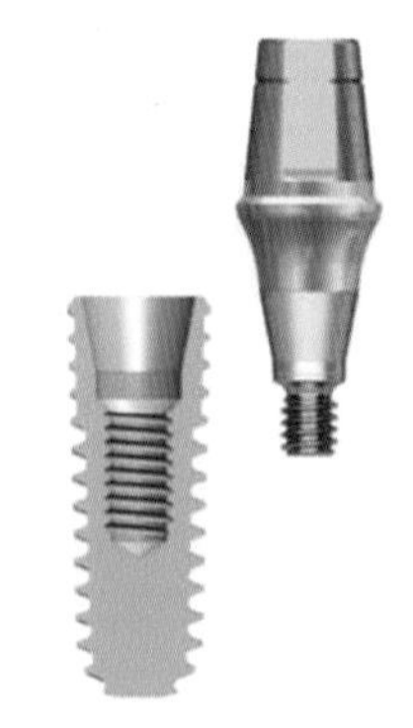

3.3 오스템의 넌헥사 픽스처와 어버트먼트(현재 생산 중)

그래서 타 치과에서 시행한 임플란트 크라운이 흔들린다고 해서 내원했을 때 첫 번째로 할 일 중 하나가 어버트먼트와 스크류가 한 몸인지 아닌지를 보는 것이다. 우선 엑스레이를 잘 보면 구분되는 경우가 많다. 그런 줄 모르고 리타이트닝 한다고 크라운에 구멍을 뚫어서 스크류를 찾으려고 한들 찾을 수도 없고 해결도 되지 않는다. 이런 경우는 크라운이 어버트먼트와 분리되지 않은 채 흔들리기 때문에 크라운 자체를 통째로 삭제해서 일반 크라운을 제거하듯이 어버트먼트에서 제거하거나, 크라운 자체를 회전시켜서 일체형 어버트먼트를 픽스처에서 분리해야 한다. 드물지만 언제 나에게 닥칠지도 모르는 문제이기 때문에 알고 있어야 한다.

현재 오스템에서도 넌헥사 픽스처와 어버트먼트를 생산 중이다. 누군가는 계속 식립하고 있을 테니 언젠가 나에게 환자가 올 수도 있을 것이다. 필자의 20년 개업 역사상 오래전에 세 건 정도 있었다. 한 건은 티슈레벨의 솔리드 어버트먼트가 크라운과 회전하는 것이었고, 나머지 두 개는 요즘 가장 흔하게 사용하는 아스트라 타입 임플란트에 사용된 일체형 어버트먼트였다. 그 중 첫 번째 케이스에서는 얼마나 고생을 했는지 모른다. 픽스처의 중심 방향으로 홀을 잘 뚫어 나갔는데 아무리 찾아도 스크류 홀이 나타나지 않았다. 결국 찾다 찾다 못 찾고 크라운 자체를 다 제거했는데 제거해서 보니 스크류와 어버트먼트가 한 몸으로 되어 있는 형태였다. 그나마도 그때는 크라운이 골드였지만 지금은 지르코니아가 대부분이니 전체적으로 어버트먼트에서 크라운을 분리한다는 게 더 쉽지 않을 것이다. 요즘 접촉 면적이 넓다고 해서 넌헥사 어버트먼트가 유행이긴 하지만, 필자는 넌헥사를 쓰더라도 꼭 스크류와 어버트먼트가 분리된 형태를 사용하라고 권하고 싶다.

스크류 일체형 어버트먼트 크라운이 흔들리면?

초창기 internal friction type 임플란트의 어버트먼트는 이렇게 일체형인 경우가 많았다. 그러나 스크류 루즈닝이 오면 크라운 전체가 흔들리고 리타이트닝이 어렵기 때문에 사용 빈도가 줄고 있다. 그러나 예전에 많이 사용되었었고, 최근에도 사용하는 치과들이 있기 때문에 그 구조는 이해하고 있어야 한다. 실제로 브릿지의 경우는 회전력을 받지 않기 때문에 크게 문제되지 않는다. 그러나 크라운의 리메이크나 계속 관리를 위해서는 분리형을 쓰는 것을 권장한다. 더구나 최후방 대구치에서는 절대 사용하지 말라고 권하고 싶다. 아래 케이스를 보자.

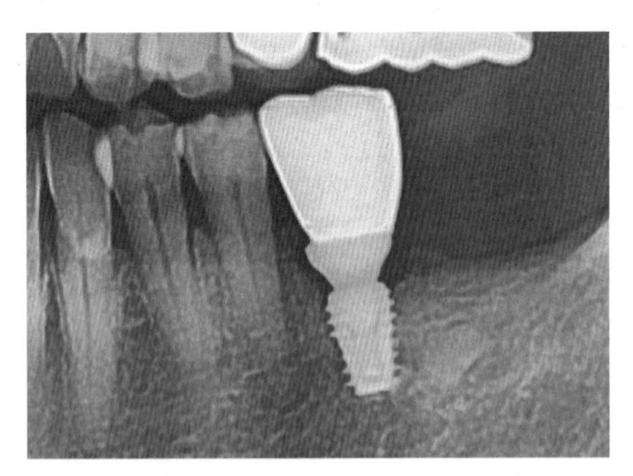

스크류와 어버트먼트 일체형으로 만들어진 임플란트 크라운

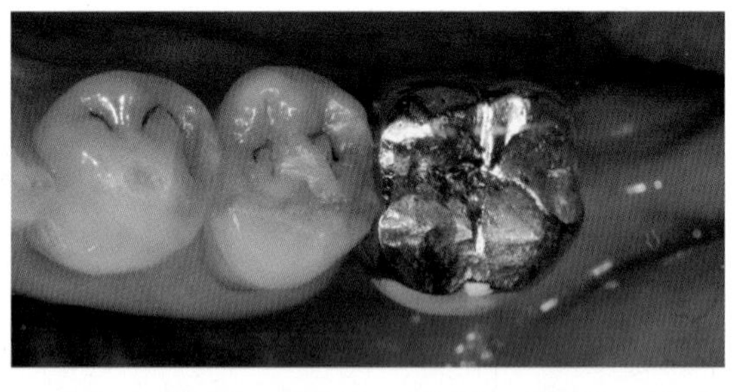

스크류와 어버트먼트 일체형으로 만들어진 임플란트 크라운

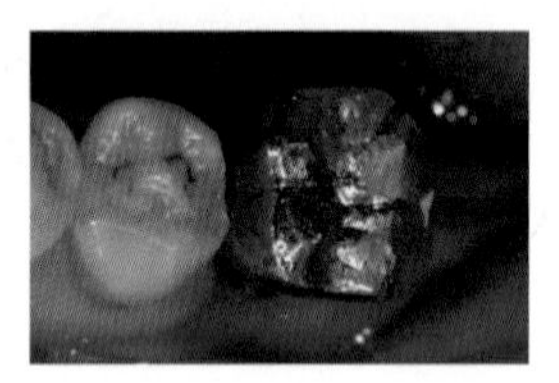

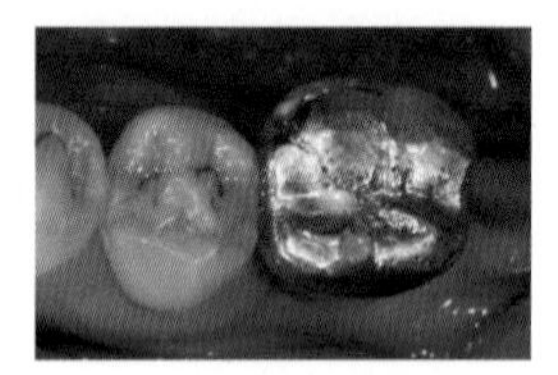

임플란트 크라운이 어버트먼트와 함께 회전하고 있다. 스크류가 풀어지는 반시계 방향으로 좌측 90°, 우측 180° 회전한 모습이다. 그러나 더 이상은 원심 협측면이 35번 원심면에 걸려서 더 이상 회전하지 않고 있다.

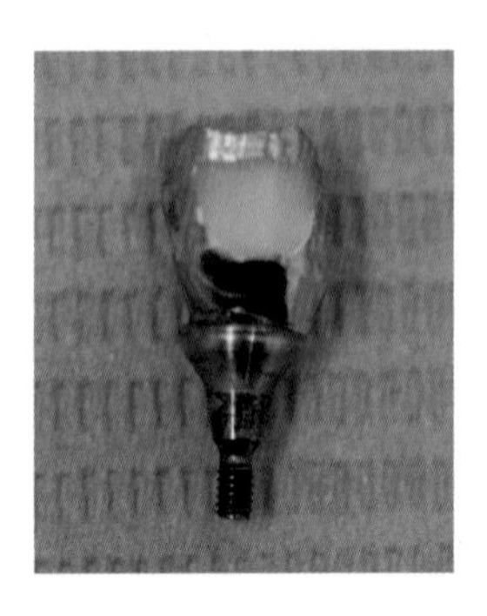

제거된 일체형 어버트먼트와 크라운

아마 필자가 아니라 이러한 일체형 어버트먼트의 구조를 모르는 치과의사였다면 매우 힘든 시간을 보내거나 크라운 전체를 삭제하여 어버트먼트에서 분리했을지도 모른다. 의외로 이런 일체형 어버트먼트가 시중에 널리 사용되었고, 특히나 티슈레벨 임플란트에서 흔하기 때문에 스크로홀을 찾기 위해서 크라운에 구멍을 뚫기 전에 엑스레이를 유심히 볼 필요가 있다.

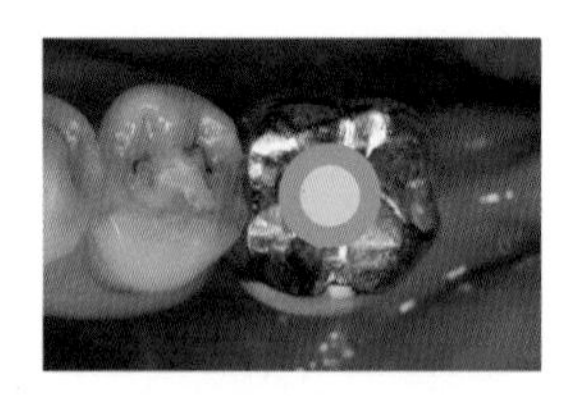

분리형 어버트먼트라면 이곳에 구멍을 뚫어서 스크류를 찾아서 돌리면 되지만, 일체형이라 스크류가 따로 분리되지 않는다. 초보자들은 이곳에 구멍을 뚫다가 지쳐서 크라운 전체를 갈아내고 나서야 일체형임을 인식하기도 한다.

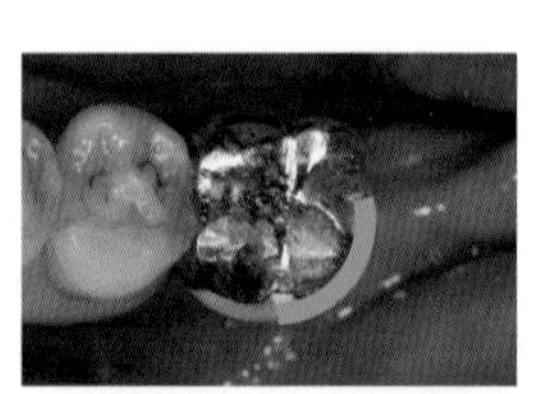

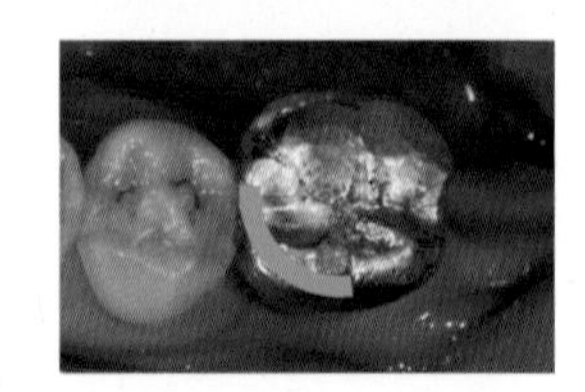

35번 근심면에 걸려서 더 이상 회전하게 못하게 하는 원심협측 크라운을 삭제하여 반시계 방향으로 계속 돌려서 어버트먼트와 크라운을 제거하였다.

임플란트 어버트먼트의 연결 높이에 의한 분류

본레벨과 티슈레벨이라는 표현은 스트라우만 임플란트를 구분하는 데 사용되는 표현이지만, 지금은 모든 임플란트에 널리 적용되고 있다고 봐도 좋을 것이다. 거슬러 올라가 ITI (스트라우만)과 브레네막(노벨바이오케어) 임플란트가 양대 산맥이던 시절(아직까지도 그렇지만), 브레네막은 본레벨에 맞춰 심고 몇 달 지난 다음에 뼈랑 붙었다고 생각할 때 external hexa type의 연결구조로 어버트먼트를 연결하여 잇몸 밖으로 노출시키는 시스템이었고, ITI는 2.8 mm 잇몸의 평균 두께에 맞춘 잇몸을 관통하는 smooth surface까지 함께 있는 형태였다. 그래서 본레벨과 티슈레벨은 시작부터 완전 다른 두 임플란트의 특징이기도 했다. 그러나 티슈레벨 임플란트의 단점 등이 부각되면서 스트라우만도 본레벨 임플란트를 만들게 되었고, 지금은 본레벨 임플란트가 주력 제품이 되었다.

이후에 두 회사의 임플란트에 바탕을 두고 새로 생긴 임플란트 회사들은 두 가지 종류를 다 생산하였고, 본레벨과 티슈레벨이라는 표현으로 구분하게 되었다. 이후 external hexa type의 문제점이 많이 부각되면서 본레벨의 아스트라 타입의 internal friction 형태가 주를 이루게 되었다. 이제 그 이유에 대해서 살펴보려 한다. External hexa type은 너무 구닥다리니 오스템의 본레벨과 티슈레벨 임플란트를 예로 들어 보겠다.

3.4A가 본레벨, **3.4B**가 티슈레벨이다. 티슈레벨 임플란트는 기본적으로 임플란트와 크라운이 직접 접촉하도록 구성되어 있다. 어버트먼트는 솔리드 어버트먼트(스크류와 어버트먼트가 일체형)를 꽂고 그것을 지대치라고 생각하고 크라운을 만드는 것이다. 문제는 잇몸을 관통하는 smooth surface의 길이를 잇몸 평균 두께인 2.8 mm 하나로 잡은 것이었다. 그러다 보니 앞니처럼 심미적인 것을 요하는 부분에서 문제에 부딪히게 되었고, 나중에 스탠다스 플러스라는 이름으로 소구치나 전치부에 심을 수 있도록 1.8 mm 높이의 임플란트를 만들게 되었다(**3.6**).

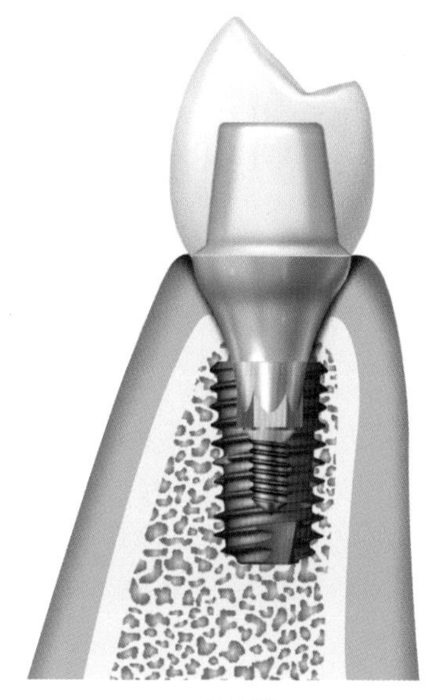

A. 본레벨

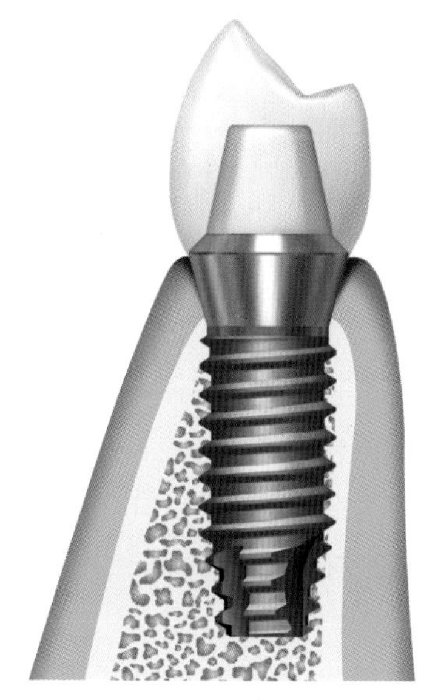

B. 티슈레벨

3.4 본레벨 임플란트와 티슈레벨 임플란트의 비교

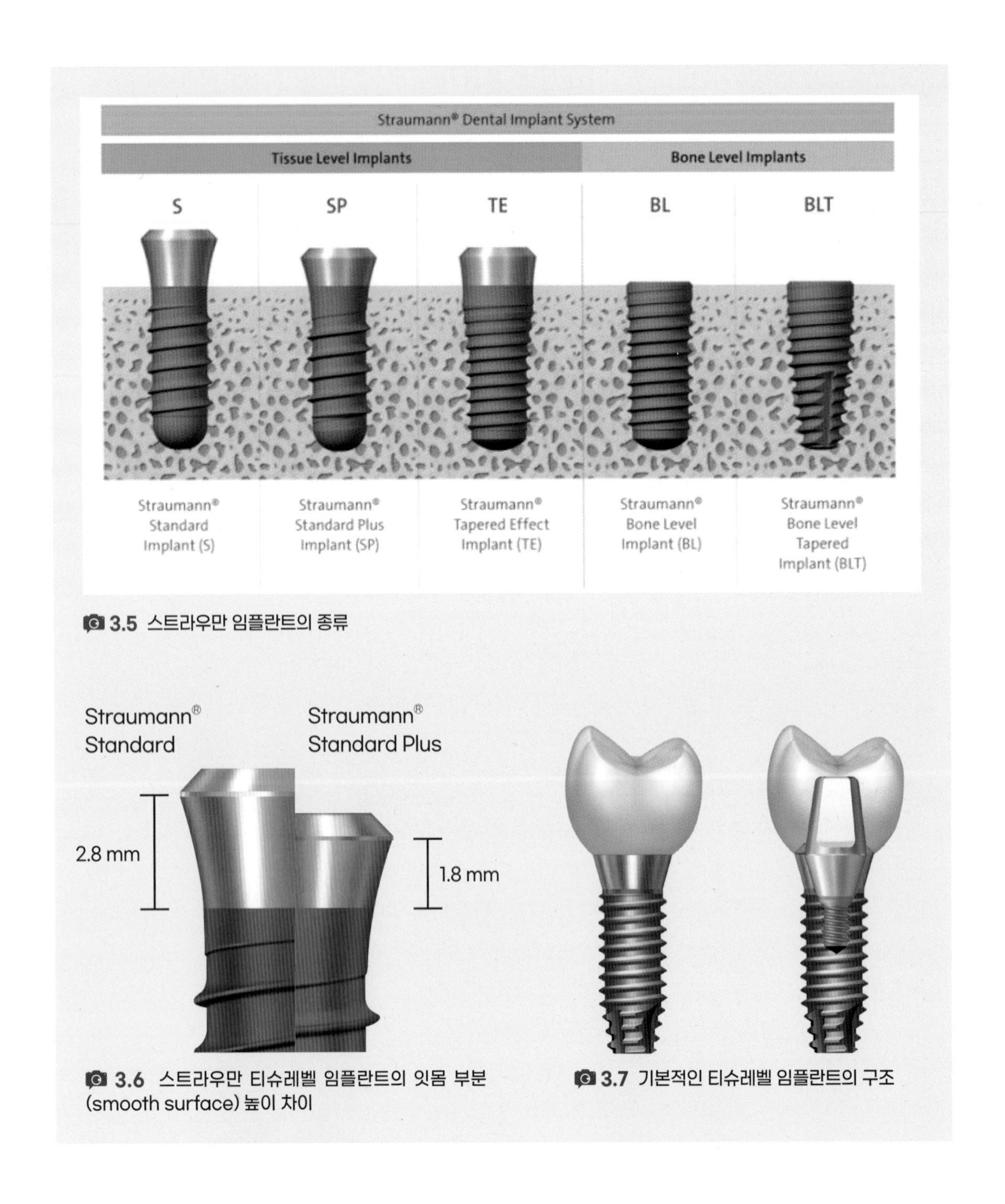

3.5 스트라우만 임플란트의 종류

3.6 스트라우만 티슈레벨 임플란트의 잇몸 부분 (smooth surface) 높이 차이

3.7 기본적인 티슈레벨 임플란트의 구조

물론 완벽하지는 않지만, 적절하게 깊이 조절을 하게 되면 심미적인 부위에도 사용 가능하였다. 필자의 경우도 처음에는 external hexa type을 주로 사용하였으나, 임플란트 가격이 하락하면서부터 골드 UCLA 어버트먼트 비용이 부담되기도 하고 대부분의 경우 본로스를 피할 수 없음을 알게 된 뒤부터는 구치부에서는 티슈레벨 임플란트인 오스템의 SS2를 종종 사용하였다.

티슈레벨 임플란트 케이스 보기 1

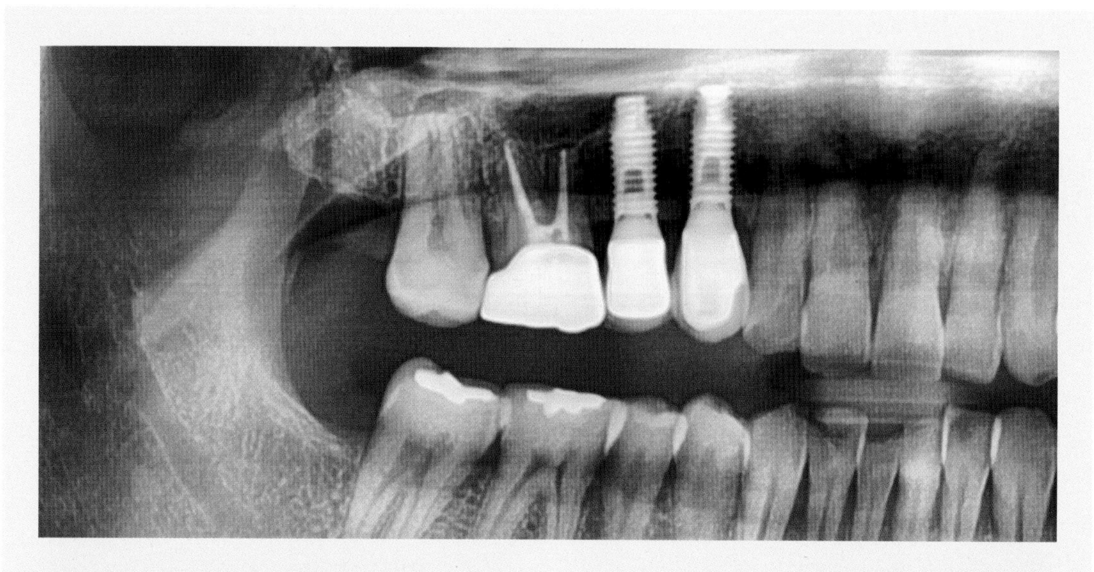

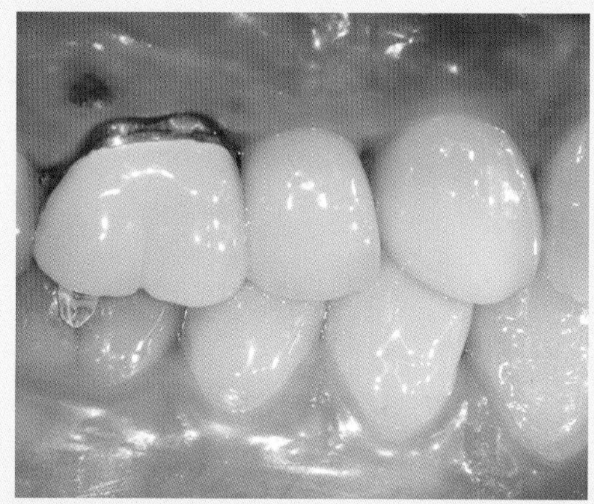

협측 모습
16번 치아는 세월 따라 잇몸이 내려가 크라운의 마진이 보이지만, 오히려 13, 14번 임플란트가 미용적으로 더 이쁘게 유지되고 있다.

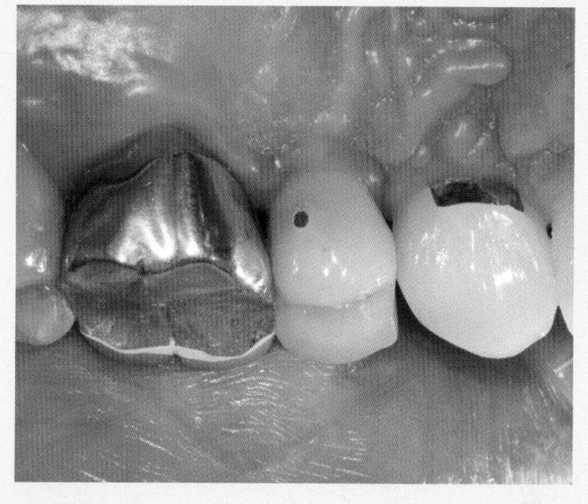

설측 모습
설측도 마찬가지로 임플란트의 잇몸이 더 잘 유지되고 있다.

3.8 2005년 시술했던 티슈레벨 임플란트 15년 경과 후(오스템 SS2)

3.8은 2005년 당시 30세 환자에게 시술했던 13, 14번 티슈레벨 임플란트이다. 적절한 본과 잇몸 높이를 맞췄기에 급격한 골흡수 등의 변화가 나타나지 않아 아직까지 안정적인 모습을 보이고 있다. 그러나 그렇지 않은 케이스도 있다. 다음 케이스 환자는 윗 앞니가 흔들려서 빼고 임플란트를 해야 하는데, 진료한 치과에서는 어려운 케이스라 안 된다고 필자에게 넘어온 환자이다.

티슈레벨 임플란트 케이스 보기 2

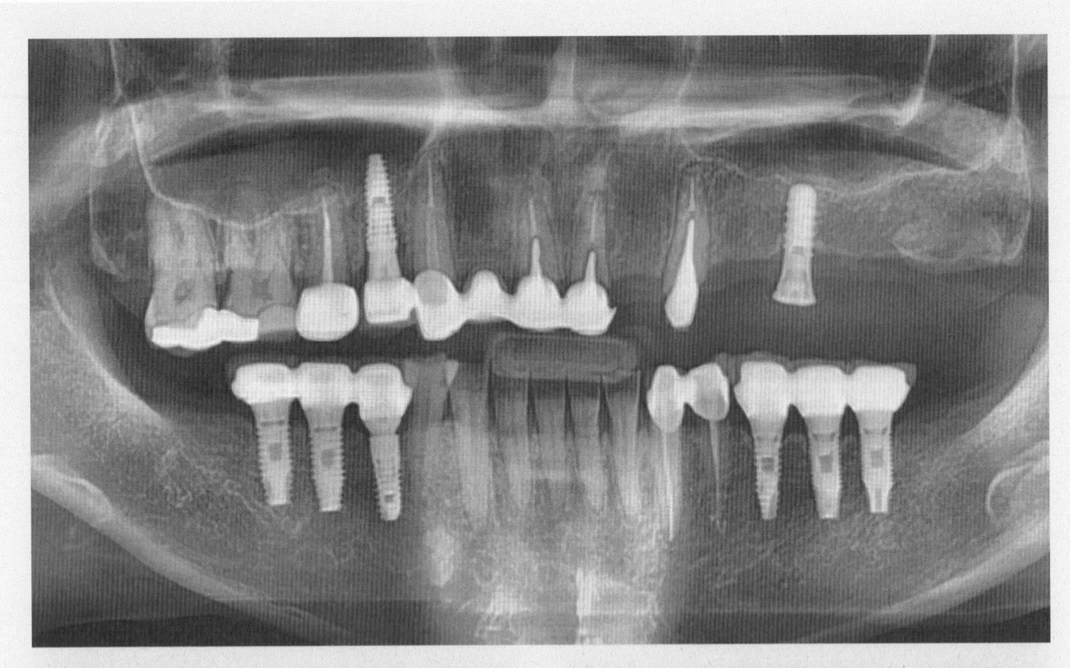

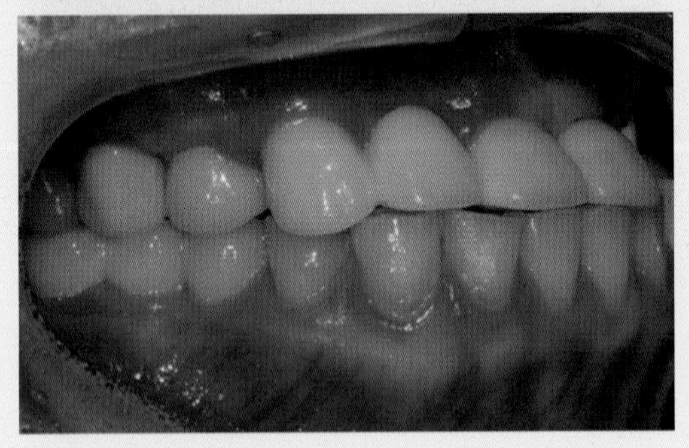

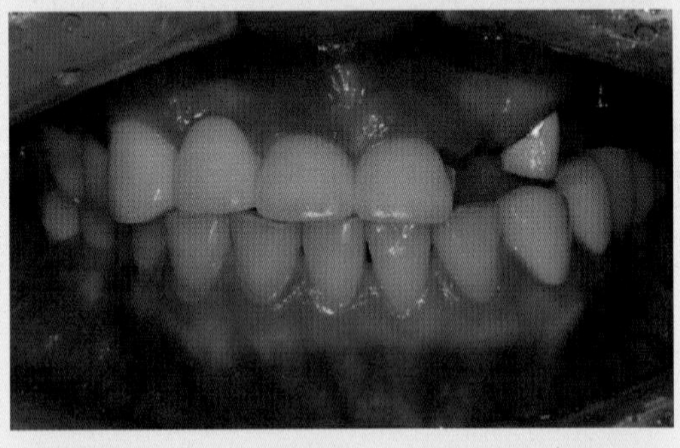

3.9 초진 시 임상 사진. 좌측 사진에서 25번 티슈레벨 임플란트가 보인다.

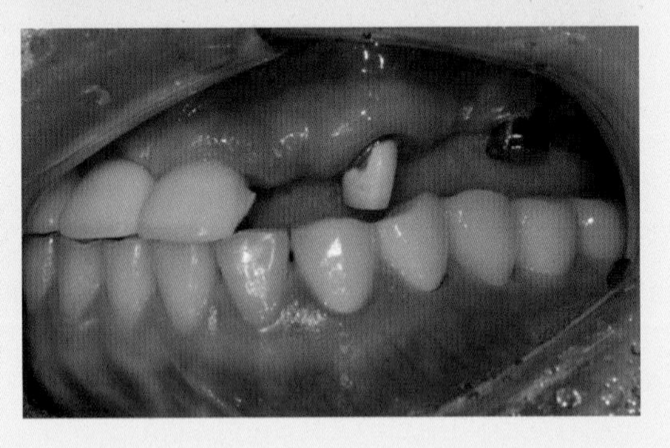

2016년 당시 35세 여성으로 전치부 포스트와 치근이 분리되어 충치가 생기고 있던 환자였다. 게다가 그나마 있는 교합도 다 무너져서 이 상태로는 회복이 불가능한 상태였다. 그래서 환자를 설득한 후 구강외과 선생님한테 양악수술을 의뢰하였다. 그렇게 양악수술 후 교합이 정상이 된 다음에 임플란트 수술을 진행한 케이스이다(**3.9**).

그러나 25번 티슈레벨 임플란트를 보자. 오래전에 비싸게 주고 했다는 임플란트는 완전 애물단지 수준이었다. 환자의 교합이 안정적이지 않았고, 뼈도 약한 상태였으므로 굳이 무리해서 제거하지 않고 우선은 그냥 두고 진행하기로 하였다. 📷 3.10은 시술 후의 모습이다.

25번 티슈레벨 임플란트가 옥에 티로 남았다. 어릴 때 심은 티슈레벨 임플란트도 당시에는 잇몸 높이에 맞았겠지만, 시간이 흘러 주변 치아가 없어지고 잇몸이 내려가면서 이렇게 보기 싫은 메탈의 모습을 드러내었다. 본레벨 임플란트도 마찬가지로 높이 조절이 중요하지만, 젊은 환자에서 티슈레벨 임플란트를 심미적인 곳에 식립할 때는 더욱더 신경 써야 한다.

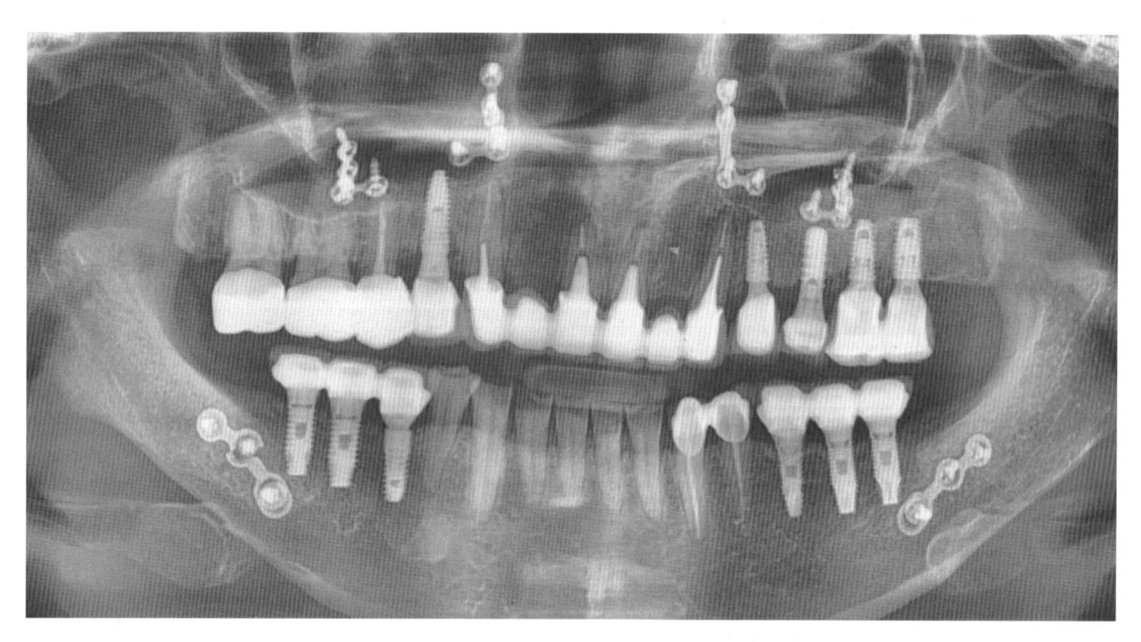

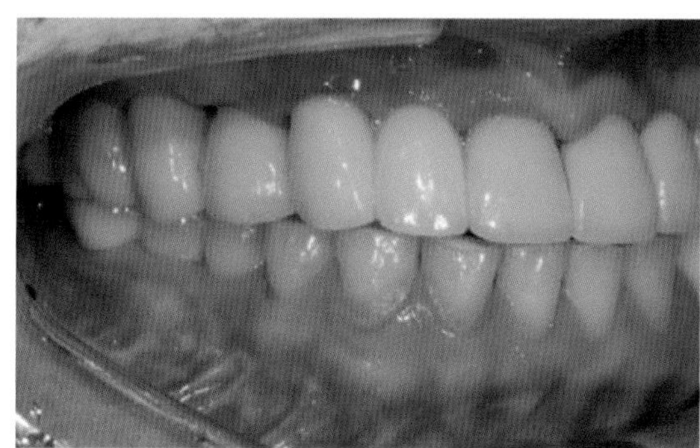

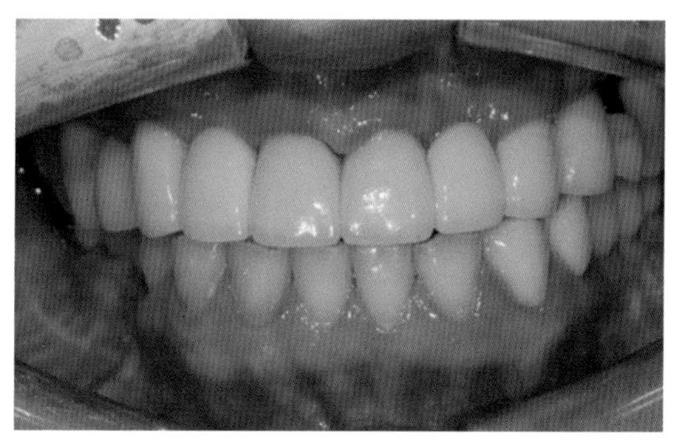

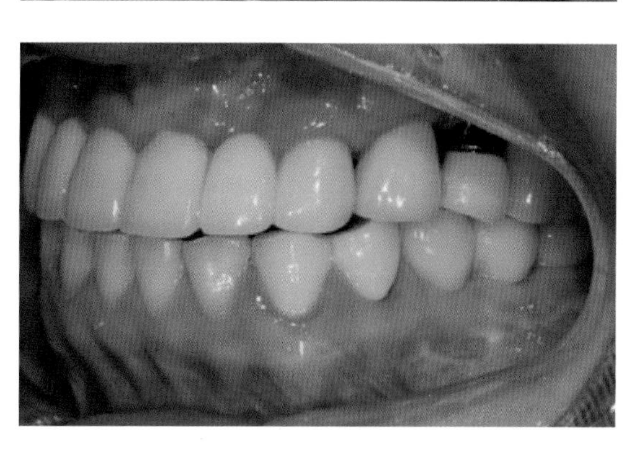

📷 3.10 치료 완료 후 파노라마 방사선 사진과 임상 사진
사진을 제대로 못 찍어서 25번 임플란트가 잘 보이지는 않지만 잇몸 높이 올라온 스트라우만 티슈레벨 임플란트의 칼라가 보인다.

참고

전치부 포스트 케이스

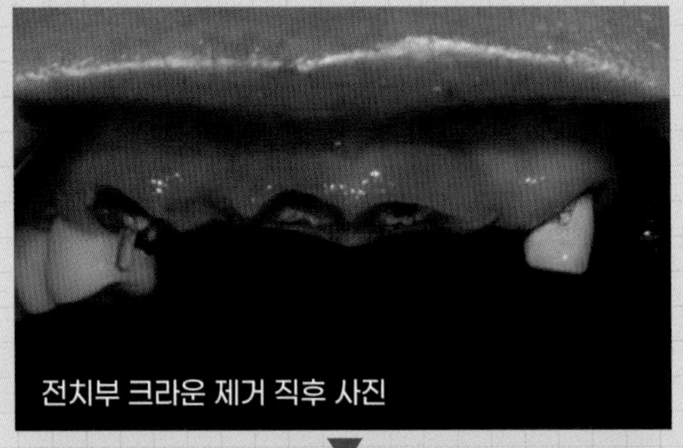
전치부 크라운 제거 직후 사진

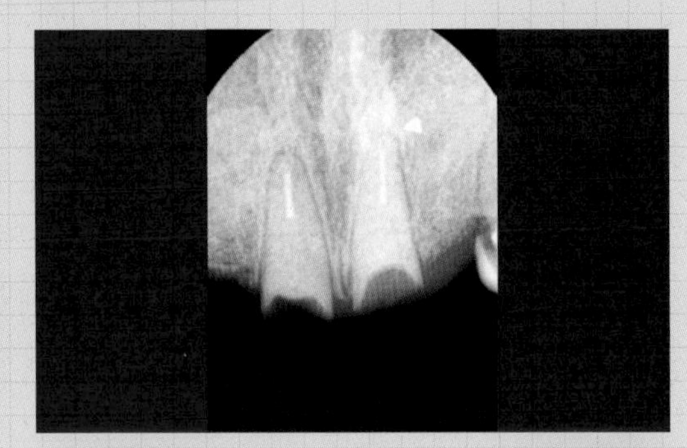

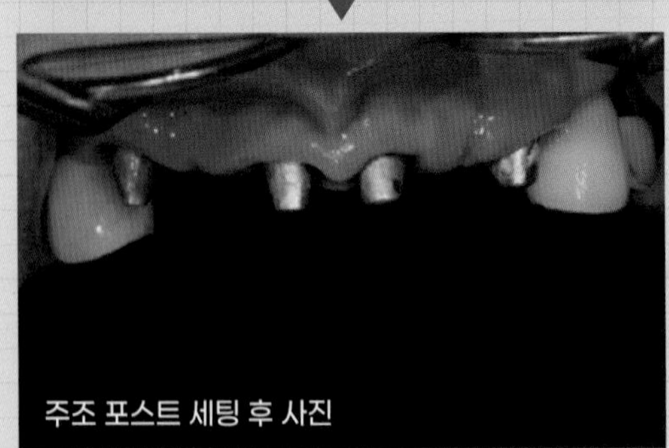
주조 포스트 세팅 후 사진

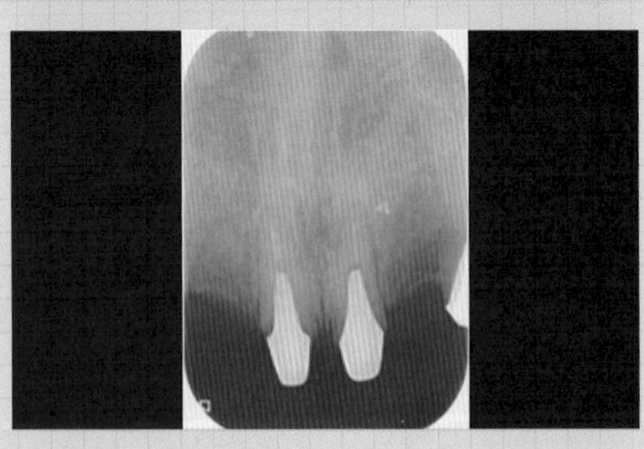

3.11

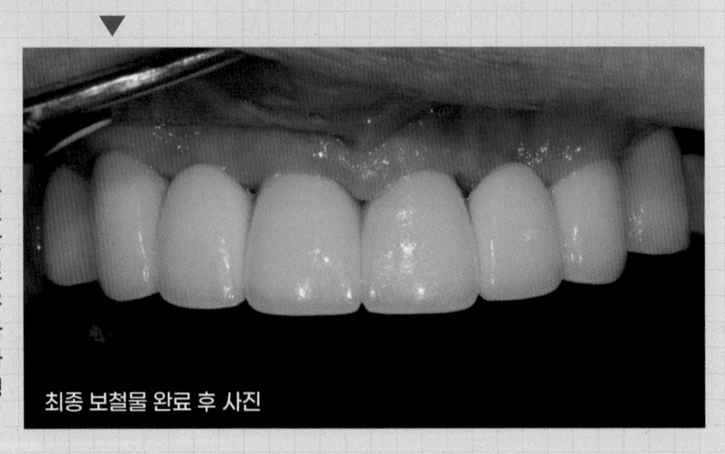
최종 보철물 완료 후 사진

3.12 필자는 요즘은 일반 진료를 거의 안 하지만 예전에 일반 진료를 할 때는 기성 포스트는 쓰지 않았고, 꼭 필요한 경우에만 최소한으로 주조 포스트를 시행하였다. 이 경우도 필자 치과에서 그 누구도 이 환자의 상악 전치부 치료를 하지 않겠다 하여 필자가 어쩔 수 없이 직접 진행하였다.

참고로 양악수술 후에 환자의 교합상태가 좋아진 것을 확인한 후 필자는 전치부 치아들을 살려서 브릿지를 하기로 결정하고 포스트 후에 크라운을 하였다. 임플란트가 아무리 좋아도 자기 치아보다 좋을 수는 없다는 것을 새롭게 깨달았다. 그리고 환자에게 지금 양악수술 후라 교합상태가 불안정하고 어금니가 대부분 임플란트이기 때문에 앞니의 교합이 잠깐만 나빠져도 전치부가 손상될 수 있음을 설명하면서 꼭 교합상태가 안정될 때까지 당분간 자주 체크하자고 하였다. 이런 경우 교합 조정을 자주 하여 전치부가 절대 과교합되는 일이 없도록 해야 한다. 어금니가 모두 임플란트인 경우에 특히 전치부 자연치의 교합을 주의 깊게 살펴야 한다.

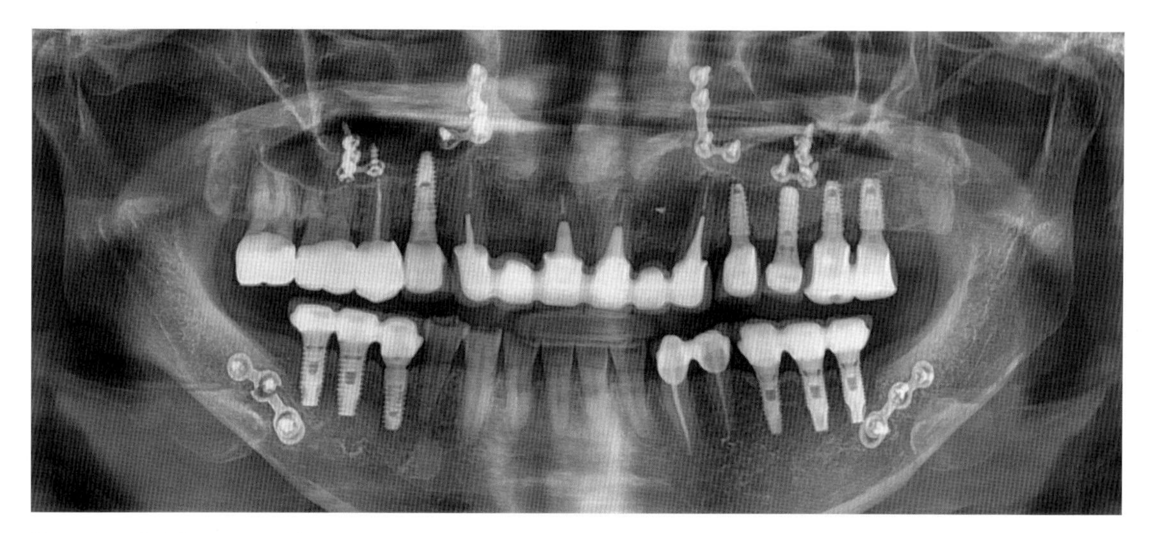

3.13 6개월 후 파노라마 방사선 사진

교합체크가 그렇게 중요하다고 당부했어도 환자는 6개월 만에 나타났고, 그날 촬영한 파노라마 방사선 사진이다(3.13). 그래도 그때까지는 모든 치아가 안정된 상태였다. 그리고 환자는 한동안 나타나지 않았다. 정말 무슨 사정이 있었을 수도 있지만 치과의사의 충고를 잘 안 듣는 환자들이 많다.

김영삼 원장

잠깐 : 26번 임플란트 주변의 골이 좀 이상해 보인다. 필자가 식립만 하고 크라운은 안 하다 보니 6개월 후의 파노라마 방사선 사진을 보고 알게 되었다. 그런데 이전 사진을 보면 식립 직후 사진은 지극히 정상인데, 힐링 어버트먼트 상태로 지내다가 임프레션 할 때 찍은 엑스레이를 보면 그때부터 이미 저런 형태로 보인다. 이제 와서 어떻게 할 수가 없어서 지켜보는 중으로 더 이상 악화되지는 않고 있다. 골이식을 한 것도 아닌데 왜 그런 것인지 모르겠다. 아마도 임플란트 표면 자체의 문제가 아닌가 하는 생각도 해본다.

미래의 잇몸 모양이나 높이를 예측하기 어렵기 때문에 티슈레벨 임플란트는 피하는 게 좋다. 또한 티슈레벨 임플란트를 사용하다 보면, 수술할 때나 보철할 때 잇몸 높이가 어떨지 한 번 더 신경 써야 한다. 어지간히 귀찮기도 하고, 임플란트의 스탁을 사이즈별로 잇몸 부위 컬러의 높이에 따라 두 배로 갖고 있어야 한다. 그리고 수술 후에 초기고정이 좋지 않아 2단계 수술법으로 시행하는 경우가 발생하기도 하는데, 그런 경우에 대비해 본레벨 임플란트를 여분으로 또 갖고 있어야 한다. 그러다 보니 스탁의 양은 더 많아지게 되고 "차라리 그냥 본레벨 임플란트 하나로 쓰는 게 좋겠다"라는 경향이 생기게 되었다. 그즈음 본레벨 임플란트를 어떻게 심고 어떻게 보철하면 임플란트와 주변 잇몸이 안정적인지에 대한 연구 결과와 경험을 얻게 되면서, 식립 당일 잇몸 높이까지 생각할 필요 없는 본레벨 임플란트가 대세가 되었다.

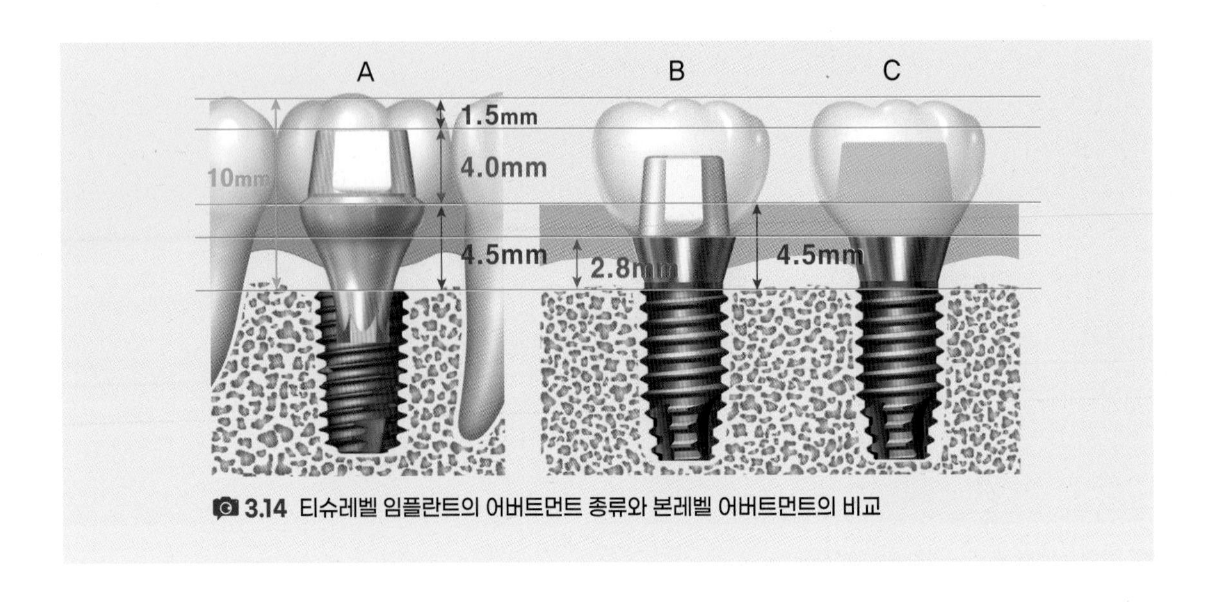

3.14 티슈레벨 임플란트의 어버트먼트 종류와 본레벨 어버트먼트의 비교

3.14A는 싱글 임플란트 기준으로 본레벨 임플란트의 이상적인 높이를 그림으로 그려본 것이다. 보통 본레벨 임플란트를 1 mm 정도 깊게 심는다는 전제하에 3.14B를 그려보았다. 그러나 실제로 잇몸이 두꺼운 경우도 있고 대합치와의 거리 확보를 위하여 좀 더 깊게 심는 경우도 있기 때문에 2.8 mm 높이의 티슈레벨 임플란트라도 탑마진이 잇몸 중앙에 위치하게 되는 경우도 많다. 이런 경우에 대비해서 대부분의 티슈레벨 임플란트는 3.14C처럼 픽스처와 크라운 사이에 또 하나의 어버트먼트를 사용하는데, 그렇게 되면 본레벨 임플란트와 큰 차이가 없다. 솔리드 어버트먼트 사용 후에 간단하게 크라운하는 것이 티슈레벨 임플란트의 최대 장점인데 말이다. 이는 3.14A처럼 본레벨부터 잇몸까지 마진 없이 쭉 이어질 수 있게 할 수 있는 본레벨 임플란트가 대세가 될 수 있었던 또 하나의 이유이다.

티슈레벨 임플란트 케이스 보기 3

솔리드 어버트먼트를 이용한 간단한 보철이 티슈레벨 임플란트의 최대 장점이다. 티슈레벨 임플란트를 사용 안 한 지가 10년이 훌쩍 넘었기 때문에 케이스가 대부분 오래된 점임을 감안해 주길 바란다. 2005년 정도 되면 정말 멤브레인을 사용해야 하는 경우나 2 stage 임플란트를 할 때가 아니라면 본레벨 external hexa type 임플란트를 거의 사용하지 않게 된다.

3.15 케이스에서 볼 수 있듯이 간단하게 본떠서 잇몸레벨에서 크라운을 세팅하게 된다. 아쉬운 점은 세팅 직후에 크라운과 픽스처 사이에 시멘트가 보이는 것이다. 이 환자는 최근까지도 이 임플란트를 튼튼하게 잘 쓰고 계신다. 다만 지방에서 사위의 친구가 있는 치과에서 치료를 받고 계시기 때문에 서울에 있는 필자의 치과에는 오지 않으신다. 최근 사진은 치료를 담당하고 있는 치과의사가 필자에게 보내준 것이다.

티슈레벨 임플란트에서 솔리드 어버트먼트를 이용한 크라운은 어버트먼트의 크기가 작기 때문에 비교적 잘 탈락되는 경우가 많다.

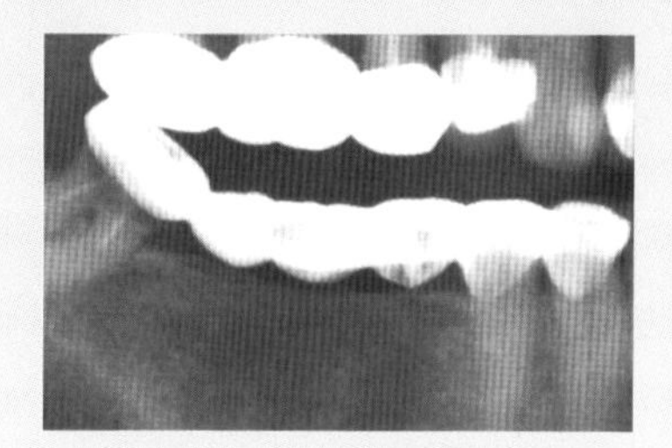

초진 파노라마 사진(2005-04-07)

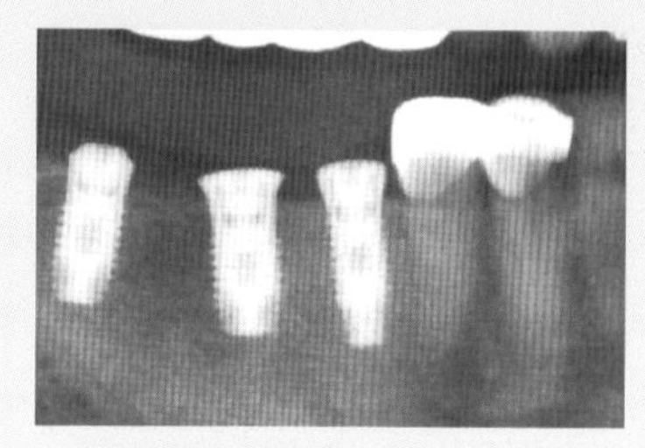

식립 직후(2005-04-14)

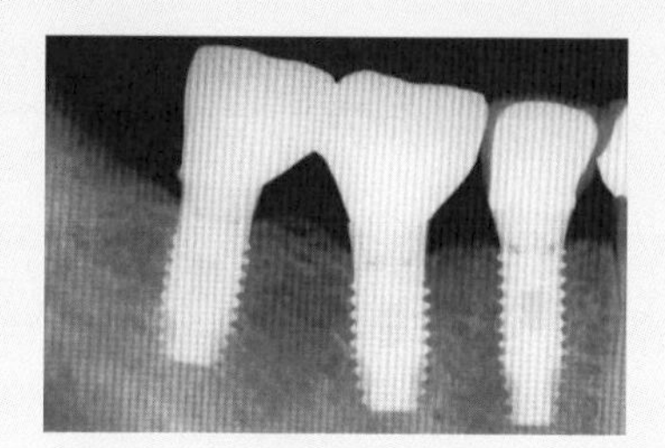

크라운 세팅 직후 표준촬영
(2005-07-22)

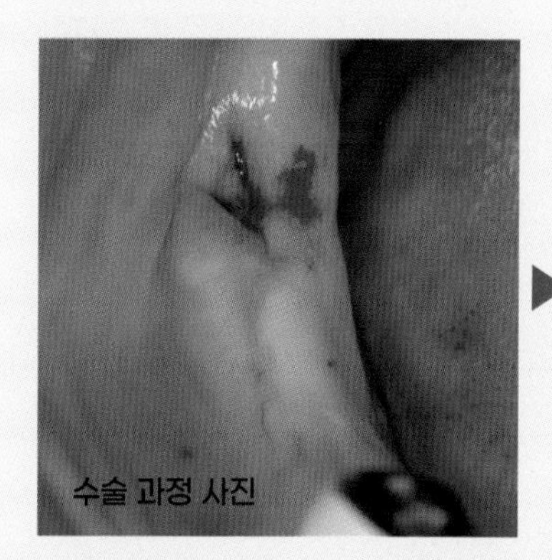

수술 과정 사진

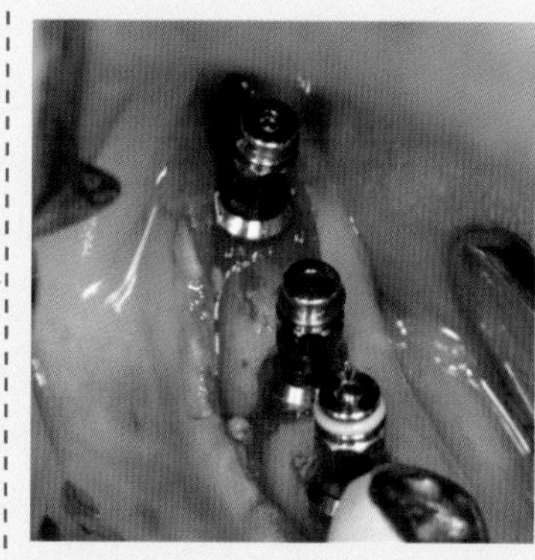

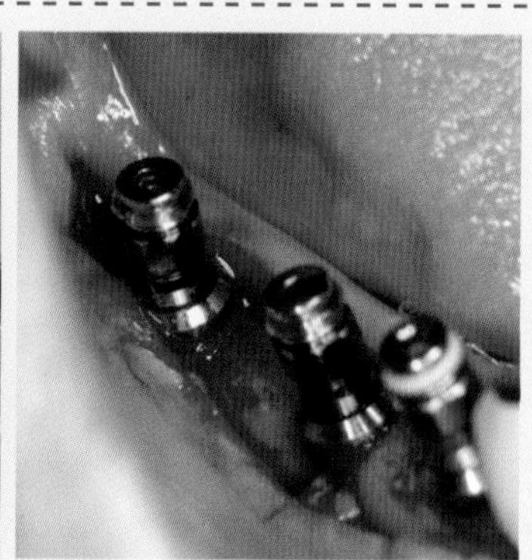

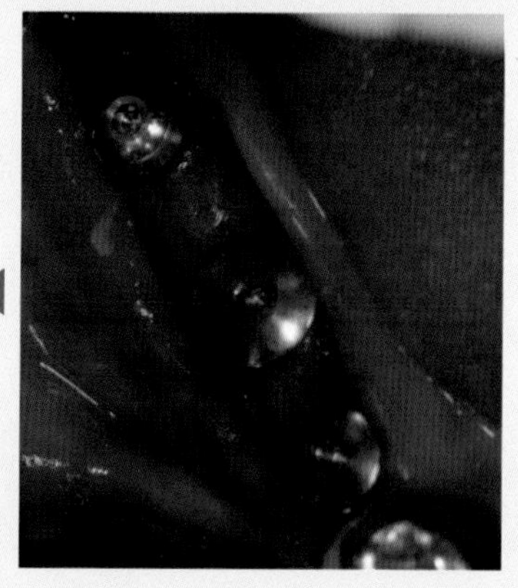

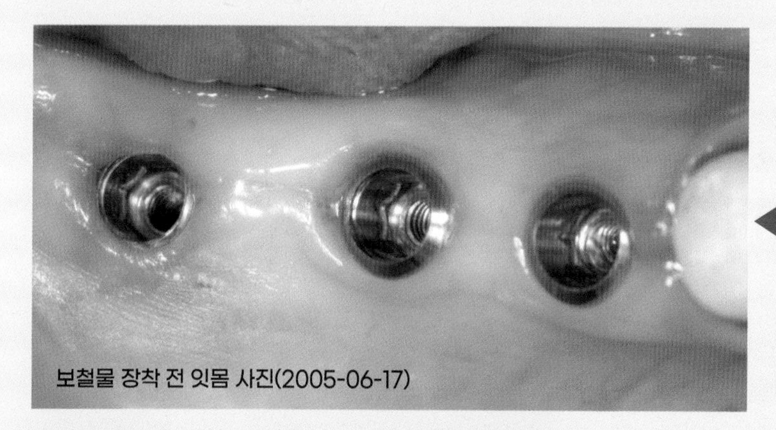

보철물 장착 전 잇몸 사진(2005-06-17)

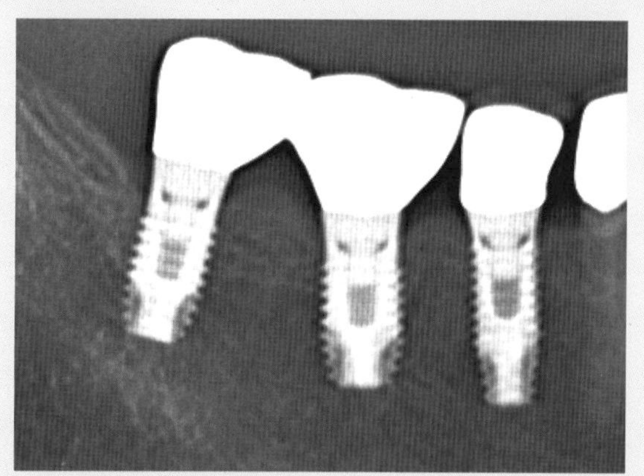

15년이 지난 2020년에 이 환자의 주치의가 보내준 최근 파노라마 방사선 사진

3.15

티슈레벨 임플란트 케이스 보기 4

이제 문제가 있는 케이스를 보자. 📷 **3.16**는 2007년에 식립한 케이스로 2011년에 크라운이 탈락하여 내원하였고 크라운을 재부착해드렸다. 브릿지도 이렇게 탈락하는 경우가 많은데 싱글 크라운은 오죽하겠나 하는 생각을 해본다. 그 이후로는 팔로업되지 않고 있다.

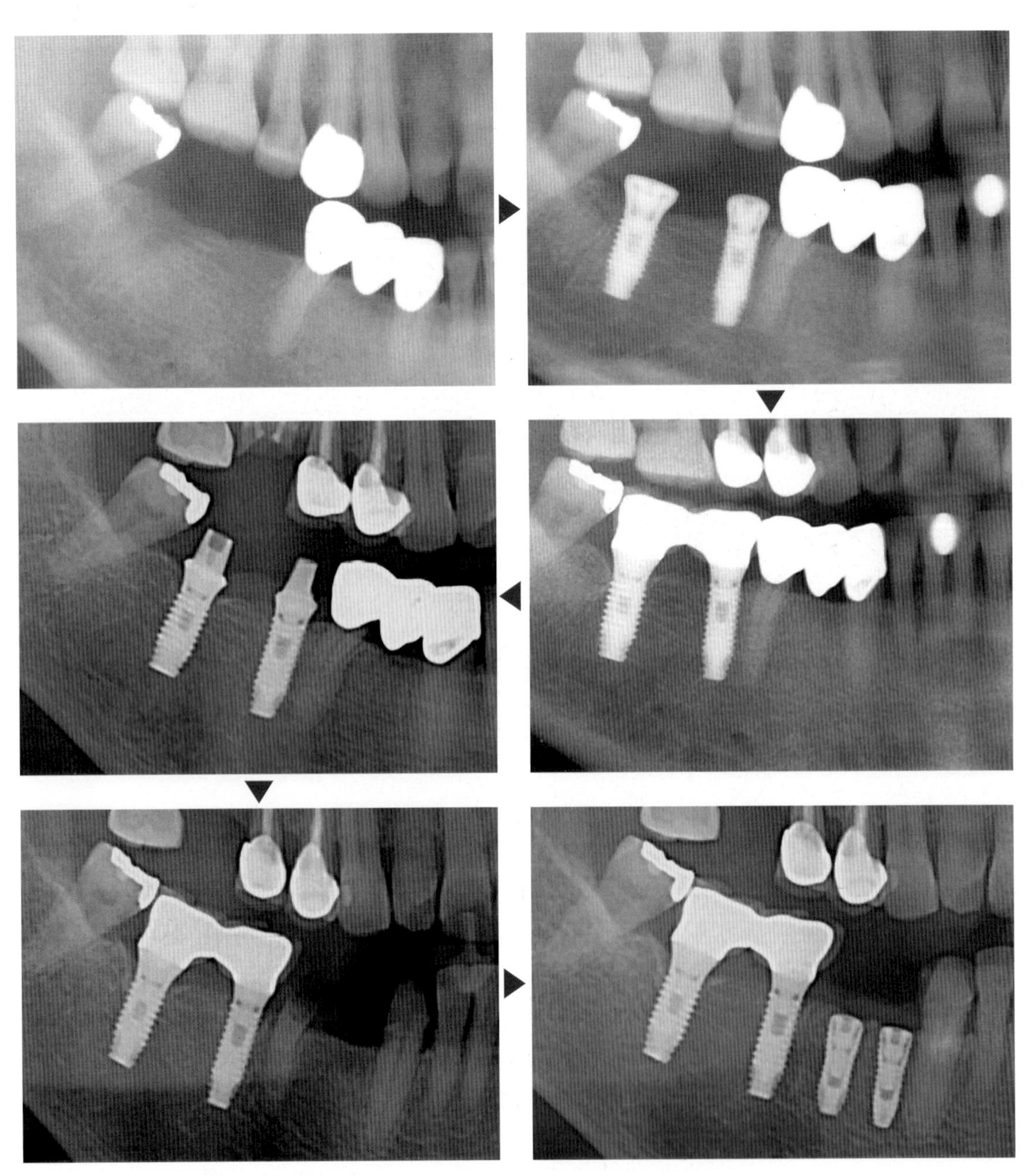

📷 3.16 티슈레벨 임플란트 브릿지가 탈락하여 재부착하는 과정
탈락된 방사선 사진을 보면 45번은 어버트먼트 스크류가 일체형인 솔리드 어버트먼트, 46번은 스크류가 어버트먼트와 분리되는 일반적인 어버트먼트임을 볼 수 있다. 지금 생각해 보면 이런 형태로 브릿지를 제작하는 것은 좋지 않다. 45번 솔리드 어버트먼트가 풀어져서 다시 조여야 하는 경우라면 솔리드 어버트먼트는 풀고 조일 때마다 멈추는 위치가 변하기 때문에 크라운을 재부착해도 잘 맞지 않는 경우가 많기 때문이다.

티슈레벨 임플란트 케이스 보기 5

3.17 또한 2007년 케이스로 2013년에 솔리드 어버트먼트 크라운이 탈락되어 커스텀 어버트먼트를 이용해 다시 크라운을 제작하였다. **오스템 임플란트는 어금니 전용으로 와이드넥**(지름 6.0 mm)**을 만들었는데, 와이드넥은 높이가** 1.8 mm**도,** 2.8 mm**도 아니고** 2.0 mm **하나뿐**이다. 그러다 보니 잇몸 높이 면에서 불편한 점이 많다. 특히나 대합치와의 거리가 좁아서 깊게 심어야 하는 경우에는 매우 불편하다. 그림을 보면 직원이 와이드인 줄 모르고 일반 4.8 mm 지름의 힐링을 꽂아서 덜 들어간 사진이다. 현재 이 환자는 연락은 닿지만 미국으로 이민을 가는 바람에 내원은 하지 못하고 있다. 그러나 오스템의 티슈레벨 6.0와이드 SS2 임플란트는 우리나라에 엄청나게 많이 심어져 있는 상태이기 때문에 꼭 알고 있어야 할 내용 중 하나이다.

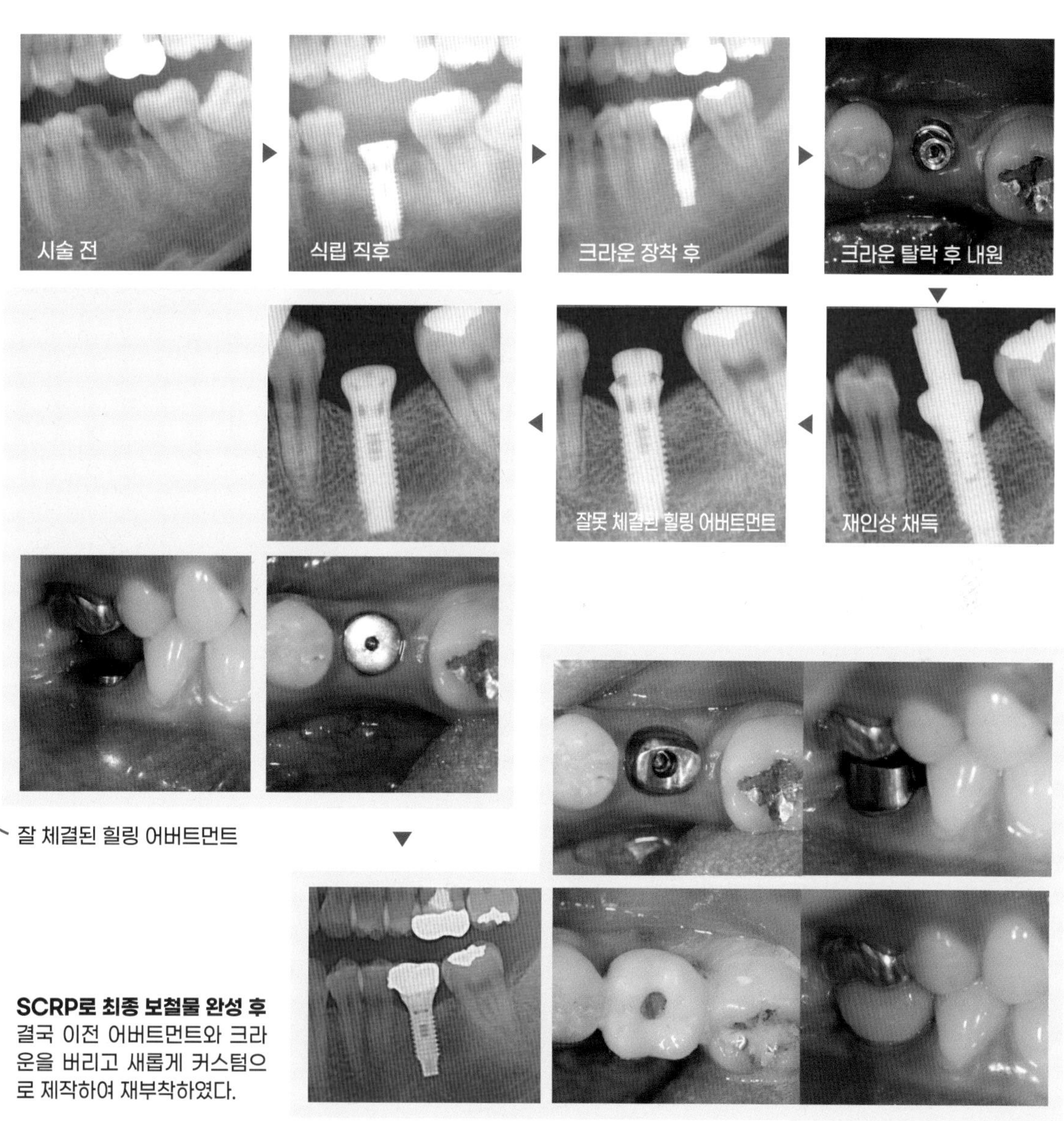

3.17

위 두 케이스는 지인들의 케이스를 정리해두는 습관 때문에 외장하드에 저장해 두었던 것이다. 실제로 이렇게 빈번히 발생하는 탈락 문제로 인해 솔리드 어버트먼트 사용을 자제하게 된다.

그러나 이렇게 탈락된 케이스는 그나마 다행이다. 솔리드 어버트먼트가 크라운에 부착된 채 풀어지면 힘든 문제에 봉착하게 된다. 풀어져서 약간은 움직이지만 인접치아 때문에 한 바퀴를 제대로 돌릴 수 없는 경우가 생각보다 흔하게 발생한다. 심지어 솔리드 어버트먼트가 뭔지 모르는 초보자가 크라운에 홀을 뚫어서 스크류를 찾으려는 시도를 하게 된다면 큰 난관에 부딪히게 된다. 아무래도 일체형 나사를 돌려서 넣는 솔리드 어버트먼트는 이러한 문제가 자주 발생하는데, 교합 때문에 왼쪽 아래와 오른쪽 위가 잘 풀린다든가 반대로 오른쪽 아래나 왼쪽 위가 잘 풀린다든가 하는 내용을 발표하는 사람도 있었다. 싱글인 경우에는 특히나 최후방 대구치에는 솔리드 어버트먼트를 거의 사용하지 않는 이유이다. 예전에 시술된 케이스들에서 이런 스트레스를 받는 경우가 매우 많았다. 그럼 결국 크라운을 절단해서 제거해야 하는데, 솔리드 어버트먼트는 대부분 크기가 작아서 크라운을 엄청나게 삭제해야 한다. 그나마도 예전에는 골드 크라운을 많이 해서 삭제가 쉬웠지만, PFM이나 지르코니아로 변하면서 풀린 솔리드 어버트먼트와 크라운을 제거하는 것은 정말 치과의사에게 가장 힘든 일이 되었다.

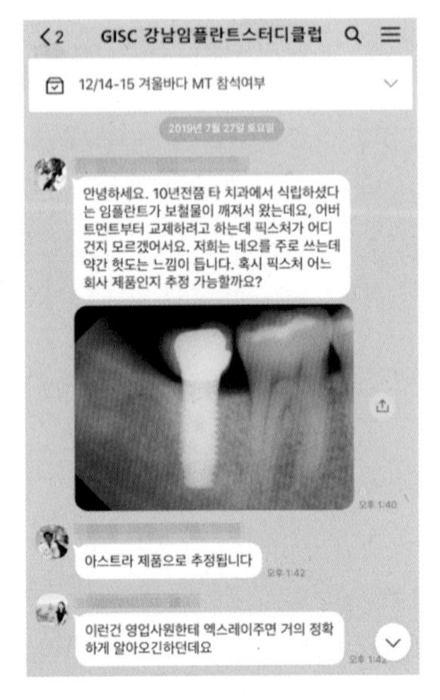

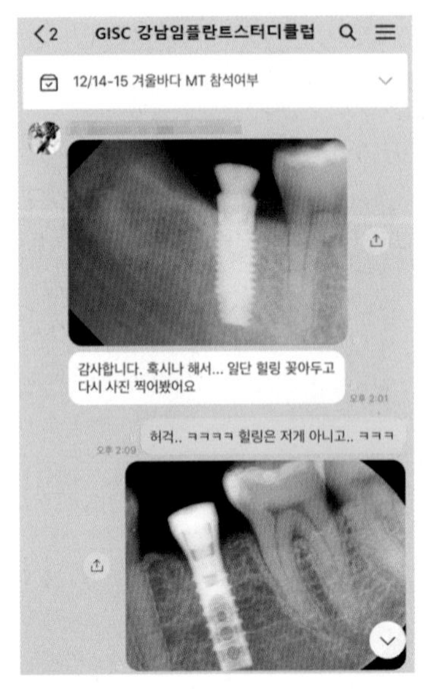

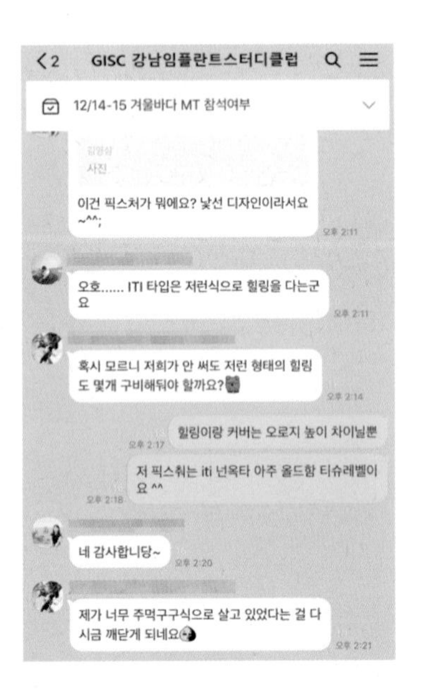

3.18 강남 임플란트 스터디 클럽 단체 카톡방 내용

3.18은 사람이 예전에 시술한 티슈레벨 임플란트를 다시 보철해야 하는 경우에 대해 누군가 질문한 내용이다. 오스템의 SS2로 보인다고 카톡에 썼지만, 어느 누구도 알 수는 없다. 손상된 크라운을 제거하고 힐링 어버트먼트를 장착한 모습이다. 티슈레벨 임플란트는 끝자리 마진까지 덮는 것처럼 해줘야 한다. 그래야 나중에 크라운이 나왔을 때 잇몸이 크라운과 임플란트 사이에 개재되지 않는다. 언제 저런 티슈레벨 임플란트 환자가 내게 올지 모른다. 이미 대한민국에 수백만 개 이상이 심어져 있는 상태고 현재도 아주 많이 식립되고 있으니, 기본 구조에 대해서는 알고 있어야 한다.

티슈레벨 임플란트 케이스 보기 6

2004년에는 어금니에 뼈가 좋으면 대부분 SS2 티슈레벨 임플란트를 심었는데, 한 환자에게서 문제에 봉착하게 되었다(3.19). 환자는 심한 조울증이 있었다. 임플란트를 심을 때는 조증이었는데 크라운을 할 때되서는 우울증 상태로 전환되어 시술 과정에 대해 계속 의심하기 시작하였다. "검색해봤는데 임플란트 수술은 두 번 하는 것이라고 나와있더라", "왜 수술을 한 번만 하고 크라운을 하냐"라며 크라운치료를 거부한 케이스이다. 너무나 가슴 아픈 경우지만, 그만큼 당시에는 external hexa type 임플란트로 2 stage 수술을 하는 것이 대세였던 것이라는 것을 반증하는 것이기도 하다.

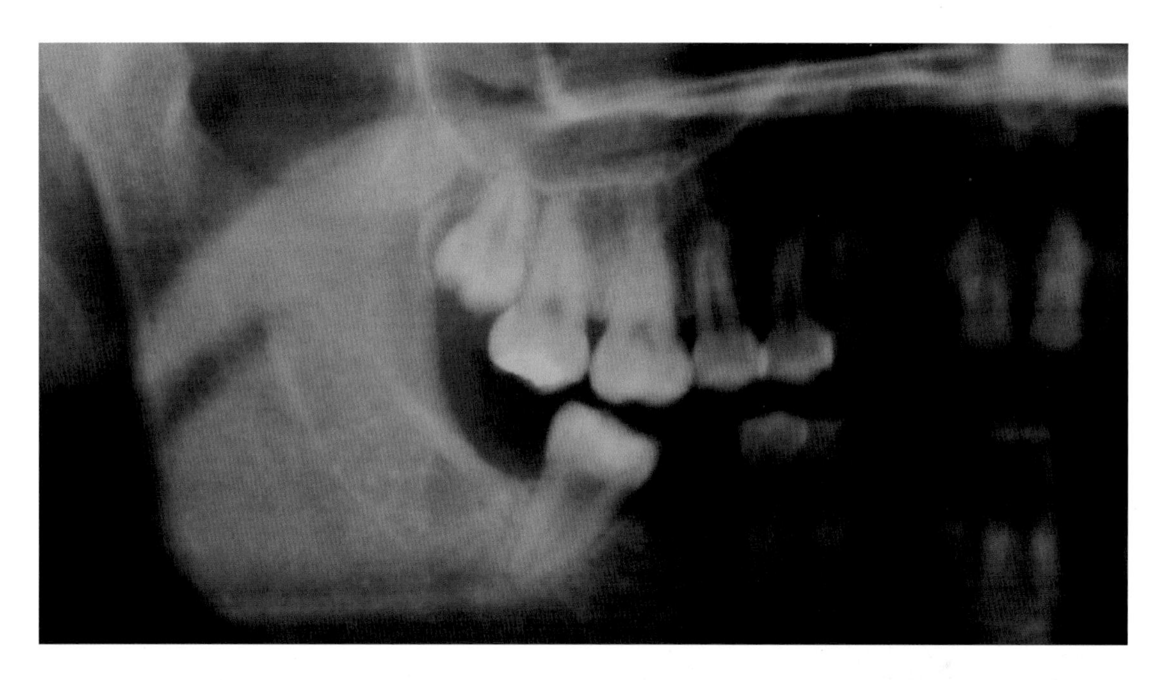

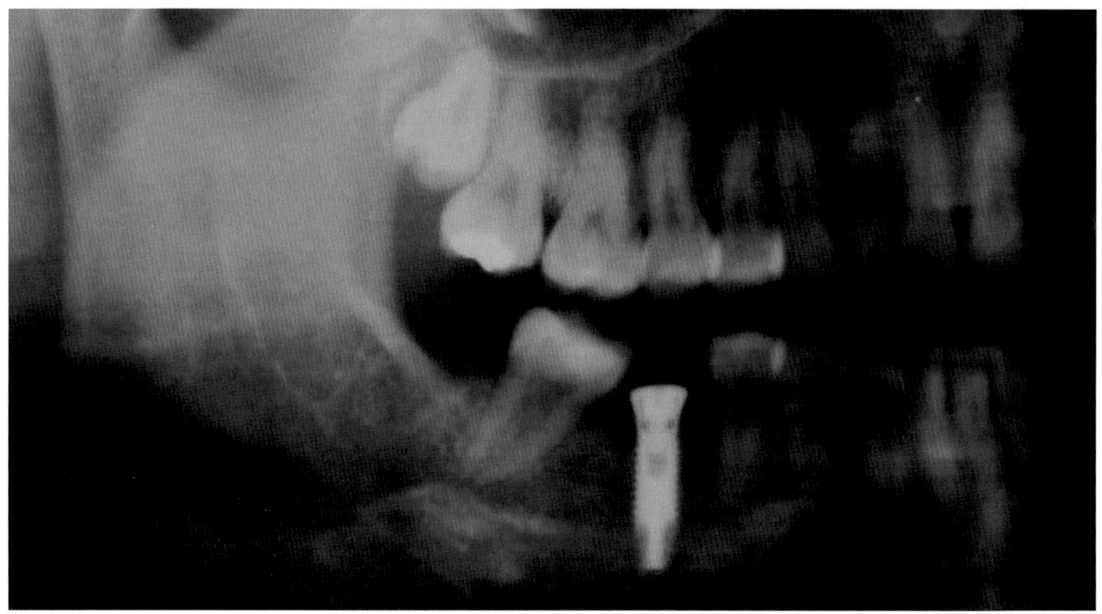

3.19 2004년 임플란트 수술은 두 번 해야 한다며 최종보철을 거부한 환자의 케이스

티슈레벨 임플란트 케이스 보기 7

60대 초반의 남자가 25번 apex에 누공을 주소로 내원하였다(3.20). 25번 디스탈에서 커팅하여 잘라내고 26번 파닉을 제거하여 25번은 근관치료, 27번은 치주치료를 하기로 하였다. 그러나 치주치료 도중에 27번의 치근파절이 관찰되었다(3.21). 결국 발치를 결정하였고 두 번에 걸쳐서 임플란트를 식립한 후에 브릿지로 연결하였다(3.22).

A

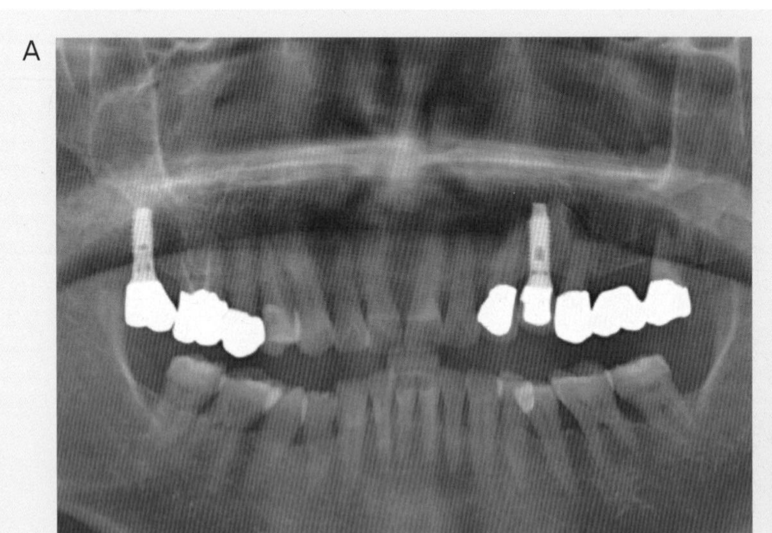

초진 당시 파노라마 사진

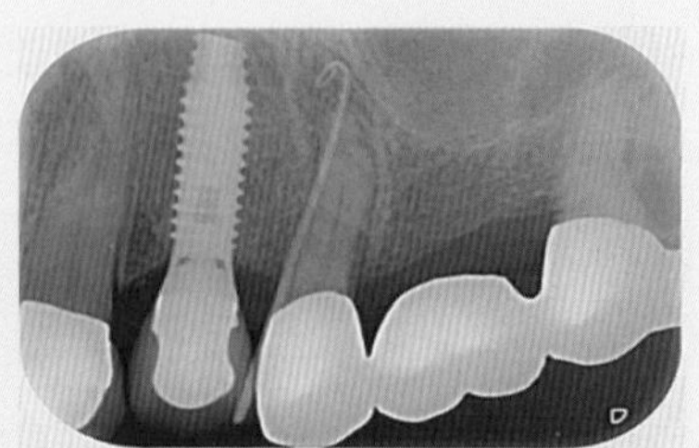

초진 당시 누공 트레이싱 사진

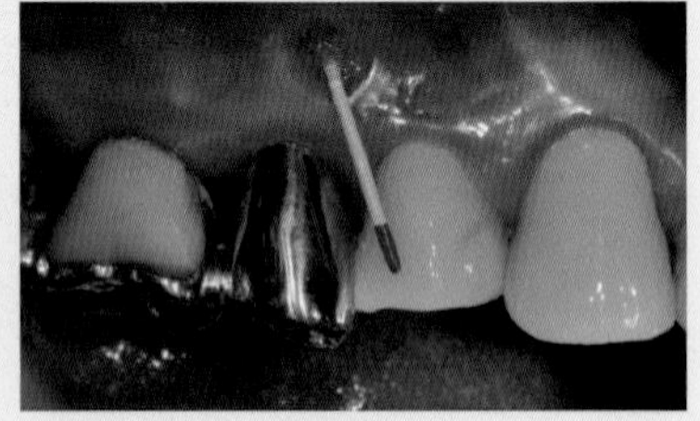

미러로 누공을 촬영한 사진

3.20 2011년 4월, 25번 누공을 CC로 내원

B

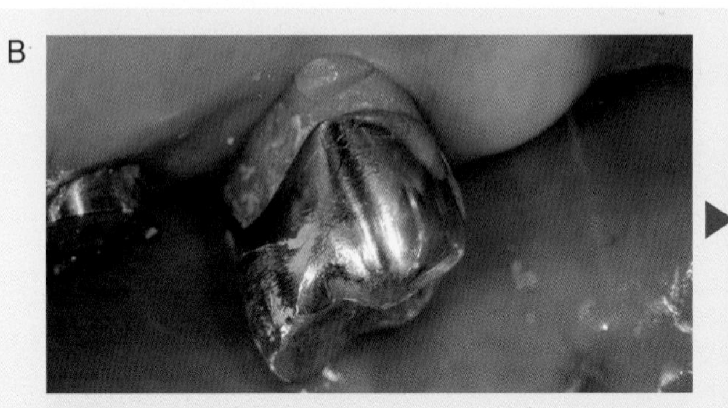

3.21 27번 치근파절이 보임

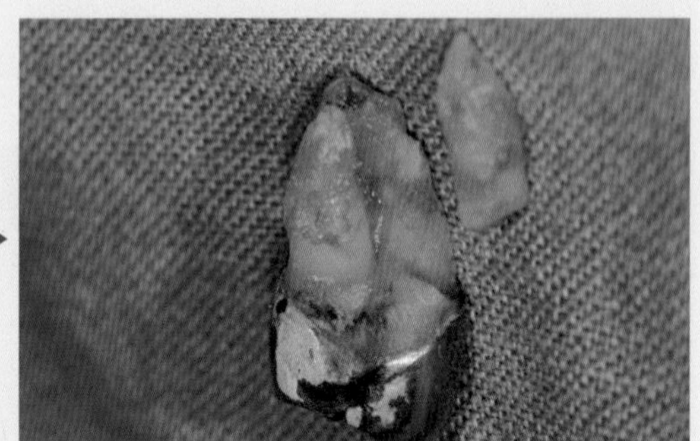

3.22 발치한 27번 치아

C

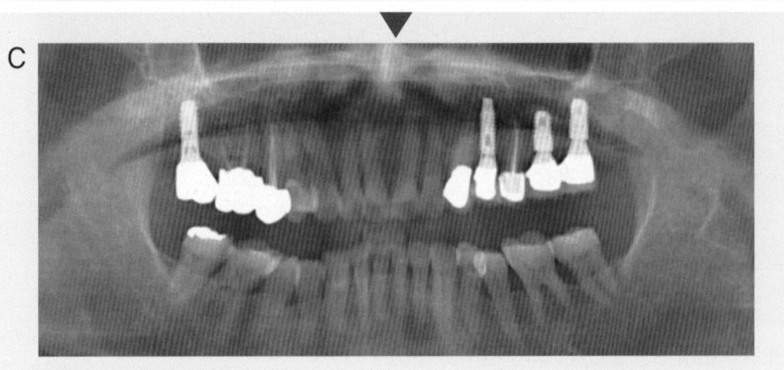

3.23 최종보철 후

김영삼 원장

위 환자의 25번 근관치료를 시작하기 전에 지피콘으로 트레이싱을 해본 결과 25번이 명확하였다. 이 과정에서 25번에 지피콘을 꼽고 엑스레이와 포토를 찍으라고 한 후 잠시 다른 환자를 보고 돌아와서 15번 근관치료를 진행했다. 그런데 치료가 다 끝나고 난 뒤에서야 환자가 왜 이쪽을 하냐고 물어보는 것이다. 직원들이 미러를 대고 포토를 찍느라 25번이 15번처럼 보이는 바람에 졸업하고 12년 만에 처음으로 다른 치아를 엔도해버린 것이었다. 환자에게 죽을죄를 지었다고 사과를 드리고, 어떠한 처분도 달게 받겠으니 한 번만 용서해 주신다면 평생 주치의로 봉사하겠다고 고개 숙여 말씀드렸다. 그랬더니 환자가 그럼 빨리 아픈 치아도 해달라고 해서 얼른 원래 아픈 25번 치아를 근관치료 해드렸다. 나중에 안 사실이지만, 그 브릿지를 치료한 치과에 갔을 때 25=27 브릿지를 모두 제거하고 임플란트를 세 개 해야 한다고 했다고 한다. 그래서 그냥 다른 치과를 와본 것인데 필자가 25번은 살려보고 27번도 치료를 해보자고 하는 걸 보니 필자가 그리 나쁜 놈처럼 보이지는 않아서 용서하고 치료를 맡기셨다고 이야기해 주셨다. 그때부터 필자가 이 환자를 평생 은인으로 여기며 치료를 해드리고 있다.

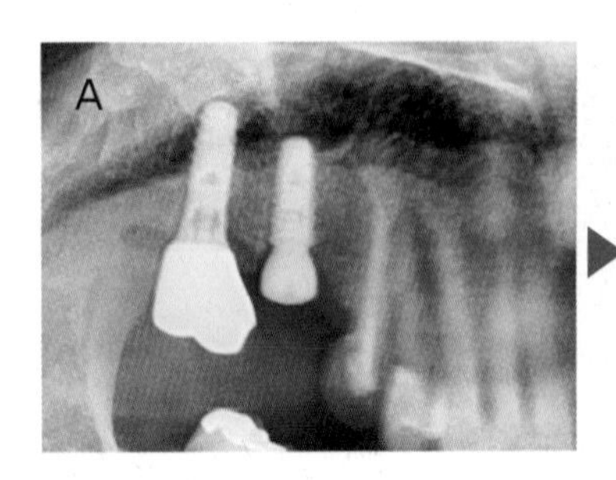

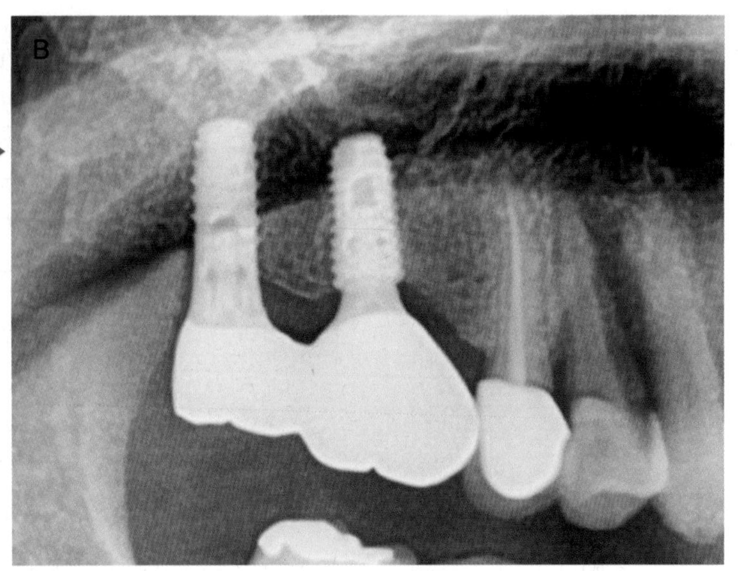

3.24 16번 식립 직후

참고 : 아무리 오래전이지만 필자가 심었다고 보기에는 크라운 패쓰가 좀 좋지 않다. 굳이 변명을 하자면 15번 임시치아의 크라운이 매우 크게 만들어져 있고, 17번은 좀 디스탈 쪽으로 식립되어 있다. 중간에 엑스레이를 잘 안 찍어보고 식립하다 보니 이렇게 된 듯하다. 임플란트 식립 부위 주변에 임시치아가 있다면 임시치아의 크기나 모양을 믿지 말고 반드시 엑스레이를 확인하면서 심는 습관을 들여야 한다. 필자도 실수를 몇 번 하고 난 뒤로는 더 조심하고 있다.

이후 4년 후인 2015년에 16번 치아도 발치하고 임플란트 하게 되었다. 원래 17번 티슈레벨 임플란트 크라운이 자주 빠지고 16번과의 사이에 음식물이 껴 불편해하셔서 17번 치아를 필자가 다시 붙여드리곤 했었는데, 결국 16번을 심은 김에 크라운할 때 17번도 제거하여 브릿지로 연결하였다. 이번에는 모두 SCRP로 제작하여 언제든지 수리할 수 있도록 하였다. 필자가 이 챕터에 이 케이스를 넣은 이유는 바로 언제든지 이런 **티슈레벨 임플란트를 심은 환자가 매우 중요한 환자로 내게 올 수 있다**는 것을 말하고 싶어서이다. 필자에게 가장 고마운 분이기에 24번 임플란트도 문제가 생긴다면 필자가 해결해드려야 한다. 그래서 **티슈레벨 임플란트의 특징과 크라운 제작 방법 등에 대해 기본적인 것은 알고 있어야** 한다. 뿐만 아니라 2015년이면 이미 임플란트를 골드로는 거의 하지 않던 시대인데, 필자가 존경하는 마음을 담아 16, 17번을 골드로 해드렸다. 환자의 다른 치아도 대부분 깨진 것에서 볼 수 있듯이 치료 도중 14번도 메지알로 치주가 안 좋아지고 버티컬 프렉처가 발생하여 발치 후 임플란트를 하였다.

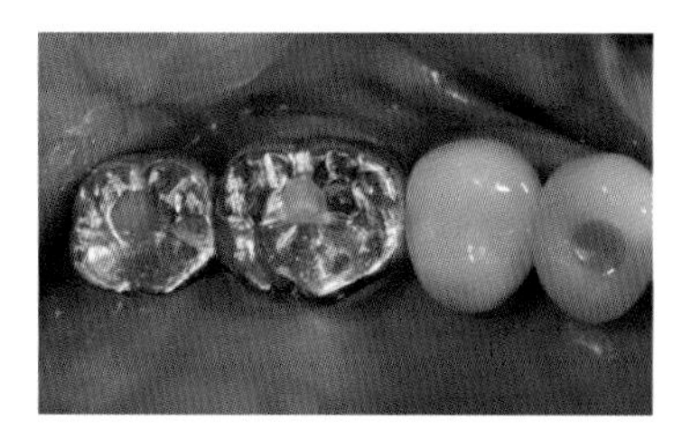

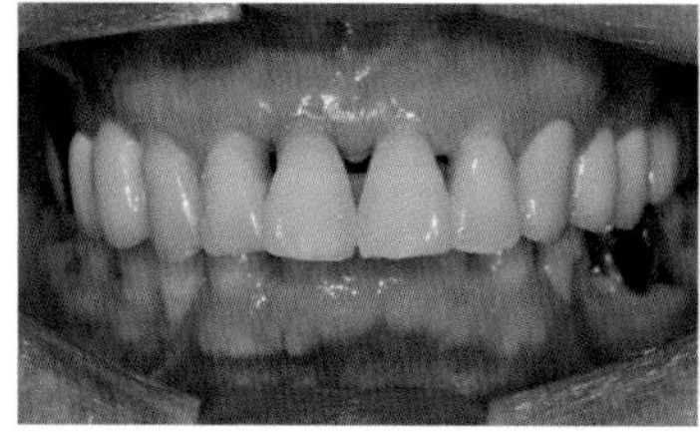

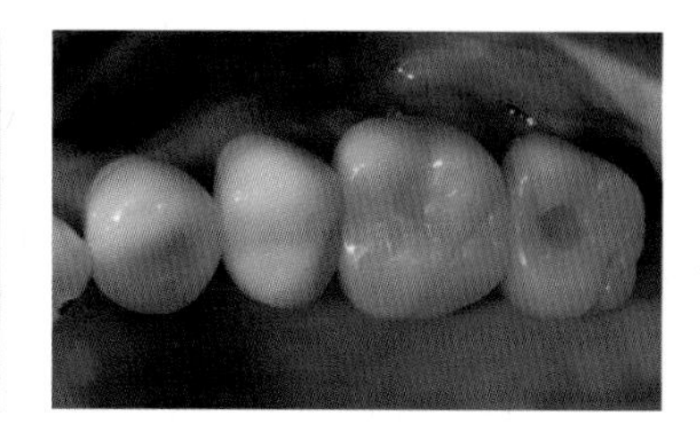

📷 3.25 2021년 4월
2016년에 14번 임플란트를 추가로 시행하였으며, 임플란트는 모두 각각 시술된 이후로 작은 문제 하나 없이 전반적으로 잘 유지되고 있다. 심지어 근관치료가 잘못된 15번 소구치나 원래 했어야 했던 25번 치아 모두 튼튼하게 잘 쓰고 계신다.

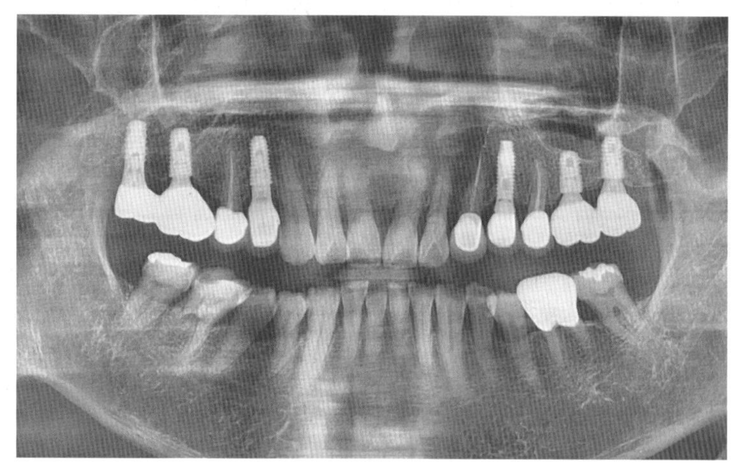

최초 치료 후 거의 10년이 지난 2021년 4월 최근의 모습이다(**📷 3.25**). 16번 임플란트의 위치가 좋지 않아 좀 창피하기도 하다. 그러나 굳이 변명하자면 그림에도 썼듯이 15번 임시치아가 너무 크게 만들어져 있고 17번이 너무 멀리 심어져서 위치를 잡기 쉽지 않았고, 아래 대합치도 버칼로 틸팅이 되어있어서 기준점을 잡기 쉽지 않았었다. 나중에 이 책의 후속편에서 클리니컬한 부분을 읽다 보면 왜 이렇게 방향을 못 잡았는지를 알게 될 것이다. 필자가 임플란트를 똑바로 잘 심는 것으로 보는 기준점이 이 케이스에서는 거의 없거나 틀어져 있어서이다. 먼저 했던 26번도 마찬가지다. 필자는 인접치아의 센트랄 그루브와 대합치를 가장 크게 고려하는데, 이렇게 크라우딩이 심하고 교합관계가 정상이 아닌 경우에는 헷갈리게 된다. 26번도 심을 당시에는 27번의 메지알 면이 잘린 크라운이었고, 심지어 25번도 16번 심을 때와 마찬가지로 임시치아 상태로 디스탈이 크게 씌워진 상태였다. 그러다 보니 이렇게 위치가 이상한 임플란트를 심게 된 것이 아닌가 생각해 본다. 다만 인접치아 기준점이 명확한 14번은 위치가 좋은 것을 볼 수 있다. 변명이 좀 구차하지만, 10년 전 근단에 누공이 크게 있었던 25번 근관치료와 더불어 할 필요가 없었던 15번의 근관치료까지 모두 잘 되었고 상태도 좋은 것을 볼 수 있다.

참고로 상악 소구치에서 버칼 emergency profile을 매우 중요하게 보는데, 15년 전 타치과에서 시행한 24번 티슈레벨 임플란트의 emergency profile이나 5년 전 필자의 본레벨 임플란트의 emergency profile은 모두 자연스럽게 잘 형성되어 있다(보철을 필자가 하지는 않았지만, 14번 임플란트 크라운이 너무 볼록하게 만들어진듯한 느낌도 든다). 또한 잇몸관리를 매우 신경 써서 해드리는 편이라 그런지 10년 동안 전반적인 치주 상태가 매우 안정적으로 유지되는 것을 볼 수 있다.

'본레벨 임플란트냐 티슈레벨 임플란트냐'보다 더 중요한 것이 바로 임플란트와 어버트먼트의 연결 구조이다. 여기서 그 차이점들을 알아보고 비교해 보자.

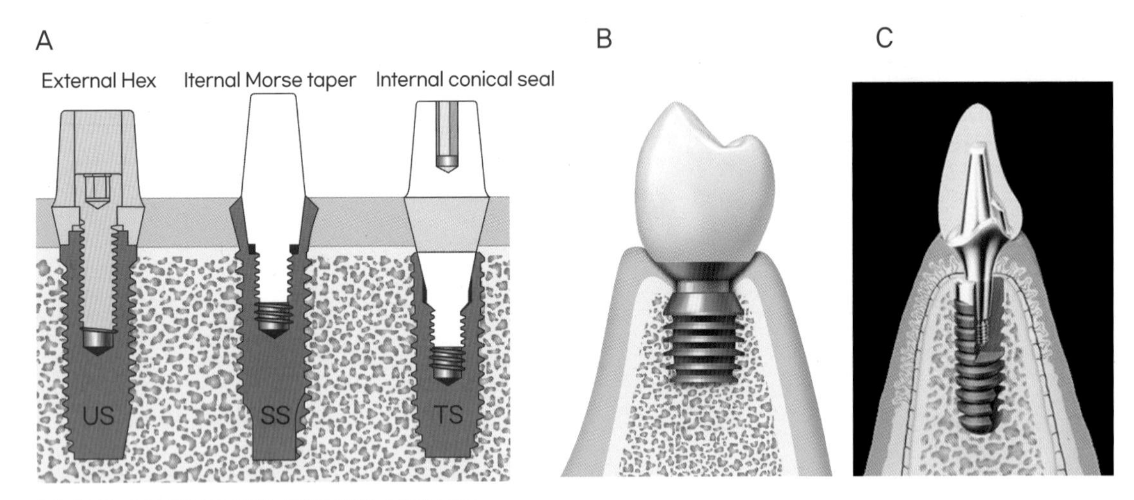

3.26 임플란트와 어버트먼트 연결구조의 종류

3.26A는 필자가 사용하는 오스템 임플란트의 어버트먼트 연결구조를 모식화한 그림이다. 세계 유명 임플란트의 기준을 그대로 차용한 것이라고 봐도 좋다. 필자가 처음 심은 US 시스템은 노벨바이오케어의 external hexa 임플란트에 바탕을 두고 있다. SS 시스템은 한쪽 내면이 8°인 스트라우만의 티슈레벨 임플란트에, TS 시스템은 한쪽 내면의 각도가 11°인 아스트라 임플란트에 그 바탕을 두고 있다. 임플란트 내면의 회전방지용 옥타와 헥사의 높이와 크기는 조금 다르긴 하지만 기본적인 원리와 시스템은 동일하다. 그렇기 때문에 옥타와 헥사가 없는 힐링 어버트먼트나 커버스크류 등은 거의 호환 가능하다고 볼 수 있다. 나중에 아스트라 임플란트가 내부 헥사 구조를 자기만의 스타일로 확 다르게 바꿔버리는 바람에 보통 이런 오스템의 TS 시스템을 올드 아스트라 타입이라고 부른다. 기본적으로 우리나라 회사들이 **주력으로 팔고 있는 임플란트들은 헥사의 크기와 높이만 조금 다른 올드 아스트라 타입**이다. 가장 먼저 만들었던 덴티움은 특허 때문인지 무슨 이유에서인지 헥사 구조를 조금 다르게 만들었지만, 그 이후로 오스템은 올드 아스트라와 거의 유사하게 만들어서 호환이 된다고 봐도 될 정도의 수준이라고 한다. 그리고 오스템이 국내 1등 업체이다 보니 후발주자들도 기본적인 헥사의 크기와 구조를 오스템과 호환 가능한 형태(실제 아스트라와 흡사한)인 올드 아스트라 타입을 취하게 되었다. 그래서 DIO와 신흥 임플란트 등은 거의 오스템과 호환된다고 봐도 된다. 물론 필자는 그래도 미세한 오차나 기술력 등의 문제로 굳이 다른 회사 제품을 쓸 필요는 없다고 생각한다. 어쨌든 결과적으로 가장 먼저 만든(개념을 도입한?) 덴티움 임플란트의 헥사 구조가 가장 독특하고 다른 회사 제품들과 호환되지 않게 남게 되었다. 3.26B가 바로 임플란트도 때려 박고 어버트먼트도 때려 박는, 한쪽 면 기준으로 1.5°의 테이퍼한 내면 각도(진정한 morse taper)를 가지고 있는 바이콘 시

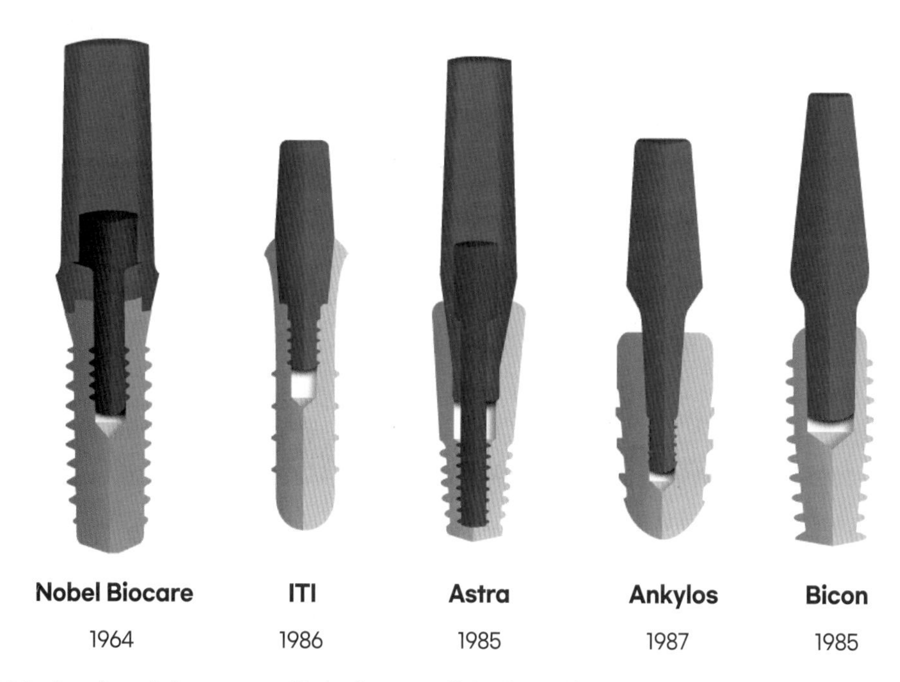

3.27 Mechanics of the tapered interference fit in dental implants

출처: Journal of Biomechanics Volume 36, Issue 11 , November 2003, Pages 1649-1658.

스템이고, **3.26C**가 한쪽 면 기준으로 5.74°의 각도를 가지고 있는 앵킬로스 시스템이다. 지금은 전 세계에 수많은 임플란트 어버트먼트 구조들이 존재하지만 오래전부터 지금까지도 그 형태를 유지하면서 판매되고 있는 것들은 **3.27**과 같다.

3.27은 필자가 앞장에서 현대 임플란트의 근본이라며 보여준 그림이다. 여기에 임플란트와 어버트먼트의 연결구조가 모두 나와 있다. 나머지는 모두 이것에서 파생한 것이라고 봐도 좋다. 물론 이것과 다른 형태의 어버트먼트도 있고, 지금도 팔리고 있는 특이한 것들도 있다. 하지만 왜 그것들이 주류가 될 수 없는지, 왜 국내 메이저 업체들이 유사한 제품을 생산하지 않았는지 알 수 있게 될 것이다.

External hexa type abutment

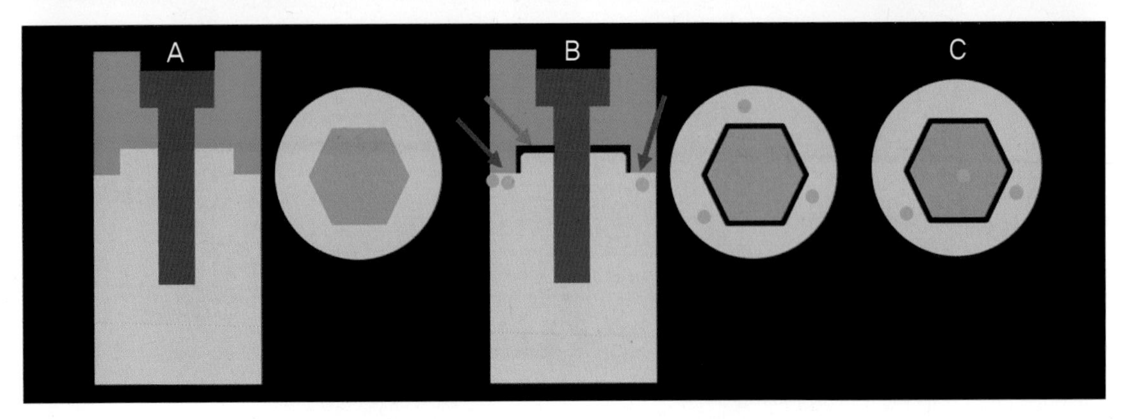

3.28 External hexa type 임플란트의 모식도(필자가 강의를 위해 PPT로 그린 그림)
A: 이상적인 접합, **B**: 현실적인 접합. 파란 화살표 부분보다 마진에 가까운 빨간 화살표 부분의 접착이 더 중요하다. 실제로는 빨간 화살표가 표현한 면에서도 면 전체가 접촉했다기보다는 3점에서만 접해있다고 봐도 된다. **C**: 스크류에서 또 하나의 지지를 얻게 되면 어버트먼트 픽스처에 3점보다 더 적게 닿을 수도 있다.

우선 가장 먼저 external hexa type 어버트먼트를 살펴보자(**3.28**). 기본적으로 브레네막의 external hexa type 임플란트는 0.7 mm 높이를 가진 육각형 돌기를 가지고 있다. 이 작은 external hexa 구조는 임플란트의 회전과 미끌림을 방지하려는 목적에서 만들어진 것이고, 실제 임플란트와 어버트먼트는 모두 작은 스크류에 의해서만 유지된다. 그러다 보니 다른 문제도 매우 많지만 스크류 파절이 큰 문제 중 하나이다. 물론 헥사를 좀 더 높게 만들면 조금은 해결되겠지만, 그렇게 되면 티슈레벨 임플란트처럼 잇몸 밖으로 노출되기 때문에 본레벨로서의 장점이 사라진다. 또한 internal이든 external이든 임플란트와 어버트먼트가 버트 조인트로 만나는 경우는 마진의 갭이 크기 때문에 많은 문제를 일으키게 된다.

교합력을 받지 않는 상태에서라도 마진의 적합도를 높이기 위해 **3.28B**처럼 헥사의 수나사 크기를 암나사보다 조금 작게 만들 수밖에 없다. 여기서 한번 가정해 보자. 과연 타이타늄처럼 연성이 낮은 금속이 면과 면으로 접촉할 수 있을까? 심지어 우리가 평소에 앉는 의자나 책상도 다리는 4개지만 위에서 탄성으로 누르지 않는 한 거의 세 점에서만 접촉이 이루어지고 하나는 떠 있는 형태일 것이다. 그러다 보니 임플란트와 픽스처상의 접촉면에서는 세 점만 닿게 되고, 마진에는 갭이 생길 수밖에 없다. 더구나 스크류가 사용됨으로써 그 세 점 중 하나가 스크류에 있게 되면 임플란트와 어버트먼트 사이는 두 점 또는 한 점 정도 접촉하는 형태가 될 수도 있다. 어쨌든 이러한 버트조인트 마진의 갭은 피할 수 없게 된다. 보통 이 마진의 갭이 20 ㎛ 이하일 경우에 세균의 증식을 막을 수 있다고 한다. 필자는 이러한 연구가 임플란트와 관련된 최신 연구인 줄 알았는데, 몇십 년 전의 치주나 보존, 보철 치료와 관련된 연구에서 인용한 내용이라고 한다. 물론 최근에 관련된 연구가 있을 수도 있지만, 필자는 아직까지 본 적이 없다. 참고로 오로지 세균에만 초점을 맞춰서 봤을 때 연쇄상구균의 크기를 2–5 ㎛ 정도라고 보면 20 ㎛ 이내에서 충분히 증식 가능하다고 생각할 수 있다. 하지만 이러한 구강내 상주균들은 군집생활을 하기 때문에 20 ㎛ 이하의 공간은 증식하기에 좀 부족하다고 생각해 본다(오로지 필자의 생각일 뿐이다).

Internal fit type abutment

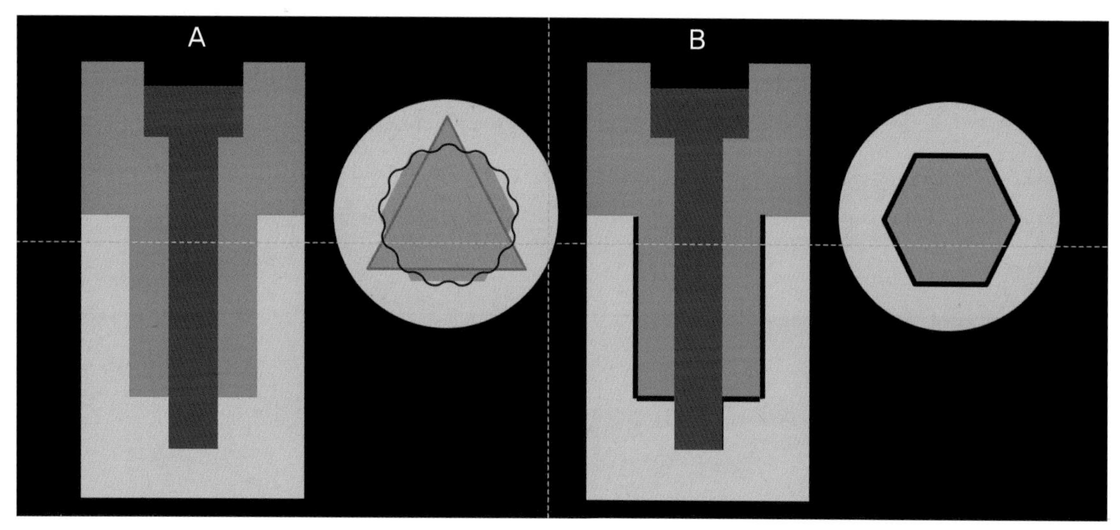

3.29 Internal fit type의 모식도
A: 이상적인 접합, **B**: 현실적인 접합

Internal fit type을 보자(**3.29**). Internal hexa라고 표현하지 않은 이유는 internal type은 꽃무늬부터 삼각형까지 회사별로 내부의 모양이 생각보다 다양하기 때문이다. 그래서 기본적으로 external hexa는 안쪽으로 있는 경우라고 보면 된다. 안쪽으로 있는 internal hexa의 경우 external과 달리 밖으로 튀어나와서 잇몸 밖으로 보이는 것이 아니기 때문에 좀 더 깊게 형성할 수 있다. 보통 1.5 mm 이상으로 external 형태보다 두 배 이상 깊게 만들어졌다. 그러나 기본적으로 버트 조인트이기 때문에 평소에도 마진의 갭이 존재할 수 있고, 임플란트가 기능할 때에는 더 커질 수 있다. 또한 안으로 돌기가 깊기 때문에 스크류 파절은 적을 수 있지만, 임플란트 자체가 찢어지는 문제가 생기기도 한다.

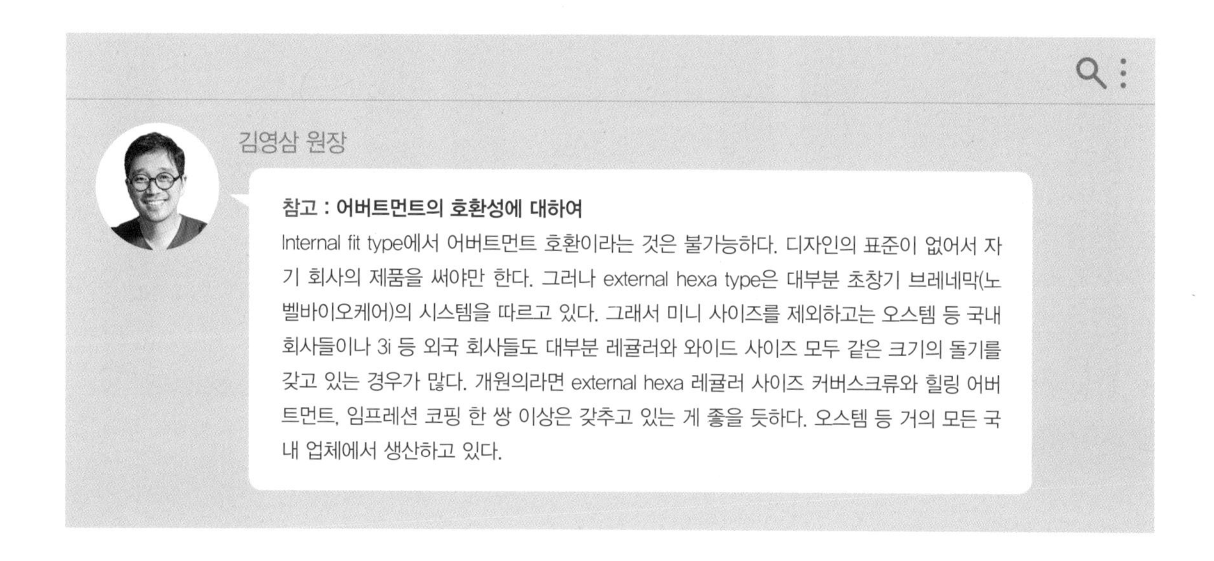

김영삼 원장

참고 : 어버트먼트의 호환성에 대하여

Internal fit type에서 어버트먼트 호환이라는 것은 불가능하다. 디자인의 표준이 없어서 자기 회사의 제품을 써야만 한다. 그러나 external hexa type은 대부분 초창기 브레네막(노벨바이오케어)의 시스템을 따르고 있다. 그래서 미니 사이즈를 제외하고는 오스템 등 국내 회사들이나 3i 등 외국 회사들도 대부분 레귤러와 와이드 사이즈 모두 같은 크기의 돌기를 갖고 있는 경우가 많다. 개원의라면 external hexa 레귤러 사이즈 커버스크류와 힐링 어버트먼트, 임프레션 코핑 한 쌍 이상은 갖추고 있는 게 좋을 듯하다. 오스템 등 거의 모든 국내 업체에서 생산하고 있다.

우리가 크라운이나 인레이 마진의 갭을 줄이기 위해서 가장 흔하게 사용하는 방법은 마진에 베벨을 주는 방법일 것이다. 그래서 internal fit type의 마진에 베벨이 주어진 형태의 임플란트가 있으며 현재도 몇몇 제품들에서 사용하고 있다. 하지만 필자는 개인적으로 바람직하다고 생각하지는 않는다. 베벨 부분의 파절을 염려해서인지 이런 종류의 임플란트들은 대부분 CP 타이타늄이 아닌 알로이로 만들어진 것을 볼 수 있다. 어쨌든 결국 마진 부위의 접합도를 높이기 위해서 내부 구조는 조금 갭이 있게 만들어야만 한다. 결국은 버트 조인트보다 마진의 갭은 좁을 수 있지만(베벨효과), 기본적인 교합력에 따른 움직임에 의한 갭의 확대는 막을 수가 없다. 또한 임상적 시술의 편이성 등을 위해서 내부 헥사에 작은 정도(주로 1–2°)의 각도를 주는 경우가 많다(미국 Zimmer사의 Tapered Screw-Vent). 물론 기술력이 매우 뛰어난 회사에서 자기 회사의 기술력을 믿고 헥사 내면과 베벨을 모두 정확하게 맞춘다고 가정해 볼 수도 있다. 그러나 환자 입안의 온도차에 따른 수축과 팽창, 삽입하는 각도의 미세한 틀어짐 등으로 인해서 결국 베벨이나 내면 둘 중에 하나만 맞게 되는 경우가 생길 수밖에 없다. 그런 경우에 베벨이 맞으면 다행인데, 중간에 헥사 내면에 걸려서 들어가지 못하고 어버트먼트가 임플란트에 덜 들어간 상태에서 멈추게 되어 임플란트와 어버트먼트 사이에 갭이 존재해버리는 최악의 경우가 발생할 수 있는 것이다. 실제로 이런 경우가 종종 발생하다 보니 결국 회사들도 베벨의 적합도에 중점을 두고 인터널 내부 헥사에 갭이 있게 만들 수밖에 없다.

종합해 보면 베벨을 부여하더라도 기본적인 교합력에 따른 움직임에 의한 갭의 확대는 막을 수가 없기 때문에 결국 이러한 internal bevel type도 큰 장점이 없게 된다.

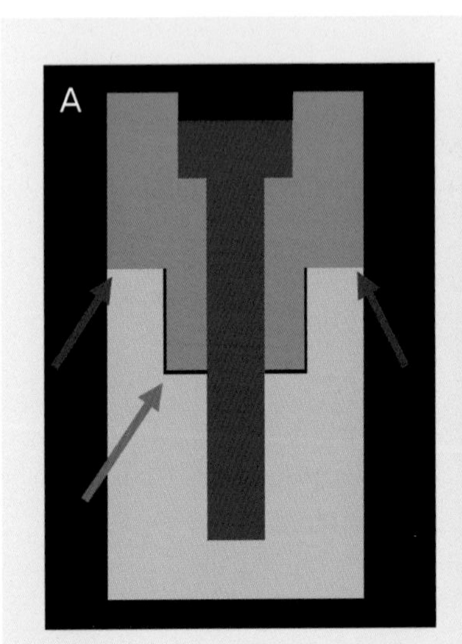

일반적인 버트조인트 접합

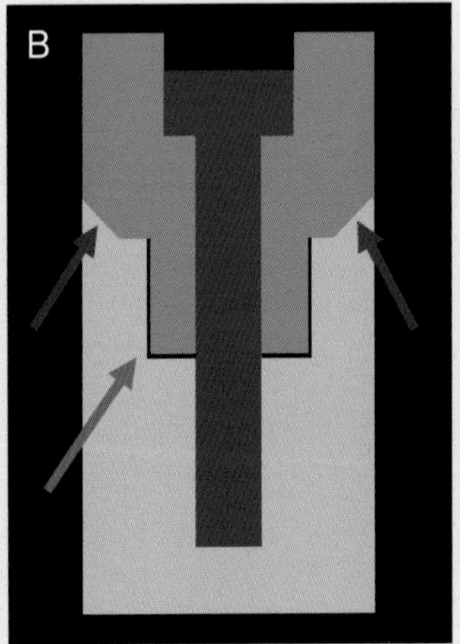

마진 쪽에만 베벨을 형성한 임플란트

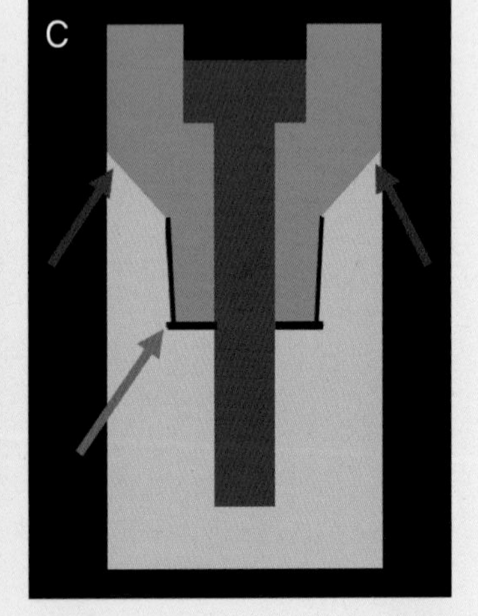

베벨을 확대하여 임플란트 마진 부위가 수직으로 만나는 부분 없이 모두 45° 베벨 형태 접합

3.30 다양한 베벨 형태
파란 화살표 부분보다 빨간 화살표 부분의 접합이 더 중요함을 알 수 있다.

스트라우만 티슈레벨형 internal friction type 임플란트

Internal friction type 중 티슈레벨 임플란트인 스트라우만이 선택했던 morse taper 형태의 내부 8° 구조이다. 티슈레벨에 대해서는 많이 언급했으니 "morse taper"에 대해서만 간단히 이야기해 본다. 일반적으로 금속과 금속을 결합시킬 때 기계공학적으로 많이 사용하는 용어라고 한다.

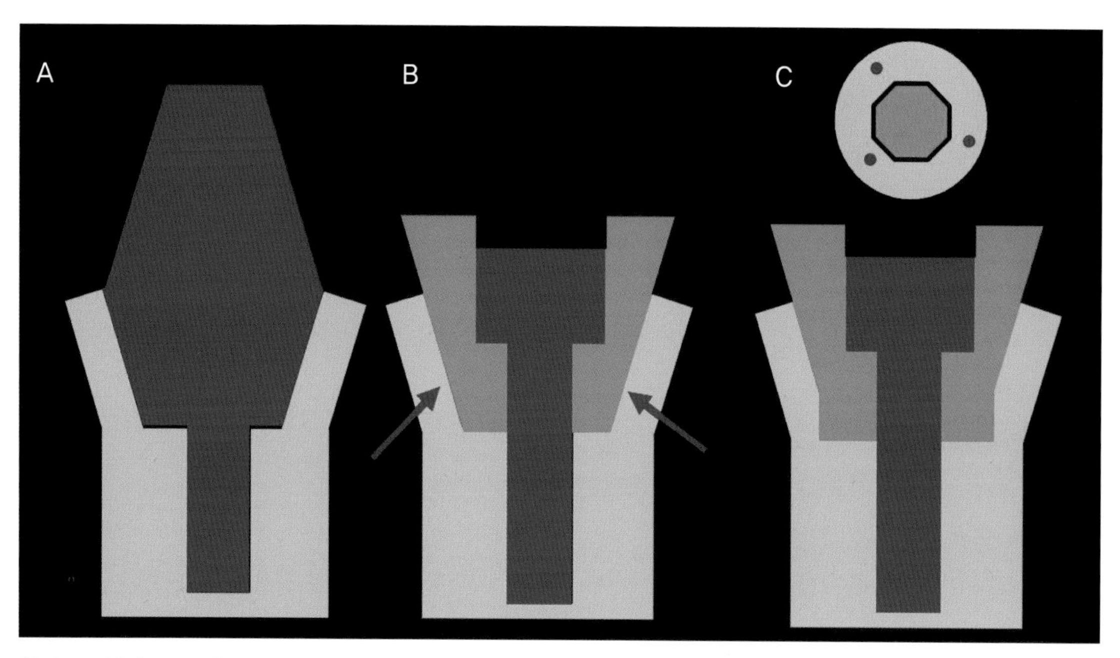

3.31 필자가 강의용으로 만든 PPT 자료
A: 초창기 어버트먼트와 스크류가 일체형으로 만들어진 솔리드 어버트먼트가 장착된 모식도, **B**: 어버트먼트와 스크류가 분리된 형태. 이러한 internal friction type의 임플란트에서는 빨간 화살표가 가리키는 접합면의 갭을 최소화 해야 한다. **C**: 임플란트에 회전방지용 옥타 구조가 형성된 형태

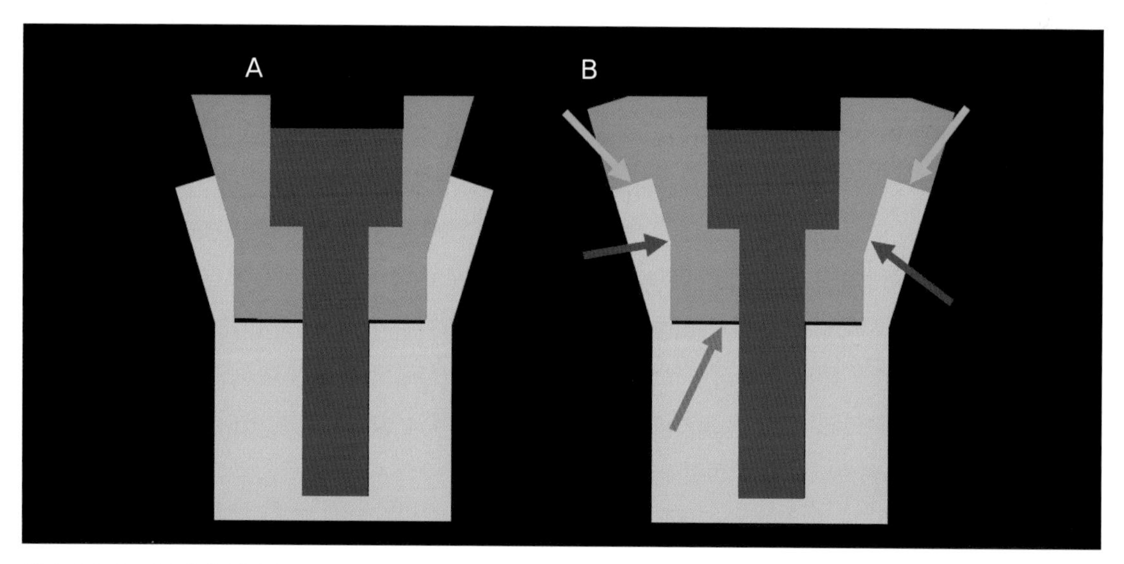

3.32 A: 티슈레벨 임플란트 마진에 크라운 마진이 오는 경우, **B**: 티슈레벨 임플란트 마진에 또 다른 어버트먼트가 접합되는 경우이다. 이런 경우에는 녹색 화살표가 가리키는 부분이 가장 접합도가 높아야 하다 보니 빨간 화살표나 파란 화살표가 가리키는 부분에 갭이 생길 수밖에 없다.

스트라우만의 8도의 의미

3.33 실제 필자의 치과에서 사용하는 종이컵의 테이퍼 각도를 측정해보았다. 스트라우만 임플란트와 같은 8°였다.

6–8°로 금속과 금속을 결합하면 체결했을 때 갭이 적고 안정성이 뛰어나며, 체결 후 다시 제거하기도 쉽기 때문에 금속 구조물을 밖에서 만들어서 안에서 조립할 때도 많이 사용한다고 한다. 흔한 예로 금속은 아니지만 종이컵을 포개놓은 것을 보자(3.33). 보통 종이컵의 각도가 8° 정도 된다. 종이컵을 여러 개 포개 놓으면 잘 찌그러지지도 않고 밀접하게 접촉하여 적은 공간에 많은 양을 담을 수 있다. 필요할 때 하나씩 제거해도 여러 개가 붙어서 나오는 경우가 적고 잘 제거된다. 이것을 금속에 적용했다고 생각해 보자. 낄 때는 마진에 갭이 없이 잘 끼워지고, 제거할 때는 쉽게 제거된다. 임플란트에서 중요한 부분이다. 어버트먼트는 마진의 갭과 마이크로 무브먼트만 없어야 하는 게 아니라 필요할 때 쉽게 제거가 되어야 하고, 그걸 다시 제자리에 끼웠을 때 변함 없이 똑같은 위치에서 접합되어야 한다. 그런 면에서 morse taper가 각광을 받게 된다. 위의 다른 어버트먼트 구조들은 기존 마진의 갭도 크지만, 움직임에 따른 마이크로 무브먼트가 발생하여 마진의 갭이 더 커지기 때문이다.

앞서 설명했던 대로 초창기에는 스크류와 어버트먼트가 일체형인 솔리드 어버트 형태였으나 내면에 스크류가 분리된 형태로 발전되고 회전방지용으로 내면에 옥타 형태를 만들게 된다. 그러다가 진지바 높이만큼 크라운 마진을 높이기 위하여 임플란트 탑마진까지 커버하는 어버트먼트 등이 나오게 된다. 이런 경우는 결국 베벨형 임플란트처럼 그곳에 갭을 최소한으로 하는 형태로 만들어지기 때문에 내면에 갭을 만들게 되고, 이는 교합력에 따라 마이크로 무브먼트가 발생하게 되는 원인이 된다. 그렇게 되면 결국 morse taper의 장점이 사라지게 된다.

아스트라형 Bone level internal friction type 임플란트 시스템

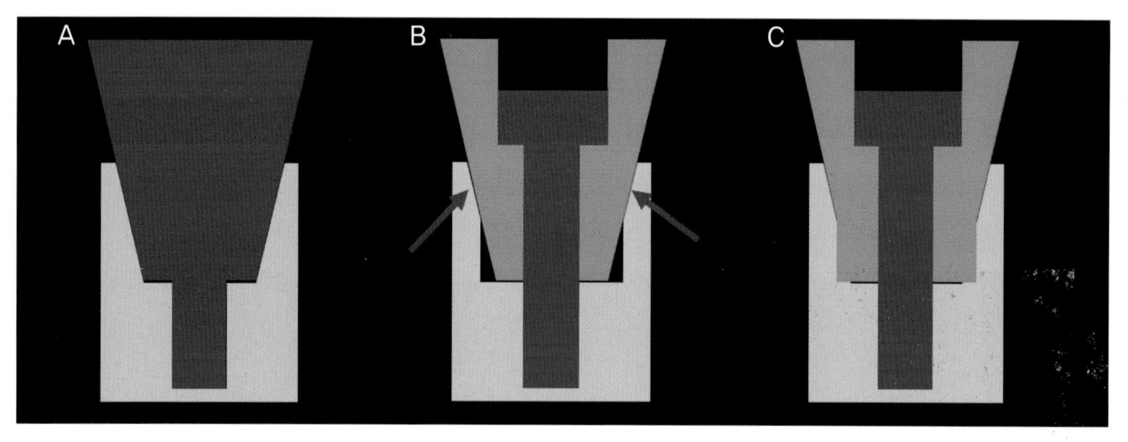

3.34 아스트라 타입 임플란트 모식도
A: 스크류 일체형 어버트먼트, **B**: 스크류가 어버트먼트에서 분리된 형태, **C**: 스크류와 분리된 어버트먼트에 회전방지용 헥사 구조가 형성된 형태

이제 드디어 11°의 아스트라 타입 임플란트이다(**3.34**). 티슈레벨이냐 본레벨이냐의 차이만 없다면 초창기 스트라우만이나 아스트라나 모두 그냥 internal friction type이라고 말할 수 있다. 이하 그렇게 부르기로 한다. 아스트라형 internal friction type 임플란트도 처음에는 스트라우만처럼 스크류와 어버트먼트가 한 몸인 형태로 나왔다가 스크류와 어버트먼트가 분리되었고, 회전방지용으로 내부에 헥사구조를 갖게 되었다. 대부분 변화되는 형태는 스트라우만의 티슈레벨 임플란트와 같다.

티슈레벨과 차이점이라면 본레벨의 경우 픽스처와 어버트먼트 사이에 **마이크로 갭이 본레벨에 존재**하지만 진지바 높이를 어버트먼트 높이로 맞출 수 있다는 장점을 가지고 있다. 다만 아스트라의 11° morse taper 형태는 진정한 morse taper (6–8°)가 아니라고 많은 공격을 받았다. 하지만 진정한 morse taper가 아님에도 불구하고 마이크로 갭 문제와 같은 생물학적인 부분, 그리고 기계적인 부분에서 임상적으로 안정성이 증명되면서 대세로 인정받게 되었다.

결국 11°는 진정한 morse taper가 아니라고 주장하던 스트라우만은 본레벨 임플란트를 만들 때 4°나 더 키워서 15°의 internal friction type 임플란트를 만들게 된다. 이러한 internal friction의 각도에 따른 장단점은 뒤에서 다루겠다.

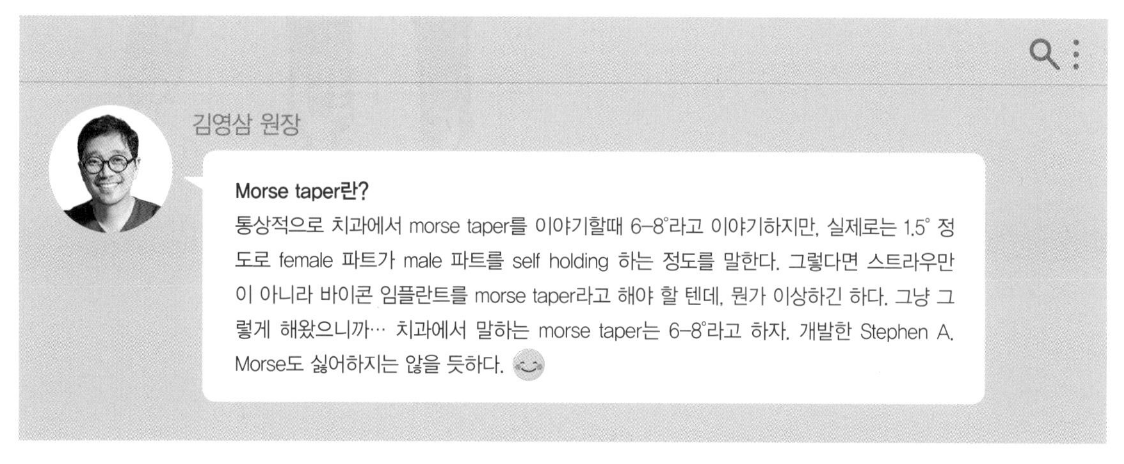

플랫폼 스위칭이란?

종종 이런 아스트라 타입의 임플란트를 표현할 때 플랫폼 스위칭 임플란트라는 표현을 쓰는데 그것은 잘못된 표현이다. 플랫폼 스위칭은 이런 아스트라 타입 임플란트만을 말하는 것이 아니라, 임플란트 픽스처 크기보다 작은 어버트먼트를 사용할 때 통칭하는 표현이다(3.35).

3.35 다양한 플랫폼 스위칭 모습

Internal friction type의 임플란트뿐만 아니라 external hexa type이나 bevel type도 임플란트 마진이 어버트먼트보다 바깥으로 더 크면 "플랫폼 스위칭"이라고 표현한다.

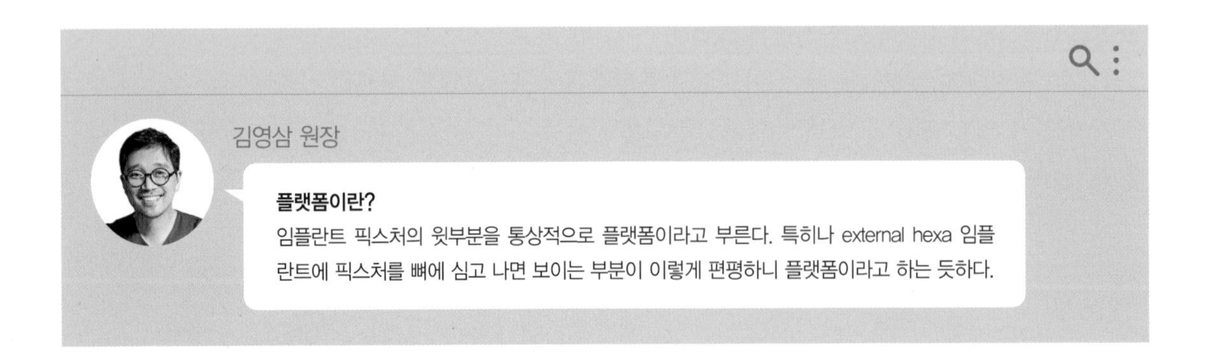

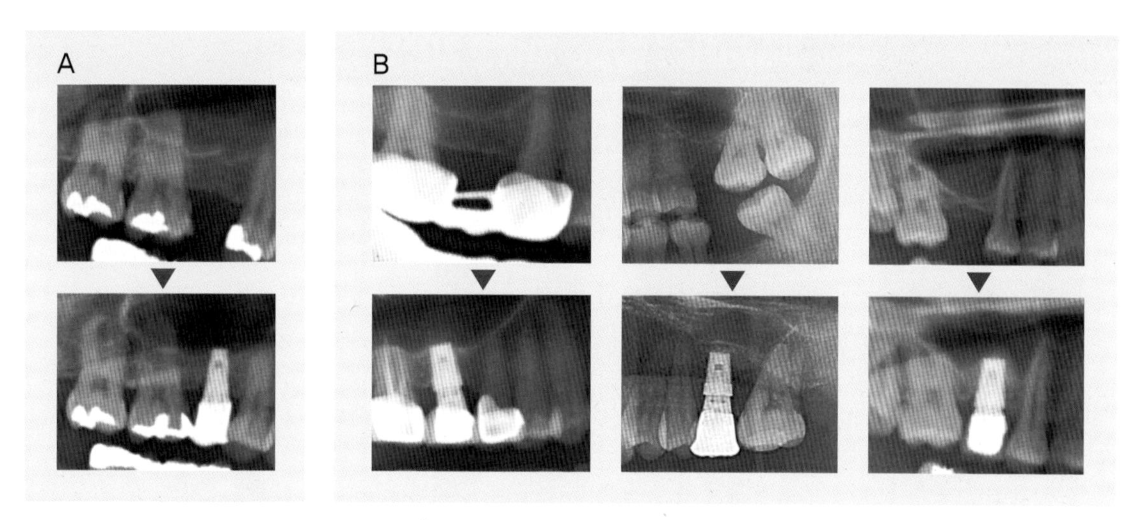

3.36 **A**: External hexa type 엔도포어 4.1 레귤러 사이즈 임플란트에 레귤러 사이즈 어버트먼트를 연결한 모습, **B**: 5.0 와이드 사이즈 임플란트에 4.1 레귤러 사이즈 어버트먼트를 연결한 모습

3.36은 필자의 책에 자주 등장하는 엔도포어 임플란트 케이스로 어버트먼트는 노벨바이오케어의 external hexa type이다. 맨 처음 케이스는 4.1 레귤러 임플란트에 4.1 레귤러 어버트먼트를 장착한 것으로 이음 부위가 부드럽게 이어진다. 그러나 두 번째부터는 5.0 와이드 임플란트를 심고 4.1 레귤러 어버트먼트(헥사 크기는 같기 때문에 체결 가능)를 장착한 것으로 플랫폼이 0.45 mm 스위칭되었다. 실제로 이로 인해 마이크로 갭과 무브먼트가 적어지기도 하고, 임플란트 마진이 아니라 내면 쪽으로 교합력을 더 깊게 전달할 수 있다고 한다. 진지바와 임플란트의 연결선도 길어지고 어버트먼트가 가늘어진 만큼 잇몸도 두꺼워지기 때문에 골흡수를 막는 데 좋은 효과를 나타낸다. 지금 여기에 올린 엔도포어 4 케이스는 모두 오래전부터 강의에 쓰던 사진들로 10년 이상 된 케이스로 다행히 아직까지 실패 사례는 없다(다른 치과에 갔다면 모르겠지만).

7-1장 어버트먼트와 크라운의 형태에서 자세히 다루겠지만, 요즘 생각해 보면 플랫폼 스위칭에서 어버트먼트가 가늘어지는 것에 대한 중요성을 잊고 살았었다. 기존의 플랫폼 스위칭의 장점을 이야기할 때 교합력이 임플란트 픽스처 내면으로 전달되는 것에 중점을 두는 것이 중심적으로 강조되었다면, 앞으로는 임플란트보다 가늘어진 어버트먼트의 장점이 강조되는 것도 나쁘지는 않을 것이다.

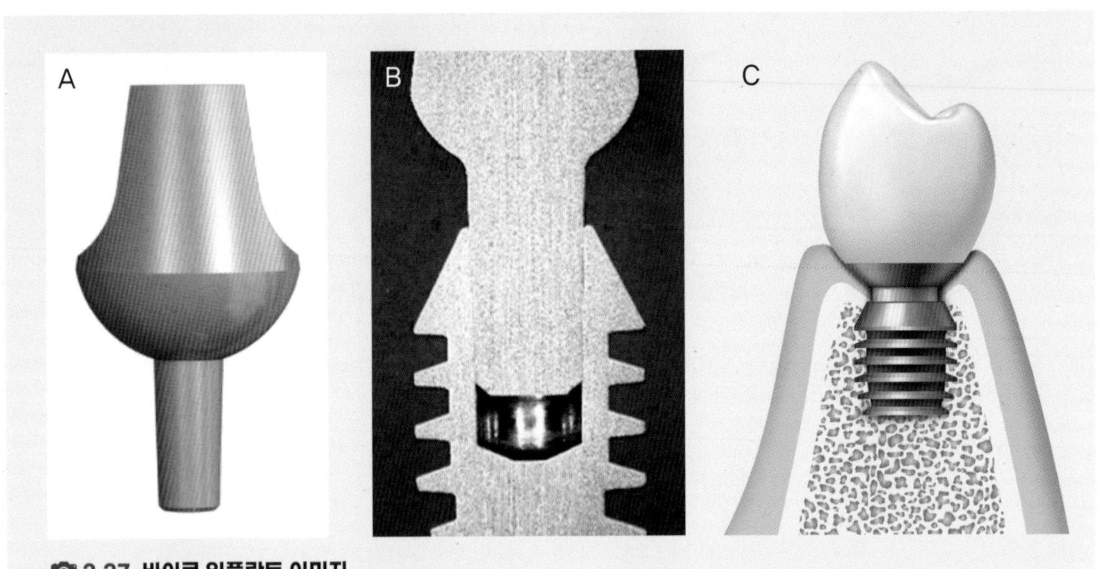

3.37 바이콘 임플란트 이미지
A: 스크류가 없는 쐐기형 바이콘 임플란트의 어버트먼트, **B**: 어버트먼트가 장착된 픽스처의 단면으로 빈틈없이 잘 접합된 모습, **C**: 일반적인 바이콘 임플란트 홍보 이미지

마지막으로 바이콘 시스템을 언급하지 않을 수 없다. 바이콘 임플란트는 임플란트만 때려박는 게 아니라 어버트먼트도 때려박는다. 어버트먼트는 1.5°의 각도를 가지고 있다. 어버트먼트와 임플란트 사이에 진정한 콜드웰딩이 일어나기 때문에 마진의 갭과 마이크로 무브먼트가 없다고 주장하고 있고, 그것이 어느 정도 사실이긴 하다. 각도가 좁으면 어버트먼트와 픽스처가 좀 더 밀접하게 접촉되는 장점이 있겠지만, 쉽게 빠지지도 않게 된다(self holding). 무엇보다 임플란트 식립 시에 높이 조절에서 문제점을 드러낸다. 그러나 시술의 편이성 때문에 한 번 이 임플란트에 익숙해진 치과의사들은 다른 시스템보다 이 시스템을 계속 선호하게 되는데, 이런 모습을 보면 분명 장점이 있다고 본다. 예전에는 어버트먼트를 때려 넣고 적당히 프렙해서 어버트먼트를 수정하며 사용했지만 요즘은 정밀도가 증가했는지 픽스처 레벨에서 임프레션을 떠서 기공소에 보내면 기공소에서 밀링하여 제작할 수 있다고 한다. 필자가 개인적으로 매우 존경하는 선배(전주 민관식치과 민관식 원장님)한테서 들은 말이다. 그 선배는 보철과 전문의로 기본적으로 교합도 잘 알고, 손재주가 좋아서 프렙을 매우 잘하는 것으로도 유명하다(**3.38**).

3.38 필자가 존경하는 바이콘을 오랫동안 사용하고 좋아하시는 선배와 함께 찍은 사진. 실력이나 성격만 좋은 게 아니라 얼굴도 매우 잘 생기셨는데 사진이 흔들려서 아쉽다.

그런 분 입장에서는 보철 과정도 본인이 잘 하는 프렙 형태로 하는 것이므로 선호할 수도 있다고 생각한다. 다만 말렛을 사용해 때려야 하고, 높이 조절에 실패하는 경우도 많아서 최근 유행하는 디지털 시대에 이러한 어버트먼트는 좀 맞지 않는 것이 아쉽다.

Micromovement based on abutment types

- **Summary**
  - https://youtu.be/Ek-7vpf-IUE

- **Full videos - Part 1 & 2**
  - https://youtu.be/AhsjiYjmTLE
  - https://youtu.be/-z5jXFAtfZc

영상들을 보면 왜 아스트라 타입 어버트먼트여야 하는지를 알 수 있다. 아래는 영상에 나오는 크레스탈 본 흡수의 원인들을 정리한 것이다. 한번 보면 흥미롭다.

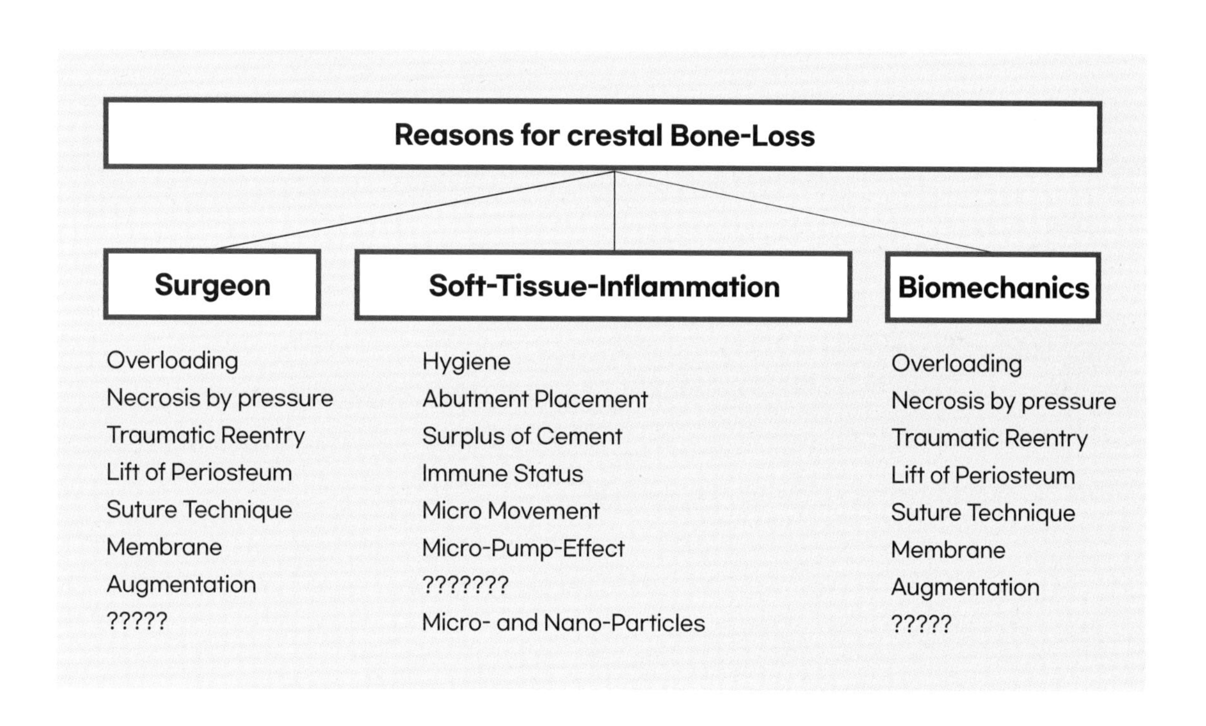

3.39 어버트먼트와 핏형 연결구조를 가진 임플란트
이런 형태의 임플란트는 본로스를 피할 수 없기 때문에 대부분 어버트먼트 연결부에서 1 mm 이상 smooth surface로 처리하는 형태로 바뀌었다.

어쨌든 internal friction type이 아닌 fit type 임플란트들은 마진의 갭과 마이크로 무브먼트가 영향을 끼쳐서 본로스가 일어나게 된다. 거친 표면이 골 밖으로 나오게 되면 peri-implantitis가 심해지기 때문에 임플란트와 어버트먼트 연결부에서 1.5–2 mm 정도의 가까운 부분을 smooth surface로 처리하는데, 결국 임플란트 길이가 줄어드는 것이기 때문에 굳이 사용할 필요가 없게 된다.

Bone level Internal friction type abutment

이제 본격적으로 internal friction type 임플란트로 들어가보자.

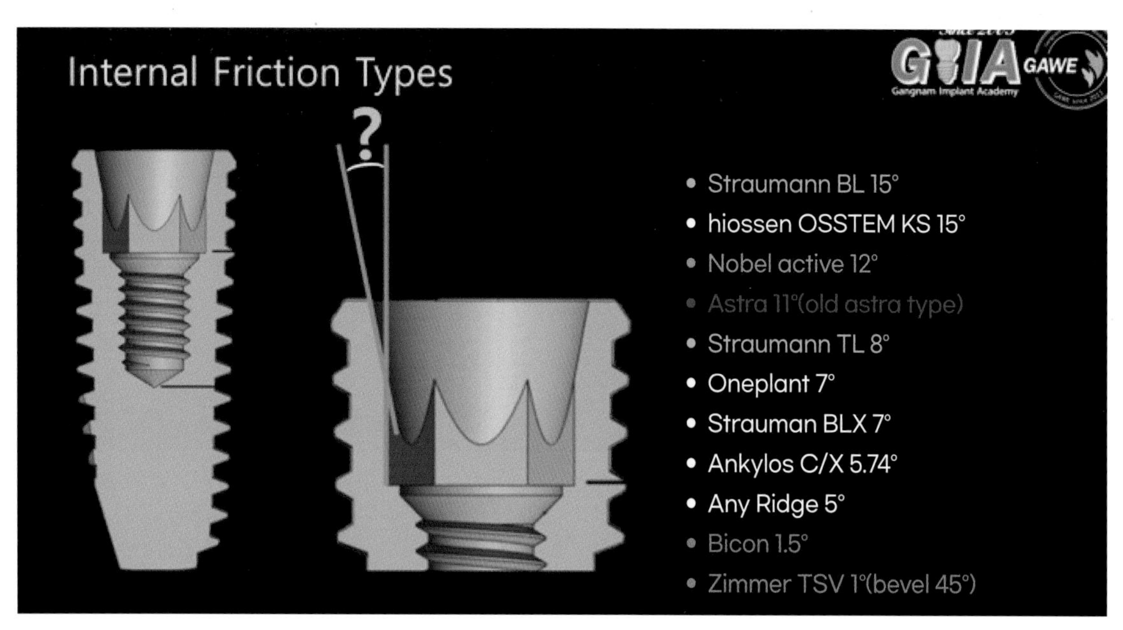

3.40 Internal friction type의 어버트먼트 각도(필자의 강의 슬라이드)

과연 internal friction type 임플란트의 내부 각도는 몇 도가 가장 좋을까? 임플란트 회사별로 내부 friction 각도를 표기하였다. 진정한 콜드웰딩이 일어난다고 주장하는 바이콘을 제외하면 필자가 아는 선에서는 내부에 헥사 구조를 가질 수 있는 형태에서 **스트라우만이 15°로 가장 크고, 애니리지가 5°로 가장 작다**고 할 수 있다. 물론 30°나 45° 정도의 각도를 갖는 제품이 몇 가지 있지만, 필자는 그것을 internal friction이라기보다는 베벨이라고 보기 때문에 제외하였다.

각도가 크면 뭐가 좋을까?

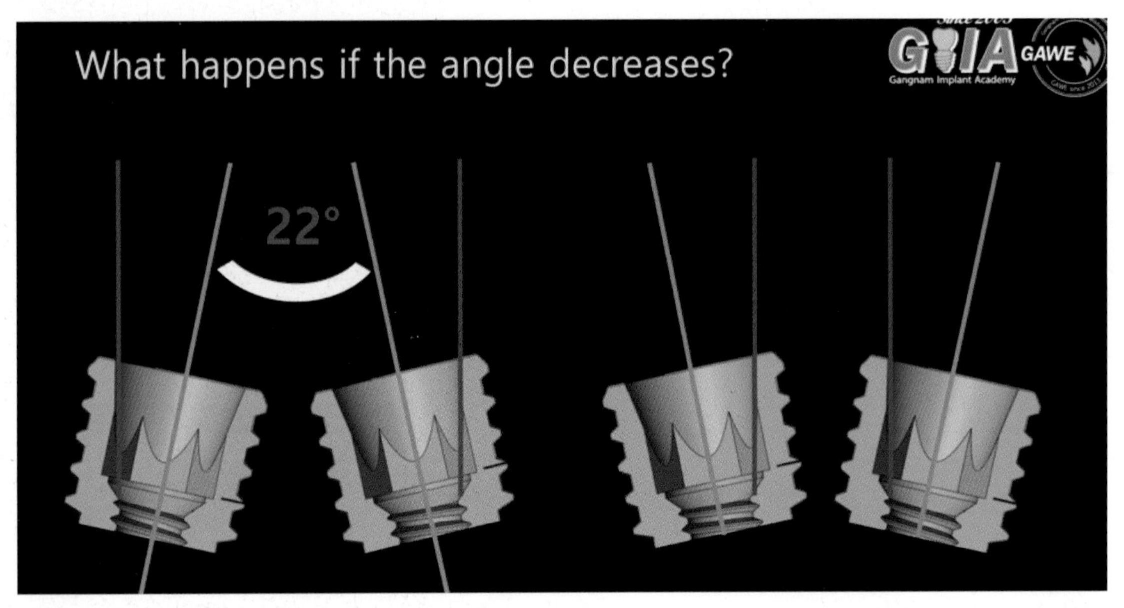

3.41 두 개의 임플란트 각도가 일치하지 않을수록 동시에 임프레션하고 브릿지 형태로 제작하기가 어려운 이유(내부 헥사 부분은 무시한다)

내부 각도가 크면 무엇이 좋을까? 시술의 편이성이 가장 큰 장점일 것이다. 각도가 작을수록 임플란트를 주변 치아와 최대한 평행하게 심어야 하고, 다수의 임플란트를 심을 때도 평행을 맞추도록 노력해야 한다. 임프레션 코핑에서부터 어버트먼트나 크라운의 세팅에서도 각도가 작을수록 한꺼번에 작업하기가 불편할 수 있다. 그러나 각도가 클수록 이 부분에서 조금은 더 자유로워진다. 다만 각도가 클수록 friction 면이 깊숙이 들어가지 못하기 때문에 임플란트와 어버트먼트의 friction 면이 적을 수는 있다. 결국 각도가 크다는 것은 임플란트와 어버트먼트의 접합보다는 시술의 편이성에 좀 더 중점을 둔 것이라 할 수 있다.이는 오로지 필자가 스스로 내린 결론이다.

어쨌든 요즘 세계에서 가장 좋은 임플란트라고 나름 자타공인하는 스트라우만의 본레벨 임플란트는 15°의 internal friction 형태를 가지고 있다. 필자가 생각할 때 스트라우만이 세계 최고의 임플란트로 인정받는 이유는 이러한 내부 구조 디자인 때문이 아니라 록솔리드라는 머트리얼과 우수한 표면처리 기술, 그리고 우수한 정밀도가 아닌가 생각해 본다. 어쨌든 굳이 이렇게 15°에 너무 관심 가질 필요가 없다는 뜻이다.

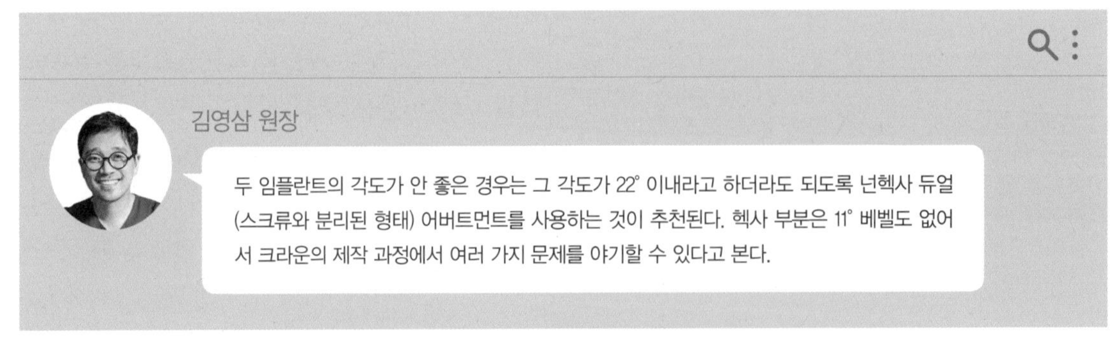

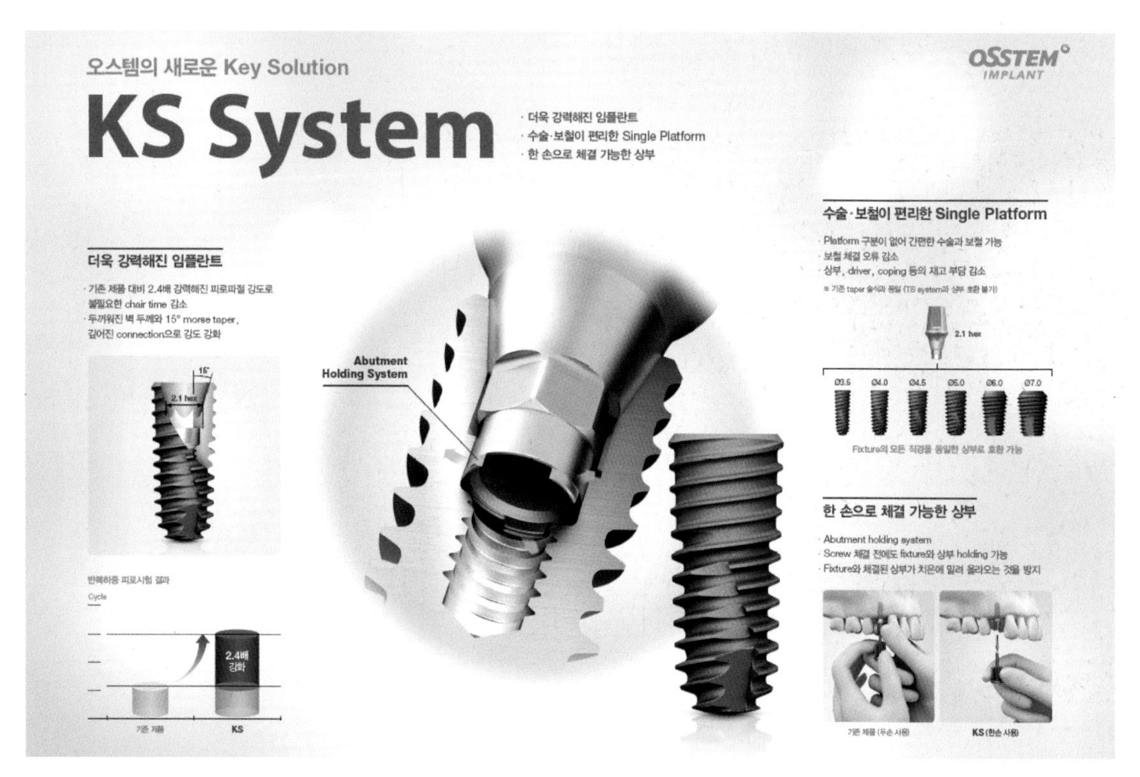

3.42 오스템이 새롭게 만든 KS 시스템 광고

다만, **3.42**에서 볼 수 있듯이 오스템에서 스트라우만 본레벨과 유사한 제품의 생산을 시작했다. 각도를 15° 키운 이유는 어버트먼트와 접촉하는 임플란트 내부 구조의 두께를 강화시키기 위함일 가능성도 많다. 최근 오스템 임플란트의 테어링 문제가 많이 붉어졌기 때문이다. 필자는 최근까지 이 새로운 KS 시스템을 사용할 생각이 없었다. 그러나 이 책을 집필하던 중 픽스처 수직파절(tearing) 문제 몇 건이 동시에 발생하였고, 후기를 지켜보다가 괜찮다면 2022년 정도부터 사용해보려고 생각 중이다. 픽스처 테어링 문제는 이 책의 가장 마지막 부분에서 자세하기 다루니 우선 지금은 내부 friction 각도에만 집중해보자.

각도가 작으면 뭐가 좋을까?

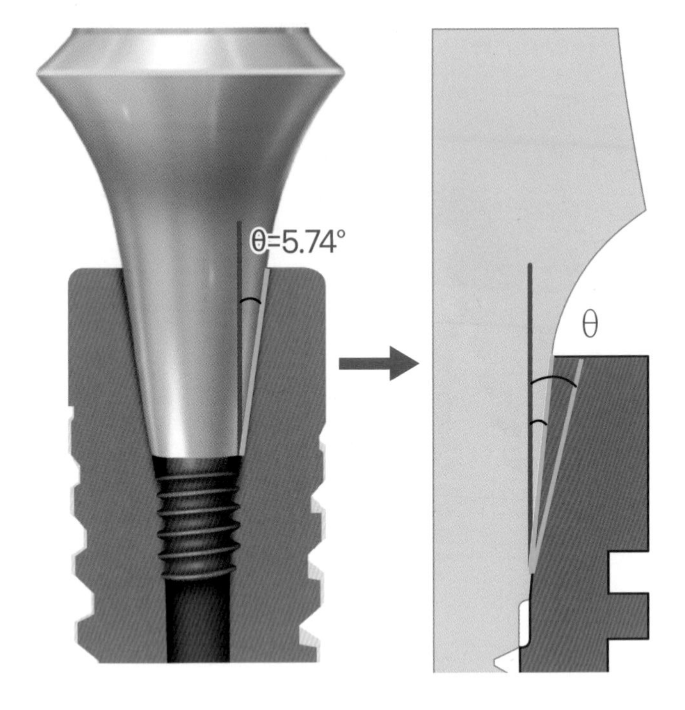

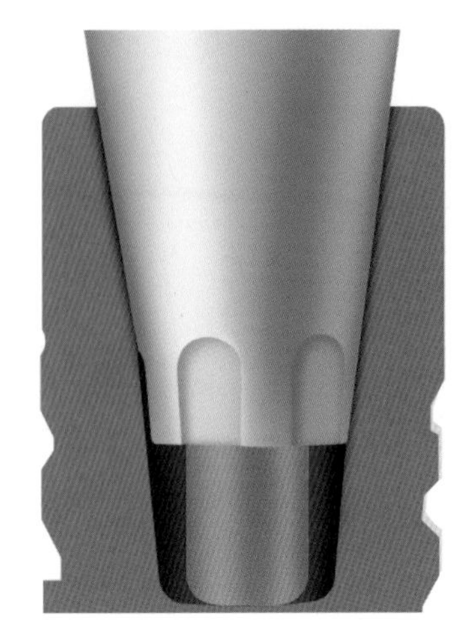

회전방지 구조가 도입된 앵킬로스 임플란트의 내부 구조. 여전히 우수한 접촉 상태를 볼 수 있다.

3.43 앵킬로스 임플란트의 우수한 접합상태를 보여주는 모식도

그렇다면 내부 각도가 작으면 어떤 점이 좋을까? 바로 콜드웰딩에 가까운 넓고 긴밀한 접촉면일 것이다. **3.43**에서 보듯이 내부 각도가 5.74°인 앵킬로스의 임플란트와 어버트먼트 적합은 매우 긴밀하다. 그래서 앵킬로스 또한 굳이 회전방지용 구조를 만들지 않았었다. 그러나 최근에는 그런 헥사 같은 구조의 필요성을 느껴서 회전방지용 구조를 만들고 있다. 국산 임플란트 중에는 애니리지가 5°로 가장 작은 각도를 갖고 있고, 원플란트는 7°를 갖고 있다.

각도가 작아질 경우 앞서 이야기한 것처럼 임플란트와 어버트먼트가 긴밀히 접합하여 마이크로 갭이 줄어들게 되는 큰 장점이 있지만 추후 여러 임플란트를 묶어서 보철을 할 경우에 생기는 패쓰의 문제점과 어버트먼트가 임플란트 내부로 가라앉는 sinking 현상이 발생될 수 있다. 보철적인 문제는 다양한 해결책이 있기 때문에 크게 고려하지 않아도 되는 반면, sinking의 경우 해결이 어려운 문제이다.

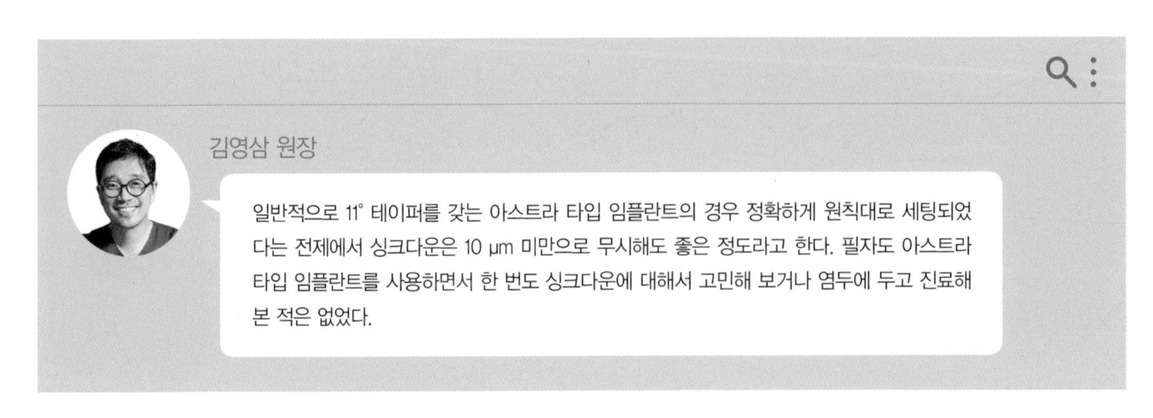

김영삼 원장

일반적으로 11° 테이퍼를 갖는 아스트라 타입 임플란트의 경우 정확하게 원칙대로 세팅되었다는 전제에서 싱크다운은 10 μm 미만으로 무시해도 좋은 정도라고 한다. 필자도 아스트라 타입 임플란트를 사용하면서 한 번도 싱크다운에 대해서 고민해 보거나 염두에 두고 진료해 본 적은 없었다.

3.44 어버트먼트 싱크다운 모식도
교합력이 가해지면 연성을 가진 금속의 성질에 의하여 어버트먼트가 픽스처 안으로 밀려들어가는 현상이 발생한다.

어버트먼트 싱크다운의 가장 먼저 나타나는 문제점은 세팅 후 일정 시간이 지나면 교합면이 좀 낮아지는 것이다. 좋은 의미로 보면 어버트먼트와 임플란트가 더 긴밀해지는 것으로 마이크로 갭과 무브먼트가 없어진다고 할 수 있지만, 반대로 어버트먼트의 제거가 어려워진다는 뜻이기도 하다. 이것이 지속되다 보면 임플란트 바디가 찢어질 수 있는 위험이 높아진다는 것이다.

가장 작은 5° 테이퍼를 가진 애니리지의 어버트먼트는 이름이 "EZ Post"이다. 정말 엔도 후에 사용하는 포스트처럼 생겼다. 이렇게 각도가 작다 보면 어버트먼트와 픽스처의 접촉이 긴밀하다는 장점이 있지만, 다른 수많은 문제점이 있을 것이다. 장점은 이미 충분히 설명했으므로 우선 단점부터 보자. 이렇게 각도가 작다 보면 심고 나서 가끔 마운트가 잘 안 빠진다. 마운트마저 콜드웰딩이 일어난 것일까? 어쨌든 상식적으로 생각해도 자주 발생할 수 있는 문제이다. 전 세계에서 애니리지를 가장 많이 심었다는 전희경 원장의 직원들과 이야기해 보니 임플란트를 식립하고 나서 마운트 드라이버를 빼기 위해 핸드피스에 무리하게 힘을 주어서 핸드피스 손상도 많다고 한다. 또 다른 문제점은 sinking이 발생하여 몇 주 지나면 크라운이 낮아지는 것이다. 이러한 문제를 해결하기 위해서 리타이트닝 등 수많은 해결법을 찾아 노력했다고 한다. 그러나 더 큰 문제는 임플란트와 어버트먼트의 파절이었다. 애니리지를 2만 개 넘게 심었지만, 초창기에 300개 가깝게 제거했다고 한다.

무엇이 문제였을까? 앞서 설명한 대로 애니리지는 쓰레드가 매우 큰 형태인데 타이타늄 알로이가 아니라 CP 타이타늄(Grade 4)으로 구성되어 있다. 쓰레드가 커졌다는 뜻은 임플란트 몸통(메가젠은 코어라고 부른다)이 작아졌다는 뜻이 된다. 그러다 보니 어금니에 5.0 직경의 임플란트를 심어도 실제 코어 사이즈는 3.3 정도로 보통 타 회사 임플란트 직경이 4.0인 것과 비슷한 정도이다. 더구나 치경부에서는 쓰레드를 없앤 구조이다 보니 더 취약하게 된다. 어금니에서 3.3 코어에 5.0 사이즈의 임플란트를 심게 되면 엄청나게 많은 임플란트 파절이 발생한다고 한다. 그리고 이를 해결하기 위해 코어 사이즈를 4.0, 4.8로 큰 것을 심게 되면 무슨 문제가 발생할까? 바로 sinking 후에 발생하는 어버트먼트 파절이다. 어금니에 5.0 직경을 심으면 픽스처가 파절되고 6.0 등 그보다 더 큰 사이즈를 심어서 코어 사이즈가 커지면, 동일한 사이즈의 어버트먼트가 파절되는 것이다. 타 회사 제품들도 어버트먼트가 파절되는 경우가 종종 있다.

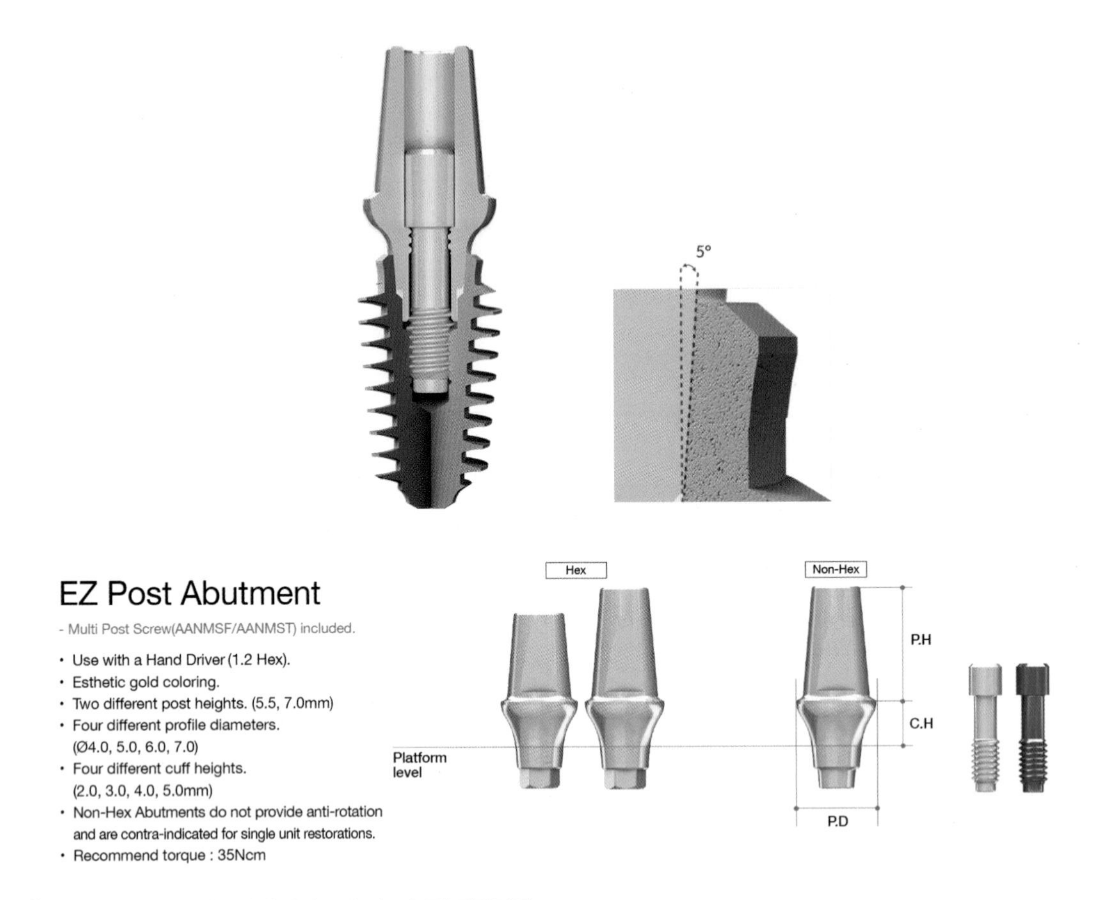

3.45 메가젠 애니리지의 어버트먼트(포스트) 카탈로그

그러나 필자가 종이컵에서 이야기 했듯이 종이컵은 쉽게 제거된다. 특히나 훨씬 프릭션 각도가 큰 아스트라 11° 형태에서는 파절된 어버트먼트도 어지간하면 잘 제거되는 편이다. 그러나 5° 테이퍼의 애니리지의 어버트먼트는 파절되면 거의 제거되지 않는다. 그래서 대부분 픽스처까지 제거해야 한다. 그래서 애니리지 대마왕 전희경 원장은 300개에 가까운 임플란트를 제거해야 했던 것이다. 그나저나 전희경 원장은 구강외과 전공으로 수술을 아주 잘하는 사람이라 그나마도 제거라도 할 수 있었지… 일반 치과의사들은 제거도 쉽지 않았을 것이다. 초창기에 나온 애니리지는 이런 문제로 엄청 고전하였다.

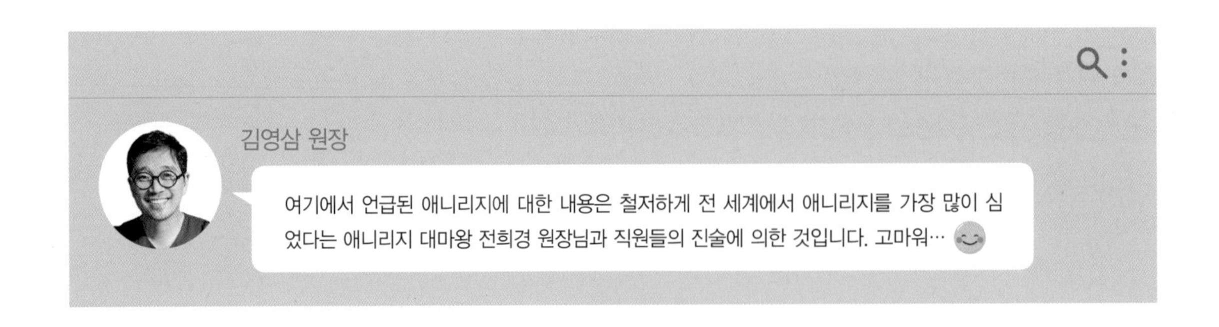

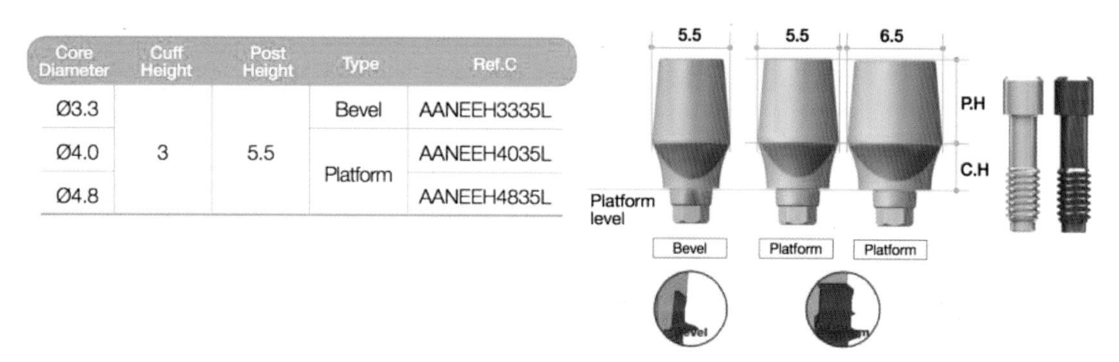

Core Diameter	Cuff Height	Post Height	Type	Ref.C
Ø3.3			Bevel	AANEEH3335L
Ø4.0	3	5.5	Platform	AANEEH4035L
Ø4.8				AANEEH4835L

3.46 애니리지 대마왕 전희경 원장이 아이디어를 냈다는 Extra EZ post

여기서 애니리지 대마왕 전희경 원장님 본인이 개발했다는 Extra EZ post라는 것을 소개해 주었다. 임플란트가 더 이상 sinking되지 않도록 임플란트 코어를 덮는 날개 플랫폼을 만들어 놓은 것이다. 어찌 보면 45° 베벨과 내부 1° 테이퍼를 갖는 Zimmer의 임플란트와 비슷한 구조일 수도 있다. 그러나 내부가 1°가 아니라 5°이기 때문에 조금은 라킹 없이 세팅될 수 있을 것 같다. Internal friction으로 마이크로 갭과 무브먼트를 없애고 더 이상의 sinking을 막기 위해서 스타퍼를 만들어 놓은 것이다. 필자가 생각할 때 이 시스템의 성패를 결정짓는 가장 중요한 점은 바로 기술력이다. 결국 둘 다 정밀하게 잘 맞춰야 하기 때문이다. 그러나 전희경 원장에 의하면 성공적이라고 한다. 마이크로 갭과 무브먼트도 없어서 치경부 본로스도 없고, 스타퍼 효과에 의해서 임플란트와 어버트먼트 파절도 없다는 것이다. Extra EZ post를 쓰면서는 하나의 임플란트 파절도 없었다고 한다. 앞으로도 전희경 원장님의 선전을 기대 해본다.

결론적으로 보면 결국 **필자는 아스트라 타입의 11° internal friction 형태를 선호**한다는 것을 알 수 있다. 생물학적으로 허용되는 정도의 마이크로 갭을 가지면서 보철물 제작도 용이하고 sinking 같은 경우도 임상에서 통용될 수 있는 정도이기 때문이다.

아스트라 타입 임플란트는 임플란트를 올바른 위치에 잘 식립하고, 어버트먼트를 정확하게 세팅하는 것이 중요하다. 사실 다른 시스템에서도 마찬가지로 두 가지는 가장 중요하며 이 책에서 매우 많이 다룬다. 이 책의 핵심 내용이라고 봐도 될 정도이다. 다시 정확한 결론을 말하면 **"올바로 심고 정확한 세팅이 이루어진다"라는 전제하에 필자는 아스트라 타입 임플란트를 가장 추천**한다.

참고

BLX

여기서 잠깐 스트라우만이 2019년부터 광고하고 있는 신제품 BLX를 보자. 이 제품의 어버트먼트는 중요한 두 가지 특징이 있는데, 바로 내부 각도가 7°라는 것이다. 필자가 아는 한 이는 우리나라 원플란트에서 오래전부터 사용해온 각도이다. Morse taper 6–8°의 딱 중간으로 기계적 성질을 잘 살린 것으로 생각된다. 각도가 작아질수록 싱크다운이 문제가 된다고 했는데, 재밌는 것은 이들은 이걸 막기 위해서 우리 후배가 개발했다는 메가젠의 Extra EZ post의 개념을 도입한 것이다. 뭐 다른 데서 착안했을 수도 있지만, 필자는 스스로 국뽕에 빠져들고자 BLX가 한국 제품과 유사하게 만들었다고 생각하고 싶다. 기본적인 픽스처 생김새나 개념도 메가젠의 애니리지와 비슷하다. 이제 한국인으로서 자부심과 긍지를 가지고 임플란트의 한류시대, K-임플란트의 위력을 느껴보자.

https://youtu.be/sGnBskcVNuM

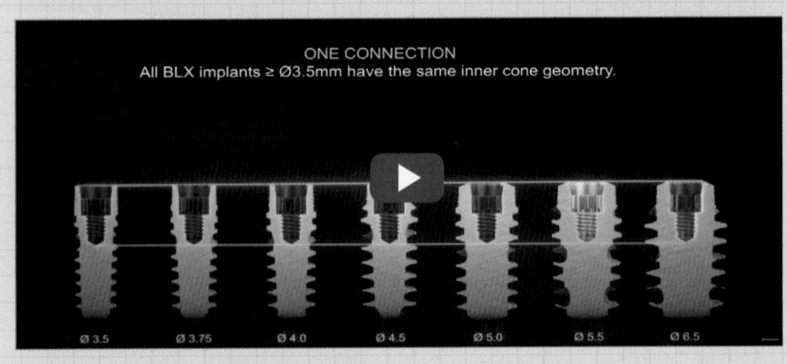

BLX 어버트먼트 스타일

https://youtu.be/JB7F76gTowQ

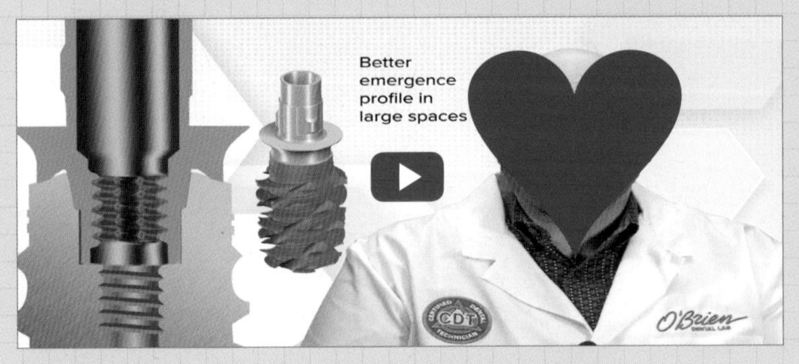

BLX 특징 설명 동영상

https://youtu.be/7JcMvsnXMeY

참고

BLX 케이스 모음

필자가 언젠가는 상악 구치부에 메가젠의 애니리지를 식립하고 extra EZ post로 크라운을 해볼까 생각하고 있다. 다만 또 하나의 국산 임플란트 제품을 추가한다고 하면 우리 직원들이 관리를 힘들어할 것이 걱정되어 망설이고 있다.
필자는 이미 외국에서 강의를 많이 하고 있고, 나중에 K-사랑니 강의에 이어 K-임플란트 강의의 붐을 만들어 보는 것이 꿈이기에 지금 현재 세계 최고 임플란트라고 불리는 스트라우만 제품을 사용하고 있다. 주로 BLT 제품을 위주로 쓰고 있었는데 이제 대구치에는 BLX를 사용하기로 하였다. 강도 면에서는 스트라우만의 록솔리드를 따라갈 것이 없기 때문에 디자인이 좀 낯설어도 BLX는 성공을 거둘 수 있을 거라고 생각한다. 그렇지만 한국인에게는 뭔가 다른 일들이 벌어질 수 있기 때문에 필자가 BLX를 직접 심어보고 경과를 보는 게 좋겠다고 한 것이다. BLX는 2020년 12월부터 스트라우만 코리아을 통해 한국에 판매하고 있다.

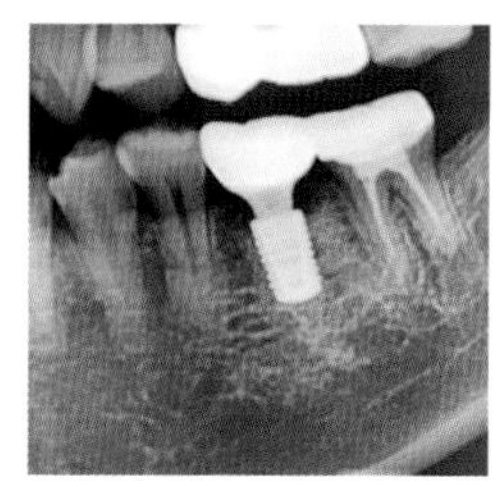
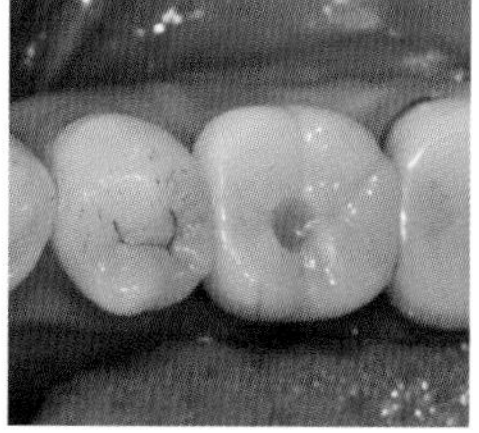

BL case
2007년에 나온 스트라우만 최초의 본레벨 임플란트로 나사산이 거의 없다.

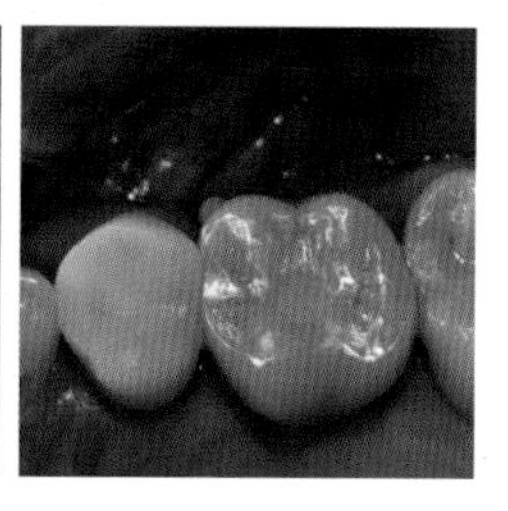

BLT case
2015년에 나온 본 레벨 테이퍼드 임플란트로 나사산의 크기는 기존의 BL과 비슷하다. 상악에서는 특히 나사산이 너무 작아보인다.

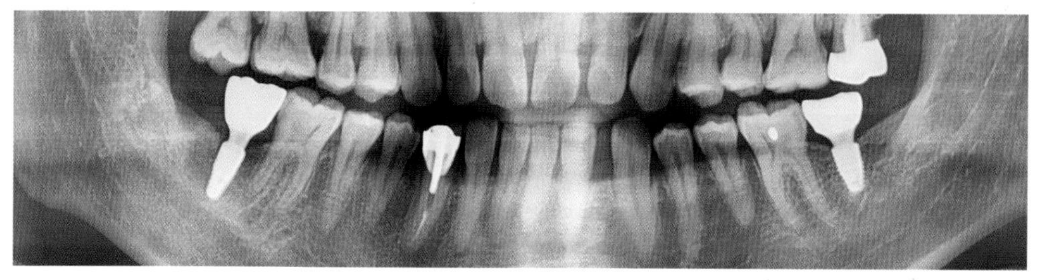

BLT case
해외 강의 때문에 세계 최고로 여겨지는 스트라우만 임플란트로 시술을 하고 있는데, 나사산이 너무 작아서 오스템이나 덴티스 등에 비하면 식립감(심는 맛?)은 거의 없다시피하는 정도이다. 그런 부분을 스트라우만이 모를 리 없기 때문에 최신 개념의 디자인을 잘 반영하여 BLX 임플란트를 만든 게 아닌가 생각된다. 나사산이 크고 중간중간에 날카로운 칼날 같은 것이 있어서 아무리 단단한 뼈라도 셀프 테이핑하면서 식립 가능할 듯하다. 필자가 심어본 느낌으로는 아주 좋다.

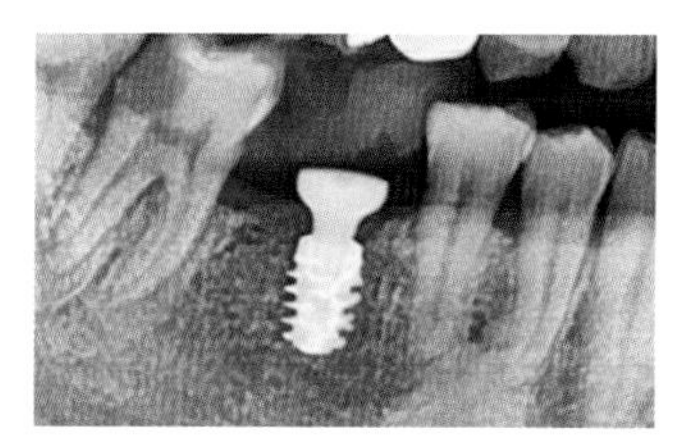

식립 직후 치료 진행 중

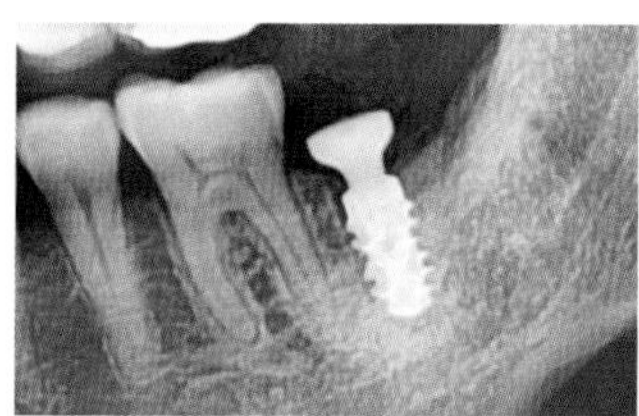

식립 직후 ▼

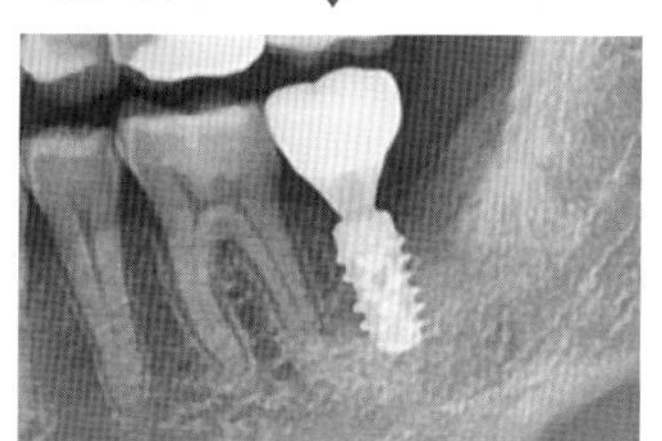

치료 완료

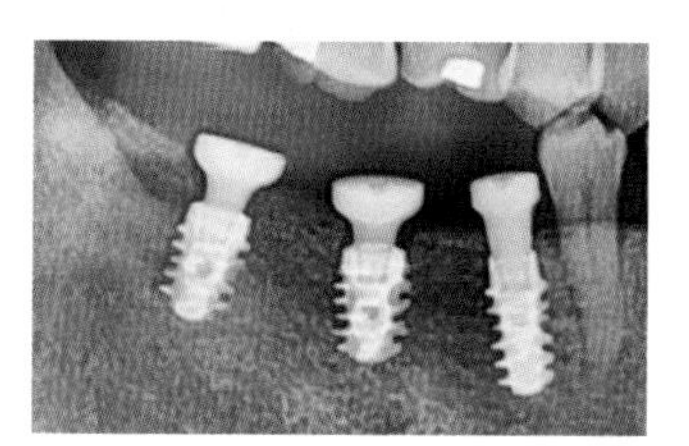

식립 직후 ▼

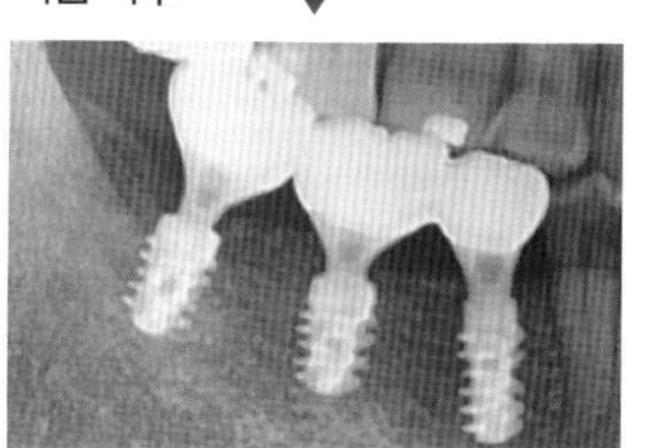

치료 완료

Hexa and Non-hex abutments

2장을 모두 보고 나면 "임플란트는 본레벨 internal friction type을 사용하는 것이 좋겠다"라는 결론을 얻을 수 있을 것이다. 이제 마지막으로 헥사와 넌헥사에 대해서 한번 논의해 보자. 넌헥사 픽스처나 넌헥사 어버트먼트를 사용하라는 것이 아니라 어떤 것인지 공부해보자는 것이다. 분명 우리가 얻을 교훈이 있다.

초창기 임플란트는 본레벨이나 티슈레벨이나 internal friction type은 내부에 헥사나 옥타 구조가 없는 형태였다. 그만큼 internal friction type만으로 어버트먼트 유지가 가능했다는 뜻일 것이다. 그러나 앞서 언급했던 이유로 회전을 방지하기 위해 결국 헥사나 옥타 등 회전방지 구조를 선택할 수밖에 없게 된다.

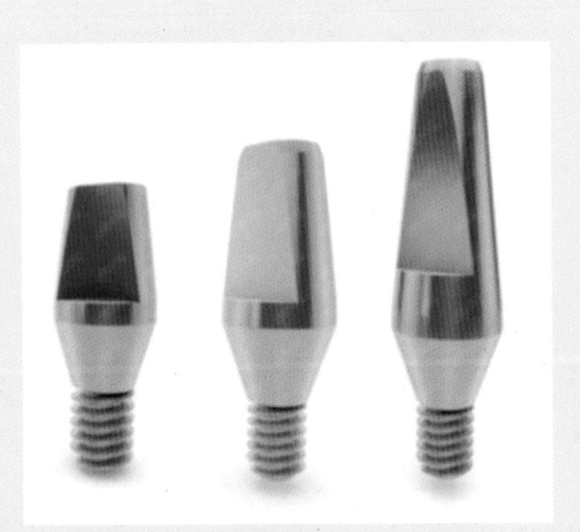

3.47 스크류와 어버트먼트가 한 몸인 회전방지용 헥사나 옥타구조가 없는 솔리드 어버트먼트

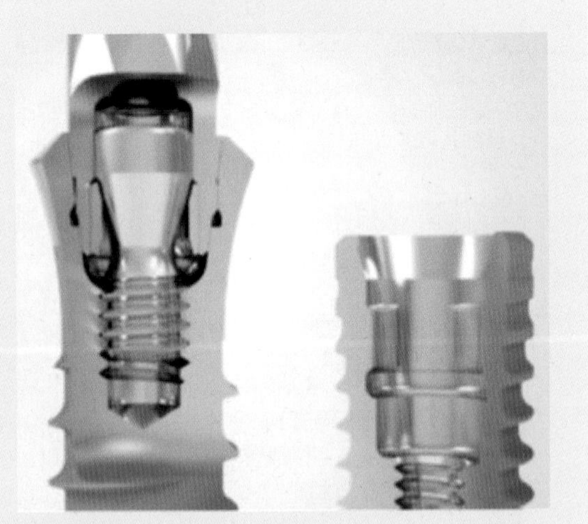

3.48 내부에 회전방지 구조를 선택한 스트라우만의 최근 제품들

참고

Non-hex 크라운 재제작 케이스

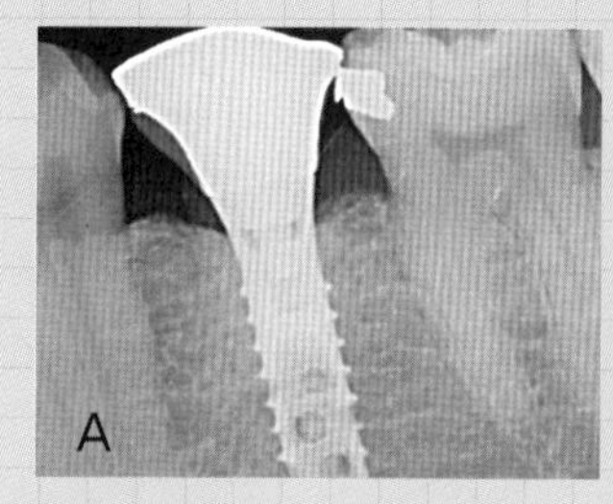

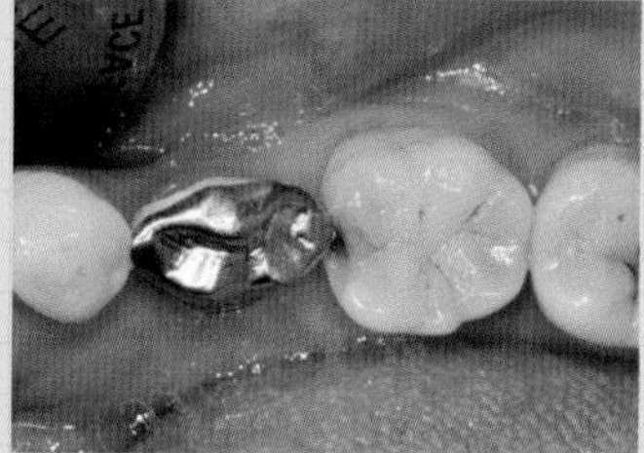

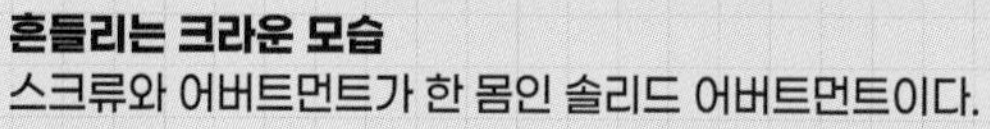

흔들리는 크라운 모습
스크류와 어버트먼트가 한 몸인 솔리드 어버트먼트이다.

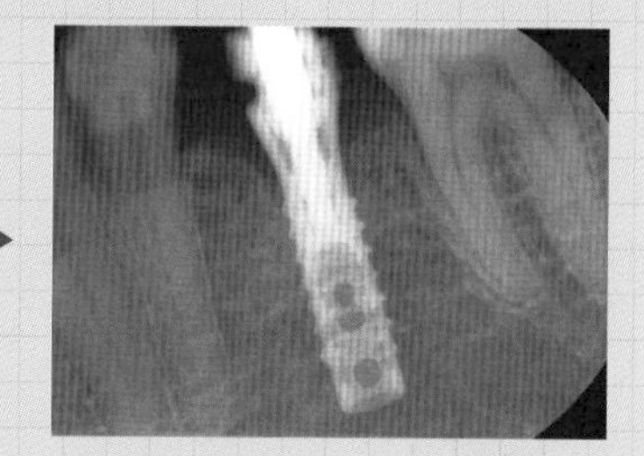

오래된 크라운 제거 후 인상채득

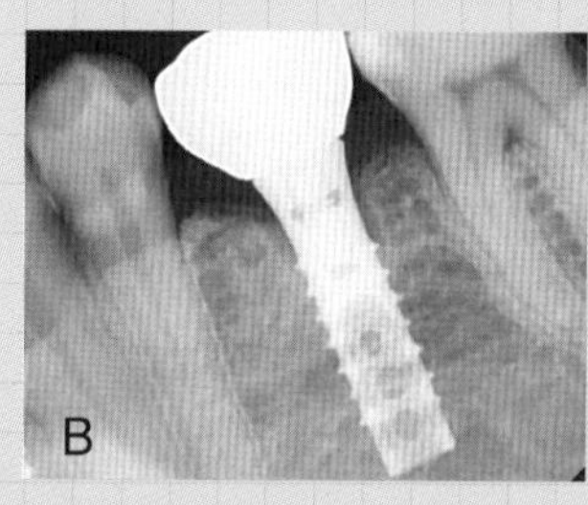

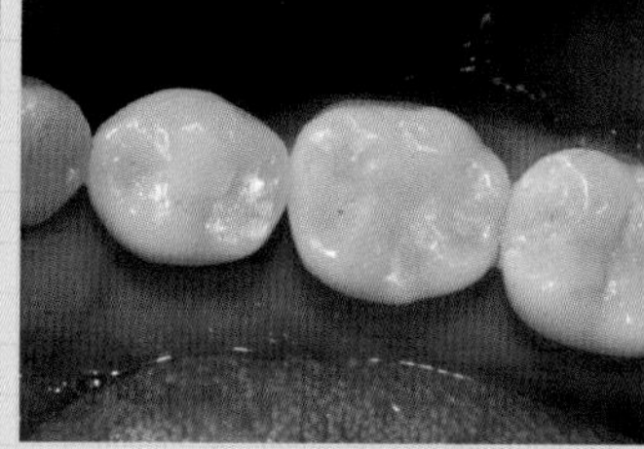

힐링 어버트먼트 임시 체결 사진

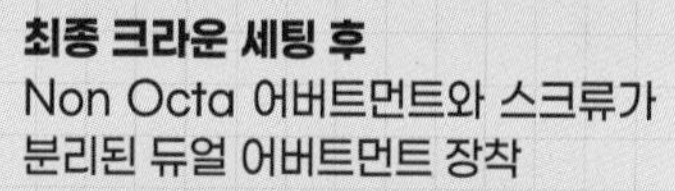

최종 크라운 세팅 후
Non Octa 어버트먼트와 스크류가 분리된 듀얼 어버트먼트 장착

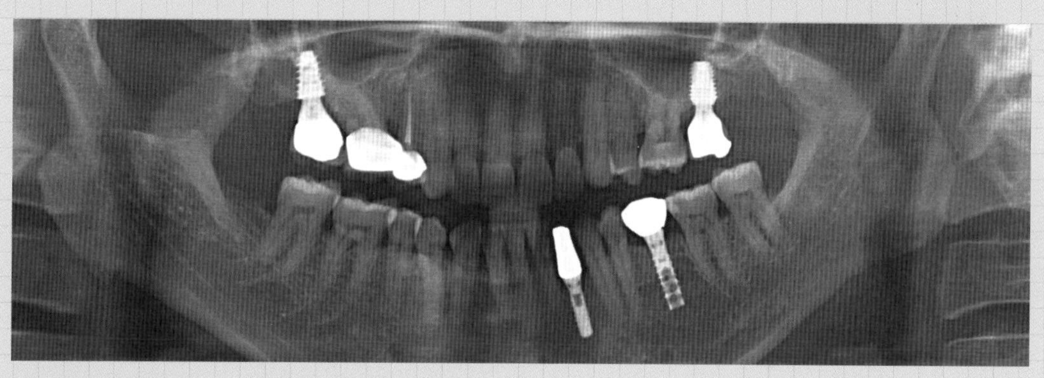

최종 파노라마 사진

3.49

앞서 1장에 나왔던 친구 누나의 케이스이다. 1996년도 식립되었던 임플란트의 크라운이 최근에 움직여서 결국 제거하고 인접면 충치치료도 하게 되었다. **3.49A**를 자세히 보면 1996년도에 사용된 어버트먼트는 어버트먼트와 스크류가 일체형인 넌헥사 솔리드 어버트먼트라는 것을 알 수 있다. 이런 솔리드 어버트먼트의 크라운을 제거하는 방법은 크라운이 솔리드 어버트먼트와 함께 반시계 방향으로 회전하든지 크라운 전체를 잘라서 벗기는 딱 한 가지 방법뿐이다. 그리고 **3.49B** 최종 방사선 사진에서 필자가 사용한 것은 넌헥사 듀얼 어버트먼트(스크류와 어버트먼트가 분리된 형태)임을 알 수 있다. 그 이유는 필자가 앞서 설명한 대로 솔리드 어버트먼트의 회전 문제 때문이다. 크라운과 함께 회전했을 때 제거가 너무 어렵기 때문에 이번에는 분리형 어버트먼트로 SCRP로 제작하였다. 이제 이 임플란트에 문제가 생긴다면 언제든지 쉽게 제거하고 재부착할 수 있다. 어버트먼트는 스트라우만 정품을 사용하려 했으나, 외국에 있는 본사에 요청하면 몇 달 걸려야 올 수 있다는 답변을 받아서 오스템에서 출시된 유사품을 사용하였다. 넌옥타 구조는 호환성에서 크게 문제되지 않는다. 지르코니아 크라운을 장착하였더니 약간 마진의 적합성이 떨어지는 듯하게 보이는 것이 아쉽다.

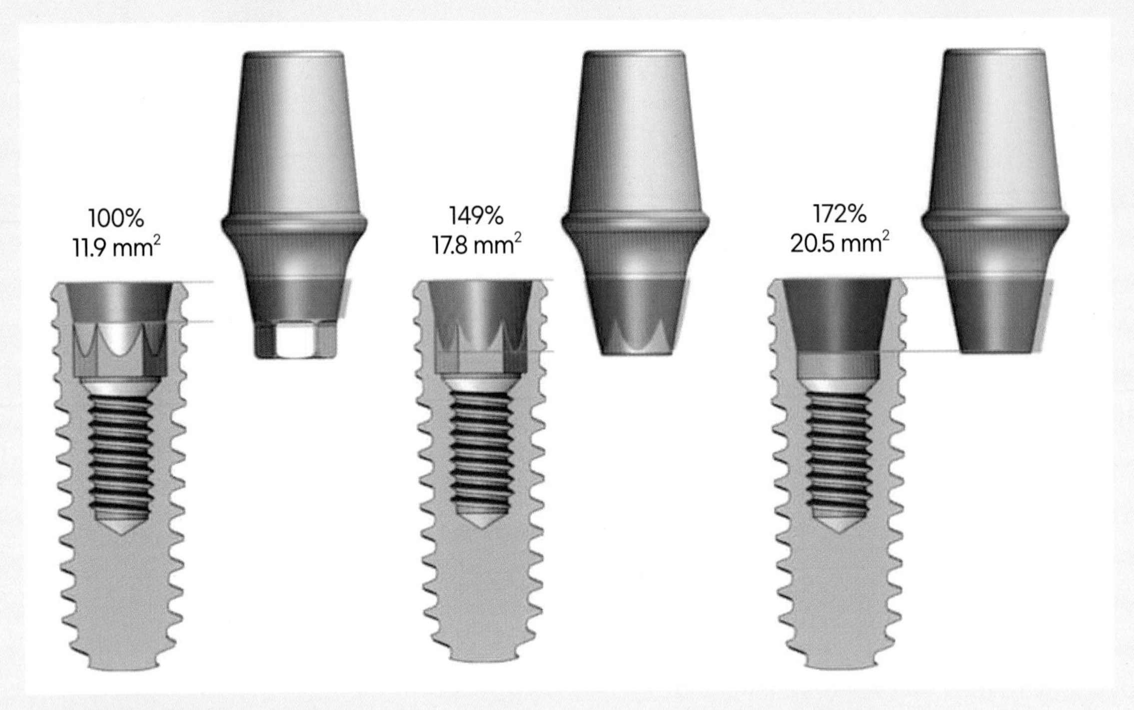

3.50 넌헥사 픽스처와 어버트먼트의 장점

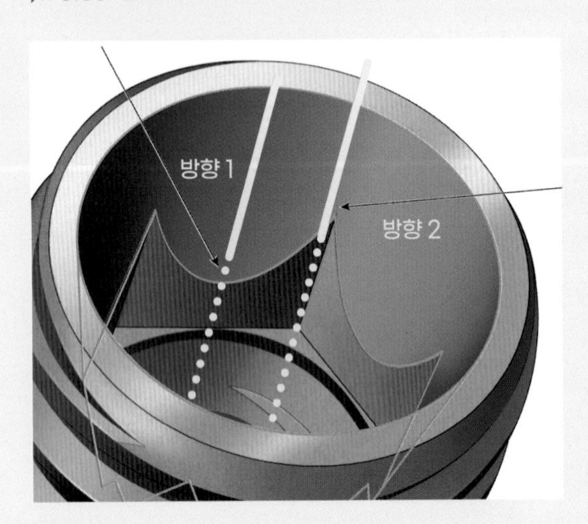

3.51 구조적으로 취약하다고 지적하는 방향

3.50과 같이 접촉면적의 증가로 구조적으로 안정적이라고 하신다. **3.51**에서 지적하는 방향 2 쪽에서 크랙이 먼저 형성되고, 그 크랙이 커져서 수직파절(tearing)이 일어난다고 생각하신다. 수직파절에 관한 내용은 **8-2장 픽스처와 어버트먼트의 파절**을 참고한다. 그러나 필자는 어버트먼트의 접촉 면적이나 픽스처의 구조적 안정성도 중요하지만, 시술을 잘해서 어버트먼트와 픽스처 간의 마이크로 갭과 무브먼트가 없게 하는 것이 더 중요하다고 생각한다.

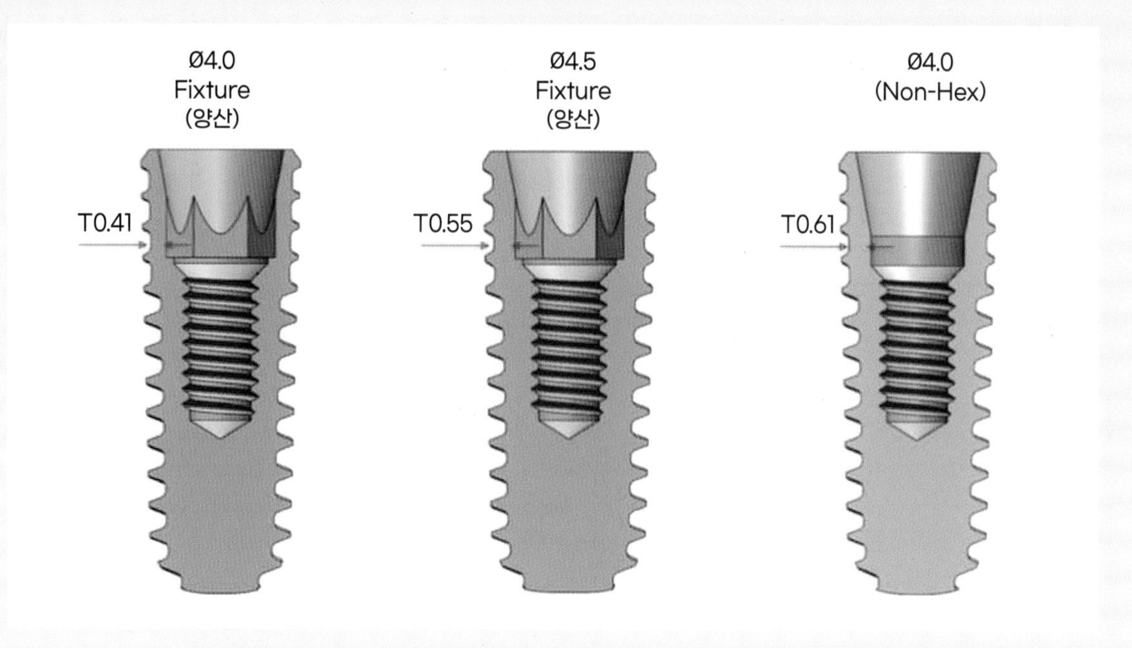

3.52 헥사 픽스처와 넌헥사 픽스처의 내면 두께 비교
넌헥사 픽스처의 경우는 구조적으로 취약한 부분도 없고 어버트먼트와 접촉하는 픽스처의 내면도 두꺼워져서 전체적으로 강도가 증가한다. 이와 같이 넌헥사 어버트먼트를 좋아하시는 분들의 요구에 힘입어 오스템에서 넌헥사 임플란트를 생산하고 있다고 한다.

3.53 넌헥사 픽스처에 마운트가 장착된 모습

왜 초창기 임플란트들이 회전방지 구조들을 적용하기 시작했는지 생각해 보면 좋을 것 같다. 넌헥사 어버트먼트는 마운트 없이는 심기가 힘들고, 그러다 보니 디지털 시대에 가이드를 이용하여 식립할 수도 없다. 회전방지 구조가 없기 때문에 컴퓨터로 술전에 미리 보철물을 만들고 적용하는 데도 문제가 있을 수 있다.

넌헥사 임플란트도 싱글 크라운이든 브릿지든 우선 세팅하고 나면 구조적으로 더 안정적이라고 할 수 있지만, 장기적으로 또 다른 문제가 생길 수도 있다. 필자는 사랑니를 많이 빼기 때문에 하악 7번 싱글 임플란트가 많은 편이다. 최후방 싱글 크라운에서는 회전하려는 크라운을 잡아주는 역할이 매우 중요한데, 넌헥사의 경우는 오로지 스크류에만 의존해야 하기 때문에 구조적으로 더 안정적이지 못하다고 할 수 있다.

브릿지라면 회전에 저항할 필요가 없으니까 넌헥사 임플란트도 좋을 수 있겠지만, 처음부터 스크류 타입이나 SCRP로 제작된 브릿지가 아니면 재부착이 쉽지 않을 수 있다.

임플란트 세미나를 다니다 보면 이 그래프를 매우 흔하게 볼 수 있다.

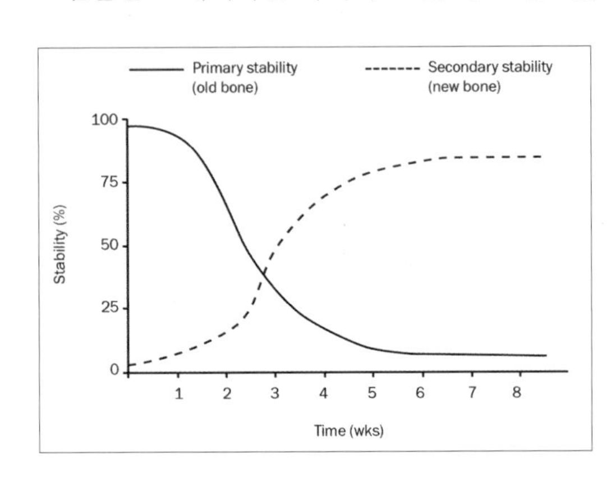

3.54 「Early Wound Healing Around Endosseous Implants: A Review of the Literature」에서 발췌한 그래프

출처: INT J ORAL MAXILLOFAC IMPLANTS, 2005. pp.425 -431.

「Early Wound Healing Around Endosseous Implants: A Review of the Literature」 논문에 언급된 그래프이다(INT J ORAL MAXILLOFAC IMPLANTS, 2005). 필자가 2005년에 토론토에서 한국 선생님들과 임플란트 논문 스터디를 많이 했다고 언급한 적이 있다. 그때 필자가 발표했던 논문이다. 당시에는 이제 막 나온 따끈따끈한 논문이었는데 이게 이렇게 유명한 논문이 될 줄은 몰랐다.

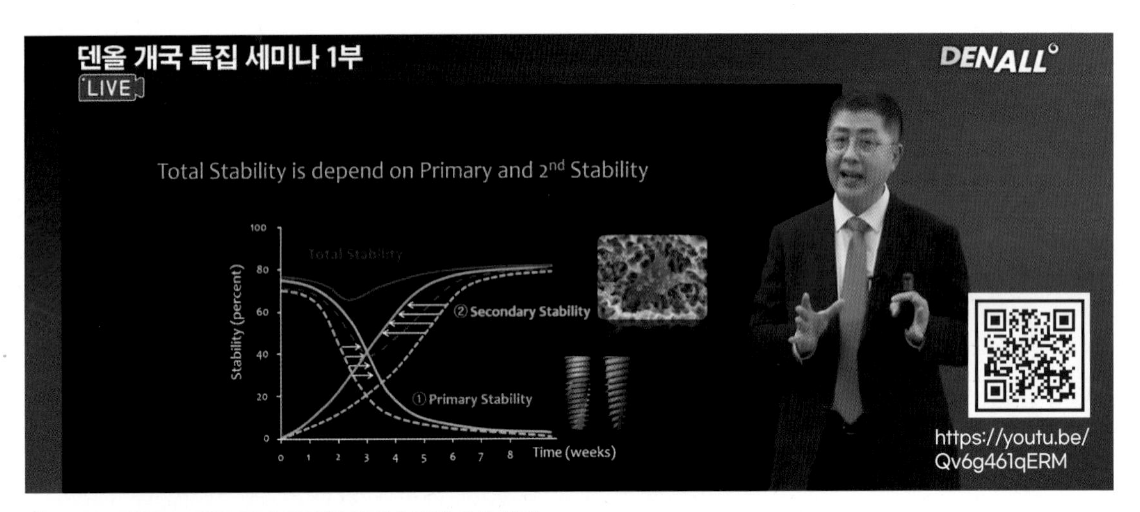

3.55 덴올TV 개국 기념 김기성 원장님 강의 영상 화면
위 논문의 그래프를 인용하고 있다. 전반적으로 시대적 흐름을 볼 수있는 강의로, 시간이 되면 유튜브에서 한번 보길 권한다.

그러나 지금은 이 논문이 나올 때와 달리 임플란트의 성패에 대해서 시비를 거는 사람들은 거의 없다. 어떻게 하면 위 김기성 원장님 강의에서 언급한 것처럼 total stability를 높일 것인가에 초점을 맞춘 세미나들이 많다. 결국 total stability가 높으면, 빨리 보철을 해서 치료기간을 단축시킬 수 있기 때문이다. 그래서 필자가 이 챕터를 굳이 넣은 것이다. 임플란트의 바디와 쓰레드를 잘 선택하고 잘 식립하여 primary stability를 높이고, 좋은 표면처리를 채택하여 secondary stability를 높이면 total stability가 높아지게 된다.

"내가 옳은 것이 중요한 것이 아니고
같이 행복한 것이 더 중요합니다."

● 혜민 스님 ●

김영삼원장의

노트
정리

EASY SIMPLE SAFE EFFICIENT

MASTERING DENTAL IMPLANTS

임플란트 달인되기

꼭 알아야 할 임플란트의 필수 성공요소

The Essential Elements for Success in Dental Implants

PART 3

임플란트의 선택

한 번의 선택이 평생을 좌우한다

CHAPTER

3-1 임플란트 길이의 선택

Mastering dental implants

임플란트의 길이

이제 임플란트 길이에 대해서 이야기를 해보려 한다. 결론부터 말하면 **"절대 긴 임플란트를 심지 말라"**는 것이다. 필자의 경우는 아무리 뼈가 좋아도 8 mm(오스템 8.5 mm)를 초과하는 임플란트는 심지 않는다. 혹시 이보다 긴 임플란트를 심어야 한다면, 초기고정을 얻기 위함이지 장기적인 예후를 위해서 하는 것은 아니다. 보통 8 mm 임플란트가 적당하다고 판단되면 안전하게 좀 더 작은 7 mm를 심는 경우도 많다. 이러한 내용은 이 챕터 뒷 부분에서 자세하게 다루겠다.

김영삼 원장

일전에 SNS에서 47번 임플란트 후 발생한 신경손상의 치료 과정 포스팅을 본 적이 있다. 물론 발치 전 파노라마도 없고 식립 상태의 파노라마를 보지 못했기 때문에 판단이 쉽지는 않지만, '필자라면 최소한 신경손상은 피했을 텐데'라는 생각이 들었다. 필자가 심는 방식대로라면 8 mm 임플란트로 식립이 가능했을 것이다. 우선 임플란트를 심는 방식이나 위치보다는 임플란트 길이에 대해서만 이야기 하자면, 발치 전 루트 모양을 알 수 없음에도 불구하고 포스팅된 파노라마만 보더라도 충분히 7 mm 길이의 임플란트로 식립이 가능했을 것 같다. 장기적인 예후에서는 7 mm나 8 mm나 전혀 차이가 없으니 논외로 하고, 초기고정 면에서도 7 mm도 충분히 가능했을 것이라고 생각된다. 그런데 아마 해당 사례의 치과의사는 최소한 10 mm 이상을 심으려고 시도했을 것이라는 생각이 든다.

우선 긴 임플란트의 단점을 보자. 첫째, 임플란트가 길면 수술이 위험해진다. 이렇게 하치조관을 뚫어버리는 경우도 생긴다. 둘째, 수술이 커진다. 긴 임플란트를 심기 위해서 과도한 뼈이식을 해야 하는 경우가 많이 발생할 수 있기 때문이다. 그래서 필자가 임플란트의 길이를 가장 먼저 다루는 것이다. 이제는 짧은 임플란트가 대세이고 임플란트 장기적인 예후에도 전혀 문제점이 없다는 것을 알고 가야만 그 뒤에 이어지는 내용도 이해를 할 수 있다.

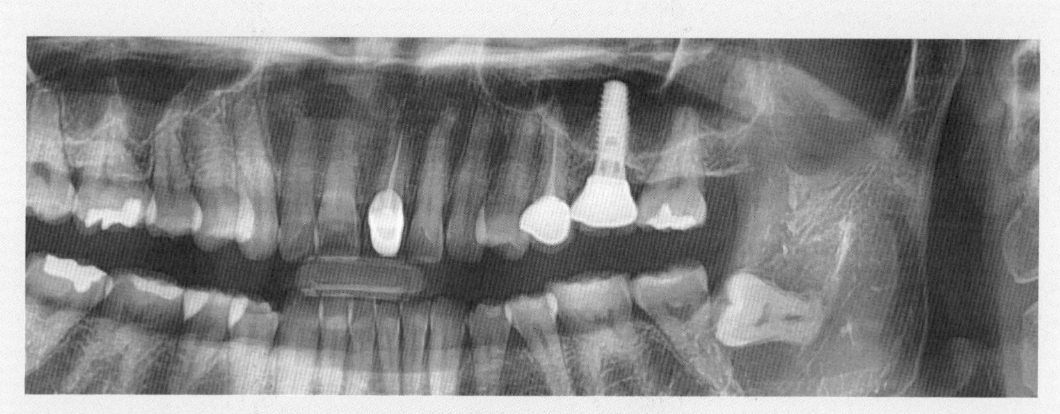

1.1 현재 48세 여자 환자로 필자가 18년 전에 심은 Zimmer 임플란트이다.

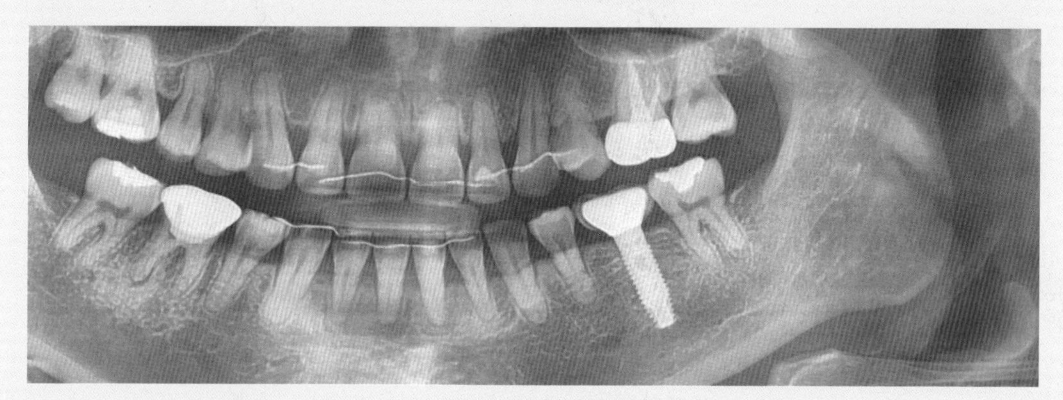

1.2 현재 37세 여자 환자로 필자가 18년 전에 식립한 오스템 SS2 티슈레벨 임플란트이다.

1.1과 **1.2**는 필자가 2003년도에 심었던 임플란트들이다. 지금까지도 리콜되고 있는 환자들이라 한번 올려본다. 지금도 내원하여 파노라마를 찍을 때마다 섬뜩하다. 내가 왜 그랬을까? 그리고 이게 만약 탈이 나면 어떻게 수습해야 할까? 앞서 필자가 2002년 5월에 처음 심은 임플란트도 13 또는 15 mm 짜리였고, 2005년 정도까지는 엔도포어 임플란트가 아닌 경우에는 최대한 긴 것을 심으려고 했었다.

1.1 케이스는 발치하고 얼마 되지 않아서 식립했는데, 팔라탈 루트 쪽에 뼈가 있어서 그쪽에 최대한 길게 심었었다. 최소 12 mm, 길면 14 mm 정도 될 듯하다. 지금 CT를 찍어보면 사이너스 안에 텐트를 치고 있는 모습으로 보인다. 아무리 팔라탈 루트 근처에 뼈가 있다고 해도 그렇게 긴 것을 심다니, 지금 생각하면 참 한심하다.

1.2 케이스는 최소 13 mm로 보이는데, 15 mm일 수도 있다. 당시에는 15 mm 임플란트도 생산이 되었었다. 지금 보면 너무 아찔할 정도이다. 하치조신경관이 어디 있는지 찾아서 일부러 그만큼 딱 맞춰서 심은 것처럼 보인다. 환자는 당시 여고생이었는데, 만약 지금 이 임플란트에 문제가 생기면 어떡하나? 제거하면서 신경손상의 문제도 있었을 수 있다.

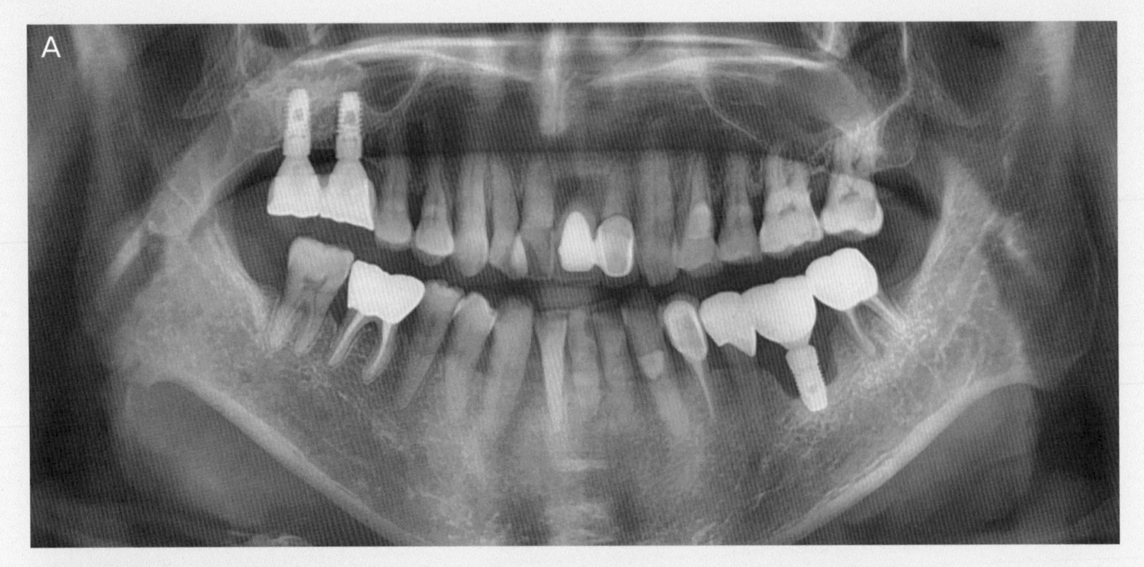

식립한 지 7년 된 36번 임플란트

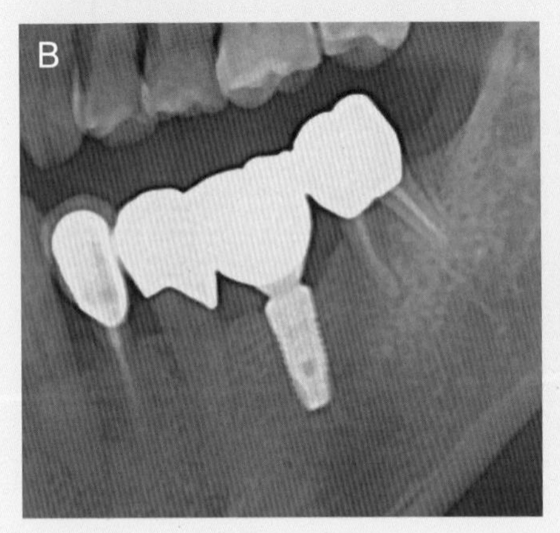

식립 3년 후 파노라마

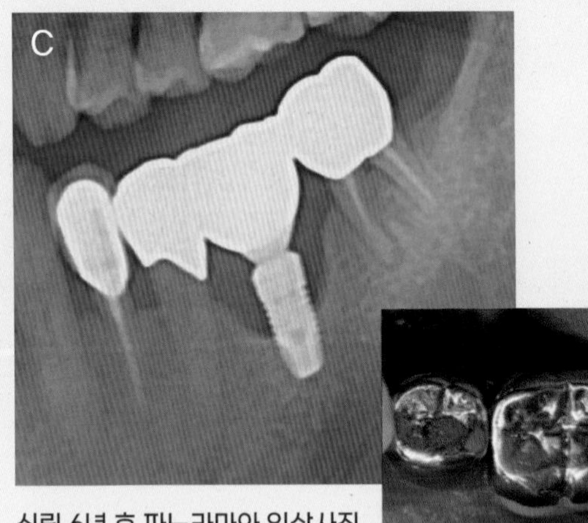

식립 6년 후 파노라마와 임상사진

1.3

앞서 언급한 하악에 긴 임플란트를 심은 환자의 아버지 사진이다(**1.3**). 극과 극인 사례를 설명하기 위해 36번 임플란트를 살펴보자. **1.3A**는 필자가 2008년에 식립한 것으로 기능한 지 7년째 되는 2015년 7월 사진이다. 주로 외국에서 근무하는 환자여서 정기적으로 내원하지는 못했지만 2011년 7월까지는 본로스가 전혀 관찰되지 않았었다. 그런데 다시 3년 만인 2014년 4월에 오셨을 때는 임플란트의 반절까지 뼈 흡수가 진행되어 있는 것이었다. 환자가 외국에 체류하면서 가끔 한국에 들어오는 상황이다 보니 제때 치료가 이루어지지 못하다가 이듬해 한국에 한 달 정도 머무를 때 서둘러 치료를 시작하였다. 이 분의 치료는 이 책의 **8-1장 임플란트 주위염**에서 다룬다.

문제는 환자가 불편함을 전혀 못 느끼고 있다는 것이다. 이미 이런 상태로 최소 1년 이상 지속되었을 텐데도 임플란트는 동요가 없고, 기능하는 데 전혀 지장도 없었다. 그러니 환자는 굳이 치료해야 할 필요성을 못 느꼈던 것이다.

여기서 다시 따님의 임플란트와 비교해보자. 해당 임플란트는 crown-root ratio[치관-치근비]가 뭐라고 표현할 수도 없을 정도로 바닥의 3-4 mm 정도만 뼛속에 있다. 그런데도 기능에 전혀 문제가 없었다. 물론 더 진행되면 문제가 될 수도 있었겠지만, 기존까지 생각해왔던 것과 달리 임플란트의 길이는 큰 문제가 아닐 수도 있겠다는 생각이 들게 된 것이다. 그럼 임플란트의 위치가 좋고 교합이 정상적이라면 임플란트 길이를 덜 고민해도 되는 것인가? 이제 본격적으로 임플란트의 길이에 대해 이야기해보려 한다.

우선 짧은 임플란트를 전통적으로 주장해오던 숏 임플란트의 대표주자로 바이콘과 엔도포어 임플란트를 보자. 10여 년 전까진 숏 임플란트를 검색하면 이 두 임플란트만 검색되는 정도였다. 그럼 전통적으로 숏 임플란트를 주장하던 두 회사는 어떻게 되었을까?

우선 바이콘 임플란트는 임플란트 초창기부터 존재하던 것으로 왕성하게 활동해온 지 어느새 30년을 넘어섰다. 한 번 바이콘 임플란트 시스템에 익숙해진 사람은 계속 이것만 사용하는 경향이 강하기 때문에 전 세계적으로 이 바이콘 임플란트 유사 제품이 많았고, 우리나라에도 여러 짝퉁 회사들이 존재하는 정도이다.

앞서 임플란트의 구조에 대해 말한 것처럼 어버트먼트와 픽스처 간의 콜드웰딩이 일어나서 마이크로갭과 무브먼트가 없어서였을까? 그건 다른 임플란트도 마찬가지이다. 즉 바이콘 임플란트가 특별해서 숏 임플란트로서 성공한 것이 아니라는 말이다. 다른 회사의 짧은 임플란트도 충분히 사용 가능했는데 우리가 마냥 긴 임플란트가 좋다고 생각해서 긴 임플란트를 심어왔을 뿐이다.

그럼 또 하나의 대표주자인 캐나다의 엔도포어 임플란트는 어떻게 되었을까? 필자는 월드컵이 한창이던 2002년 6월 엔도포어 임플란트 세미나를 듣고 그때부터 이 임플란트의 식립을 시작했다. 그리고 책과 세미나를 통해 추가적으로 배웠고, 2005년에는 이를 개발한 교수님이 계시던 캐나다 토론토 대학에까지 가서 심도 있게 배우기도 했다. 아마 수백 개 정도의 엔도포어 임플란트를 심었을 것이다. 가장 최근에 심은 것이 2009년 정도였던 것으로 기억된다.

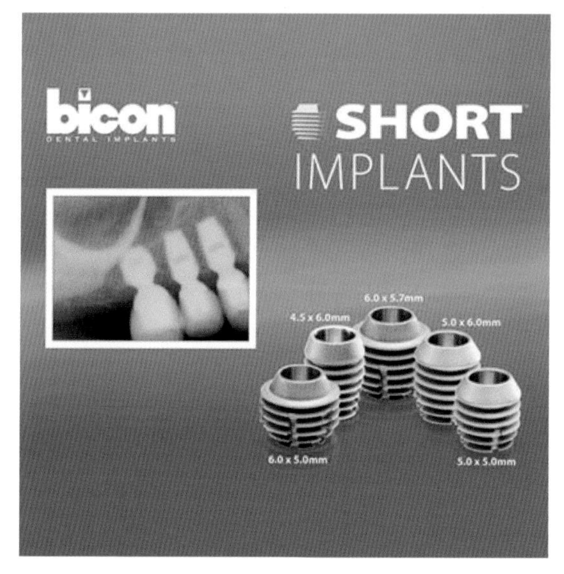

1.4 바이콘 임플란트 홍보 이미지

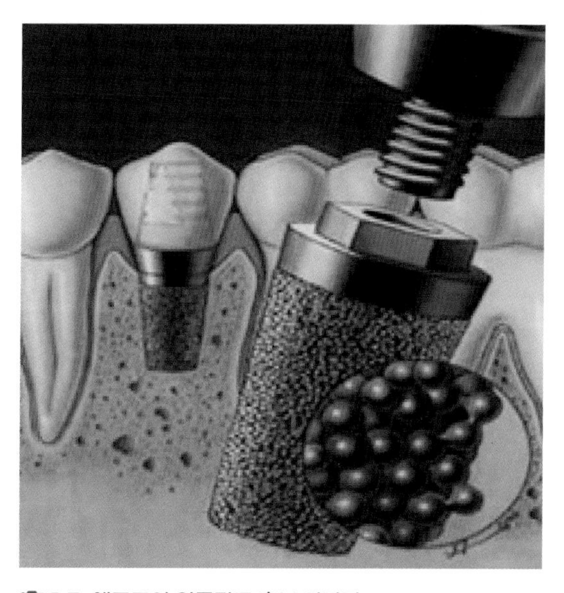

1.5 엔도포어 임플란트 홍보 이미지

그런데 엔도포어 임플란트는 아쉽게도 더이상 생산되지 않는다. 엔도포어 임플란트는 2008년 전후로 미국 회사에 인수되었고, 그 또한 얼마 되지 않아 파산하였다고 한다(지금도 판다는 소문은 있다). 우리나라에도 그 이후 더 이상 수입이 되지 않고 있다. 2006년 대만에서 열린 엔도포어 임플란트 심포지엄에 갔을 때만 해도 엔도포어 임플란트가 당시 대만의 시장점유율 1위라고 들었다. 그러나 이 엔도포어 임플란트는 순식간에 역사 속으로 사라져버렸다. 숏 임플란트였기 때문이 아니었다. 이제 엔도포어 임플란트의 실패의 원인을 살펴보고, 이를 교훈 삼아서 배울 건 배우고 버릴 건 버려보려 한다.

엔도포어 임플란트는 초창기부터 숏 임플란트를 강조했다. 생긴 것을 보면 거칠어서 짧아도 잘 기능하게 생겼다. 초창기 엔도포어 광고 또한 미끈한 면에 손을 대고 있는 것과 공을 손잡이처럼 잡고 있는 것 중 어떤 것이 안정감이 있을지 비교함으로써 엔도포어 임플란트는 삼차원적으로 골과 결합한다는 점 등을 광고했었다. 그래서 짧은 임플란트라도 잘 기능한다는 것이다. 그러나 그냥 짧기만 해도 되는 것이었다. 그 옛날 구닥다리 machined surface나 이상한 표면처리만 아니라면 어지간하면 짧기만 해도 되는 것이었다.

당시만 해도 긴 임플란트가 좋은 임플란트이자 예측 가능한 임플란트라는 인식이 강했기 때문에 긴 임플란트를 심기 위해서 큰 수술을 하는 경우가 많았다. 그래서 엔도포어를 개발한 교수님은 숏 임플란트를 심어서 수술을 작게 하라는 취지의 책과 논문을 쓰고 강의도 많이 했다. 그 교수님의 저서 또한 제목이 《Minimally invasive dental implant surgery》이다.

대부분 전신 건강이 안 좋거나 뼈가 안 좋은 환자들에게 작은 임플란트로 간단하게 수술해서 잘 기능하고 있다는 점 등을 강조한 내용들이다. 논문을 검색해봐도 작은 임플란트로 간단하게 수술해서 불필요한 골이식 등을 없앴다는 것이 주된 홍보 내용이었다. 필자는 엔도포어 덕에 사이너스 엘레베이션을 잘하게 되었다. 2002년부터 크레스탈 어프로치를 통한 사이너스 엘레베이션 위주로 상악에 심었으니 당연한 결과일 수도 있다. 그러나 그 교수님의 논문도 2008년 이후로는 더 이상 거의 보이지 않는다. 소문으로는 엔도포어 임플란트 회사를 거액을 받고 팔고 토론토 대학에 크게 기부한 후에 은퇴하셨다고 한다.

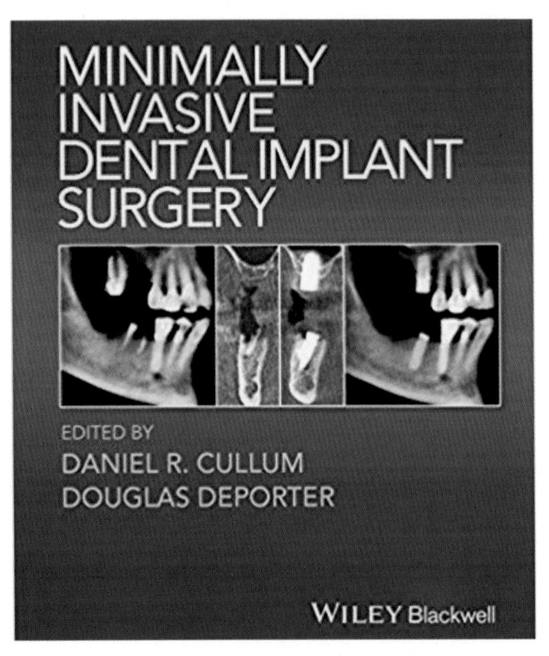

1.6 《Minimally invasive dental implant surgery》

토론토 대학에 있었을 때 그 교수님의 강의 중 반절이 엔도포어 관련 임플란트 이야기였다면, 나머지 반은 숏 임플란트에 대한 강조였다. 아무래도 숏 임플란트에 대한 확신이 없으면 엔도포어 임플란트를 사용하지 않았을 것이기 때문인 듯하다. 그래서 전반적으로 숏 임플란트가 좋다는 이야기들을 많이 했는데, 한 가지 기억에 남는 내용이 있다. 치근단부에 구멍이 있는 임플란트들 사진을 화면에 보여주며 요즘은 왜 치근단부에 구멍이 없는지 아느냐고 물어보신 것이다. 초창기 임

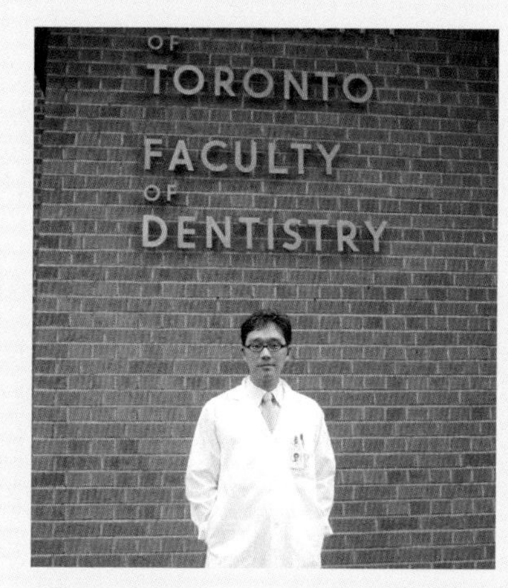

1.7 2005년 가을 토론토 치과대학 건물 앞에서

1.8 2005년 12월 엔도포어 개발자 교수님과 함께

플란트들을 보면 치근단에 구멍이 있는 걸 흔하게 볼 수 있었다. 그러나 지금은 예전 디자인을 고집하는 Zimmer사의 특정 제품을 제외하면 거의 사라졌다. 왜 그랬을까? 그 교수님에 의하면 치근단부에서 너무 세게 잡아주는 건 크레스탈 본에 자극이 덜 가도록 하기 때문에 오히려 크레스탈 본 리좁션이 올 수도 있다는 것이다.

김영삼 원장

필자가 지금 다시 설명을 해본다면 이렇다. 원래 치아가 빠지면 치조골은 흡수된다. 그러나 임플란트를 해놓으면 치조골이 흡수되지 않는데, 이는 교합력이 임플란트를 통해서 치조골에 전달되고 이로 인해 치아가 존재하는 것처럼 느껴져 치조골이 사라지지 않는 것일 것이다. 그러나 치근단부 apex에 구멍이 있으면 거기서 너무 세게 잡아주고 있다보니, 교합력이 크레스탈 본에 전달이 되지 않아 본 흡수가 발생할 수 있다는 것이다. 그러면서 치근단부에 구멍이 있고 치조골이 흡수된 케이스 몇 개를 보여주셨는데, 사실 지금도 완벽하게 동의하지는 않는다. 굳이 그게 없어도 임플란트가 잘 붙기 때문이다. 다만 그런 측면으로도 생각해 볼 수 있겠다는 정도로만 받아들이면 좋을 것 같다.

숏 임플란트 챕터에 왜 갑자기 엔도포어냐는 생각도 있겠지만, 엔도포어는 필자에게 숏 임플란트의 가능성에 대한 많은 확신을 심어주었다. 다만 엔도포어 임플란트가 실패한 이유는 external hexa type이라는 어버트먼트 연결 구조와 너무 거친 표면 때문이었다. 이제 이 점을 다시 한번 짚어보려고 한다. 이러한 실패를 통해 더 많은 것을 배울 수 있기 때문이다.

우선 엔도포어 임플란트를 심는 방식을 보자. 바이콘과 마찬가지로 임플란트 드릴로 임플란트 모양만큼을 형성하고 나서 임플란트와 같은 사이즈, 같은 모양의 trial fit gages를 먼저 임플란트를 심는 방식으로 먼저 넣어보는 것이다. 그리고 잘 들어간다면 그곳에 임플란트를 집어넣고 말렛으로 몇 대 콕콕 때려 박는 시스템이다. 바이콘 임플란트도 기본적인 원리는 비슷하다. 그러다 보니 바이콘이나 엔도포어 임플란트는 모두 튼튼한 알로이로 만들어져 있다. 또한 말렛으로 때리는 방법 때문에 하악보다는 상악에서 좀 더 선호되었다.

특히나 상악용으로는 끝이 오목하고 모서리가 비교적 날카로운 테이퍼한 형태의 오스테오톰(서머스 오스테오톰)이 따로 있었다. 숏 임플란트를 기본 모토로 하고 있었기 때문에 사이너스까지의 골 높이가 적어도 크레스탈로 엘레베이션하여 심는 방식을 권장하였다. 그러다 보니 필자는 2002년부터 이 오스테오톰을 상악 사이너스 엘레베이션에 사용하였는데, 지금도 다른 시스템의 임플란트를 심는 경우에서 상악동을 거상할 때는 이를 종종 사용하고 있다. 가끔 덴트포토에 엔도포어 오스테오톰을 구한다고 올라오는 글은 아마 필자가 시켜서 낸 광고일 것이다. 지금은 비교적 저렴한 오스템의 오스테오톰도 함께 사용하지만 이는 주로 수강생들에게 가르치기 위한 목적이다.

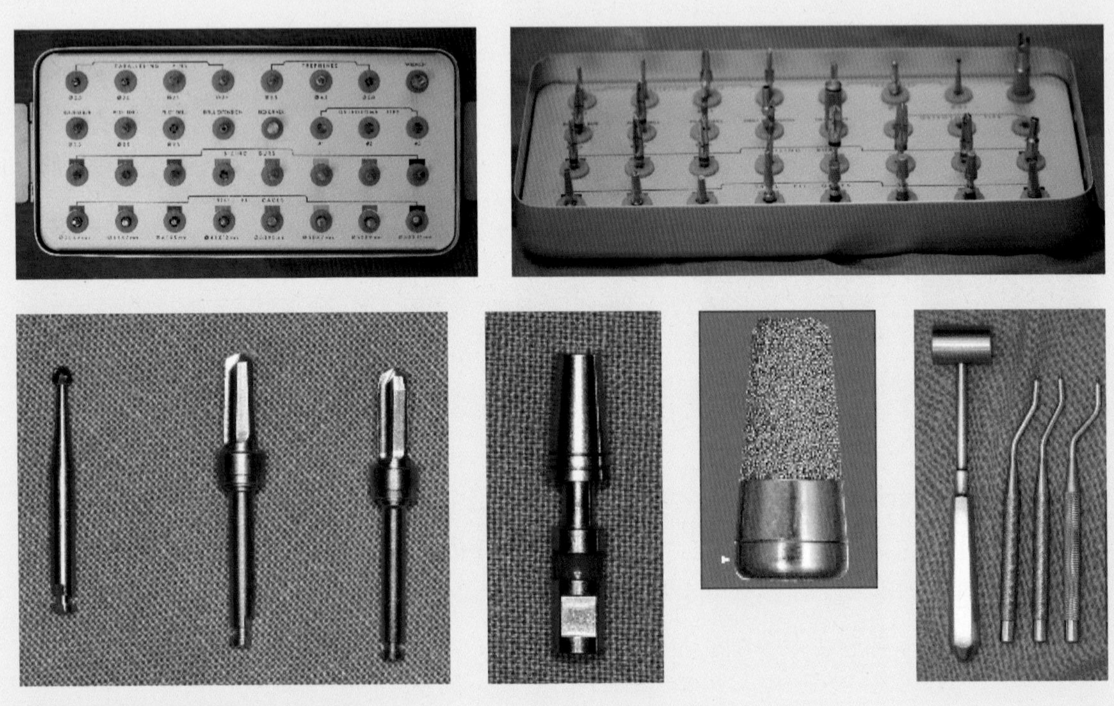

1.9 엔도포어 임플란트와 수술 키트

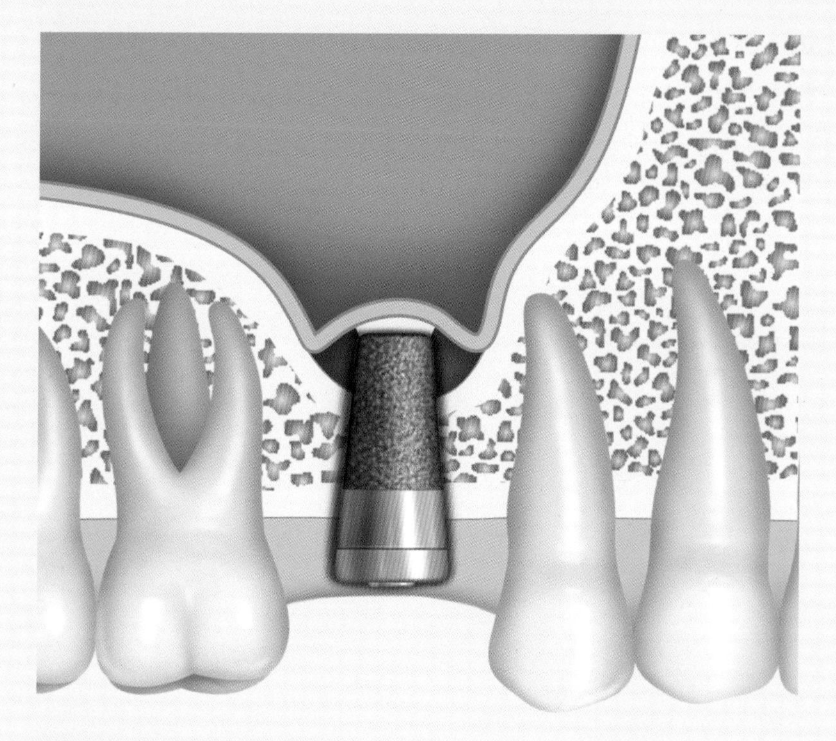

1.10 크레스탈 어프로치에 의한 엔도포어 임플란트 식립 방식 모식도

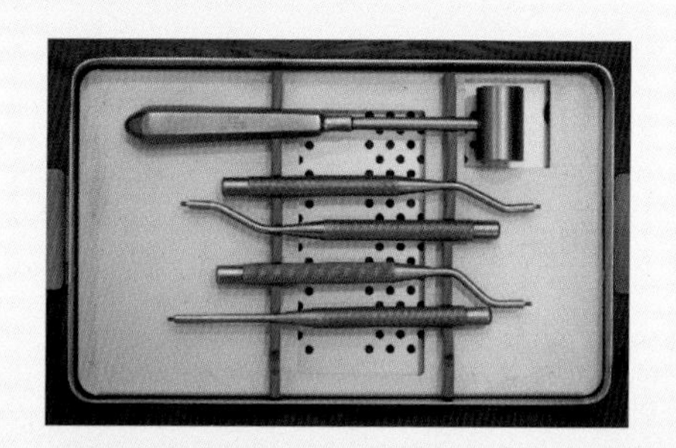

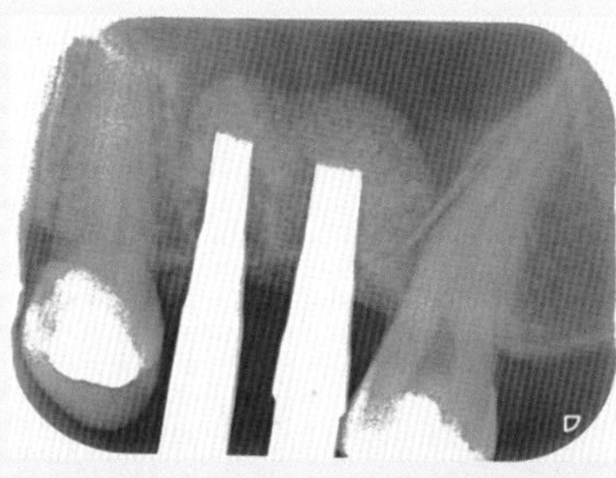

엔도포어 오스테오톰의 헤드 부분을 떼서 임플란트의 패쓰 및 이식된 골량을 체크해보는 모습

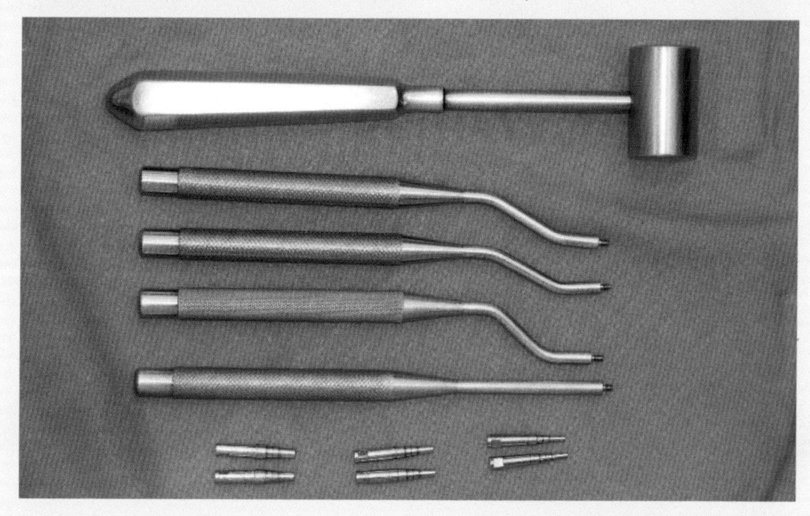

1.11 엔도포어 임플란트의 오스테오톰은 헤드 부분이 분리되어 엑스레이를 찍을 때 사용할 수 있다. 필자는 이렇게 임플란트 방향뿐만 아니라 이식하는 골량을 가늠해보기도 했다.

2-3장 어버트먼트의 분류와 이해에서 보여줬던 엔도포어 케이스들이다(1.12). 이미 2002년부터 저렇게 해오다 보니 사이너스 래터럴 수술에 대해서 큰 관심이 없게 되었다. 지금은 같은 술식에 임플란트만 일반 임플란트로 바뀌었다고 생각해도 된다. 필자 강의 중에 가장 인기 많은 사이너스 엘레베이션 파트이다.

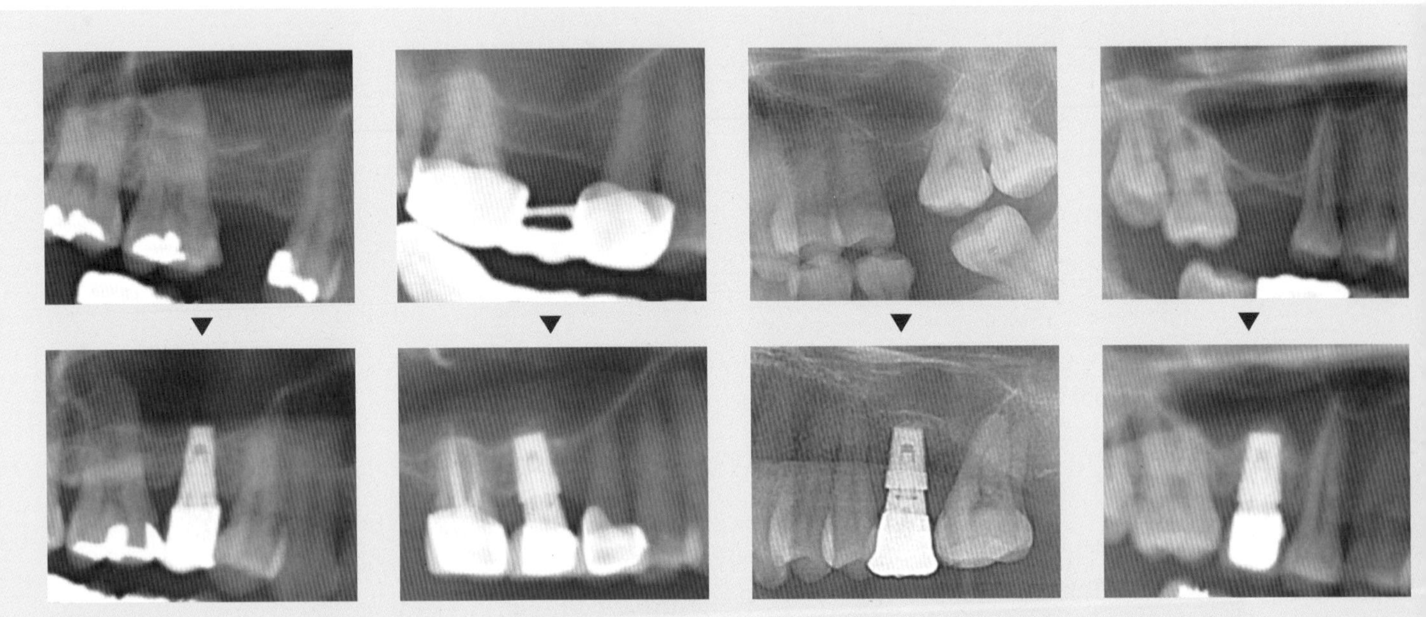

1.12 필자가 플랫폼 스위칭을 설명할 때 보여주는 엔도포어 케이스이다. 사이너스까지 골 높이가 적어도 크레스탈로 어프로치하여 골이식 후 식립하였다. 지금보면 당연한 것처럼 보이지만, 예전에는 신기에 가깝다는 평을 들었었다.

1.13 다양한 형태의 엔도포어 임플란트 라인업

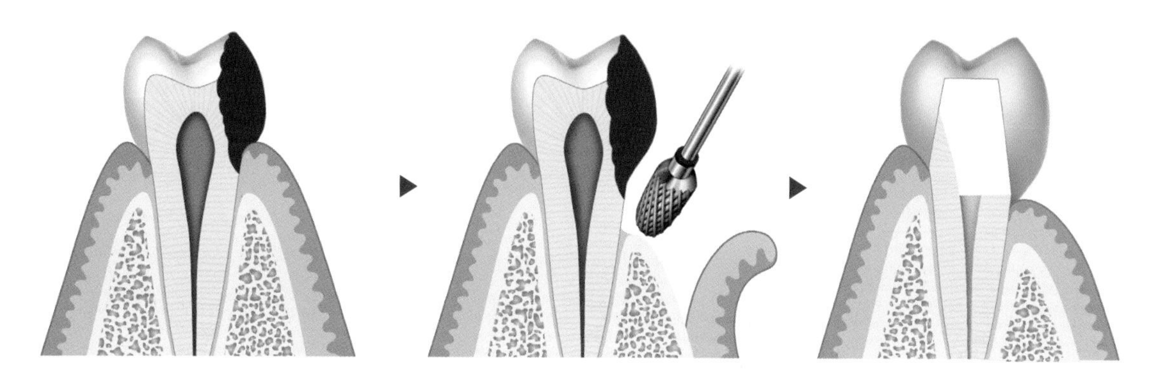

1.14 치관확장술(crown lengthening procedure)

그럼 엔도포어 임플란트는 왜 사라졌을까? Crown lengthening procedure에 대해 공부했던 기억을 되살려보자. 우리는 크라운 마진으로부터 2 mm 하방까지 치조골을 삭제해야 한다고 배웠다. 기본적으로 잇몸 공간 2 mm를 확보하기 위해서인데, 그렇지 않으면 우리 몸이 우리 몸을 보호하기 위해서 스스로 그만큼의 뼈를 흡수시켜 버리기 때문이다. 그렇다 보니 크라운 마진이 임플란트와 닿는 티슈레벨 임플란트는 진지발 하이트를 가장 낮은 1.8 mm로 만들었다. 엔도포어와 같은 어버트먼트 연결구조에 대해 노벨바이오케어의 external hexa type 임플란트의 경우, 식립 첫해에 1.5 mm 골흡수와 매해 0.2 mm 흡수는 실패로 보지도 않았다. 그나마 초창기의 external hexa type은 픽스처 바디 전체가 machined surface로 염증에 취약하지 않았다. 그러나 엔도포어 임플란트를 잘 보자. 임플란트 윗부분에 machined surface로 되어있는 면(엔도포어 회사에서는 SCR로 호칭)이 1 mm와 2 mm 두 가지가 있다.

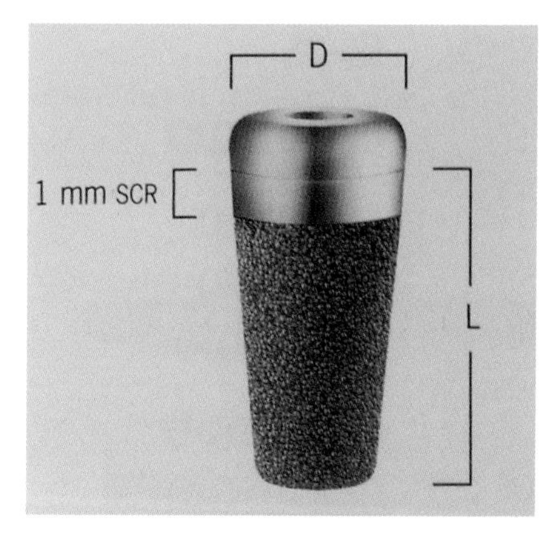

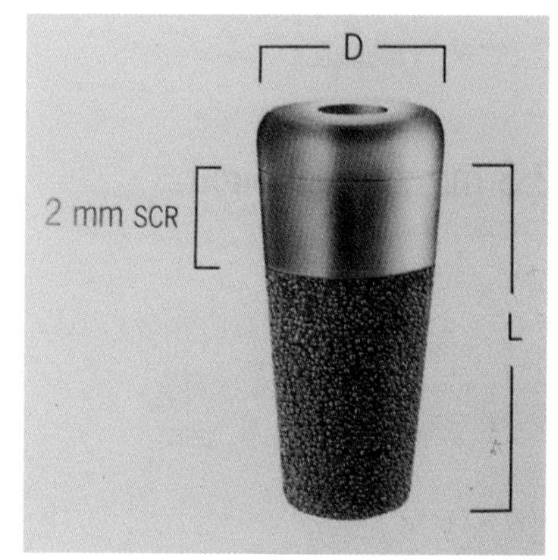

1.15

그럼 1 mm SCR 임플란트를 심었을 경우에 어떻게 될까? 임플란트 세팅 후에 바로 임플란트와 어버트먼트 사이에 마이크로 갭과 무브먼트가 생기게 되어, 우리 몸에서는 잇몸의 biologic width를 만들기 위해서 골흡수가 일어날 것이다. 그러는 와중에 골이 1 mm 내려가면 엄청나게 거친 임플란트 표면을 만나게 된다. 앞서 언급했듯이 거기서부터는 염증이 통제가 안 된다. 그래서 엔도포어 임플란트는 하나 둘씩 빠지게 되었다.

2005년 가을 엔도포어를 개발하신 교수님은 필자에게 2SCR 짜리에 7 mm 임플란트(rough surface 5 mm)만 심어야 한다고 강조했다. 2 mm는 건강한 진지바를 위한 공간이고, 뼛속에 들어가는 임플란트는 5 mm면 충분하다는 것이다. 지금 임플란트의 기본적인 철학과 거의 같다. 그러나 이미 전 세계적으로 수백만 개의 엔도포어가 심어지고 난 후이다. 우리나라만 해도 수십만 개가 팔린 것으로 알고 있다. 그래서 그분께 "긴 것도 필요 없고, 길면 치조골 흡수가 올 수 있어서 더 안 좋다면서 왜 12 mm 임플란트를 만들었느냐" 하고 물었더니, 그건 오로지 FDA 승인을 위한 것으로 긴 임플란트를 만들지 않으면 승인이 나지 않기 때문이라고 했다. 그럼 왜 SCR이 1 mm를 만들었냐고 물었을 때도 시원한 대답을 듣지 못했던 것 같다. 아마 본인도 external hexa type이 본로스가 심하게 온다는 것과 한번 시작된 염증이 러프한 서페이스를 만나면 얼마나 더 빨리 진행하는지를 몰랐을 것이다. 그러면서 대화는 정품 타이타늄 어버트먼트보다 골드 UCLA 어버트먼트를 더 추천하는 것으로 이어졌다.

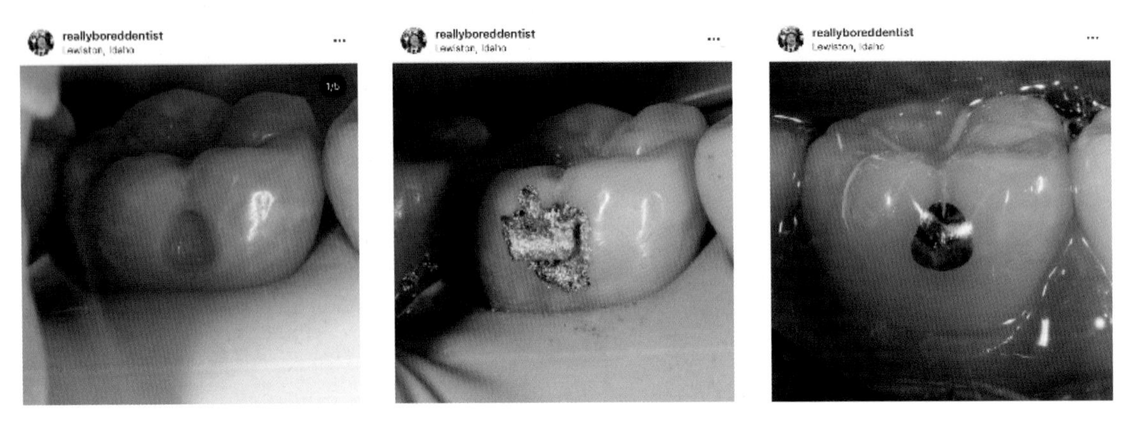

1.16 연성이 매우 좋은 금으로만 가능한 치료(미국 치과의사 조재우 선생님의 인스타에서)

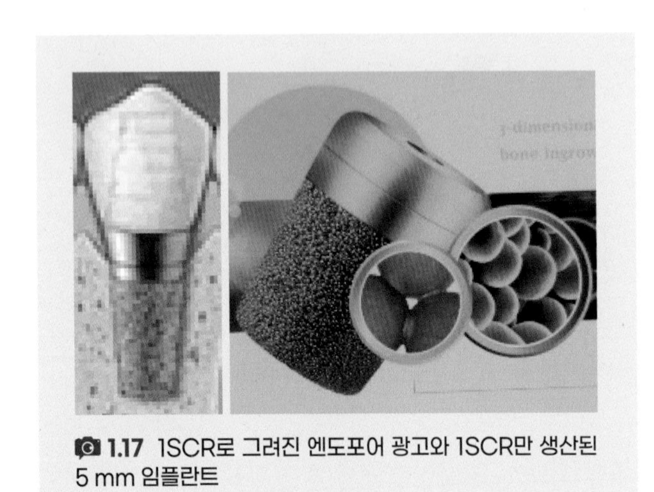
1.17 1SCR로 그려진 엔도포어 광고와 1SCR만 생산된 5 mm 임플란트

필자의 초창기 임플란트 케이스에서도 보았겠지만 골드는 적합도가 좋고 연성이 있어서 마이크로 갭과 무브먼트가 적다. 본인 말대로 2SCR을 가진 7 mm 임플란트를 골드 UCLA 어버트먼트를 이용해서 제작하면 문제가 거의 없다는 것이었다. 그러나 이미 때는 늦었다. 아마 개발자 교수님도 몰랐을 수도 있었을 것 같다.

다시 엔도포어 임플란트 포스터를 보면 1SCR 짜리로 어버트먼트도 정품 기성 어버트먼트이다. 필자는 지금도 엔도포어 임플란트가 생산된다면 사용할 용의가 있다. 적절한 곳에 알맞게 사용한다면 정말 좋은 임플란트라고 생각된다. 특히나 여러 가지 면에서 필자나 치과계에 기여한 바가 큰데, 한두 가지 맹점을 간과한 것이 너무 아쉽다. 그래도 필자는 엔도포어를 개발한 교수님을 대단한 혁명적인 임상가로 평가하고 싶다.

하버드 ITI 코스 이야기

필자가 토론토에 머물면서 기본적으로 숏 임플란트에 우호적으로 돌아서고 있던 시절, 하버드대학에서 ITI (스트라우만)와 함께 임플란트 세미나가 열린다는 소식에 함께 있던 한국 선생님들과 여행 겸 같이 가기로 했다. 가족과 함께 온 분들은 모두 비행기를 타고 미리 도착하여 구경을 한 후 학회에 참석한다고 했다. 마침 필자와 같은 하숙집에 모 대학병원의 교수님의 레지던트가 말년 차에 휴가 겸 토론토 대학에 한 달 동안 파견을 와 있었다. 우리는 용감하게도 차를 몰고 가보자고 계획을 했다. 학회는 월, 화, 수요일 3일이었고, 우리는 일요일 저녁 6시에 토론토에서 차를 렌트해서 출발한 후, 둘이 번갈아 가면서 운전해 월요일 아침 9시 30분에 보스턴의 하버드대학에 도착하였다. 시작 시간보다 30분 늦게 도착했지만 학회는 들을 수 있었다. 그때만 해도 젊긴 젊었나 보다.

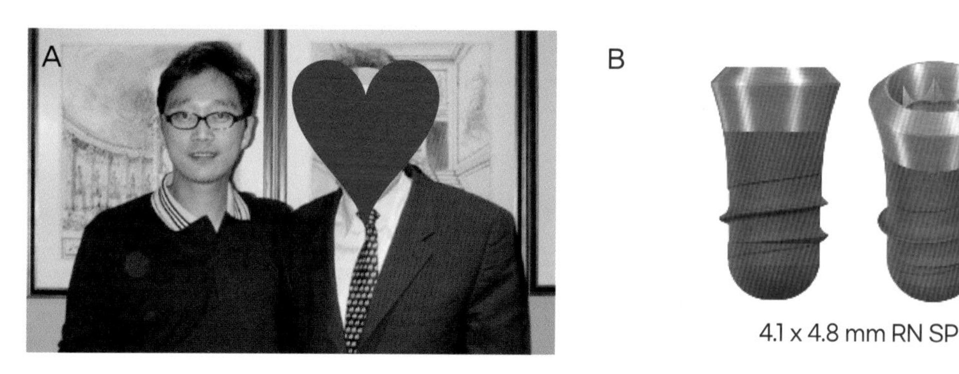

1.18 A: 2005년 11월 하버드대학의 담당 교수님과 함께, **B**: 스트라우만의 레귤러 사이즈 6 mm 스탠다스 플러스 (smooth surface 1.8 mm) 임플란트

당시 하버드대학의 담당 교수님께서 강의를 수강생들에게 직접 보여주는 라이브 서저리를 진행하셨는데 상악 1소구치를 심다가 사이너스가 뚫렸는지 뭔가 이상이 있어서 원래 계획했던 임플란트가 아닌, 그보다 짧은 4.1 직경의 6 mm 임플란트로 마무리 되었다. **1.18B**에서 보듯이 스트라우만 6 mm는 쓰레드가 거의 없는 원통형 임플란트에 가깝다. 더구나 1소구치라서 심미적인 면을 고려하여 1.8 mm machined surface를 갖는 스탠다드 플러스 픽스처를 사용하였다. 그럼 쓰레드가 정말 더 없는 그냥 실린더형 임플란트나 마찬가지였다. 어쨌든 "숏 임플란트도 아무 상관없고 기능하는 데 전혀 지장 없다"라는 말과 함께 서저리는 끝났다. 이후에 보철을 어떻게 할 것이었는지는 필자가 알 수 없었지만, 그래도 그렇게 공개적으로 이야기할 정도였다니 나름 필자에게는 신선한 충격이었다.

필자가 한국에 돌아와서 바로 숏 임플란트를 심었던 것은 아니다. 굳이 큰 걸 심으려고 오버하지 않은 정도였다. 점차 필자 스스로 8.5 mm나 7 mm 임플란트를 심으면서도 아무 이상이 없다는 것을 알아가면서부터 좀 더 과감하게 숏 임플란트를 심어 나갔다. 그리고 구치부 뼈가 얇은 경우에 4.5에 8 mm 임플란트를 식립해도 싱글로 잘 기능하는 것을 보면서 점점 어금니에 4.5에 7 mm 정도까지 확대해 나갔고, 처음에는 브릿지로 시작해서 점차 싱글로 과감해져 갔다.

UCLA 치주과 이야기

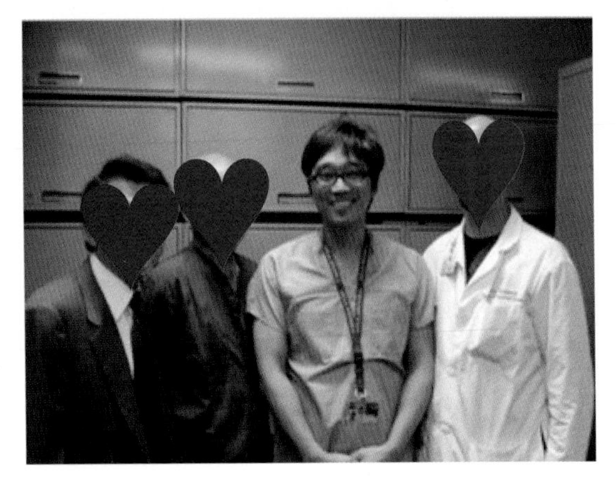

1.19 UCLA 치주과 교수님들과

1.20 2008년 1월 UCLA 카렌자 교수님과 함께

그러다가 다시 2007년 가을부터 2008년 봄까지 1년 정도 UCLA 치주과에 preceptorship으로 가게 되었다. UCLA 치주과는 치주학의 양대 거장 중 하나인 카렌자 교수님께서 계시던 곳으로 치주치료의 서저리 분야에서는 가장 권위 있는 곳이었다. 물론 실제 시설이나 내부는 명성에 비하면 크고 화려하진 않지만, 규모가 능력을 보여주는 것이 아니니까 말이다. 카렌자 교수님은 당시 이미 은퇴하셨지만, 치료받으러 오신 날 찾아가서 기념촬영을 하였다. 치주학의 양대 거장인 카렌자 교수님과 린데 교수님이 아직도 살아계신 걸 보면(린데 교수님은 2019년 돌아가셨다) 치의학의 역사가 얼마나 짧은지도 깨닫게 된다. 임플란트는 젊은 교수님이 맡아서 하고 있었다. 지금은 은퇴한 모 교수님이 그래도 연구실이 있는 교수로서 수련의들 강의를 진행했었고, 한국에도 유명한 한국계 모 선생님이 금요일 오전에 외래 교수로 오셨다.

UCLA의 임플란트 스타일은 좋게 말하면 보수적이고 나쁘게 말하자면 조금은 구식 같은 느낌이었다. 아마도 수련의들을 교육하는 기관이다 보니 원론적인 면에 더 집착하는 것이겠지만, 이미 임플란트를 많이 심어 본 필자로서는 왠지 우리와 문화적인 차이를 배우고 있을 뿐, 임플란트 자체를 배운다는 느낌을 받지는 못했다. 아마도 교수님은 진료하지 않고 오로지 지도만 하였고, 모든 진료는 수련의만 했기 때문이었던 것 같다. 이미 이때부터도 한국의 임플란트 진료와 교육 수준이 미국에 절대 뒤처지지 않는다는 느낌을 받았다. 거기서도 한국계 외래교수님이 가장 날렵하고 손이 좋았던 것으로 기억한다.

당시 UCLA에서는 일반적으로 뼈가 충분하면 굳이 짧은 것을 심지 않고 구치부는 10 mm 이상, 전치부는 12 mm 이상을 심었었다.

숏 임플란트 케이스 보기 1

필자의 케이스를 하나 보자. 2009년 3월, 한참 GS3를 많이 심을 때였다. 친형이 사업상 매우 중요한 거래처 분이라고 잘 부탁한다며 환자 한 분을 소개해 주었다. 50대 후반의 대기업 임원이셨는데, 오랫동안 하악에 국소의치를 장착하고 계셨다(📷 1.21). 그러나 사진을 보면 알 수 있듯이 44번 지대치가 완전히 나간 상태였고, 이제 국소의치는 싫으니 임플란트로는 안 되겠냐며 병원을 찾아오신 것이다. 환자의 진술에 의하면, 다른 치과에서는 큰 골이식이 필요하고 더 나아가 엉덩이뼈까지 이식해야 할 수도 있다고 했다 한다. 그건 너무 부담스러워서 못 하겠던 와중에 마침 필자의 형이 필자의 병원을 추천해 줘서 여기까지 오게 되었다는 것이다. 당시 필자는 숏 임플란트를 주로 심기 시작했기 때문에 이 환자에게도 숏 임플란트로 심어보기로 했다. 대구치에는 5.0 mm 지름의 임플란트를 심어야 한다고 생각했던 때이긴 하지만, 골폭이 너무 좁고 각화치은도 매우 적은 상태여서 4.5 mm 지름의 임플란트에 7 mm 길이의 임플란트를 심어서 마무리하게 되었다. 환자는 수술이 간단하게 끝났다고 기뻐하셨고, 필자도 만족하였다.

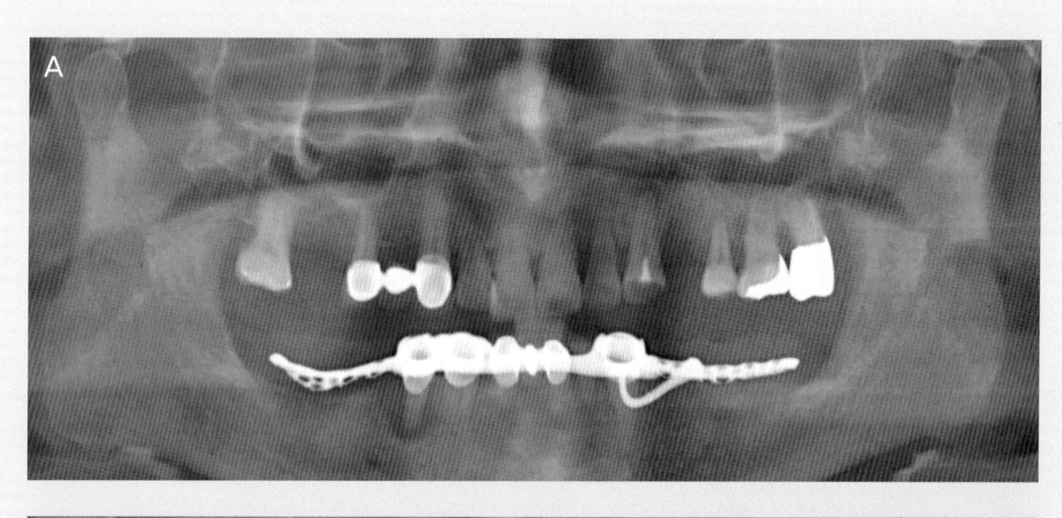

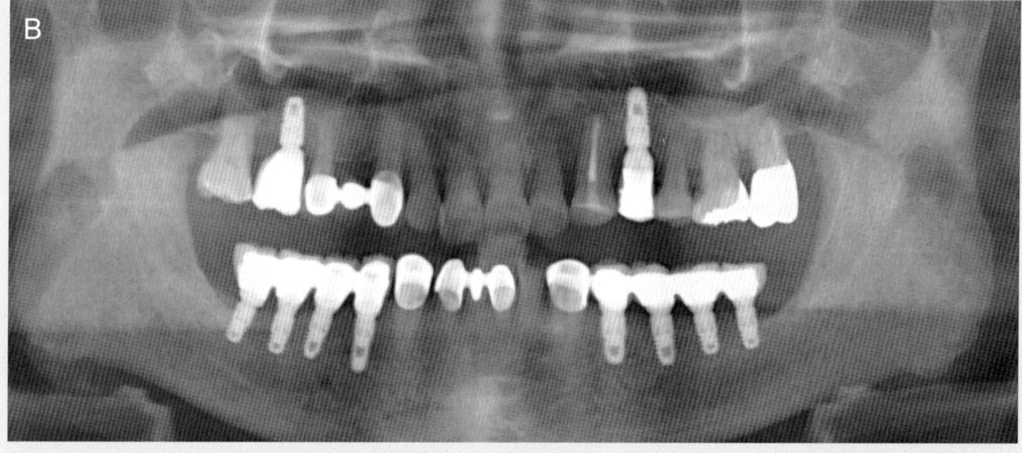

📷 **1.21 A**: 초진 내원 시 파노라마, **B**: 2009년 1차 치료 완료 후
16번 임플란트의 치경부 골소실이 좀 아쉽지만, 필자가 잘못 시술한 부분도 크고, 당시 치경부 골흡수로 논란이 많던 GS3 임플란트여서 그런가 보다 하고 넘어갔다.

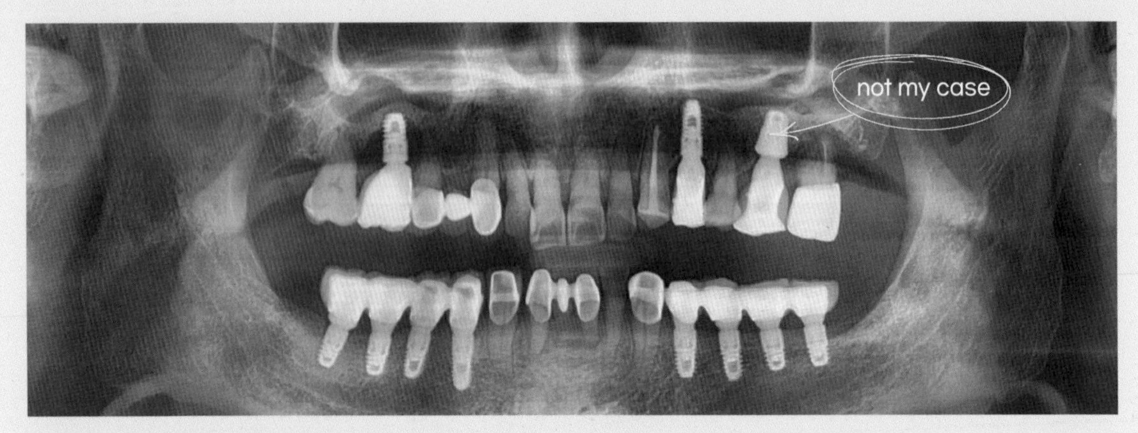

1.22 2017년 다시 내원하셨을 때

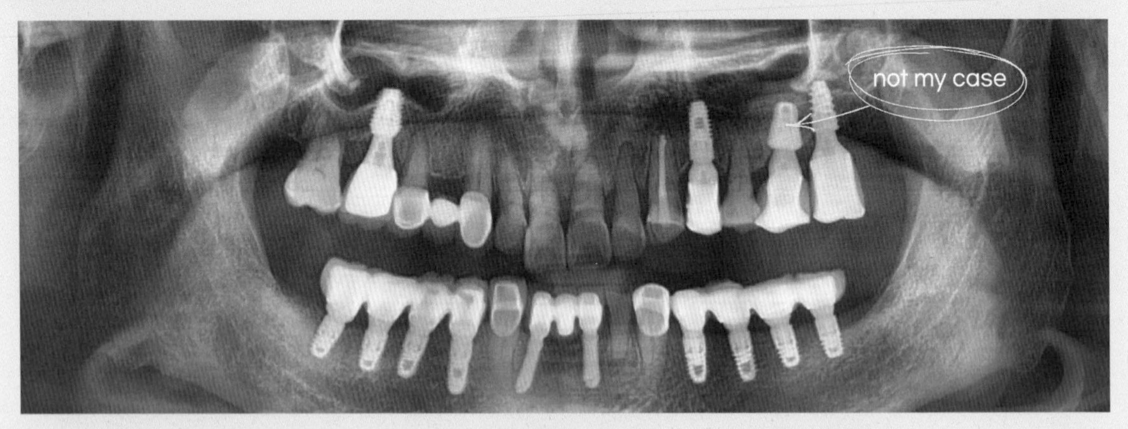

1.23 최근 2019년 하악 전치부까지 원바디로 마무리를 하였다.

1.24 환자의 요청으로 기념촬영을 하였다.

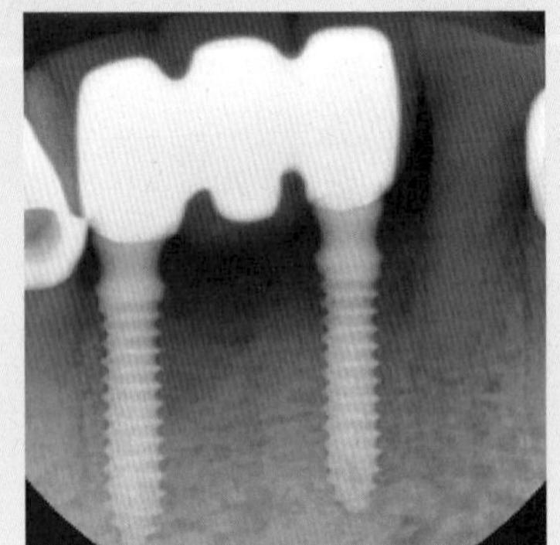

1.25 하악 전치부를 삐딱하게 심은 것 같지만, 파노라마 사진상의 오류이며 실제로는 매우 나란히 잘 심어져있다.

그 이후 환자는 8년 만에 필자의 치과로 다시 찾아오셨다(1.22). 환자는 퇴임 후 지방으로 내려가셨고 그 지역의 치과에서 임플란트를 하나 한 상태로 내원하셨는데, 결과가 마음에 안 든다며 다른 치료는 필자에게 받겠다고 하셨다. 그래서 최근 2-3년간 상태가 안 좋아지는 것 하나씩 순서대로 치료해 나갔다(1.23). 2009년 처음 보철물 완성 때부터 16번 임플란트 마이크로쓰레드 주변으로 본로스가 왔는데, 오스템 GS3는 치경부 본로스가 왔을 경우 그냥 그런가 보다 하며 습관대로 교체하였다. 환자가 지방에 거주하시는 관계로 상태가 안 좋아지면 가까운 치과에 가서 뽑고 본인이 생각할 때 '이쯤에 심으면 되겠다' 하는 타이밍에 서울에 올라와 수술을 하셨기 때문에 아무래도 적절하지 않은 시기에 임플란트를 심게 되다 보니 마음에 들지 않는 부분이 있다. 16번은 기존 임플란트를 발치하고 얼마 되지 않은 상태에서 내원하셔서 어쩔 수 없이 굵은 임플란트를 깊게 식립하였다.

숏 임플란트 케이스 보기 2

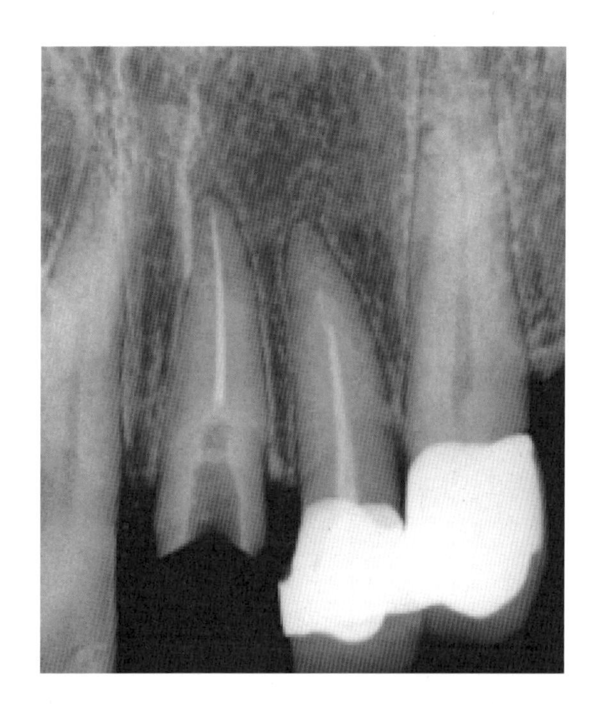

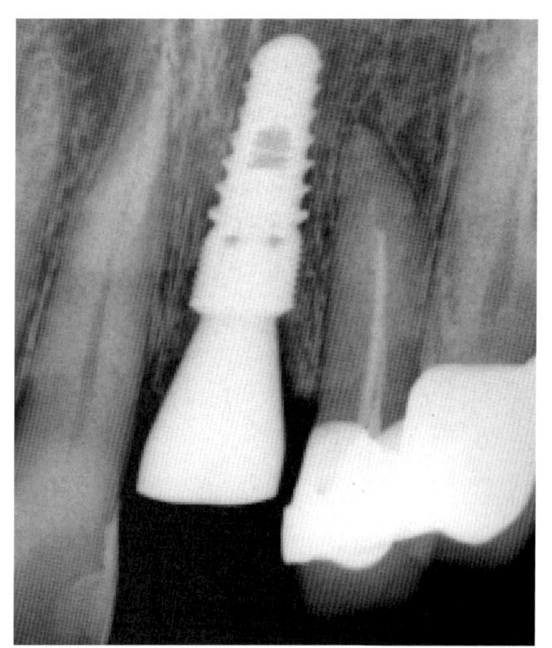

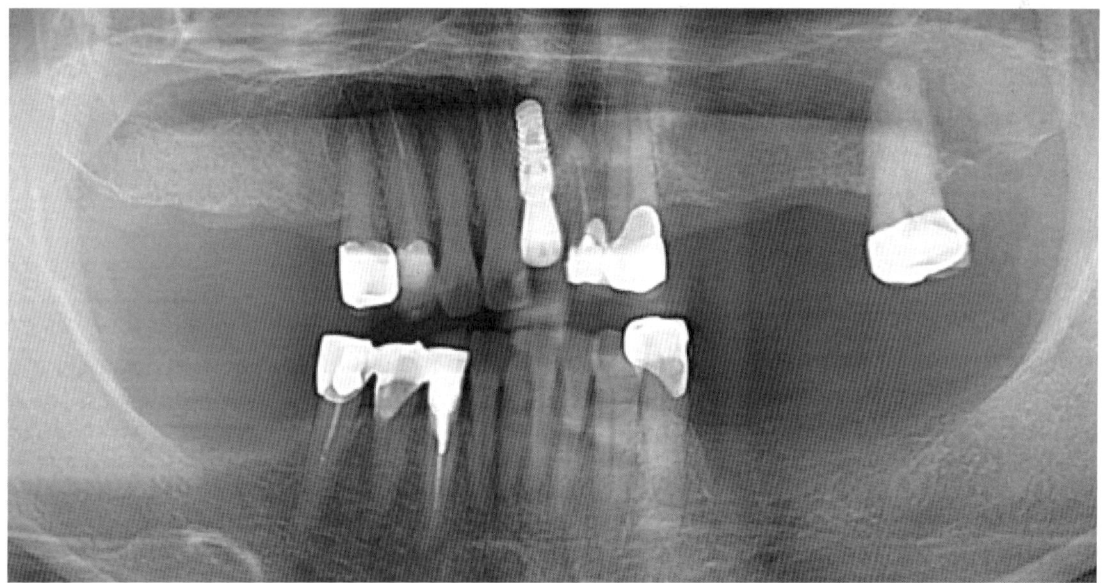

1.26 11번 임플란트 식립 직후 파노라마 방사선 사진

필자가 정말 기억하고 싶지 않은 케이스 하나가 있다. 2012년 케이스로 고등학교 후배의 장모님이시다(1.26). 사위의 추천으로 앞니 11번 임플란트를 하러 오셨다. 앞니 임플란트를 하는 김에 틀니도 오래 사용해서 너무 불편하다고, 사위를 졸라서 임플란트를 하기로 하셨다. 파노라마는 11번 임플란트를 하고 나서 구치부 임플란트 직전에 찍은 것인데, 어찌 된 것인지 초진과 앞부분 사진들은 남아있지 않아 아쉽다.

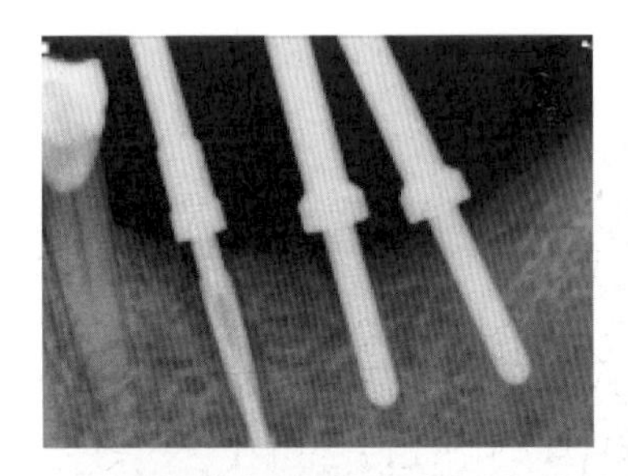
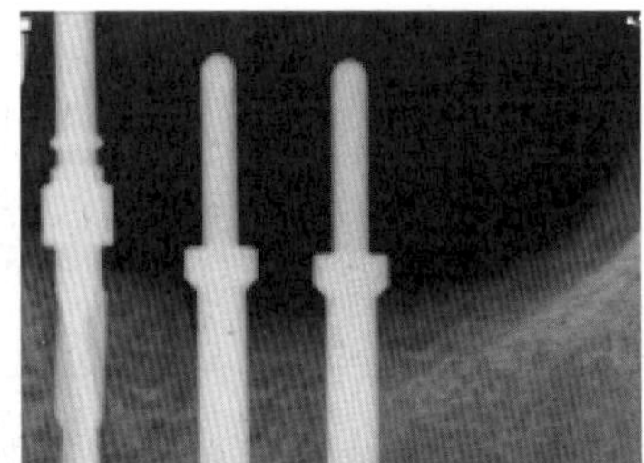
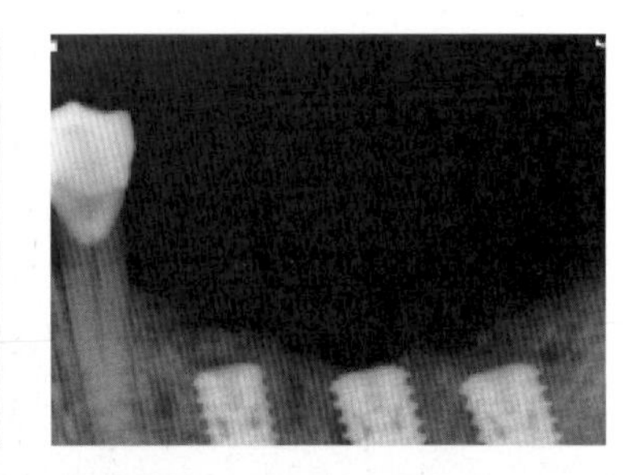
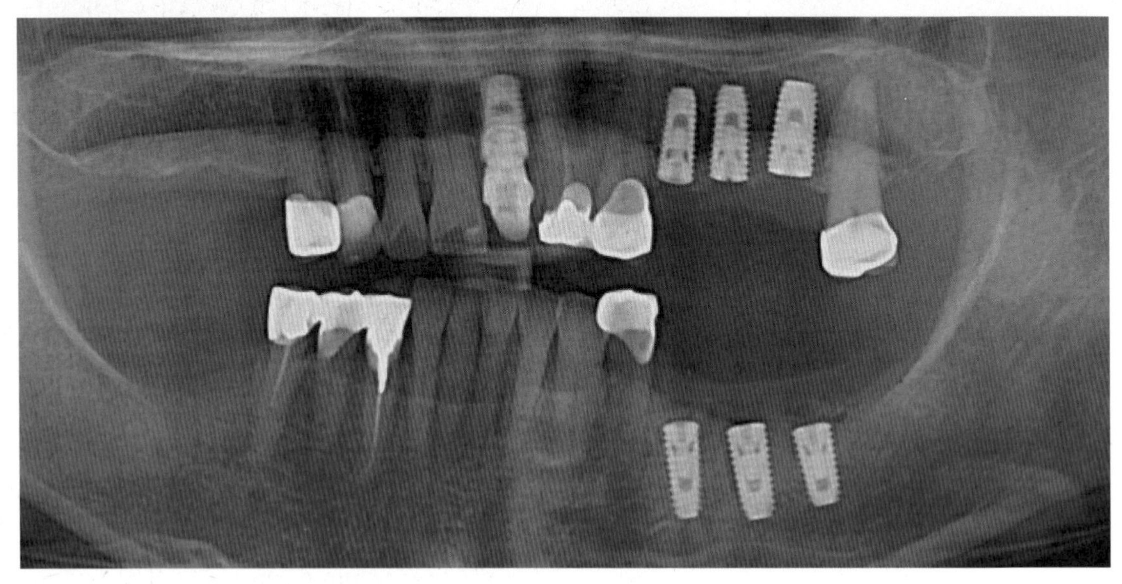

1.27 하악 좌측 식립과정 사진과 식립 직후 파노라마

좌측 구치부 임플란트의 식립 직후 파노라마 사진이다(**1.27**). 위는 모두 10 mm, 아래는 10 mm(35번), 10 mm(36번), 8.5 mm(37번)를 심었다. 대부분이 그렇듯 큰 실수가 있을 때는 뭔가에 씐 듯이 다른 데 정신이 팔려버린다. 엎친 데 덮친 격으로 직원들이 찍은 중간 과정의 PA 사진도 아래가 모두 잘려 있다. 아마 필자도 수술 도중에는 하치조신경관보다 위치와 방향에만 집중했던 것 같다. 드릴 또한 스타퍼가 없이 길이에 따라 눈금만 표시되어 있는 심플 키트이다. 필자는 최근 4-5년 전까지 눈금을 보고 심는 간단한 드릴 키트를 주로 사용하였다.

어쨌든 이 정도로 신경에 가깝게 심게 되면 환자들이 중간에 통증을 호소하기도 하는데 수술하는 동안 환자의 증상 호소는 하나도 없었다. 사진상에서는 아슬아슬하게 보이긴 하지만 환자가 불편함이 전혀 없다고 하여 이대로 수술을 완료했다. 대부분 힐링 어버트먼트를 바로 체결해서 1단계로 수술하지만, 환자가 우선은 쓰던 틀니를 계속 그대로 쓰고 싶어 하셔서 2단계로 하였다. 요즘 같다면 그래도 그냥 힐링을 올렸을 텐데 뭔가 문제가 생기는 날은 꼭 평소와 다르게 하게 된다. 다음날 드레싱을 할 때도 환자는 아무 말씀 없으셨다. 그런데 일주일 넘어서야 환자가 감각이상을 호소했다. 그래서 왜 처음에 말씀을 안 하셨냐고 여쭈었더니 지인도 임플란트를 했는데 감각이상을 겪었고, 본인도 증상이 똑같아서 그냥 원래 그런 줄 알았다고 하셨다.

그래서 우선 깊게 심은 것 중에 앞에 두 개를 제거하였다. 계속 증상이 호전되지 않아서 한 달 뒤에 37번 임플란트도 제거하였다(**1.28**).

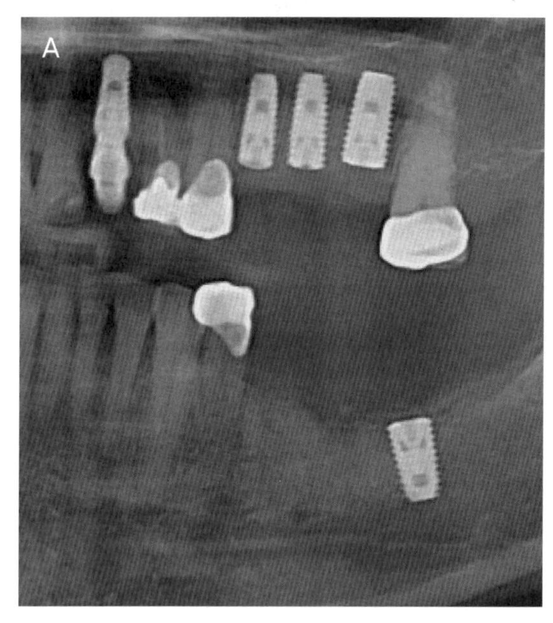

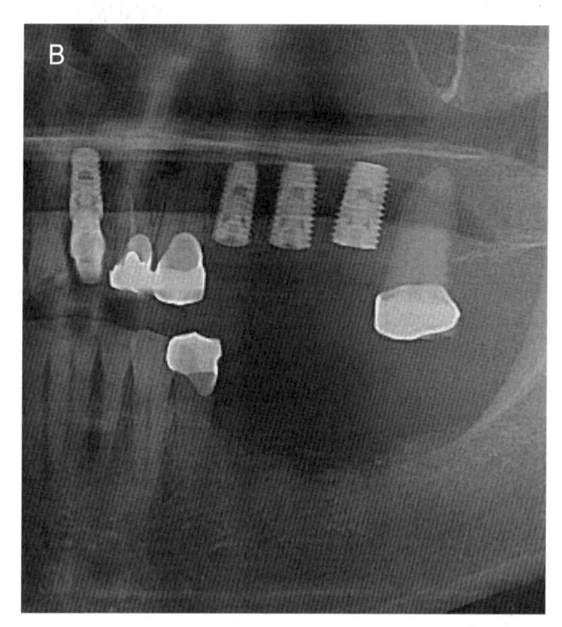

1.28 A: 임플란트 제거 후, **B**: 한 달 반 뒤 37번마저 제거 후

필자의 신경손상 케이스에 대하여

필자는 임플란트에서 두 케이스의 신경손상 환자가 있었다. 하나는 10여 년 전 야간진료 때 급하게 하악 소구치 부위를 식립하면서 발생하였다. 사실 발치한 지 얼마 안 돼 좀 더 기다렸어야 했는데도 좀 무리하게 욕심을 냈고, 초기고정이 안 나오자 좀 더 긴 임플란트를 심으면서 신경을 누른 케이스이다. 또한 너무 바빠서 중간 과정 엑스레이를 찍을 수가 없기도 했고, 안일하게 '이 정도면 되겠지'하는 생각도 없지 않아 있었다. 그리고 다음 케이스가 바로 이 케이스이다. 정말 두 케이스 모두 평소와는 좀 다른 환경에서 다른 방식으로 수술을 했던 경우들이다. 정말 뭔가가 잘못될 때는 잠깐 다른 사람이 됐었던 것 같은 느낌이 들 때도 있다.

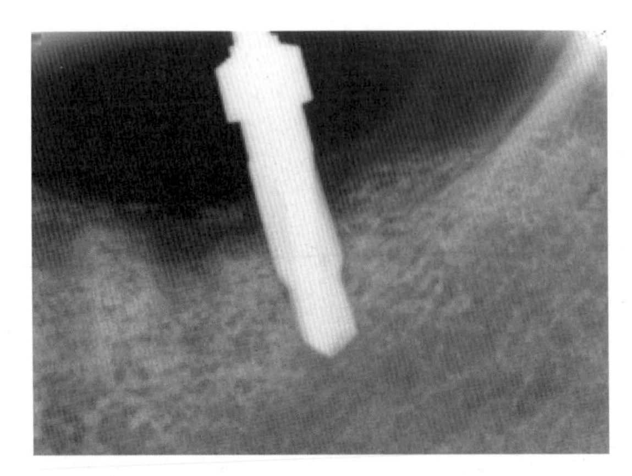

최종 드릴로 신경까지 거리 확인

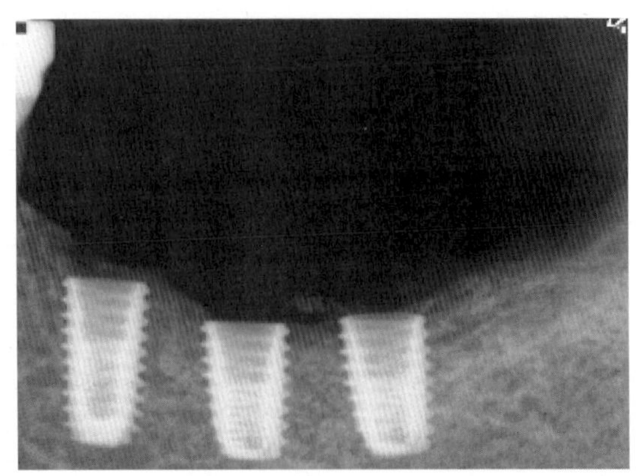

약간 덜 심고 신경과 거리 확인

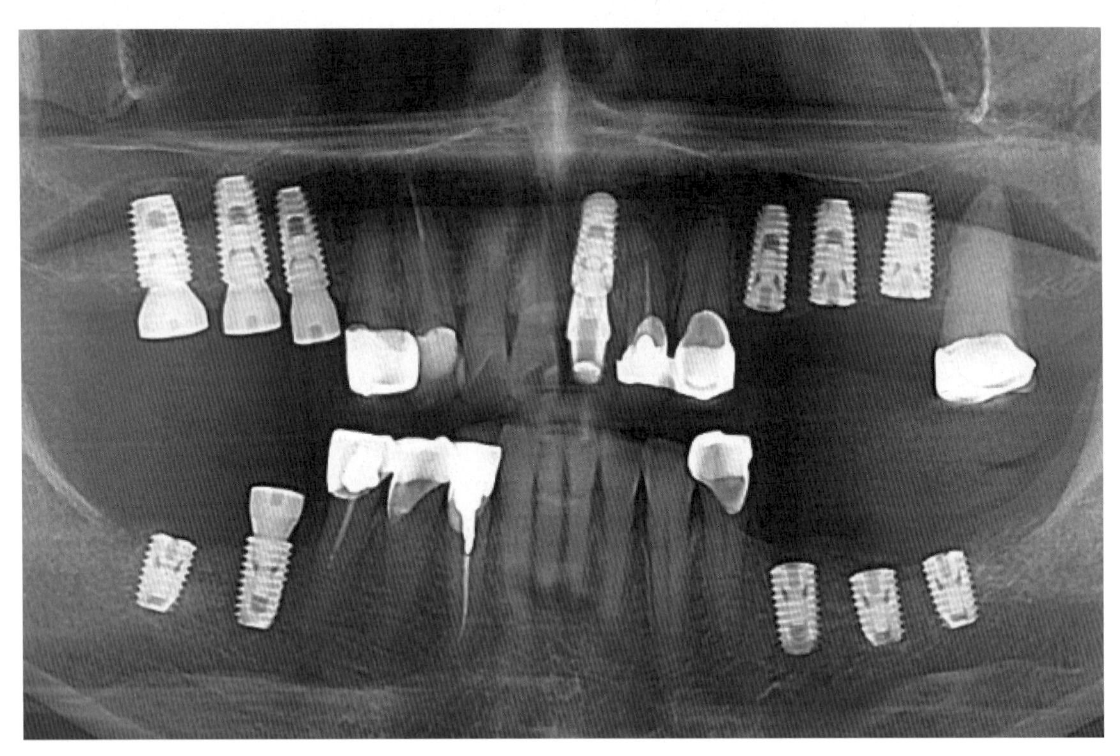

최종 식립 사진

1.29 6개월 후 30번대 식립 과정과 식립 후 최종 파노라마

다른 쪽 임플란트도 해야 하는 상황이라 우선 그쪽부터 끝내는 방식으로 진행하여 6개월 뒤에 재식립하였다(**1.29**). 이번에는 8.5 mm(35번), 7 mm(36번), 7 mm(37번)로 안전하게 평소처럼 중간에 엑스레이를 찍어가면서 심었다. 지금 와서 보면 '왜 처음부터 이렇게 하지 않았을까'하는 생각이 든다. 심지어 모두 싱글로 할 것도 아니고 브릿지라면 더욱이 그런데 말이다. 이날을 계기로 필자는 확실히 굳이 긴 것으로 심지 않기로 마음먹었다. 그러나 필자도 사람인지라 심을 때 뼈가 넉넉하면 좀 더 긴 걸 심고 싶은 충동이 있는 건 사실이다. 그러나 요즘은 이렇게 생각한다. 굳이 필요하지 않은데 **긴 임플란트를 심고 싶은 충동을 느낀다면 그것은 실력이 없는 것**이다. 충동을 억제하는 것도 실력이다.

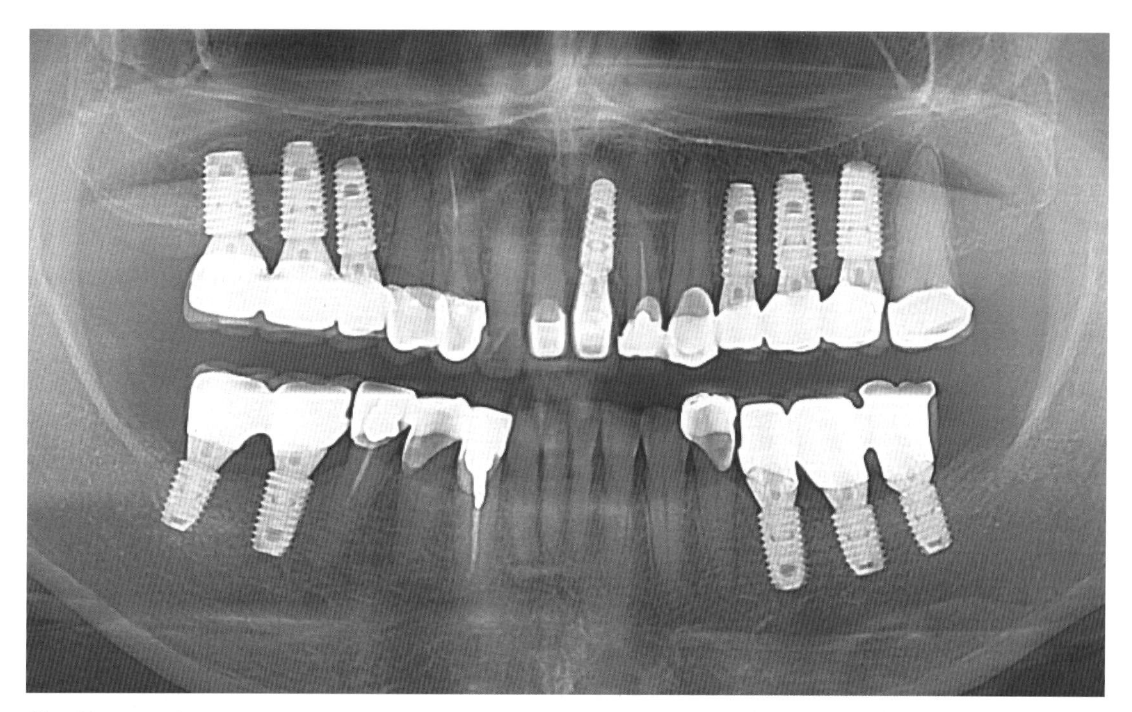

1.30 2014년 5월 8일, 최종 보철 후 사진

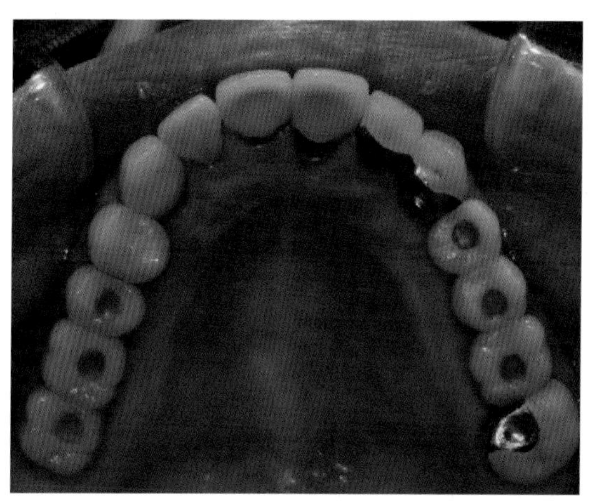

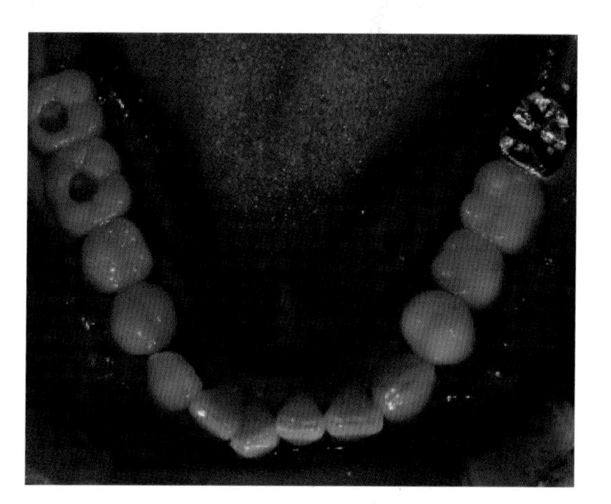

1.31 2015년 9월 1일, 1년 4개월 만에 팔로업한 사진

이 환자는 임시치아로 오랫동안 지켜보다가 2014년 2월이 되어서야 임플란트가 모두 완성되었다(1.30). 그 이후로 정기 검진에 오실 때마다 입술이 좀 불편하다고 이야기하셔서 이전에 있던 국소의치의 지대치 크라운을 하나씩 새롭게 바꿔드렸다. 2015년 9월에 촬영한 임상사진을 보면 22=23번 브릿지와 27번 크라운만 예전 것이 남아 있고 나머지는 모두 바뀐 것을 볼 수 있다(1.31). 가장 최근에 오셨을 때는 27번 포셀린이 거의 다 마모된 상태에 22번 지대치가 너무 보기 싫었지만, 23번과 브릿지로 연결되어 있어서 쉽게 건드리기가 부담스러워서 그냥 뒀었다. 그랬더니 또 날이 안 좋을 때마다 입술이 불편하다고 하셔서 그냥 다시 해드릴까 고민 중이다.

이 환자에게는 에피소드가 하나 있는데, 21번 임플란트 파이널 세팅 후 5개월 만에 낙상으로 인해 사진과 같이 앞니 두 개가 부러진 채 내원하신 것이다(📷 1.32).

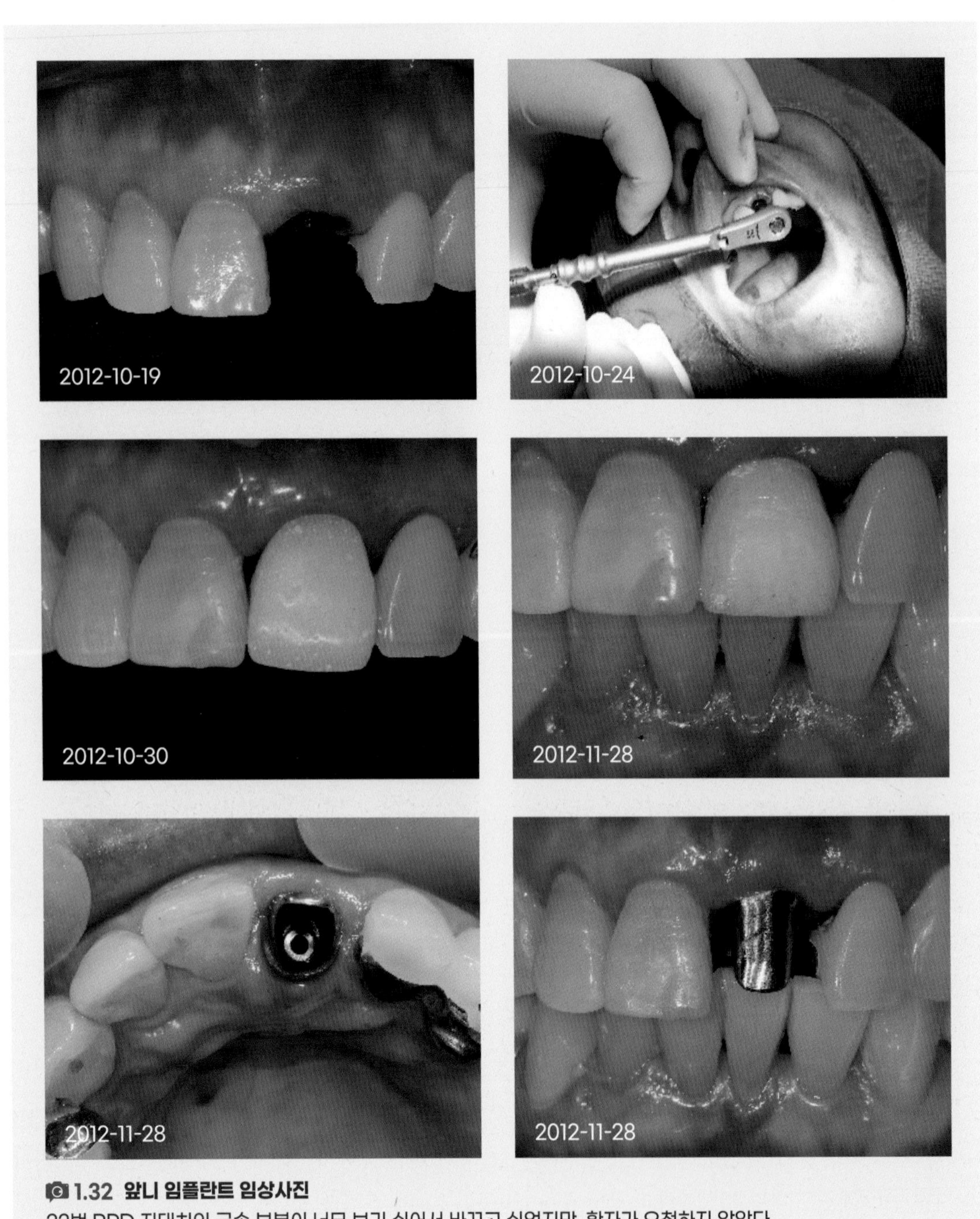

📷 1.32 앞니 임플란트 임상사진
22번 RPD 지대치의 금속 부분이 너무 보기 싫어서 바꾸고 싶었지만, 환자가 요청하지 않았다.

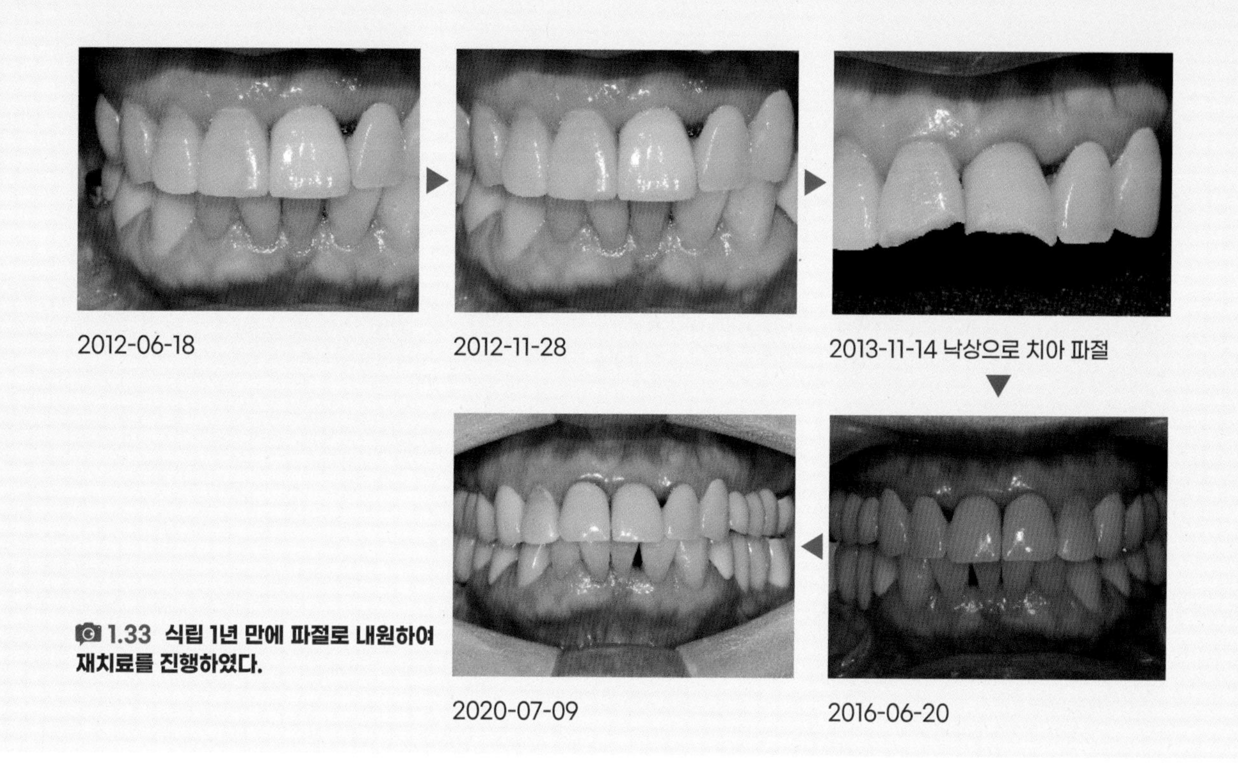

1.33 식립 1년 만에 파절로 내원하여 재치료를 진행하였다.

필자가 정말 놀랐던 건 이 정도의 충격으로도 식립일 기준으로 약 1년이 된 임플란트가 전혀 손상되지 않았다는 것이다(1.33). PFM 포셀린이 깨질 정도로 큰 충격이었는데 임플란트는 멀쩡하였다. 어쨌든 그렇게 앞니 두 개를 다시 하게 되었다. 22=23번 브릿지가 눈에 거슬리긴 하지만 거의 8년이 다 되어가는데 문제 없이 잘 지내고 있다.

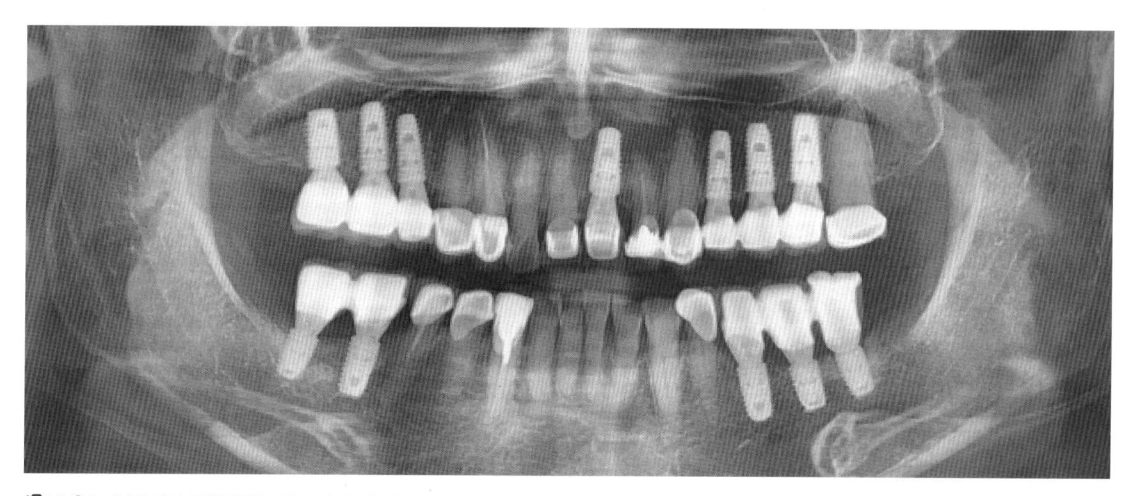
1.34 2020년 7월 최근 파노라마 사진

식립일 기준으로 7년 이상 된 임플란트들이지만 아직도 쌩쌩하게 잘 쓰고 계신다(1.34). 그런데 왜 그때는 굳이 긴 걸 고집했을까? 이제 왜 짧은 임플란트가 좋은지 차근차근 보도록 하겠다.

Implant court = 6 mm

Disponible uniquement sur les implants Ø4,8 et Ø6 afin d'offrir une surface de contact os/implant suffisante et de garantir la fonction d'ancrage.

L'utilisation des implants courts évite d'avoir recours à des greffes.

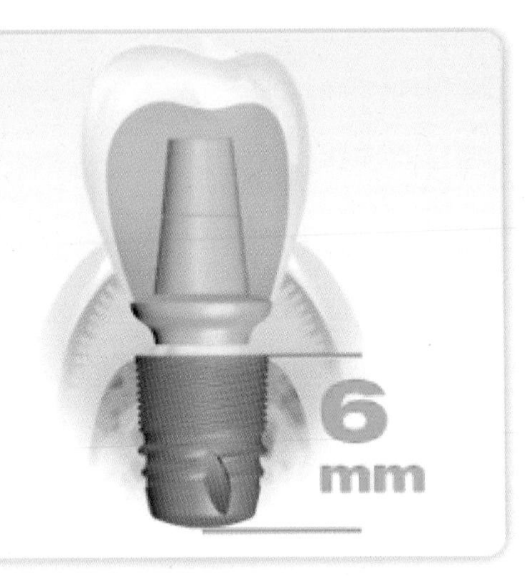

Implant court 5 mm

Design spécifique implant court
Microfilet
Corps entièrement fileté

Disponible unqiuement sur les gros diamètres d'implants (4,75 - 6) pour offrir une surface de contact os/implant suffisante et pour garantir la fonction d'ancrage

L'utilisation des implants courts évite d'avoir recours à des greffes

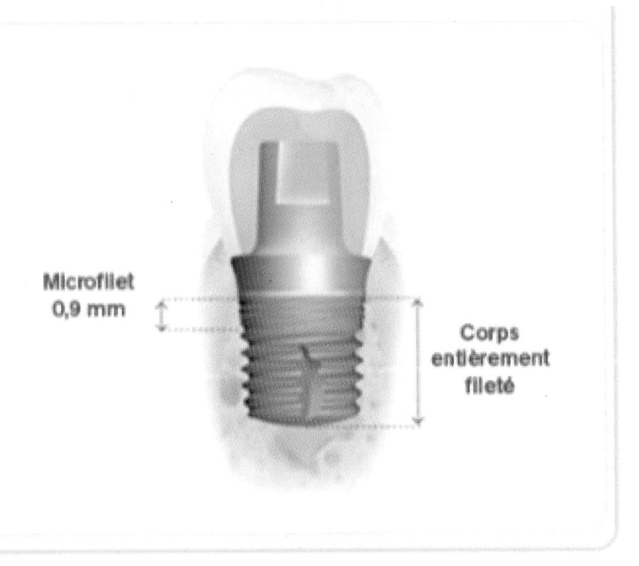

1.35 프랑스 유로테크니카 임플란트 회사의 숏 임플란트

시간이 흘러서 요즘은 짧은 임플란트를 거의 모든 회사에서 만들고 있다. **1.35**는 환자의 21번에 사용했던 프랑스의 유로테크니카 임플란트라는 제품인데, 그 회사에서도 이미 이렇게 짧은 임플란트를 만들고 있었다. 예전에는 지름 6 mm 이상의 와이드 임플란트에서만 숏 임플란트가 가능한 줄 알았던 시절도 있었다. 그러나 이제는 일반적인 레귤러(4.0)에서도 숏 임플란트를 많이 하고 있다.

김영삼 원장

1.35 임플란트 포스터에는 약간의 문제가 있다. 아래 포스터의 임플란트는 external hexa type이기 때문에 아무래도 상부 2 mm 정도에 골 흡수가 발생할 수도 있어서 4 mm 임플란트라고 생각해야 할 수도 있다. 윗 포스터에서는 임플란트의 어버트먼트가 너무 짧고 굵은데, 이 부분은 **4-3장 임플란트의 깊이**, **7-1장 어버트먼트와 크라운의 형태**에서 다시 보도록 하자. 숏 임플란트를 심기 위해서는 상부 골흡수를 막는 방법도 함께 공부해야 한다.

숏 임플란트의 정의는?

숏 임플란트의 정의가 딱히 있을 리는 없다. 시대에 따라 변한다고 봐야 하나? 논문에 따라 자기 실험군과 대조군의 구분에서 정한다고 봐야 할 것이다. 예전 논문을 읽어 보면 15 mm 이상은 롱, 10 mm 이하면 숏이라고 정의하던 시절도 있었다. 지금은 굳이 정의하지는 않지만 어금니라면 10 mm **이상이면 롱 임플란트**라고 정의하는 게 맞다고 본다(필자가 "어금니라면"이라는 전제를 붙인 이유는 전치부는 임시보철물의 장착 등으로 장기적인 예후와 상관없이 좀 더 긴 걸 선호하기도 하기 때문이다. 물론 구치부도 이미디엇 로딩 등을 하기 위해서 하기도 하지만 말이다). 똑같이 어금니 기준으로 말한다면 필자는 5 mm 정도 이하일 때 숏이라고 봐야 한다고 생각하지만, 아직은 롱 임플란트를 선호하는 치과의사들이 많은 것을 감안하여 7 mm **이하부터 숏이라고 정의**를 하겠다. 우리나라 식약청에서도 7 mm 미만의 임플란트의 경우를 숏으로 간주하여 같은 회사의 같은 제품이라도 별도의 임상실험을 거쳐야만 허가를 내준다고 한다. 지름 5 mm 이상에서는 6 mm까지도 싱글 임플란트로 별도 임상실험 없이 허가 가능하다고 한다. 그래서 오스템도 4 mm, 5 mm 임플란트의 경우에는 총 길이는 6 mm하고 상부의 모양과 표면처리를 달리하고 있다.

우리나라 임플란트 회사들의 숏 임플란트 이미지이다(**1.36**).

Osstem

덴티스

▼ **SQ SHORT**

1. 표면처리 구간을 4/5/6mm 3가지 사양으로 적용함으로써 잔존골의 양에 따라 선택옵션 확보

2. 선명한 machined collar로 식립 깊이 조절의 시인성과 안전성을 높여주고, 안정된 연조직 반응을 통해 주위염으로 인한 골 흡수 방지
3. 공격적인 apex design으로 강력한 self-tapping과 초기고정 확보에 용이

네오바이오텍

구분	IS-II active Short				IS-III active Short		
이미지							
직경(Ø)	Ø5.0		Ø5.5		Ø5.0	Ø5.5	Ø6.0
길이(mm)	7.3mm				6.6mm		
Bioseal(mm)	2.3mm	1.3mm	2.3mm	1.3mm	-		

▲Short Fixture 라인업

덴티움

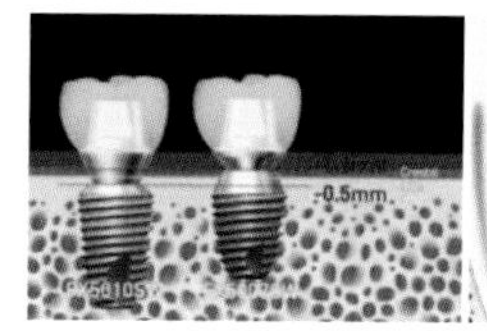

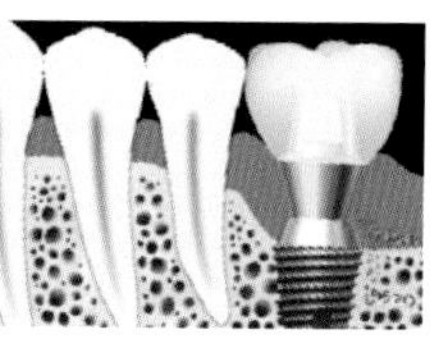

메가젠

"Special 7mm"
essential for special case

Bevel 2mm
5mm
Nerve

For Irregular Ridge

This 'Special 7mm' fixture can be used for non-uniform bone loss case with limited available vertical dimension.
Ø4.5, Ø5.0, Ø6.0, Ø7.0

7mm Implant

1.36 여러 회사에서 나오는 숏 임플란트들

숏 임플란트가 총 길이는 6-7 mm을 유지하는 이유

7 mm는 거의 모든 회사에서 모두 다 나온다. 앞서 언급한 바와 같이 7 mm는 이제 거의 숏이라고 인정하지도 않는다. 그렇다 보니 오스템에서도 7 mm보다 작은 사이즈를 엑스트라 숏이라고 표현하고 있다. 그런데 임플란트의 전체적인 모양을 보면 임플란트 전체 길이는 6–7 mm를 유지하면서 상부의 표면처리를 달리하는 방식으로 숏 임플란트를 만드는 것을 볼 수 있다. 여기에는 몇 가지 이유가 있다.

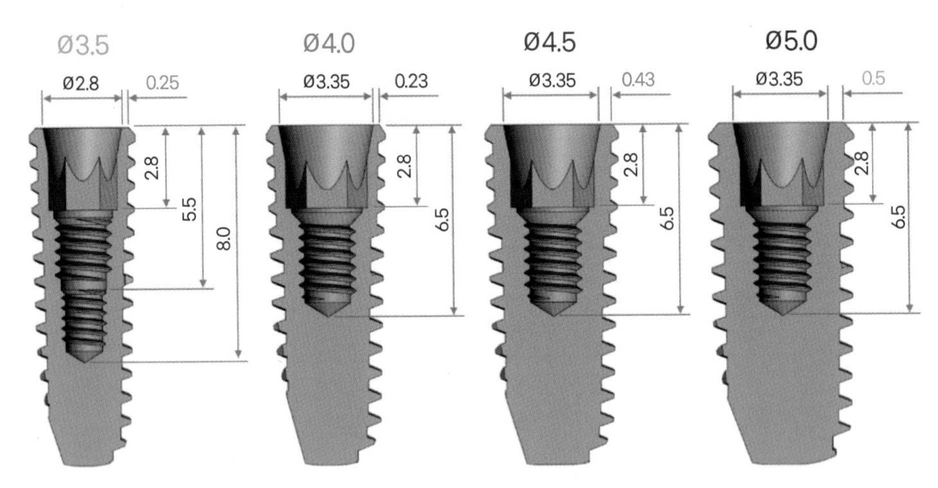

1.37 오스템 임플란트 내부 모식도

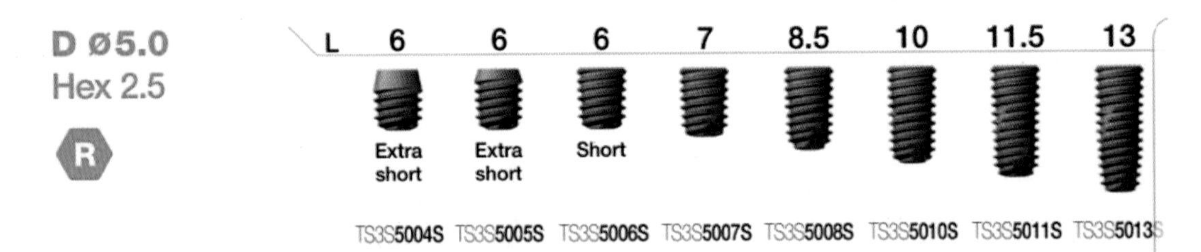

1.38 5.0 와이드 임플란트의 길이별 모양

김영삼 원장

1. 숏 임플란트는 KFDA에서 허가가 잘 나지 않는다. 아직도 보수적인 사람들이 많아서 굳이 허가를 잘 안 해주려 한다고 한다.
2. 요즘 임플란트는 internal friction type을 가장 많이 사용하는데, 예를 들어 오스템 임플란트의 경우를 보면 픽스처 내면의 깊이가 6.5 mm(직경 3.5 mm의 미니 사이즈는 7.6 mm)이다. 그렇다 보니 6 mm 길이의 임플란트를 만들 수가 없기 때문에 내부 사이즈를 5.7 mm로 줄이고, 4.0과 4.5 지름의 경우 여기에 상부 1 mm 정도의 쓰레드 모양과 표면처리를 달리하여 6 mm(엑스트라 숏)를 만든다. 어금니에 가장 많이 사용하는 5.0 지름의 경우에도 마찬가지로 실제 어버트먼트 스크류가 6.5 mm 바닥까지 들어가지는 않기 때문에 내부 구조를 조금 줄이고(5.7 mm), 내부 구조의 바닥도 편평하게 하여 6 mm 임플란트를 만들어 이것을 숏 임플란트라고 부른다. 그런데 그보다 더 짧아야 진정한 숏이라고 간주되므로 표면 1–2 mm를 표면처리를 달리하여 5 mm, 4 mm 길이의 임플란트를 만든다. 물론 공식적인 표기는 모두 6 mm라고 되어 있는 것을 보면 식약청 허가 요건 때문이 아닌가 생각된다.
3. 또 하나의 이유는 치과의사들의 심리를 이용한 것이다. 실제로 임플란트의 길이를 길게 표기해 주면 그걸 사용하는 치과의사들의 마음이 편하기 때문이다. 오스템의 5.0 지름의 4 mm 길이의 임플란트를 보자. 총 길이는 6 mm지만 4 mm만 뼈속으로 들어가도 된다는 마음으로 식립하면 된다. 더욱더 노골적인 덴티움의 숏 임플란트의 경우는 7 mm 중 상부 1.5 mm는 아예 상부의 표면처리를 없애버렸다. 그럼 이 임플란트는 5.5 mm 길이를 기준으로 심으면 될 것이다. 식약청에는 7 mm 임플란트라고 허가를 받아, 치과의사들에게는 7 mm 심었다는 안도감을 주면서 숏 임플란트로서 기능하게 하여 환자에게는 안전과 편안함을 주려한 것으로 보면 좋을 듯하다.

숏 임플란트와 Crown-root ratio

그래도 아직도 숏 임플란트에 대한 확신이 부족한 사람들이 있다. 우선 치주학 책을 거론한다. 그럼 치주과학의 거장 카란자 교수님의 저서를 보자. 필자는 1997년에 이 책의 여덟 번째 에디션으로 공부했다. 필자가 2008년 2월에 UCLA에서 카란자 교수님께 싸인을 받은 것은 10판이었다. 그 책을 보면 자연치에서 crown-root ratio는 치아의 예후에 매우 중요하며 이상적으로 1:1.5가 가장 좋고, 1:1까지는 받아들일 수 있다고 언급하고 있다. 펄크럼이 치근단 쪽으로 내려갈수록 제1형 지렛대의 효율이 높아져서 측방압에 의한 골소실이 올 수 있다고도 하였다. 뭐 누구나 치과의사로서 학교 다닐 때 영혼 없이 공부한 내용일 것이다. 어찌 보면 상식적이기도 하다.

2008년 같은 해에 출간된 칼 미쉬의 《Contemporary implant dentistry》를 보면 임플란트에서 crown-root ratio는 자연치에서와는 전혀 다른 방식으로 간주해야 한다고 언급하고 있다. 거기에 보태어 임플란트에서는 자연치와 달리 치근하방 2/3 포인트를 축으로 회전하지도 않고 임플란트 길이는 임플란트의 동요도와 무관하며, 측방압에 대한 저항에도 영향을 주지 않는다고 나와 있다. 임플란트의 crown-root ratio 관련 논문을 보자. 대부분 같은 결론을 내리고 있다.

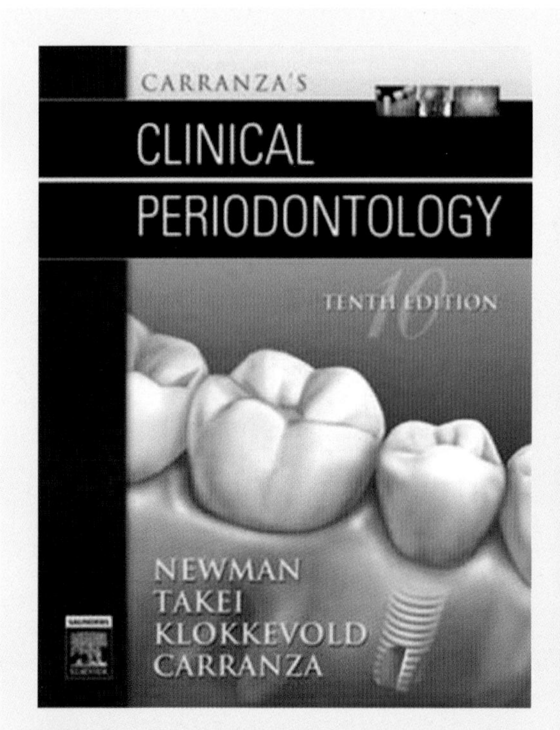

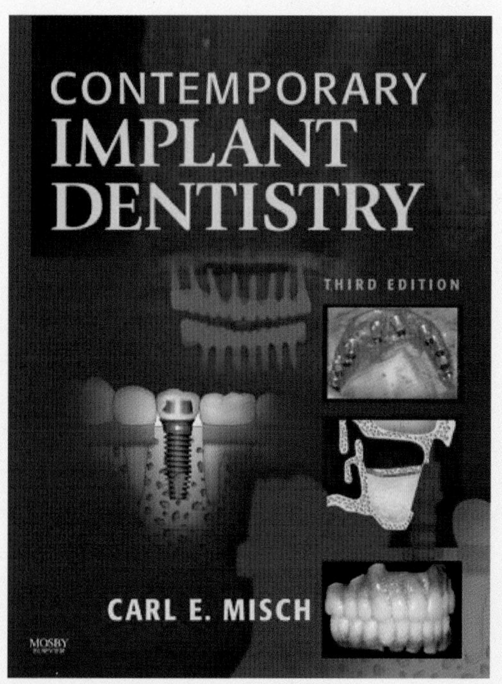

1.39 Carrenza의 《Carranza's Clinical Periodontology 10e》와 Carl Misch의 《Contemporary implant dentistry, 3e》

- **An Assesment of crown-to-root-ratios with short sintered porous-surfaced implants supporting prothesis in partially endentulous patients (2005) (International journal of oral and maxillofacial implants)**

  본 논문은 9–12 mm의 임플란트와 스플린팅된 임플란트에서 비해서 5–7 mm의 임플란트와 스플린팅된 임플란트에서 크레스탈 본로스가 적다. 본인들이 평가한 임플란트에서만 그럴 수도 있다고는 밝히고 있지만 본 논문의 결과를 살펴보면, 임플란트 crown-root ratio는 임플란트의 크레스탈 본로스에 별로 중요하지 않으며, 스플린팅 또한 임플란트에서 osteointegration이 잘 이루어졌을 경우 오히려 크레스탈 본에 본을 유지하기 위한 응력(stress)이 발생되지 않게 하기 때문에 크레스탈 본로스에는 오히려 안 좋을 수도 있다는 결과를 보고하고 있다.

- **High Crown to Implant Ratio as Stress Factor in Short Implants Therapy (2016) (Balkan Journal of Dental Medicine)**

  본 논문은 숏 임플란트의 대표주자인 바이콘사의 임플란트를 대상으로 연구한 논문으로 crown–root ratio는 임플란트의 성공과 crestal marginal bone loss와 전혀 상관이 없다는 내용을 담고 있다.

- **Crown-to-Implant Ratios of Short-Length Implants (2010) (journal of oral implantology)**

  본 논문은 crown–root ratio가 평균적으로 2:1정도 되는 싱글로 수복된 임플란트들을 대상으로 연구한 논문으로 결론은 임플란트의 crown–root ratio와 임플란트의 성공 여부와는 전혀 상관이 없다는 내용을 담고 있다.

현재까지 숏 임플란트의 성공률과 예후를 보기 위하여 임플란트에서의 crown-root ratio에 대한 다양한 연구들이 이루어졌는데, 논문들의 내용을 정리해보면 기존의 임플란트에서보다 작은 숏 임플란트의 성공률과 예후가 기존의 임플란트들과 차이가 없다는 내용이 주를 이루고 있다. 거기에 추가적으로 숏 임플란트의 경우, 롱 임플란트와 스플린팅된 임플란트들에서보다 크레스탈 본로스가 적다고 주장하는 논문들도 찾아볼 수 있는데, 차이가 없다는 논문도 많은 걸 봐서는 숏 임플란트 관련 회사에서 후원한 논문들에서 위와 같은 결과를 낸 것이 아닐까 하는 합리적 의심을 해본다.

논문들의 내용을 종합해보면 정확히 지켜져야 할 임플란트의 crown-root ratio는 아직 과학적으로 증명되지 못하였지만 임플란트에서의 crown-root ratio는 자연치의 기준이 적용될 수 없고 자연치에서와 다르게 고려되어야 하며, 추후 연구들을 통하여 임플란트에서 허용 가능한 crown-root ratio가 확립되어야 한다는 내용들을 담고 있다. 참고로 엔도포어 임플란트를 개발한 교수님은 2.5:1도 가능하다고 주장하셨던 것 같다.

숏 임플란트 케이스 보기 3

이제 필자의 케이스들을 보자. 46번 임플란트는 필자가 7 mm 임플란트를 심은 케이스들이다(1.40). 우선 17번은 7 mm 숏 임플란트지만 브릿지로 엮은 것은 숏으로 간주하지 않는다. 치아의 중간에 심은 것도 숏이라고 간주하지 않는다. 1.40C, D 는 필자의 페이닥터 케이스이다. 우리 치과에 들어오면 필자의 세미나를 의무적으로 들어야 하기 때문에 숏 임플란트에 대한 생각이 우호적으로 바뀌었을 것이다.

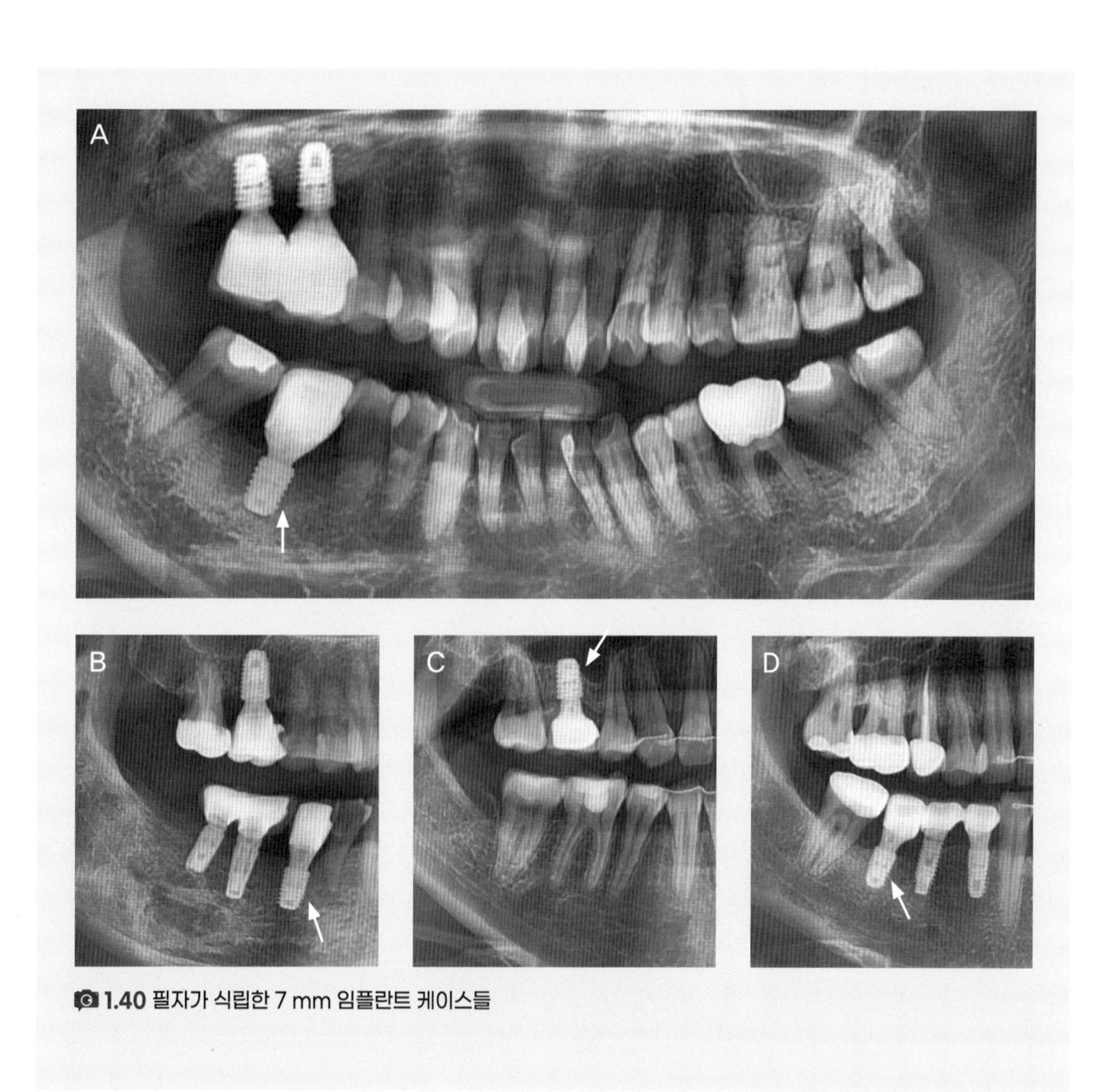

1.40 필자가 식립한 7 mm 임플란트 케이스들

숏 임플란트 케이스 보기 4

필자의 케이스를 하나 보자(📷 1.41). 25, 26번 부위에 7 mm 임플란트 두 개가 심어져 있다. 이것은 시기적으로 따로 심은 것들이지만 굳이 브릿지는 하지 않았다. 25번 먼저 4.5에 7 mm 식립하였고, 26번은 나중에 이전 타 치과에서 엔도를 했던 부분에 문제가 생겨서 발치 후에 임플란트를 시행한 것이다. 앞 치아도 SCRP 타입이지만 굳이 브릿지를 하지 않았다. 아마도 예전 같았으면 브릿지로 엮는 충동을 느꼈을지도 모른다.

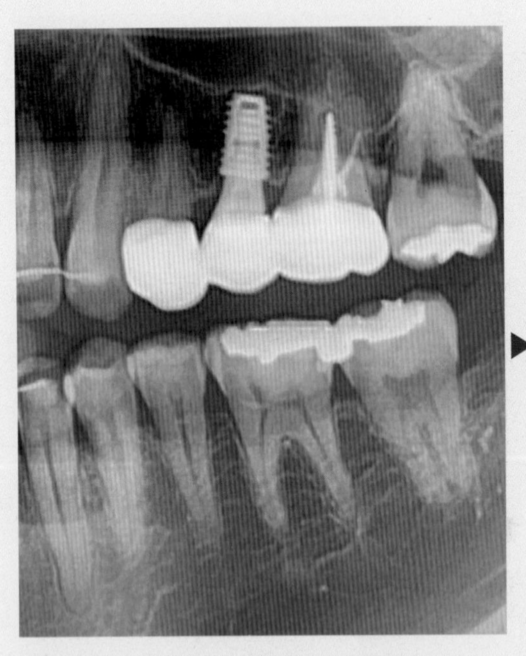

필자가 2년 전에 식립한 25번 7 mm 임플란트

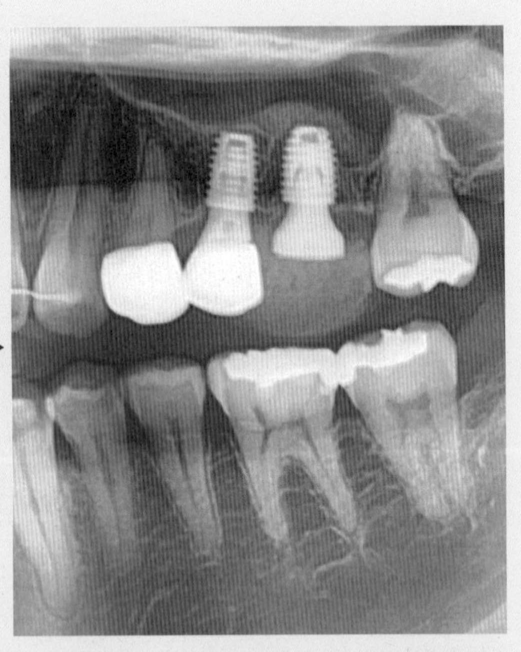

26번 임플란트 식립 직후. 통증으로 재근관치료를 시행하였으나 실패하여 보존과의사로부터 발치 진단을 받았다.

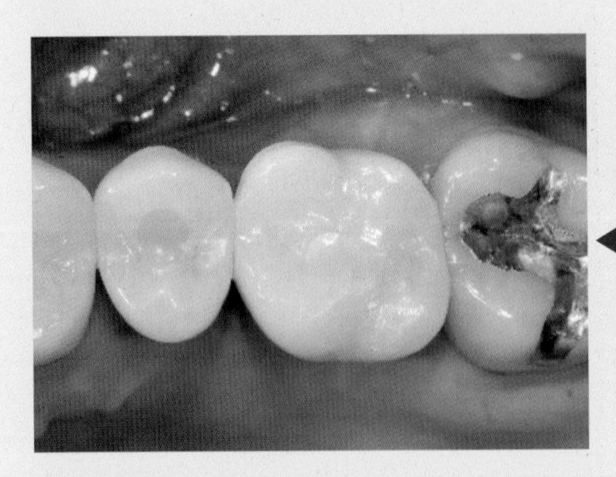

최종 임상사진. 스크류 홀의 위치를 보면 비교적 좋은 위치에 잘 심어진 것을 볼 수 있다.

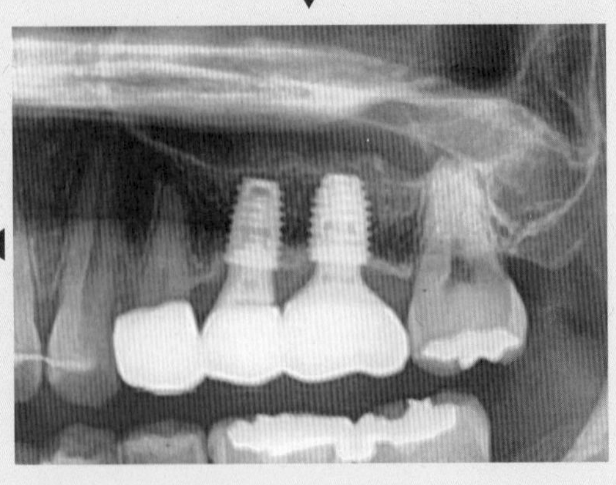

임플란트 크라운 세팅 직후 파노라마

📷 1.41 각각 싱글로 제작된 인접한 임플란트 케이스

숏 임플란트의 크라운 세팅 시 알아두면 좋을 것

며칠 전 필자가 휴일을 맞이하여 치과에서 환자 사진을 정리하며 이 책의 원고를 탈고하던 와중에 급한 전화가 왔다. 환자가 임플란트가 흔들려서 치과에 갔더니 임플란트를 빼야 한다고 했다는 것이다. 필자가 치과에 있어서 휴일이지만 바로 내원하라고 했다. 이후 진행 과정은 **1.42**와 같다.

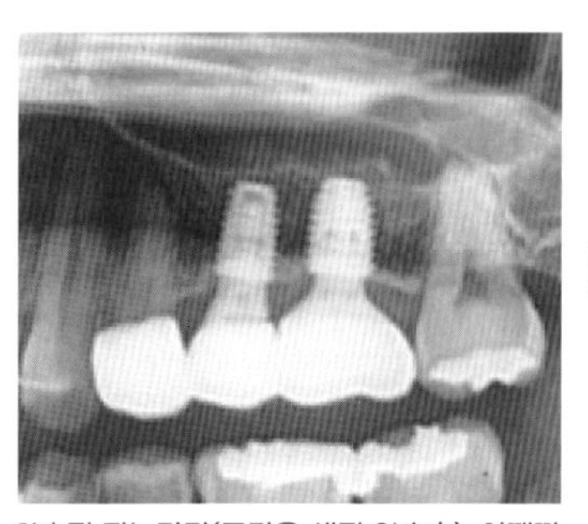

1년 전 파노라마(크라운 세팅 2년 후). 이때까지는 임플란트에 이상이 전혀 없었다.

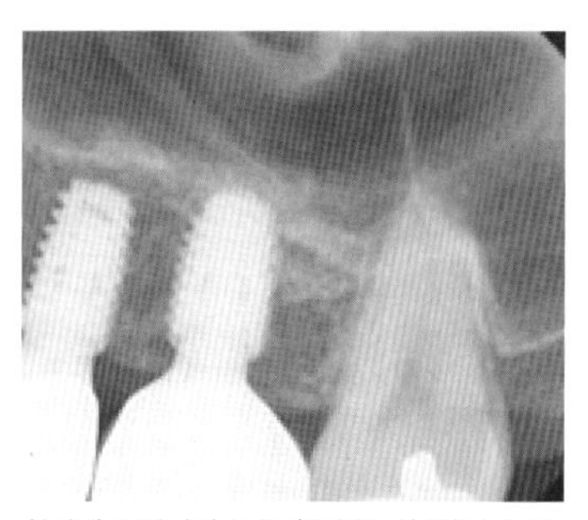

치과에 오자마자 표준 촬영을 시행하였다. 26번 임플란트 크라운은 흔들리지만 골소실 소견도 없었고, screw loosening으로 보였다.

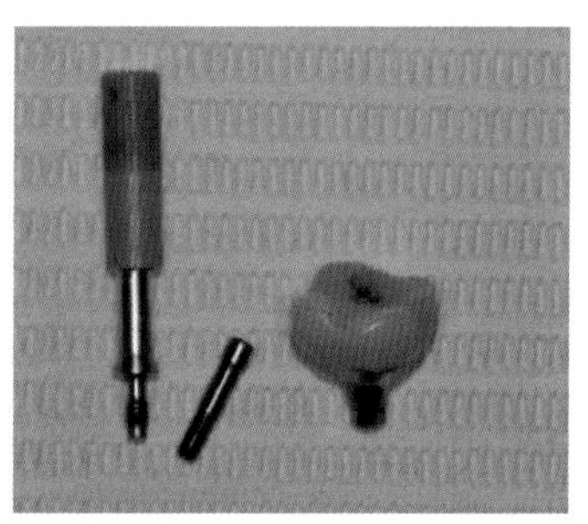

혹시 몰라서 크라운 제거 후 ISQ를 측정해보았다. 87로 정상적으로 나왔다.

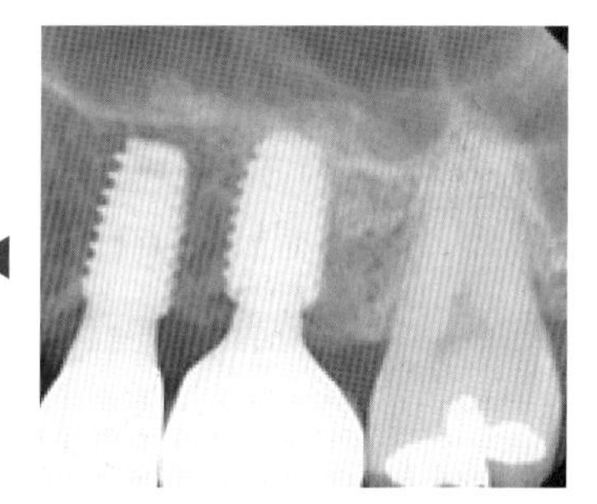

그래서 다시 35N으로 재장착하였으나, 여전히 임플란트 크라운이 틸팅되었으며, 방사선 사진상에도 확실히 임플란트와 어버트먼트 사이의 갭이 보였다.

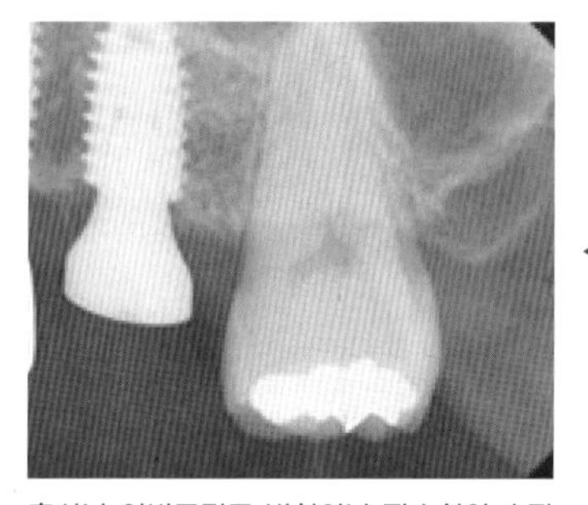

혹시나 어버트먼트 변형이나 픽스처의 수직 파절인가 싶어서 힐링 어버트먼트를 장착해봤더니 평소와 마찬가지로 잘 장착되었다.

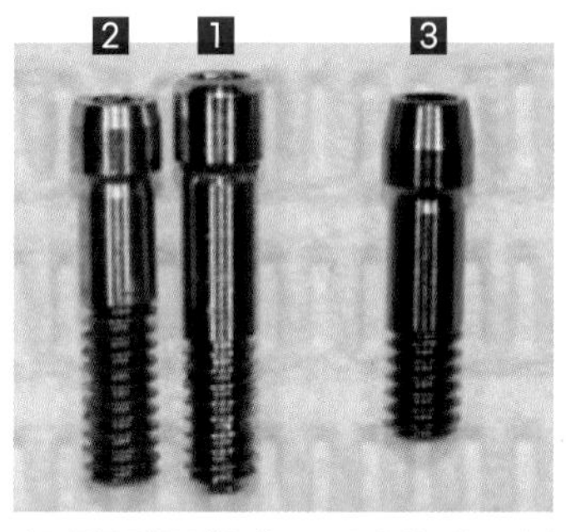

스크류를 다른 것(2번)으로 바꿔봤는데도 여전히 틸팅되었다. 그래서 스크류를 더 짧은 오스템 기성 어버트먼트용(3번)으로 바꿔봤더니 틸팅 없이 제대로 장착되었다.

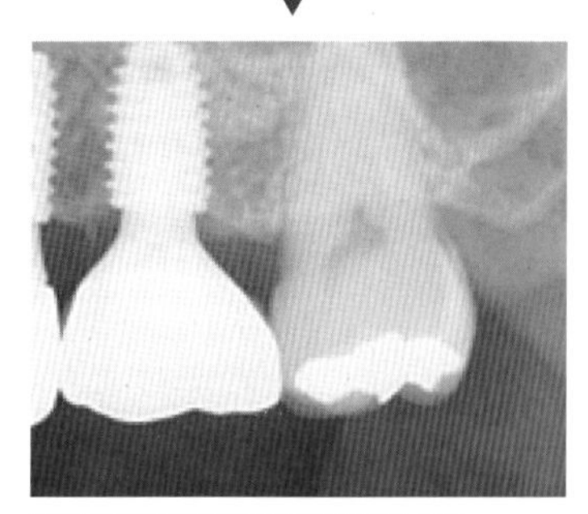

최종 장착된 어버트먼트와 크라운 모습
과도한 교합력으로 인해 스크류가 늘어나거나 휘어졌고 그로 인해 임플란트 바닥에서 스크류가 닿게 되었다. 참고로 임플란트는 신흥 루나 5.0에 7 mm 짜리이고, 크라운은 커스텀 어버트먼트를 전문적으로 하는 마이플란트 제품으로 나름 제대로 만들어진 것이다. 어쨌든 기공사는 임플란트의 길이를 모르기 때문에 숏 임플란트를 식립하는 경우에 이런 문제가 발생할 수 있음을 알아둬야 한다.
그러나 여기서 임플란트의 길이에 대해서 다시 한번 고민해 볼 필요가 있다. 이런 해프닝이 있었어도 각각 싱글로 제작된 이 두 임플란트들 모두 제대로 기능하고 있다. 골유착이 되고 난 뒤에는 임플란트 길이는 절대 중요한 것이 아니라는 것을 명심하자.

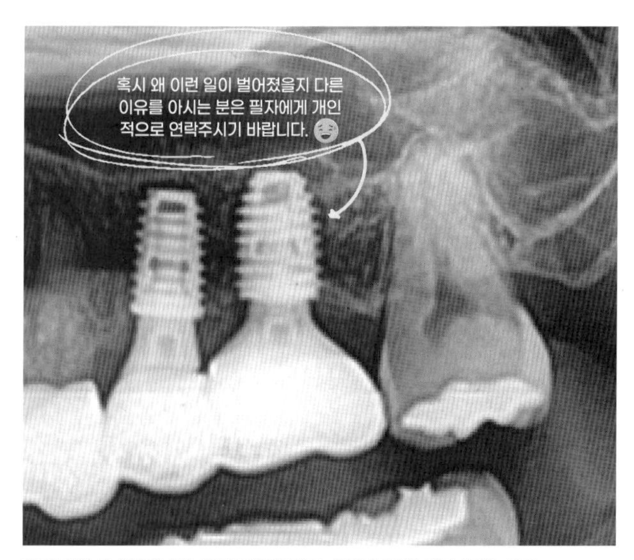

최종 장착 후 촬영한 파노라마 영상(크라운 세팅 후 16번-3년, 15번-4년)

1.42

임플란트 브릿지 or 싱글/싱글??

어금니 멀티플 임플란트에서 무조건 싱글/싱글로 각각 크라운을 해야만 정석인 줄 알고 있는 치과 의사들이 있다. 굳이 이유를 물어보면 이상한 이야기들을 한다. 말하는 내용도 대부분 근거가 없다. 장기적인 관점에서 임플란트의 실패는 대부분 기계적 파절에 의한 것인 경우가 많기 때문에 필자는 임플란트의 경우는 브릿지로 크라운(SCRP)을 하고 있다. 임플란트에 가해지는 과도한 교합력의 분산을 위한 브릿지가 아니라, 어버트먼트가 픽스처에 회전 토크를 주는 것을 막기 위해서이다. 그래서 필자는 두 개냐 세 개냐는 중요하지 않지만, 하나냐 두 개냐는 매우 중요하게 생각한다.

그러므로 4=5=6=7 이렇게 네 개를 심는다면 4=5와 6=7 두 개로 묶는 편이다. 5=6=7 이렇게 세 개를 심는다면 5는 싱글로 하고 6=7을 묶는 것이 일반적이다. 다만 필자가 몇 년 동안 사랑니 발치와 임플란트 수술만 해왔기 때문에 최근 케이스들은 크라운까지 한 경우는 거의 없다. 대부분의 환자들이 모든 진료를 필자가 해주길 바라지만 명확하게 선을 긋고 보철은 하지 않는다.

숏 임플란트 케이스 보기 5

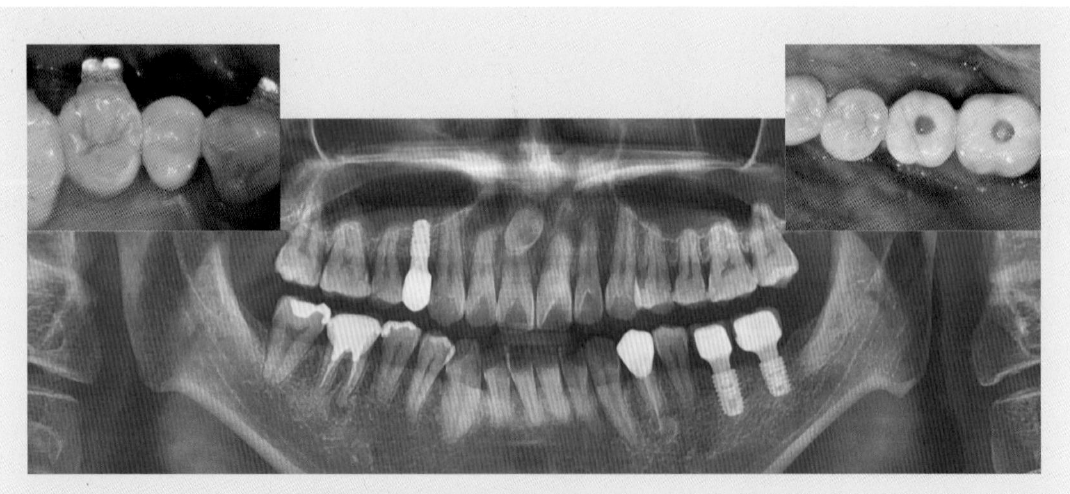

1.43 하악 37번이 7 mm 임플란트이고 크라운이 더 큰 싱글이지만 굳이 36번과 브릿지로 연결하지 않았다. 혹시라도 포셀린이 파절되어 다시 하게 된다면 그때 브릿지로 제작하는 것을 고민해 볼 것 같다.

필자가 가장 아끼는 직원의 오빠로 30대 건장한 남자 환자이다(**1.43**). 14번은 4.0에 7 mm를 식립하였다. 36번 치아가 빠진 지 오래되어 37번을 디스탈로 밀어서 간격을 만들고 36번 임플란트를 먼저 완성하였다. 그러나 결국 나중에 37번을 발치하느라 두 번에 나누어 36, 37번을 식립하게 되었다. 그러다 보니 36번은 소구치처럼 작지만 5.0에 8.5 mm 길이이고, 37번은 크라운이 매우 크지만 5.0에 7 mm 길이이다. 크라운 모양을 예쁘게 하기 위해서라도 제거하고 다시 크라운을 브릿지로 만들까 고민하다가 그냥 둔 케이스이다. 모양은 안 예쁘지만 기능하는 데는 전혀 지장이 없다. 예전 같았다면 최후방 숏 임플란트가 걱정되어 브릿지로 했을 것이다.

숏 임플란트 케이스 보기 6

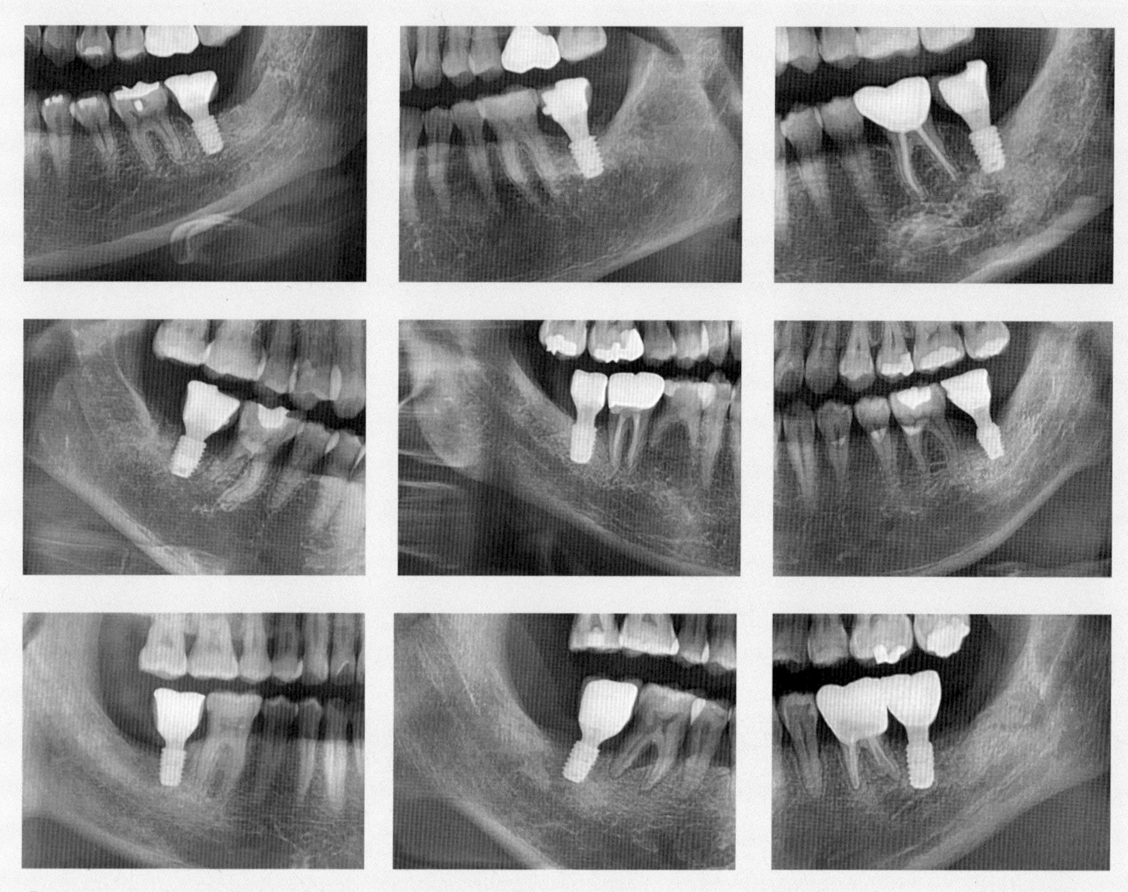

1.44 하악 최우방 대구치에 7 mm 임플란트를 싱글로 식립한 케이스

필자는 사랑니 발치를 많이 하기 때문에 최후방 하악 7번 임플란트 케이스가 많다. 더구나 8번이 문제가 돼서 7번을 뺀 경우는 골소실도 심하여 긴 임플란트를 심기 어려운 곳도 많다. 그래서 필자는 하악 7번에 숏 임플란트를 많이 사용한다. 하악 최후방 대구치에 7 mm 정도 심어야 숏 임플란트라고 말할 수 있지 않을까 생각해 본다. 위 케이스들은 필자가 2017년에 임플란트의 길이에 관한 강의를 준비하면서 정리한 케이스들이라 대부분 2017년 이전에 식립된 것들로, 책을 쓰고 있는 2021년 5월까지도 문제를 일으킨 케이스는 단 한 케이스도 없다. Peri-implantitis가 생긴 케이스도 하나도 없는 걸 감안하면 오히려 장점이 더 많은 것은 아닌가도 고민해 본다.

숏 임플란트 케이스 보기 7 (상악 최후방 7 mm)

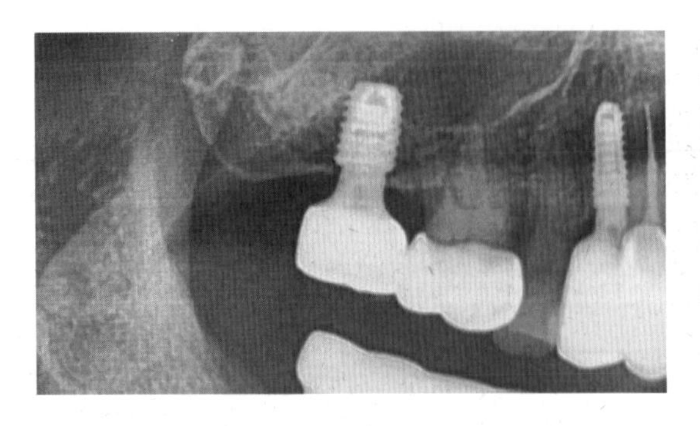

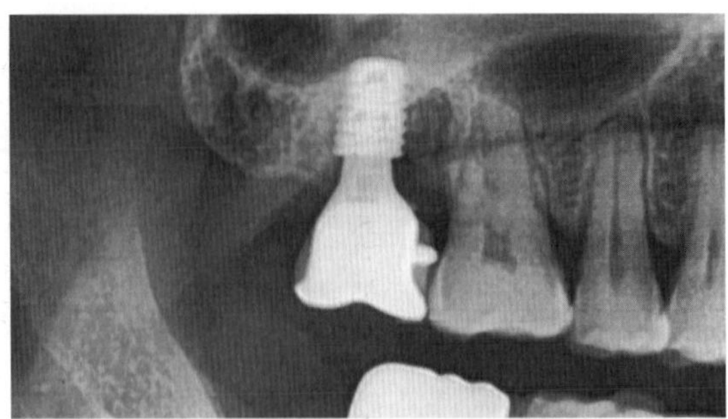

1.45 기능 1년 후 앞 치아인 26번도 발치하게 되어 임플란트를 하였으며, 각각 싱글/싱글로 크라운을 제작하였다. 둘 다 크레스탈로 사이너스 엘레베이션을 한 케이스인데 사용한 본의 종류가 다르다. 환자가 친척이라 필자가 서비스로 받은 골을 좀 사용하다 보니 그런 듯하다.

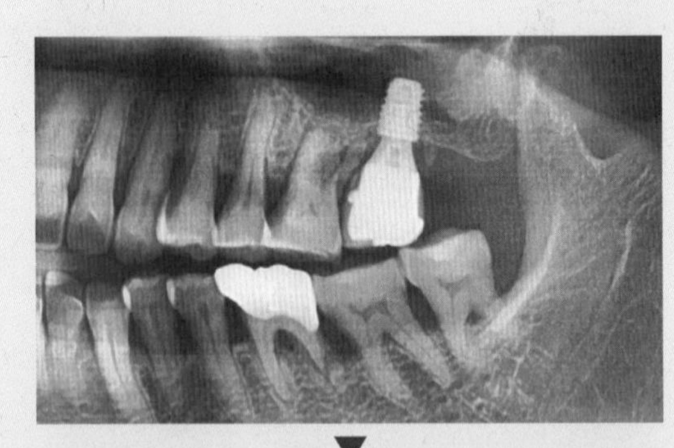

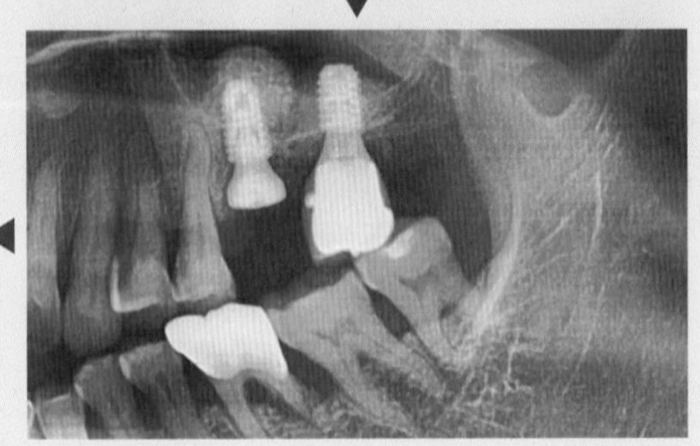

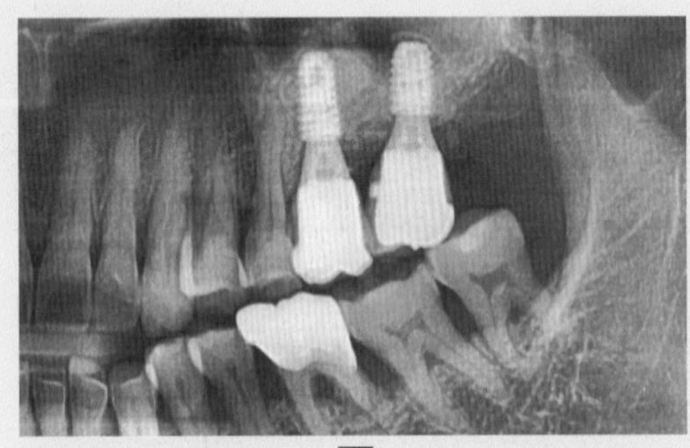

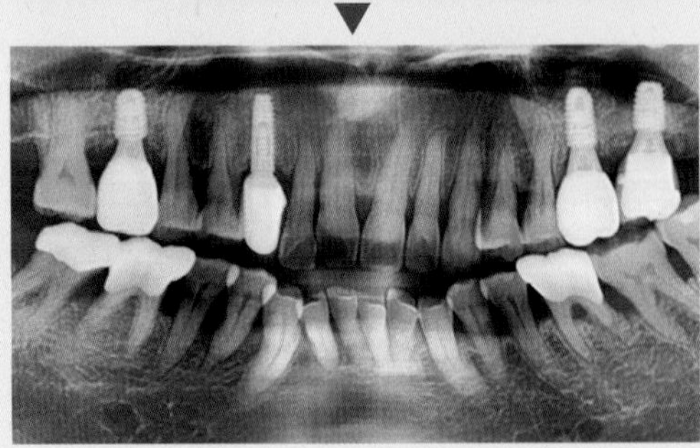

세팅 2년 후 파노라마 방사선 사진이며, 여전히 튼튼하게 잘 버티고 있다. 참고로 16번 임플란트도 7 mm 임플란트이다. 오히려 6년 전에 시행한 13번의 긴 임플란트가 눈에 거슬린다. 지금이라면 길이를 줄여 2 mm 정도 깊게 심고 어버트먼트 emergency profile을 S라인을 최대한 살려서 했을 듯하다. 식립 당시에는 충분히 깊었다고 생각했는데 결국 marginal bone 흡수가 좀 있었다.

상악도 마찬가지로 최후방에 7 mm를 싱글로 많이 심지만 한 번도 실패한 적이 없다. 하악과 마찬가지로 27번도 7 mm이지만 나중에 앞부분 26번을 다시 하게 되더라도 굳이 브릿지로 엮지 않는다 (**1.45**). 한 개와 두 개의 차이는 매우 중요해서 같이 심는 경우 가능한 브릿지로 엮어 주는 것이 좋다. 하지만 나눠 심는 경우, 싱글/싱글의 예후도 크게 나쁘지 않기 때문에 굳이 브릿지로 엮어주지 않아도 된다고 생각한다.

솟 임플란트 케이스 보기 8

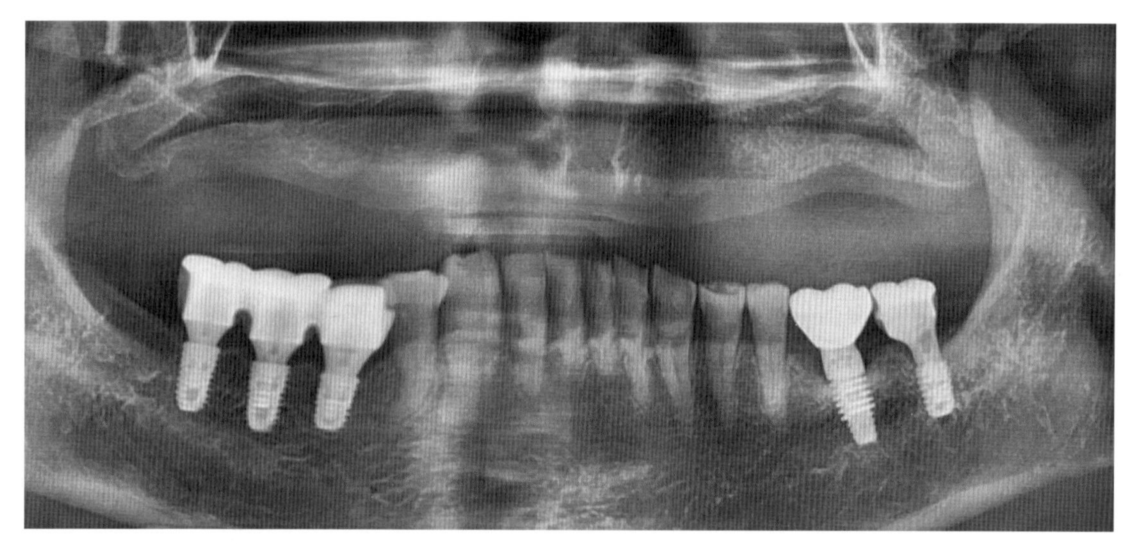

1.46

1.46의 37번과 45번에 7 mm 임플란트가 심어진 것이 보인다. 필자는 기본적으로 뒤 치아를 앞 치아의 길이와 같거나 짧게 하는 스타일인데, 이 케이스는 이 책의 공저자인 강남레옹치과의 편영훈 원장님이 심은 케이스이다. 45번 하방의 캐널을 피하기 위해서 짧은 걸 심은 것 같다. 오히려 46과 47번도 7 mm였다면 더 보기 좋지 않았을까라는 생각도 해본다.

필자는 이 책의 공저자인 편영훈 원장님이 실력적인 면에서 최고라고 생각한다. 사랑니도 잘 뽑지만 임플란트의 경우도 수술 후에 보면 깜짝 놀랄 만큼 잘한다. 가끔은 필자가 수술한 줄로 착각하는 케이스가 있을 정도니 말이다.

여러 번의 구애 끝에 현재는 페이닥터가 아닌 파트너로서 필자와 함께 치과를 운영하고 있다. 필자가 잔소리를 해도 언제나 열린 마음으로 받아들여 준다. 그래서 실력이 좋은 것일 수도 있지만….

숏 임플란트 케이스 보기 9

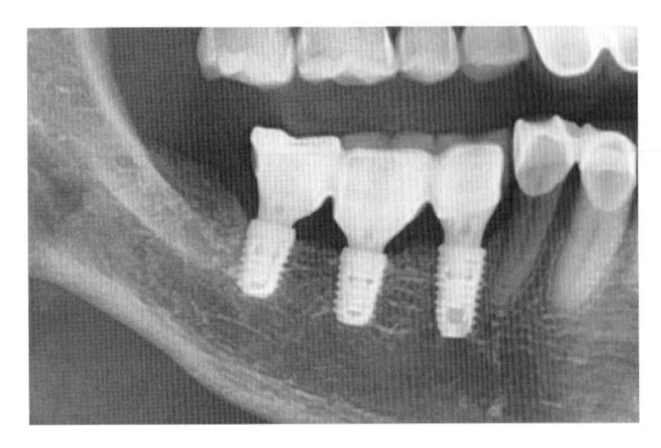

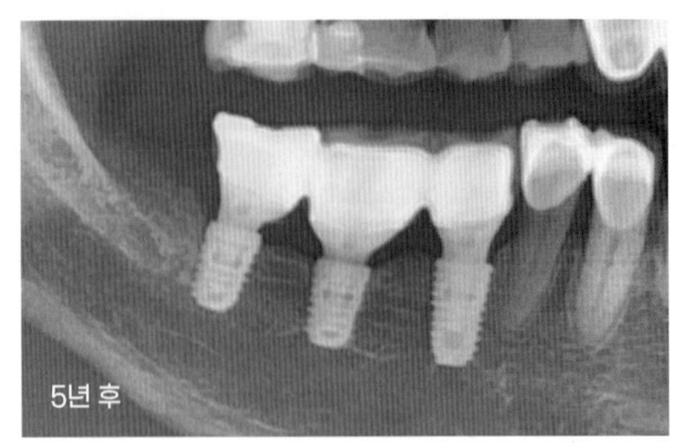

1.47

46, 47번 부위에 4.5에 6 mm를 사용한 케이스이다(1.47). 브릿지로 엮긴 했지만 전혀 문제없이 잘 사용하고 계신다. 필자가 크라운을 직접 하진 않았지만, 만약 필자가 크라운을 했다면 5번은 싱글로 했을 것이다.

1.48은 동일한 케이스의 전악 파노라마로 양쪽 모두 2015년에 식립한 케이스이다. 그때는 나름 숏이라고 생각했는데 지금 보면 지극히 정상적으로 보인다. 지금에 와서 보면 30번대의 긴 임플란트가 더 불편해 보이는 건 왜일까?

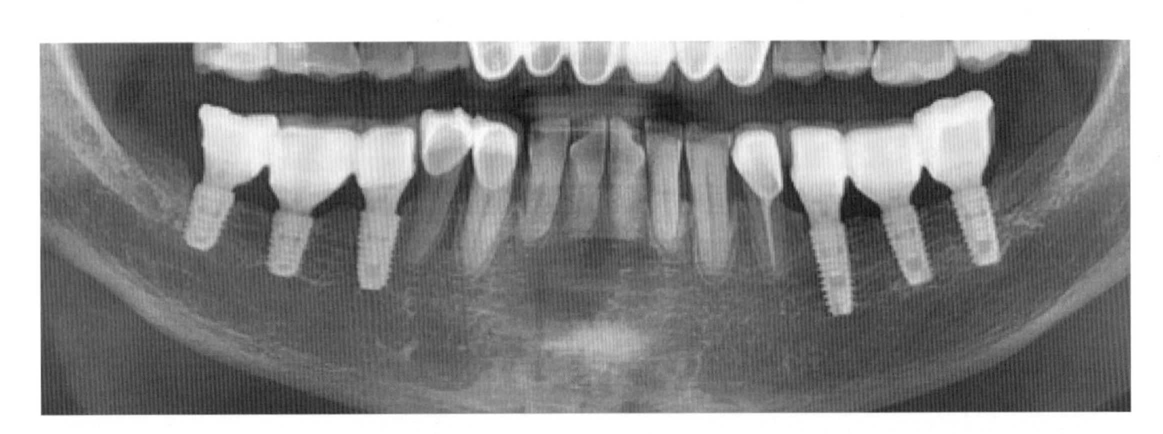

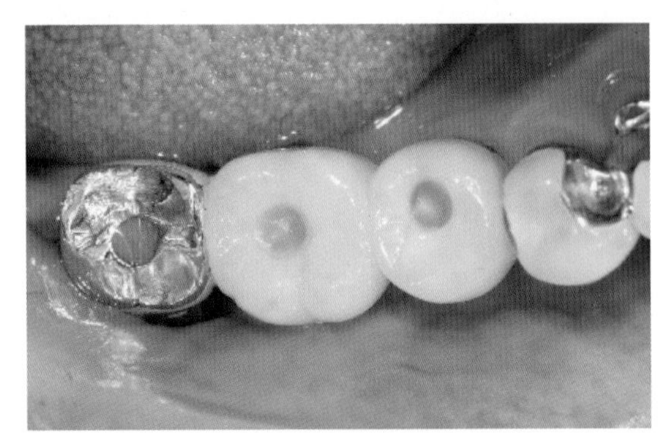

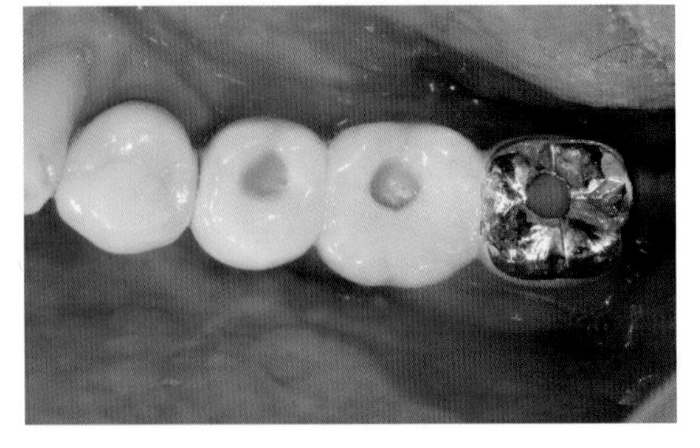

1.48 **교합면 사진.** 필자는 오래전부터 SCRP로 해왔다.

최후방 대구치 6 mm 싱글 임플란트 케이스

숏 임플란트 케이스 보기 10

어쨌든 요즘은 6 mm 임플란트라도 브릿지인 경우는 숏이라고 하지도 않는다. 이제 하악 최후방 대구치가 6 mm 정도는 되어야 숏이라고 이야기할 수 있다. 필자는 이런 케이스가 많지만 아직은 실패한 케이스가 단 한 개도 없다. 이후에 실패한다면 그것은 길이 때문이 아니라 여느 임플란트와 마찬가지로 다른 여러가지 문제 때문일 것이다.

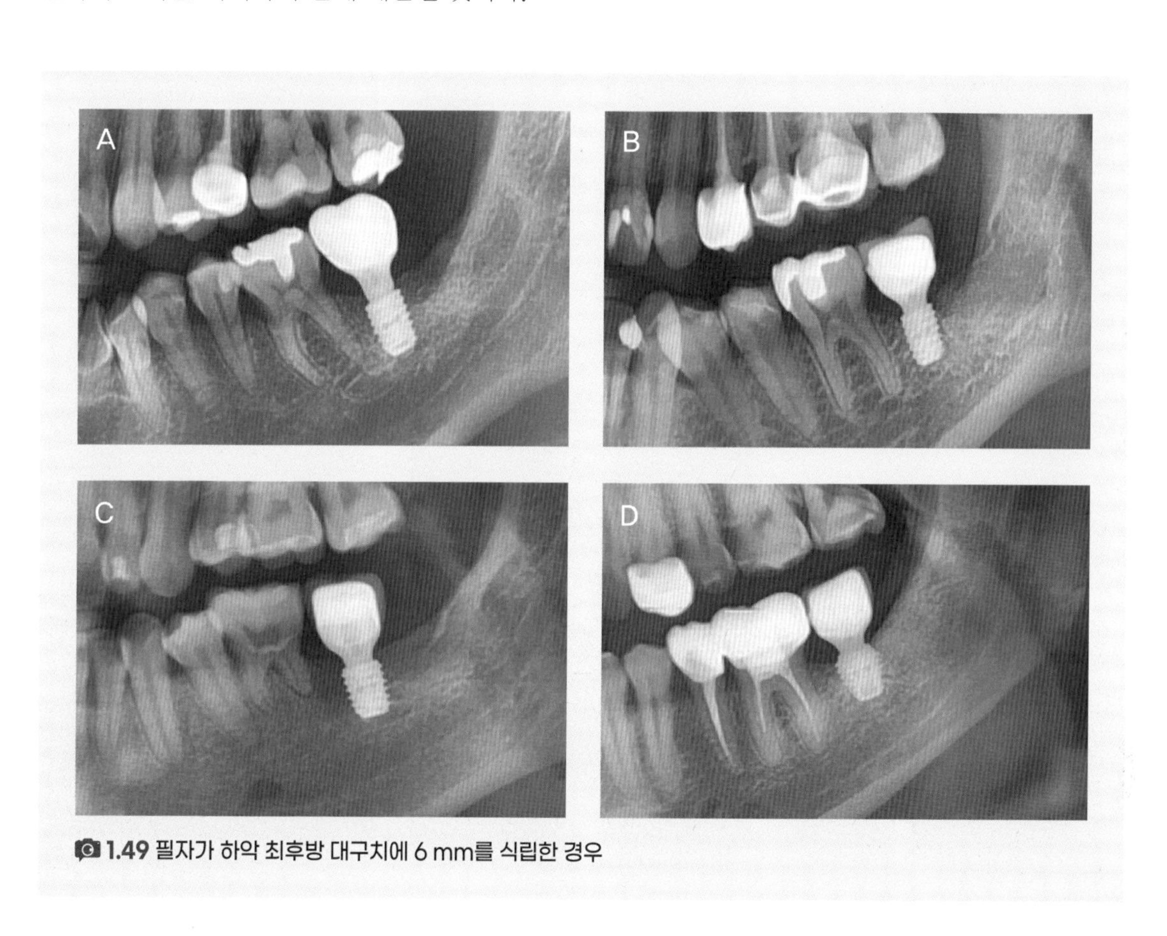

1.49 필자가 하악 최후방 대구치에 6 mm를 식립한 경우

숏 임플란트 케이스 보기 11

1.50 케이스는 55세 여성 환자로 브릿지를 제거하고 46번에 임플란트를 식립한 후 각각 크라운을 하였다. 그리고 2년 후 치아 동요도가 너무 심해져서 47번을 발치하였다. 교합이 문제였을까? 발치하고 한 달 반이 지나서 5.0에 6 mm 길이의 임플란트를 식립하였다. 앞서 언급한 것과 마찬가지로 임플란트가 길이 때문에 실패하진 않기 때문에 굳이 앞 치아와 브릿지로 엮지 않고 각각 크라운을 시행하였다.

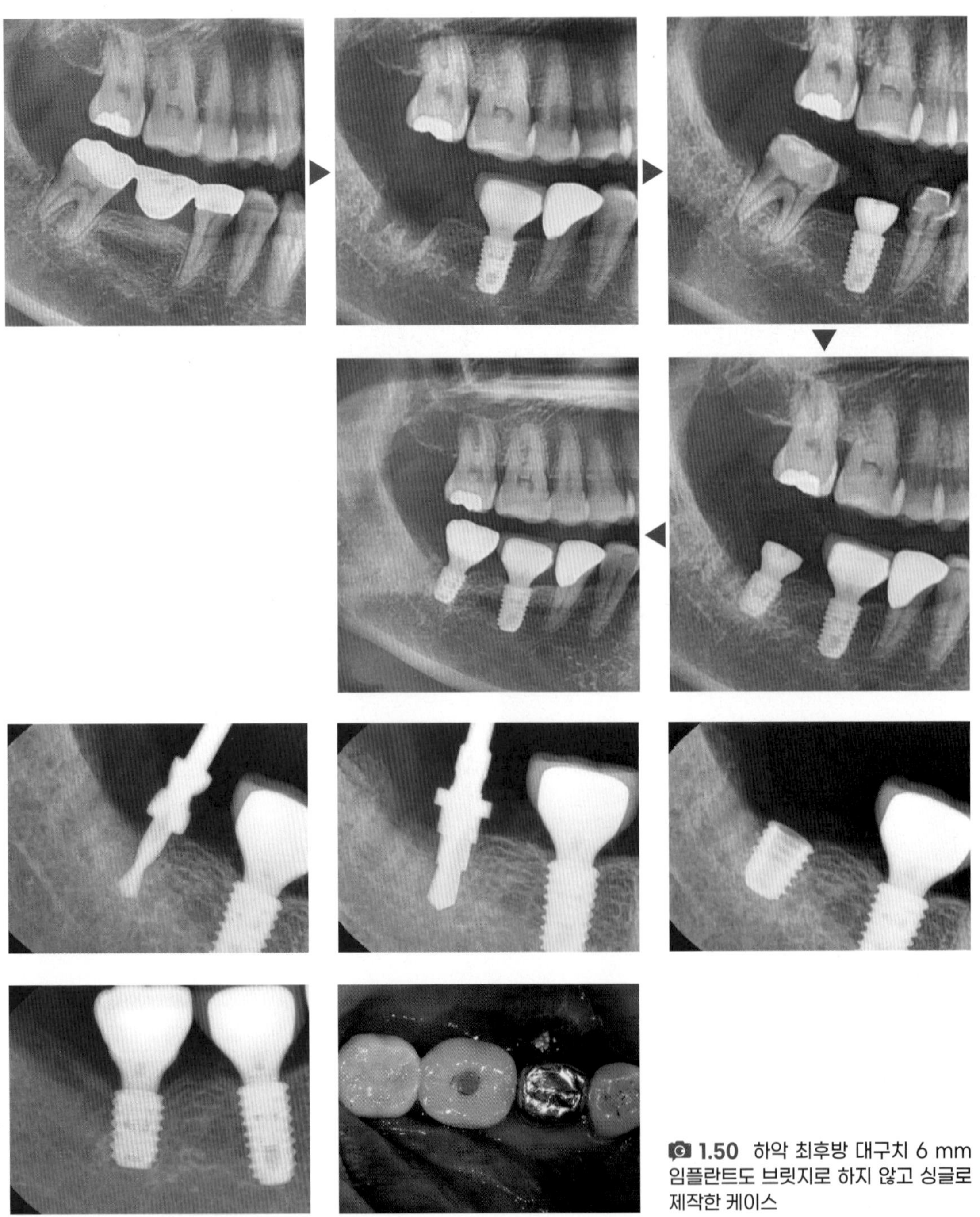

1.50 하악 최후방 대구치 6 mm 임플란트도 브릿지로 하지 않고 싱글로 제작한 케이스

유명 연자들의 숏 임플란트에 대한 견해

요즘 인기 강사들은 임플란트 길이에 대해 어떤 말씀들을 하실까? 필자가 주로 오스템을 사용하기 때문에 인기 연자 중 몇 분과 이야기를 나눠봤다.

실력과 성격 모두 좋기로 유명한 김용진 원장님은 젊은 대세남이시다(**1.51**). 본인의 피피티를 직접 원본 그대로 보내주시면서 "**어디에도 긴 임플란트가 더 좋다는 컨센서스는 없으며, 요즘은 짧은 임플란트를 지지하는 논문들이 점점 더 많아지고 있다. 그리고 굵은 지름을 선호할 필요는 없다**"라는 말씀을 덧붙여 주셨는데, 지름에 대한 내용은 바로 다음 장에 나온다.

1.51 김용진 원장님과 함께

그리고 명실상부 대한민국의 최고 임플란트 강사라는 필자의 첫 스승이신 조용석 원장님이시다. 최근에 조용석 원장님 강의를 최근 들으셨다는 분이 필자의 강의 중에 조용석 원장님은 3 mm도 충분하다고 말씀하셨다는 말을 전해주셔서 직접 카톡을 보내봤다. 실제 시판되는 제품 중 가장 짧은 것이 4 mm라 그렇지 본인은 3 mm도 충분하다고 생각하신다고 하셨다. 사실 조용석 원장님 페이스북에는 혼자 거울을 보면서 본인 입에 심으셨다는 임플란트가 있다(필자도 전해 들은 이야기이다).

뼈가 충분한데도 상악 6번에 5.0에 4 mm, 하악 7번에 5.0에 5 mm 짜리 임플란트를 심은 케이스이다(**1.53**). 지금 몇 년째 잘 쓰고 계신다고 코멘트를 달아 주셨다. 필자가 아직 임플란트할 만한 치아가 없어서 그렇지, 필자도 이가 빠진다면 스승님을 따라서 한번 해보고 싶은 생각이 든다.

그리고 또 한 분의 대가가 계신다(**1.54**). 조용석 원장님께서 서저리의 대가라면 임플란트 보철의 대가이신 강의 천재 김기성 원장님이시다. 김기성 원장님은 강의에서 "**어금니에 13 mm 이상을 심는 치과의사는 미친놈이다**"라고 명확하게 말씀하신다. 어금니에 최대로 심어봐야 11.5 mm라는 이야긴데, 사실 11.5 mm 심는 사람도 미친놈만 아닐 뿐 정상은 아니지 않을까 싶다.

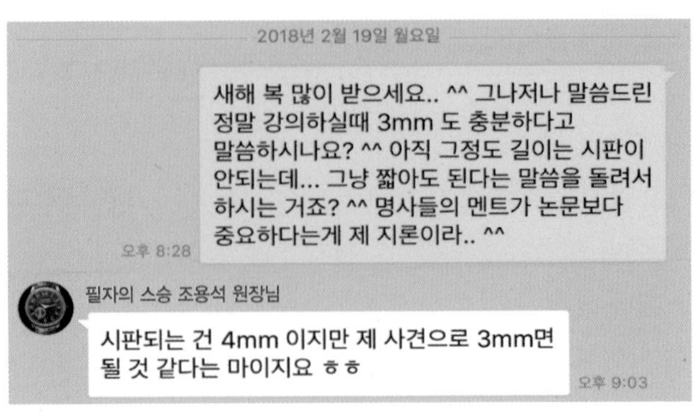

1.52 필자의 스승님이신 조용석 원장님과

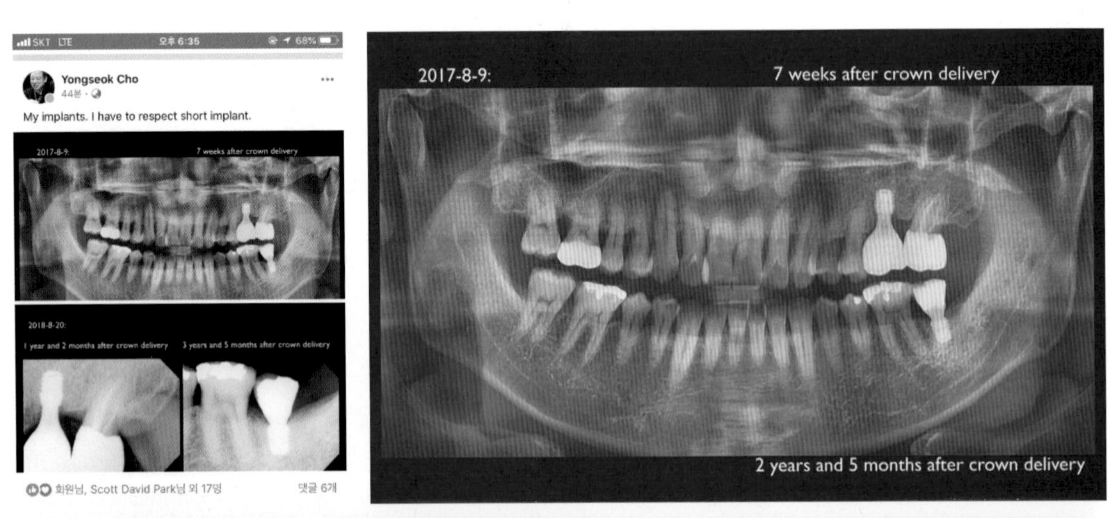

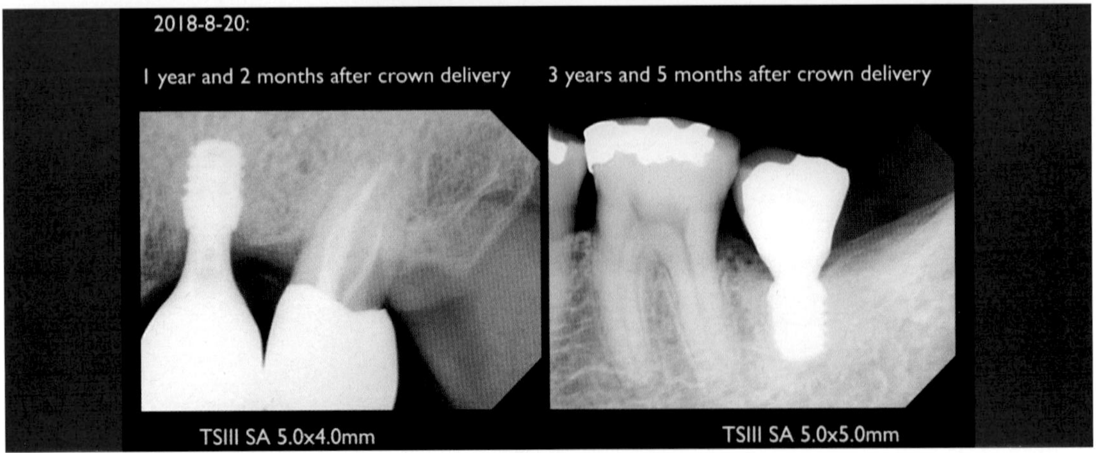

1.53 조용석 원장님 페이스북에서
이 책에 케이스 올려도 되겠냐는 필자의 청에 흔쾌히 응해주셨다. 감사의 말씀드린다.

김기성 원장님도 조용석 원장님과 대적할 만큼 보철 분야에서는 마찬가지로 최고이시다.
지금 대한민국에 현존하는 임플란트 대가 두 분을 꼽으라면 필자는 단연코 이 두 분을 뽑고 싶다.

1.54 강의 천재 김기성 원장님과 함께
어쩜 필자가 뭐 좀 궁금하다 싶으면 이미 강의로 알려주고 계신다. 신기가 있으신가…

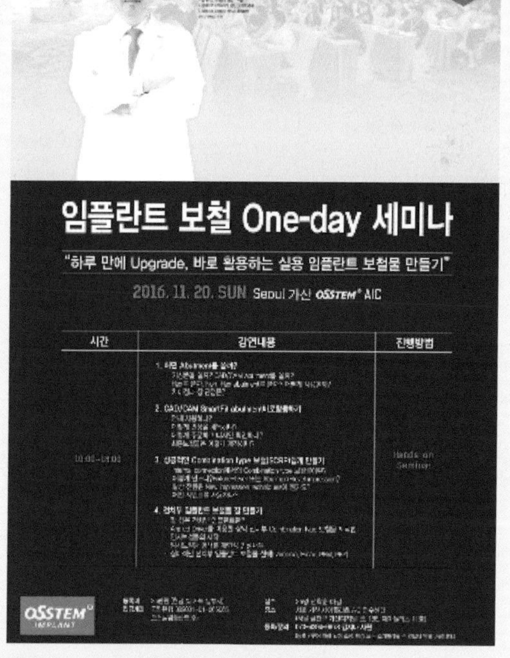

1.55 김기성 원장님 세미나 포스터

Short implant study group 소개

1.56

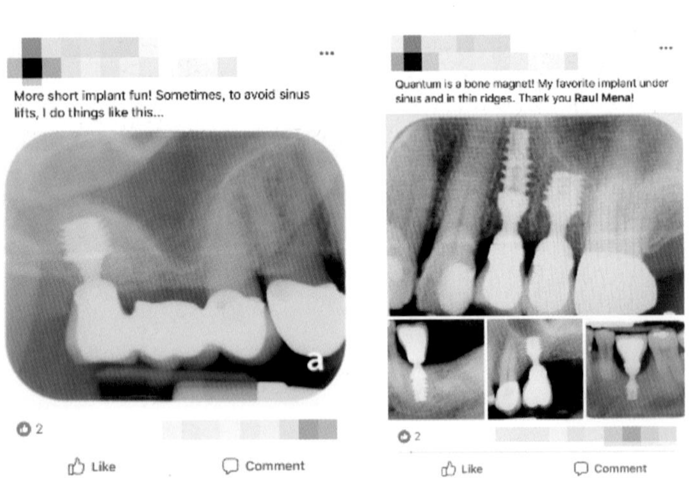

1.57

필자가 페이스북에 숏 임플란트 케이스를 좀 올린 적이 있는데, 페이스북 친구가 필자를 페이스북 그룹인 'Short implant study group'에 초대하였다. 2018년 9월쯤 새롭게 만들고 있던 그룹이어서 그런지 필자가 founding member였다. 이 책을 쓰고 있는 2021년 5월 기준으로 보니까 멤버가 8,700명이 넘는다. 주로 바이콘과 바이콘 카피품들의 유저들이 모인 곳이었는데, 필자도 숏 임플란트 애호가다 보니 초대한 것 같다. 필자가 이 시스템은 안 써봤기 때문에 평가를 아끼려고 한다.

어쨌든 이 그룹에도 다른 회사 제품으로 짧은 임플란트를 심은 케이스들이 많이 올라오고 있다. 또한 이 그룹에는 Steve Chang이라는 토론토에서 유명한 임플란트 연자가 올린 케이스가 있다(📷 1.58). 이 책에서 자주 다루는 앵킬로스 임플란트이다. 앵킬로스 6 mm 짜리를 심었는데 본로스가 올 줄 알았더니 임플란트 어버트먼트가 파절되었다는 내용이다. 이제 여러분들도 짧은 임플란트도 괜찮다는 신념이 생겼나 모르겠다. 아니라면 이제 논문을 몇 개 보자.

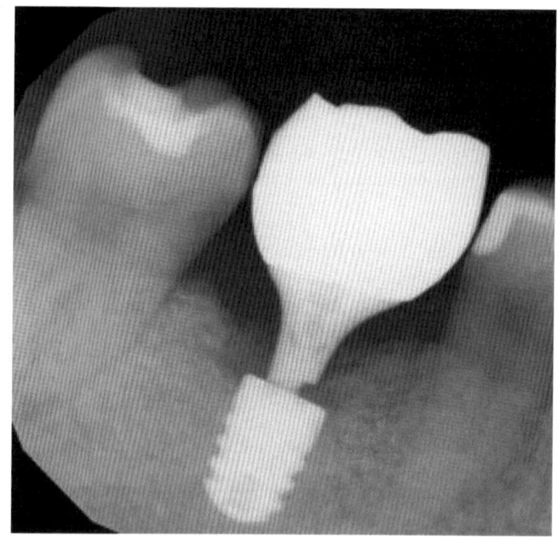

📷 1.58 Dr. Steve Chang의 케이스

숏 임플란트에 관한 논문 보기

- **Short dental implant (6 mm) versus long dental implants (11-15 mm) in combination with sinus floor elevation procedures: 3-years results from a multicentre, randomized, controlled clinical trial (2018)(journal of oral and maxillofacial research)**

  6 mm 짜리 짧은 임플란트와 10 mm 이상의 롱 임플란트의 크레스탈 본로스에 대해서 비교한 논문으로 3년의 팔로업을 했을 때 두 그룹 간의 통계적으로 유의한 차이가 없으며, 성공률 또한 차이가 없다고 보고하고 있다.

상악 구치부에서 6 mm의 숏 임플란트 6 mm를 심는 경우와 11-15 mm 임플란트 식립과 creatal 혹은 lateral approach를 같이 실행한 경우에서 성공률, marginal bone loss, pocket depth 등을 비교한 논문으로, 참 잘 설계된 논문이다. 비록 follow up 기간은 짧았지만 두 그룹 간의 차이가 없다고 보고하고 있다.

따라서 상악에서 본이 충분하지 못한 경우 굳이 긴 임플란트를 심기 위하여 상악동거상술을 실행하는 행위는 전혀 필요하지 않다고 생각한다.

요즘은 짧은 임플란트에 관한 논문들이 많다. 여전히 아직까지 악어처럼 살아있는 바이콘 임플란트 주도 논문 때문에 좀 유심히 잘 봐서 골라야 하지만 말이다. 여기서 필자가 본 적 있는 논문 두 개만 더 보고 가겠다.

- **Short dental implants: An emerging concept in implant treatment (2014) (Quintessence international)**

  중요내용

  숏 임플란트의 성공률에 대한 리뷰 논문으로, 숏 임플란트의 성공률이 기존의 임플란트와 큰 차이가 없으며 특히 위축된 치조골에서 더 좋은 결과를 보인다고 보고하고 있다. 숏 임플란트의 성공률이 standard implant와 큰 차이가 없는 이유로는 표면처리의 발전이 상당수 기여하였다고 보고하고 있다.

- **하악 구치부에 식립된 7 mm 이하 짧은 길이 임플란트의 임상적 예후(2015) 대한치과이식임플란트 학회지**

  짧은 임플란트의 ISQ와, marginal bone loss 그리고 survival rate을 사용하여 짧은 임플란트를 평가한 논문으로 결론적으로 해부학적으로 standard implant를 식립하기 어려운 부위에는 숏 임플란트의 사용이 훌륭한 대안이 될 수 있다고 보고하고 있다.

앞서 임플란트 crown-root ratio에 관한 내용에서 이미 숏 임플란트의 안정성에 대하여 살펴보았다. 예전에는 숏 임플란트에 대한 논문이 많지 않았지만 최근에는 너무나도 많은 논문들이 쏟아져 나오고 있다. 요즘 나오는 숏 임플란트에 대한 논문들을 추가로 살펴보면 거의 대부분의 논문들에서 숏 임플란트의 성공률과 예후가 기존의 임플란트들과 차이가 없다고 보고하고 있으며, 숏 임플란트에서 직경을 늘려서도 초기고정을 얻기 어려운 경우를 제외하면 긴 임플란트를 심을 이유가 전혀 없다는 것이 계속적으로 증명되고 있는 상황이다.

김영삼 원장

물론 긴 걸 심어야 좋다는 논문도 많다.
무엇을 선택할지는 술자 본인만이 결정할 수 있다.

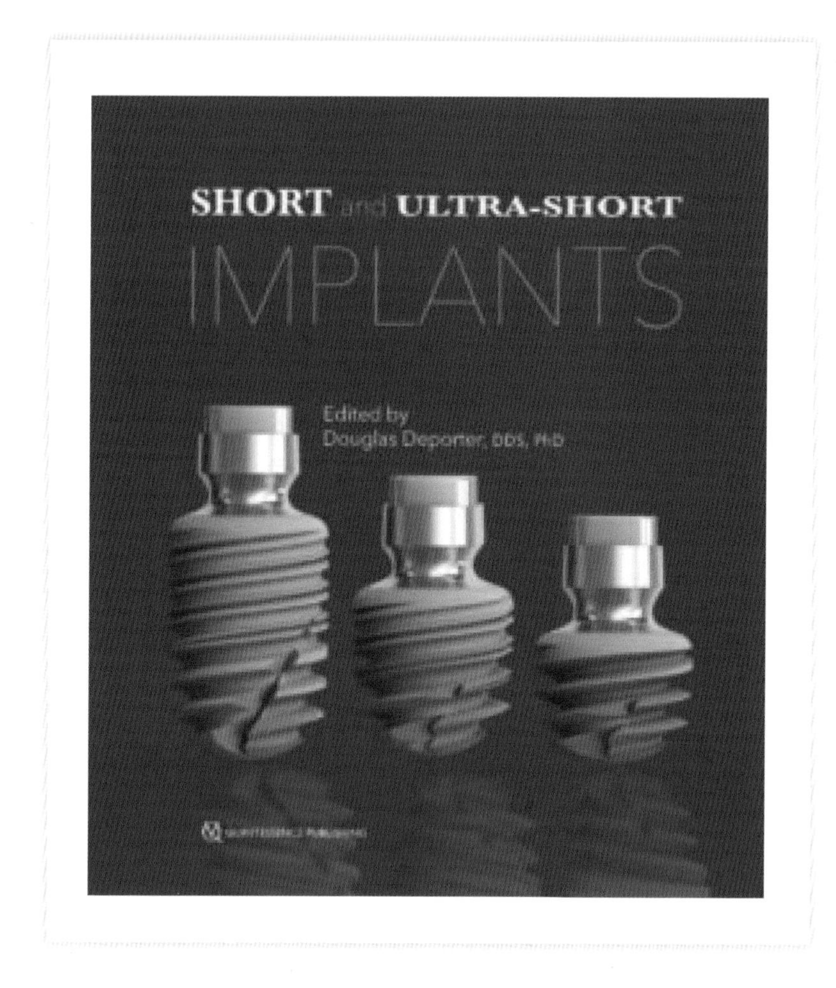

1.59 퀸테센스 "Short and Ultra-Short Implants"

치과 저널로 유명한 퀸테센스 월간지를 읽다가 재미난 논문을 발견했다. "Short and Ultra-Short Implants"에서 중간에 뜬금없이 엔도포어 임플란트가 등장하는데 그 내용이 꽤나 흥미로웠다. 그런데 마지막까지 읽어보니 앗! 엔도포어 개발자 교수님의 논문이었다. 엔도포어를 넘기고 은퇴하신 줄로만 알았는데 아직까지 활동 중이시라니… 임플란트 회사도 하나 설립하신 건지(관계가 있는지의 여부는 전혀 모름) Ultra short implants였다(**1.59**). 결국 엔도포어에서 거친 표면과 external hexa type은 포기하고 숏 임플란트 개념만 가져온 듯하다. 너무 짧다보니 내부 연결구조는 만들 수 없었던 것 같다. 다만 익스터널로 만들었다가 혹간 경험 때문인지 반쯤 원바디? 반쯤 티슈레벨? 정도의 형태를 띠었다. 어쨌든 이제 임플란트 길이를 논할 시대는 지난 듯하다. 특히나 브릿지로 연결할 임플란트라면 길이에 대한 논쟁의 시기는 지났다고 보인다. 한국에 수입된다면 필자는 꼭 심어보고 싶다. 그동안 그리웠던 엔도포어를 대신해서라도….

스트라우만 임플란트 제품 라인업에 숏 임플란트 등장

자타공인 세계 최고의 임플란트라고 하는 스트라우만 임플란트의 포스터이다. 최근에 지르코니아가 플러스되어 시선을 끌지만 그에 못지않게 시선을 끄는 것이 있다. 바로 4 mm 숏 임플란트이다. 마찬가지로 너무 짧을 경우에 발생하는 내부 연결구조의 문제를 피하기 위해 티슈레벨로 만들었고 전용 어버트먼트와 스크류를 사용한다. 몇 년 전부터 필자가 요청하였지만, 점점 티슈레벨 사용이 줄고 있다 보니 국내에는 수입을 안 하는 듯하다. 아직 미국에도 FDA 규정 때문에 수입이 안 되는 것으로 알고 있는데, 우리나라도 그래서 수입이 안 되는 것일 수도 있다. 그럼 스트라우만이 본레벨 임플란트는 왜 8 mm 미만으로는 못 만드는지 궁금하기도 할 것 같다. 스트라우만은 내부구조의 깊이가 6.9 mm인데, 구조를 줄이거나 축소하기 어려워서 짧은 임플란트를 만들지 못하는 것으로 알려졌다. 티슈레벨 임플란트는 앞서 하버드 대학교에서 식립했던 것처럼 6 mm 짜리가 이미 나오고 있고, 새로 출시되는 BLX에서는 직경 5 mm 이상에서 6 mm 임플란트도 생산된다고 한다.

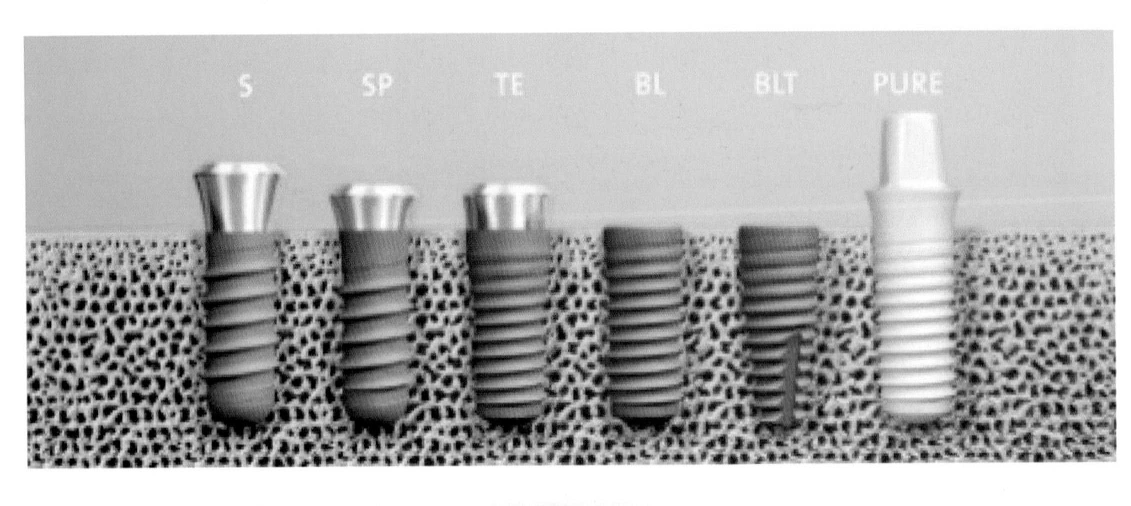

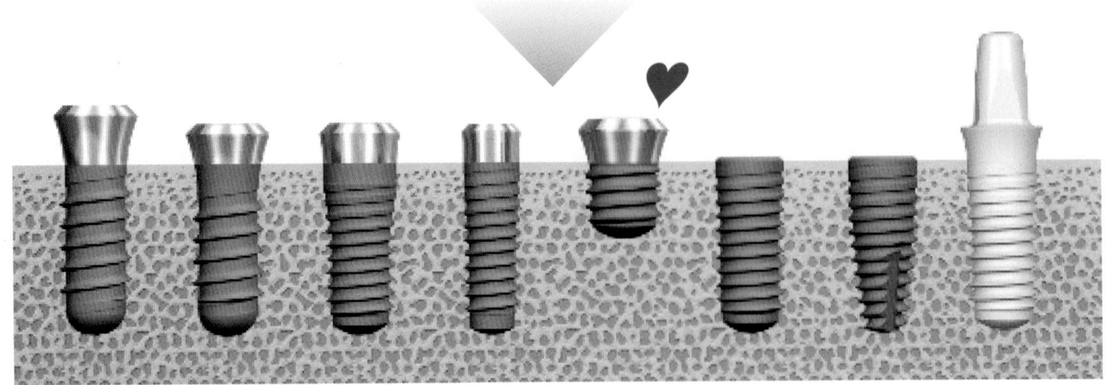

1.60 스트라우만 포스터에 있는 제품 라인업의 변화

CHAPTER

3-2 임플란트 지름의 선택

Mastering dental implants

아스트라 타입 임플란트의 지름

일반적으로 "임플란트의 길이보다는 지름의 증가가 스트레스 분산에 유리하다"라는 연구결과는 수도 없이 많다. 그러나 사실 요즘 추세는 "굳이 그렇지 않아도 임플란트는 잘 붙고 망가지지 않으니까 너무 걱정하지 마라"이다. 초창기 임플란트가 정상적인 기능을 못할 거라고 생각하던 시절, 임플란트 크라운은 작게 만들어야 한다고 생각하던 시절, 임플란트는 나란히 심지 말고 삼각형처럼 심어야 한다고 주장하던 시절 이야기라고 생각한다. 그렇다고 얇은 임플란트를 막 심으라는 것이 아니다. 굵기를 키우기 위해서 너무 무리할 필요는 없다는 것이다. 이제 내용을 한번 살펴보겠다.

우리가 일반적으로 사용하고 있는 아스트라 타입의 internal friction type 임플란트는 기본적으로 아스트라의 사이즈 기준을 대부분 따르고 있다. 필자가 아스트라는 한 번도 심어보지 않아 잘은 모르겠지만, 아스트라 유사제품들은 대부분 3.5 mm 미니에 4.0 mm부터 레귤러로 4.5 mm, 5.0 mm까지는 호환 가능한 같은 사이즈를 사용한다(2.1).

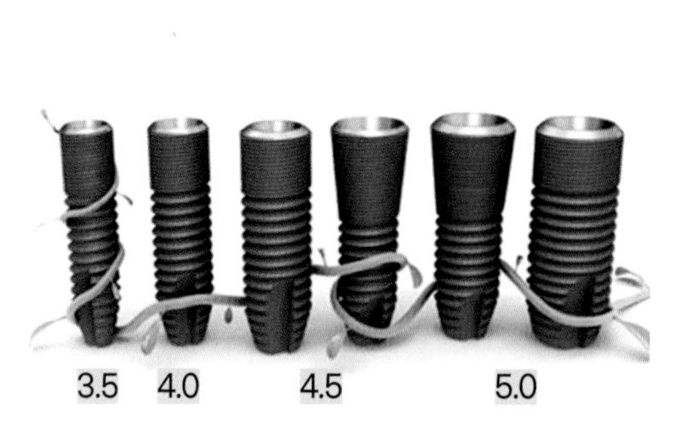

2.1 아스트라 임플란트 제품 라인업

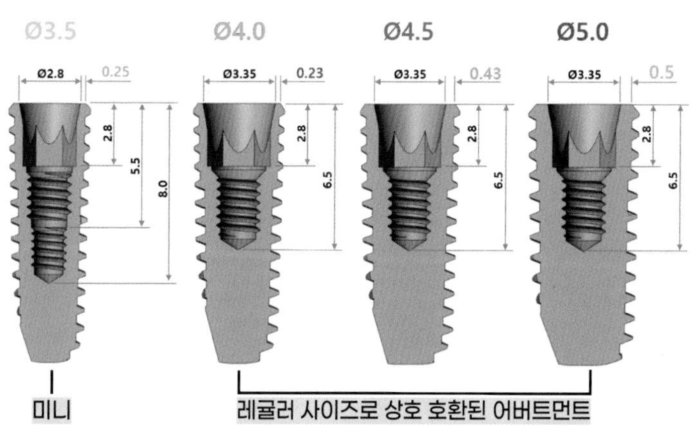

2.2 오스템 TS 임플란트 사이즈별 규격

오스템 TS의 경우도 마찬가지로 같은 사이즈로 구성되어 있다(**2.2**). 임플란트 직경에 따른 사이즈의 구성에 관한 수치들이다. 4.0의 경우에 3.5 미니의 경우보다 임플란트 벽이 얇은 것을 볼 수 있다. 어쨌든 벽의 두께만 놓고 보면 3.5 mm 임플란트가 측방압 등을 더 잘 견디며 견고할 것 같지만 실제 임플란트의 구조적인 안정은 단순한 측벽의 두께만이 아니라 접촉면적 등 다양한 요소들이 있기 때문에 3.5가 4.0보다 더 강하다고 할 수는 없다고 한다. 회사의 입장도 마찬가지이다. 다만, 골폭이 좁을 때 어떻게 할 것인가는 뒤에서 다시 다루겠다.

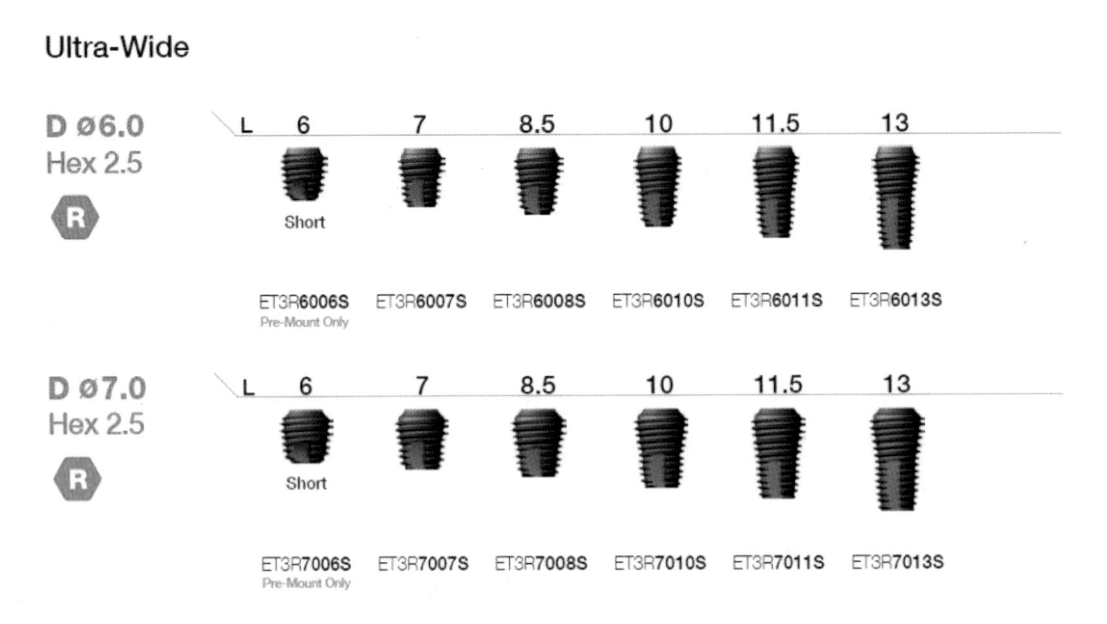

2.3 오스템의 와이드 임플란트

오스템 임플란트의 경우도 **2.3**과 같이 6.0, 7.0 임플란트를 판매하고 있다. 필자의 경우는 거의 사용하지 않는다. 예전에는 짧은 임플란트의 경우에 종종 6.0 이상을 사용하기도 했지만, 앞서 길이에서 다루었듯이 굳이 그럴 필요는 없어졌다. 혹시 장기적인 예후를 위해서 심는다기보다는 심는 당일 초기고정을 얻기 위해서 사용한다고 봐야 한다. 앞서 언급했듯이 초기고정이란 옆으로 움직이지만 않을 정도로 심어놓은 상태로 유지만 된다면 인테그레이션에는 문제가 없다. 그조차도 안 나오는 경우에 와이드 임플란트를 심어서 초기고정을 얻는 것이다. 보통 **초기고정이 안 나오면** 대부분 한 사이즈로 긴 걸 심는데, 그럴 때는 오히려 **길이를 한 사이즈 줄이고, 지름을 한 사이즈 높이는 것**이 임상적으로 유용한 팁이라고 할 수 있겠다. 다만 굳이 굵은 것을 일부러 사용할 필요가 없고 장기적으로 특별히 예후가 더 좋다고 볼 수도 없지만, 문제가 생겨서 제거할 경우에는 트라우마가 매우 커지기 때문에 굵은 것을 심을 땐 늘 주의해야 한다. **지름을 키워서 고정을 얻는 데 집중하기보다는 골질이 떨어질 경우에는 언더드릴링에 집중해야** 할 것이다.

2.4 김경원 교수님 초청 GISC 강남임플란트 스터디클럽 조찬 세미나에서

임플란트에 관한 지름에 대해서는 한 대가 분의 견해가 필자에게 큰 영감을 주었다. 구강외과 교수 출신으로, 오스템 임플란트 회사에서 교육연구를 총괄하시는 김경원 교수님이시다. 직접 제품개발과 교육연구 등을 총괄하면서 진료도 하시지만, 지름 5 mm를 초과하는 임플란트를 딱 한 번 심어보셨다고 하신다. 굳이 5 mm보다 큰 지름의 임플란트를 심을 필요성을 본인은 못 느끼신다고 하셨다. 필자가 이 교수님의 작은 멘트 하나에 큰 의미를 부여하는 이유가 있다. 교수님은 실력이 매우 뛰어난 구강외과 교수님인데도 과시성 술식보다 정말 유저들에게 필요한 것을 보여주는 스타일이시기 때문이다. 필자처럼 못해서 안 하는 게 아니라… 이분은 다 잘하시면서도 굳이 필요 없다면 안 해야 한다고 말씀하시는 분이라 대단하신 것이다. 그래서 필자가 진정한 대가라고 느끼는 이유이다. 이 분은 아마도 필자가 이렇게 교수님을 대단한 분으로 생각하는지를 모르실 것이다. 평소 대화를 나눴다기보다는 이 교수님의 강의도 많이 듣고, 좌장이나 패널로 하시는 말씀 등에서 필자가 그렇게 일관되게 혼자 느껴왔기 때문이다.

실제 임플란트의 지름과 표기

아스트라 임플란트의 유사제품 중 하나인 덴티스의 OneQ라는 임플란트이다(📷 2.5). 헥사의 높이와 스크류 깊이 등이 다르긴 하지만 다른 부분은 대부분 오스템 TS시스템과 같다. 여기서 눈여겨 볼 내용은 지름 사이즈가 4.2, 4.7, 5.2라고 표기되어 있는 점이다. 어버트먼트 접촉면의 최대 지름이 오스템의 3.35보다 0.01 mm 작음에도 폭은 더 키웠다. 임플란트의 수직파절을 막기 위해서일까?

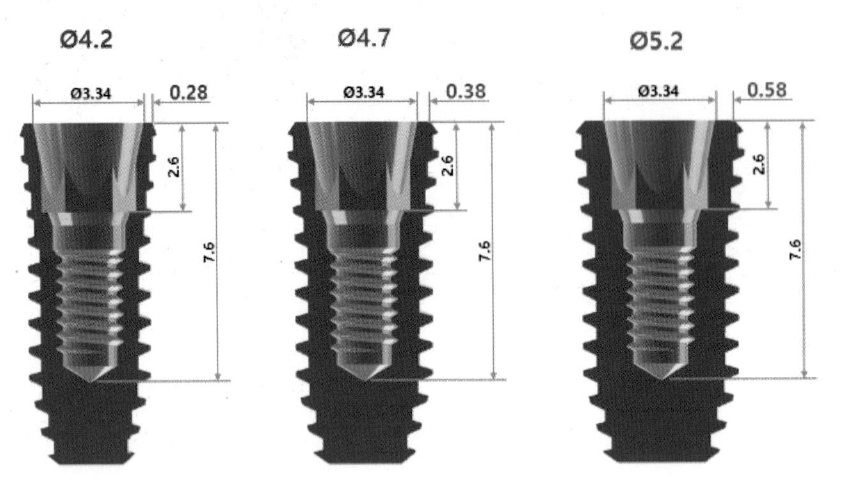

📷 2.5 필자가 오스템에 이어서 두 번째로 많이 사용하는 임플란트인 덴티스의 OneQ 시스템

그럼 여기서 비슷한 사이즈의 오스템 4.5 mm와 비교를 해보자. 제조사에서 표기한 임플란트 지름에서 표시된 임플란트 구조물의 사이즈를 빼보면 쓰레드의 크기가 나올 텐데, 덴티스의 경우 0.3 mm 정도로 비슷하게 나오지만 오스템의 경우는 0.145 mm로 너무 적은 수치가 나왔다. 왜 그럴까? 사실은 오스템도 사이즈는 편의상 4.5라고 표기하였지만 실제로는 이보다는 조금 더 키웠다. 결국 월도 두껍고 튼튼하게 만들면서 쓰레드도 살리려고 지름을 조금 더 키운 것이라고 봐야 한다. 오스템을 해외에서 보면 사이즈 표기가 덴티스처럼 되어 있는 경우가 있다. 각 나라마다 표기 규정이 다른데, 실제 사이즈를 표기해야 하는 규정이 있는 경우일 것이다. 필자의 지금 생각으로는 쓰레드는 apical에서만 키우고 크레스탈 본 쪽에서는 조금은 덜 키우는 것은 어땠을까 싶다. 그렇다고 마이크로 쓰레드로 다시 가자는 것은 아니고, 오히려 크레스탈 쪽에서는 쓰레드가 둔해짐에 따라 코티칼 드릴 사이즈를 임플란트 풀 사이즈에 가깝게 키우는 것이 어떨까 하는 고민을 해본다. 식립 당시보다도 장기적인 예후를 위해서는 구조적인 임플란트 측벽의 안정성도 중요하기 때문이다. 어쨌든 이런 문제 때문에 다른 회사들도 실제 임플란트의 크기가 표기된 것보다 살짝 더 큰 경우가 많다.

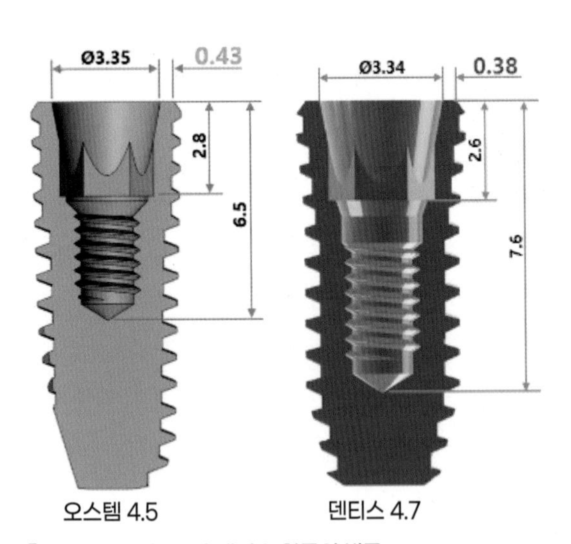

📷 2.6 오스템 TS와 덴티스 원큐의 비교

굵은 지름의 임플란트로 실패한 케이스 보기

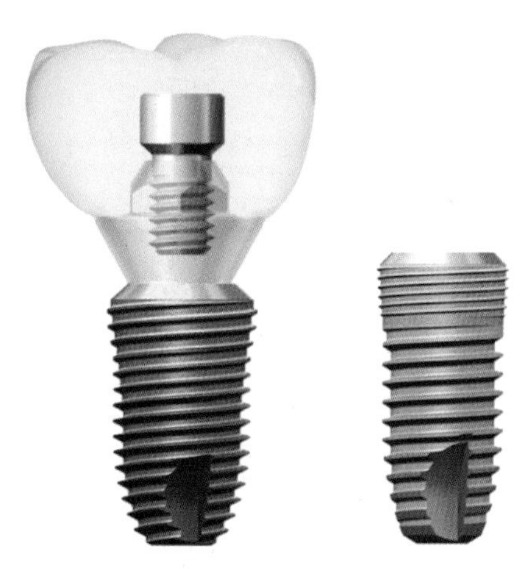

2.7 덴티움 수퍼라인과 임플란티움

임플란트의 지름만이 중요한 게 아니라 쓰레드의 크기와 모양도 매우 중요하다. 2.7처럼 같은 직경의 임플란트라도 임플란트의 모양과 쓰레드의 크기나 모양 등에 따라서 실제 지름이 다르다고 볼 수도 있다. 이 부분은 앞서 **2-2장 임플란트 모양과 나사산**에서 충분히 이야기 했으니 여기서는 케이스 하나만 보고 가겠다. 필자가 정말 누구한테 보여주기도 부끄러운 케이스지만, 독자들을 각성시키고자 이 수치스러운 케이스를 공개한다.

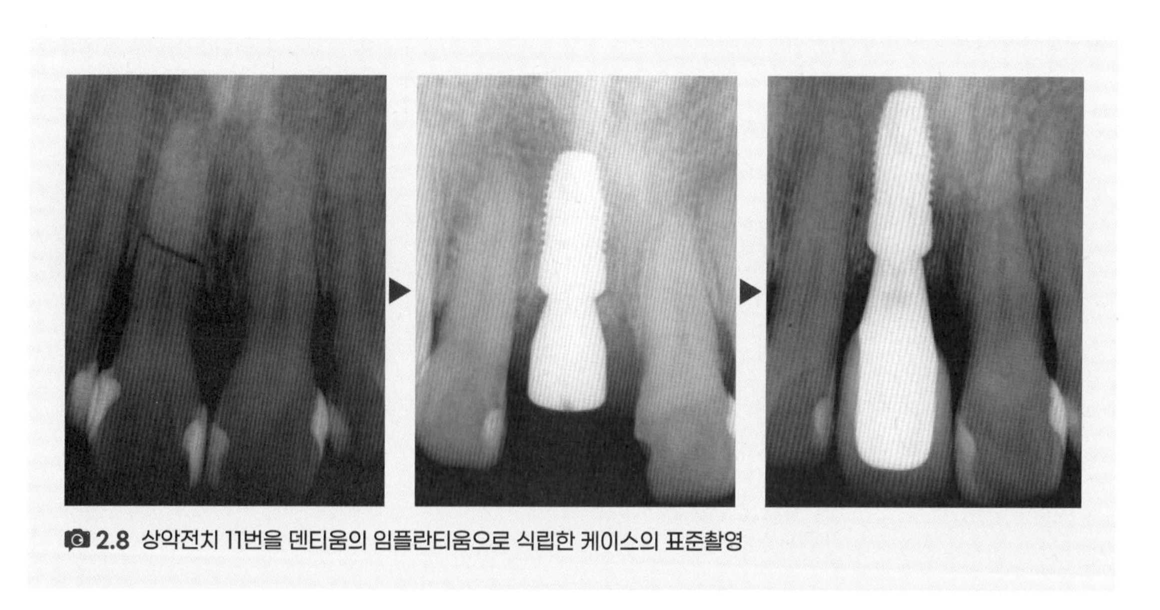

2.8 상악전치 11번을 덴티움의 임플란티움으로 식립한 케이스의 표준촬영

2.8 케이스를 언뜻 보면 임플란트가 잘 된 것처럼 보인다. 필자의 먼 친척 되는 환자로 앞니가 부러져서 내원하였고 뽑고 몇 달 있다가 임플란트를 심었다. 여느 때처럼 똑같이 임플란트를 심으려고 하던 차에 직원이 환자가 임플란티움으로 심기를 원한다며 해당 키트를 준비해 뒀다. 평소 필자가 사용하던 임플란트가 아닌, 전치부에는 한 번도 심어보지 않은 것이었다. 그쯤 해서 제품에 따른 가격 차를 두기로 해서 임플란트 상담은 필자가 하지만 가격과 제품은 직원과 상의해서 결정했었다.

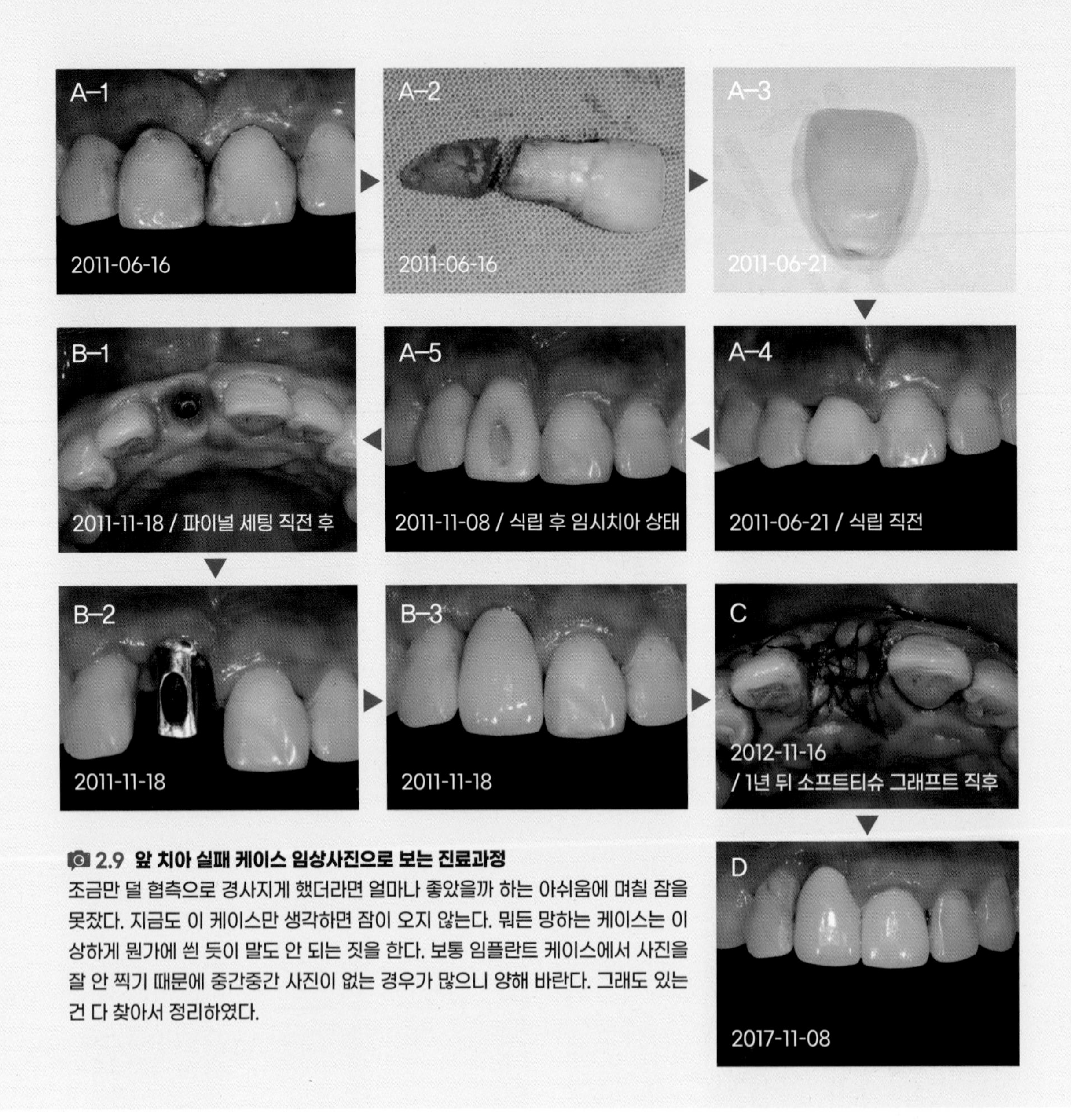

2.9 앞 치아 실패 케이스 임상사진으로 보는 진료과정
조금만 덜 협측으로 경사지게 했더라면 얼마나 좋았을까 하는 아쉬움에 며칠 잠을 못잤다. 지금도 이 케이스만 생각하면 잠이 오지 않는다. 뭐든 망하는 케이스는 이상하게 뭔가에 씐 듯이 말도 안 되는 짓을 한다. 보통 임플란트 케이스에서 사진을 잘 안 찍기 때문에 중간중간 사진이 없는 경우가 많으니 양해 바란다. 그래도 있는 건 다 찾아서 정리하였다.

평소에도 필자는 상악 전치부를 너무 링구알로 심는 것은 별로 좋아하지 않아 인사이설 라인 정도에 맞춰서 심곤 했다. 평소처럼 인사이설 라인에 맞춰서 잘 드릴링 하던 와중 갑자기 어떤 사이즈로 심을까 고민이 들었다. 다른 임플란트라면 4.0을 심었을 듯한데, 임플란티움은 3.8과 4.3 두 개가 있었다. 당시만 해도 예전 습관 때문에 상악전치부는 원래 치아 크기에 맞춰서 굵은 걸 심어야 한다고 주장하는 사람들도 있던 시기였다. 갑자기 무슨 생각이었는지 환자가 젊고 튼튼한 남자니까 굵은 걸로 가자고 하고 4.3을 선택하였다. 자주 심는 임플란트도 아니었고, 특히나 전치부에는 거의 안 쓰던 것이었다. 어쨌든 일을 망치려면 뭔가 여러 가지가 한꺼번에 꼬여버려서 망치게 된다. 한 사이즈 드릴링을 더 하려니 임플란트가 버칼로 밀리는 것 같았다. 그래도 이 정도면 아쉬운 대로 인사이설 라인에 좀 맞겠지 했는데, 임플란트를 심으면서 치경부 마이크로 쓰레드 부위가 골내로 들어가면서 임플란트가 더욱더 협측으로 밀리기 시작하였고, 설측으로 힘주다 보니 협측골도 파절되었다.

다시 작은 사이즈로 바꿀까 했지만 이미 버칼 본은 다 나가고 4.3도 고정이 잘 안 나오는 지경에 이르러 3.8로 바꿔간다고 해결될 일도 아니었다. 진땀을 흘리면서 얼핏 머릿속으로 그려보니 보철적으로 대략 해결이 될 듯하여 그냥 덮어버리게 되었다. 아마 스스로 보고 싶지 않아서였을지도 모른다. 순간을 모면하기 위한….

나중에 세컨 서저리를 해보니 완전히 버칼이었다. 필자나 기공사 둘 다 실력이 없는 건지 원래 불가능한 건지 해결은 쉽게 되지 않았다. 원래도 안 좋았던 디스탈 파필라는 점점 더 내려가고 진지바도 더 내려가는 것 같았다. 보통 필자가 강의하면서 전치부에 파필라를 포함한 버티컬 인시전을 주는 것은 환자를 다시 보지 않는다는 뜻이라고 말하는데, 어쩔 때는 이렇게 되어버리기도 한다. 원래는 버티컬 인시전을 주지 않고 하려다가 바깥으로 밀리면서 리트렉션이 심하게 되었고, 그러다 보니 진지바가 너무 늘어나 찢어질 것 같았다. 억지로 찢어지거나 늘어난 부분에 살짝 인시전을 준 것뿐인데 이렇게 재앙이 될 줄이야. 모든 면에서 다 실패한 케이스이다. 변명도 구차하다.

환자가 친척이고 워낙에 선하신 분이라 본인은 괜찮다고 하셨지만, 필자는 스스로 자책감에 치료비를 모두 반환해드리고 사과드렸다. 필자의 잘못을 인정하고 앞으로 있을 치료는 모두 무상으로 해드리겠다고 약속했다.

이후 1년쯤 지나서 그냥 다시 오기가 도져서 소프트티슈로 어떻게 해볼까 하고 입천장에서 connective tissue를 또 떼고, 뭘 집어넣고, 뭘 떼다 붙이고, 되지도 않는 것들을 하다가 상태는 최악으로 치닫게 되었다. **역시 전치부는 수술을 여러 번 할수록 scar도 형성되고 blood supply도 나빠지기 때문에 더욱 악화된다는 것**을 다시 한번 느끼고 정말로 미련을 버리고 포기하였다. 이후 환자분께 사죄하는 마음으로 평생을 살기로 하였다.

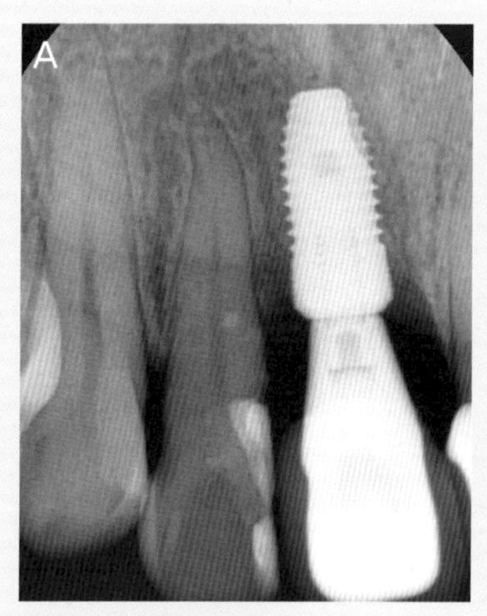

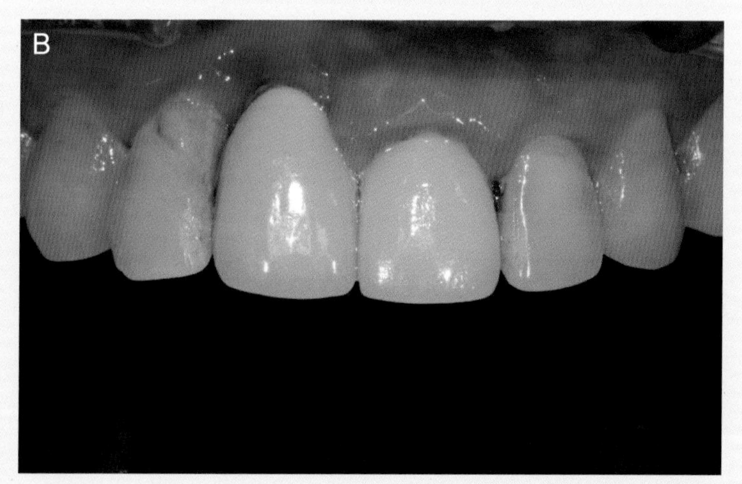

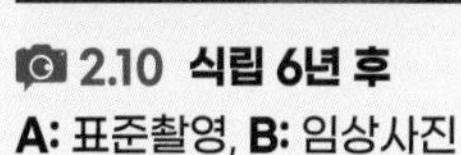
2.10 식립 6년 후
A: 표준촬영, **B:** 임상사진

식립하고 6년 후 임상사진이다(**2.10**). 정말 마이크로 쓰레드 영향 때문인지 치경부에 골흡수도 관찰되고 치은에 염증도 있어 보인다. 원래도 평소에 잇몸이 자주 부으며 아프고 안 좋은 편이었다.

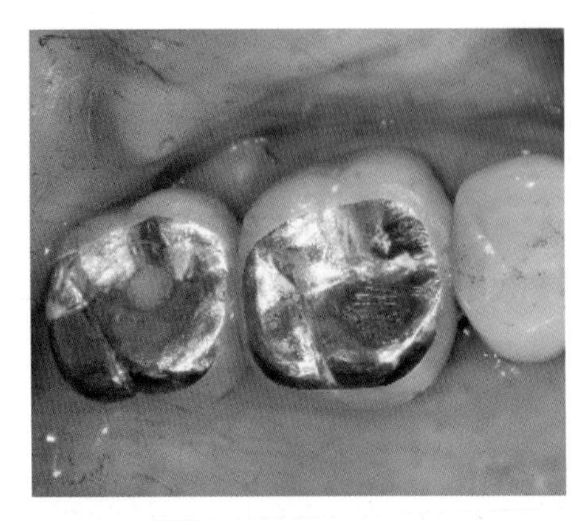
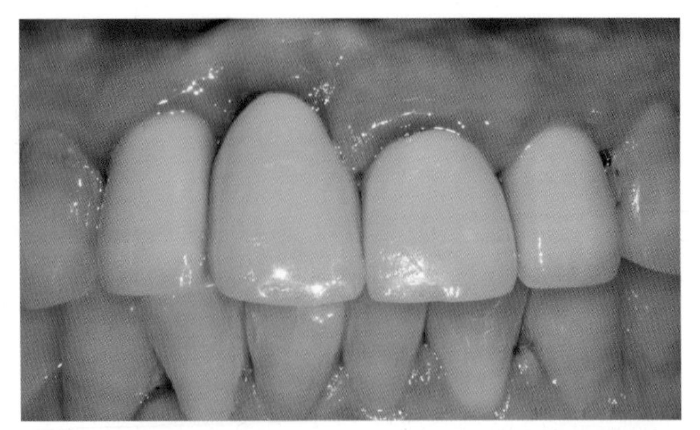
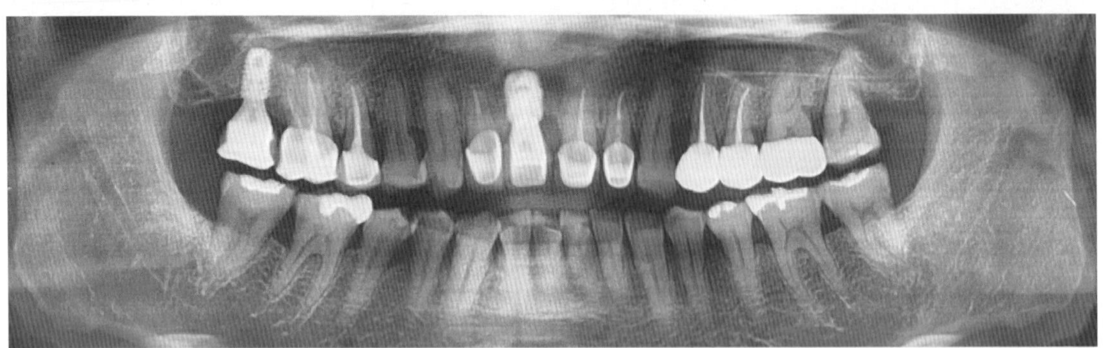

2.11 식립 10년 후 사진

식립 10년 후, 그래도 지속적으로 필자를 믿고 병원에 와주셔서 그동안 상악전치부들 나머지도 크라운하였고, 20번대 소구치 크라운과 17번 임플란트를 하였다(2.11). 여전히 잇몸은 마음에 안 든다. 정말 잇몸이 계속 나빠지면 빼고 다시 팔라탈로 심을 생각을 여전히 가지고 있다. 여기서 결론은 **너무 굵은 걸 고집하지 말고 올바른 방향으로 잘 심는 것이 더 중요**하다는 것이다.

덴티움 임플란트 잘 된 케이스 보기

혹시 위 케이스 리포트가 덴티움 임플란트가 안 좋다는 이야기로 들릴까 봐 걱정이 된다. 몇 년 전에 우리 치과의사들을 대상으로 한 설문조사에서 품질로는 가장 좋은 평가를 받은 임플란트이다. 각각 임플란트의 특징을 이해하고 진료했어야 하는데, 필자가 그렇게 하지 못한 것일 뿐이다. 참고삼아서 덴티움으로 했던 괜찮은 케이스를 하나 올려본다. 아는 동생인데, 이가 안 좋아서 밥을 못 먹는다고 도와달라고 했다. 치료비를 몇 년에 걸쳐서 나눠 받는 조건으로 10년 전에 임플란트를 해줬다. 우리나라에서는 이렇게 충치가 심한 케이스를 구하기가 매우 어렵기 때문에 필자가 나름 소중하게 생각하는 케이스이다. 조금 더 잘하고 싶었지만, 경제적으로 너무 어려워하여 나름 타협하면서 치료한 케이스지만 나름 10년이 지난 지금도 잘 쓰고 있다.

같은 4.0이라도 엑스레이로 보면 마이크로 쓰레드가 있는 것이 더 튼튼해 보인다. 필자는 오스템의 옛 제품인 GS3처럼 마이크로 쓰레드가 있는 임플란트들에서 임플란트의 테어링을 들어본 적이 거의 없다.

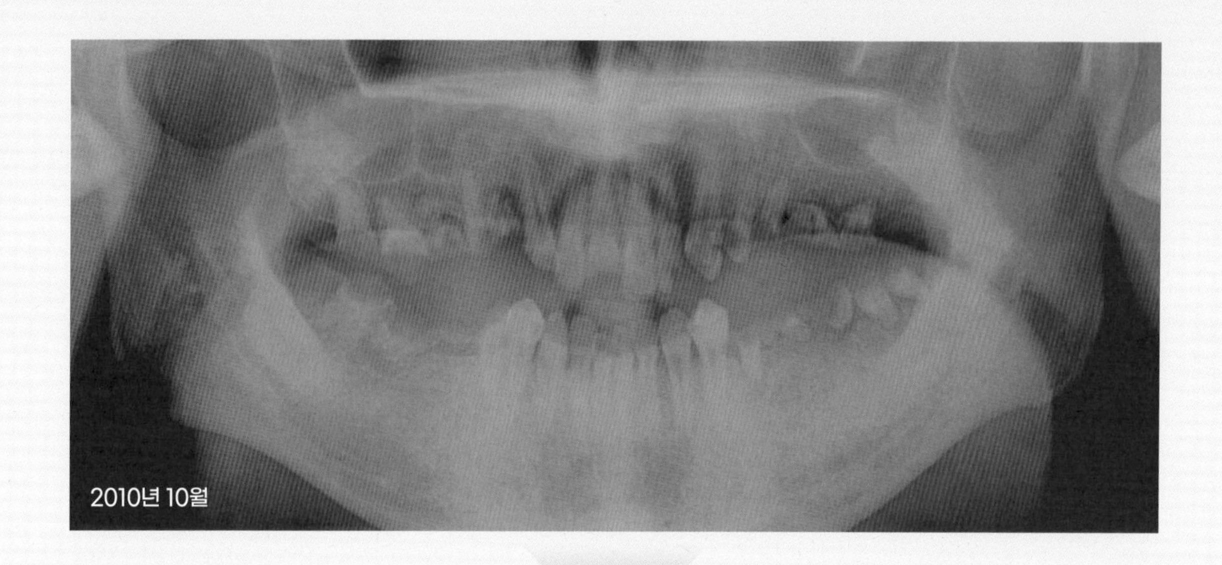
2010년 10월

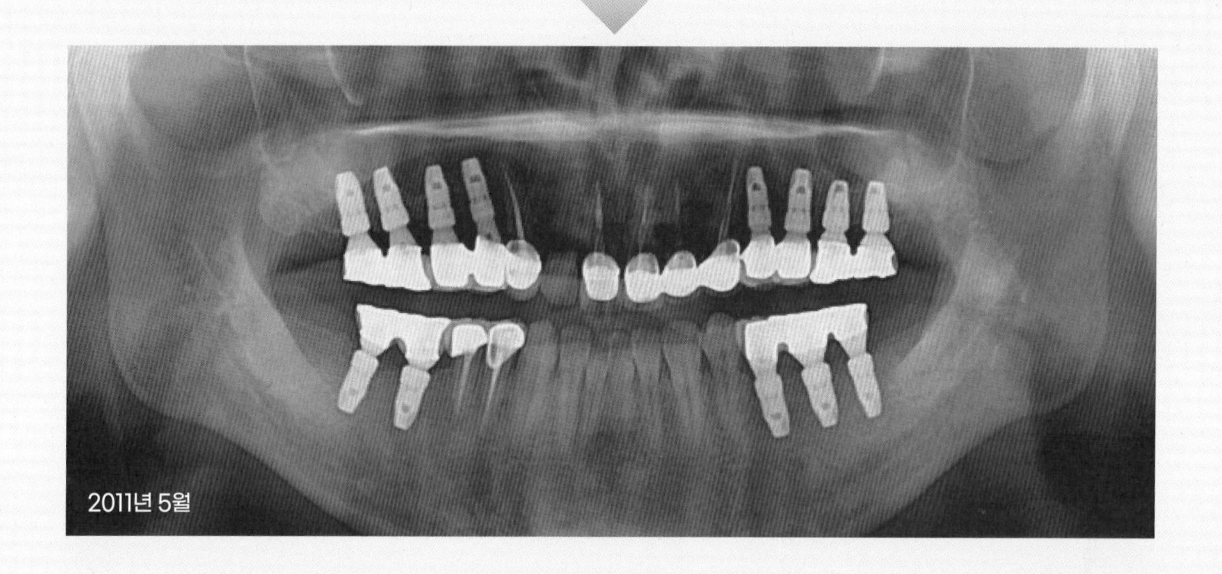
2011년 5월

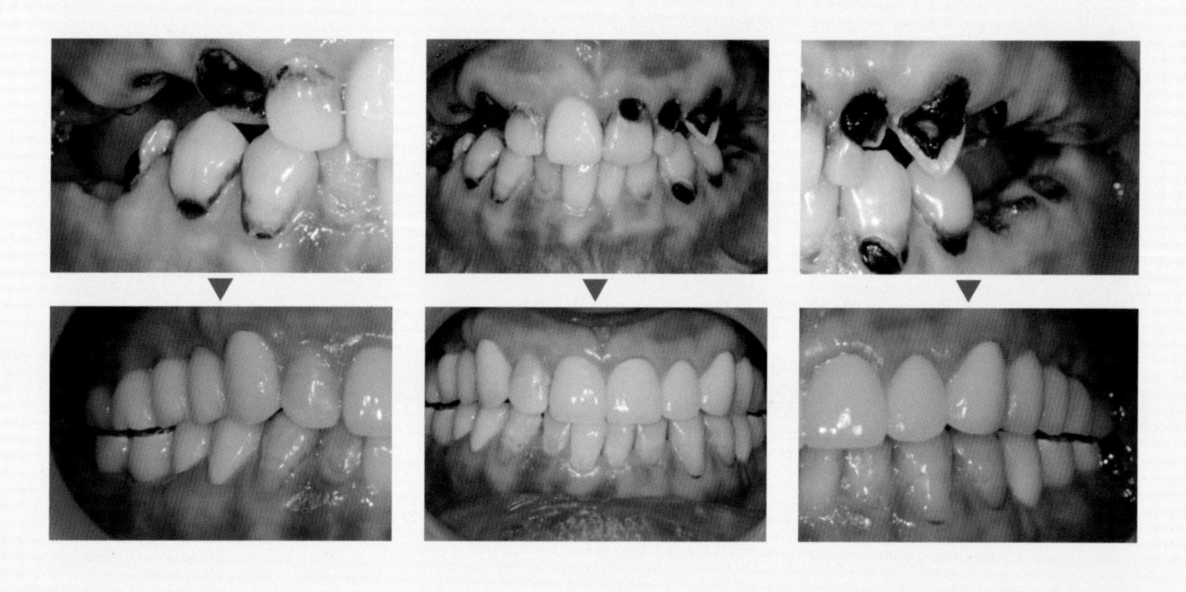

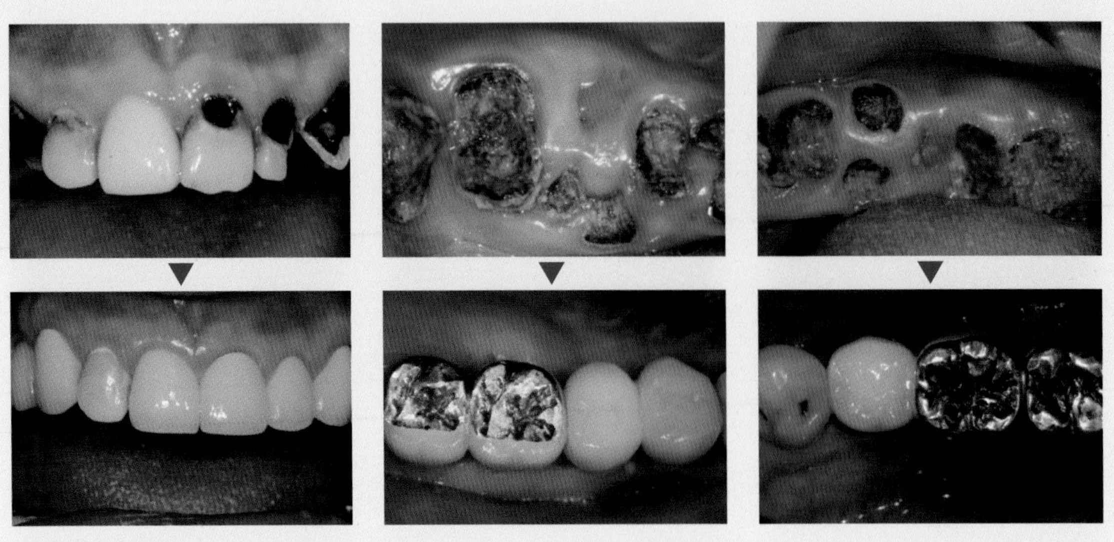

2.12 덴티움 임플란트 케이스 치경부 마이크로 쓰레드가 있어서 튼튼하게 보인다.

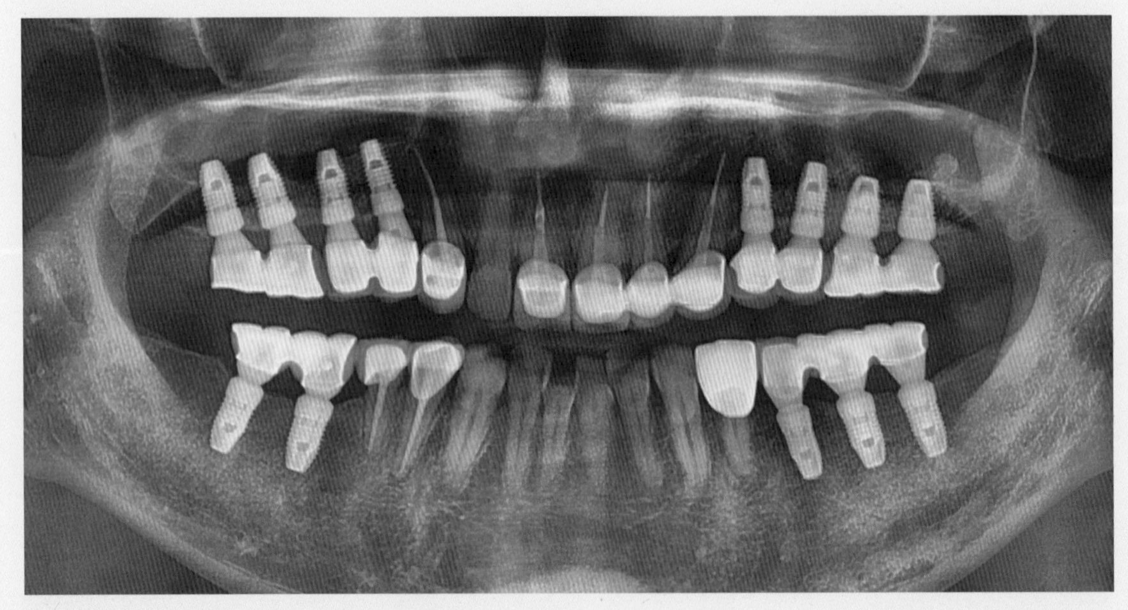

2.13 10년이 지난 2021년 6월 최근 파노라마

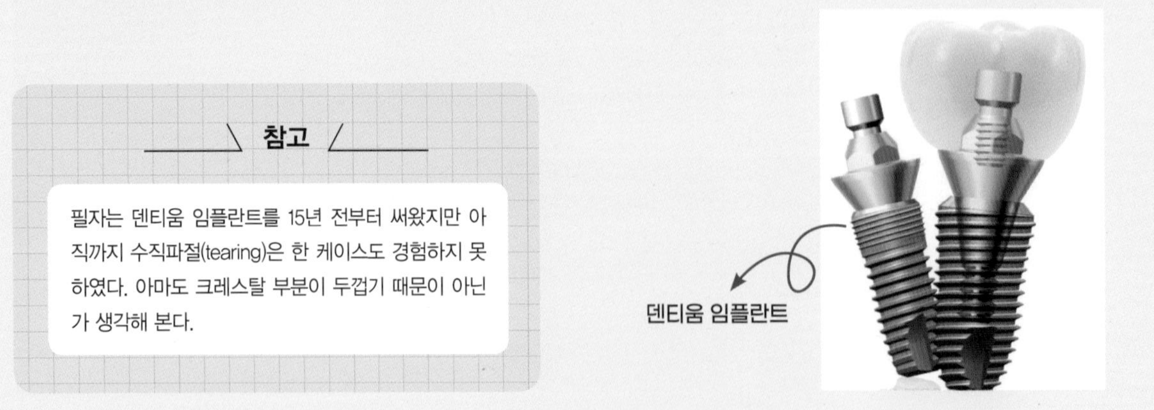

참고

필자는 덴티움 임플란트를 15년 전부터 써왔지만 아직까지 수직파절(tearing)은 한 케이스도 경험하지 못하였다. 아마도 크레스탈 부분이 두껍기 때문이 아닌가 생각해 본다.

사실 이러한 테어링은 임플란트의 종류를 가리지 않고 많이 발생한다. 특히 세계 최고라는 노벨바이오케어 임플란트는 치경부에 백테이퍼가 들어가 있어서 너무 얇기 때문에 테어링 케이스가 너무나 많이 발생한다.

각 회사에 안내하는 가이드라인은 어떨까? 임플란트 하나를 만 원에 한다고 광고한 모 회사의 경우는 모두 무상 교환되지만, 어금니(4, 5, 6, 7번)에 4.0 mm 이하의 제품을 식립한 경우에는 무료보상 거부라고 되어 있다. 오스템 같은 경우도 어금니에 4.0 mm을 싱글로 심는 것은 추천하지 않는다. 그렇다면 정말 뼈가 얇은 경우는 어떻게 해야 할까?

이제 임플란트 수직파절(tearing)에 대해 간단히 알아보자. Internal friction type 임플란트의 가장 큰 문제점은 결국 테어링이다. 테어링이 생긴 케이스들 보면 모두 하나같이 치경부에 골소실을 볼 수 있다. 물론 무엇이 먼저인지는 모른다. 테어링이 발생하면 당연히 골소실이 올 것이고, 반대로 골소실이 생기면 테어링도 잘 생기기 때문이다. 그럼 골 소실이 없는 케이스에서 테어링이 잘 안 생길까? 그렇다고 단언할 수는 없지만, 골소실과 테어링은 매우 상관 관계가 높은 건 사실이다.

그럼 다시 위의 질문으로 돌아가 보자. 임플란트 뼈가 얇으면 어떻게 할 것인가? 마냥 임플란트의 지름만 키우기보다는 주변의 단단한 골이 있을 수 있는지도 함께 고려해야 할 것이다. **주변에 골이 없는 4.5보다는 주변에 건강하고 단단한 골이 있는 4.0 임플란트가 더 좋을 수도 있다.** 물론 테어링도 결국 한 번의 강한 힘보다는 마이크로 갭과 무브먼트에 의한 약한 힘이 지속적으로 작용한 이유일 수 있다. 그로 인한 골소실과 누적된 피로가 결국 테어링의 원인일 것이라고 생각한다. 이 책에서 여러 번 같은 이야기를 다룰 것이다. 왜냐하면 너무 중요한 이야기이기 때문이다. 그럼 여기서 필자가 생각하는 테어링을 예방하는 방법을 한 번 정리해보겠다. 참고로 수직파절(tearing)에 관한 내용은 이 책의 마지막 챕터인 8-2장에서 자세히 다룬다.

테어링을 예방하는 방법 8-2장 참고

- 단순히 지름만의 문제가 아니라 주변에 건강한 골이 충분히 있어야 한다.
- 임플란트의 지름만이 아니라 올바른 위치와 방향, 높이가 중요하다(바로 다음 챕터 내용임).
- 무엇보다 어버트먼트가 픽스처에 패시브핏하게 장착되어서 마이크로 갭과 무브먼트가 없어야 한다. 필자는 그로 인한 골소실과 피로의 누적이 원인이라고 생각된다.
- 식립 과정에서 너무 과한 힘으로 심지 않는다. 일반적으로 60–80 N 이상 사용하면 헥사가 심는 과정에서 손상될 수 있다(앞서 언급했지만 너무 세게 심으면 표면처리도 다 망가짐).
- 보철 과정에서도 30–35 N 정도로 제조사의 권장 뉴턴만큼만 사용한다(보통 미니 사이즈는 20 N).

상악 측절치에 미니 사이즈 임플란트 식립 케이스 1

2.14와 2.15는 상악 측절치에 3.5 미니 임플란트를 심은 경우이다. 힘을 많이 받지 않는 곳이다 보니 3.5 임플란트에 가장 적합한 곳이라고 할 수 있다. 보통 필자는 템포러리 어버트먼트와 임시 크라운을 거의 안 하기 때문에 처음에는 3 mm 힐링을 쓰면서 템플레이트 사용을 하라고 하고, 임프레션 하기 직전에 5 mm(때론 7 mm) 높이의 힐링으로 교체한다. 이 케이스에서는 1-2 mm 정도 더 깊게 심었다면 좋았을 것 같은 아쉬움이 든다.

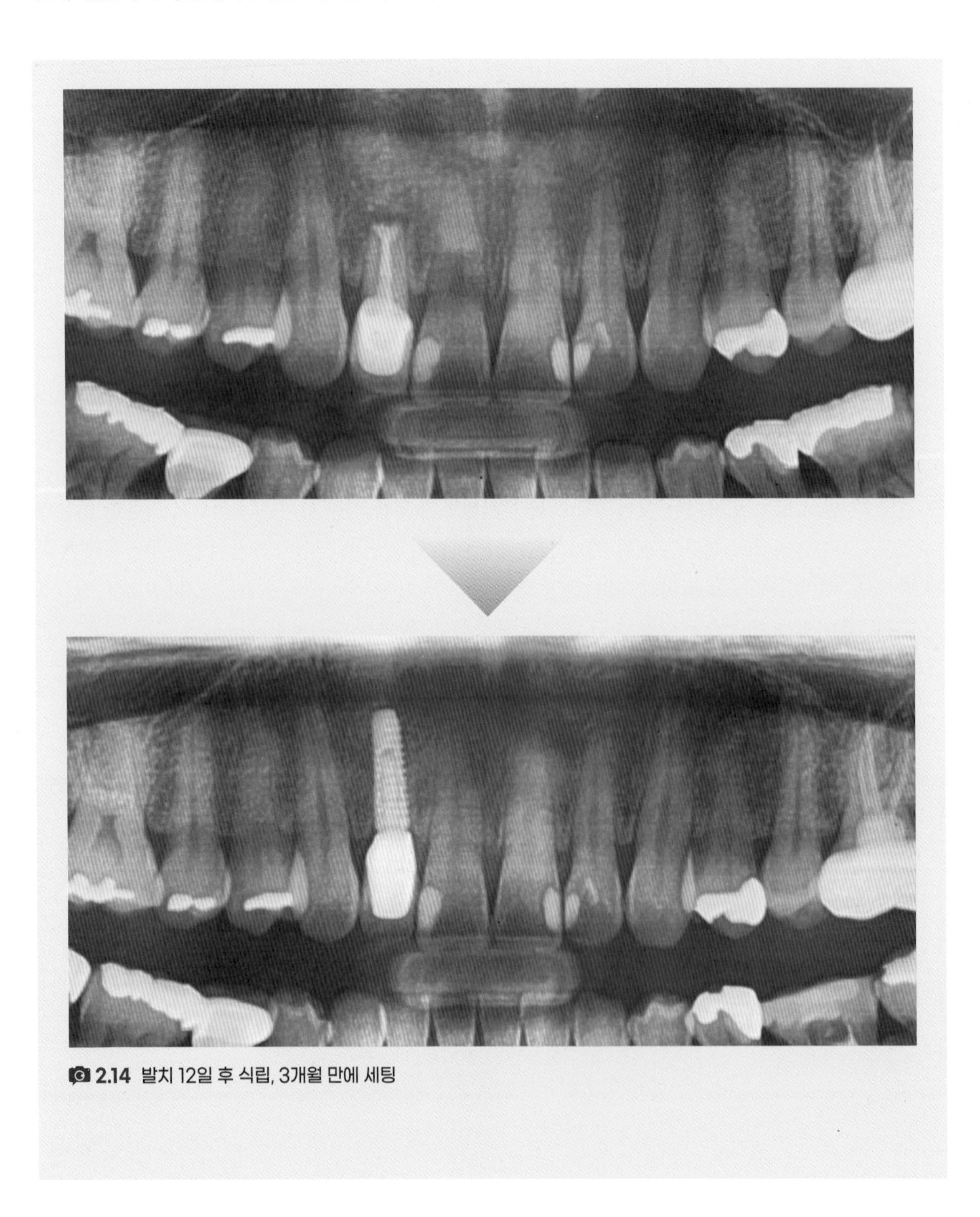

2.14 발치 12일 후 식립, 3개월 만에 세팅

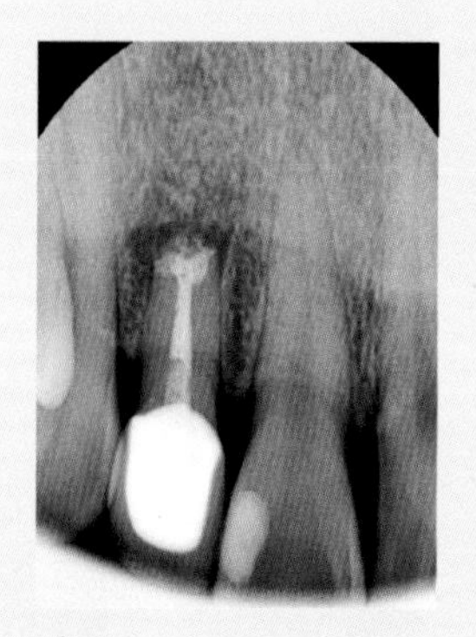
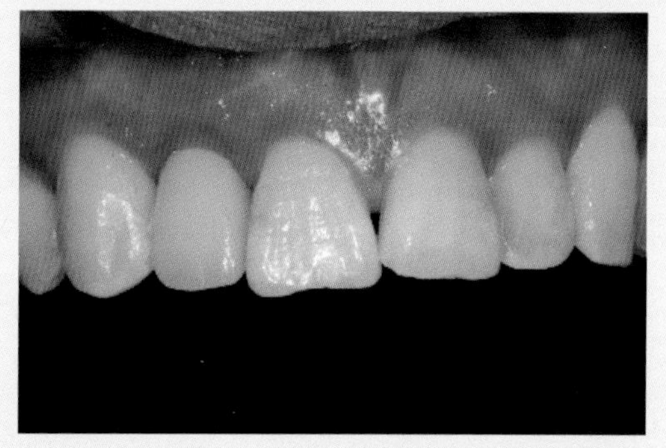

발치 전

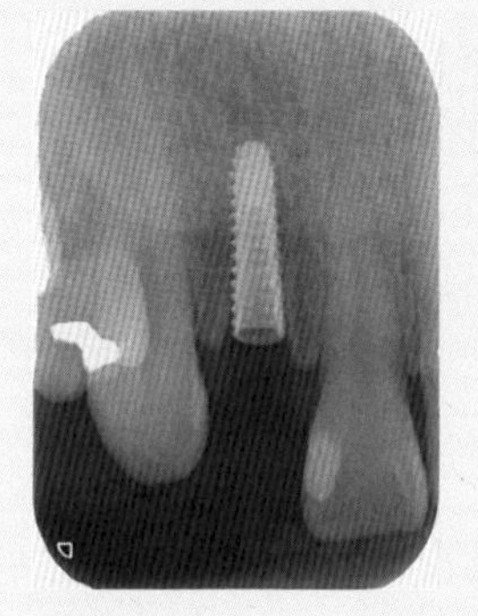

식립 직후

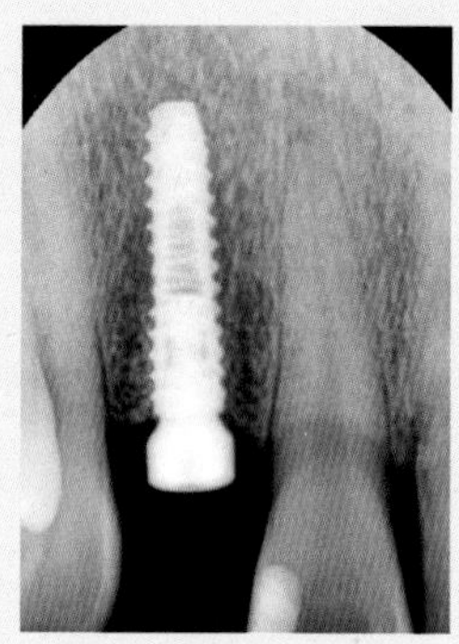

힐링 3 mm 높이 체결

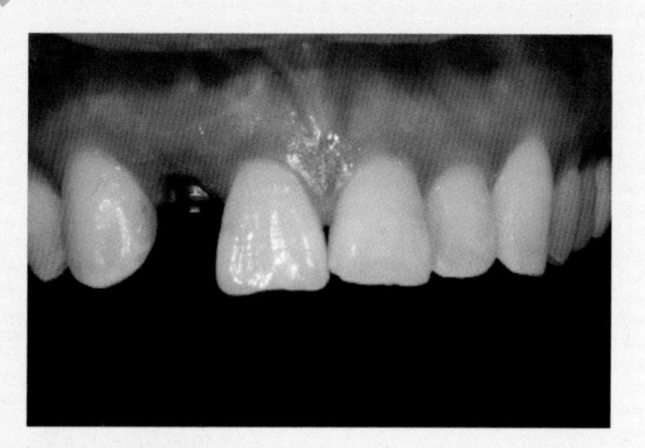

5 mm 높이의 힐링
어버트먼트로 교체한 사진

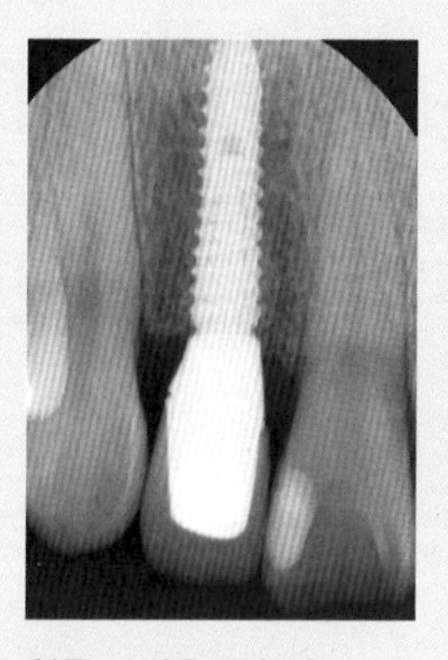
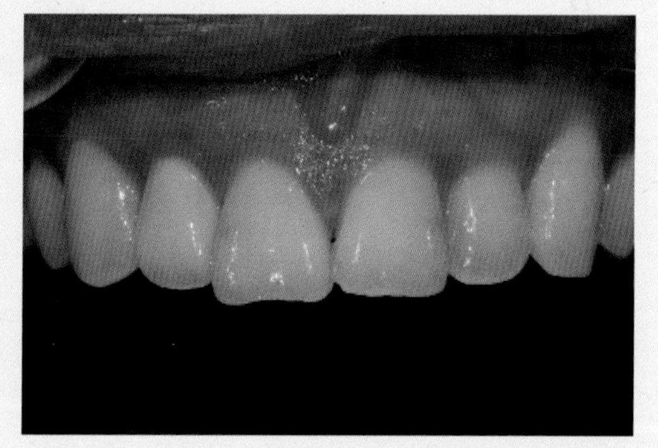

최종 크라운 장착 후

2.15 필자의 일반적인 전치부 진행 과정

필자가 보철진료를 하지 않기 때문에 보철과에 물어서 진행과정을 결정하지만, 특별한 게 없다면 우선은 3 mm 높이의 힐링 어버트먼트가 순측에서 살짝 잠기는 정도로 높이를 맞추어 심고, 그 뒤부터는 보철과에 일임하는 편이다. 최종 인상 1-2주 전에 5 mm 높이의 힐링 어버트먼트로 교체하는 것을 권장한다.

측절지에 미니 사이즈 임플란트 식립 케이스 2

📷 2.16은 스트라우만 BLT를 3.3 mm 식립한 케이스이다. 지름이 오스템의 3.5보다 얇기 때문에 보여주기 위해서 여기에 이 케이스를 보여주지만, 사실 스트라우만 BLT 3.3은 소구치에도 싱글로 식립할 만큼 강도 면에서는 문제가 없다고 보고 있다. 록솔리드라는 강한 재료와 치경부의 작은 쓰레드가 그것을 가능하게 한다고 생각한다.

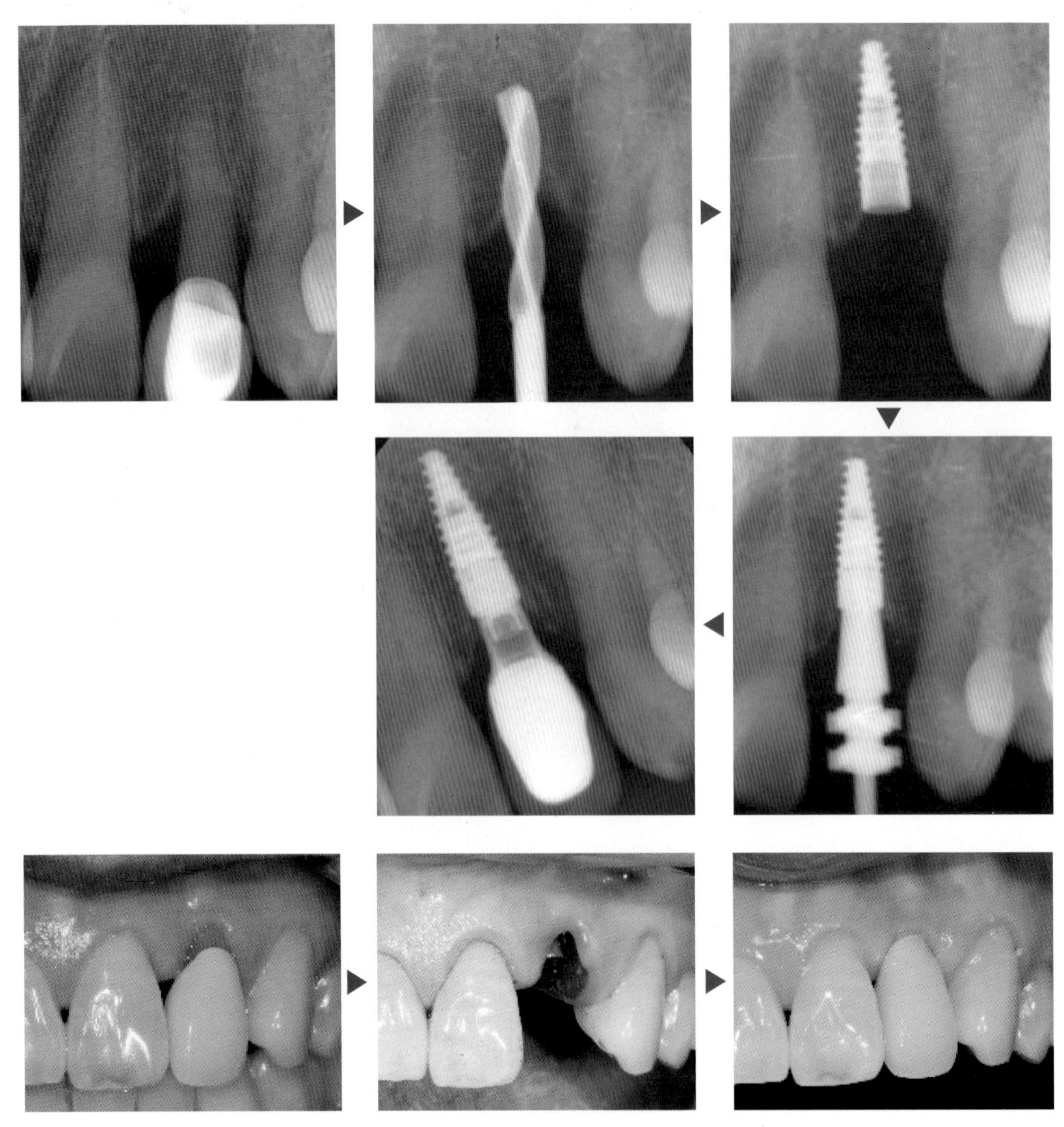

📷 2.16 3.3 mm * 10 mm 스트라우만 BLT 발치 후 즉시식립 케이스

필자가 이미디엇으로 적절한 위치에 잘 심었음에도 보철과로 넘어가면서 크라운이 참 마음에 안 들게 되었다. 조금만 더 신경써서 진지바 힐링을 잘 기다리면서 리모델링 해갔다면 발치 전보다 더 예쁘게 되었을 듯한데 아쉽다.

중절치에 미니 사이즈 임플란트 식립 케이스

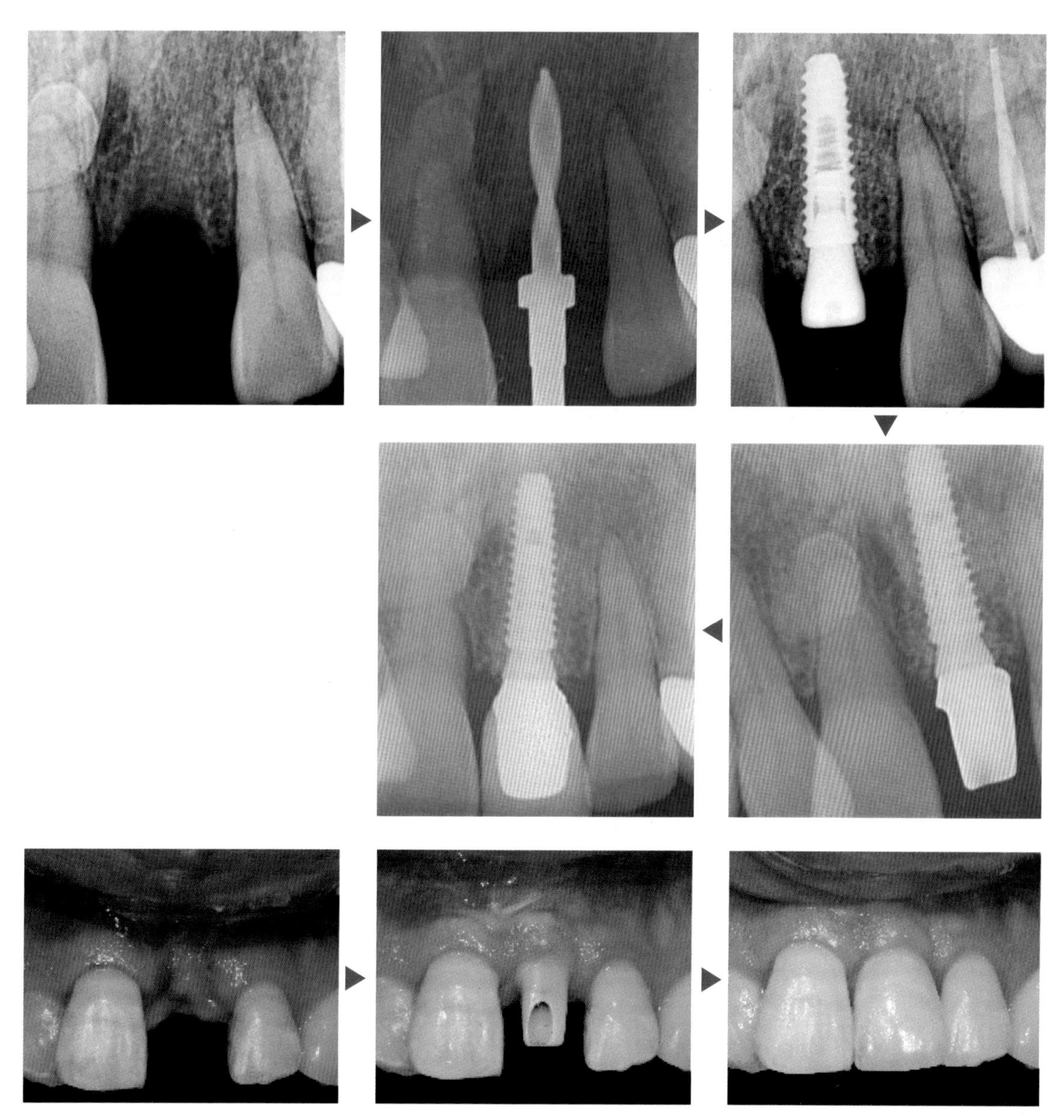

2.17 성인 남성 중절치에 3.5 mm 미니 임플란트 식립 케이스

필요에 따라서는 건장한 남자의 경우도 상악 중절치에 미니 사이즈도 쓸 수 있다(2.17). 앞서 언급했듯이 무조건 4.0 이상(예전 같으면 4.5나 5.0도 중절치 사이즈에 맞춰서 키우라고 하기도)을 고집하기보다는 3.5 mm를 심어서 올바른 방향으로 심을 수 있고, bucco-lingual로 더 튼튼한 골을 가질 수 있다면 필자는 그것을 더 추천하는 편이다. 이 케이스의 경우는 bucco-palatal 뼈가 다 없어서 아마 3.5 미니 사이즈를 최대한 중심에 심고 그래프트를 하여 마무리한 케이스이다. 약간 버칼이지만 심미적으로는 크게 문제가 없어 보인다. 마침 이 책의 마지막 오타를 보고 있는 2021년 6월… 최근 이 환자분이 다녀가셨는데 아직까지는 5년 이상 잘 쓰고 계신다.

미니 임플란트로 상악 전치부 브릿지한 케이스

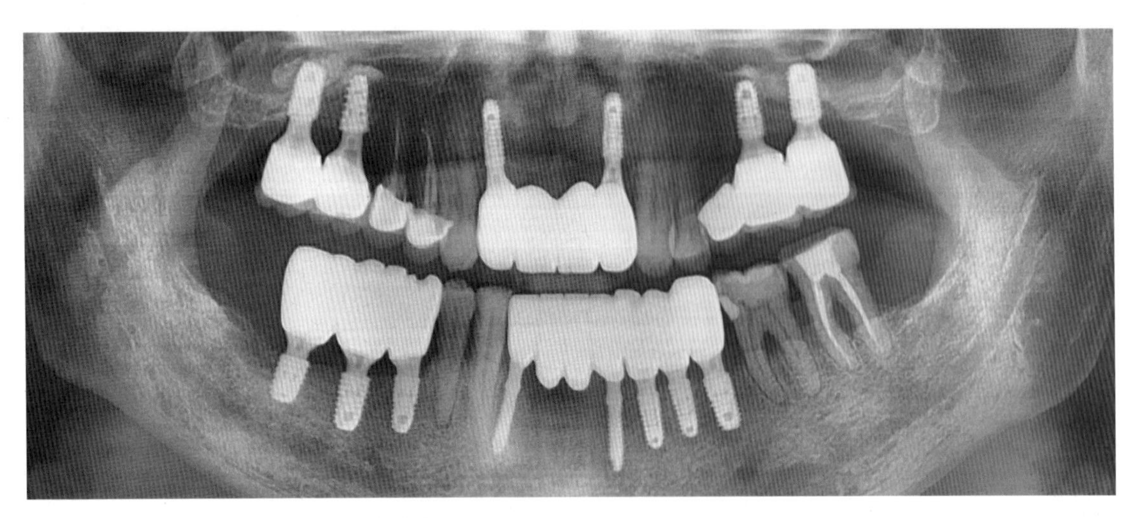

2.18 미니 임플란트를 이용한 브릿지 케이스

상악전치부에 3.5 mm 임플란트로 4개의 브릿지를 한 상태이다. 치주질환이 심한 상태에서 진행된 발치로 인해 뼈가 너무 없어서 최대한 남은 뼈를 살려가면서 시행한 케이스이다. 하악의 경우도 30번대 송곳니와 소구치 부위에도 3.5 mm 임플란트를 식립하였다. 임플란트의 두께만 고집하기보다는 주변에 건강한 골을 두는 것도 고려한 계획이었다. 치료 전후 사진을 보면 얼마나 뼈가 많이 소실되었는지를 알 수 있다. 실제로 플랩을 열어 보면 뼈는 거의 없었고, 리지가 매우 좁았다. 하악 소구치에 크라운 사이의 공간이 너무 좁아서 어쩔 수 없이 살짝 인접면을 삭제하고 임플란트한 케이스이다. 공간이 너무 좁아서 3.5 지름의 임플란트를 사용하였다.

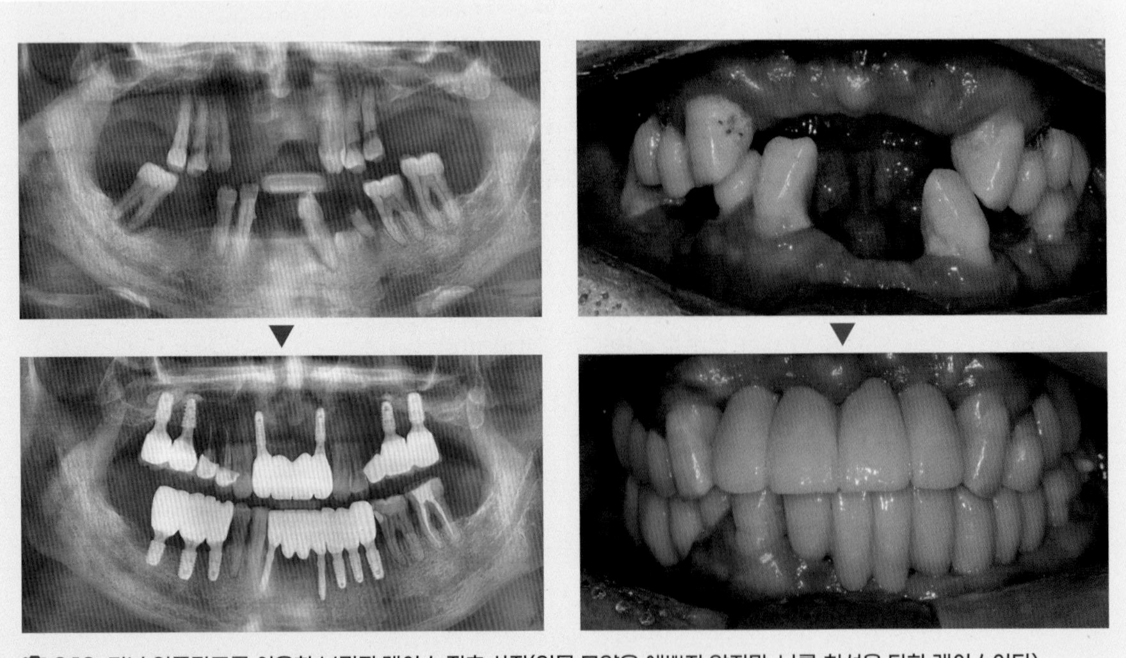

2.19 미니 임플란트를 이용한 브릿지 케이스 전후 사진(잇몸 모양은 예쁘지 않지만, 나름 최선을 다한 케이스이다)

하악 소구치에 미니 임플란트 식립 케이스 1

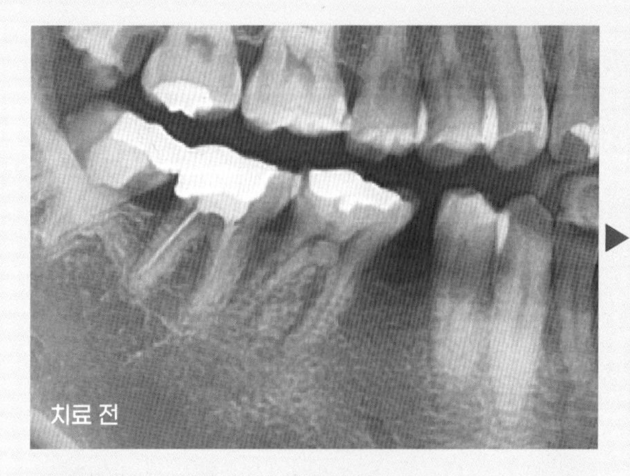

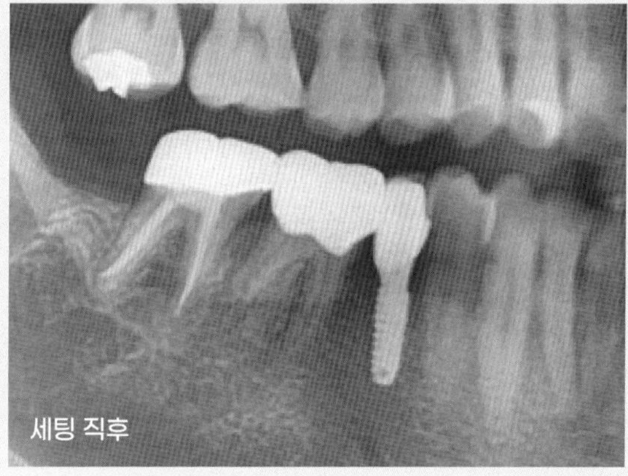

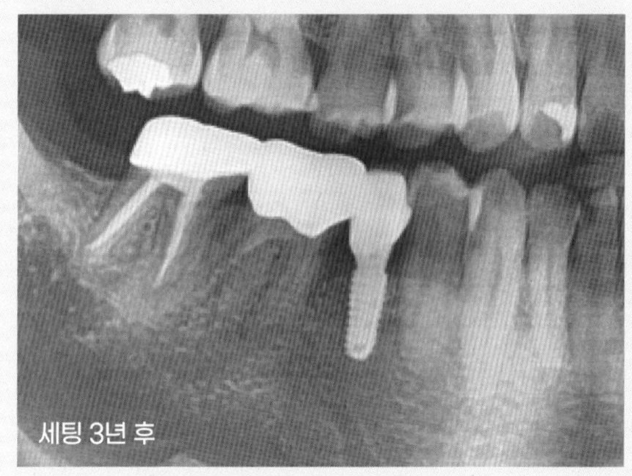

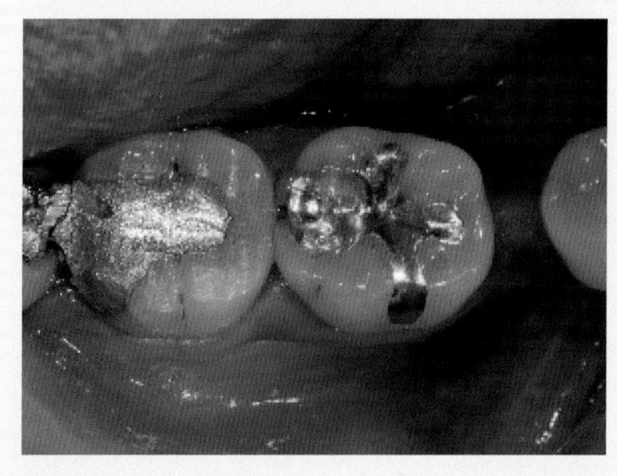

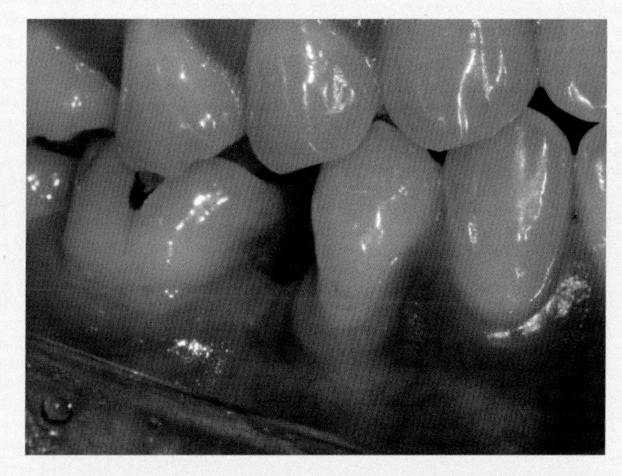

2.20 40세 남자환자이지만 공간이 너무 좁아서 소구치에 미니 사이즈 임플란트를 식립하였다. 술후 임상사진이 없어서 아쉽다.

하악 소구치에 미니 임플란트 식립 케이스 2

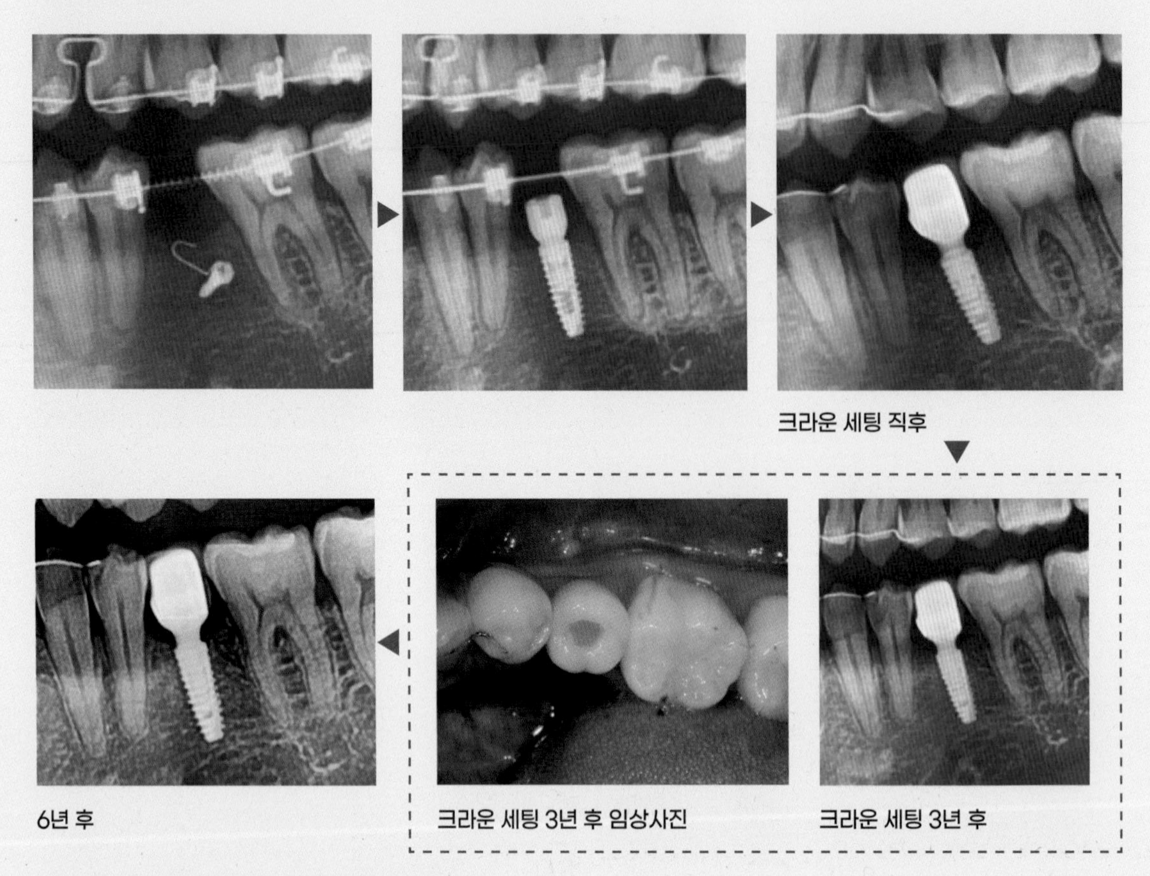

2.21 공간이 부족하여 교정 후 식립한 케이스

선천적으로 소구치가 결손된 상태여서 식립 당시에 협설로 골폭이 너무 좁아서 미니 임플란트를 식립한 케이스이다. 지금 보면 환자가 젊은 남자임을 고려해서 조금 더 굵은 것을 깊게 심고 GBR을 했으면 하는 아쉬움이 남지만, 식립 당시에는 협설로 골폭뿐만 아니라 치아 사이의 폭이 좁은 점을 고려해서 무리하지 않은 듯하다. 필자는 보통 교정 환자에게 임플란트를 할 때는 교정이 끝나기 4–5개월 전에 보내 달라고 하는 편이다. 그래서 교정 끝나기 한 달 전에 크라운이 올라가고, 나머지 마무리하고 끝내라는 식으로 말이다. 6년이 지난 지금도 잘 기능하고 있다. 교합체크를 위해서 꼭 1년에 한 번은 치과에 와서 체크하라고 안내하고 있다. 필자가 기억하기로는 직전 케이스와 이 케이스들은 수술 당시 4.0은 드릴도 인접치에 걸려서 들어가지 않았다. 선택의 여지가 없어서 미니 사이즈 임플란트를 식립했던 것 같다.

상악 소구치에 미니 임플란트 식립 케이스 보기

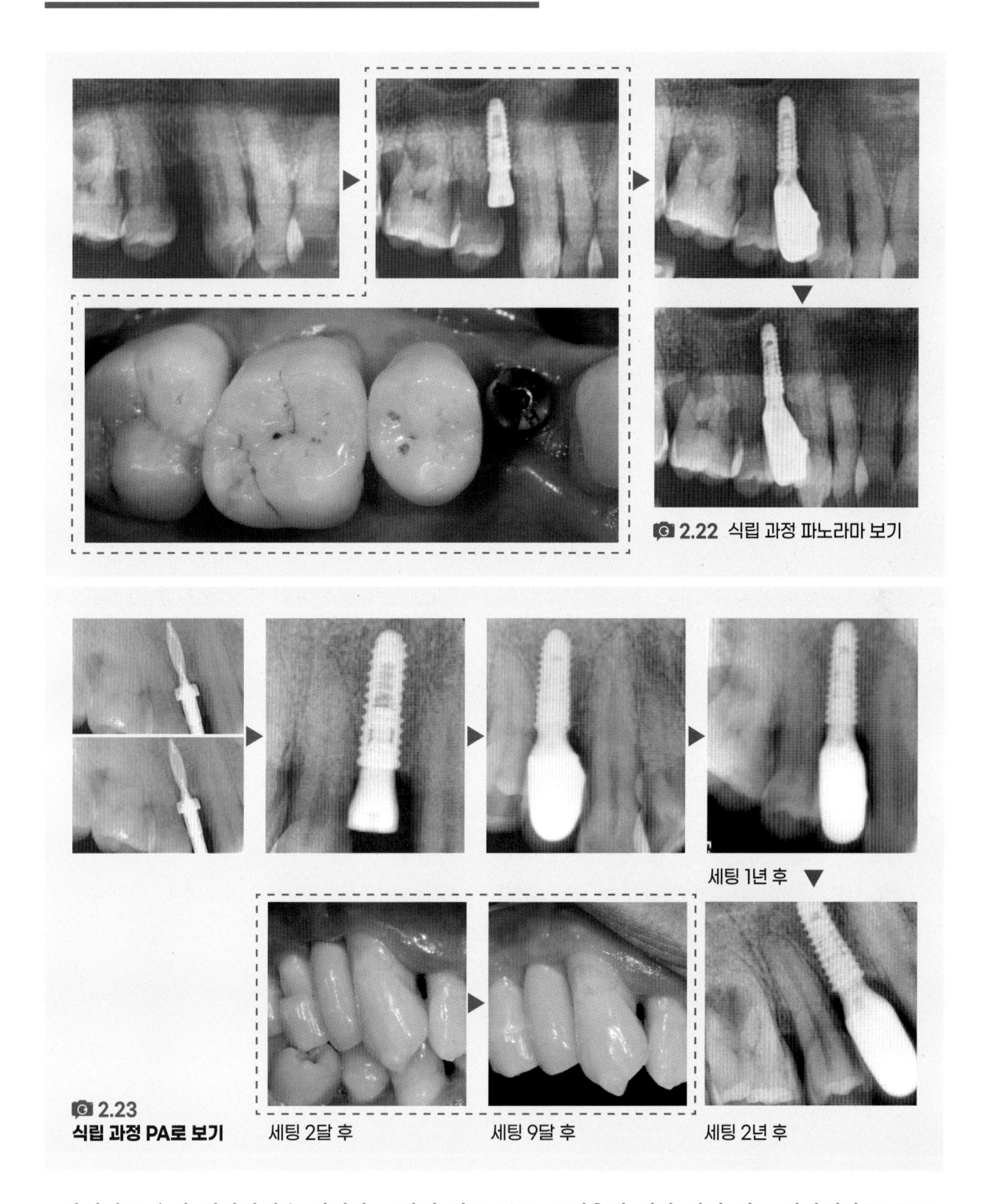

2.22 식립 과정 파노라마 보기

2.23 식립 과정 PA로 보기

아쉽게도 술전 임상사진은 없지만 공간이 너무 좁고 구개측에 뼈가 거의 없는 환자이다(**2.22, 2.23**). 굳이 임플란트 하고 싶다고 해서 3.5 mm 임플란트를 식립한 케이스이다. 뼈를 찾아 심다 보니 위치는 마음에 안 들지만 아쉬운 대로 만족스러웠다. 가끔 상악 1소구치에서는 emergency profile 때문에 조금은 협측으로 기울어지게 심는 경우도 있다. 협측 리세션이 심하다거나 골 모양 등 여러 가지 요소들을 고려해야 한다. 어쨌든 이런 경우는 본로스가 오면 임플란트의 파절 위험이 높은 관계로 환자에게 조금이라도 임플란트가 흔들리는 느낌이 있다면 바로 사용하지 말고 치과로 오라고 말해 놓곤 한다.

외국 임플란트 회사들의 미니 임플란트

스트라우만을 많이 쓰는 외국에서는 BLT 3.3 mm를 소구치에 심은 경우도 흔하게 본다. 물론 필자보다 더 많은 것을 고려해서 잘 했을 것이라고 생각되지만, 아무래도 앞서 언급했듯이 스트라우만 임플란트(록솔리드)의 강도가 매우 우수하기 때문에 그 점이 가장 먼저 고려된 것이 아닌가 생각된다.

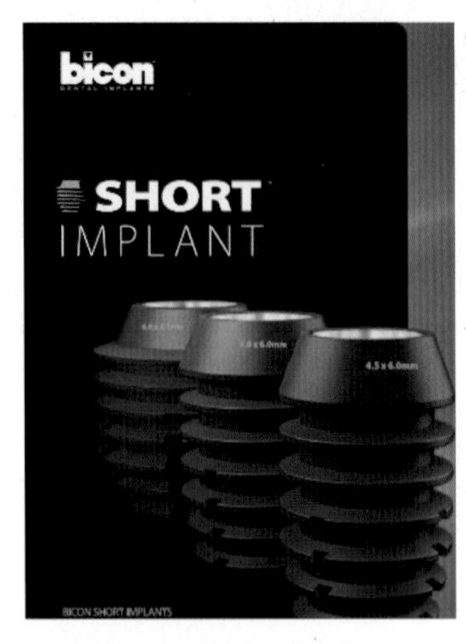

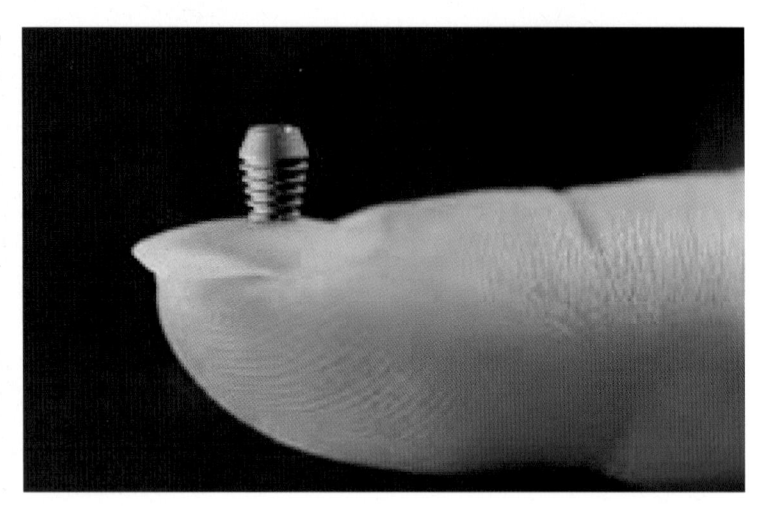

2.24 바이콘 임플란트 광고

바이콘에서 나중에 이런 제품이 나온다고 광고하는 것이다(2.24). 필자가 알아본 바로는 미국에서 허가받은 가장 작은 사이즈는 4.5 지름에 5 mm이다. 다만 바이콘이 그보다 더 작은 사이즈까지 고려하고 있다면 다른 임플란트라고 못할 이유가 있을까? 오히려 임플란트의 강도와 연결구조의 문제가 크기보다 더 중요한 고려 요소가 될 것이다. 아마 바이콘은 구성이 알로이이고 스크류가 없는 구조이다 보니 한번 세팅되면 안정적이어서 이런 작은 사이즈도 만들 생각을 할 수 있다고 보인다. 만약 이 제품이 한국에 판매된다면 필자는 사용해볼 의향이 있다.

원바디 미니 임플란트의 활용

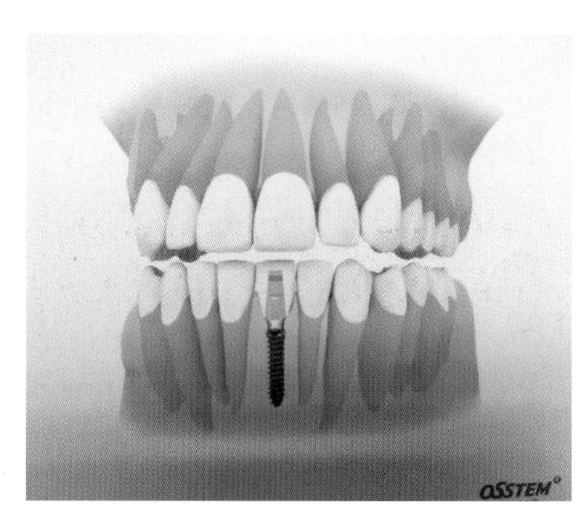

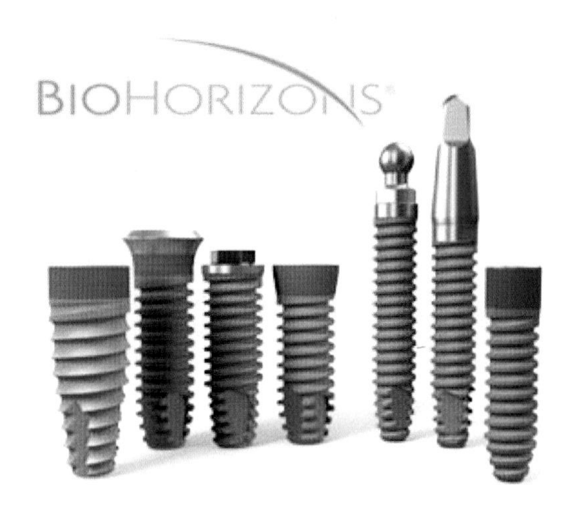

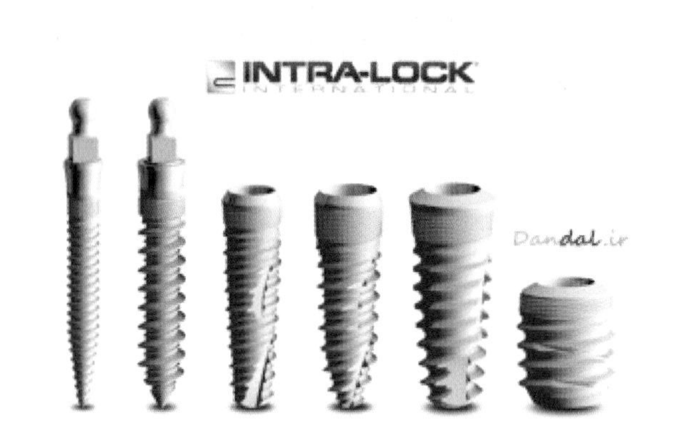

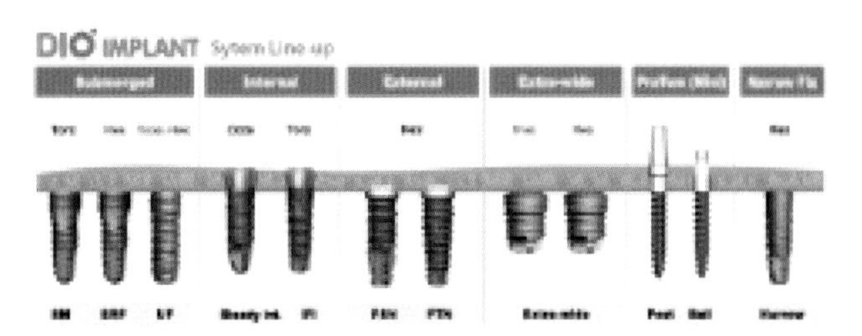

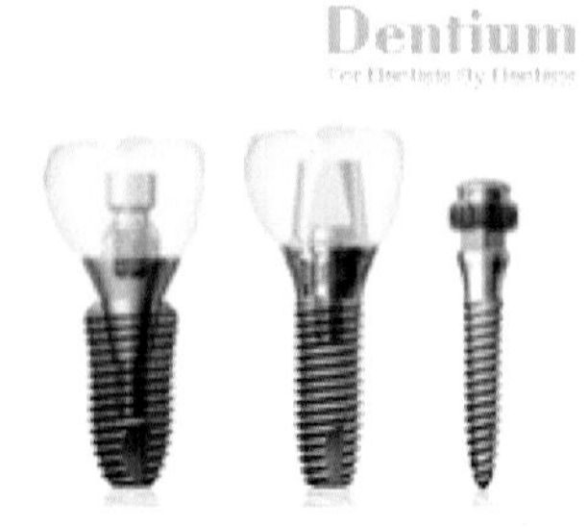

2.25 여러 회사에서 원바디 미니 임플란트를 생산하고 있다.

필자는 언젠가부터 **하악 전치부에는 원바디 미니 임플란트만**을 사용하고 있다. 원바디 미니 임플란트는 임플란트 지름이 3 mm 이하로 구조물 파절의 위험이 있어 어버트먼트와 픽스처가 연결된 형태의 임플란트를 말한다. 2.5 mm 지름이 가장 많이 쓰이는 사이즈이다. 대부분의 회사에서 3.0 mm도 나오기는 하지만 그럴 바엔 3.5 mm 미니로 가려는 경향이 커지게 되어 원바디로 갈 경우 하악 견치가 아니라면 2.5 mm 지름을 더 선호하는 것 같다. 알로이(당연히 표면처리는 RBM이 많겠죠?)를 주재료로 하기 때문에 강도는 매우 강해서 3.5 mm 미니 임플란트보다는 강하고, **4.0 mm 레귤러 사이즈 본레벨 임플란트 이상의 강도**를 보인다고 하기도 한다. 물론 기계적 강도보다 중요한 요소가 훨씬 더 많기 때문에 단순한 강도 비교는 쉽지 않다. 원바디 임플란트는 아무래도 바로 보이는 어버트먼트 때문에 사용을 꺼리는 사람들이 있는데, 그런 사람들을 위해서 회사마다 3.0–3.3 mm 사이즈의 투바디 임플란트가 나오기도 한다. 파절을 염려하여 재질은 알로이로 하고 쓰레드가 거의 없는 것이 특징이다. 필자는 투바디보다는 원바디 임플란트를 사용하기를 권한다.

하악전치부 치아 크기를 보면 근원심으로 대략 5–6 mm 정도이다. 루트의 근원심 폭경은 3–4 mm가 안 되는 경우도 많다. 또한 크라우딩도 매우 심하고 루트 간 거리가 매우 좁은 경우도 많기 때문에 때에 따라서 일반적인 임플란트는 불가능한 경우도 많다. 그러나 2.5 mm 미니 임플란트의 경우는 치아가 있었던 자리라면 어떻게든 인접치아를 손상시키지 않고 들어갈 수 있다.

필자가 지금까지 임플란트를 하면서 가장 스트레스 받는 부분이 아래 앞니 부분에 GBR한 경우일 것이다. 기본적으로 조직의 움직임이 많은 곳이기도 하고, 환자들이 워낙 잘 만지고 건들기 때문에 수술 부위가 가장 잘 터지고 스트레스를 주는 곳이다. 그런데 원바디 임플란트를 사용하면서부터는 플랩을 열거나 어렵게 GBR을 크게 할 필요가 없어서 아래 앞니에서 받는 스트레스가 거의 사라졌다. 아직 좀 덜 내키는 사람이 있다면 필자를 믿고 따라해 보길 바란다. 요즘 대부분의 회사에서 다 나오고 있다.

2014년 이전에 한 케이스 중 기억하고 있는 게 많지 않다. 최근에도 내원하면서 예전에 다른 임플란트를 필자에게 했다고 하는 환자들이 나타나면 그제서야 검색해서 예전 사진이 있나 찾아보는 정도이다. 최근 10년간은 하악 전치부 임플란트에 원바디(오스템 MS) 미니 임플란트 이외에 일반 임플란트를 사용한 경우는 기억에 없다.

원바디 미니 임플란트 하악 중절치 식립 케이스 보기

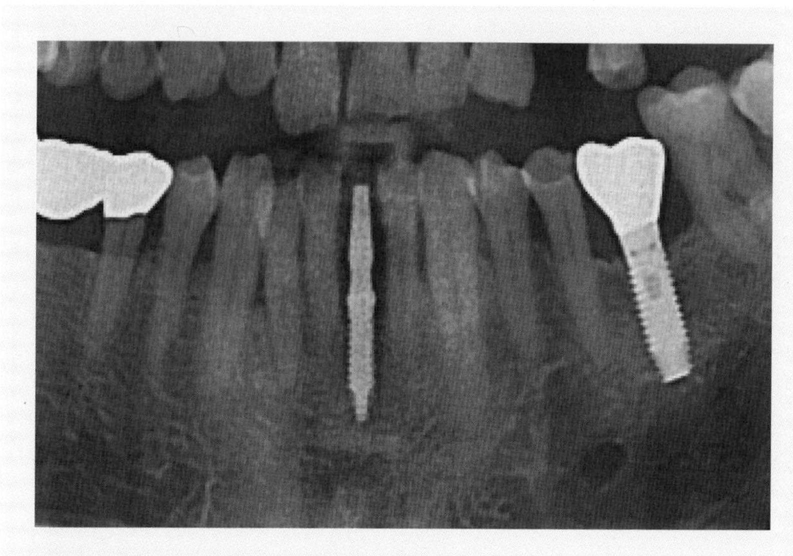

2.26 2012년 식립 직후

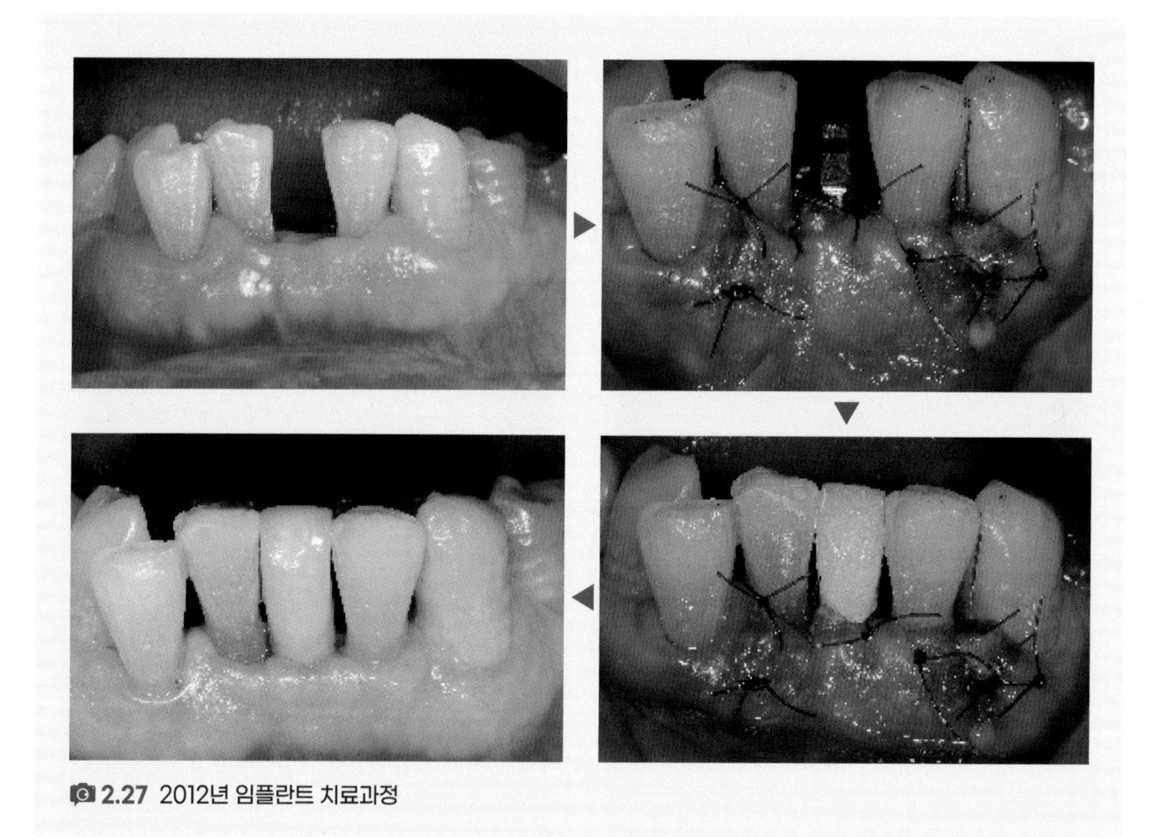

2.27 2012년 임플란트 치료과정

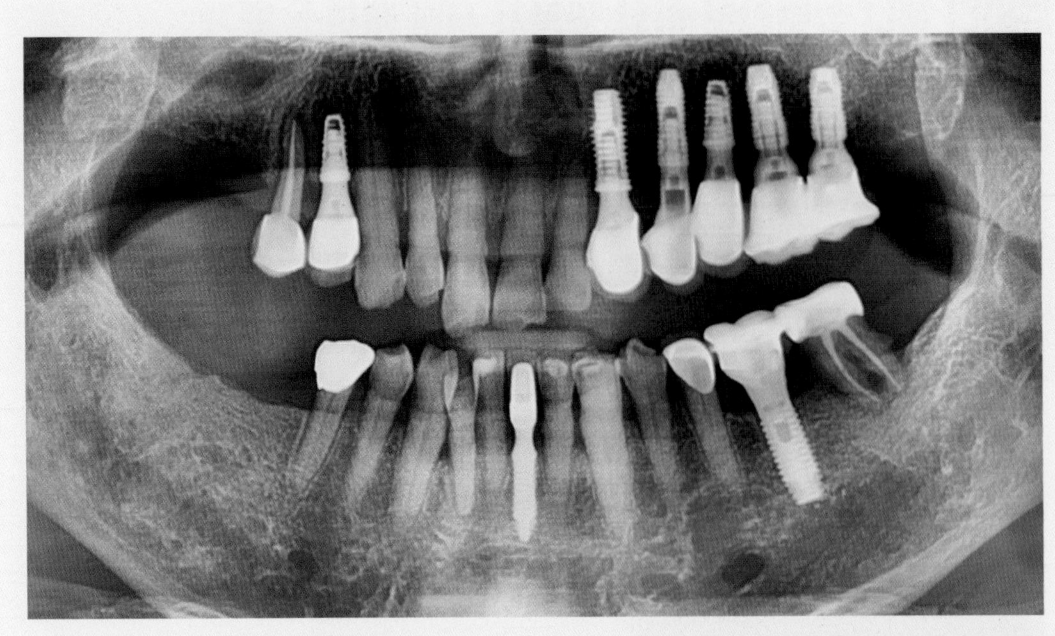

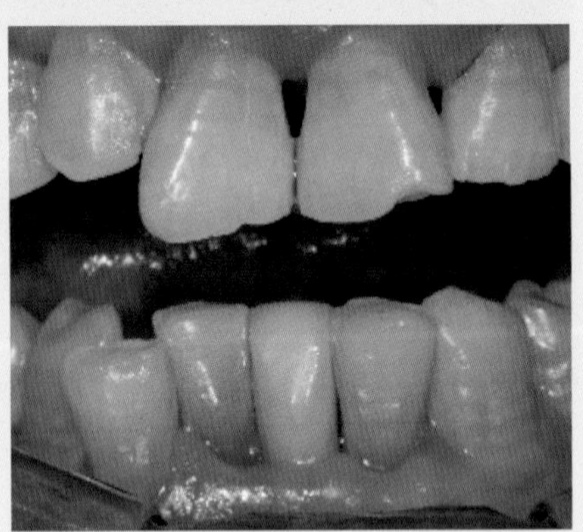

2.28 14, 23, 25번 임플란트 치료 완료 후(2019년 5월 8일)
31번 원바디를 포함한 24, 26, 27번은 2012년에 완료,
36번 임플란트는 2007년도에 완료한 케이스이다.

2.26-2.28 케이스는 환자가 최근에 다른 치아 임플란트 때문에 내원해서 아래 임플란트를 필자가 했다고 하길래 예전 사진을 찾아본 것이다. 보철은 마음에 안 들지만 고령의 남자 환자임을 감안하면 비교적 잘 적응하면서 쓰고 계신다고 볼 수 있다. 그렇기 때문에 다른 임플란트를 새로 하기 위해서 필자를 찾아 내원하셨을 것이라고 생각된다. 36번 임플란트는 2007년도에 필자가 식립한 케이스이다.

원바디 미니 임플란트를 시술할 때 유념해야 할 점 세 가지

1. 대부분 한두 번의 드릴링으로 심어야 하기 때문에 처음 방향을 잘못 잡으면 바꾸기 어렵다.

그래서 아직 드릴링이 익숙하지 않은 완전 초보들에게는 어려울 수 있다. 물론 타고난 손재주가 다르기 때문에 절대적인 기준은 아니지만, 필자가 라이브 서저리를 하면서 지도해보면 처음 심어보는 사람들도 옆에서 조금만 방향 잡아주면 금방 적응하는 것을 볼 수 있다. 다만 임플란트마다의 다른 특징들을 파악할 필요가 있다. 필자는 꼭 모델에라도 연습을 해보길 권한다. 필자가 그래서 강의할 때마다 이런 이야기를 한다.

"원바디 미니 임플란트는 원샷-원킬"

2. 긴 어버트먼트가 픽스처에 붙어있기 때문에 초기고정이 좋지 않으면 어버트먼트를 자극하는 힘에 의해 인테그레이션이 실패할 수 있다.

원바디 미니 임플란트는 초기고정이 중요하기 때문에 골 상태가 너무 좋지 않은 경우에는 충분히 기다리는 것이 좋다. 필자의 경우 즉시 임플란트가 아닌 경우에는 연조직이 힐링되는 한 달 반 정도 있다가 수술하지만, 뼈가 안 좋은 경우는 절대 서두르지 말고 두 달에서 세 달 정도까지 충분히 기다리기도 한다. 필자가 강의할 때는 이런 이야기를 한다. "조선시대 백두산 호랑이 잡는 포수처럼 해야 한다." 총 한 자루에 총알이 하나뿐이라 호랑이가 정확히 맞출 수 있는 위치로 올 때까지 기다려야 한다는 것이다. 어설프게 서둘러서 가까이 오기 전에 방아쇠를 당기면 결국 내가 죽는다. 충분히 기다렸다가 정확히 맞출 수 있을 때까지 가까이 왔을 때 이마 정중앙에 정확히 꽂아야 한다.

3. 긴 어버트먼트가 픽스처에 붙어있는 일체형이기 때문에 템포러리를 해주는 게 좋다.

원바디 임플란트의 경우 사회생활을 하는 사람이라면 누구나 임시치아를 해줘야 할 것이다. 매우 드물게 나이를 많이 드신 고령의 환자들은 괜찮다고 하는 경우도 있지만 이는 매우 드문 예외적인 경우일 뿐이다. 그렇기 때문에 위의 1, 2번 원칙이 중요하기도 하다. 기본적으로 가장 중요한 부분이 기능하지 않도록 마주치는 치아와 닿지 않게끔 하고 임시치아에 회전력이 절대 가해지지 않도록 해야 한다. 원바디 미니 임플란트는 지름이 작기 때문에 특히나 회전력에 약하다. 임시치아에 회전력이 가해진다면 거의 실패라고 봐야 한다. 그래서 필자는 원바디 미니 임플란트를 두 개 심었을 경우에는 한 번도 실패한 적이 없다. 싱글일 경우에 템포러리 크라운은 임플란트가 아니라 옆 치아에 붙어 있어야 한다. 실제로 레진으로 옆 치아에 붙여서 유지하는 경우가 대부분이다.

하악 전치 싱글 케이스

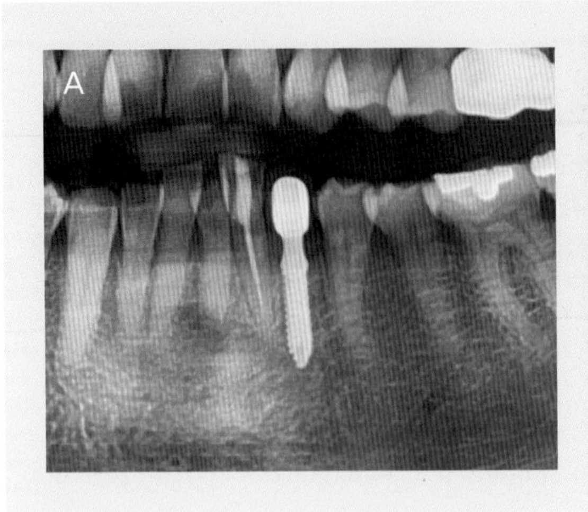

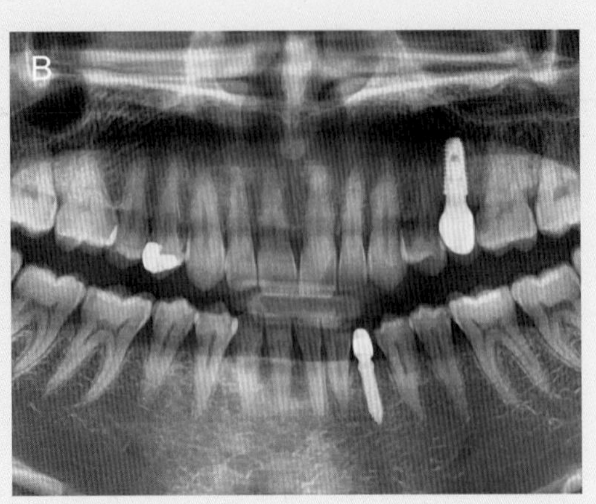

2.29 송곳니에 원바디 미니 임플란트를 식립한 케이스

아래 송곳니 부분에도 싱글로 자주 심는다. 보통 미니 임플란트의 지름이 2.5 mm와 3.0 mm 두 가지가 있는데, 좀 더 송곳니로서 기능할 것 같거나 부위가 크면 **2.29A**처럼 3 mm를 심는다. 오른쪽의 경우는 선천적인 결손으로 스페이스가 있던 곳의 양옆 치아를 삭제하고 심은 것이기 때문에 송곳니라도 공간이 좁아서 2.5 mm 지름을 사용하였다.

우리나라의 하악 전치부 발치 케이스는 대부분 고령 환자의 치주질환에 의한 것이다. 젊은 여성의 하악 전치부가 빠지는 경우는 거의 없기 때문에 필자는 그런 케이스가 거의 없다. 어떻게든 다른 치료를 통해서 살린다고 봐도 좋다. 그렇기 때문에 미용적인 부분은 덜 신경 쓰는 경향이 없지 않아 있다.

하악 전치 싱글 케이스

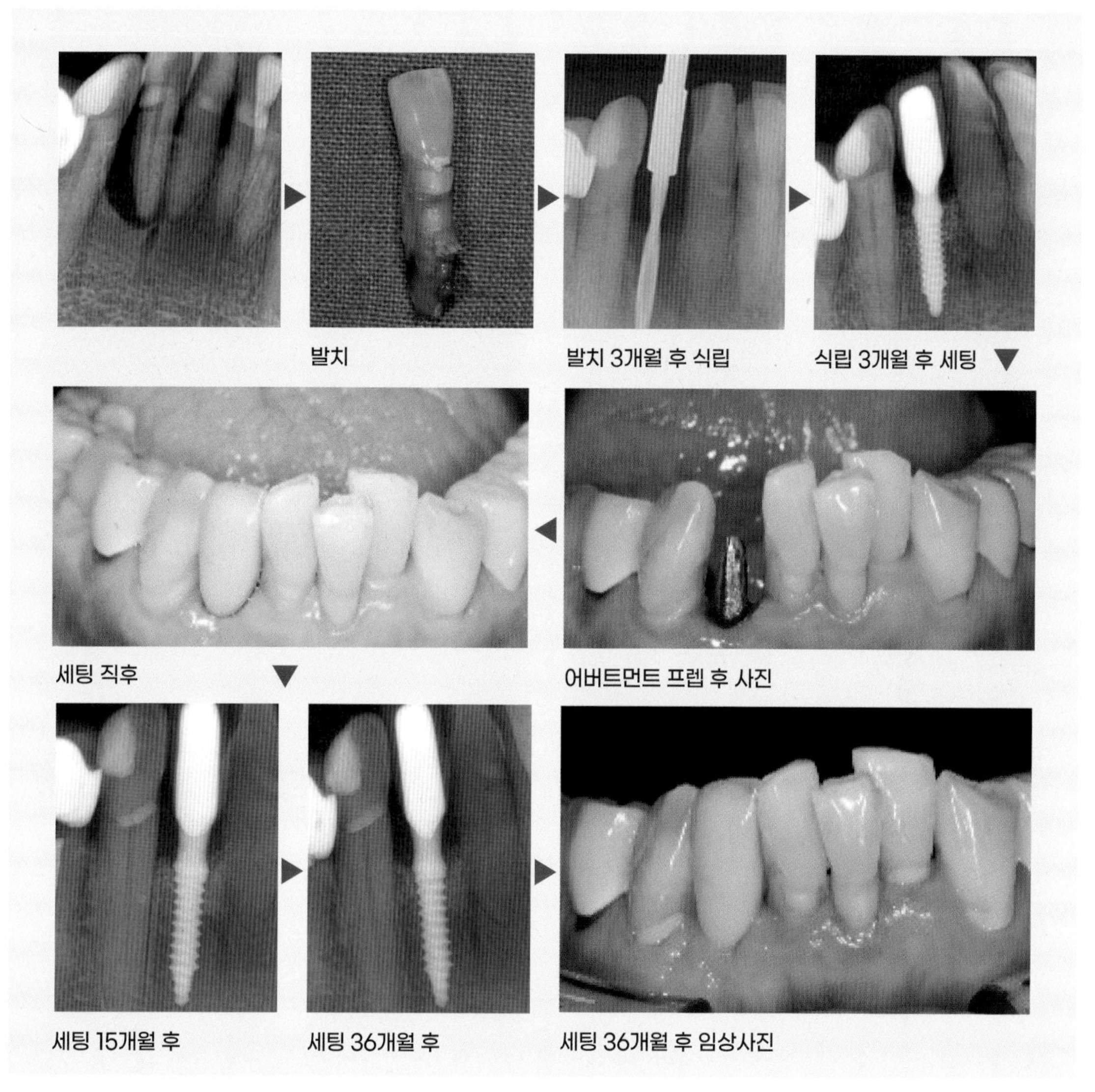

2.30 치주질환에 의한 발치 부위에 미니 원바디 임플란트를 식립한 케이스

2.30은 기능 1년 후 69세 여성 환자 케이스로 치주질환으로 아래 앞니를 발치한 케이스이다. 3개월을 기다려 충분히 골이 형성된 이후에 식립하면서 제노그래프트(스트라우만의 cerabone®)를 이식하였다. 크라운 모양은 예쁘지 않지만 최선을 다했다고 생각한다. 보통 원바디 미니 임플란트는 잇몸 두께를 고려하여 잇몸 부분을 차지하는 넥 사이즈를 2, 3, 4 mm 정도로 다양하게 만들고 있으며, 필자가 사용하는 오스템의 MS는 2.5 mm와 4 mm 두 가지가 있다. 이 케이스는 치주질환으로 발치하였고, 주변 치아들의 치주도 좋지 않아서 4 mm 칼라를 사용하였다. 필자는 플랩을 깔끔하게 하여 페리오스티움을 깨끗하게 얻을 수 있다면 멤브레인을 사용하지 않는다. 이런 경우에 올바른 위치와 높이에 임플란트를 식립하고 노출된 쓰레드에는 흡수되지 않는 골을 2 mm 정도 두께로 그래프트하고 봉합한다. 이 책의 **6장 임플란트 골이식**에서 멤브레인과 골이식재를 다룰 때 다시 이야기할 것이다. 그저 이 케이스를 보고 궁금해 할까봐 미리 이야기해 본다.

하악 전치 3본 브릿지 케이스

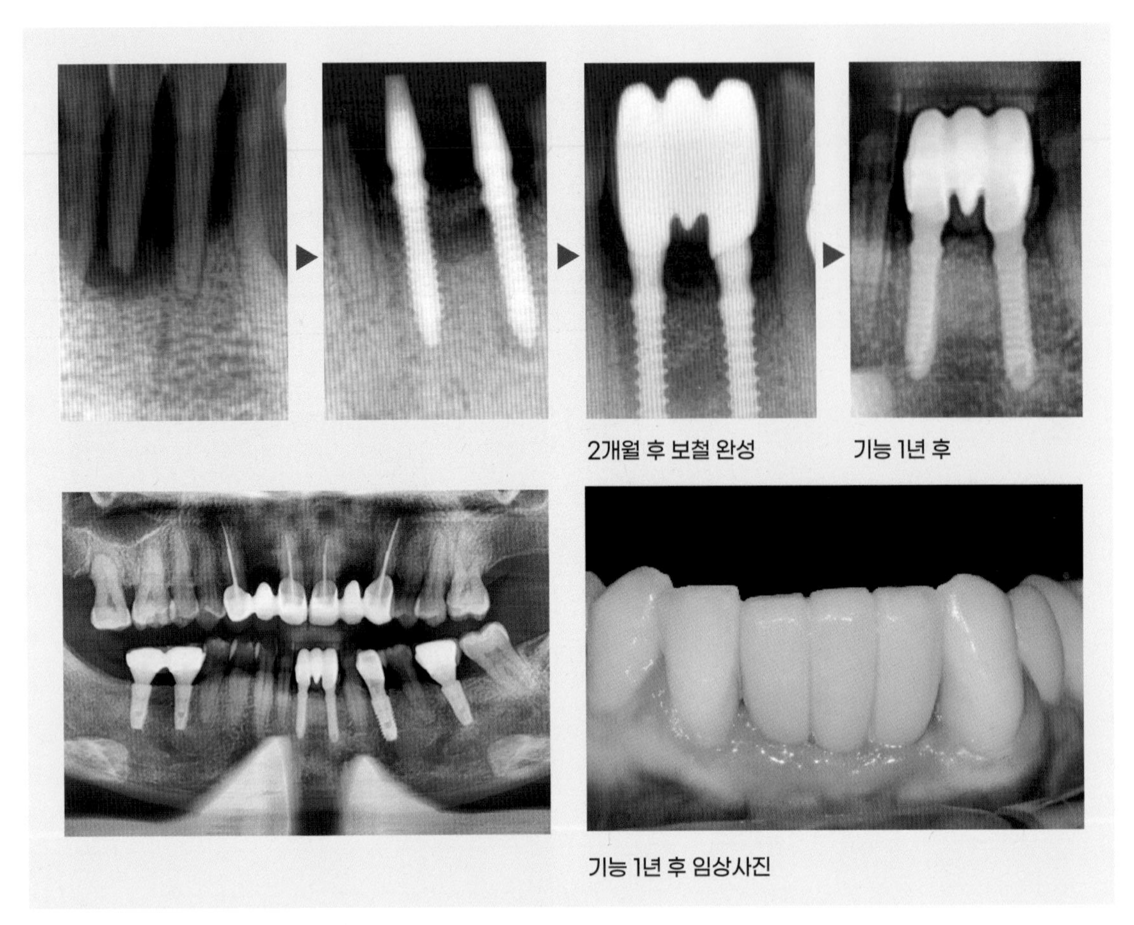

2.31 심각한 치주질환에 의한 발치 케이스의 브릿지 케이스

2.31 케이스의 환자는 49세로 나이는 많지는 않지만 전신질환이 있어서 큰 수술에 대한 거부감이 있었다. 치주질환이 심하여 발치하고 6개월 이상 지켜본 후 수술하였다. 통상적으로 식립 후 제노그래프트를 임상 노출된 임플란트 주변으로 2 mm 정도 그래프트 하였고, 현재까지 잘 유지되고 있다.

원바디 미니 임플란트 하악 6전치 상실 케이스

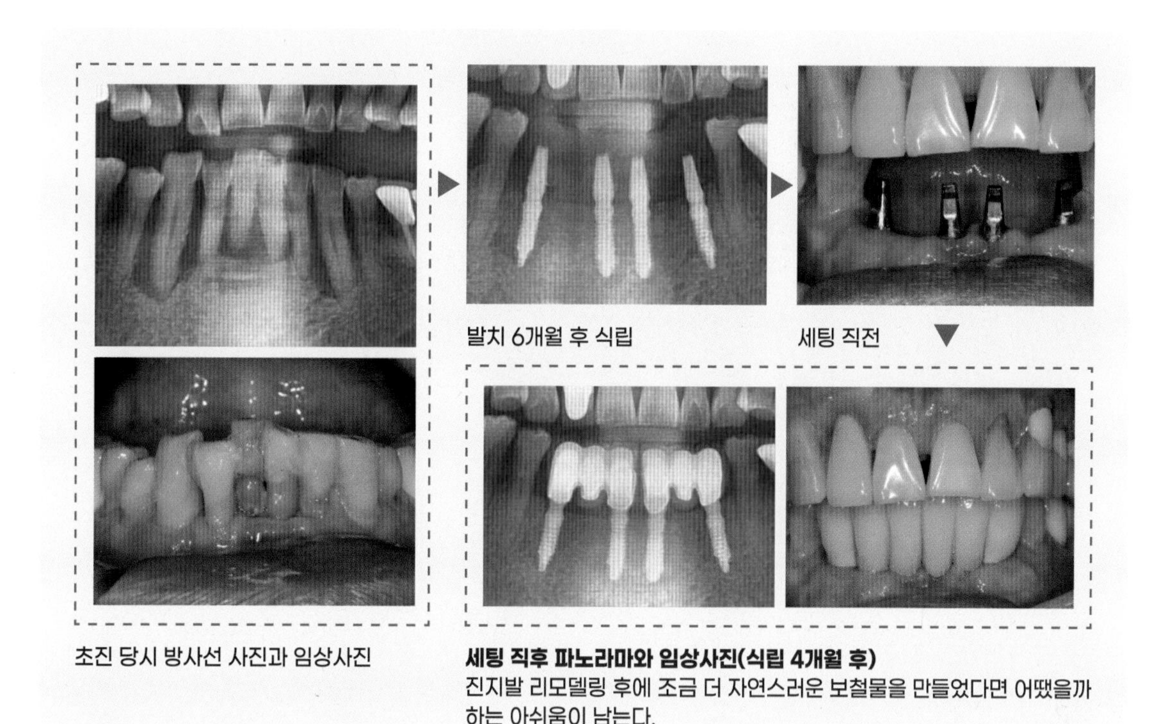

📷 2.32

보통 하악 6전치는 두 개를 심어서 6본 브릿지하는 것도 가능하나 장기적인 안정성을 고려하여 중간에 하나를 더 심는 경우도 많다(📷 2.32). 필자의 경우는 환자가 경제적으로 여유가 된다면 중절치 부위에 두 개를 심어서 투피스로 브릿지를 만드는 것을 권장한다. 상악 전치부의 경우는 골 상태와 비용적인 부분을 좀 더 고려해야 하기 때문에 파닉을 어떻게 어떤 위치에 놓을 것인가가 중요한 요소이지만, 하악 전치부는 그런 부분에서는 조금 더 자유롭기 때문에 구조적인 안정성을 더 우선적으로 고려하는 편이다.

필자가 미국에서 만난 임플란트를 가장 빨리 잘 심는 원장님의 경우에는 상악 측절치에도 종종 사용하시는 것으로 안다. 워낙 실력이 뛰어난 분이라 정확한 위치에 잘 심고 그에 맞게 크라운 하실 수 있기 때문에 가능한 일이라고 생각된다. 필자는 아직 실력이 부족해서인지 상악 측절치 등 심미적으로 중요한 위치에는 식립하지 않고 있으며 필자의 제자들에게도 추천하지 않는다. 특히나 필자가 임플란트도 보철치료는 하지 않기 때문에 더 기피하게 되는 것 같다.

원바디 미니 임플란트 상악 소구치에 식립한 케이스

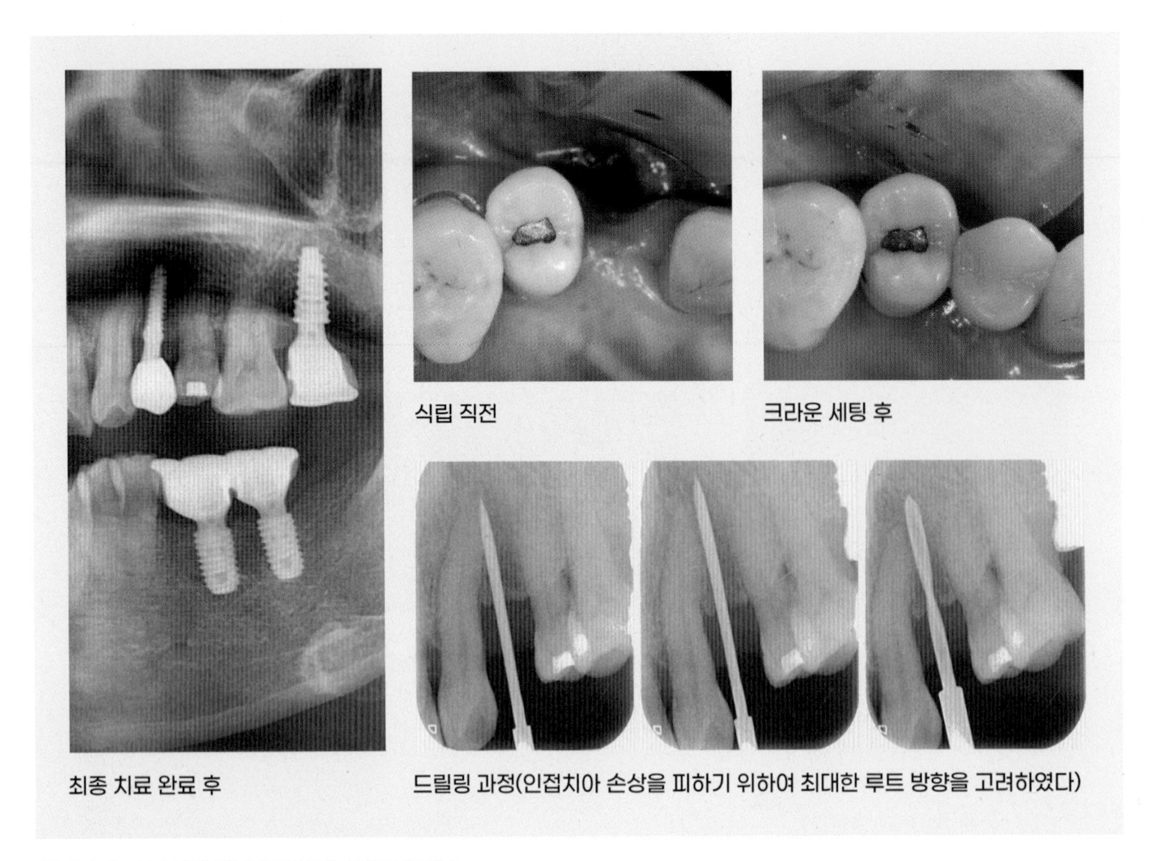

2.33 소구치에 미니 원바디를 식립한 케이스

2.33은 필자가 유일하게 상악 소구치 부위에 심은 원바디 미니 임플란트이다. 상악 1소구치가 결손된 지 매우 오래되어 공간이 부족하여 다른 데에서 임플란트를 심기 어렵다고 하여 의뢰된 케이스이다. 환자에게 파절 가능성을 설명하고 시도해보기로 했다. 기본적인 공간을 만들기 위해서 3번 원심면과 5번 근심면을 충분히 삭제한 후 식립하였다. 여전히 디스탈로 휘어진 3번의 루트 때문에 쉽지는 않았지만 협설로 거리를 확보하여 식립하였다. 지면 관계상 최근 방사선 사진을 올리지는 못했지만, 식립 후 3년 정도 지난 시점까지는 문제없이 잘 사용하고 있으며, 꾸준한 교합 체크가 필요하다고 본다.

임플란트의 지름에 관하여 논하는 챕터에서 역시 임플란트의 파절 문제를 이야기하지 않을 수 없다. 어쨌든 원바디 미니 임플란트의 적절한 활용은 임상적으로 매우 유용하다. 다만 4.0 임플란트를 구치부에 싱글로 심지 않듯이 원바디 임플란트도 교합력이 센 곳이나 구치부는 피해야 한다. 그리고 쓰레드가 비교적 작기 때문에 골질이 좋지 않은 곳도 좋지 않을 수 있다. 물론 그런 부위는 상악구치부이기 때문에 잘 심지 않지만 말이다. 하악 전치부라도 과도한 교합력이 작용하지 않도록 여러 가지로 체크해볼 필요가 있다. 무엇보다 파절을 예방하기 위한 중요한 것은 올바른 위치와 방향이라고 생각한다.

숏 임플란트와 원바디 미니 임플란트에 의한 하악 전악 임플란트 케이스

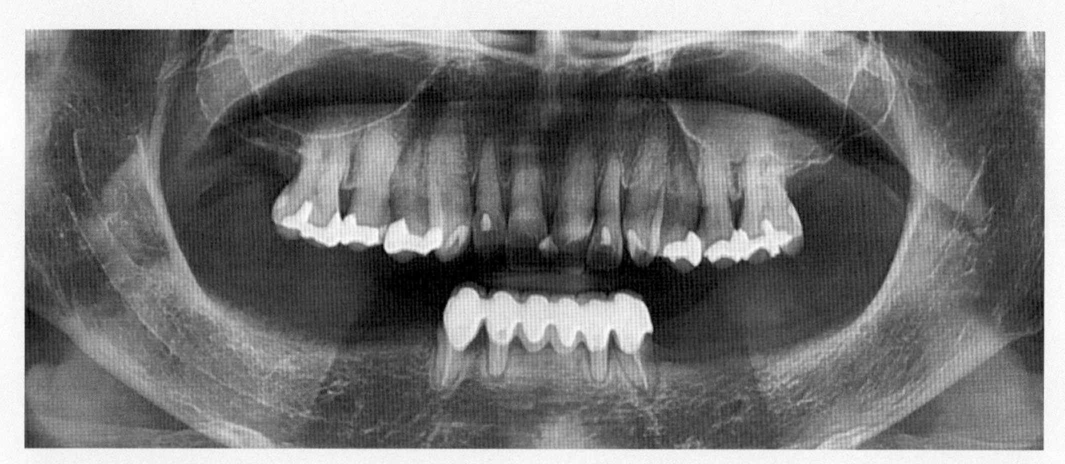

2.34 초진 시 파노라마
하악에 국소의치를 장착 중이며, 하악 전치부 보철물이 치근 파절로 흔들리고 있다.

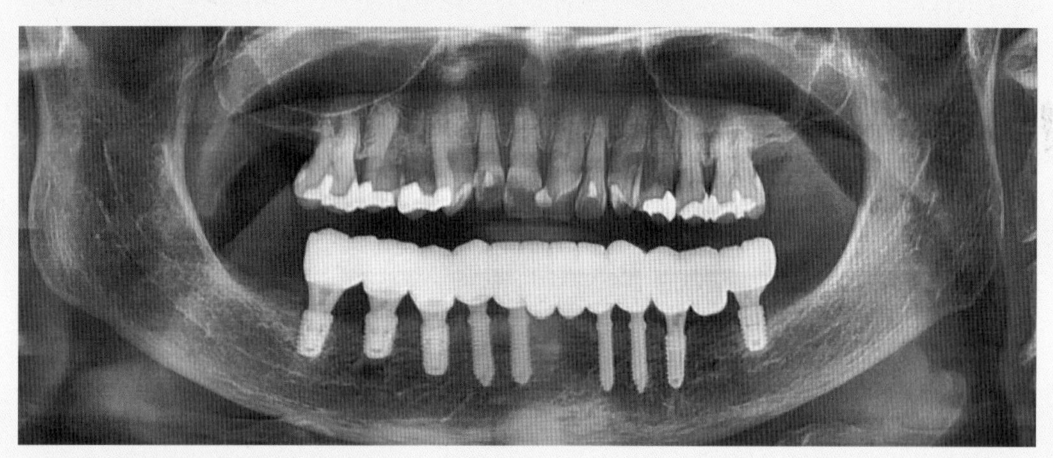

2.35 임플란트 치료 완료 후 파노라마
46, 45번 - 4.5*6 mm / 44번 - 3.5*8.5 mm / 43-33번 - 2.5*11.5 mm / 34번 - 3.5*8.5 mm / 36번 - 4.5*6 mm

하악 전치부를 국소의치 지대치로 사용하고 있는 환자의 파노라마이다(2.34). 일본에서 온 73세 여성 환자이다. 하악 브릿지가 거의 파절되었고 많이 흔들리는 상태여서 하악 치아 발거 후에 총의치를 제작하기로 하였다. 비스포스포네이트 계열의 약을 복용 중이라 감히 임플란트를 하자는 말은 못하고, 발치창이 깨끗이 아물면 그때 임플란트를 얼마나 어떻게 심을지를 고민해 보기로 하였다. 다행히 느리긴 해도 발치창은 아물었으나 일본에서 치료 차 한국에 오는 분이라 치료계획을 세우기는 쉽지 않았다.

환자는 3, 4번 자리에 두 개 정도 심어서 오버덴쳐 하기를 원했지만 하악의 구치부 리지가 매우 좁고 keratinized gingiva가 거의 없는 정도여서 덴쳐를 사용하기에도 적절하지 않아 보였다. 그래서 더 늦기 전에 마지막으로 풀마우스 임플란트를 시도해보자고 하였다.

평소대로라면 바로 대구치부에 임플란트를 먼저 심고 바이트를 높여 안정화된 뒤에 하악 전치부 원바디를 심어서 템포러리를 했을 텐데, 환자가 임플란트에 대한 확신이 없어서 앞니만 임플란트를 하고 틀니 하기를 원하는 상황이었다. 그래서 우선 3번부터 3번까지는 원바디로 가고, 4번 자리에 임플란트를 식립하여 지대치로 하기로 하였다(필자는 어떻게든 환자를 설득하여 완전 픽스드로 갈 생각을 하고 있었다). 그리고는 하악 전치부에 43, 42, 32, 33번을 계획하였다.

그러나 여기서 필자의 치명적인 실수가 또 발생하였다. 미리 분석하고 진단해보고 스텐트도 만들고 했어야 했는데 그냥 바로 수술에 들어갔더니 환자의 골격 중심과 소프트티슈의 중심이 잘 맞지 않았고, 무치악 상태다 보니 교합이 불안정했던 것이다. 그런 와중에 40번대 수술을 완료한 후 30번대 수술을 하면서 소프트티슈상의 정중선에서 같은 거리에 32, 33번 위치를 잡는 바람에 대합치와 비교했을 때 위치가 너무 디스탈로 심어져서 30번대가 모두 뒤로 밀려 버렸다.

필자는 32번은 33번으로 삼고 33번을 뒤 치아와 이어서 브릿지 해달라고 하면서 수술을 마무리하였지만, 최종 보철물은 필자의 의사가 반영되지는 않은 것 같았다. 어쨌든 전치부 수술이 수월하게 끝나자 환자가 좋다고 하셔서 구치부 솟 임플란트로 수술을 하였다. 34번 미니 임플란트를 식립하였는데, 33=34==36을 이어서 브릿지로 하였으면 어땠을까 고민해 본다. 이 케이스는 30번대가 좀 디스탈로 밀렸지만, 환자가 다시 태어난 것 같다고 좋아하고 계셔서 임플란트 지름과 길이를 잘 활용하여 아직까지는 성공한 케이스로 생각하고 있다.

참고

일반적인 임플란트가 최소 0.8 mm pitch로 두 줄 나사이기 때문에 한 바퀴 돌면 최소 1.6 mm에서 많게는 2 mm 이상도 들어가는데, 오스템 MS는 피치가 0.6이고 한 줄 나사이기 때문에 핸드피스가 한 바퀴 돌면 0.6 들어간다. 처음 심어보는 사람들은 임플란트가 안 들어간다고 오해하는 일도 있다. 그리고 끝이 뾰족하기 때문에 언더드릴링을 해도 충분히 밑을 뚫고 잘 들어가는 편이라 오히려 오버 드릴링보다는 언더 드릴링하는 습관을 들이는 것도 좋다고 생각한다. 이와 더불어 알로이로 만들어져 있어서 훨씬 튼튼한다는 것도 알아둬야 할 부분이다.

원바디 미니 임플란트의 다양한 활용

필자는 원바디 미니 임플란트를 2005년 정도부터 사용하였다. 당시에는 수입산 임플란트였던 것으로 기억한다. 처음에는 임플란트와 어버트먼트가 일체형이고 어버트먼트의 끝부분이 다양한 형태도 있어 덴쳐도 쉽게 적용할 수 있다고 해서 경험이 미천함에도 불구하고 과감하게 심기 시작했었다. 그전에는 실패를 모르던 임플란트들이 처음으로 실패한 시기이기도 하다. 상악에 심었던 볼 타입 원바디 임플란트들은 몇 달도 가지 못한 채 하나둘씩 빠지다가 모두 다 빠져버렸고, 하악은 어쩌다 하나씩 살아남는 정도였다. 지금의 경험을 바탕으로 한다면 조금은 더 성공했을 수 있을 것 같은데 그때는 그랬다. 그래서 한동안 취급을 안 했던 원바디 미니 임플란트를 오스템에서 MS를 생산함에 따라 조심스럽게 하악 전치부에만 다시 쓰기 시작했고, 급기야는 모든 하악 전치부에 원바디만 심는 지금의 상태가 되었다.

미국에 있을 때 모 회사에서 주최하는 라이브 서저리 코스에 따라가게 되었다. 거기서 조쉬 브로워(Josh Brower)라는 치과의사를 만나게 되었는데 그로부터 미니 임플란트에 대해 많은 것을 배울 수 있었다. 조쉬 브로워는 www.gmdia.dental에서 활동하고 있다.

조쉬는 Sternogold사와 세미나를 많이 진행하며 "Mini dental implant masters"라는 페이스북 그룹에 케이스도 많이 올린다. 그는 자신의 케이스를 필자의 책에 사용하여도 된다고 하였지만, 독자분들께는 직접 〈Josh Brower의 페이스북〉과 〈Mini dental implant masters〉에 방문해서 보기를 권한다. 또한 그는 활동하는 회사나 아카데미 말고도 "International academy of mini dental implants" 등의 커뮤니티에서 열심히 원바디 미니 임플란트 등을 홍보하고 있다.

2.36 필자의 영문판 저서인 《Extaction of Third Molars》을 구매한 Dr. Josh Brower와의 기념사진

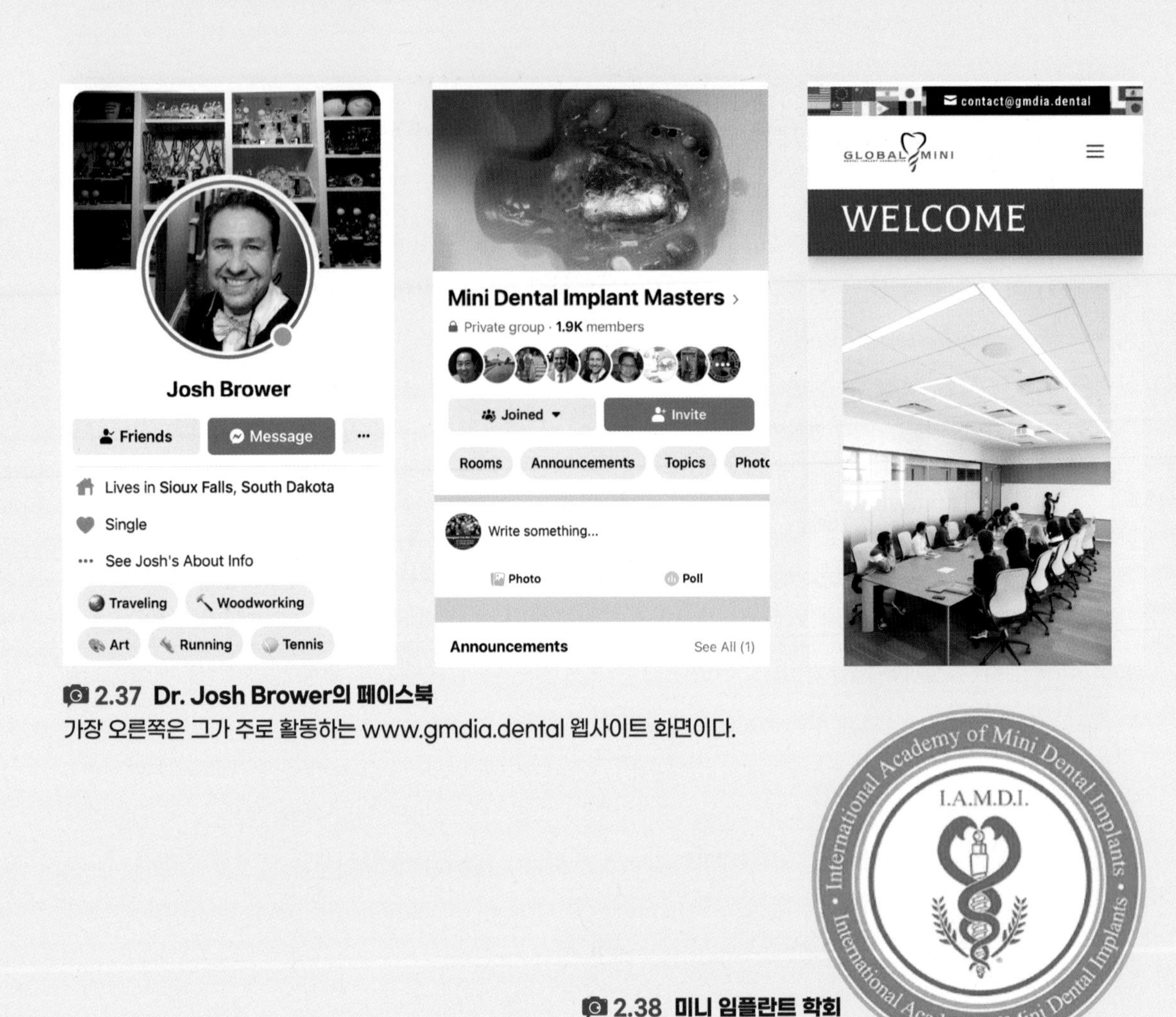

2.37 Dr. Josh Brower의 페이스북
가장 오른쪽은 그가 주로 활동하는 www.gmdia.dental 웹사이트 화면이다.

2.38 미니 임플란트 학회
Dr. Josh Brower와 무관하지만 비슷한 단체

아무래도 비교적 수술이 쉽기 때문에 장점으로 많이 홍보하는 것 같다. 그러다 보니 세계 1등 스트라우만에서도 원바디 미니 임플란트를 생산하고 있다. 필자가 알기로는 아직 스트라우만은 고정성 보철물이 아니라 여러 개를 식립해서 덴쳐를 지지하는 용도로만 하는 듯 하다.

어쨌든 원바디 케이스를 보면 별의별 케이스가 많이 있다. 심지어 리지 폭이 충분한데도 미니 임플란트를 한 악에 20개 가까이 심어서 덴쳐를 지지하는 케이스도 있고, 두 개를 심어서 대구치 고정성으로 사용하는 케이스부터 여러 개를 심어서 고정성으로 유지하는 것 등 다양한 케이스가 많다. 스트라우만에서도 비슷한 임플란트가 나오고 Dr. Josh Brower나 기타 다른 치과의사들이 꾸준히 미니 원바디 임플란트에 대해서 강의도 하고 홍보하는 것을 감안해보면 이렇게 하시는 분들도 그만한 충분한 이유가 있을 것 같다는 생각도 하는데… 그러나 아직 필자의 생각은 변하지 않았다. 앞서 언급했듯이 한국인의 교합력이 너무 강하기 때문에 못 버티는 게 아닌가 생각해 본다. 그래서 한동안 큰 이변이 없는 한 필자는 원바디 미니 임플란트는 하악 전치부에만 심을 것이다.

한눈에 보는 김영삼 원장의
오스템 임플란트 부위별 추천 사이즈

첫 번째 선택은 뼈의 폭이나 깊이가 모두 정상일 때 싱글로 식립한다는 전제하에 심는 임플란트 사이즈이다. 두 번째 선택은 싱글로 심는다는 전제하에 하악 구치부는 신경관이 가까운 경우, 하악 전치부는 보철적인 옵션 고려가 필요한 경우이다. 상악은 골질이 안 좋거나 근단 쪽에 concavity가 있는 경우, 즉시 보철을 하기 위해 높은 초기고정력을 얻기 위한 경우이다.

일반적으로 pontic이 없는 브릿지로 옆 치아와 연결된다면 지름은 한 사이즈 정도 줄여도 되고, 길이는 전치부를 제외하고는 마음대로 더 줄여도 된다. 전치부는 이미디엇 또는 얼리 로딩 등 고려할 점이 많기 때문에 너무 짧은 것은 좋지 않을 수도 있다. Pontic 있는 경우라면 성별이나 교합상태, 교합력, 악습관 등을 고려하여 선택할 수 있다.

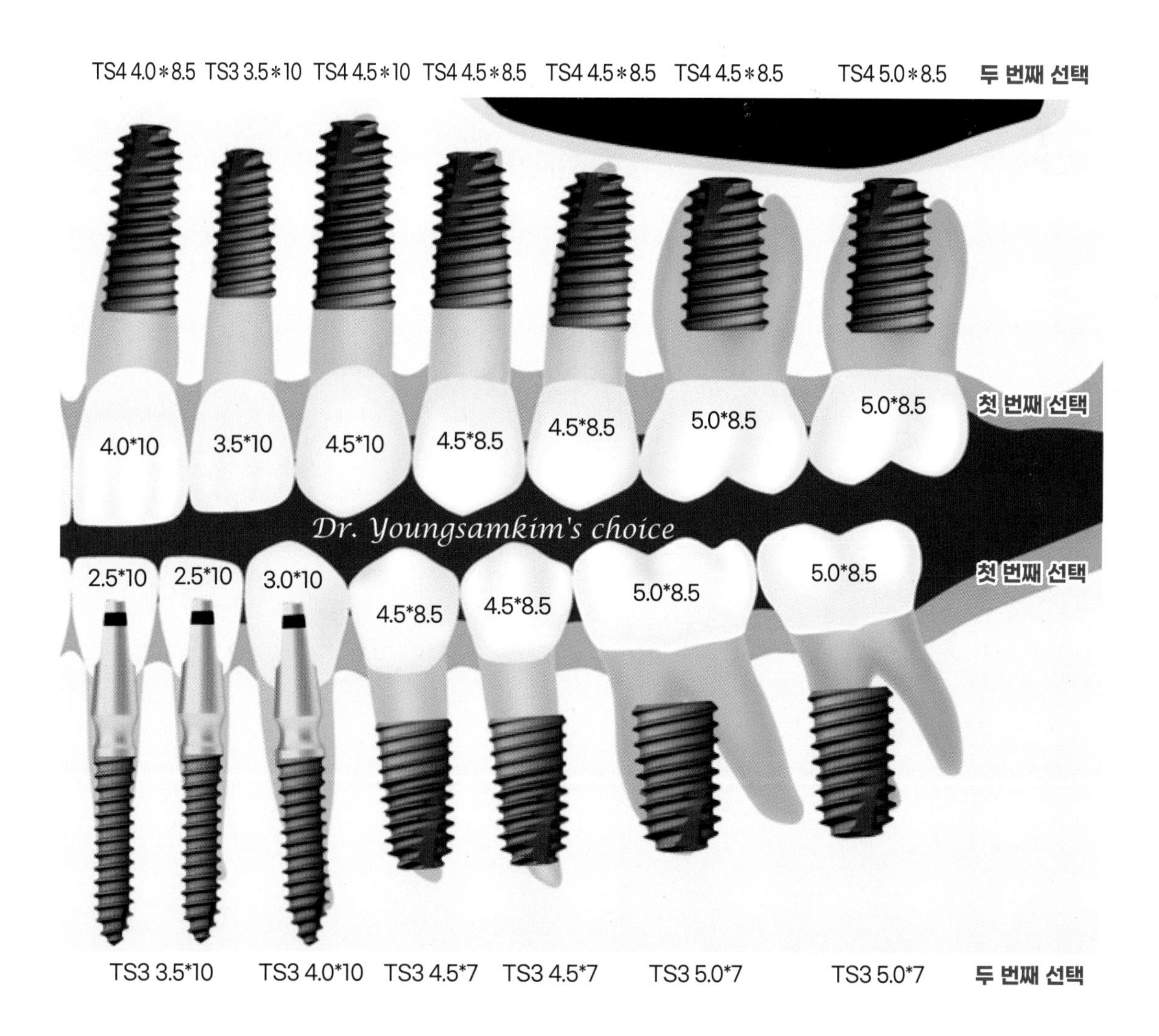

김영삼원장의

노트
정리

EASY SIMPLE SAFE EFFICIENT

MASTERING DENTAL IMPLANTS

임플란트 달인되기

꼭 알아야 할 임플란트의 필수 성공요소

The Essential Elements for Success in Dental Implants

PART 4

올바른 임플란트의 식립 기준 (PAD)

눈이 높은 게 뭐가 나빠?

CHAPTER 4-1

곡괭이

Mastering dental implants

곡괭이 임플란트란?

1.1 필자가 곡괭이질이라고 표현하면서 강의시간에 보여주는 그림

필자의 강의를 듣고 나면 "원숭이"와 "곡괭이"만 생각난다는 분들이 많다. 잘못 심어진 임플란트를 일컬어서 원숭이라고 표현하고, 그중에 원심 쪽으로 치우쳐서 심어진 임플란트를 곡괭이라고 부른다. 그래서 필자가 임플란트 강의하면서 가장 많이 하는 말 중에 하나가 "곡괭이"일 것이다.

보통 치아를 프렙하고 치료하는 치과의사들이 osteotomy를 위해 치조골 내로 깊숙이 드릴링하다 보면 핸드피스를 뒤로 숙이게 되는데, 이 때문에 apex가 메지알 방향으로 밀려오는 경우가 많다. 일반적으로 초보자가 술자 위치에서 무치악 부위의 잇몸을 보면 앞 치아의 원심면 쪽 잇몸을 못 보게 되어 대부분 디스탈 쪽을 중심이라고 착각하게 된다. 그러다 보면 1.2와 같이 심게 된다. 임상에서 매우 흔하게 보는 경우이다.

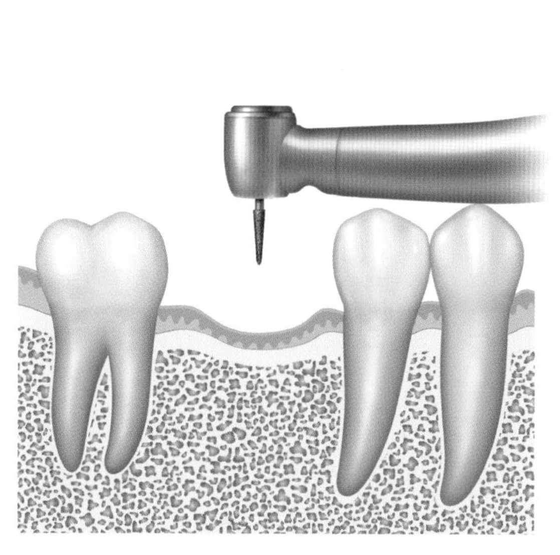

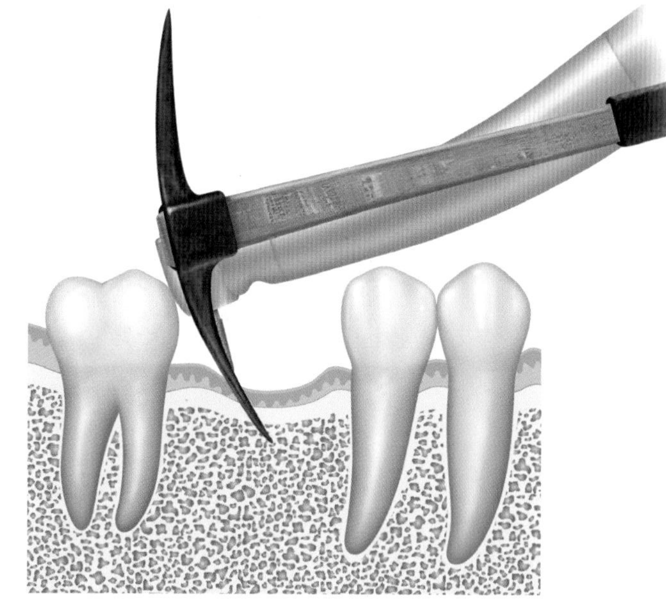

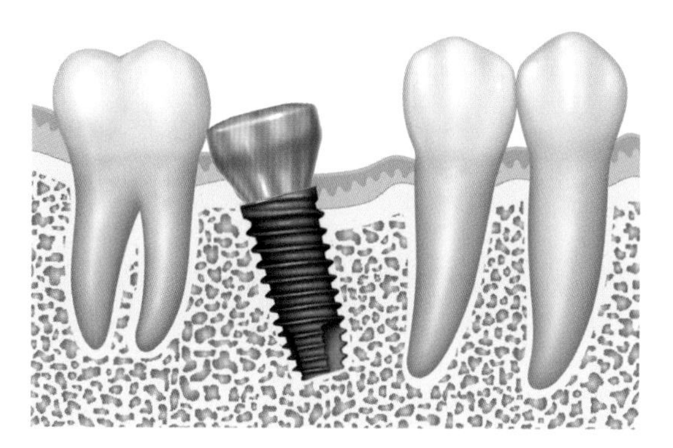

1.2 곡괭이질처럼 임플란트를 심게 되는 이유

곡괭이질을 잘못하면 앞 치아의 디스탈 루트를 갉아먹는 경우가 종종 있다. 이런 경험을 하고 나면 술자는 안전하게 곡괭이질을 멀찌감치 하게 되는데, 그러다 보면 앞 치아로부터 멀어지는 임플란트를 하게 된다. 어느 정도 임플란트 실력이 늘게 되어 곡괭이를 극복하면 앞 치아에서 멀리 떨어진 임플란트를 하게 되는 것이다.

필자가 강의시간에 가장 많이 하는 말이 임플란트를 막 심기 전에 우선 보는 눈을 높여야만 실력이 는다는 말이다. 이 책을 읽고 나서 갑자기 임플란트 실력이 늘리는 없지만 보는 눈은 확실히 달라질 것이라 생각한다. 우선 임플란트를 잘 하는 가장 첫 번째 방법은 보는 눈을 높이는 것이다. 물론 그 뒤가 한동안 슬프다. 눈만 높아지고 몸은 안 따라주니 말이다. 그러나 그 높은 눈을 유지하다 보면 어느 순간 몸이 따라주는 것을 느끼게 될 것이다. **최소한 임플란트를 보는 눈을 높이지 않으면 절대 실력이 늘지 않는다.** 그래도 필자의 치과에서 발견된 곡괭이들 중 좋은 케이스들이 있으니 이들 몇 개를 살펴보겠다.

필자의 치과에서 발견된 곡괭이처럼 심어진 임플란트이다. 우리는 SNS 상에서 흔히 곡괭이 케이스들을 보곤 한다. 심지어 임플란트 회사에서 홍보하는 광고에서도 곡괭이들이 보이기도 한다. 그래서 필자가 필자의 치과에서 발견된 곡괭이 케이스들을 찾아보았다. 개똥도 약에 쓰려면 없다고 케이스를 찾는 데 어려움이 있었지만, 그래도 치과의사라면 이 정도는 흔하게 봤을 법한 사례 위주로 구성하였다. 타 치과에서 식립 후 필자의 치과에서 발견된 케이스들이다.

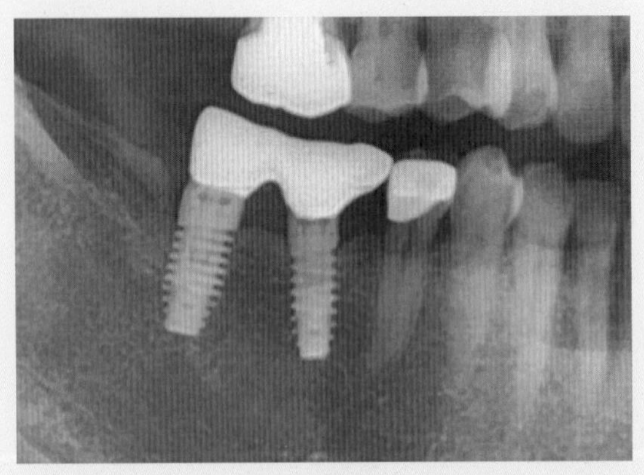

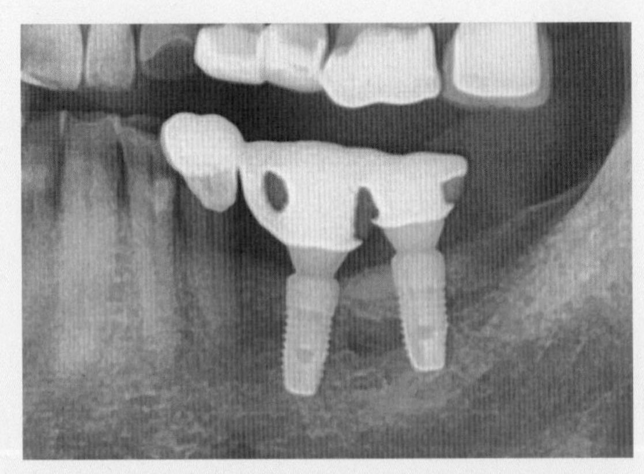

1.3 하악 6번이 약간 곡괭이처럼 식립되어 있다. 심한 정도는 아니지만 앞에 치아가 있는 6번에서 이런 현상이 많이 발생하는 이유는 앞서 이야기한 5번 치아의 원심면이 잘 보여서 그만큼 멀리서 드릴링을 시작해 아래로 팠기 때문이라고 생각된다.

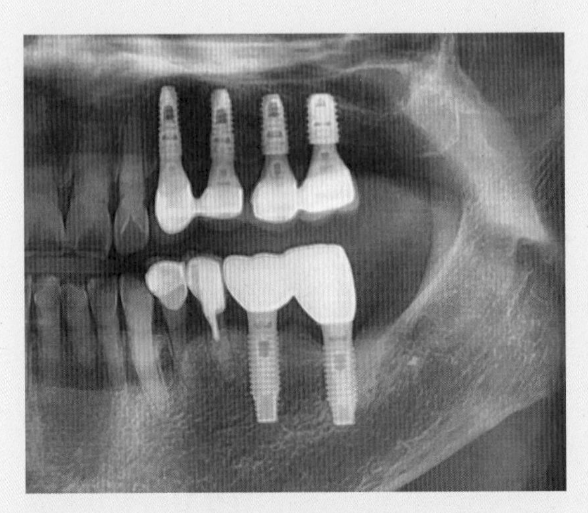

1.4 36, 37번 임플란트가 곡괭이 형태로 식립되어 있다. 참고로 23-26번 임플란트 4개는 필자가 식립하였다.

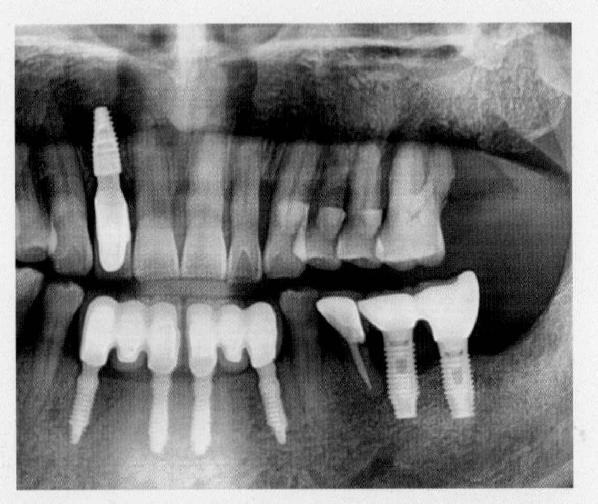

1.5 36, 37번 임플란트가 곡괭이 형태로 식립되어 있다. 참고로 12번 스트라우만, 33-43번 오스템 MS 임플란트는 필자가 식립하였다. 이 케이스에서는 36번 임플란트가 35번 치근에 거의 근접한 것을 볼 수 있다.

앞 치아에서 멀리 떨어져 식립된 케이스

바로 앞 케이스에 봤듯이 곡괭이로 심다 보면 앞 치아 루트의 원심면을 파먹는 경우가 종종 있다. 이런 경험을 하다 보면 치근에서 멀어지려고 하게 되는데, 그러면 임플란트가 앞 치아에서 멀리 떨어져 심어지게 된다. 물론 이것 말고도 여러 이유들이 있겠지만, 기본적인 곡괭이 식립 방식을 바꾸지 않았기 때문이 아닌가 생각해 본다.

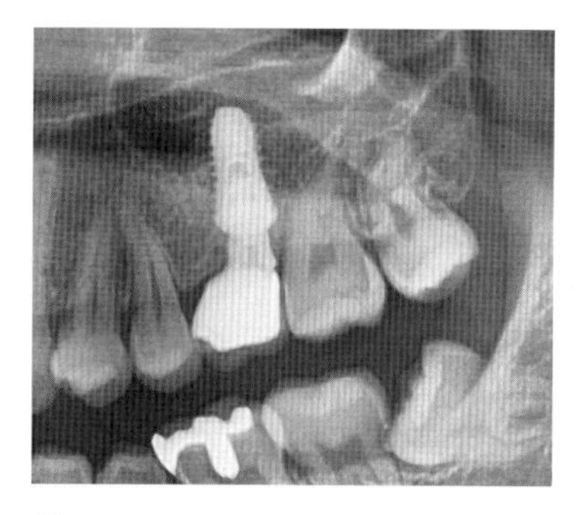
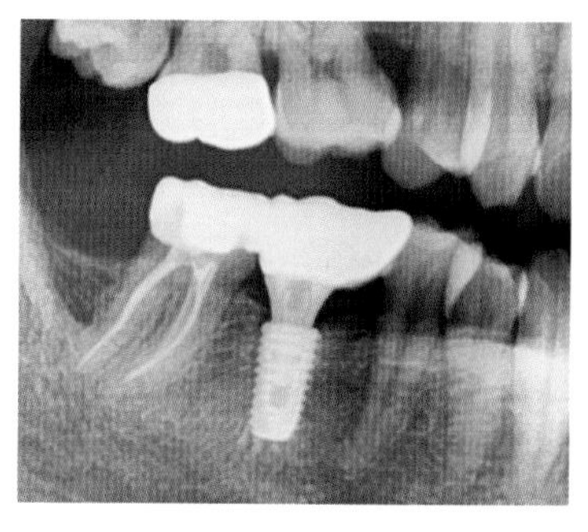
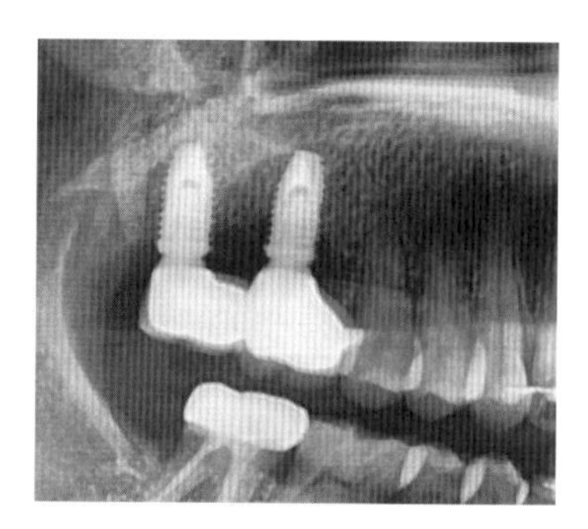

1.6 원래 심어야 할 위치에서 원심면 쪽으로 식립된 임플란트 케이스

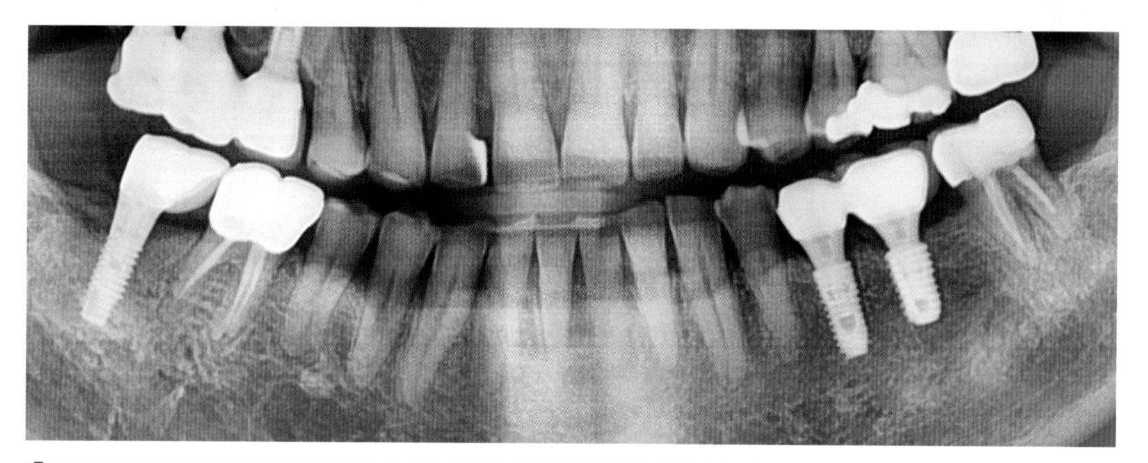

1.7 원래 심어야 할 위치에서 원심면 쪽으로 식립된 47번 임플란트. 참고로 35-36번 임플란트는 필자가 식립하였다.

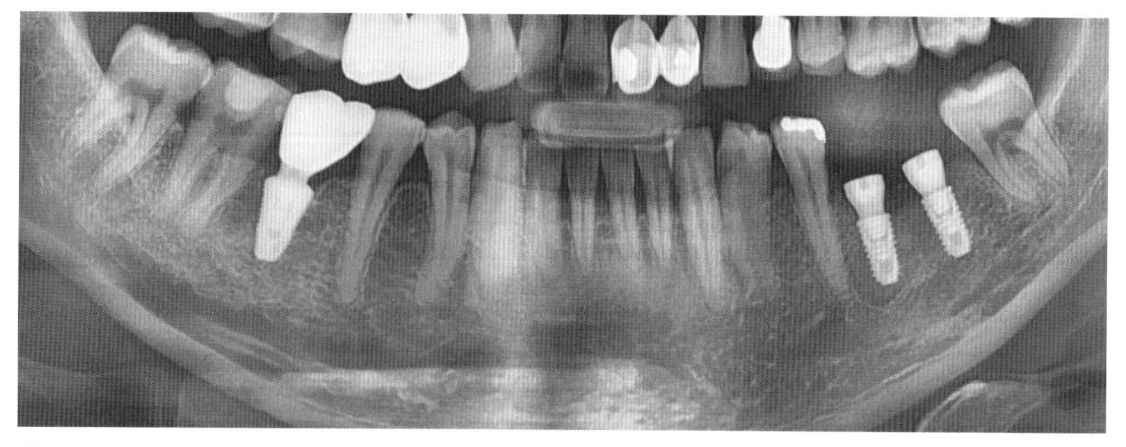

1.8 원심면 쪽으로 식립된 46번 임플란트. 참고로 36-37은 필자의 케이스이다.

아주 멀리 심어진 하악 7번들

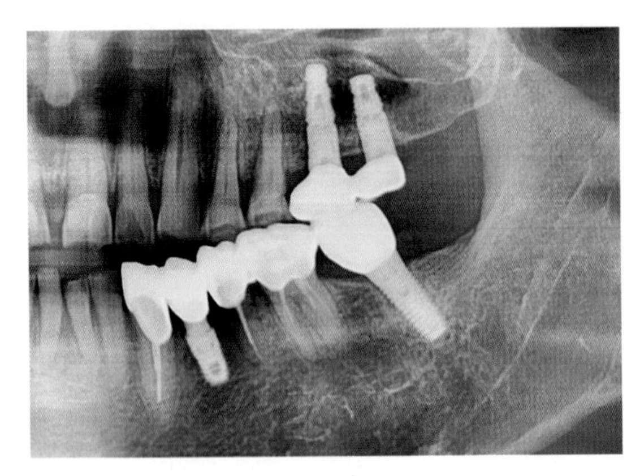

1.9 아주 흔하게 볼 수 있는 멀리 심어진 37번 임플란트. 참고로 34번은 필자의 케이스이다.

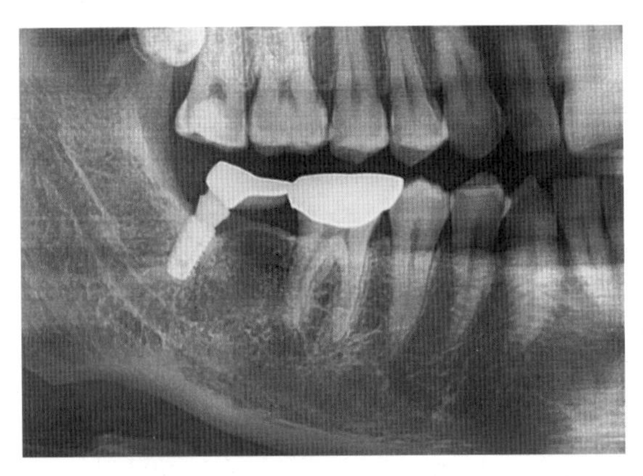

1.10 임플란트가 너무 멀리 심어져서 임플란트의 번호를 48번이라고 써야 할 듯하다.

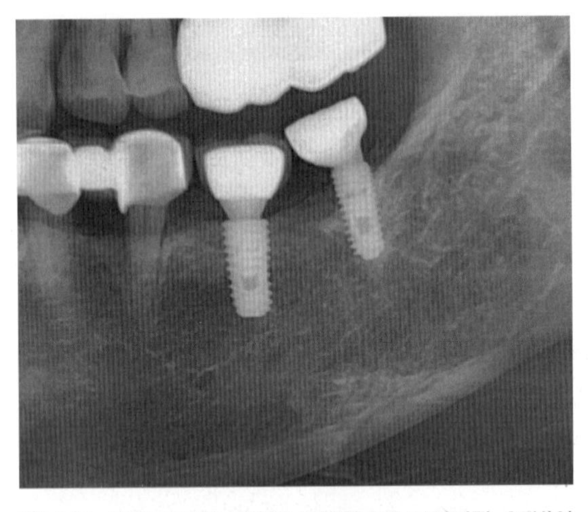

1.11 다른 시기에 식립된 임플란트로 보이지만, 37번이 너무 멀리 심어져 있다. 자기가 생각해도 위치가 올바르지 않은지 크라운도 '갸우뚱'하고 있는 듯하다.

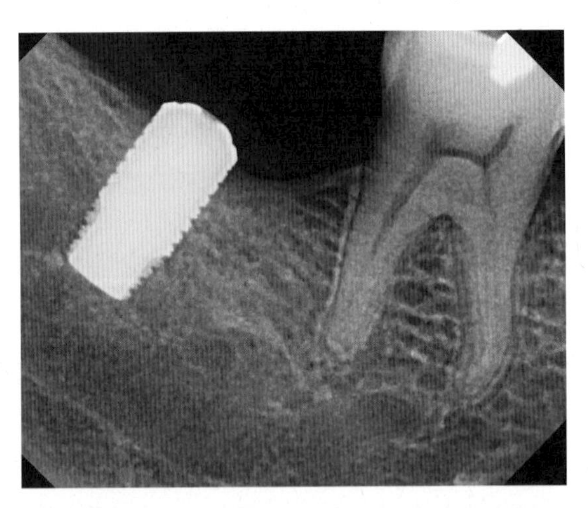

1.12 페이스북 친구인 미국의 Young Kim 선생님이 본인의 환자가 한국에서 10여 년 전에 식립한 임플란트 제품이 무엇인지 물어왔다. 참 위치가 부끄럽다. 물론 오스템의 GS2라고 말해주었다.

여기서 잠깐 Journal of Oral Implantology의 연구논문 「Osseointegrated implant fracture: causes and treatment (2011)」에서 발췌한 내용을 언급하고자 한다. 이를 요약하면 *임플란트 파절의 원인으로는 임플란트 자체의 결함, 패시브 핏의 부재, biomechanical overload 등과 같은 다양한 요소들이 임플란트의 파절과 관련되어 있을 수 있으며, 파절된 임플란트의 치료법은 이를 제거하고 다시 심어야 된다*는 것이다. 임플란트 자체의 결함을 술자가 극복할 수 없으니 술자가 할 수 있는 것은 임플란트를 올바른 위치에 식립하여 biomechanical overload를 없애는 길뿐이라는 것이다. 앞선 3장은 어떤 임플란트를 심을 것인지 선택의 문제라면, 이번 4장은 '그것을 어떻게 올바른 위치에 심을 것인가'에 대한 내용이다. 올바른 위치에 식립하는 첫 번째 방법은 무엇이 올바른 위치인지를 아는 것이다. 그 첫 번째가 우선 곡괭이는 피하고 보자는 것이다.

앞 치아에서 멀고 낮게 식립된 케이스

곡괭이 중에서도 가장 나쁜 곡괭이가 바로 대합치와 거리가 낮게 식립된 케이스이다. 캔틸레버 효과로 인해서 보철물의 파절 및 탈락이 매우 빈번하게 발생하며 장기적으로는 임플란트 구조물의 파절이나 임플란트 주위염을 유발할 가능성이 많다.

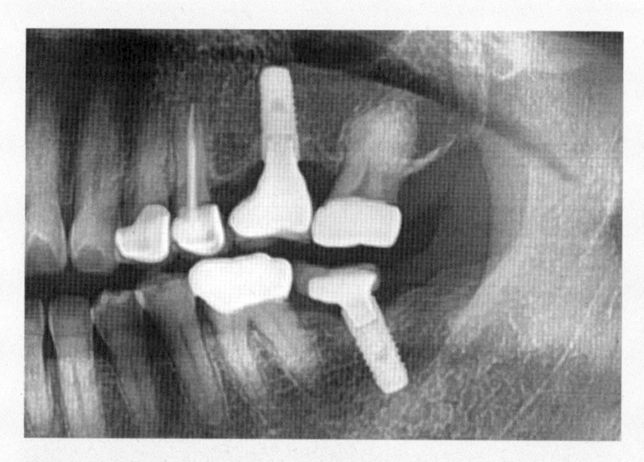
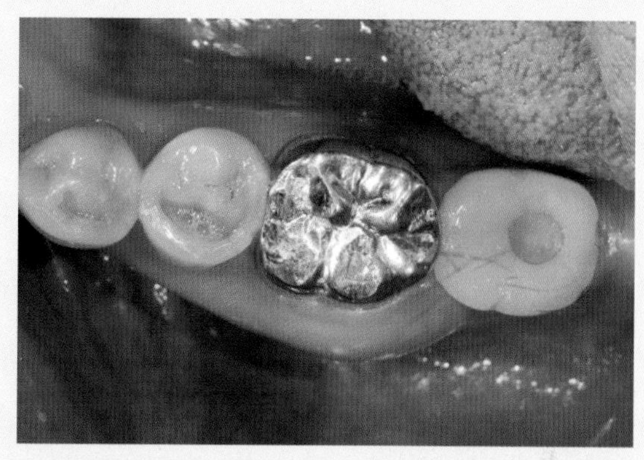

1.13 37번 임플란트의 경우 대합치 때문에 어쩔 수 없이 낮게 심어졌다고 볼 수도 있지만, 26번 임플란트를 봤을 때 기본적으로 좀 멀리 심는 경향이 보인다.

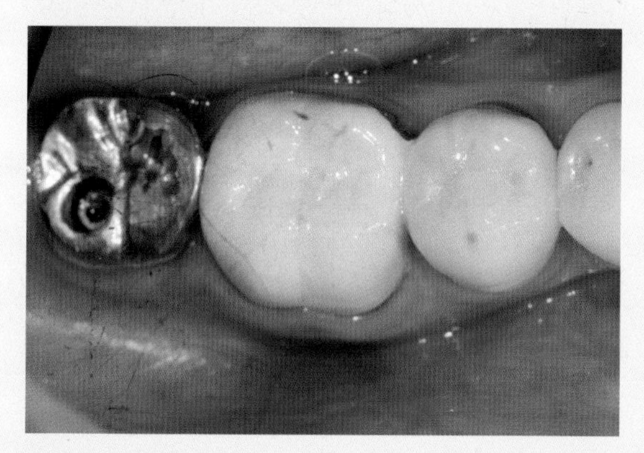
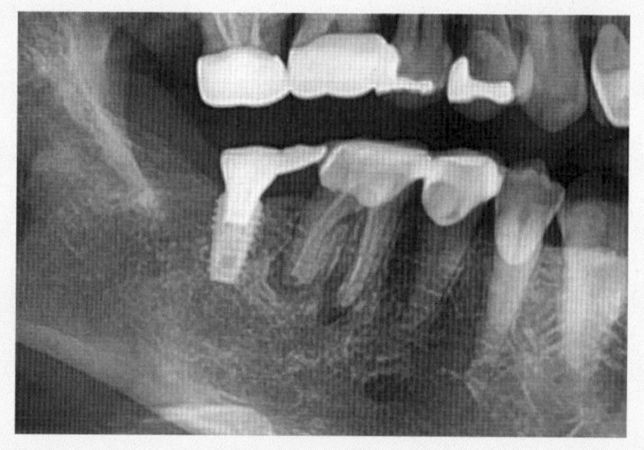

1.14 멀리 낮게 식립되어 있다. 대합치와의 거리가 부족하여 어쩔 수 없이 어버트먼트와 크라운이 한 몸인 스크류 타입으로 제작되었다. 이러한 internal friction type 임플란트에서는 스트류 타입은 금물이다. 환자는 임플란트 홀이 자꾸 빠진다는 주소로 내원하였다. 대합치와의 거리가 좁기 때문에 홀을 때운 레진의 두께가 얇아서 자꾸 깨지는 듯하다.

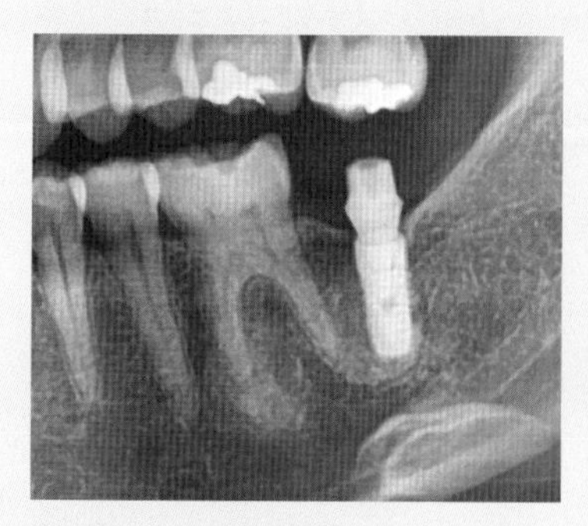
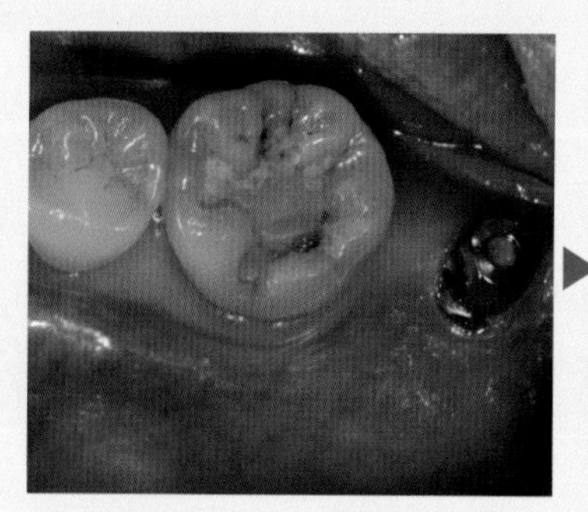
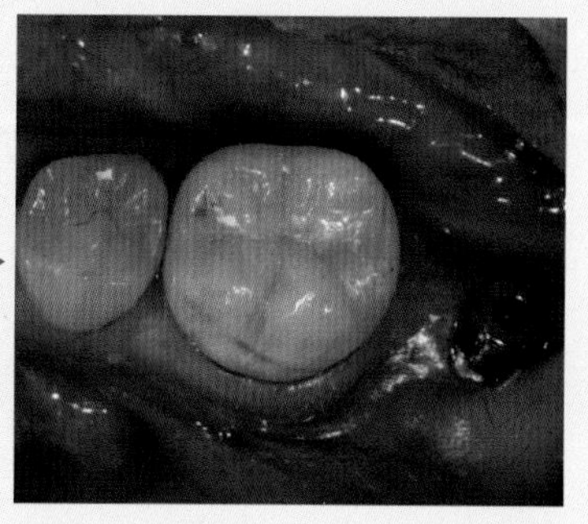

1.15 환자는 48번 사랑니 발치를 주소로 내원하였으나 37번 임플란트는 절대 건드리지 말아 달라고 하였다. 심지어 사랑니 발치 후 36번 충전물이 빠진 곳을 때우면서도 절대 임플란트 크라운은 건드리지 말라면서 너무 잘 떨어져서 이제는 질려버려서 생각도 하고 싶지 않다고 하였다.

해외에서 날아온 곡괭이 신고

필자의 임플란트 세미나를 들은 전 세계의 선생님들이 강의 후에 곡괭이를 봤다면서 사진을 보내주기도 한다. 그냥 재미로 몇 가지 케이스를 보여주고자 한다.

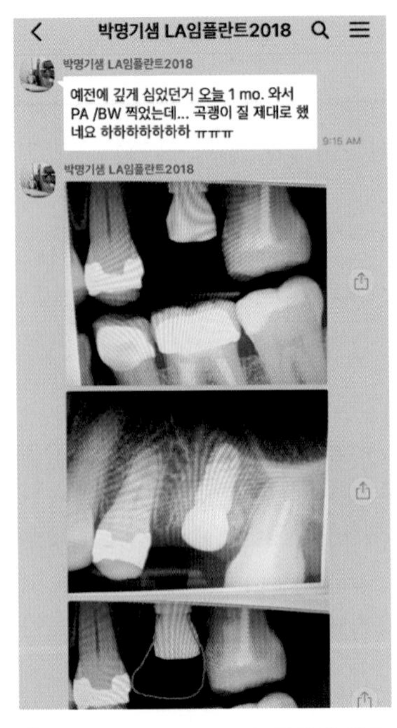

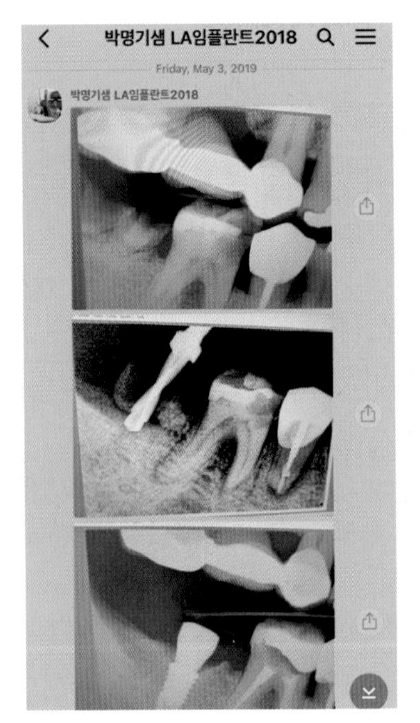

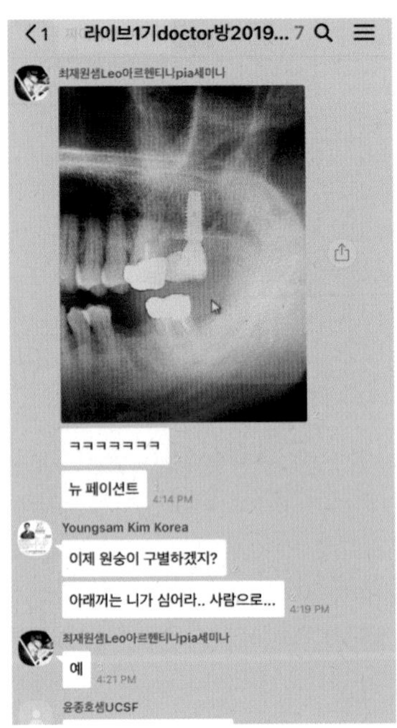

1.16 해외에서 날아온 곡괭이 신고

첫 번째와 두 번째 캡처 화면은 미국에 있는 선생님이 보내준 것으로 필자가 미국에서 처음 임플란트 강의를 했을 때 수강생으로 왔었던 선생님이다. 필자의 강의를 듣고 예전에 본인이 심었던 임플란트를 보면 곡괭이와 원숭이만 생각난다는 재미난 농담도 하였다. 그런데 그런 농담을 하는 분들이 너무 많다. 세 번째 캡처 화면은 영삼교라고 불리는 필자의 멕시코 라이브 서저리 1기 선생님들의 단톡방이다. 라이브 서저리 1기답게 2년이 넘는 시간 동안 메시지 알림이 가장 많이 울리고 있다.

라이브 서저리 1기 방에 해당 케이스를 올린 선생님은 필자의 강의란 강의는 모두 들은 분이다. 멕시코 라이브 서저리 1기에도 참여하고, 재수강도 한 번 더 하고, 2021년 8월 코로나로 멈췄다가 다시 재개하는 필자의 라이브 서저리에 세 번째로 또 참여하고 있다.

정말 한두 푼도 아니고 매우 비싼 세미나인데 왜 이렇게 자주 오냐고 물어보니, "미국은 아직도 기회의 땅이다. 실력만 있으면 아직은 얼마든

1.17 라이브 서저리 1기 Dr. Leo Choe와 함께

지 돈을 벌 수 있다"라고 답했다. 지금은 미국 동북쪽 끝인 메인 주에 근무하고 있는데 이곳의 랍스터가 유명하니 놀러 오라며 필자를 자주 초대해 준다. 아버지께서도 한국에서 치과의사로 계시는데, 아드님의 적극적인 추천으로 필자보다 한참 선배님이신데도 불구하고 필자의 국내 세미나를 모두 다 들으셨다.

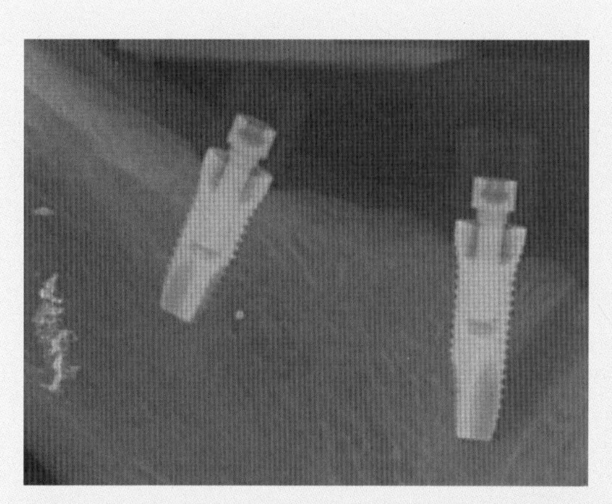

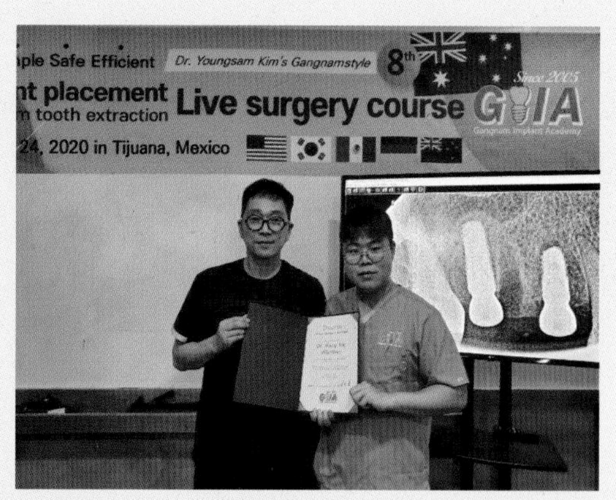

1.18 2018년에 호주에서 필자의 임플란트 강의를 수강하고 코로나가 퍼지기 직전인 2019년 2월 필자의 멕시코 라이브 서저리에 참여한 김지형 선생님이 카톡으로 보내온 곡괭이 사진과 라이브 서저리 때 찍은 수료식 사진
본인 동네의 유명한 surgeon이 심어서 크라운 해달라고 보냈다고 한다. 이 사진에서 흥미로운 점은 45번 임플란트를 식립하면서 44번 치근의 원심면을 파먹어서 결국 발치하였다는 것이다. 어떻게 환자를 매니지했는지는 알 수 없지만 정말 놀라운 일이다. 슬프게도 본인은 실력이 부족하니 다른 병원에 가보라며 환자를 돌려보냈다고 한다.

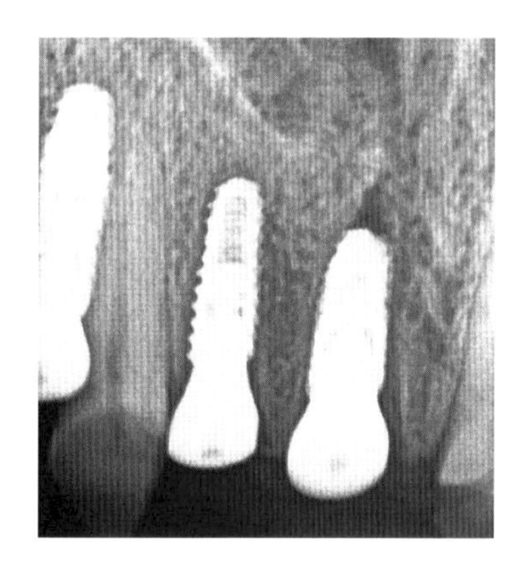

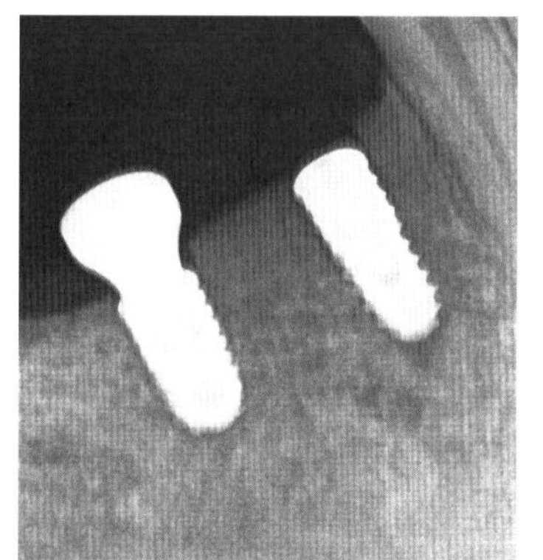

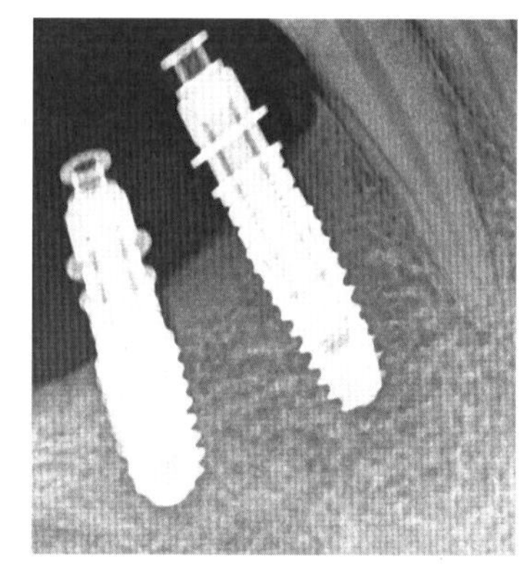

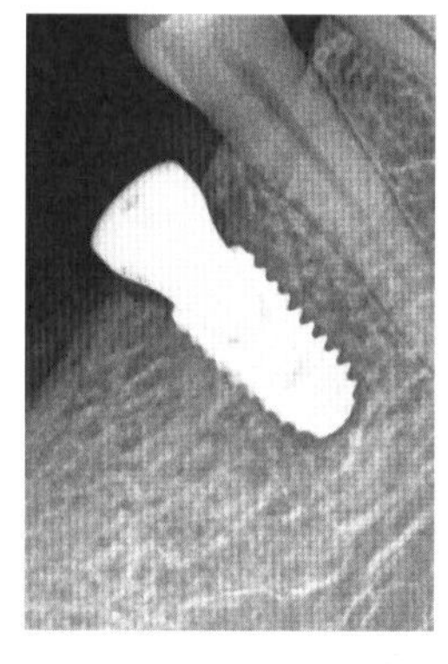

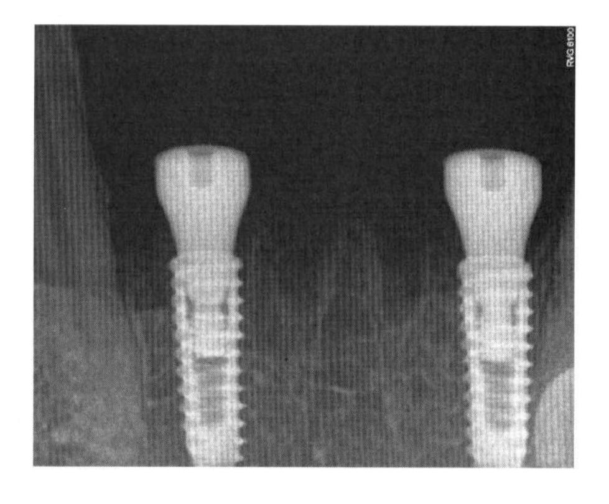

1.19 김지형 선생님이 필자의 멕시코 라이브 코스에서 식립한 임플란트 사진들이다. 초보라고 하기에는 너무 잘 심었다는 생각이 든다.

1.20 2019년 2월 필자의 코로나 이전 마지막 라이브 서저리 코스 단체 사진이다. 2021년 8월부터 9기로 다시 재개하는 데 책을 쓰는 2021년 5월 현재 개설을 확정하고 2주 만에 8월 강의를 정원 초과인 16명으로 접수 마감하였다. 필자도 매우 설레고 기대된다.

본인이 초보 치과의사라면 '김지형 선생님은 어떻게 임플란트를 저렇게 모두 잘 심을 수 있을까?' 이런 생각도 들 것이다. 원래 타고난 것도 있고 곁에서 잘 지도한 패컬티들의 도움도 있었겠지만, 무엇보다도 필자 세미나의 중요 원칙 때문일 것이다.

필자가 한국 외에서는 주로 멕시코에서 라이브 서저리를 하는데 미국과 캐나다, 호주 선생님들이 주로 참여한다. 현재는 코로나로 인해 해외 활동이 어렵다 보니 한국에 머물면서 멕시코에서 찍은 사진을 보며 종종 추억에 젖곤 하는데, 평소에 워낙 임플란트 패쓰를 강조하다 보니 수강생들과 패컬티들이 임플란트 패쓰를 보고 있는 사진이 우연히 두 장이나 발견되어서 기념으로 올려본다.

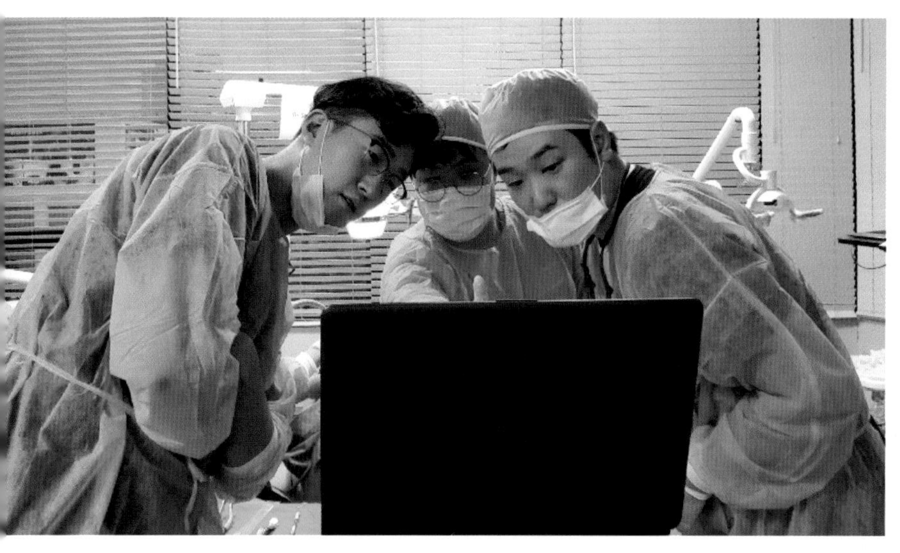

1.21 필자의 라이브 서저리 세미나에서 수강생이 패컬티와 함께 패쓰를 보고 있다. 가운데 손가락을 펼치고 있는 분은 수강생으로 앞서 곡괭이 케이스를 보내 주신 호주의 김지형 선생님이고 오른쪽은 미국인 치주과 전문의 Dr. Chanook David Ahn, 그리고 왼쪽은 이 책의 공저자이자 필자와 함께 근무하는 강남레옹치과의 구강외과전문의 편영훈 원장님이다.

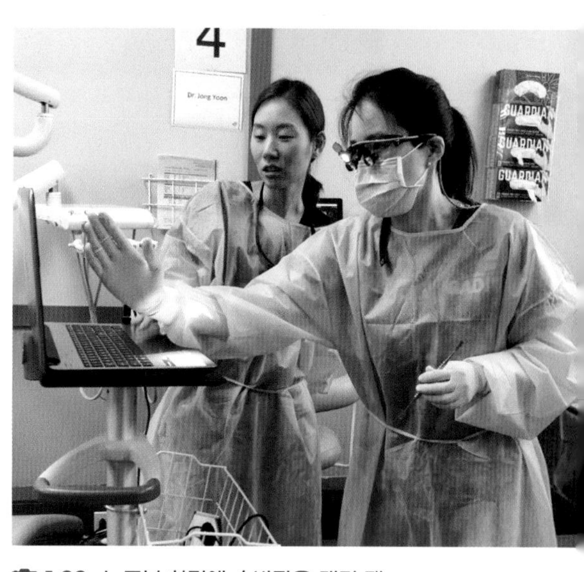

1.22 노트북 화면에 손바닥을 대며 패쓰를 보고 있는 수강생은 미국 보스턴의 이진주 선생님이며, 함께 패쓰를 봐주고 있는 분은 시애틀의 장유정 선생님이다.

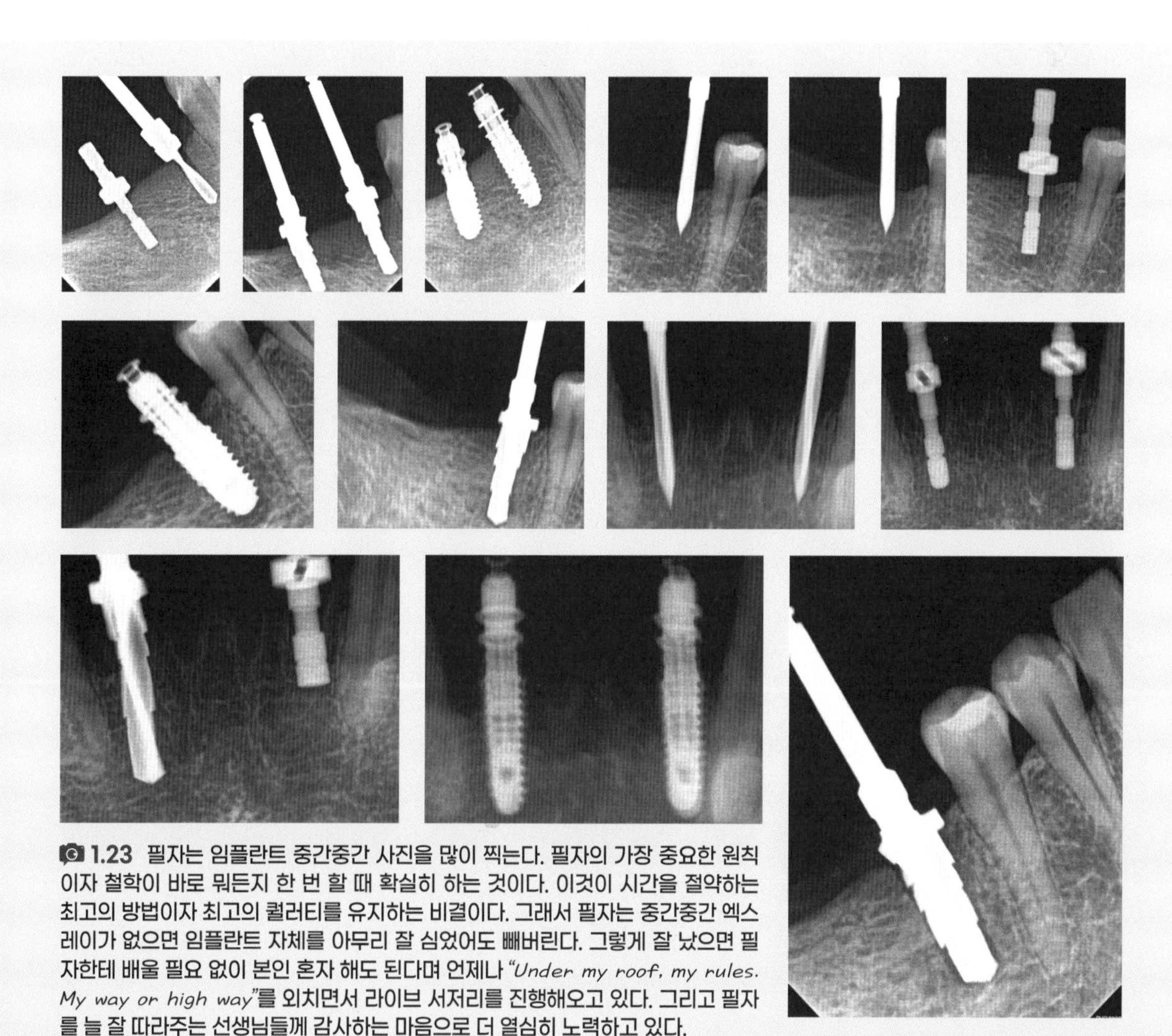

1.23 필자는 임플란트 중간중간 사진을 많이 찍는다. 필자의 가장 중요한 원칙이자 철학이 바로 뭐든지 한 번 할 때 확실히 하는 것이다. 이것이 시간을 절약하는 최고의 방법이자 최고의 퀄러티를 유지하는 비결이다. 그래서 필자는 중간중간 엑스레이가 없으면 임플란트 자체를 아무리 잘 심었어도 빼버린다. 그렇게 잘 났으면 필자한테 배울 필요 없이 본인 혼자 해도 된다며 언제나 *"Under my roof, my rules. My way or high way"*를 외치면서 라이브 서저리를 진행해오고 있다. 그리고 필자를 늘 잘 따라주는 선생님들께 감사하는 마음으로 더 열심히 노력하고 있다.

필자 치과에서 발견된 곡괭이 케이스 보기

필자의 치과에도 페이닥터들이 여러 명 근무했는데, 곡괭이를 안 하는 사람이 거의 없었다. 그것이 잘못된 것임을 모르고 산다고 해야 할까? 한 번도 눈이 높아지지 않아서일 것이다. 어쨌든 필자는 누가 심었든 마음에 안 드는 게 눈에 띄면 바로 뽑아버린다. 곡괭이를 막는 첫 번째 방법은 우선 눈을 높이는 것이다. 그럼 그때부터 방법을 달리 생각하게 될 것이다.

필자의 치과에서 곡괭이로 심어진 케이스 1

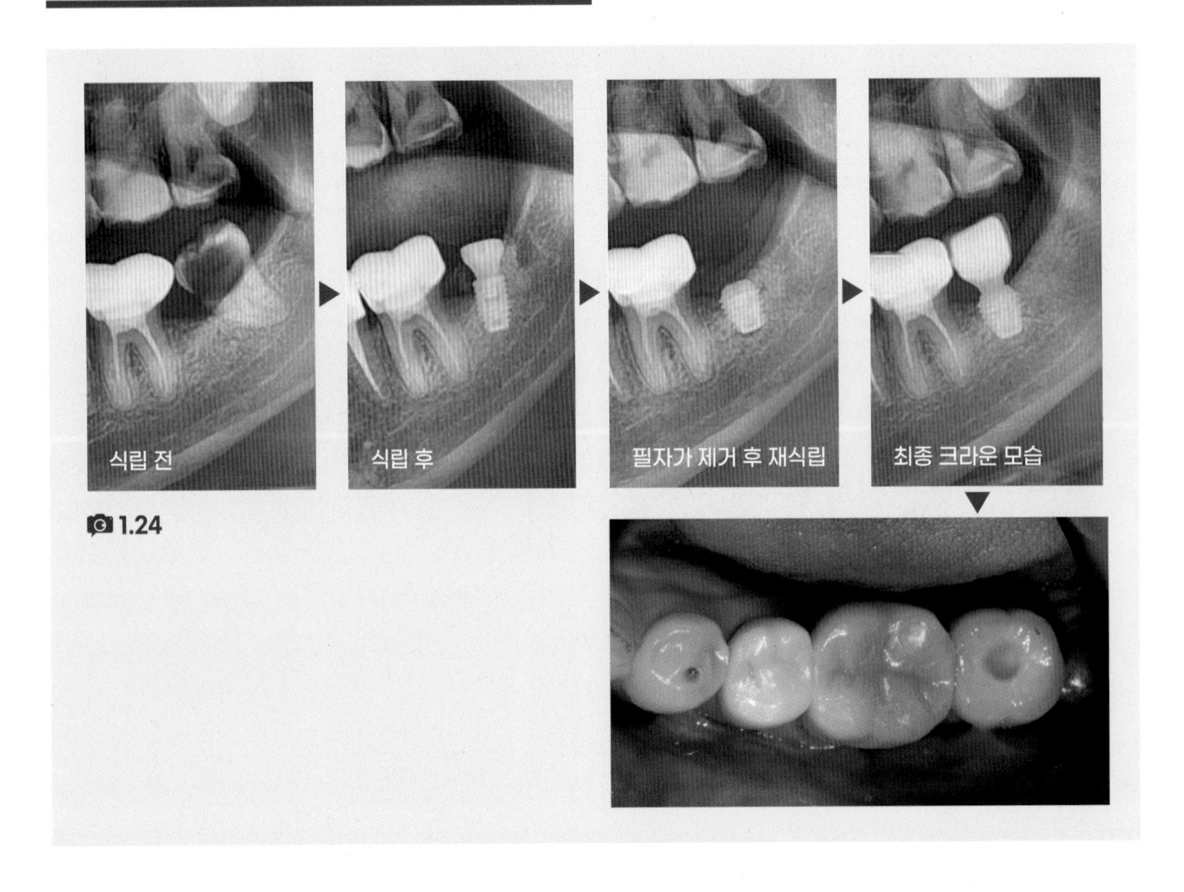

1.24

1.24는 임플란트 식립 다음 날 페이닥터가 쉬는 날이라 필자에게 드레싱하러 온 환자이다. 필자가 환자에게 양해를 구하고 당일 제거 후 바로 즉시 식립하였다. 환자나 의사나 수술하는 동안 많이 힘들었다고는 한다. 필자도 마찬가지로 힘들었다. 이전 드릴링이 잘못되어 있는 것을 바꿔 심는 것은 처음부터 내가 심는 것보다 훨씬 힘들다. **초기고정이 안 나올 때 다른 생각이 안 떠오르면 길이는 한 사이즈 줄이고, 지름은 한 사이즈 늘리는 것**을 고민해보라고 한 적 있다. 페이닥터가 심었던 5.0 * 7 mm 임플란트를 제거하고 길이는 6으로 줄이고, 지름을 6으로 늘려서 식립하였다. 사진을 보면 7번 크라운이 너무 작은 것 같지만 실제로는 6번 크라운이 너무 크게 되어 있다. 디스탈 쪽으로도 너무 커서 임플란트 식립 전에도 엄청나게 삭제했다고 한다.

필자의 치과에서 곡괭이로 심어진 케이스 2

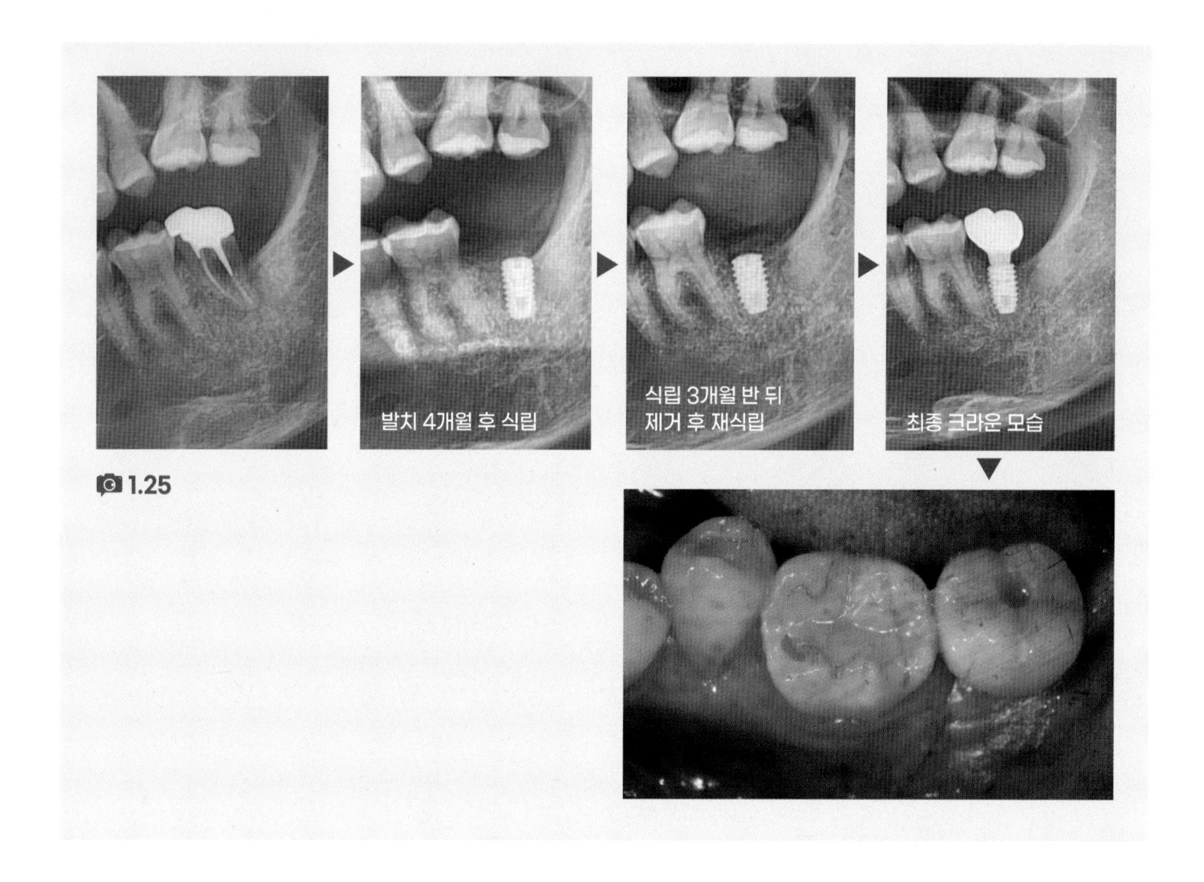

1.25

이 케이스는 임플란트를 식립하고 3개월 반이 지난 뒤 세컨 서러리 직전에 내원한 환자이다(1.25). 다른 쪽이 불편해서 식립했던 치과의사가 없는 날에 필자에게 응급으로 온 경우이다. 당연히 필자는 임플란트를 언제 어디서 했는지 물어보았고 대답을 듣고 놀랐다. 엑스레이를 보니 심으면서 발치 소켓 내로 밀려서 뒤로 심어진 것이었다. 당장 그날 환자를 설득해서 이를 제거하고 다시 심었다. 초기고정이 좋지 않아서 힐링을 올리지 못하였다. 필자가 아무리 드릴링을 잘했어도 결국 이전에 식립했던 자리로 조금은 밀린 것을 볼 수 있다.

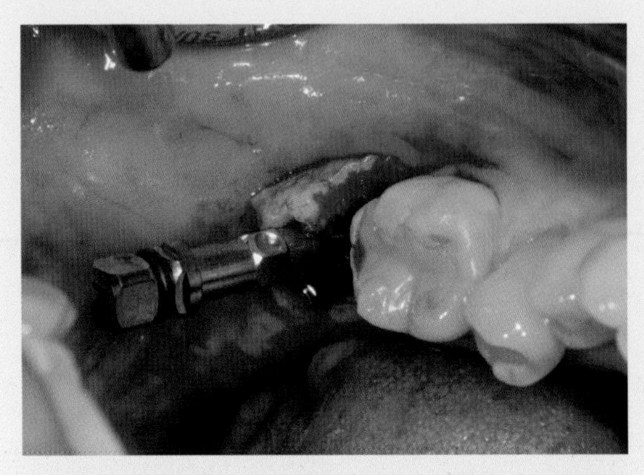

교합이 정상적이고 주변 치아 위치가 정상이라면 드릴링을 할 때나 임플란트를 식립할 때 언제나 앞치아의 cental groove의 연장선상에서 해야 한다.

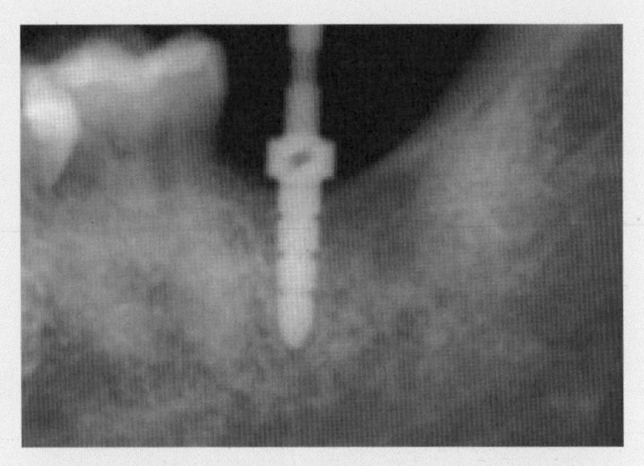

이전 임플란트를 제거한 자리 때문에 이니셜 드릴링이 쉽지 않았지만, 그래도 늘 단계별로 엑스레이를 찍어가면서 하려고 노력하고 있다. 이 사진은 근원심으로의 위치와 방향을 확인해보기 위한 사진이다.

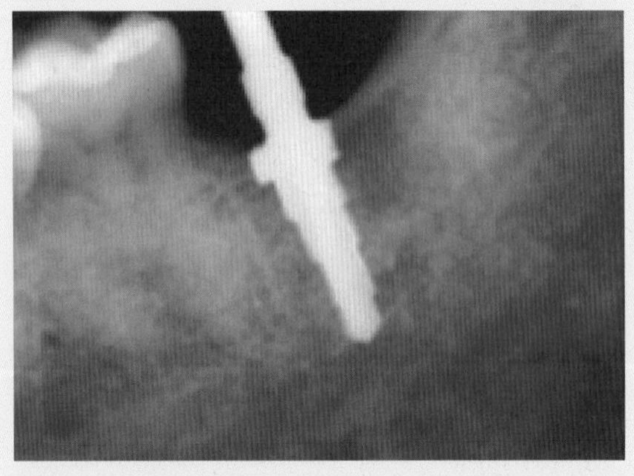

필자는 최종 드릴 전 단계의 드릴링을 하고 나면 반드시 해당 드릴을 넣고 엑스레이를 찍는다. 마지막으로 한 번 더 위치, 방향, 높이를 확인하는 작업이다.

1.26 필자가 드릴링과 식립 시 중요하게 생각하는 위치와 모양
6번 뒤에 7번 크라운을 머릿속에 그려보고 그 중심 교합점에 임플란트 드릴이 위치하도록 한다.

필자는 임플란트의 위치(Position)와 방향(Angulation)과 깊이(Depth)를 매우 강조한다. 이 챕터에서 다루는 주된 내용이다. **1.26**은 필자가 위치, 방향, 깊이를 가늠하는 일반적인 방법이다. 드릴링은 언제 앞 치아의 central groove의 연장선상에서 하며, 가상의 크라운 모양을 연상하고 그 중간에 심는다는 마음으로 단계별로 엑스레이로 체크하면서 드릴링을 진행한다.

필자의 치과에서 곡괭이로 심어진 케이스 3

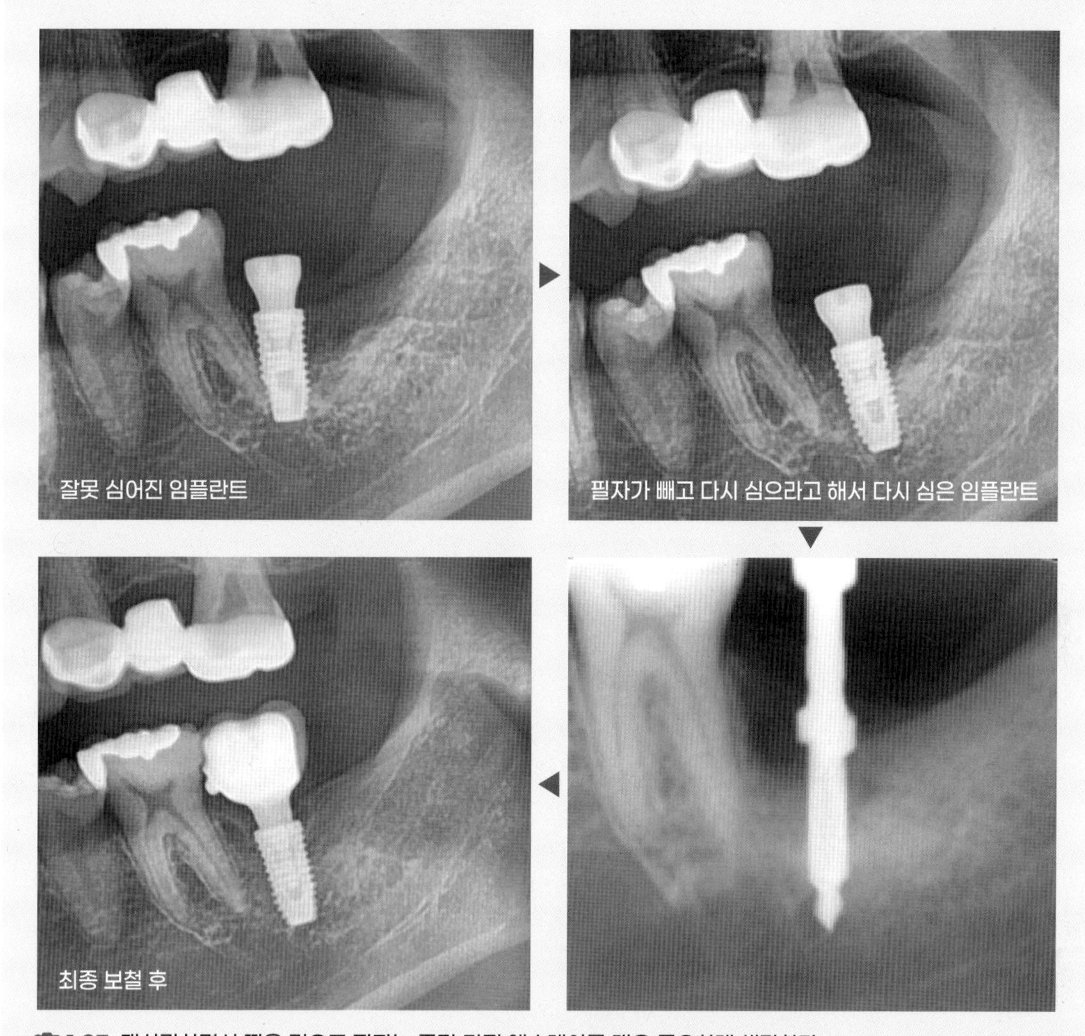

1.27 재식립하면서 찍은 것으로 필자는 중간 과정 엑스레이를 매우 중요하게 생각한다.

임플란트 식립 직후에 곡괭이로 심어진 것이 필자에게 발견된 케이스이다. 마침 술자가 옆에 있길래 "네가 뺄래? 내가 뺄까?"하고 물었더니 하는 말이 "사진은 6번 디스탈을 먹은 것처럼 보이지만 실제로는 먹지 않았고, 환자도 증상을 호소하지 않는다"였다. 그래서 다시 한번 물었다. "네가 뺄래? 내가 뺄까?" 그랬더니 본인이 하겠다고 했다. 그리고 중간에 엑스레이를 넣고 찍은 사진이 없으면 혼을 내겠다고 했더니 결국 과정을 제대로 하면서 진행하였다. 나중에 크라운이 올라간 사진이다(1.27). 물론 너무 긴 걸 심었지만 그 정도까지는 용서해 줄 수는 있다. 하지만 똑바로 심지 못하는 것은 용서하지 않는다.

다시 심으라고 하니까 바로 잘 심었는데 왜 그전에는 곡괭이로 심었을까? 필자는 오로지 눈높이 때문이라고 생각한다. 우선 술자는 보는 눈을 높여야 한다.

필자의 치과에서 곡랭이로 심어진 케이스 4

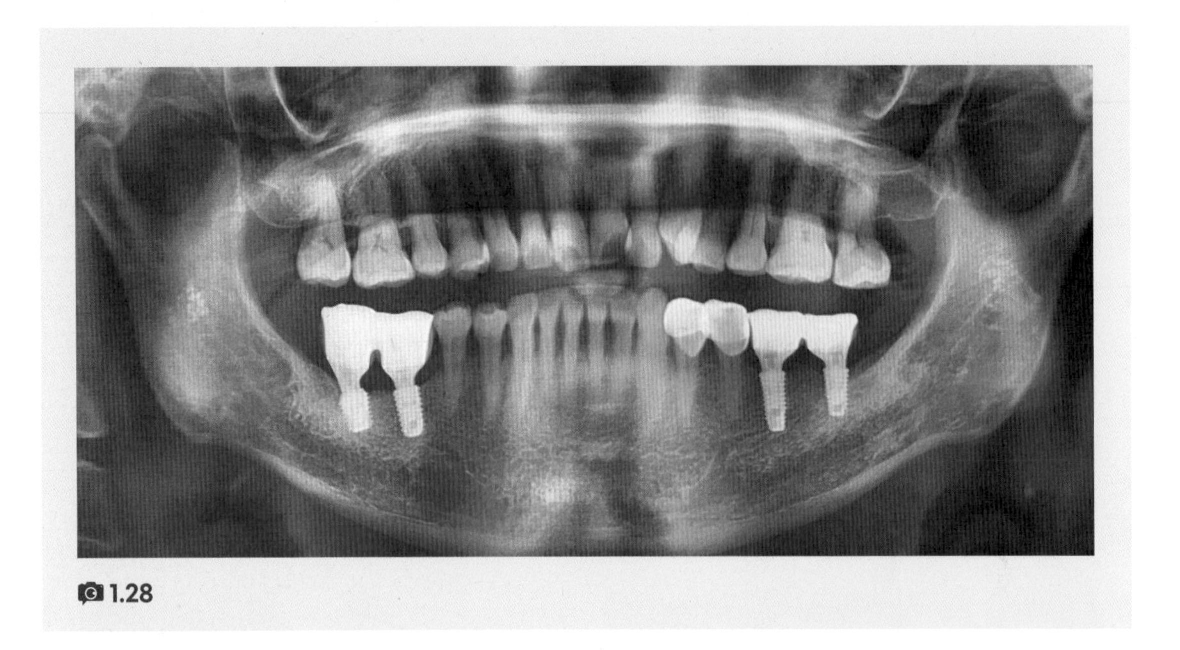

1.28

40번대 임플란트를 보면 마음이 아프다(1.28). 이를 식립한 페이닥터는 병원을 그만둔 상황이었는데, 30번대 임플란트가 필자에게 의뢰되어 수술 전에 보니 크라운까지 다 올라간 상태로 눈에 띄는 것이었다. 대신 필자가 심은 30번대는 비교적 잘 되어서 다행이다. 다행히도 환자는 아직까지 양쪽 다 편안하게 잘 쓰고 있다.

필자의 치과에서 곡랭이로 심어진 케이스 5

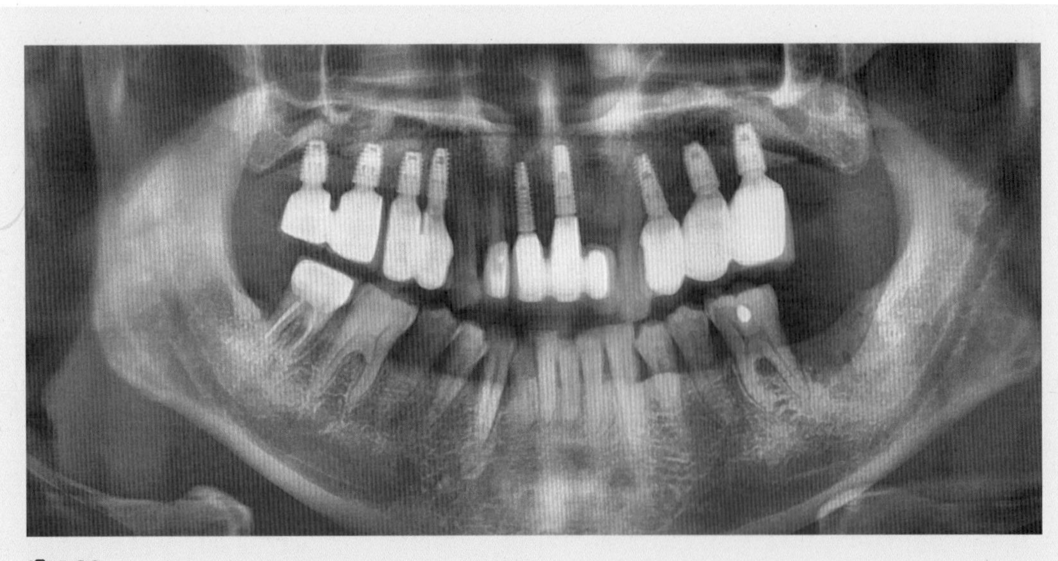

1.29

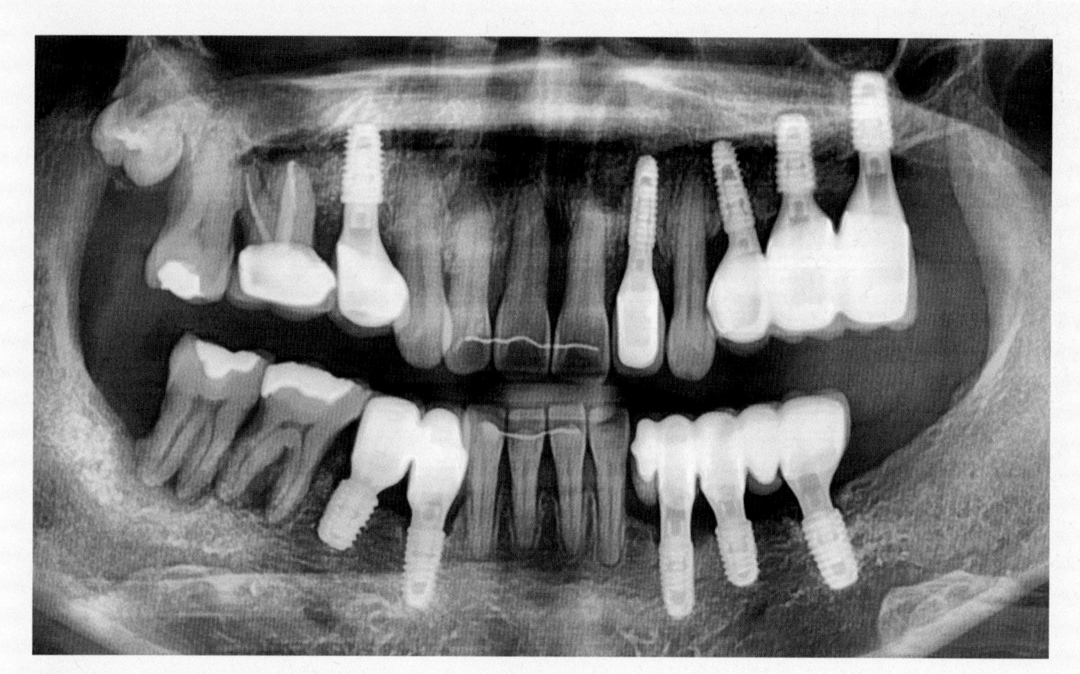

1.30

전생에 광부였나? 앞 케이스와 같은 치과의사의 케이스이다. 그만두고 나서 이런 곡괭이가 많이 발견되었다. 특히나 20번대에서 심한 곡괭이가 나타나는데, 그건 초보자들의 일반적인 성향이다. 아마도 9시에서 12시 사이 방향에서 진료를 하다 보면 안 보이는 곳에 드릴링을 할 수 있고, 1.29와 같은 상황이 발생할 수 있다. 보통 상악 4번과 3번은 사진상 겹쳐보여도 bucco-palatal로 간격이 있을 수도 있으니 안심하라고 하는 경우가 종종 있는데, 그건 어쩔 수 없이 공간이 부족한 경우를 말하는 것이지 이렇게 찾아서 곡괭이질로 파라는 이야기는 아니다.

특이하게 20번대 곡괭이가 많이 발견되었다. 다른 임플란트들도 상태가 매우 안 좋다. 평소에 늘 자신 있어 했기 때문에 필자가 신경을 너무 안 쓴 게 아닌가 생각이 되었다. 1.30에서 22번은 잘 심었다고 생각했더니 아주 오래전에 필자가 심은 것이었다.

최근 몇 년간 외국을 너무 자주 드나들면서 정작 병원에 신경을 너무 못 썼나 싶은 생각이 들었다. 페이닥터들이 임플란트를 조금만 잘못 심어도 직원들로부터 빼는 게 어떻겠냐고 자꾸 연락이 왔다. 필자가 미국에서 가이드 여신을 만난 이후로 한국의 경력도 길고 수련도 받은 페이닥터가 임플란트를 잘못 심어서야 되겠나 싶어서 참다참다 필자가 한국에 있든 없든 2018년 말부터 병원의 모든 케이스를 가이드로만 심으라고 명령하는 지경에 이르렀다. 필자도 가이드를 연습할 겸 응급(?)으로 시행해야 하는 임플란트를 제외하고 한동안 모두 가이드로 식립하였다. '나도 가이드를 하는데 너희가 안 해? 지금부터는 모두 한다' 이렇게 원칙을 정한 것이다. 그 뒤로 그나마 외국에서 지내는 것이 안심이 되었다. 지금은 파트너로 있는 이 책의 공저자 편영훈 원장님과 함께하면서 그런 불만이 없어져서 가이드도 점차 사라지게 되었고, 꼭 필요한 경우에만 시행하는 것으로 규정이 바뀌었다. 편영훈 원장님은 수술도 잘하지만 언제나 공부를 게을리하지 않는 스타일이다. 필자도 자주 궁금한 것을 물어보면서 함께 공부하며 진료도 하고 세미나도 진행하고 있다.

위 임플란트들을 곡괭이로 식립한 치과의사들은 대부분 발치도, 수술도 나름 잘하는 편이었다. 특히 5번째 케이스의 임플란트를 식립한 페이닥터는 늘 자신 있어 했고, 도전적이었다. 그러나 결과적으로 임플란트의 결과물들은 만족스럽지 못하다. 수술을 잘하는데도 왜 임플란트는 올바른 위치로 심지 못하는 것일까? 심지 못하는 것일 수도 있지만, 굳이 임플란트를 올바로 심을 필요성을 못 느끼는 것일 수도 있다. 아니면 올바른 위치에 심는 것에 대해 배우거나 고민해 본 적이 없는 것일 수도 있다.

이제 본격적으로 임플란트의 올바른 위치에 대해서 이야기해보려고 한다. 수술을 잘하는 것과 임플란트를 좋은 위치에 심는 것은 다른 의미인 듯하다. 별도로 고민하고 공부할 필요가 있다. 가이드 임플란트를 한다고 해도 결국 디자인은 본인이 직접 하거나, 임플란트 회사에서 해준다고 해도 본인이 조정하고 컨펌을 해줘야 한다. 그런데 무엇이 잘 심어진 임플란트인지 모른다면 모두 부질없는 짓이다. 이제 필자와 함께 사람과 원숭이를 구분해보도록 하겠다.

CHAPTER 4-2

Position & Angulation

임플란트의 식립 위치와 방향

Mastering dental implants

올바른 위치에 홀이 형성된 SCRP 크라운의 필요성

임플란트에서 올바른 위치와 방향의 중요성은 이루 말할 수 없을 것이다. 임플란트의 방향은 좋은데 위치가 좋지 않은 것과, 위치는 좋은데 방향이 좋지 않은 것 등을 구분하여 이야기할 수도 있지만 결국 둘 다 좋아야 하며, 이 두 가지를 조합하여야만 현실적으로 올바른 임플란트 위치라고 할 수 있다. 즉, 위치에 방향을 합쳐서 3차원적으로 생각하는 게 좋을 듯하다.

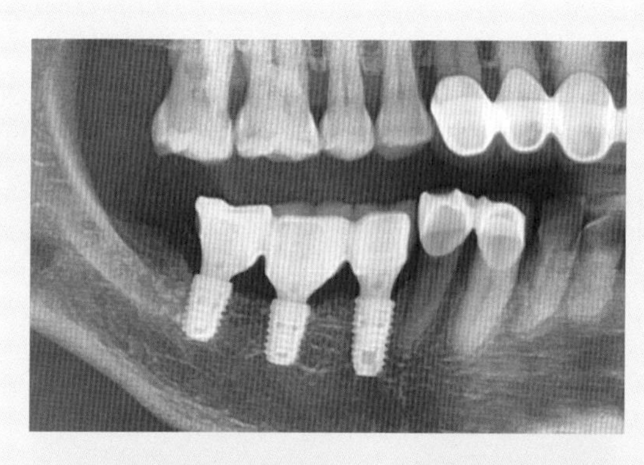

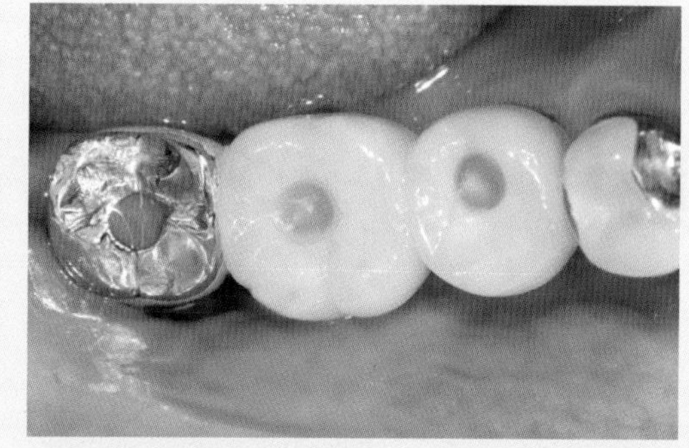

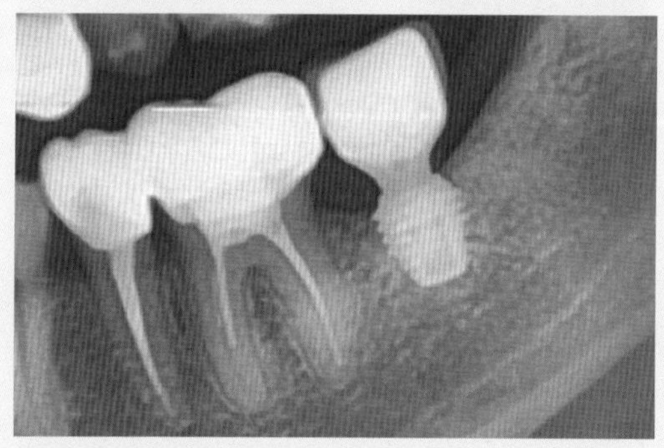

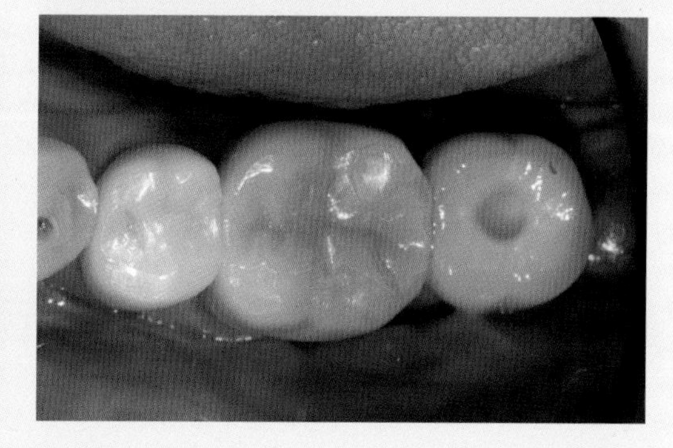

2.1 앞서 언급한 올바른 위치로 잘 심어진 임플란트

여기서는 "올바른 위치란 어떤 것인가"에 대해서 이론적으로만 간단히 설명하겠다. 필자가 한자리에서 치과를 20년 하면서 느낀 것은, 결국 임플란트는 유지관리가 중요하다는 것이다. 아마 기존 임플란트 크라운을 제거해본 사람이라면 임플란트 하나를 심는 것보다 제거가 훨씬 더 힘든 일이라는 것을 알 것이다.

필자가 한참 임플란트를 시작하던 시절에는 대부분 골드크라운이었기 때문에 그나마 제거가 쉬웠다. 그러다 임플란트 진료비는 하락하는데 금값이 치솟으면서 PMF로 바뀌었고, 최근에는 지르코니아가 매우 흔하게 되어버렸다. 구치부에 삐딱하게 잘못 심은 듯한 임플란트 크라운이 흔들린다는 환자가 왔는데, 크라운이 지르코니아에 시멘트 타입으로 제작된 것이라면 숨이 턱하고 막혀 올 것이다. 그러다 보니 필자는 전치부를 제외한 모든 임플란트 크라운을 SCRP로 하고 있다. 앞으로는 미래의 나를 위해 크라운의 종류와 무관하게 **모든 구치부 임플란트 크라운은 SCRP로 해야 한다**고 생각하고 시작하도록 하자.

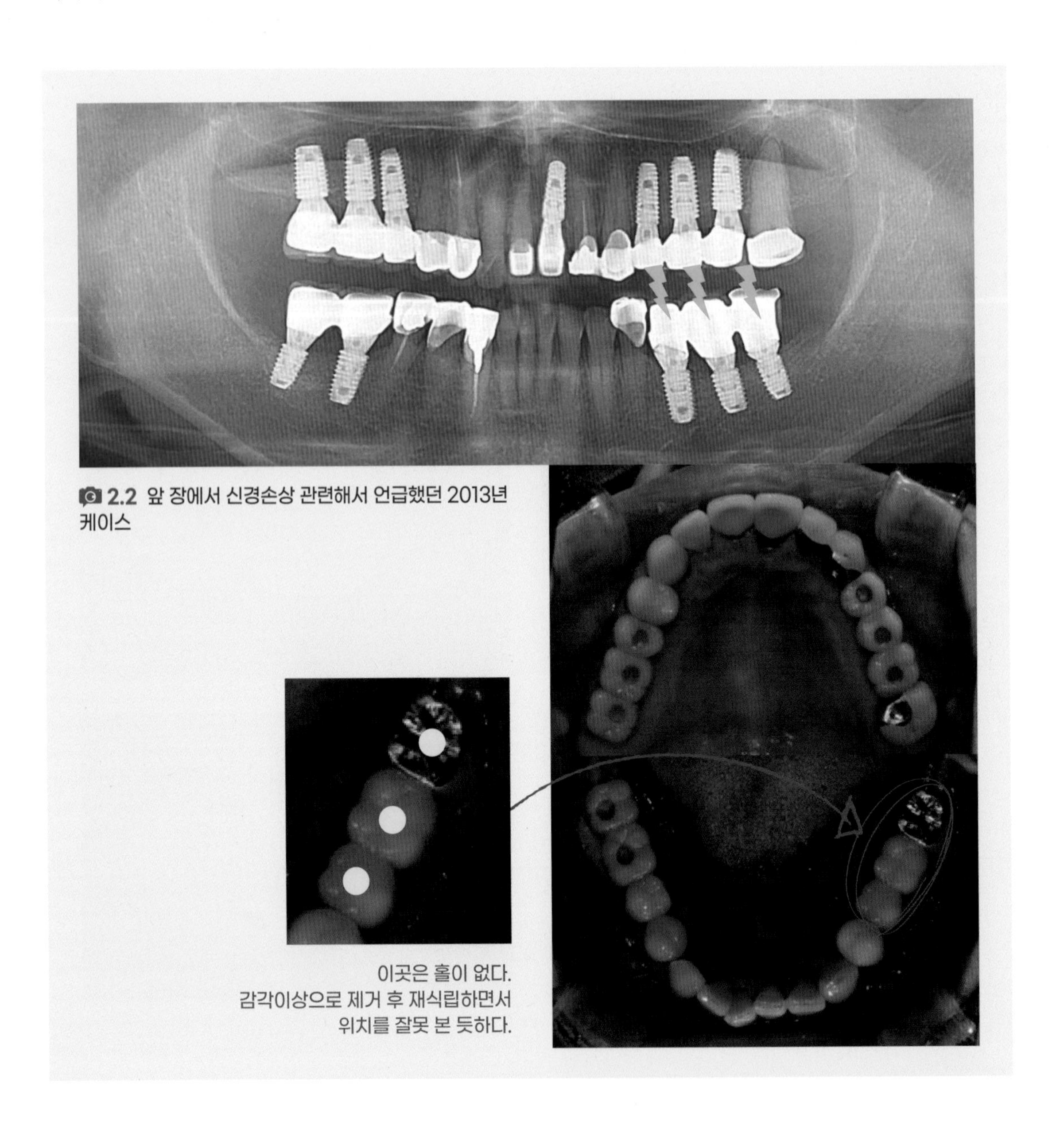

2.2 앞 장에서 신경손상 관련해서 언급했던 2013년 케이스

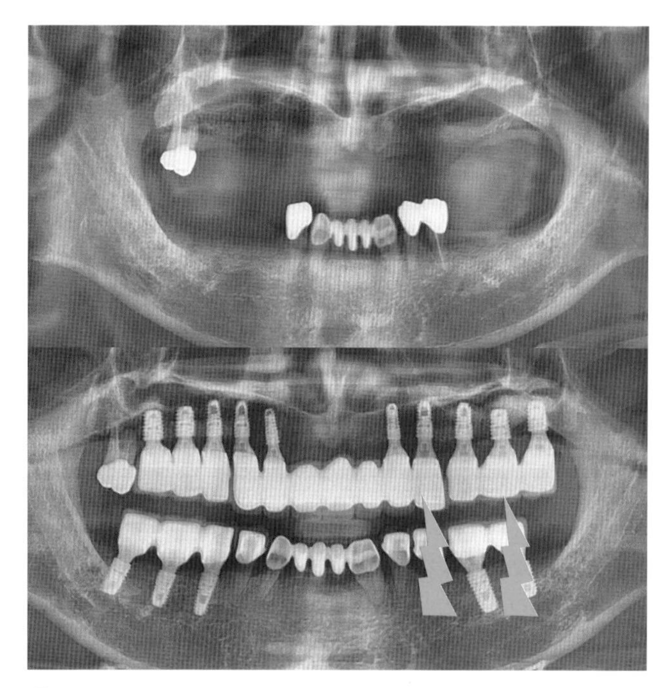

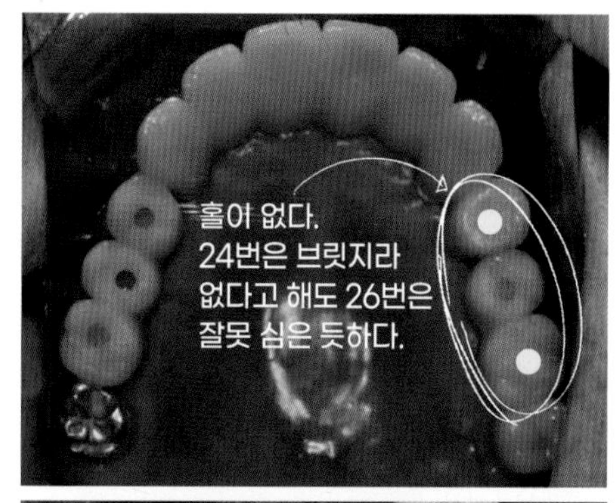

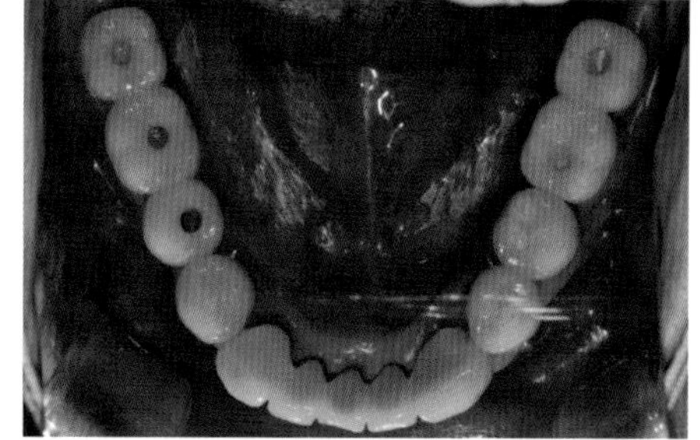

2.3 2015년 케이스

구치부에 여러 개를 심거나 치조골의 흡수가 심하여 크라운이 길어야 하는 경우에는 홀의 위치를 맞추기가 여간 쉽지 않다. 치조골 위치에서 각도가 조금만 빗나가도 홀의 위치가 이상해지는 경우가 생각보다 많다. 이런 경우에는 꼭 스텐트나 컴퓨터 가이드 임플란트를 권하고 싶다.

2.2와 **2.3**는 필자가 가이드 없이 그냥 심은 것이다. 결국 몇 개는 홀을 만들지 못한 것을 볼 수 있다. 지금 다시 수술하라면… 컴퓨터 가이드 임플란트로 진행할 듯하다. 임플란트 위치에도 설정에도 도움이 되고 수술 시간도 현저하게 짧아지기 때문이다. 물론 플랩리스로는 거의 하지 않는다. 가이드 수술과 플랩리스 수술을 동일시하면 절대 안 된다.

재미난 건 2015년에 **2.3** 케이스를 보철했던 보철과선생님이 해당 케이스를 본인 의국에서 발표했는데, 교수님께서 가이드로 수술했냐고 물으셨다고 한다. 그래서 과감하게 "김영삼 원장이 그냥 손으로 막 심은 것이다"라고 답하며, 본인이 직접 본 사람 중에는 필자가 가장 빨리, 잘 심는 사람이라고 했다고도 한다. 칭찬은 고래도 춤추게 한다고 그 이야기 때문에 한동안 즐거웠었다. 물론 정말 그렇게 말했는지는 몰라도 고맙긴 하다.

올바른 SCRP 홀의 위치란

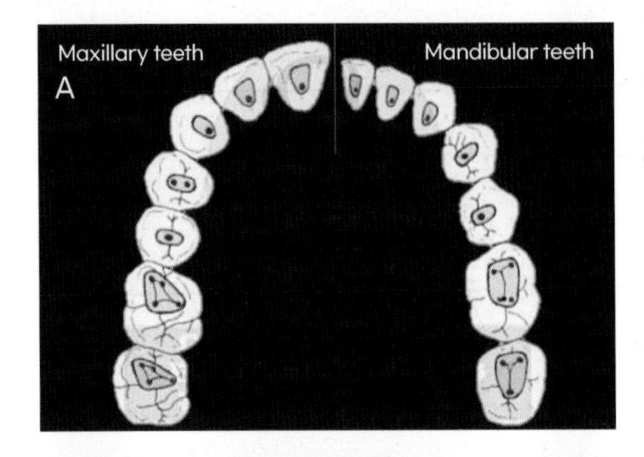

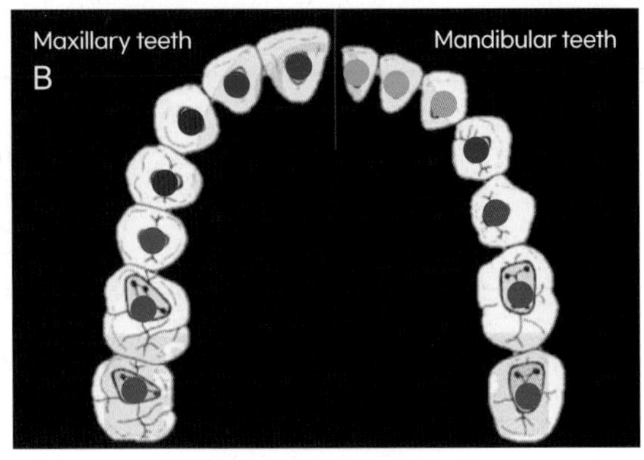

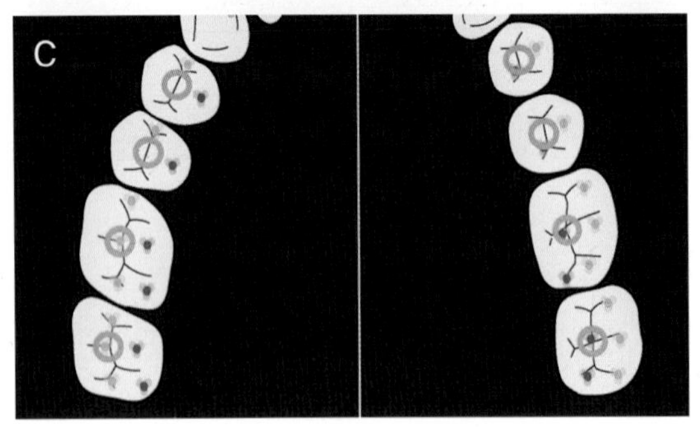

2.4 임플란트의 식립 위치(교합면 홀의 위치)

A: 근관치료할 때 access opening하는 위치

B: 근관치료할 때 access opening하는 위치에 기반한 홀의 위치

C: 센트럴 포사에 중점을 둔 홀의 위치

그렇다면 SCRP 크라운의 홀의 위치는 어디가 좋을까? 필자는 근관치료할 때 엑세스 오프닝(access opening)하는 곳을 추천했었다(**2.4A**). 그 이유는 포셀린 치핑을 막기 위해서다. 우리가 엔도할 때 엑세스 오프닝할 경우에는 되도록이면 치아손상을 최소화하고 남은 치질을 튼튼하게 하기 위한 곳에 구멍을 뚫었다. 물론 그곳이 치근이 모여있는 곳이기 때문에 기능적으로도 중요한 부분이기도 하다. 그래서 필자 또한 예전에는 그렇게 강의했었다. 그런데 세월이 변하면서 너무나도 단단해 파절을 걱정할 필요가 없는 지르코니아가 일반적인 임플란트 크라운이 되었고, 홀의 위치에 따른 포셀린 파절 등의 문제점은 크게 고려되지 않게 되었다. 그래도 기본적으로 근관치료를 해본 사람이라면 그 위치를 가장 손쉽고 올바른 임플란트 홀의 위치로 고려해도 좋을 것이다.

2.4D는 치아의 교합점을 찍어본 것이고, **2.4E**는 앞서 언급한 엑세스 오프닝 위치이다. 이에 비해서 **2.4F**는 필자가 한참 공부할 때 배운 대합치 방향으로 심는, 기능을 고려한 위치이다. 예전에는 임플란트 자체에 큰 확신이 없었기 때문에 최대한 기능적인 면을 고려하여 식립하라고 가르쳤을 것이다. 그것도 가능한 길고 두꺼운 임플란트로 말이다. 그러나 요즘처럼 SCRP를 선호하는 경우에서는 이것이 오히려 레진이 너무 닳거나 깨지게 되는 원인이 될 수 있다. 이제는 임플란트의 안정성에 대해서는 논란의 여지가 없으니, 레진 홀의 파절이나 마모 등 장기적인 유지관리의 편의를 위해서 오히려 엔도 액세스 방향보다 상악은 버칼로 하악은 링구알로 이동시키는 것이 더 좋을 수도 있는

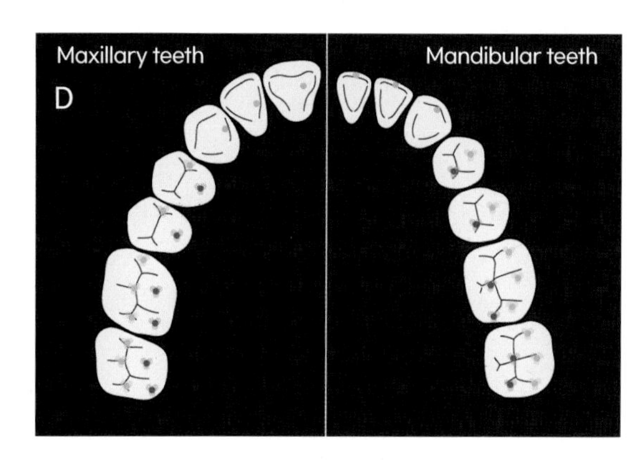

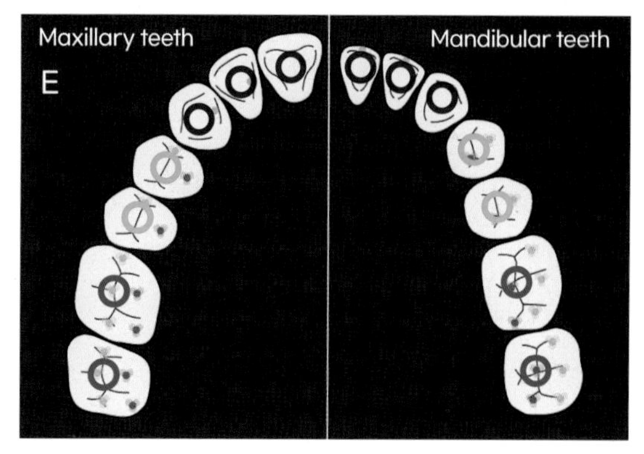

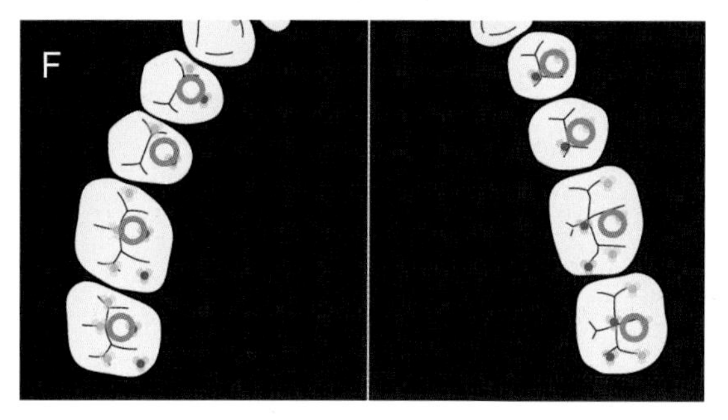

2.4
D: 치아의 교합점
E: Access opening 센트랄 포사에 기반한 홀의 위치
F: 임플란트의 기능적인 면을 고려한 홀의 위치

것이다. 필자가 강의할 때 종종 농담을 잘 하는데 '최대한 잘 심으려고 노력하되 기능교두 방향으로 가면 기능적인 면을 고려했다고 말하고, 비기능교두 방향으로 심어지면 레진의 내마모도를 고려하였다고 말하라'고 하곤 한다. 필자의 경우에는 식립하는 악궁에 집중하면 central groove에 심게 되고, 대합치를 염두에 두고 심다 보면 필자도 모르게 기능적인 면을 조금 더 고려하게 되는 듯하다.

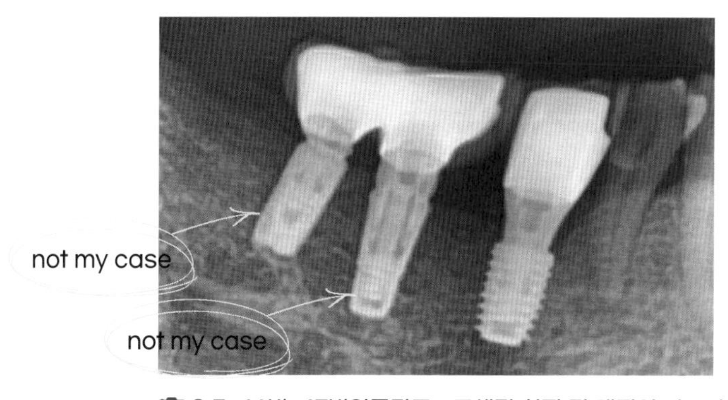

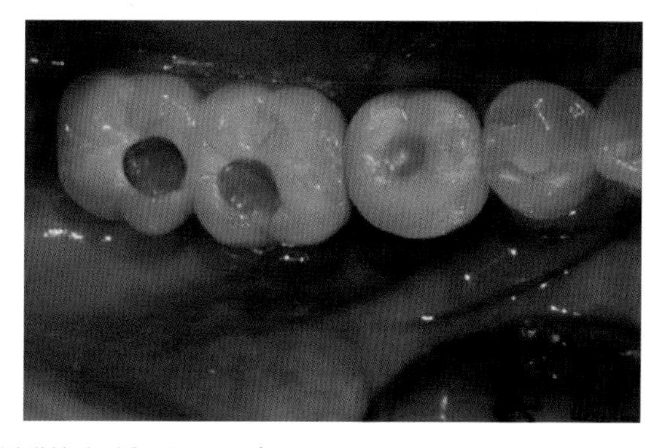

2.5 46번=47번임플란트 - 포셀링 치핑 및 레진의 마모가 발생하기 쉬운 임플란트 홀의 위치. 45번은 필자의 케이스이다.

대합치를 통해서 임플란트 식립 위치 설정하기

보통 치아 하나가 상실된 경우에는 임플란트의 적절한 식립위치를 설정하기가 용이하다. 그러나 최후방에 두 개 이상의 치아가 상실된 경우에는 협설로 위치와 방향만 중요한 것이 아니라 간격도 중요하기 때문에 종종 대합치를 참고하기도 한다. 그렇다면 지금 심는 임플란트의 중심이 대합치의 어느 방향을 향하면 좋을까?

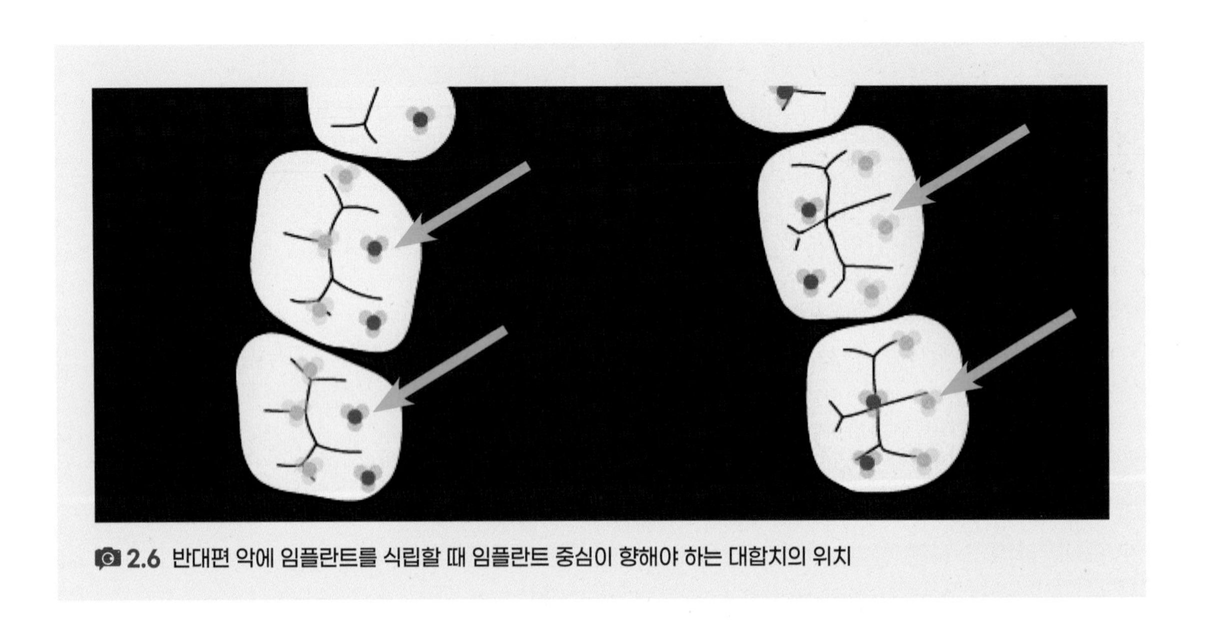

2.6 반대편 악에 임플란트를 식립할 때 임플란트 중심이 향해야 하는 대합치의 위치

앞서 이야기 한대로 임플란트의 이상적인 위치를 대구치의 중심점으로 설정한다면 **2.6**의 화살표 방향대로 하악 6, 7번 임플란트는 대합치의 근심구개측 교두를 향해야 하며, 상악 6, 7번 임플란트는 하악 원심협측 교두를 향하면 될 것이다.

대합치를 이용하여 임플란트 위치 설정한 케이스 보기

📷 **2.7** 케이스는 미국 치과의사의 어머니로 기존 임플란트의 간격 조절 실패로 인해 지속적인 임플란트 주위염이 발생하여 크라운을 제거한 상태에서 필자에게 의뢰되었다.

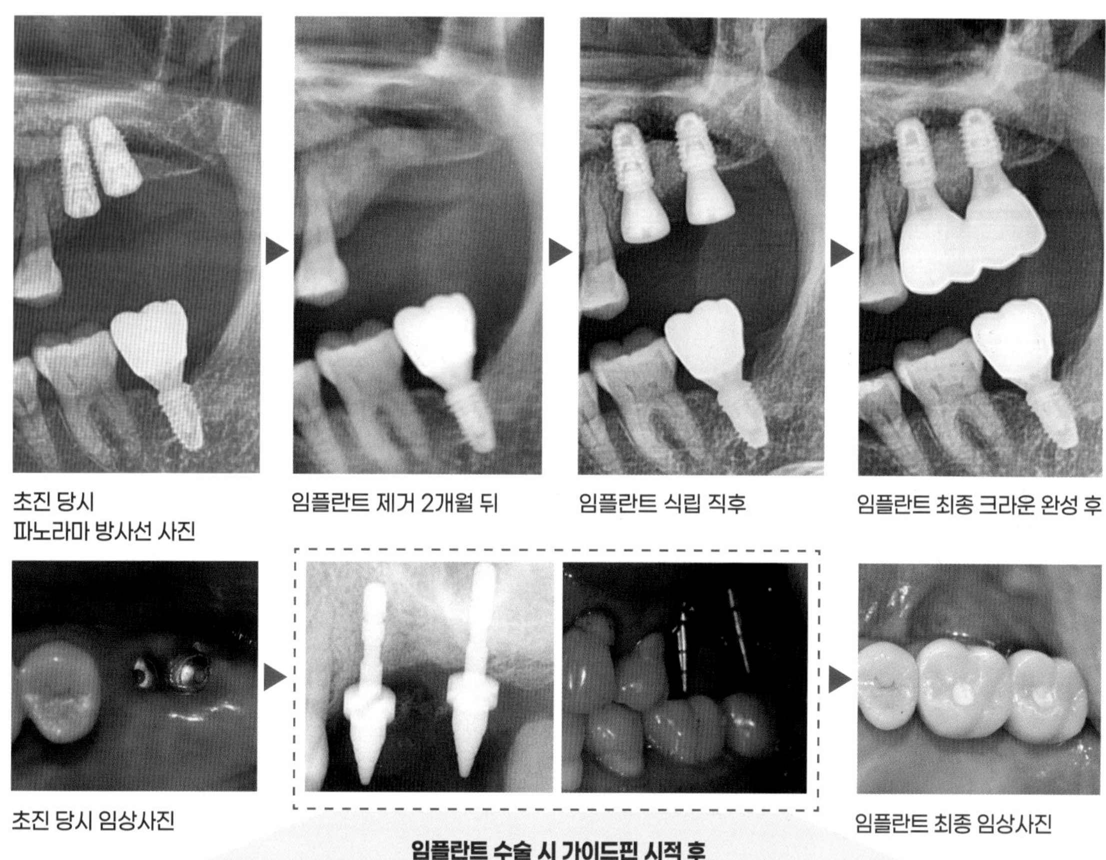

임플란트 수술 시 가이드핀 시적 후
임플란트 패쓰를 보기 위한 방사선 사진과 대합치와의 관계를
체크하는 모습

일반적으로 정상교합인 경우 필자는 앞 치아의 central groove를 따라서 심으면서 앞 치아로부터 뒤로 멀어지는 방식으로 거리를 측정한다. 가끔 2개 이상 빠진 경우나 거리가 중요하다고 느껴지는 경우에는 가이드 핀을 미리 꽂아보고 위치, 방향, 거리를 가늠해본다. 이 사진에서처럼 26번 임플란트의 가이드 핀은 36번 대구치의 원심협측 교두, 27번 임플란트의 가이드 핀은 37번 임플란트의 원심협측 교두를 향하면 된다.
그런데 이런 방법을 사용하다 보면 이상하게 필자는 대합치의 중심을 향해서 조금은 방향을 트는 자신을 발견하곤 한다. 아무래도 나도 모르게 임플란트의 기능을 조금 더 중요하게 생각하는 듯하다. 그러다 보면 최후방 2대구치 임플란트는 조금은 근심구개측으로, 1대구 임플란트는 구개측으로 심어지게 된다.

📷 **2.7** 가이드 핀을 이용하여 임플란트 식립위치와 방향을 가늠해보는 방법

기존 임플란트 간 간격이 너무 좁고, 모두 협측으로 너무 얕게 잘못 식립된 것을 볼 수 있다. 임플란트 제거 2개월 후에 수술을 시행하였는데, 이전 타 치과의 실수를 번복하지 않기 위해서 가이드 핀을 꽂아서 패쓰와 간격을 확인하고 대합치와의 관계를 체크하여 협설 위치를 설정하였다. 여기에 필자가 가장 좋아하는 통상적인 크레스탈 어프로치를 통한 사이너스 엘레베이션을 시행하였다.

보통 소구치부터 상실되었거나 한 경우에는 이러한 방식이 매우 유용하다. 그러나 아이러니하게도 대합치를 기준으로 설정하면 나도 모르게 대합치의 기능 교두가 아닌 중심을 향해서 심는 경향을 볼 수 있다. 심지어 대합치를 명확하게 확인하고 식립하였음에도 스크류 홀이 기능교두의 정상에 가깝게 위치하게 되는 경우도 종종있다. 아무래도 마음속에서 조금은 더 기능적인 면에 중요성을 느끼고 있는지도 모른다.

올바른 위치에 임플란트를 식립하는 것이 최신 경향!

이제 정말 왜 임플란트를 올바른 위치에 잘 심어야 하는지 보고 가겠다.

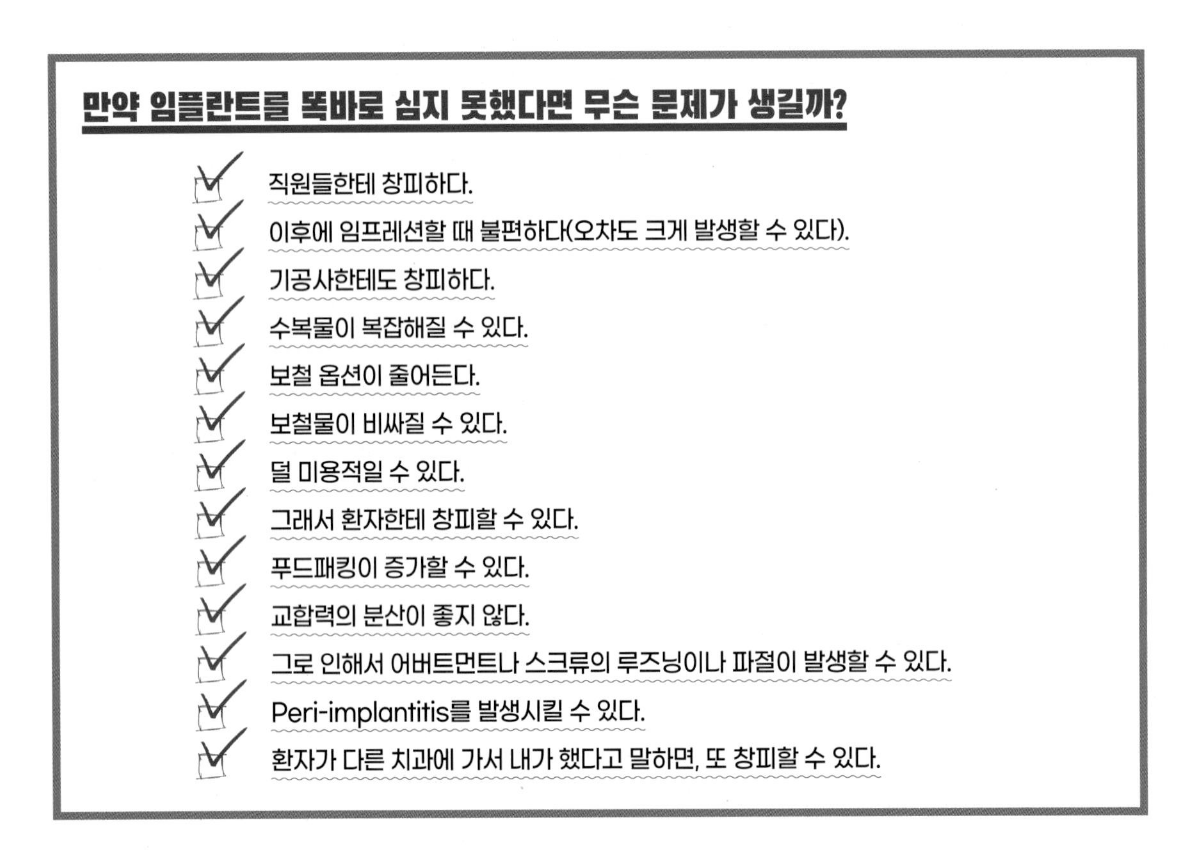

만약 임플란트를 똑바로 심지 못했다면 무슨 문제가 생길까?

- 직원들한테 창피하다.
- 이후에 임프레션할 때 불편하다(오차도 크게 발생할 수 있다).
- 기공사한테도 창피하다.
- 수복물이 복잡해질 수 있다.
- 보철 옵션이 줄어든다.
- 보철물이 비싸질 수 있다.
- 덜 미용적일 수 있다.
- 그래서 환자한테 창피할 수 있다.
- 푸드패킹이 증가할 수 있다.
- 교합력의 분산이 좋지 않다.
- 그로 인해서 어버트먼트나 스크류의 루즈닝이나 파절이 발생할 수 있다.
- Peri-implantitis를 발생시킬 수 있다.
- 환자가 다른 치과에 가서 내가 했다고 말하면, 또 창피할 수 있다.

세상이 모두 내 의견에 동조하지는 않을 것이다. 예전이나 지금이나 모두 같은 문제로 여러 사람들이 논쟁을 해왔다. 그러나 시장은 대체로 한쪽 편을 들고 따라간다. 15년 전까지만 해도 세미나를 가면 온통 굵고 긴 임플란트를 심기 위한 큰 골이식 수술 등이 주된 주제였다. 필자도 10년 전까지는 트레핀 버와 같이 블록본 그래프트를 위한 절삭 고정 기구들이나 피에조가 없으면 수술을 꺼릴 만큼 흔하게 뼈를 자르고 떼서 붙이곤 했었다. 그러나 지금은 그런 기구들은 거의 사용하지 않는다. 10년 전부터는 임플란트의 굵기나 길이보다 올바른 위치의 중요성이 부각됨에 따라 여러 회사들에서 임플란트를 올바른 위치에 심도록 도움을 줄 수 있는 도구들을 많이 개발했다. 거의 모든 회사에서 이런 도구들을 만들었다고 봐도 될 정도이다(📷 2.8).

사실 최근 들어서는 수술 시 임플란트 위치를 잡는 걸 보조적으로 도와주는 가이드 키트들의 인기가 시들하다. 컴퓨터 가이드 임플란트가 너무 빠른 속도로 보급되었기 때문이다(2.9).

컴퓨터 가이드 임플란트가 나오면서 가이드 수술 시 플랩리스로 수술하는 방법이 유행을 하고 있다. 하지만 컴퓨터 가이드 임플란트를 플랩리스 임플란트라고 생각하며 큰 오산이다. 컴퓨터 가이드 임플란트를 플랩리스라고 생각하는 순간 임플란트는 뼈를 찾아서 움직이면서 올바른 위치를 벗어나게 된다. 필자는 이를 매우 중요하게 생각하기 때문에 드문 경우를 제외하고는 가이드 수술을 플랩리스로 하지 않는다. 임플란트 수술을 할 때는 오로지 임플란트를 똑바로 심을 생각만 해야 한다. 그것보다 중요한 것은 없다.

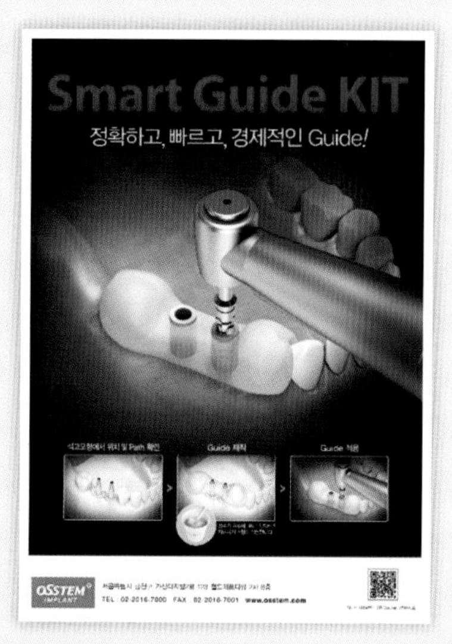

2.8 임플란트 가이드 기구들

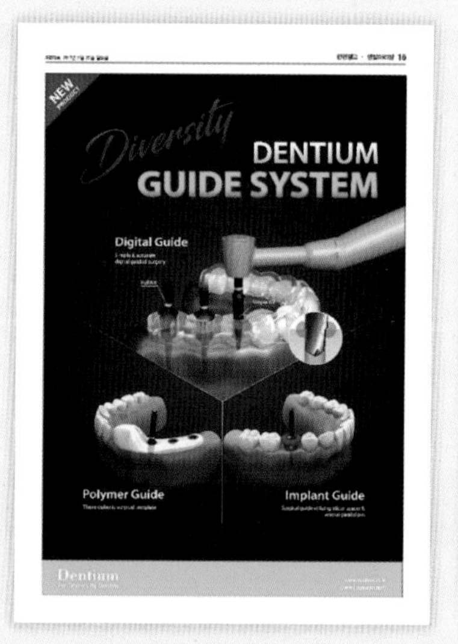

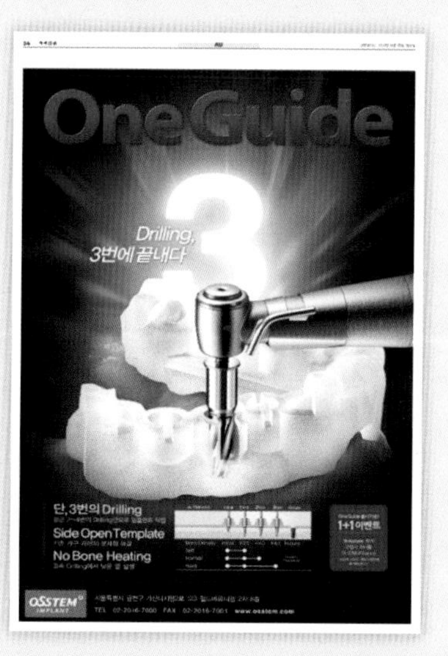

2.9 각종 컴퓨터 가이드 광고들

임플란트의 올바른 위치와 골이식

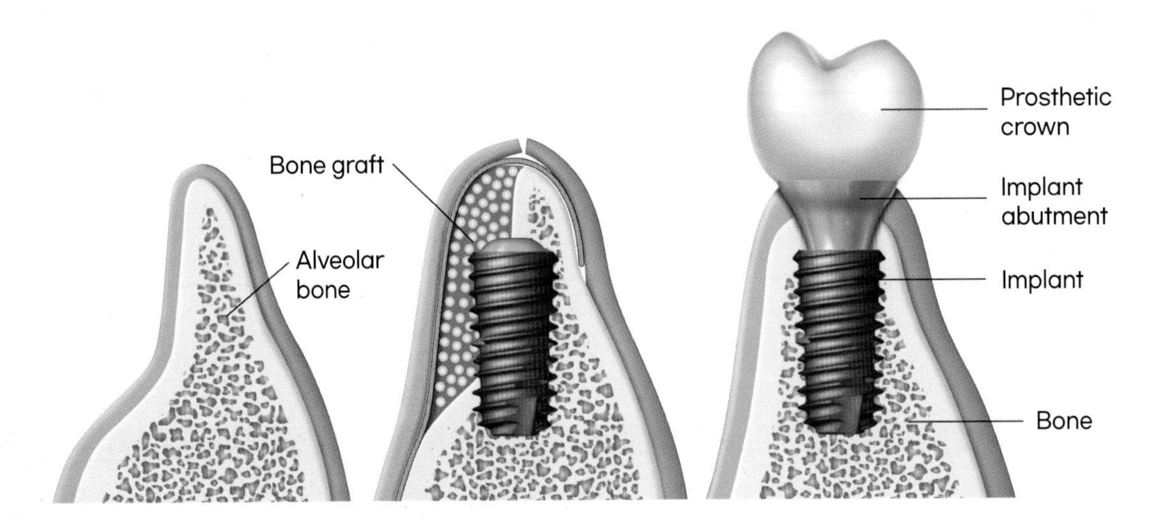

2.10 임플란트를 올바른 위치에 심고 골이식을 하는 모습

임플란트를 심으려고 하는 골이 부족하거나 경사진 경우는 어떻게 해야 할까? 치과의사라면 이런 고민은 엄청나게 많이 했을 것이고, 앞으로도 마주할 가장 큰 난제 중 하나일 것이다. 여기서 말하는 것도 결국 어디까지나 필자의 생각이지 그것이 정답은 아니다.

어쨌든 한쪽으로 경사진 골을 보게 된다면 임플란트를 어떻게 심어야 할까? 특히 하악 구치부라면, 특별하게 링구알(팔라탈) 루트에 염증이 심해서 발치한 게 아니라면 대부분의 경우 버칼 쪽이 낮은 형태로 형성되어 있을 것이다. 이럴 때 뼈가 있는 링구알 쪽에 세워서 심을 것인가? 아니면 차라리 버칼로 경사지게 심어서 임플란트의 버칼면 높이를 낮게 할 것인가? 이런 고민도 해볼 것이다. 이런건 다 무시하고 무조건 임플란트가 있어야 할 원래 위치에 심어야 한다. 오히려 골이 경사져 있어서 드릴링할 때와 심을 때 임플란트가 한쪽으로 밀릴 것까지 고려하여 식립 계획을 세워야 할 것이다(2.10).

많은 연구 결과가 말해주고 있지만, 실제 임상에서 임플란트의 치경부 쪽 버칼면이 노출된 경우는 매우 흔하게 존재한다. 그러나 이것이 문제가 되어서 임플란트가 실패하는 비율은 적은 편이며, 임플란트의 임상적 성공에는 큰 차이가 없다는 연구 결과도 많다. 물론 그렇다고 해서 이를 당연하게 받아들이자는 것은 아니다. 오히려 올바른 위치에 심는 것이 뼈를 찾아서 임플란트의 위치를 바꾸는 것보다는 더 좋을 것이라는 뜻이다.

참고로 임플란트의 상당 부분이, 심지어 apex가 골 밖으로 밀려나가 있어도 문제없다는 말을 여러 번 들은 적이 있다. 다시 말하지만 뼛속에 임플란트를 묻어야 한다는 마음만으로 임플란트 픽스처의 위치를 이상한 곳에 식립하지 말아야 한다.

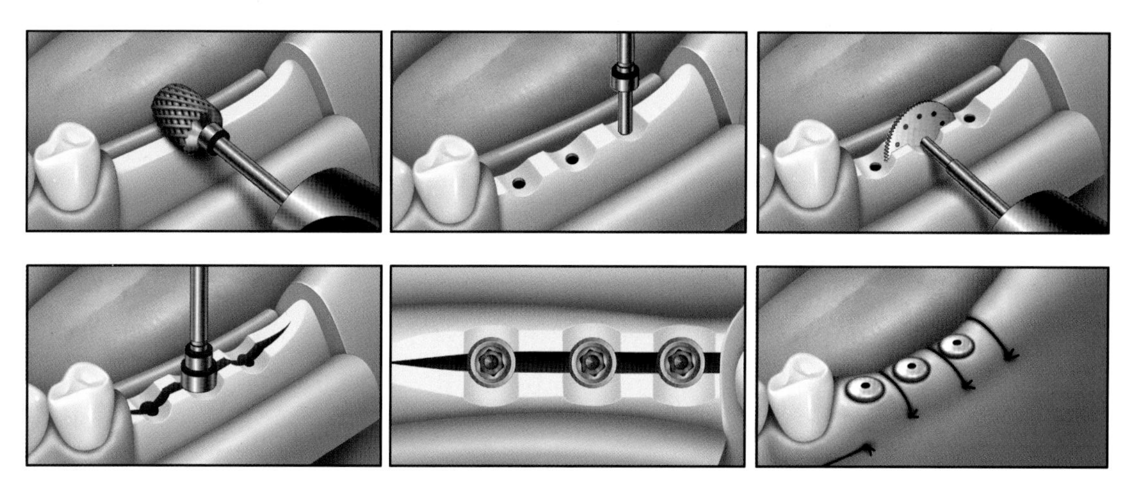

2.11 Ridge split kit 사용 방법

필자는 더 이상 ridge splitting을 하지 않는다. 이유는 한 가지다. Ridge splitting을 하다 보면 임플란트를 거의 갈라진 뼈 사이에만 심어서 올바른 위치에 심기가 어렵기 때문이다. 블록본 그래프트도 더 이상 하지 않는다. Ridge splitting이나 블록본 그래프트나 큰 수술에 따른 출혈, 통증이나 부종 등 부작용은 크지만, 그로 인해 얻는 결과는 그리 크지 않다고 생각하기 때문이다. 무엇보다 임플란트는 뼈가 좋은 곳보다는 임플란트가 있어야 할 위치가 더 중요하고, 이는 다른 방법으로도 충분히 극복될 수 있다고 본다.

굳이 ridge splitting을 하지 않는 이유를 정리해보자면

- 수술이 커지고 복잡해진다.
- 수술 후에 출혈과 통증 부종이 크다.
- 치유 기간이 길게 필요하다.
- Ridge splitting 자체의 실패 확률도 크다.
- 대부분의 경우 임플란트가 ridge splitting 없이도 성공 가능하다.
- 무엇보다 중요한 것은 ridge splitting은 임플란트를 올바른 위치에 심는 데 큰 방해 요소이다.

협측골이 소실되어 설측으로 경사진 골에 임플란트를 어떻게 심을 것인가?

"협측골이 소실되어 골이 설측으로 경사진 경우에 어떻게 식립해야 할 것인가?" 이런 문제는 치과의사들에게는 가장 큰 고민거리일 것이다. 치과의사들마다 각자의 철학이 다르겠지만 필자는 **2.12B**나 **2.12C**처럼 최대한 GBR을 피하고자 골을 찾아서 임플란트를 심는 것보다는 **2.12A**처럼 원래 있어야 할 위치에 심고, 필요하다면 골이식을 시행하는 것이 맞다고 생각한다. 협측으로 노출된 임플란트의 크기와 주변 골의 형태에 따라서 어떻게 GBR을 할 것인가도 달라지겠지만, 정말 블록본 그래프트나 ridge splitting을 해야 할 정도로 골소실이 심하여 상당한 양의 골이식이 필요한 상태라면 필자는 임플란트 픽스처에 연결해서 사용하는 타이타늄 메쉬(Titanium mesh)를 추천한다.

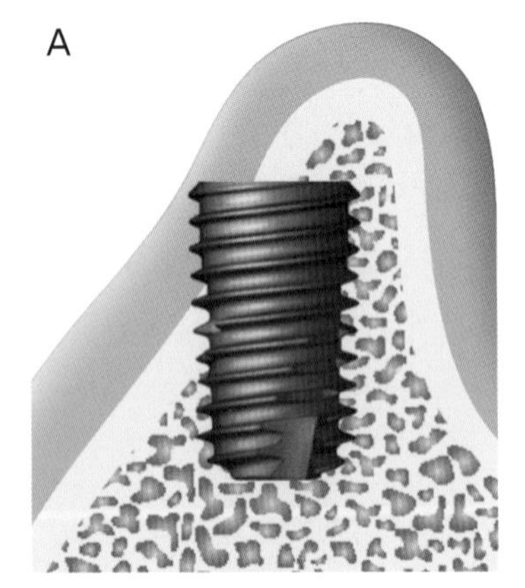

이상적인 위치에 임플란트가 식립된 모습

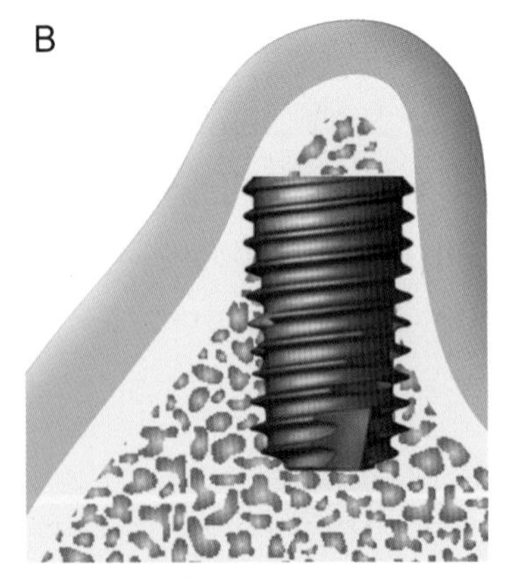

임플란트를 설측에 식립하여 임플란트의 협측 노출을 막은 모습

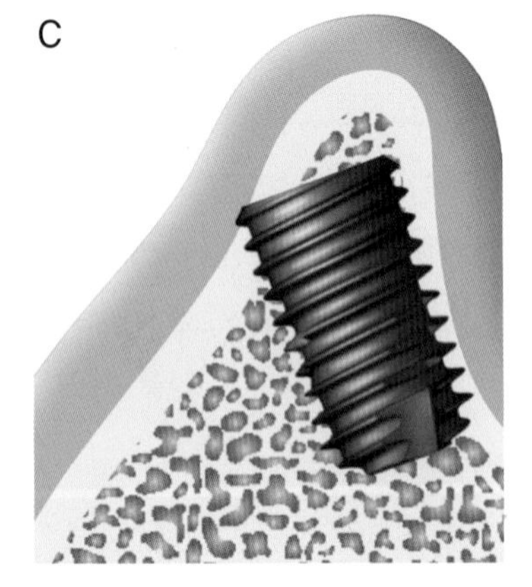

임플란트를 기울게 심어서 협측 노출을 피한 모습

2.12

2.13에 보이는 형태의 타이타늄 메쉬가 필자가 가장 추천하는 제품이다. 예전처럼 타이타늄 메쉬나 타이타늄으로 강화된 비흡수성 멤브레인 등을 별도의 스크류로 고정하는 것은 그 자체도 매우 어렵고 큰 술식이며, 실패율 또한 높다. 반면에 이런 임플란트 부착형은 사용도 쉽고 실패도 적기 때문에 필자처럼 실력이 부족한 사람이나 초보자들에게 매우 유용할 것이다.

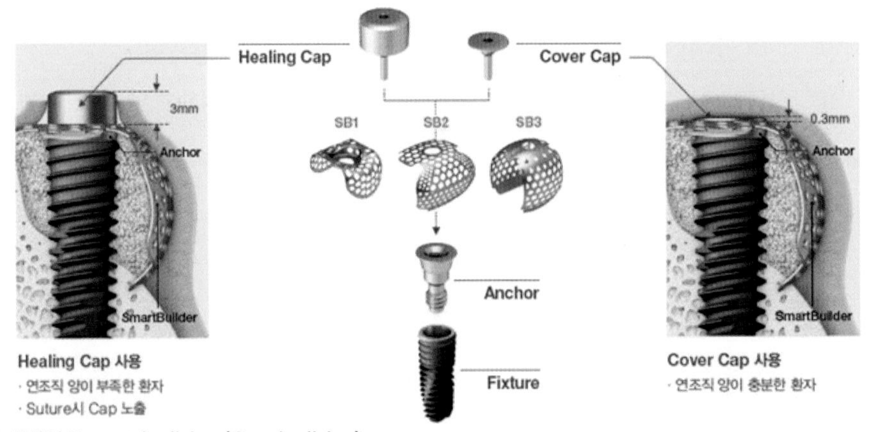

2.13 오스템의 Smart builder (Oss builder)

타이타늄 메쉬를 사용한 케이스

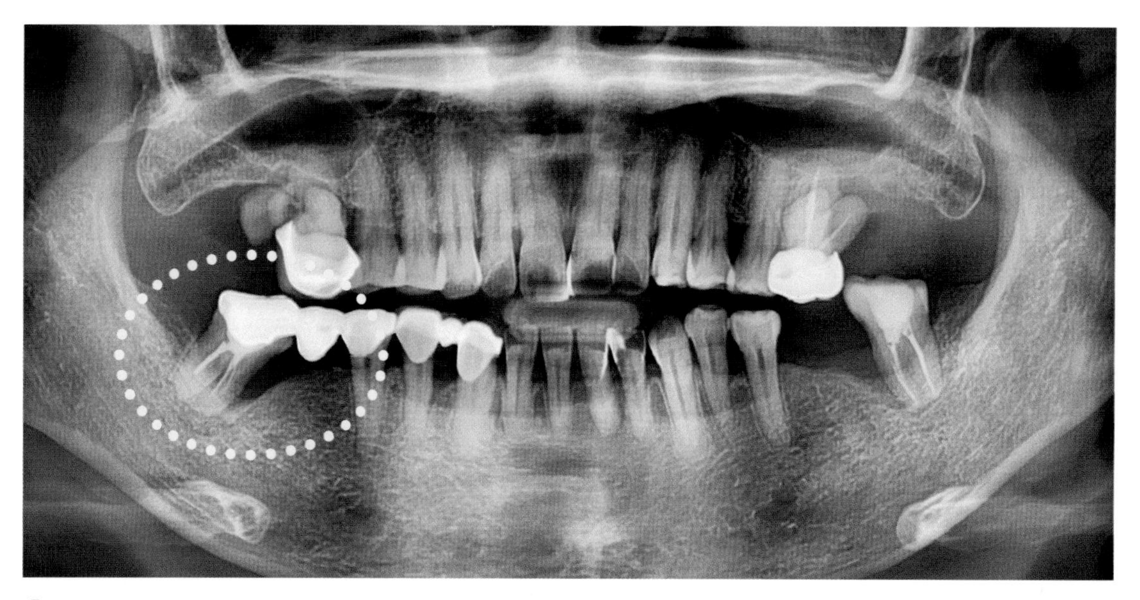

2.14 발치 전 파노라마 방사선 사진

어느 치과의사의 어머니로, 치주 상태가 좋지 않아서 치료한 케이스이다(치과의사들이 사랑니 발치와 임플란트를 위해서 필자를 많이 찾아온다. 또한 치과의사들의 부모님이나 장인·장모님까지 필자의 치과로 많이 보내주는 편이다. 치과의사로서 동료들에게 실력을 인정받는 것만큼 보람 있는 일은 없다고 생각하기 때문에 성심성의껏 진료를 하고 있다). 40번대를 보자. 아마도 대부분의 사람들은 47번 자리에 타이타늄 메쉬를 썼을 거라고 생각할 것이다. 그러나 해당 부위는 골 폭이 넓어서 이를 굳이 사용하지 않고 일반 콜라겐 멤브레인을 사용하였다. 오히려 필자는 발치한 지 오래되어 리지가 매우 좁아져 있는 46번 자리에 임플란트를 제자리에 심고, 버칼 본 디펙트에는 위에서 설명한 그림처럼 타이타늄 메쉬를 사용하였다.

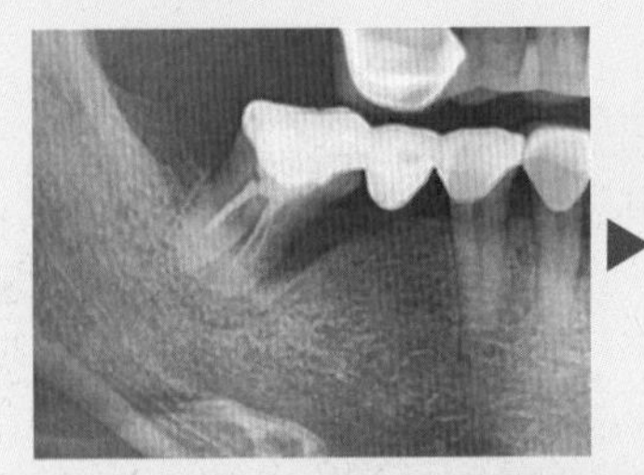

발치 6개월 후

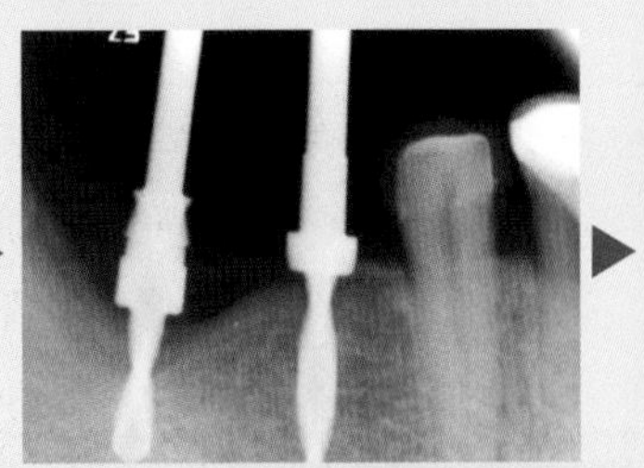

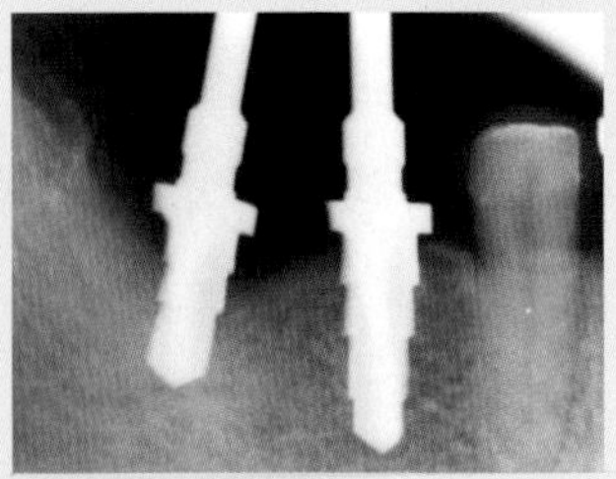

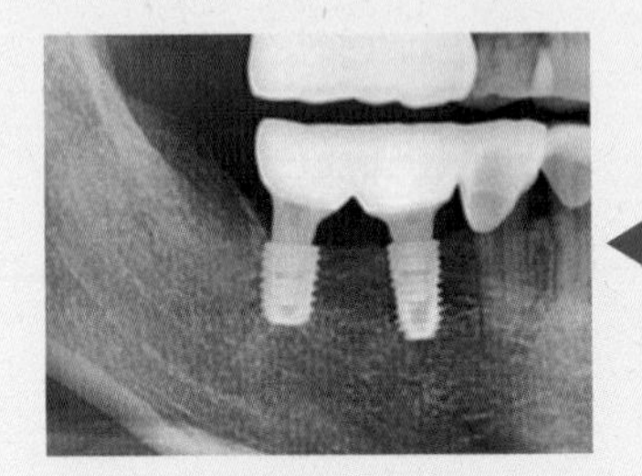

세팅 14개월, 식립 20개월 후

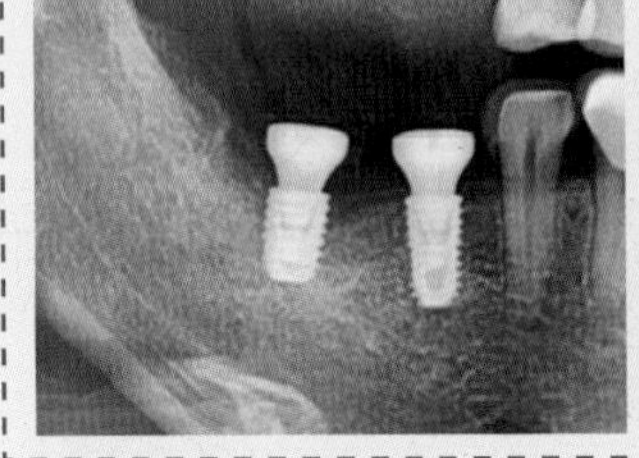

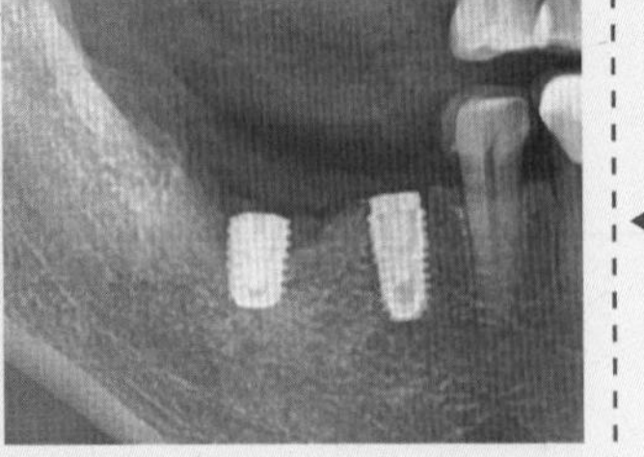

식립 3개월 후, 세컨 서저리 전후

엑스레이상에서 타이타늄 메쉬를 볼 수 있다.

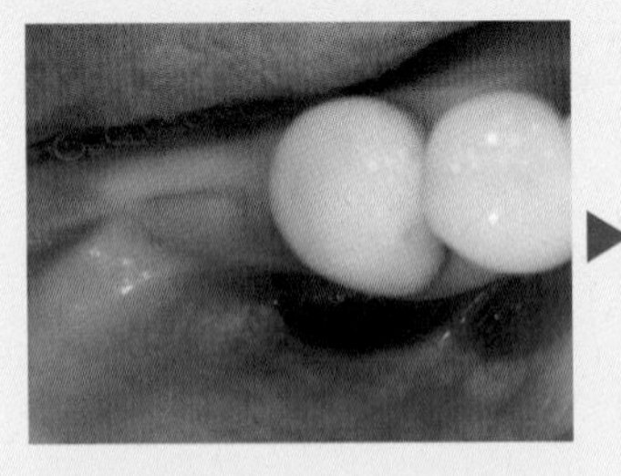

브릿지 파닉이 있던 46번 쪽은 협측 골이 많이 소실된 걸 볼 수 있다.

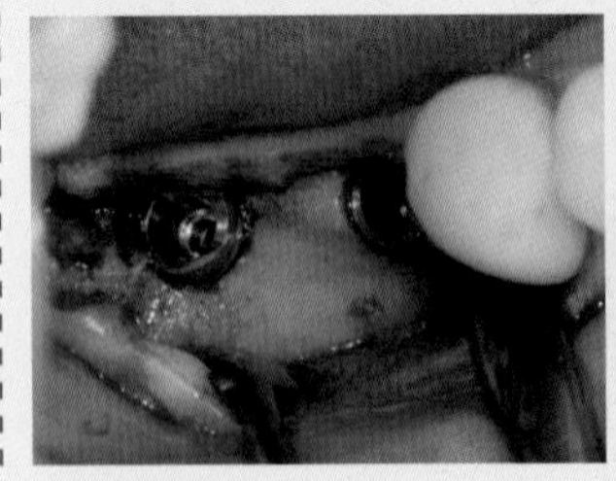

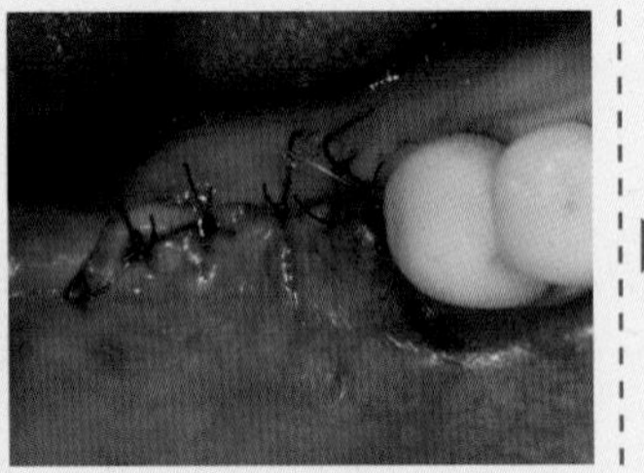

47번 임플란트는 수직·수평적으로, 46번 임플란트는 수평적으로 협측이 노출되어 골이식 후 타이타늄 메쉬를 사용하고 봉합하였다.

식립 3개월 후에 타이타늄 메쉬를 제거하기 위하여 내원하였다.

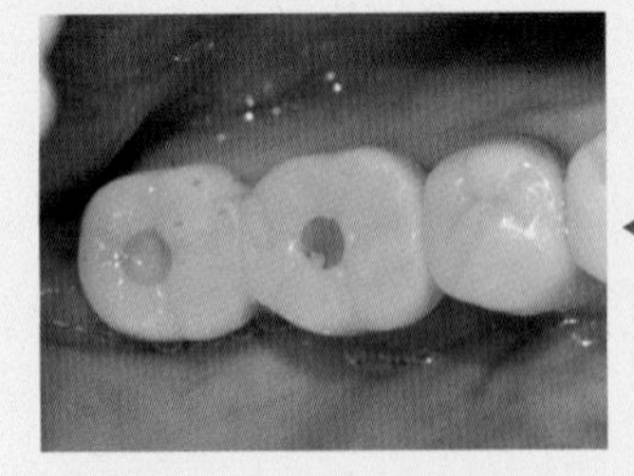

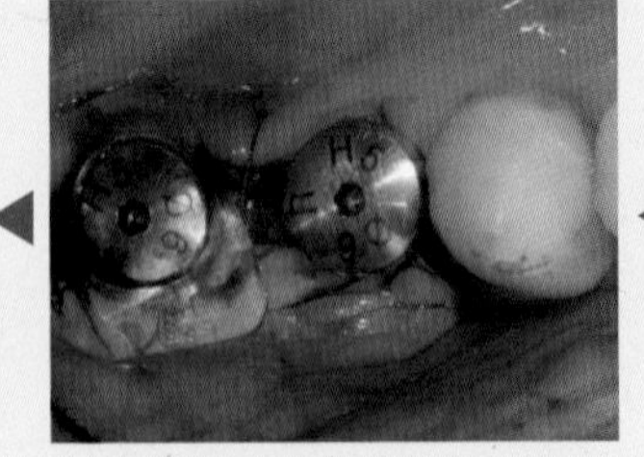

47번 임플란트 협측으로 구강전정의 형성과 부착치은을 보존하기 위해서 루이버튼(덴티스)을 사용하였다.

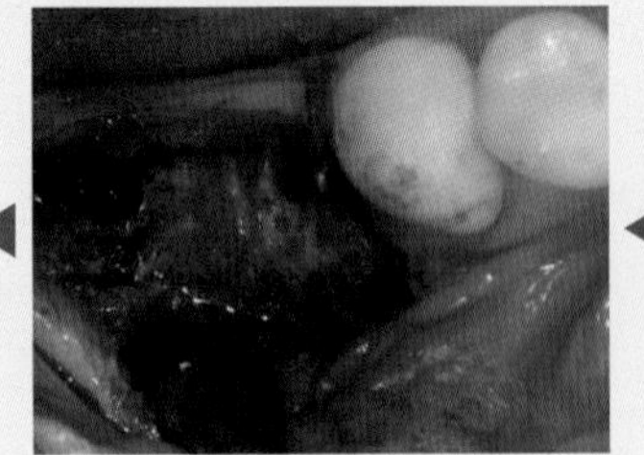

타이타늄 메쉬를 제거하고 난 치조골 모습. 골화가 잘 된 것을 볼 수 있다.

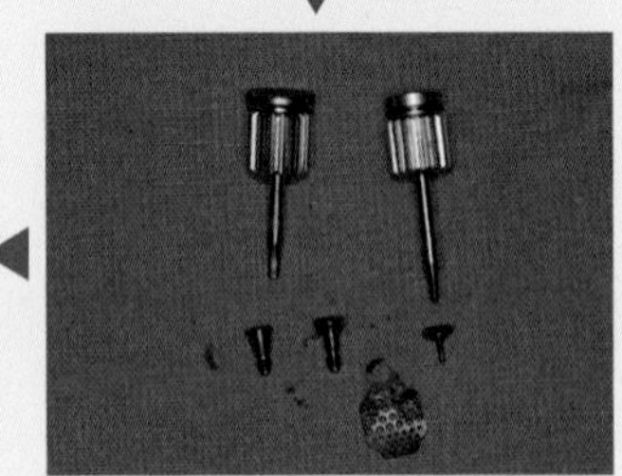

제거한 스크류와 타이타늄 메쉬의 모습

CT로 보면..

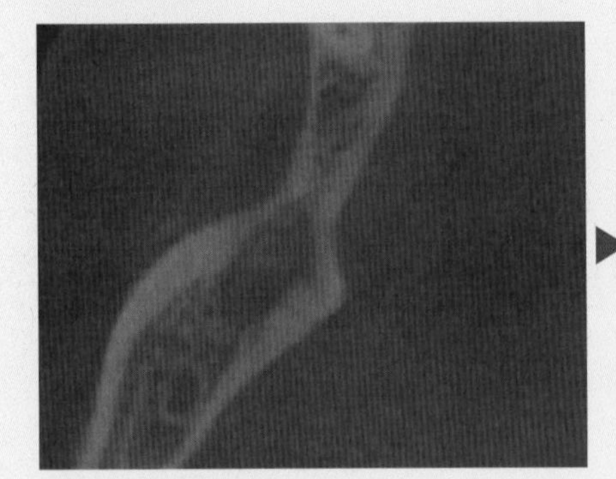

수술 전 하악골의 절단 영상

식립 6개월 뒤 보철물 세팅 후

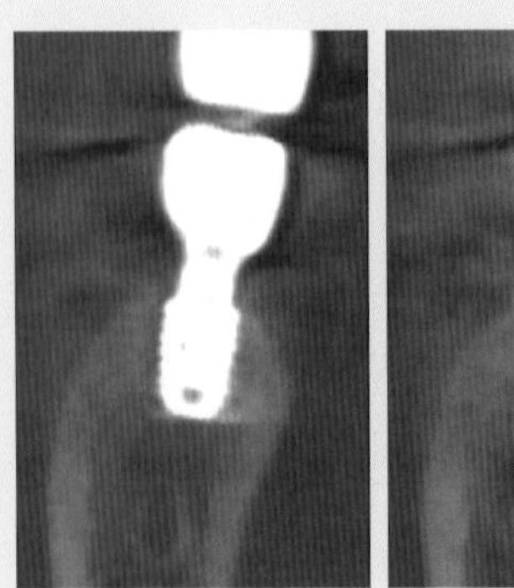

하악골을 코로날 방향으로 석션했을 때 임플란트 주변에 골이 잘 형성된 것을 볼 수 있다.

2.15 오스템의 Ossbuilder 사용 케이스

잠깐!! 상악 전치부 방향 실패 케이스

38세 여성 환자로 10여 년 전에 상악 우측 측절지의 임플란트 실패로 고민했던 분이다. 엑스레이만 봤을 때는 크게 잘못된 점을 찾아보기 어렵다. 오래전 임플란트치고는 식립 깊이도 나쁘지 않고, external hexa type임에도 골소실도 거의 없이 안정된 상태이다.

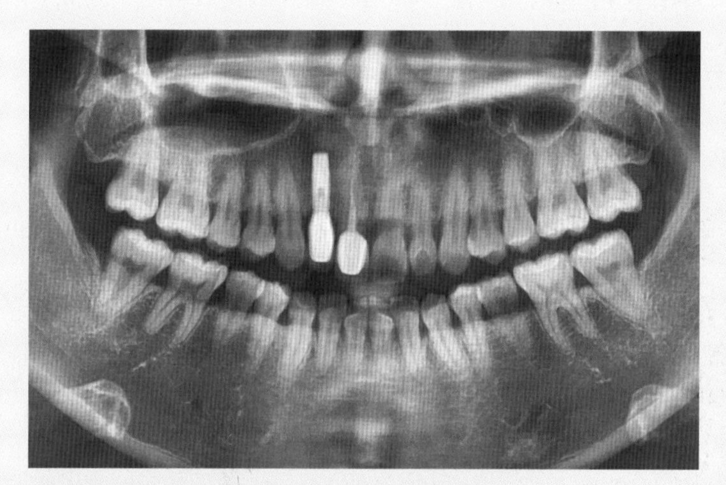

파노라마상에서 볼 때 적절한 위치에 잘 심어진 듯하다.

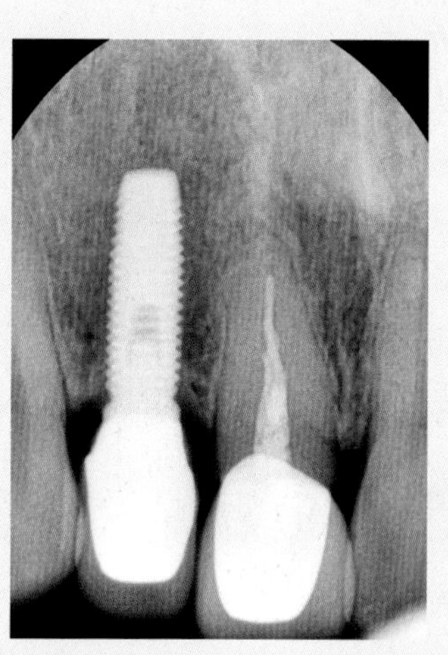

표준 촬영 영상

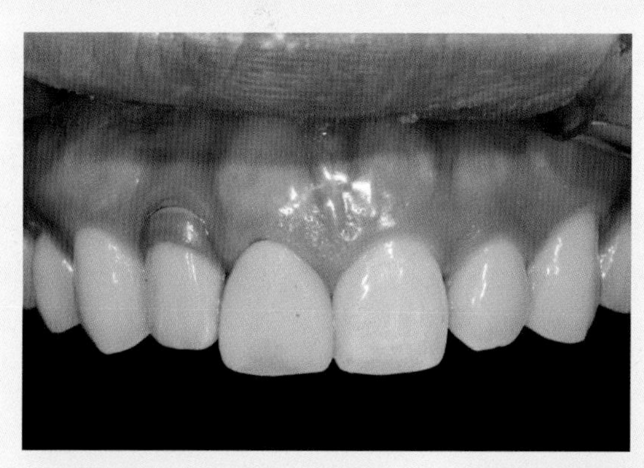

정면 모습. 임플란트 식립 후 10여 년이 경과한 상태

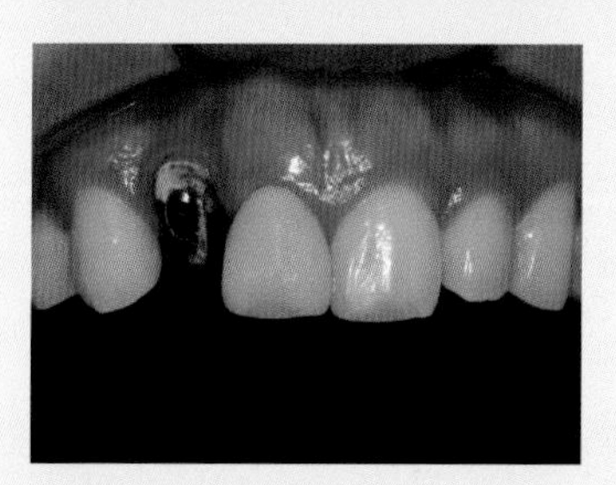

임플란트가 탈락되어 내원한 모습

스크류를 다시 리타이트닝하기 위해서 드라이버를 꽂아보면 얼마나 순측으로 심어진 것인지 알 수 있다.

2.16 전치부 방향 실패 케이스

그러나 임상사진을 보면 크게 잘못된 것을 알 수 있다. 어떻게 20대 초반의 여성 환자에게 이렇게 임플란트를 할 수 있을까? 당시만 해도 임플란트 술식에 대한 완벽한 프로토콜이 정립되지 않은 상태였다 해도 이렇게 순측으로 심어진 경우는 핑크 포셀린으로 해결할 것이 아니라 바로 제거하고 다시 심었어야 했다는 생각이 들었다(이런 경우를 두고 사돈 남말한다고 한다). 이때부터 환자는 활짝 웃는 습관이 없어져 버렸다고 한다. 차라리 브릿지로 해결하는 편이 좋았을 텐데 말이다. 또한 심미적인 문제만 있는 것이 아니다. 이처럼 너무 순측으로 식립할 경우, 임플란트가 종종 탈락되기도 하고 스크류 루즈닝도 발생하기 쉽다. 그래서 이 환자도 필자가 리타이트닝 후 재부착을 해주기도 하였다.

필자의 경험상 상악 전치부의 식립 방향은 임플란트 픽스처의 위치와 연조직의 두께나 모양 등에 따라 다르지만, 식립 방향이 굳이 싱글룸을 향하지 않더라도 최대한 incisal line 밖으로 나가지 않도록 해야 한다.

여기서 올바른 위치로 심으려고 해도 결국 심고 나면 방향이 바뀌는 사례에 대해 간단히 보려고 한다(**3-2장 임플란트 지름의 선택**의 케이스가 가장 큰 교훈이다). 대부분이 그렇듯 발치 후 즉시식립과 한쪽 골면이 없는 경우, 상악 전치부처럼 팔라탈 본은 단단하고 버칼본은 얇거나 소프트한 경우 등일 것이다.

"**임플란트는 드릴보다 굵다**" 필자가 라이브 서저리를 하면서 가장 강조하는 점인데, 실제로 임플란트 수술에서 가장 간과하는 부분이기도 하다. 요즘은 대부분 임플란트 쓰레드가 커지고 다양해지기도 해서 나사산의 크기가 보통 0.3–0.5 mm 정도인데, 실제 임플란트는 드릴보다 0.6–1.0 mm까지 더 큰 경우가 많다. 그렇다 보니 **2.17A**처럼 골의 강도가 사방이 균일하면 드릴링한 방향으로 심어지겠지만, **2.17B**처럼 한쪽 벽이 없거나 골질이 떨어지는 경우는 심고 나면 그 방향으로 임플란트가 확 휘어지면서 밀리기도 한다. 픽스처 레벨에서 1 mm만 그 방향으로 밀려도 교합면 쪽에서는 2–3 mm 이상 더 밀리는 경우도 발생하게 된다.

2.17C처럼 임플란트하게 되는 경우도 마찬가지다. 일반적으로 단근치의 경우 팔라탈이나 링구알 쪽에 심어야 하는데 대부분 심으면서 버칼로 밀리게 된다. 그럴 때 팔라탈 쪽을 버칼과 같은 골강도로 만들어야 한다. 아니면 필자가 앞서 언급한 앵킬로스 권법대로 고정은 apex에서만 얻는다는 생각으로 팔라탈은 임플란트 사이즈로 삭제해 줘야 한다.

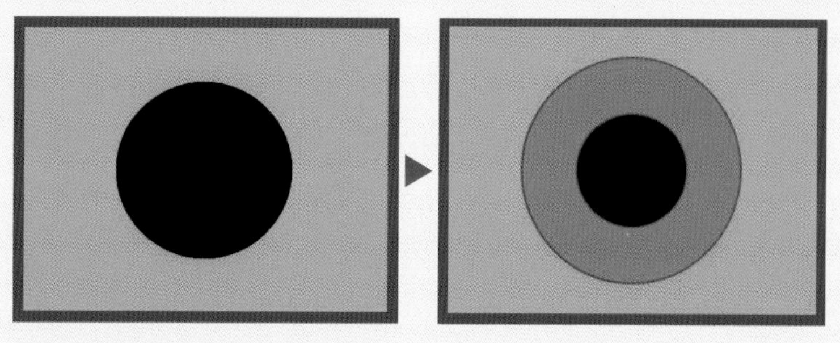

임플란트 드릴링한 곳 주변의 골 밀도가 일정하다면 임플란트는 드릴링한 곳을 중심으로 방향의 변화 없이 식립될 것이다.

B

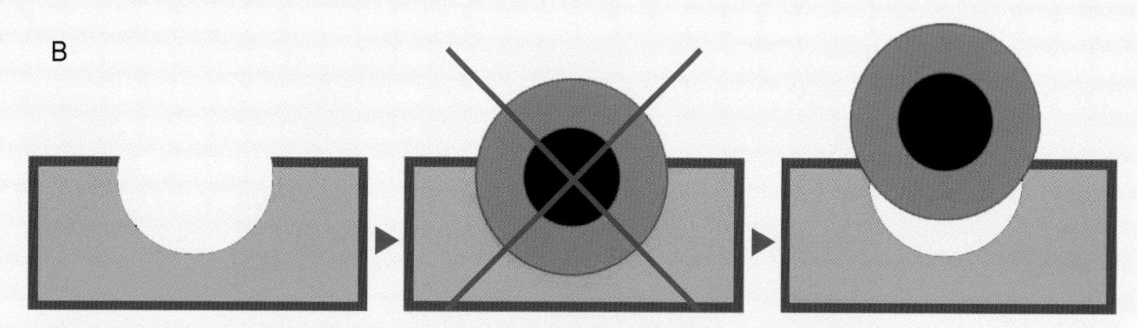

임플란트 드릴링을 마무리하고 나서 한쪽의 골면이 노출된 경우라면 임플란트는 그 노출된 골면을 향해서 방향이 틀어지게 된다. 상악전치부 뿐만 아니라 협측골 소실이 심한 하악구치부에서도 흔하게 나타나는 경우이다.

C

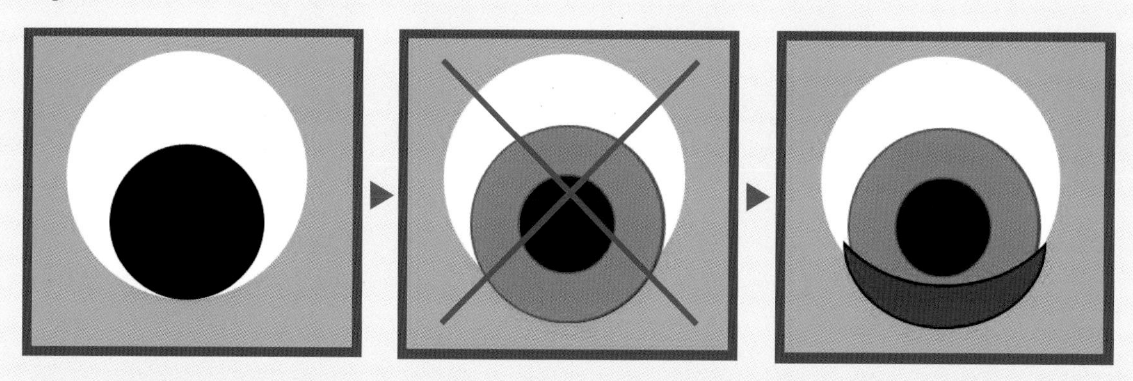

발치와에 임플란트를 식립한다는 전제하여 모식도를 그려본 것이다. 검은색 동그라미처럼 드릴링을 하면 절대 가운데처럼 식립되지 않고 소켓 방향으로 임플란트가 밀리게 된다. 그렇게 되지 않기 위해서는 가장 오른쪽 그림처럼 설측에 임플란트 풀 사이즈로 드릴링을 해줘야 한다. 필자는 이것을 앵킬로스 권법이라고 부른다. 상악 전치부뿐만 아니라 모든 임플란트 케이스에 이와 같은 방식의 접근이 필요하다고 본다. 늘 명심하자 임플란트 고정은 골밀도가 낮은 apical에서만 얻는 것이 좋다는 것을…

2.17

필자의 경우, 보통은 팔라탈 본의 저항을 줄이기 위해 길이는 두 사이즈 정도 작으면서 지름은 한 사이즈 더 큰 드릴을 사용하여 드릴링을 한 번 더 해준다. 또는 사이트 커팅 버 굵은 것을 사용하기도 한다. 루트멤브레인 테크닉을 밀고 있는 메가젠의 경우를 보면 굵은 다이아몬드 버를 사용하며, 스트레이트 로우 스피드 버로 삭제하는 분들도 있다. 필자가 LA에서 잘생긴 페리오 선생님 치과에 견학을 갔을 때 상악 전치부 수술 진행 과정을 참관했는데, 정말 경이로울 정도로 많은 기구들을 사용하여 열정적으로 수술하시는 모습을 보았다. 임플란트 엔진 말고도 피에조에 하이 스피드도 두 개나 준비해서 거의 임플란트 풀 사이즈와 모양대로 팔라탈을 형성해 주고 계셨다(**📷 2.18**). 필자는 그날에 상악 전치부 임플란트 식립에 대한 명확한 감을 얻은 듯이 뿌듯하였다.

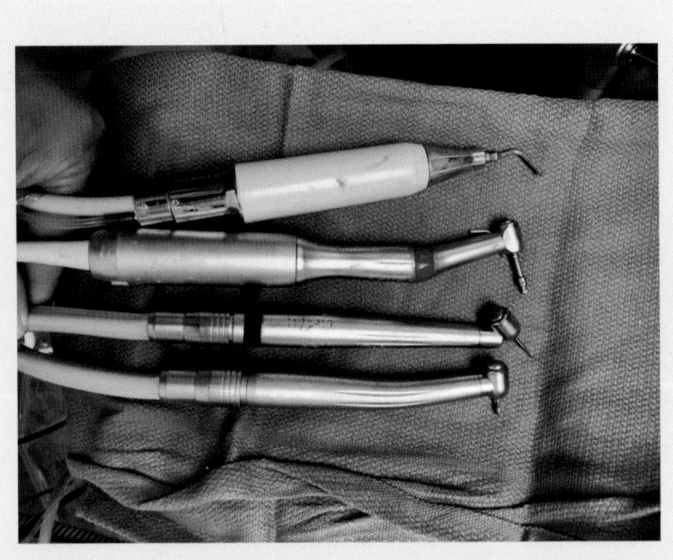

📷 2.18 LA의 잘생긴 페리오 선생님의 전치부 팔라탈 본 삭제 기구들

반면에 LA에서 만난 가장 빨리 잘 심는 보철과 선생님의 수술을 보면 워낙 손재주가 좋은 분이다 보니 기구를 많이 사용하지 않으신다. 상악 전치부 임플란트를 팔라탈에 심기 위해서 환자의 12시 방향에서 환자 머리에 올라타 누를 기세로 팔라탈에서 치축을 강하게 잡아가면서 심는 편이다. 본인도 그렇게 말씀하신다. 아마도 워낙 손재주가 좋고 대부분 쓰레드가 비교적 잘 살아있는 오스템(하이오센)을 사용하기도 하고, 보철과의사로서 템포러리를 잘 만들어야 한다는 생각으로 초기고정에 더 중점을 두기 때문에 더 힘으로 꽉 심으시는 게 아닌가 생각해 본다.

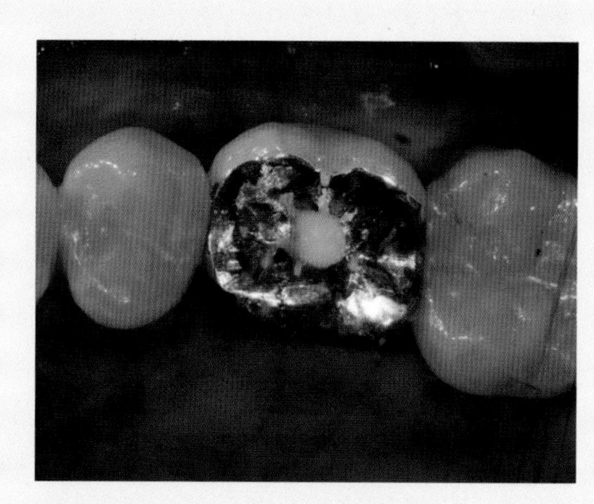

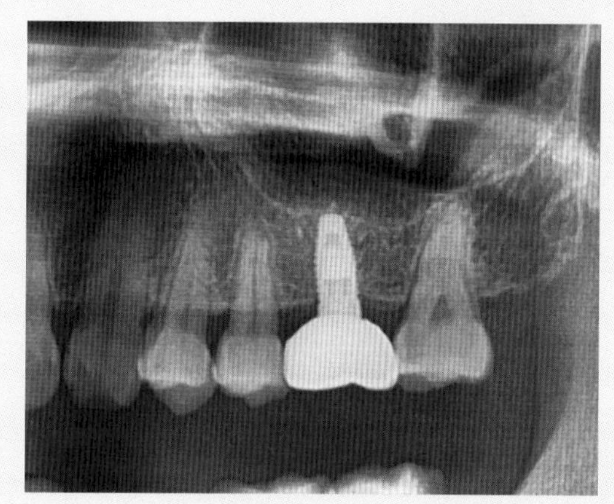

2.19 올바른 위치에 심어진 임플란트

임플란트가 흔들린다는 이유로 찾아온 환자이다(2.19). 시술했던 병원에 가보시라고 했더니 그 병원은 더 이상 가고 싶지 않아서 필자의 병원에 오셨다고 했다. 세계에서 제일 좋은 임플란트라고 해서 비싼 돈을 주고 했는데 계속 풀어지고 짜증이 나서 이제 그 치과에 안 간다고 하셨단다. 위치만 보면 정말 정중앙에 잘 심었다(약간 곡괭이 느낌이 있지만). 문제는 바로 높이에 있었다. 임플란트는 노벨의 리플레이스 트리아로브였다. Internal friction type도 아닌 internal fit type인데도 워낙 높게 심어놔서 캔틸레버가 너무 많이 걸리는 바람에 앞으로도 계속 풀어졌던 것 같다. 좀 더 깊게 심었더라면 픽스처와 어버트먼트에 토크가 덜 강하게 걸렸을 것 같은 아쉬움이 있다. 그리고 이렇게 프릭션이 아닌 임플란트는 임플란트가 수직파절(tearing) 되기 쉬운데, 골 밖으로 나와 있는 1–2 mm의 픽스처 부분에서 파절되지 않을까 걱정을 해본다. 이제 다음 장에서는 올바른 위치와 방향도 중요하지만 그것만큼 더 중요한 임플란의 높이(깊이)에 대해서 이야기해보려 한다.

CHAPTER

4-3 임플란트의 깊이 Depth

Mastering dental implants

이상적인 하악 구치부 임플란트의 깊이

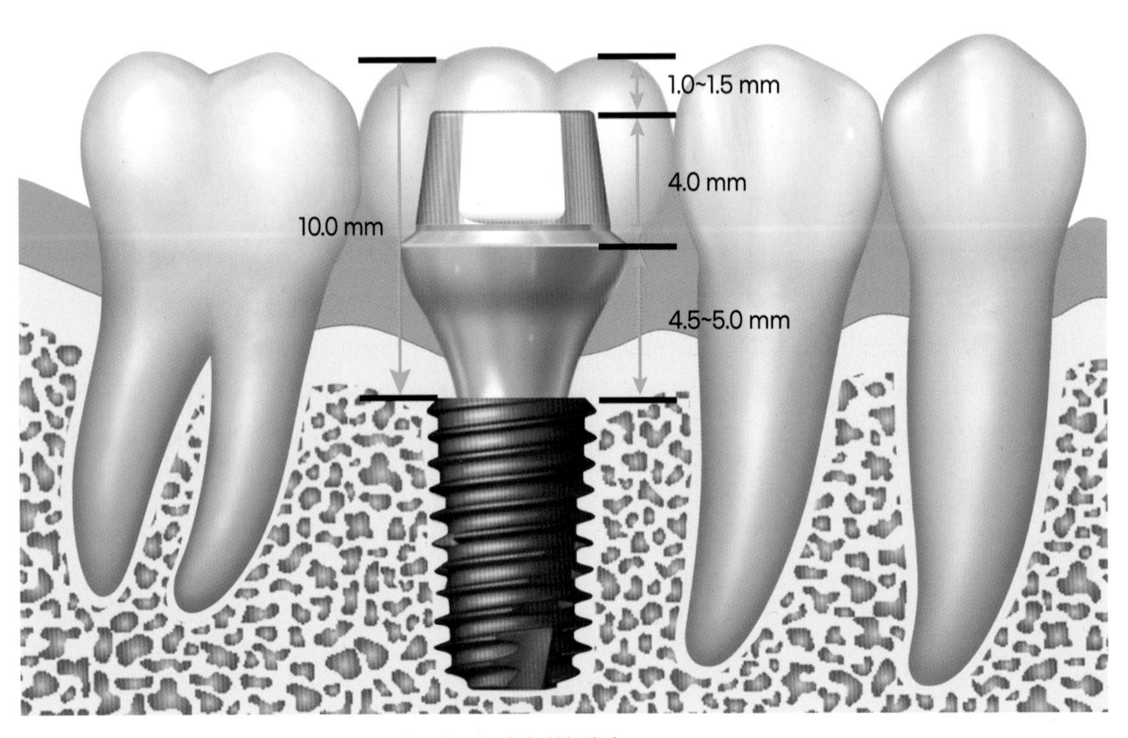

3.1 필자가 생각하는 하악 구치부 싱글 임플란트의 이상적인 깊이

먼저 이 챕터를 요약하면 "필자가 이상적으로 생각하는 최소한의 하악 구치부 싱글 임플란트의 깊이"이다. 일반적으로 어버트먼트 진지바의 두께는 인접면 기준으로 최소 4.5–5 mm라고 하였다. 협측과 인접면의 높이 차이가 크다면 협측은 1 mm 이상 낮아져서 3–4 mm 정도가 될 수 있다. 여기서 말하는 것도 최소한이다.

어버트먼트의 크라운 파트는 크라운의 리텐션을 고려하여 싱글 크라운을 기준으로 4 mm를 최소한으로 하였으며, 6 mm를 초과하지 않으려 노력한다. 브릿지의 경우라면 1차적으로 이 길이를 줄일 수 있다. 만약 두 개 이상을 심어서 브릿지를 해야 하는데 임플란트를 깊게 넣을 수 없다면 이 길이를 1차적으로 줄이는 것으로 생각해야 한다.

교합면 두께는 1.0-1.5 mm 정도로 잡아 보았다. 필자는 주로 수술만 하고 크라운은 안 하기 때문에 이 부분에 대한 고민은 덜 하는 편인데, 기공사들에게 물어보면 본인들이 1.5 mm 두께를 갖고 있을 때 고민이 가장 적다고 한다. 이 두께는 기공소에서 어버트먼트의 크라운 파트의 높이를 조절하면서 충분히 조절할 수 있기 때문에 너무 얕게 심는 것만 아니라면 크게 신경 쓰지 않아도 될 듯하다.

본 레벨 임플란트의 이상적인 위치를 살펴보면 초기 maginal bone loss를 고려하면서 보철물의 체결 시 패시브 핏을 얻을 수 있는 본 레벨 하방 1 mm 정도의 위치라고 할 수 있다. 본 디펙트가 있어서 본 그래프트를 동시에 진행한다면, 그래프트 후에 임플란트 탑 부분의 위치가 본 레벨의 하방 1 mm가 될 수 있게 하는 것이 이상적이다.

만약 보철물의 공간(10 mm)의 리텐션이 부족할 경우와 잇몸의 biotype이 얇을 경우, 그리고 주변 임플란트와 높이를 맞춰야 할 경우라면 임플란트를 좀 더 깊게 식립해 주는 게 좋다고 생각한다. 또한 대합치와의 거리가 충분하더라도 잇몸의 biotype이 얇을 때에는 GBR을 시행하는 경우에도 통상적인 경우보다 더 많이 하는 편이다. 통상적으로 임플란트보다 1 mm 높게 본 그래프트를 하는 정도라면 이보다 2-3 mm 정도까지도 높게 본 그래프트를 하여 미리 진지바 하이트를 확보할 수 있어야 한다.

과거에 임플란트를 골하방 0.5 mm에 맞춰서 식립하라고 한 이유

필자가 임플란트를 처음 배울 때만 해도 대합치와의 거리나 진지발 하이트 등에 대한 고민이 별로 없던 시절이었다. 그냥 플랩을 열어서 임플란트 드릴링을 하고 임플란트를 골보다 0.5 mm 또는 1 mm 하방에 맞춰서 심으면 됐었다. 그 이유 또한 재밌다. 골은 잠깐 바람만 쏘여도 바깥 부분이 죽기 때문이라고, 당시엔 그렇게 배웠다. 그 이후에 임플란트의 기술도 발전하고 관련 연구들도 많이 진행되었다. 결론적으로 바람만 쏘여도 골의 바깥 부분 1 mm는 날아간다고 했던 것은 이미 학문적으로 잘못된 내용이라고 입증이 되었다. 이제 임플란트의 깊이는 대합치와의 거리와 진지발 하이트가 가장 먼저 고려해야 할 요소이고, 굳이 임플란트를 골보다 약간 하방에 심는다면 그것은 장기적인 관점에서 임플란트 주위염 등에 따른 골소실에 대비하고 임플란트를 구조적으로 안정시키기 위해서일 것이다.

어버트먼트의 preparation height를 4 mm로 한 이유

The journal of prosthetic dentistry의 편집장인 Stephen F. Rosentiel 저서 《Contemporary fixed prosthodontics 5th》 p.193을 보면 싱글 크라운의 적절한 유지력을 위해서는 10° 또는 10° 이내의 각도와 최소 3 mm 지대치 높이가 필요하다고 한다. 그러나 어금니의 경우 폭이 넓어지기 때문에 최소 3.5-4 mm 정도 유지가 되어야 한다고 한다.
필자가 처음 임플란트를 배울 때 임플란트와 대합치와의 거리가 5 mm 이하라면 무조건 주조 크라운을 해야 한다고 했다. 아마도 교합면 두께가 1 mm는 되어야 할 테니 지대치 파트가 4 mm 이하가 되고, 크라운의 유지력이 떨어져서 시멘타입이 불가능하기 때문일 것이다. 그러나 필자는 이렇게 말하고 싶다. 대합치와의 거리가 5 mm 이하면 임플란트를 빼고 더 짧은 임플란트를 더 깊게 심으라고 말이다. 이것이 바로 이 챕터를 쓴 목적이기도 하다.

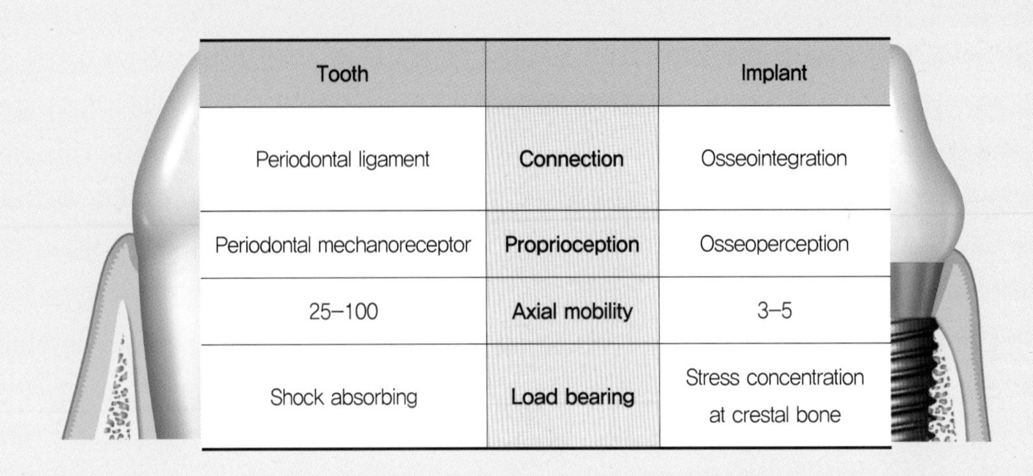

Tooth		Implant
Periodontal ligament	**Connection**	Osseointegration
Periodontal mechanoreceptor	**Proprioception**	Osseoperception
25–100	**Axial mobility**	3–5
Shock absorbing	**Load bearing**	Stress concentration at crestal bone

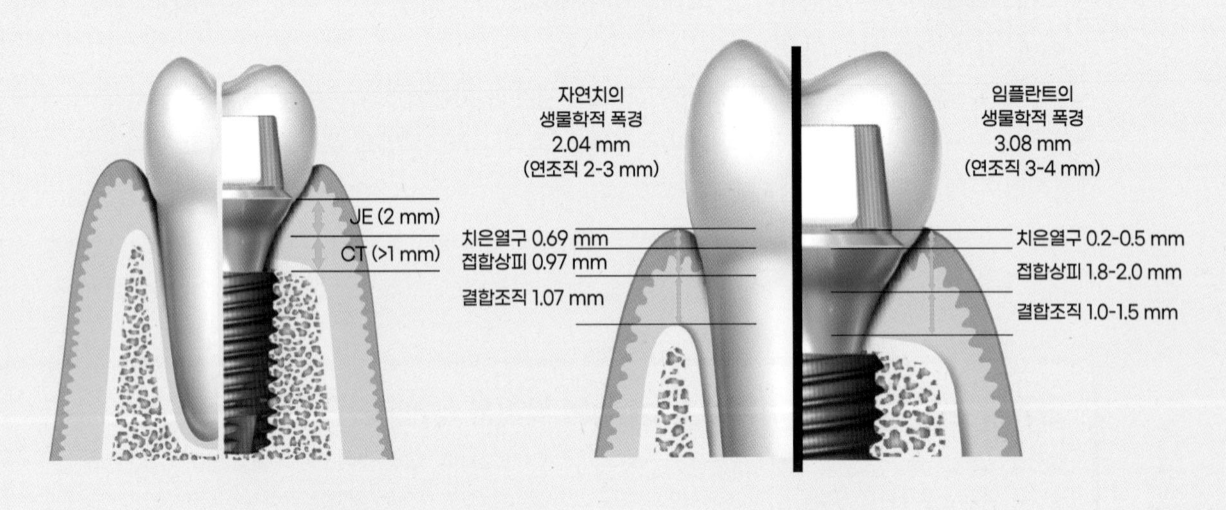

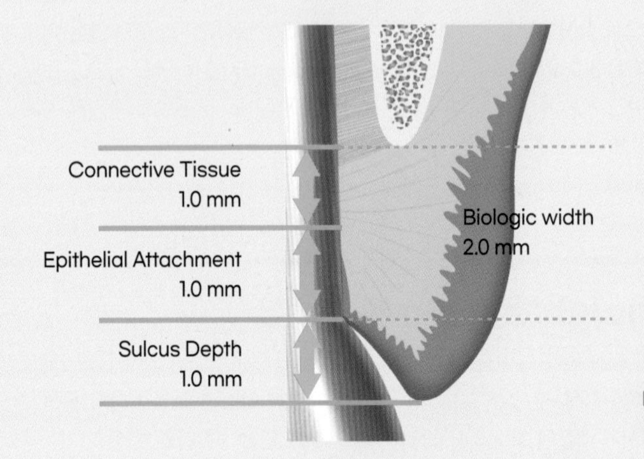

3.2 각종 임플란트 세미나에 등장하는 임플란트의 진지발 하이트에 대한 설명 이미지

3.2와 같이 임플란트와 자연치를 비교한 그림을 세미나와 인터넷 등에서 많이 봐 왔을 것이다. 분명 임플란트는 자연치와 다르다. 그렇지만 사실 임플란트들끼리도 너무 다양하고, 누가 어떻게 했는지도 매우 중요하기 때문에 그냥 이렇게 요약된 결과로만 전통적인 연구들을 보기는 어렵다.

표 3.1 Studies regarding the biologic width around natural teeth or dental implants.

	Natural teeth		Dental Implants		
			Non-submerged	Submerged	
	1961 Gargiulo et al. 57 30 human skulls	1994 Vacek et al. 58 10 human skulls	1997 Cochran et al.53	1991 Berglundh et al. 71	1996 Abrahamsson et al. 71
Sulcus depth (SD)	0.69 mm	1.34 mm	0.16 mm	2.14 mm	2.14 mm
Junctional epithelium (JE)	0.97 mm	1.14 mm	1.88 mm		
Connective tissue attachment (CT)	1.07 mm	0.77 mm	1.05 mm	1.66 mm	1.28 mm
Biologic width	2.04 mm (JE + CT)	1.91 mm (JE + CT)	3.08 mm (SD + JE + CT)	3.80 mm (SD + JE + CT)	3.42 mm (SD + JE + CT)

출처: Dr. Mohammed A. Alshehri. The maintenance of crestal bone around dental implants. 2011.

그래도 비교적 최근 기존 자료들을 리뷰한 논문 하나를 보자(**표 3.1**). 해당 논문에서 비교한 biologic width에 대한 내용이다. 2011년 논문으로 비교적 최근이라고 볼 수 있지만 참고한 자료들은 매우 오래전 자료들이다. 그래서 사실 임플란트에 대한 내용들을 완전히 신뢰할 수는 없다. 대체적으로 자연치보다 1-2 mm 정도 더 깊은 것은 필자의 견해와도 비슷하지만, 당시 데이터를 도출할 때의 임플란트 기술(바디나 어버트먼트 형태 표면처리 등)은 지금과 다른 형태이거나 비교도 안 되게 떨어졌을 것이고, 길이나 굵기 등의 개념이나 크라운 종류와 마진 형태 등도 모두 다르다고 볼 수 있다. 그렇기 때문에 이런 논문들은 그냥 참고만 하고 필자와 함께 다시 한번 최근 개념으로 살펴보고자 한다. 이제 본레벨 internal friction type 임플란트가 대세가 되었기 때문에 그에 따른 개념을 새롭게 탑재해야 할 때이다.

Biologic width (생물학적 폭경)란?

"Biologic width생물학적 폭경"라는 표현은 치주나 보철 강의에서 질리게 들어본 개념일 것이다. 이는 기본적으로 우리 몸을 보호하는 최소한의 두께이다. 필자는 강의할 때 "비무장지대"로 표현한다. 남한과 북한에 각각 2 km씩 4 km의 비무장지대가 있다. 민간인이 살기 위한 최소한의 완충지역이다. 필자는 이 완충지역 밑으로 뼈(민간인)가 살 수 있다고 표현한다. 만약에 또 전쟁이 나서 휴전선이 다시 그어진다면 그때도 마찬가지로 그 선에서 다시 그만큼의 방어조직이 필요할 것이다. 그리고 휴전선이 밑으로 5 km 내려온다면 다시 그보다 2 km 낮은 7 km 아래부터 민간인이 살 수 있게 될 것이다. 그렇기 때문에 반대로 그 민간인을 지키려면 민간인이 어디까지 살고 있는지를 보고, 수술 당시에 그보다 2 km 높이만큼 휴전선을 만들도록 노력해야 한다. 그것이 임플란트 수술할 때 임플란트의 깊이를 결정할 고려 사항인 것이다.

American Academy of Periodontology와 European Federation of Periodontolgy에서 진행하는 2017년 치주 World workshop에서 biologic width의 새로운 정의가 제안되었다. 간단히 요약하자면, 생물학적 폭경은 치조 골위의 접합상피와 치조골 상부의 결합조직으로 구성된 부착 조직의 두께를 나타내며, 이 두 가지 해부학적 구조물을 가르치는 명칭은 "supracrestal tissue attachment"라고 부르는 게 좋겠다는 내용을 담고 있다. biologic width라는 용어 자체가 아무래도 과학적이지 못하고 사람마다 차이가 있는데다가 임플란트에서는 자연치에서와 다르기 때문에 이러한 결정을 내린 것으로 보인다. 그런데 아무리 그렇다고 한들 사람들은 여전히 biologic width라는 말이 좋은가 보다. 필자 주변에서는 아직 아무도 따라 바꾸지 않고 있다.

임플란트 깊이에 관한 논문 보기

Minimum abutment height to eliminate bone loss: Influence of implant neck design and platform switching.

The International Journal of Oral and Maxillofacial Implants. 2018.

어버트먼트의 높이가 낮을수록 maginal bone loss가 크다는 내용과 함께 플랫폼 스위칭이 있는 internal friction type에서 어버트먼트의 높이가 플랫폼 스위칭이 없는 internal fit type의 임플란트들에서보다 maginal bone loss에 영향을 많이 미친다고 보고하고 있다. 어버트먼트 하이트가 3 mm보다 작은 경우에는 3 mm보다 작은 만큼 본로스가 발생하여 결국 진지발 하이트가 3 mm가 된다는 연구 결과를 보여주고 있다.

Prosthetic avutment height is a key factor in peri-implant marginal bone loss.

Journal of Dental Research. 2014.

Internal conical connection 타입의 임플란트에서 어버트먼트의 높이가 2 mm 이하인 그룹과 2 mm 이상인 그룹의 marginal bone loss를 비교했을 때 2 mm 이하인 그룹에서 본로스의 양이 현저히 많다고 보고하고 있다. 추가적으로 어버트먼트의 높이가 본 그래프트의 실행 여부, 흡연의 유무, 환자가 치주염에 이환되어 있는지의 여부보다 marginal bone loss에 더 큰 영향을 미친다고 한다.

Influence of abutment height and implant depth position on interproximal peri-implant bone in sites with thin mucosa: A 1-year randomized clinical trial.

Journal of clinical oral implant research. 2017.

Marginal bone loss가 가장 잘생기는 임플란트와 임플란트 사이에 어버트먼트의 높이가 어떤 영향을 미치는지 확인하기 위하여 thin mucosa인 부위에 어버트먼트의 높이가 높은(3 mm) 그룹과 낮은(1 mm) 그룹을 비교한 논문이다. 본 논문의 결론은 어버트먼트의 높이가 높은 그룹에서 inter-implant bone loss가 현저하게 적었다는 내용이다. 수치로 보자면 12개월 후 어버트먼트의 높이가 높은 그룹에서 0.12±0.33 mm의 inter-implant bone loss가 관찰되었고, 어버트먼트의 높이가 낮은 그룹에서 0.95±0.88 mm의 inter-implant bone loss가 관찰되었다고 한다.

Dimensions of the healthy gingiva and peri-implant mucosa.

Clinical oral implants research. 2015.

자연치와 임플란트 주위 biologic width/supra crestal tissue attachment의 길이를 대변해 주는 transmucosal sounding을 측정하였다. 마취 후에 bone contact가 느껴질 때까지 프루빙의 힘을 강하게 하여 측정하는 방식이다.

Facial, mesial, palatal, distal 면에서 측정하여 조사한 논문의 결과를 살펴보면 자연치에서는 생물학적 폭경이 평균 3.2±5 mm였고 임플란트에서는 4.4±0.8 mm라고 조사되었으며, 임플란트의 경우 facial에서 평균 3.7 mm, mesial에서 4.48 mm, palatal에서 4.06 mm, distal에서 평균 5.08 mm로 조사되었다고 보고하고 있다.

앞에서 말했던 바와 같이 임플란트에서는 자연치에서보다 biologic width의 크기가 더 크고, 인접면에서는 협설면에서보다 일반적으로 더 크다. 때문에 임플란트의 깊이는 internal friction type의 경우, 인접면 기준 치은 하방 4.5–5 mm 버칼과 인접면의 높이차가 크다면 버칼 기준으로 3.5–4 mm를 기점에 위치시키는 것이 biologic width를 유지하고 치은이 건강을 유지할 수 있는 두께를 부여할 수 있는 이상적인 위치가 아닐까 생각된다. 사실 이 논문을 이렇게 결론만 딱 보면 안 된다. 논문에 나와 있는 실험 대상 등을 보면 허점이 많이 보이긴 한다. 그렇지만 임플란트의 진지발 하이트를 부위별로 수치화하였다는데 의의를 두고 대략적인 숫자만 참고하자.

평균에만 집중하면 안 된다.

임플란트 치료에서는 성공률보다 실패율이 더 중요하다고 본다. 그러니 평균치에만 집중하지 말고 한쪽 끝단을 봐야 한다. 필자는 논문을 읽거나 할 때 넉넉하게 표준 편차에 2를 곱해서 표준 편차보다 더하는 습관이 있다. 예를 들면, 위 논문에서 임플란트의 진지발 하이트의 평균이 4.4 mm, 표준 편차가 0.8 mm였으므로, 넉넉하게 1.6을 더해서 6.0까지 보는 것이다.

일반적으로 정규정상분포곡선에서 평균과 표준편차에 따른 확률의 분포는 위 그림과 같다. 이를 논문의 임플란트 진지발하이트에 대입해보면 진지발 하이트가 6.0 이상인 경우도 2.3%나 있다는 것을 알 수 있다. 절대적으로 예외 없이 완벽하게 모든 걸 포함하는 진료를 할 수는 없더라도, 표준편차가 큰 통계치를 볼 때는 필자처럼 넉넉하게 표준편차에 2를 곱해서 더하고 빼는 습관을 해보는 것도 좋을 듯하다.

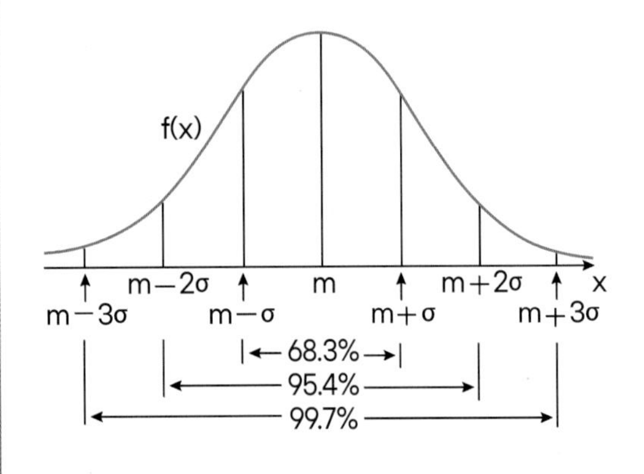

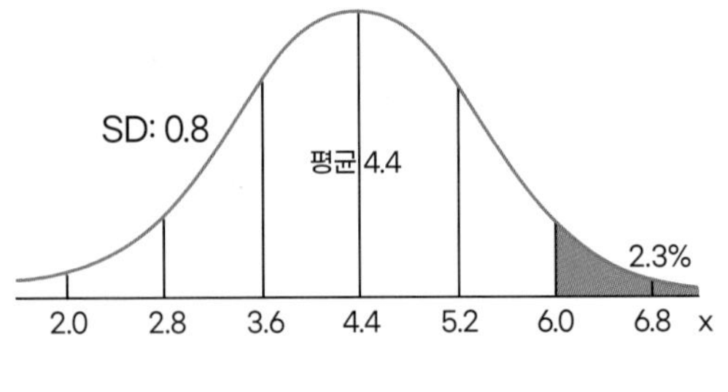

어버트먼트에 캔틸레버가 발생하지 않도록 하려면?

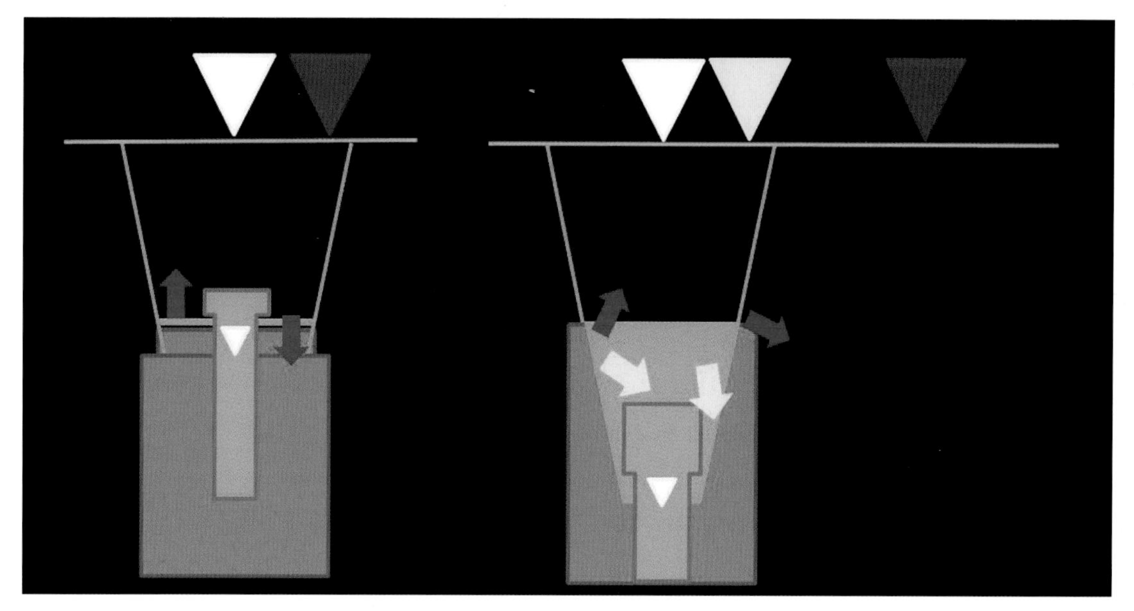

3.3 External hexa type과 internal friction type의 교합력에 따른 힘의 전달 방향(오로지 필자의 생각이며, 실제 임상에서는 이렇게 단순하지는 않다)

필자는 임플란트의 어버트먼트에 캔틸레버(어버트먼트 한쪽이 픽스처에서 떨어지는 현상)가 발생하는 것이 가장 나쁘다고 생각한다. External hexa type은 스크류 중심을 벗어나는 순간 캔틸레버가 작동한다. 그리고 어버트먼트 사이즈를 초과하면 엄청나게 큰 캔틸레버가 걸릴 수 있다. 그러나 internal friction type은 내부 각도의 연장선상에서는 인터널 접촉면 안으로 힘이 전달될 수 있다. 최소한의 인터널 각도의 연장선을 벗어난 곳에서는 더 측면에서 작용해야 캔틸레버가 작동할 수 있다. 그러면 어떻게 하면 임플란트에서 캔틸레버가 덜 작동할 수 있을까? 바로 깊게 심으면 될 것이다. 깊게 심으면 측면에서 작용하는 것도 최대한 인터널 면 안으로 모이게 된다. 깊게 심으면 crown-root ratio가 나빠질 텐데 어떻게 하냐고 생각할 수 있겠지만, 그것은 임플란트에서는 자연치와는 다르게 작용한다고 앞서 설명했다. 오히려 crown-root ratio가 클수록 임플란트 바디 전체로 골고루 스트레스가 전달되는 좋은 작용도 하게 된다.

우선 하악 1대구치 교합면 그림을 한번 보자. 크라운의 최대 크기로 보면 좋겠지만 그래도 임플란트 픽스처를 중심으로 외부로 가해지는 힘을 기준으로 본다는 의미에서 교합면의 안쪽 면을 살펴보자. 보통 협설로 10 mm 정도 되는데, 필자가 대략 몇 개 재보니 7 mm 정도 된다. 물론 나이가 들면서 치아가 닳아지면서 커지는 느낌이 들기는 한다.

그러면 치아 그림에 대입해서 높이를 계산해 보겠다.

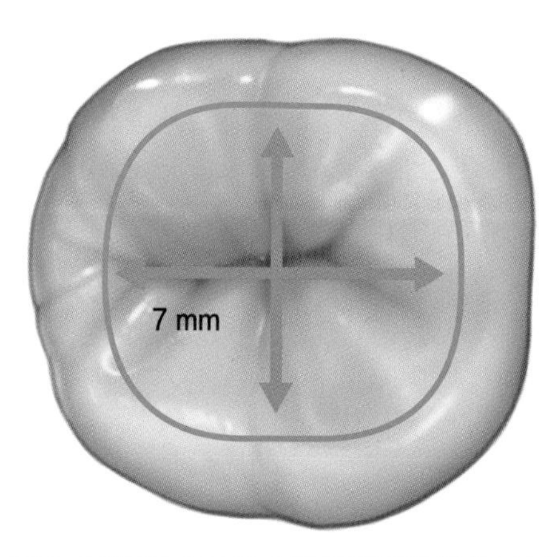

3.4 대략적으로 임플란트의 중앙을 중심으로 한 임플란트를 측방으로 밀어낼 수 있는 크라운의 크기

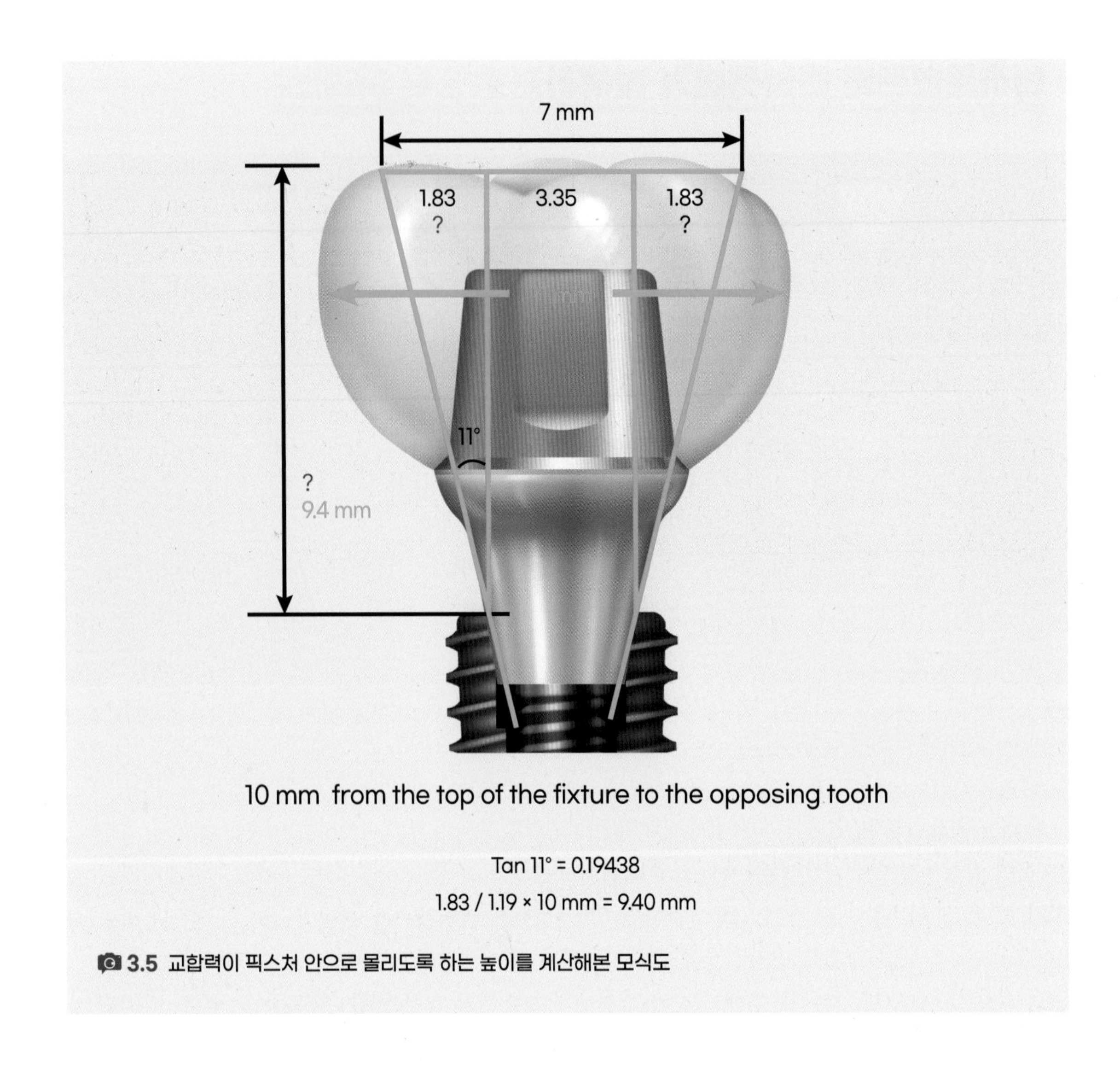

3.5 교합력이 픽스처 안으로 몰리도록 하는 높이를 계산해본 모식도

3.5와 같이 최소한 9.4 mm가 나온다. 그러므로 필자가 주장하는 싱글 크라운 기준으로 대략 10 mm 정도가 되면 비교적 캔틸레버가 덜 해서 기능하는 어버트먼트 반대쪽이 들썩거리는 것은 덜 할 것이다. 이는 그냥 어디 나온 것은 아니고 필자 혼자 생각한 것이다. 그리고 crown-root ratio 또한 커져서 교합력의 스트레스가 크레스탈 본에만 집중되지 않고 골고루 퍼지는 느낌도 들게 된다. 어쨌든 오히려 임플란트를 깊게 심을수록 역학적으로도 유리하다는 것이다.

너무 얕게 식립된 임플란트 케이스 보기

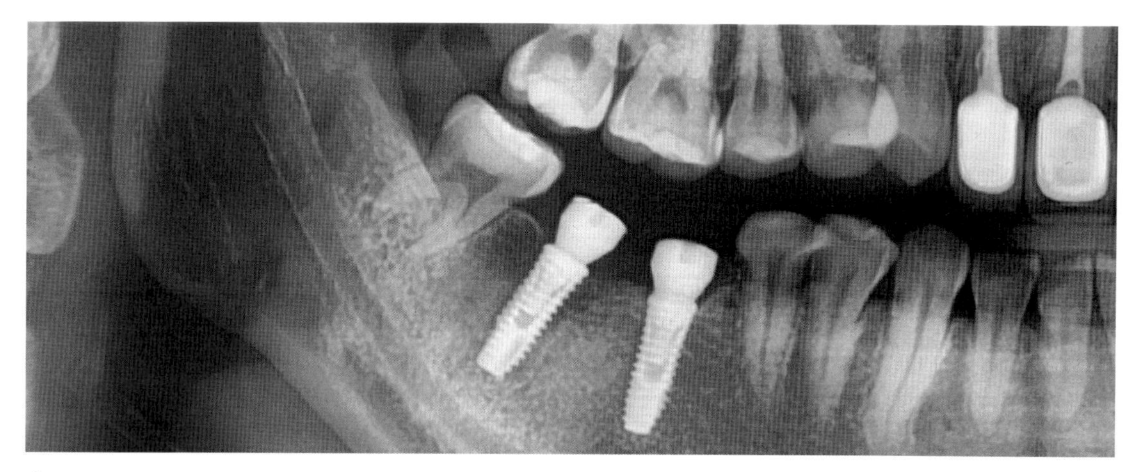

3.6 모 덤핑 치과에서 식립한 임플란트(4.5 지름에 12-13 mm로 추정된다)

주소는 48번 사랑니인데 너무 신기해서 어디서 했는지 물어보았다. 나름 치과계에서 공분을 사고 있는 저렴한 진료비를 무기로 한 기업형 네트워크 치과에서 심은 임플란트이다. 임플란트를 저렴하게 심는다고 광고를 하는데, 식립된 걸 보면 그 비용도 비싸게 느껴진다.

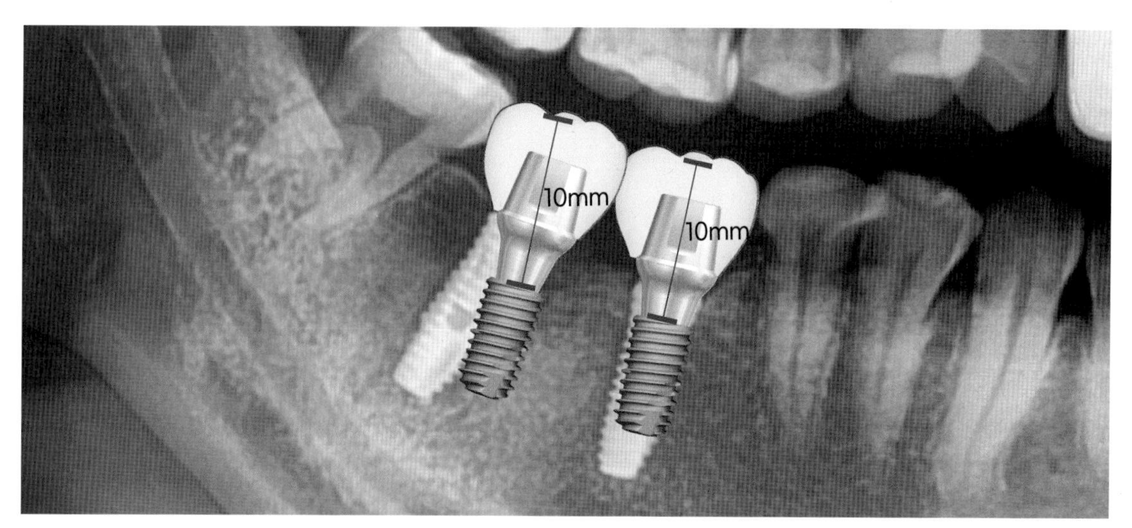

3.7 필자의 가상 식립 모식도

필자가 이 환자를 맡았더라면 어떻게 했을까? 당연히 10 mm의 가상의 크라운 크기를 잡아 놓고 그것에 맞게 식립했을 것이다(3.7). 브릿지로 이을 생각이라면 좀 덜 깊게 심어도 되겠지만 환자가 젊고 앞으로 살아갈 날도 기니 좀 깊게 심어도 나쁘지 않을 듯하다. 만약 사랑니를 뺄 생각이었다면 47번을 좀 더 뒤에 심었을 것이다. 사랑니가 임플란트 수술 시에 걸리적거리면 빼고 심었을 수도 있었을 것 같다. 어쨌든 거기서 사랑니를 못 빼서 필자에게 왔으니 고맙긴 한데, 저렇게 심고 크라운을 할 거면 굳이 사랑니를 안 빼도 될 것 같다는 생각은 든다.

교합면부터 하치조신경관까지 거리가 가까운 경우

하악 7번 싱글의 경우를 예로 들어 보자. 보통 임플란트의 길이를 측정할 때 파노라마 방사선 사진상에서 상방으로 2 mm 여유 있게 띄우라고 배웠다. 아마도 하악관의 두께를 고려한 안전한 측정일 것이다. 그러나 요즘 페이닥터들이나 수강생들에게 수술을 가르치다 보면 본인들이 미리 CT로 거리를 측정해놓은 경우도 있다. 요즘 후배들은 CT를 보는 습관이 있어서 CT가 있으면 훨씬 마음이 편한 듯 보였다. 필자는 파노라마 세대라 굳이 CT를 보는 경우는 드물지만 말이다. 그냥 파노라마만 봐도 크게 불편하지 않아서 CT가 있어도 어지간하면 파노라마만 찍는다. 물론 요즘은 강의자료 용으로 CT를 찍기도 한다.

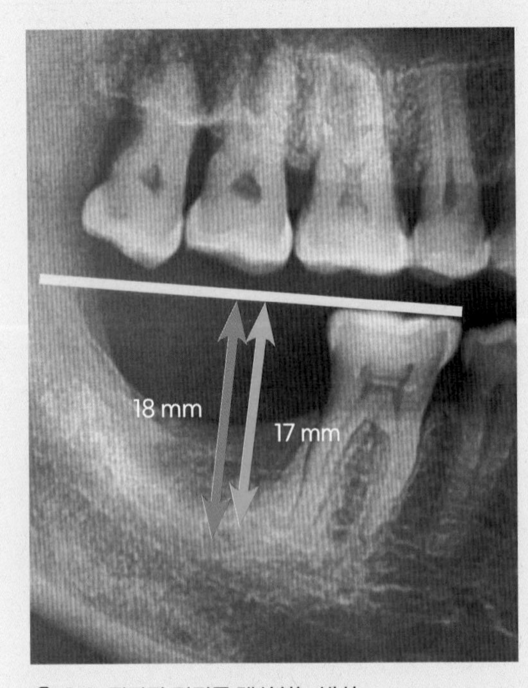

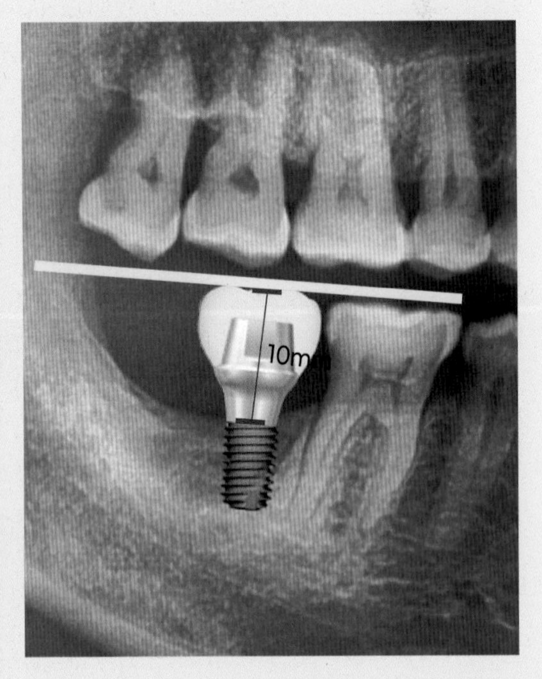

3.8 필자가 거리를 계산하는 방식

어쨌든 우선 전통적인 파노라마로 한번 보자. 우선 캐널 위로 2 mm 정도 띄어서 가상의 크기를 재보자. 교합면에서 거리를 대략적으로 나타낸 주황색 선이 18 mm 정도 된다. 그러나 필자는 드릴의 사이즈를 대부분 좀 더 긴 것을 쓰기도 하고, 실제 임플란트에서도 임플란트보다 드릴이 1.5 mm 정도 더 길기도 하다. 그래서 필자는 빨간색 선보다 1-1.5 mm 정도 더 빼는 게 좋다고 보인다. 무엇보다 안전이 최우선이다. 드릴링이 부족하면 나중에 드릴을 넣어 놓고 사진을 찍어 보면 된다. 늘 골 표면이 편평하지 않기 때문에 예상대로 드릴링 되는 일은 거의 없다. 어쨌든 그럼 하늘색 선 길이 정도가 나올 텐데, 17 mm 파란색 선 정도 된다. 그럼 우리는 어떻게 심어야 할까? 진지바 두께에서 특이사항이 없다면 7 mm 임플란트를 교합면에서 10 mm 하방에 위치하도록 심으면 된다.

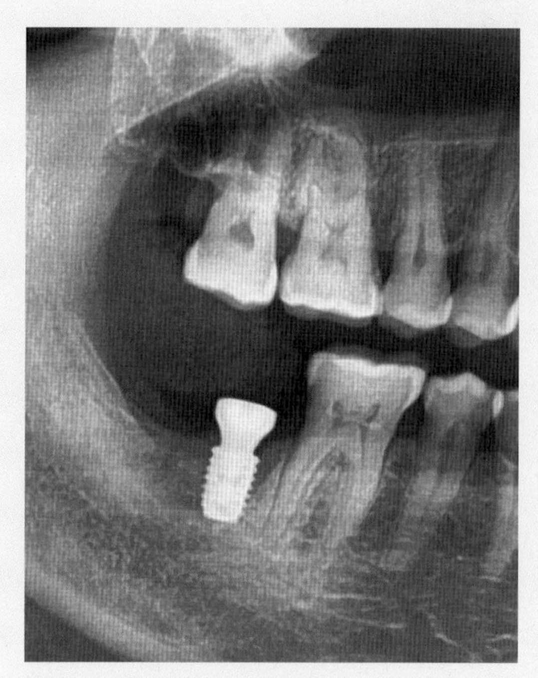
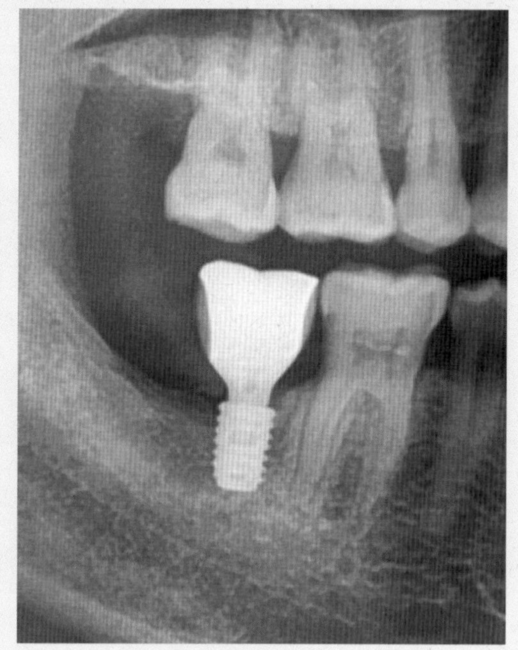

3.9 실제 식립 후 크라운한 모습

3.9는 실제로 식립 후에 크라운을 한 모습이다. 필자는 사랑니를 많이 뽑다 보니 하악 7번 임플란트 케이스가 무척 많은 편이다. 다른 치과에서 한 것을 보면 골높이와 임플란트의 길이에만 집중하다가 어버트먼트와 크라운 파트의 공간이 매우 적게 나오는 경우가 많다. 임플란트의 길이보다 임플란트부터 대합치까지의 거리가 더 중요하다는 것을 꼭 명심하자.

참고

보통 교과서적으로 제2대구치 크기를 20 mm라고 한다. 보통 대구치를 근관치료할 때 보면, 우리나라 사람들은 그보다는 좀 짧다는 생각이 든다. 한국 사람들이 실제 치아 크기도 외국 교과서에 나온 것보다는 1–2 mm 정도 작은 데다가 apex (foramen)도 치근단보다는 상방이다 보니 삭제하는 것까지 고려하면 15–16 mm 정도로 측정되는 것을 볼 수 있다.

임플란트 브릿지에서 식립 깊이의 고려

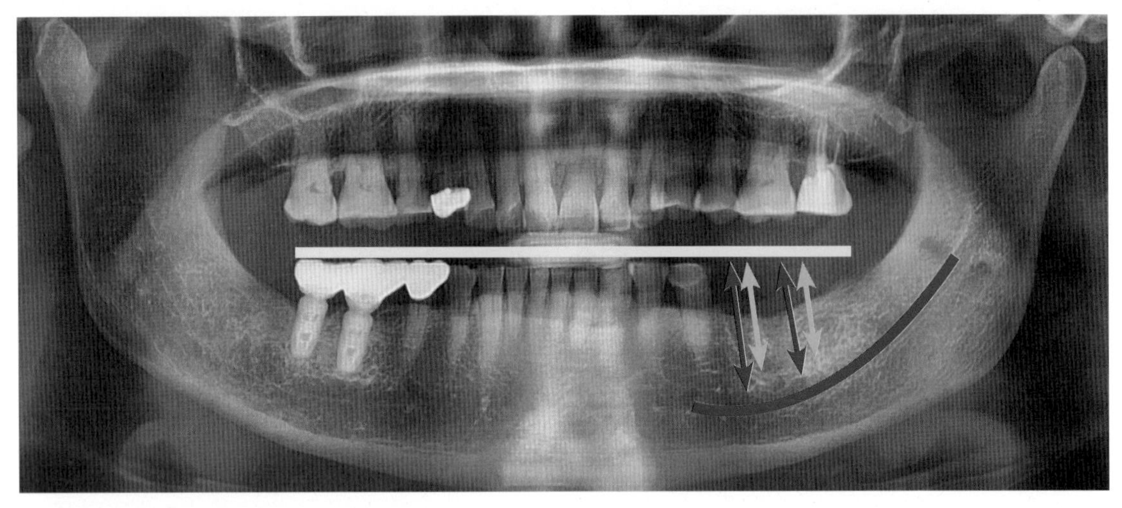

3.10 브릿지 임플란트의 길이 계산 모식도

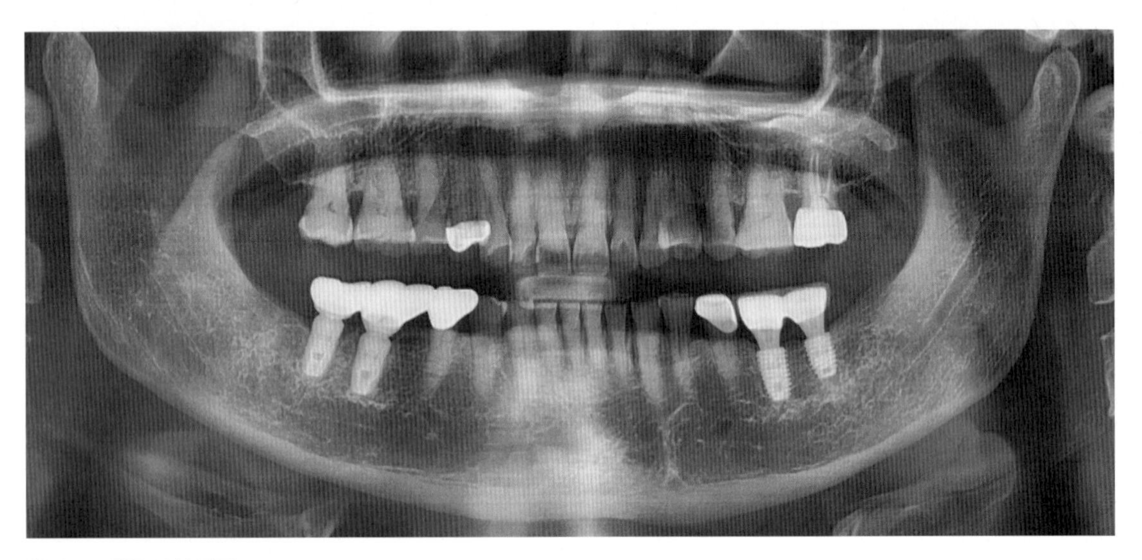

3.11 최종 보철 결과

36, 37번을 보자. 임플란트를 두 개 심고 브릿지로 이을 생각이다. 그래서 필자는 앞에 것은 8.5 mm, 뒤에 것은 7 mm를 심었다. 그리고 교합면까지 거리를 보니 36번은 9 mm, 37번은 8 mm 정도 나온다. 그럼 우리는 10 mm 정도 길이의 크라운에서 어떤 부분을 줄이면 될까? 어버트먼트 길이 4 mm는 그대로 두고 윗부분에서 줄이면 된다. 바이트는 종류에 따라 설정하고 남은 길이만큼 크라운 파트의 어버트먼트 길이를 줄이면 된다. 아마 길이가 5 mm에서 2–4 mm로 줄었을 것이다.

사실 37번이 조금 메지알로 심어진 듯하여 다른 케이스로 바꿀까도 생각했었다. 그런데 반대쪽에 정말 이렇게 하면 안 된다는 것을 보여주기 좋은 임플란트가 있어서 이 케이스를 유지하고 있다. 강의할 때마다 이 케이스를 보여주다 보니 정이 든 것 같기도 하다.

임플란트가 깊으면 깊을수록 좋은가?

임플란트를 얕게 심으면 biologic width의 유지에 불리하며 캔틸레버의 작용이 생기는 단점이 있다고 앞에서 살펴보았다.

그렇다면 임플란트가 깊기만 하면 좋을까? 임플란트는 깊을수록 좋다고 주장하는 견해들이 있다. 보통 이런 견해를 가진 분들은 필자와 마찬가지로 짧은 임플란트를 옹호하는 경향이 있다. 깊게 심다 보니 픽스처가 짧아지고 어버트먼트가 길어지게 돼서 그런 듯하다. 필자가 하악 기준으로 대략 4 mm 진지발 하이트에 5 mm 힐링을 사용한다면, 이런 케이스들에는 기본적으로 6 mm 이상 진지발 하이트에 기본이 7 mm 길이의 힐링 어버트먼트가 사용된다. 종종 8, 9 mm 정도로 추정되는 어버트먼트도 볼 수 있다. 가능하다면 깊게 심어야 치조골이 안정화된다고 여기는 것처럼 보인다. 필자도 짧은 임플란트를 깊게 심는 것에 매우 동의하는 편이다.

그렇다면 너무 깊게 심었을 때 무슨 문제가 생길 수 있을까? 우선 2 stage로 할 경우 세컨 서저리를 할 때 커버스크류를 찾는 게 힘들다. 세컨 서저리 이후부터는 힐링 어버트먼트부터 임프레션 코핑이나 영구 어버트먼트까지 패시브하게 체결하기가 어려워진다. 당연히 주변에 걸리는 것도 많기 때문에 적합도 자체도 떨어질 것이다. 필자는 수술할 때 힐링 어버트먼트가 걸릴 만한 부분은 충분히 삭제하고 끼우는 편인다. 너무 깊으면 깊을수록 그런 부분도 불편해진다. 그래서 계속 픽스처와 어버트먼트 사이에 체결 오차가 발생할 확률이 높기 때문에 최종 보철물도 잘 안 맞을 확률도 높다.

이런 케이스들에선 힐링 어버트먼트부터 최종보철물까지 "리타이트닝re-tightening"의 중요성이 매우 중요하게 강조되는 편이다. 참고로 필자는 리타이트닝을 거의 하지 않는다. 그러고도 스크류 루즈닝 등이 다른 사람들보다 훨씬 적은(사실상 거의 없다) 이유는 바로 수술할 때부터 걸리는 것은 모두 날리고 힐링 어버트먼트를 끼울 때부터 "sudden stop"을 강조하기 때문이다. 아마 누구나 힐링 어버트먼트나 어버트먼트를 끼울 때 꼭 끼는 듯한 느낌을 느꼈을 것이다. 이런 경우 대부분의 사람들은 좀 더 돌려서 주변 조직을 누르면서 끼울 것이다. 필자는 이런 경우 무조건 그 걸리는 부분을 없앤다. 그것이 뼈라면 깎아내고, 잇몸이라면 잘라내거나 밀어낸 후 다시 어버트먼트를 끼운다. 수술하는 과정에서 하면 쉽지만 최종 보철물을 장착할 때 이런 문제가 생긴다면 정말 고달프다.

그럼 어떻게 해야 할까? 처음 수술할 때부터 힐링을 최종 보철물의 어버트먼트와 같거나 큰 사이즈로 체결하고 패시브하고 잘 맞게 sudden stop을 느끼면서 어버트먼트에 장착시킨다. 메탈과 메탈이 결합하면서 꼭 끼는 느낌이란 있을 수 없다. 살살 돌다가 갑자기 "탁"하고 멈춰야 한다. 필자가 언급한 바로 "sudden stop"이다. 엑스레이를 찍어서 확인하고 하는 습관은 좋지 않다. 잇몸에 꼭 낀듯한 느낌으로 장착하고 엑스레이로 찍어봐야 구별도 잘 안 된다. 잘 들어간 것처럼 보여도 미세한 갭이 있게 된다. 우리 몸은 외부로부터 압력을 받으면 그 압력을 상쇄하기 위한 반응을 바로 보이기 때문에 며칠만 지나도 어버트먼트에 닿았던 조직이 바로 흡수된다. 그래서 어버트먼트가 흔들리고 드라이버로 돌리면 더 돌아가게 된다. 이런 습관은 절대 좋지 않다. 이런 습관이 들어 있는 사람들은 무조건 리타이트닝의 노예가 될 수밖에 없다. 앞서서도 말했지만 필자는 단 한 번도 일부러 리타이트닝하는 경우는 없다. 힐링 어버트먼트가 빠져서 오는 경우도 거의 없다.

필자도 깊게 식립하는 부분에는 동의하기 때문에 최종 어버트먼트와 비슷한 크기의 **힐링 어버트먼트가 패시브하게 장착될 수 있도록 픽스처 윗부분을 깨끗하게 정리**하는 것을 추천해 본다. 다시 한번 유념해두자. 힐링 어버트먼트는 최종 영구 어버트먼트보다 같거나 큰 것으로 픽스처에 "sudden stop"을 느끼면서 장착해야 한다.

너무 깊게 심은 임플란트 케이스 보기 1

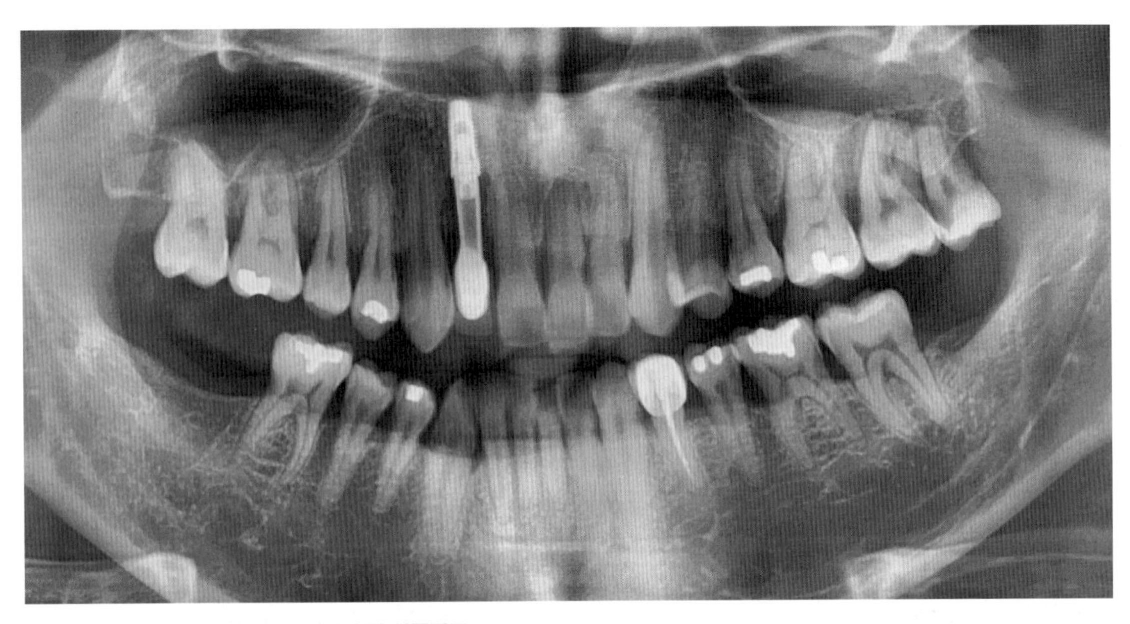

3.12 필자가 본 어버트먼트가 가장 긴 임플란트
길어도 너무 길다. 다시 말해서 너무 깊다. 외관은 그리 나쁘지 않았던 것 같은데 어떻게 세컨 서저리를 했으며, 어떻게 세팅했는지도 궁금하다.

임플란트가 깊을수록 좋은 것이라면 **3.12**와 같은 임플란트가 가장 좋겠다. 임플란트가 깊으면 깊을수록 AS도 힘들어진다. 교합력이 임플란트에 골고루 퍼지기보다는 너무 긴 어버트먼트 때문에 토크가 커져서 스크류 루즈닝이나 어버트먼트 및 스크류의 파절이 생길 수도 있다고 생각한다. 이 케이스의 경우는 과연 세팅은 어떤 드라이버로 했을지 그것도 의문이다. 아마 기공사들이 쓰는 매우 긴 기공용 드라이버를 사용하지 않았을까 생각해 본다.

필자가 2017년 오스템 월드 심포지엄에서 강의하면서 이 케이스를 발표했는데, 당시 필자의 스승님이신 조용석 원장님께서 이 사진을 본인 강의에 사용하신다고 하셔서 제공해드리는 영광을 안겨주었던 케이스이다.

너무 깊게 심은 임플란트 케이스 보기 2

3.13 환자의 경우 40번대 임플란트로 인해 내원했는데 상악 17번 임플란트 어버트먼트가 매우 길어서 놀랐다. 저 정도면 심었다기보다는 상악동에 빠졌다는 표현이 더 맞지 않을까? 물론 누구나 실수는 할 수 있다. 그렇지만 이런 경우는 실수를 인정하고 바로 제거하는 것이 더 좋았을 것이라는 생각이 든다. 수술을 서두르다 보면 억지로 뼈를 찾아서 심게 되는데, 뼈를 찾아서 심지 말고 뼈가 생길 것 같은 자리에 심어야 한다. 하악에 임플란트를 진행한 내용이 흥미로워서 참고로 올려본다.

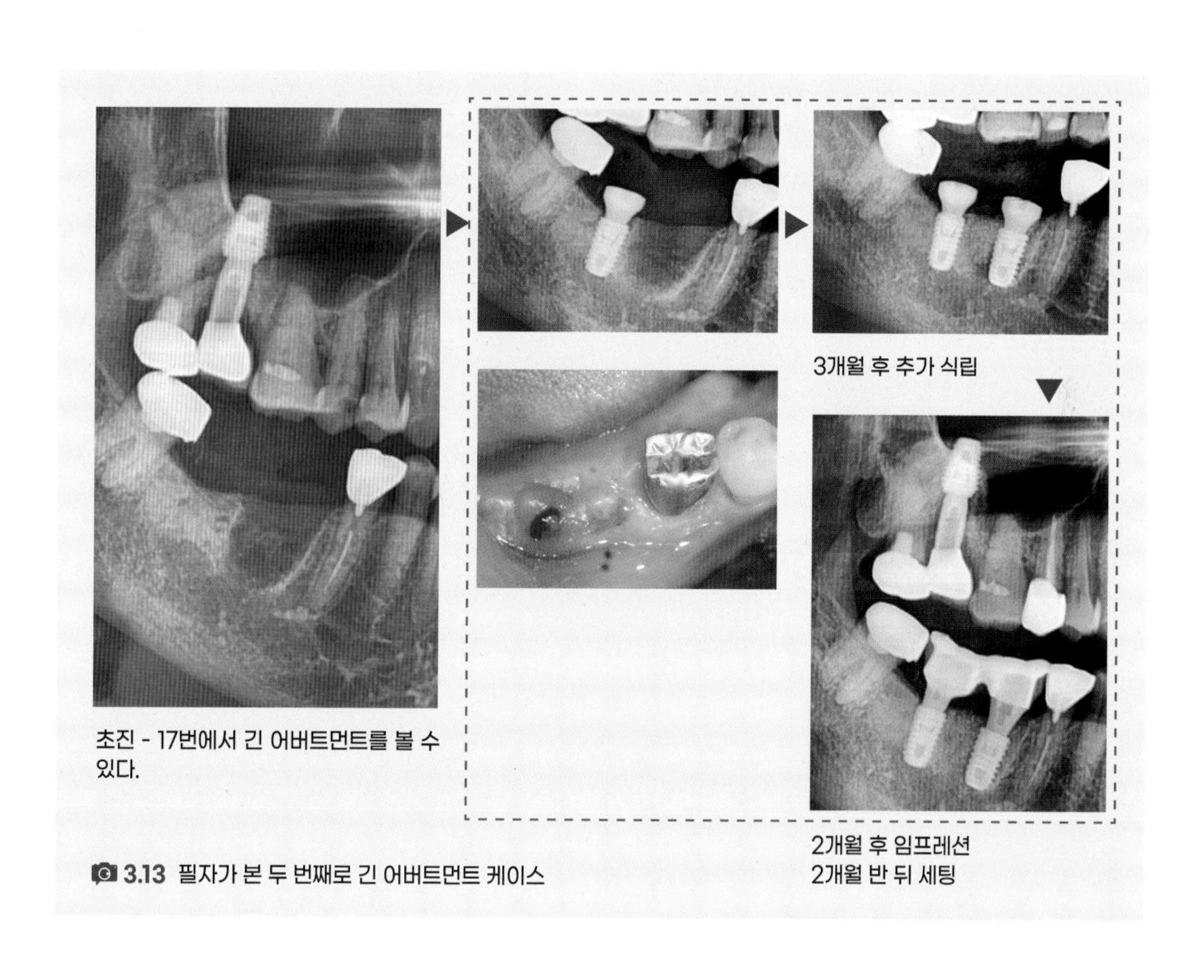

3.13 필자가 본 두 번째로 긴 어버트먼트 케이스

참고로 아래 치아는 발치한 지 오래 지났다는데도 진지바 모양이 이상해서 수술하면서 열어보니 안에 루트 조각이 나왔다. 대부분의 루트는 남아도 염증을 일으키지 않는데, 아마도 이것은 감염된 조각인 것 같았다. 감염 조각 때문인지 소켓 전체가 골화되지 못하고 육아조직으로 가득 차 있었다. 환자 매니지상 47번만 심고 앞 부분은 잔존치근을 제거하고 소파하였다. 3개월 뒤에 열어보니 염증은 없었지만 뼈도 거의 남아있지 않은 상태였다. 그래도 임플란트를 심고 그래프트하고(멤브레인 사용 안 함) 힐링 어버트먼트를 올렸다. 앞서도 언급했지만 임플란트는 옆으로만 안 움직이면 다 붙는다. 손으로 잡아서 심었어도 2개월 뒤에 임프레션하고, 두 달 반 뒤에 세팅하였다.

너무 깊게 심은 임플란트 케이스 보기 3

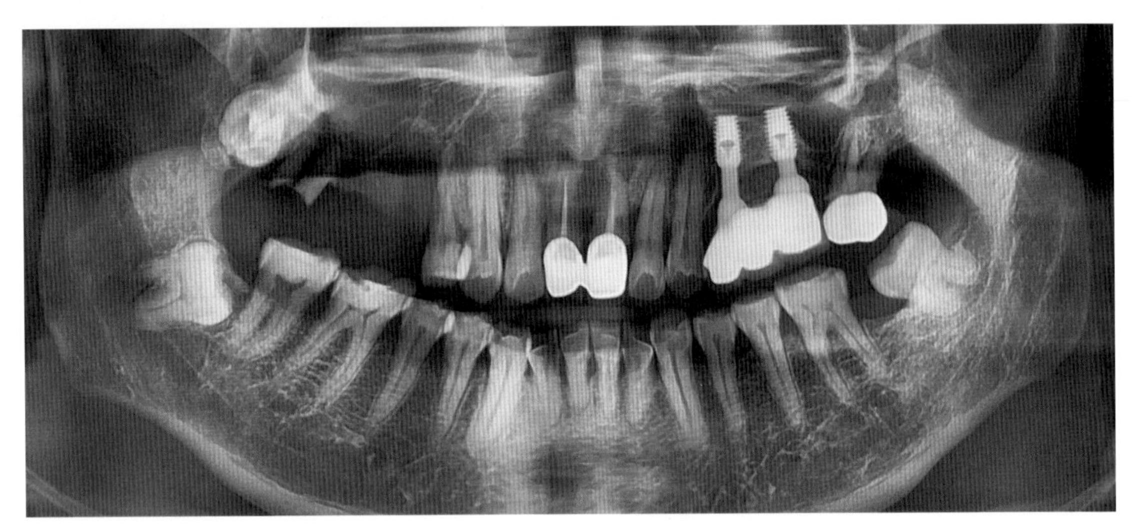

3.14 24=26번대에 깊게 심어진 임플란트(사진 제공: 청주 올바른치과 김준용 원장님)

필자의 한국 라이브 서저리 2기를 수강했던 김준용 원장님께서 보내주신 케이스이다(임플란트는 타치과에서 식립해온 것으로 김준용 원장님의 케이스가 아님). 필자의 강의를 들어본 사람들은 대부분 어버트먼트의 길이가 매우 중요하다는 것을 알기 때문에 강의에 사용하라고 보내주신 것이다. 임플란트 종류는 바이콘이나 그 유사 제품처럼 보였다. 이런 종류의 콜드웰딩이 일어나는 임플란트의 경우는 어버트먼트가 다른 internal friction 형태보다 1 mm 정도는 짧아도 되는데 너무 깊게 심었다는 게 참 아쉽다. 최소 2–3 mm 정도는 덜 심었다면 좋았을 텐데 말이다. 어쨌든 필자 말대로 수술하면서 아니다 싶으면 빼든지 하고 바로바로 고쳐야 한다. 필자는 라이브 서저리를 하면서 이런 부분을 언제나 강조하고, 조금이라도 PAD (position, angulation, depth)가 잘못되면 빼고 다시 심게 한다. 배울 때부터 그것이 훈련이 되어야 한다. 필자가 라이브 서저리 세미나에서 가장 많이 하는 말이 있다. "**임플란트는 심는 게 가장 쉽다.** 그러니 대충 심고 나중에 보철부터 평생 고생하지 말고, **쉬운 걸 두 번 해라**"

힐링 어버트먼트가 덜 들어간 케이스 1

필자가 임플란트를 가르치면서 가장 중요하게 생각하는 부분이 바로 패시브 핏이고, 그 시작이 sudden stop을 느끼면서 적당한 크기의 힐링 어버트먼트를 장착하는 것이다. 그러나 필자만큼 이런 부분을 강조하는 사람들이 많지는 않은 것 같다. 다른 치과의사들의 케이스를 보면 힐링 어버트먼트가 덜 들어간 것 같은 경우들을 엄청나게 많이 본다. 심지어 엑스레이에서 잘 들어간 것처럼 보이는 것도 실제로는 덜 들어간 경우가 많은 걸 감안하면, 정말 안 들어간 것처럼 보이는 경우는 심하게 안 들어간 것이다. 그러므로 엑스레이에서 덜 들어간 것처럼 보이는 것은 무조건 제거하고 다시 걸리는 부분을 모두 날린 뒤에 다시 끼워야 한다.

첫 사이너스 기념 촬영. 5기 수강생 이건오 선생님과 함께

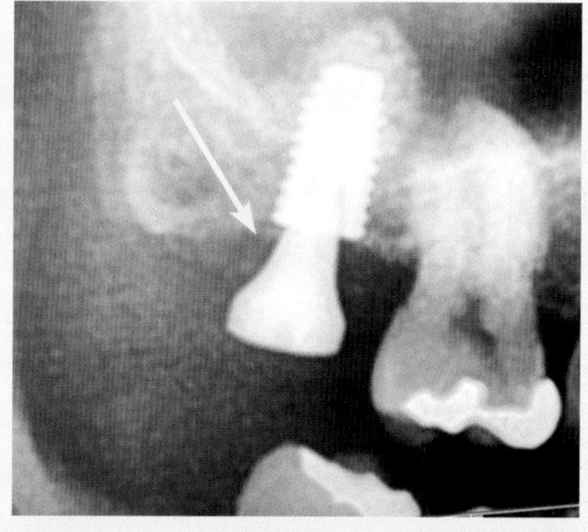
식립 직후

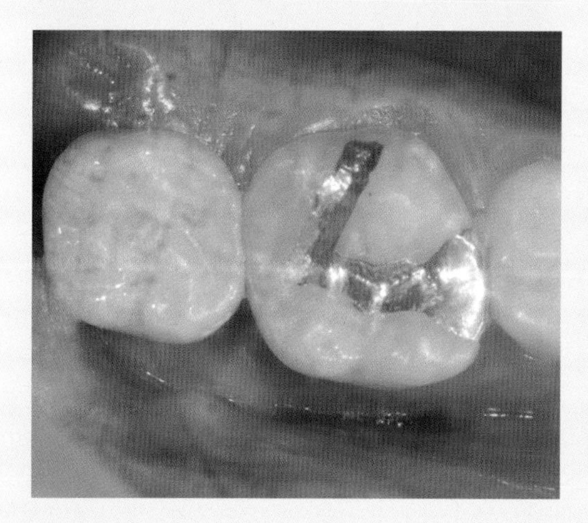

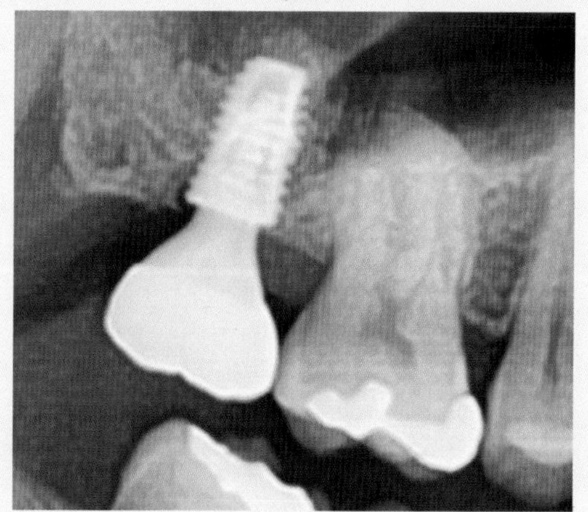
보철 세팅 후

3.15 수강생이 라이브 서저리에서 생애 첫 사이너스 엘레베이션하고 기념으로 찍은 케이스

필자가 늘 언제나 강조해도 제자들이 언제나 그렇게 따라주는 것만은 아니다. 필자는 언제나 sudden stop을 느꼈는지를 말로 물어본다. 임상실습을 하기 전에 모델 실습할 때부터 그 느낌을 손에 익히라고 말한다. 아무리 그렇게 말해도 직접 해보지 않으면 절대 배울 수 없다.

필자의 한국 라이브 서저리 5기에서 생애 최초 사이너스 엘레베이션(crestal approach)을 아주 멋지게 성공하고 픽스처까지 잘 들어간 것을 확인한 뒤 기념촬영을 하기로 하였다. 술자는 일본 가나가와 치대를 졸업하고 국내 면허를 취득한 이건오 원장님이며, 환자는 이 분의 사촌 형으로 메디컬 닥터였다. 기념촬영 준비가 되었다고 해서 촬영을 하고 보니 힐링 어버트먼트가 덜 들어가 있는 것을 확인할 수 있었다. 필자는 언제나 강조한다. **나는 똑똑하고 남들은 다 바보라 실수하는 게 아니다.** 남들도 다 똑똑하고 잘하지만, 정말 정신을 집중하고 최선을 다하지 않아서 그런 결과가 나오는 것이라고….

최종 보철물을 보면 PAD가 나름 괜찮지만, 우선 임플란트가 1–2 mm 정도만 더 들어갔으면 어땠을까 하는 아쉬움이 남는다. 사이너스를 엘레베이션할 때는 사이너스 안에 그래프트 머트리얼을 넣는 양에 따라 어떤 크기의 돔 쉐입이 나오는지 감을 키워야 한다. 사이너스의 해부학적인 형태에 따라도 전혀 다를 것이고, 올라간 사이너스 멤브레인의 형태에 따라서도 다를 수 있다. 딱히 글로 정의하기 어렵다. 그래서 필자는 경험으로 몸으로 익히라고 말한다. 해당 원장님은 수강생이던 시절 지인 환자분들을 많이 모시고 와서 멋진 임플란트 케이스를 많이 남겼다. 이 책의 후속편이 나온다면 선생님의 멋진 상악 전치부 케이스 등도 보여주고 싶다.

김영삼 원장

보통 필자는 사이너스 안에서 임플란트 주변으로 2 mm 골이면 충분하다고 생각하기 때문에, 아니 너무 많이 넣으면 골질이 떨어져서 오히려 더 나쁘다고 생각하기 때문에 딱 그 정도만 사용한다. 그래서 임플란트가 사이너스 안으로 1–2 mm 정도만 들어가서 사이너스 멤브레인에 닿지 않도록 뚜껑만 씌워주는 정도라면(필자는 하이바라고 부른다), 0.2 cc(주로 무게로는 0.1 g) 정도 사용한다.

그리고 이 케이스처럼 임플란트가 사이너스 안으로 3–4 mm 정도 들어간다면 0.5 cc(주로 0.25 g) 정도를 사용한다. 보통 2/3 정도 넣어 보고 버를 꽂은 상태에서 엑스레이를 찍어보곤 한다. 이 케이스는 0.25 g을 모두 넣으라고 했는데, 사실 반도 제대로 안 들어간 듯 보인다.

힐링 어버트먼트가 덜 들어간 이유는 메지알 파필라를 살리는 인시전을 하였는데, 6번 디스탈이 잘 안 보이는 바람에 해당 쪽 파필라가 엄청 크게 인시전 되어 힐링이 거기에 걸려 덜 들어갔기 때문이었다. 그 부분은 잇몸을 추가적으로 잘라내고 힐링 어버트먼트를 체결함으로써 마무리하였다.

사용한 골은 필자의 한국 라이브 서저리를 후원해주는 덴티스에서 나온 합성골 Ovis bone (β–TCP 80% + HA 20%)이다. 당시만 해도 업체에서는 이 제품만 생산했기 때문에 라이브 서저리에서는 이를 사용한 것인데, 엑스레이를 찍으면 사진빨이 좋아서 사이너스 엘레베이션 실습을 할 때는 매우 좋다. 다만 β–TCP는 시간이 지나면 흡수되기 때문에 나중에 좀 어두워지기도 한다. 보통 β–TCP가 흡수되면서 그 자리에 신생골이 생기므로 하얀 알갱이들은 사라지면서 하얗게 더 변하기도 한다. 이 경우는 더 기다려 봐야 할 듯하다. 보통의 경우는 제노그래프트(오스템의 A-OSS를 가장 많이 사용하고, 스트라우만의 제노그래프트 머트리얼인 cera bone도 종종 사용한다)를 많이 사용한다.

힐링 어버트먼트가 덜 들어간 케이스 2

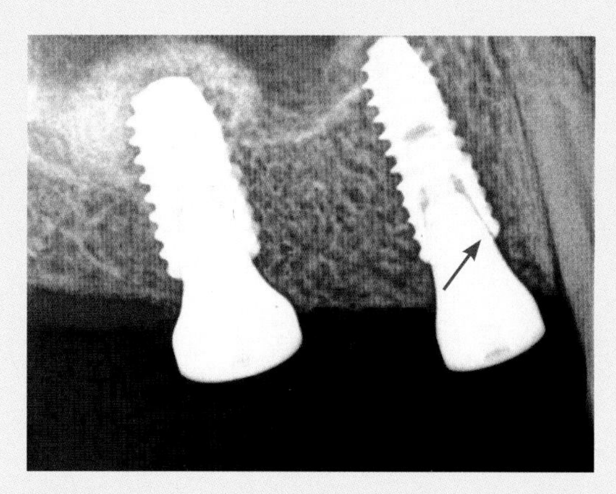

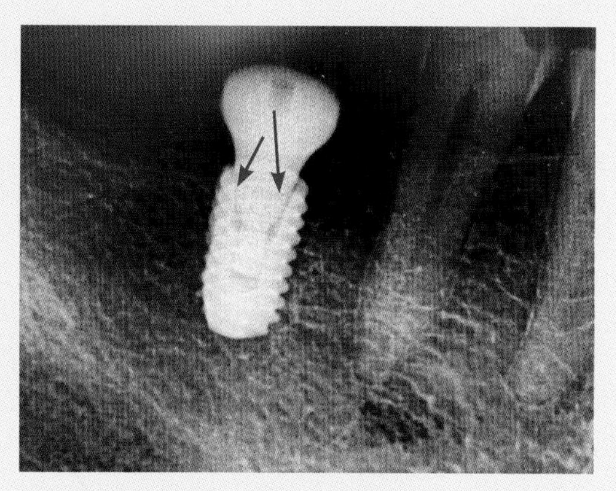

3.16 필자의 첫 멕시코 라이브 서저리 세미나의 케이스이다. 화살표 한 곳에 명확한 갭이 보인다.

필자가 멕시코에서 라이브 서저리를 할 때도 명백하게 힐링이 덜 들어간 경우를 흔하게 관찰했다. 분명 sudden stop을 느꼈냐고 물어도 대부분 대답을 흐린다. 다시 말하지만 sudden stop을 못 느꼈다면 그것은 어버트먼트가 패시브하게 임플란트에 장착된 것이 아니다. 오히려 그런 상태에서 힘을 세게 주어 돌린다면 그 힘은 어버트먼트가 임플란트와 체결되는 데 사용되는 것이 아니라, 잇몸을 누르는 데 사용되거나 임플란트에 손상을 주는 형태로 작용했을 수 있다. 절대 과도한 힘으로 억지로 어버트먼트를 체결하려고 하지 말아야 한다.

우선 진지바가 걸리는 건지 뼈가 걸리는 것인지를 확인해야 한다. 아마도 수술 중간이나 끝나고 엑스레이를 찍어보면 뼈가 걸리는 것인지 아닌지가 어느 정도 보일 것이다. 물론 뼈와 잇몸이 걸리는 것이 각각 느낌이 많이 다르다. 하지만 초보자들은 구분하기 어려울 것이다. 어쨌든 진지바가 걸린다면 걸리는 부분을 확실히 잘라내 주면 된다. 종종 하악의 경우 설측 keratinized gingiva각화치은에 걸리게 되어 참 난감할 때가 있는데, 이는 대부분 약해서 그렇게 크게 지장을 주지도 않고 링구알로 밀면 좀 밀어지는 경향이 있으니 보존적으로 해보길 바란다. 인접면 쪽은 과감하게 날려도 좋다고 생각한다. 아니, 날려야만 패시브 핏을 얻을 수 있다.

넓은 힐링 어버트먼트를 끼우기 위해 주변에 방해되는 인접골 삭제

인시전을 잘 했다면 힐링 어버트먼트가 걸리는 부분은 대부분 인접한 골(주로 근심)일 것이다. 수술에 능숙한 사람들은 대부분 아무 버로나 그 부분을 삭제할 수 있다. 필자도 그냥 아무거나 잡히는 걸로 다 삭제하는 편이다. 그러나 초보자들은 핸드피스 그립이 안정적이지 않기 때문에 어렵고, 버가 톡톡 튀면서 인접한 진지바를 파먹는 등 문제가 더 커지기도 한다. 그러다 보니 몇몇 회사에서 관련된 기구를 판매하고 있다.

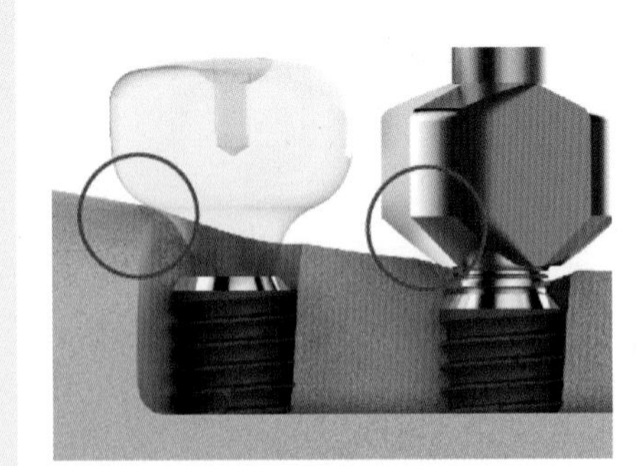

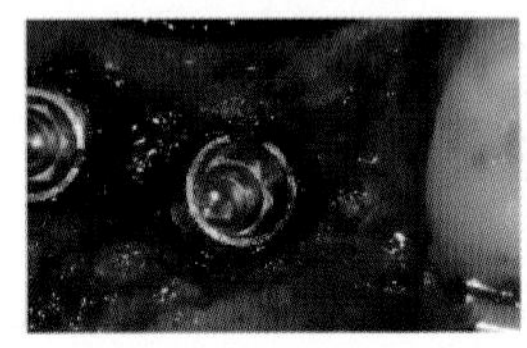

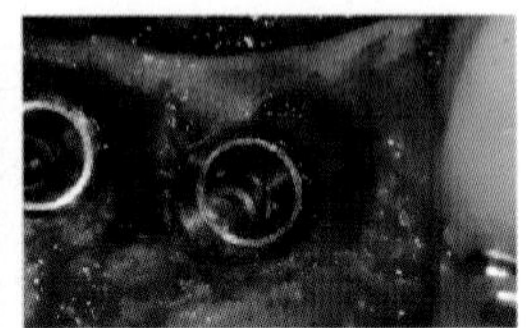

3.17 힐링 어버트먼트가 걸리지 않도록 임플란트 주변골을 형성해주는 기구(판매처 MEDIPIA)

본 쉐이퍼Bone Shaper라는 기구가 있다. 아크로덴트라는 임플란트 회사에서 만들었는데 요즘은 다른 곳에서 판매하고 있는 것 같다. 3.17과 같이 임플란트 위에 대고 주변 본을 깎는 것이다 보니 아무래도 임플란트가 과열되거나 손상될지도 모른다는 생각을 들게 하는데, 업체에서도 손상되지 않는다고 할 수는 없지만 거의 손상되지 않는다고 설명하고 있다. 어쨌든 필자도 다량 구매하여 라이브 세미나에서도 사용하고 수강생들에게 선물로 주곤 하였다.

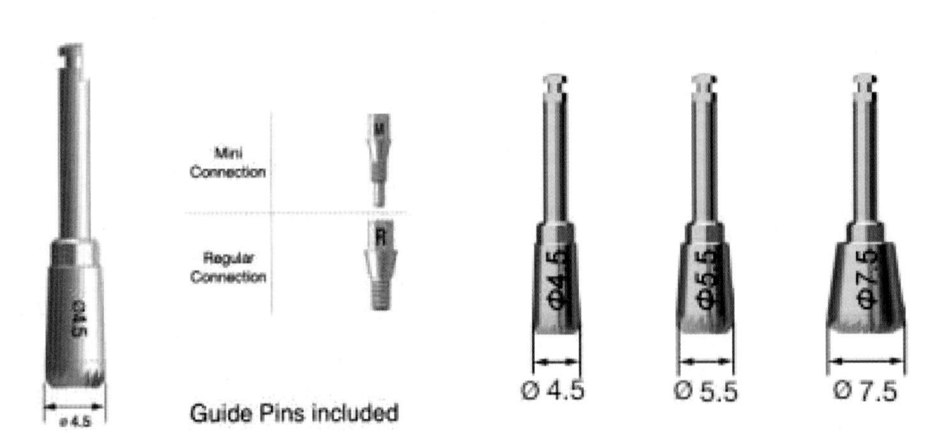

3.18 오스템의 Bone Profiler

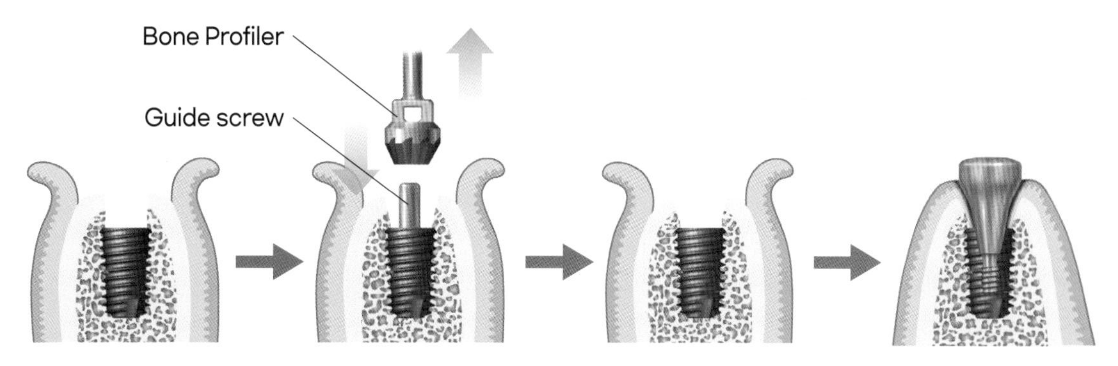

3.19 오스템의 Bone Profiler 모식도

오스템에서 나온 본 프로파일러Bone Profiler이다(3.18). 임플란트 내면이 상하지 않도록 임플란트 위에 가이드 핀 같은 걸 꽂아 씌우고 나서 깎는 것이다. 라이브 서저리를 할 때 보면 나름 후기가 좋다. 요즘은 덴티스에서도 키트로 구성되어 판매되고, 다른 업체에서도 유사 제품들을 대부분 다 판매하고 있는 것을 볼 수 있다. 그만큼 시장은 어버트먼트의 패시브 핏에 집중하고 있는 듯하다. 어쨌든 뭘 써서라도 힐링 어버트먼트는 걸리면 안 된다.

덴티스에서 새로 나온 Bone Profiler

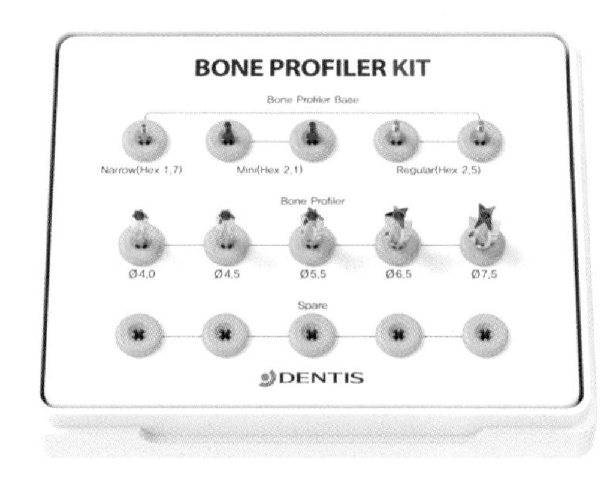

필자가 새로 장만한 덴티스 Bone profiler이다. 아직 몇 번 안 써봤지만, 너무 좋다. 사랑스럽다. 세상 모든 치과의사에게 추천한다. 키트로 되어 있으니 직원들도 챙겨주기 더 편한듯하다.

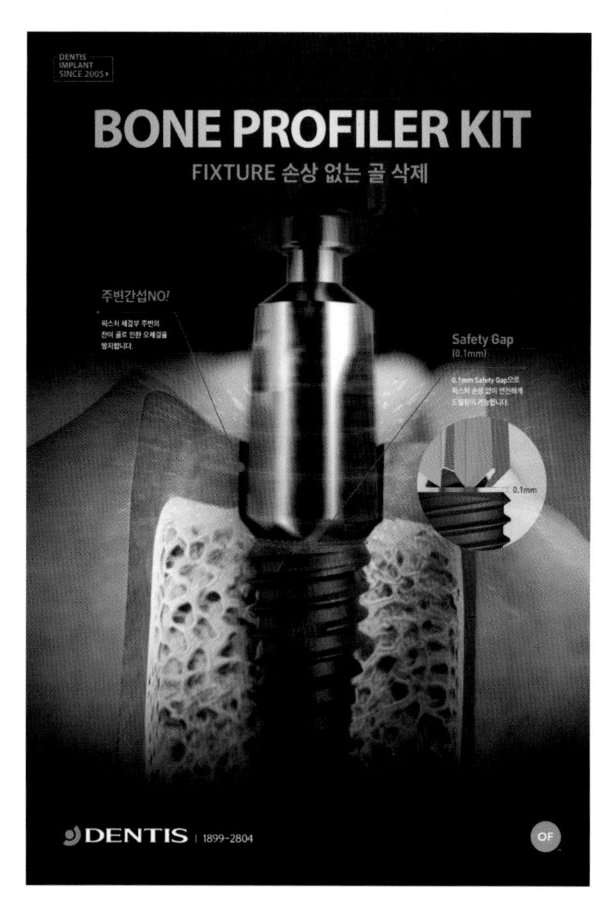

가십거리 - 필자의 오래전 발명품 돌아보기

“어떻게 하면 임플란트를 심을 때 이것이 적절한 위치와 높이로 심어진 것인지를 알 수 있을까” 하는 고민은 이미 수많은 사람들이 했을 것이다. 필자도 이런 고민을 오랫동안 해왔기 때문에 필자 스스로 뭔가 발명해보려고 노력도 했었다.

3.20은 필자가 2009년에 “영삼핀”이라 부른 것으로 기공사에게 부탁하여 제작한 것이다. 공간이 좁아진 부분에도 사용하기 위해서 교과서 크기의 90% 이하로 소구치와 대구치용으로 하나씩 제작하여 몇 번 사용하다가 금세 귀찮아져서 사용을 중단하였다. 당시에는 그냥 필자가 취미 삼아서 만든 것인데, 지금 생각해 보면 픽스처 파트에서 길이를 조금만 줄였어도 좋았을 것 같다. 몇 군데 업체에 문의했는데도 제품화해준다는 곳이 아무 데도 없었다. 방사선 불투과성 오토클레이브가 가능한 플라스틱으로 만들면 될 거라고 생각했는데 말이다.

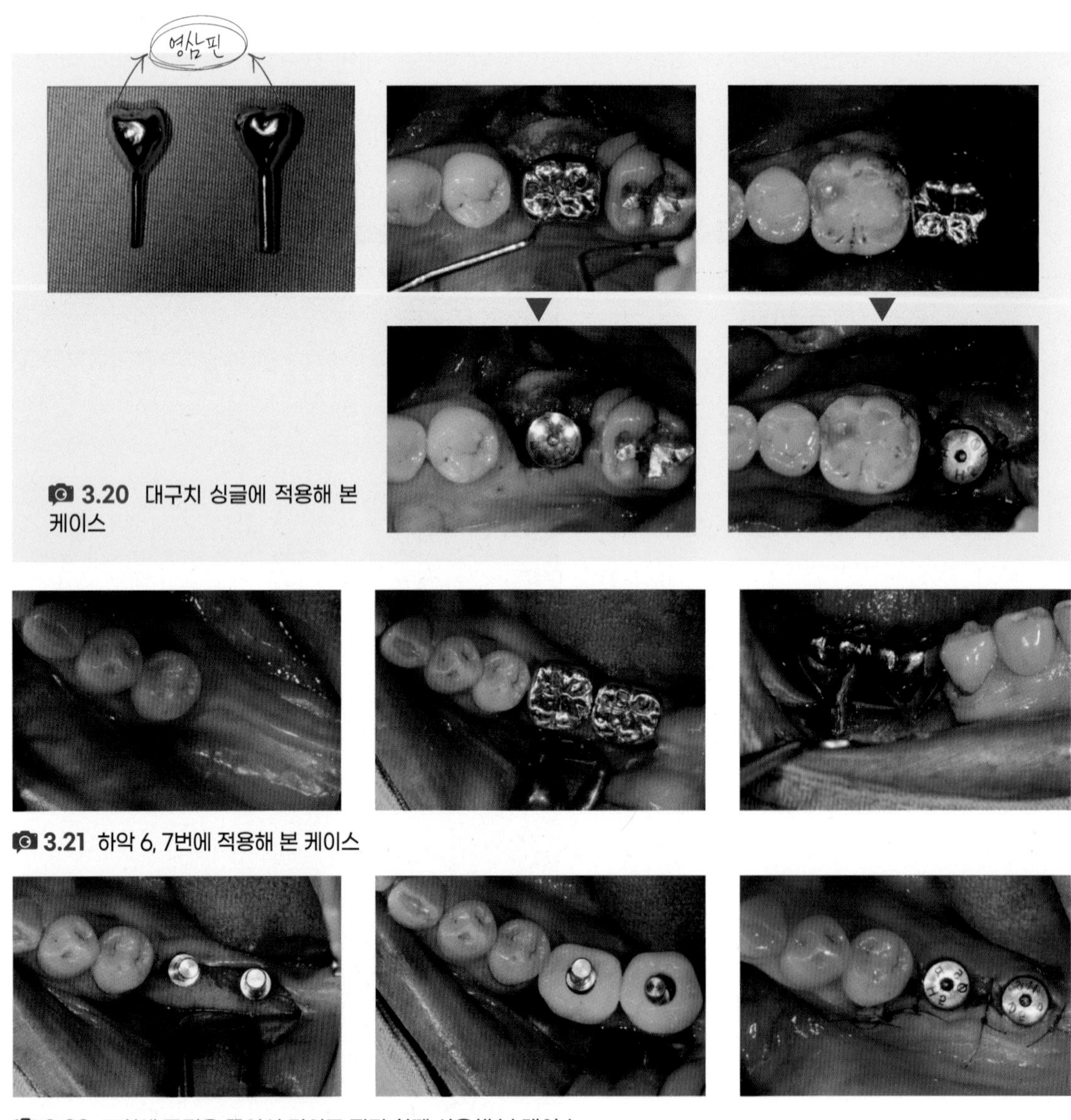

3.20 대구치 싱글에 적용해 본 케이스

3.21 하악 6, 7번에 적용해 본 케이스

3.22 도치에 구멍을 뚫어서 가이드 핀과 함께 사용해 본 케이스

영삼핀은 위에서뿐만 아니라 옆면에서 볼 때도 높이까지 반영하여 체크할 수 있게 하였다. 브릿지도 할 수 있도록 크라운 파트의 높이는 8 mm로 했고, 이런 시스템에서 어금니는 치아 종류와 개수만큼 필요하기 때문에 기성으로 나온 가이드 핀에 도치에 구멍을 내어서 끼워보는 시스템을 해보기도 했다. 결국 이것도 어느 업체도 관심을 보이지 않아서 그냥 포기했다.

영삼핀 대신에 사용하는 충분한 넓이의 높이 5 mm 힐링 어버트먼트

수술을 하다 보면 마지막에는 임플란트 위치를 거의 바꿀 수 없다. 그러나 높이는 수술 과정에서 가장 늦게 결정해야 하는 요소이다. 그리고 internal friction type의 임플란트에서는 진지발 하이트와 대합치와의 거리가 매우 중요함을 점점 깨달아가면서 5 mm 힐링 어버트먼트만 사용하기로 하였다.

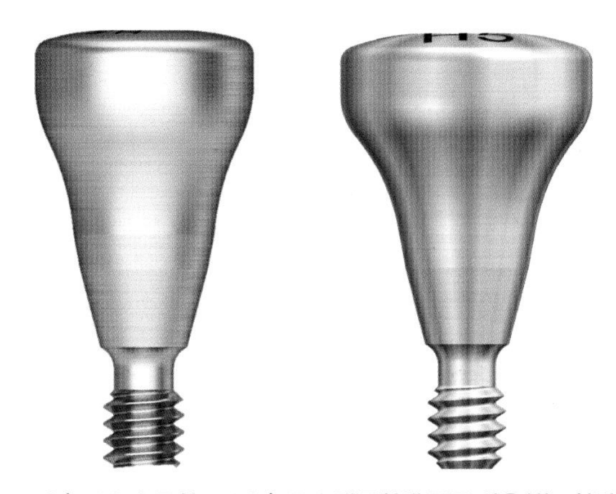

3.23 오스템 Ø5.0/H5.0 소구치, Ø6.0/H5.0 대구치에 주로 사용하는 힐링 사이즈

필자의 세미나가 왜 잘 되는지 궁금해하는 분들이 많은데 필자가 생각하는 이유는 한 가지다. 필자가 하라는 대로 하면 되기 때문이다. 필자는 원래 타고난 감각이 매우 부족한 사람이다. 그래서 모든 걸 노력으로 극복한다. 다만 미적 감각은 타고나지 못했지만, 약간의 강박증이 있어서 늘 다니는 길로만 다니고, 먹는 것만 먹고, 입는 것만 입는 스타일이다. 그래서 한 가지 방법을 지속적으로 반복하는 경향이 있다. 그러다 보니 언젠가부터 힐링 어버트먼트도 5 mm만 쓰게 되었다. 어금니에는 지름 6.0, 소구치에는 5.0을 쓴다. 필자는 멤브레인을 쓰지 않으면 어지간하면 98% 이상 원스테이지로 수술하는데도 꼭 이것만 쓴다. 전치부의 경우 임시치아의 종류와 형태에 따라서 조금 달라지기는 한다. 그런데 몇 년 전에 오스템에서 나오는 힐링 어버트먼트가 안쪽 면이 C자 커브가 생겨서 필자가 가장 좋아하는 어버트먼트가 되었다. 심지어 다른 임플란트를 심어도 힐링 어버트먼트를 이걸 사용한다. 어버트먼트가 C자 형태로 오목하다는 것은 앵킬로스의 어버트먼트처럼 그만큼 그 부분에 잇몸을 많이 담을 수 있어서 잇몸에도 정말 좋다. 또한 어버트먼트가 오목해서 주변 골 등에 걸리는 부분도 매우 적어서 수술도 매우 편해졌다.

그렇다면 이 힐링 어버트먼트로 임플란트 깊이를 어떻게 맞출 것인가?

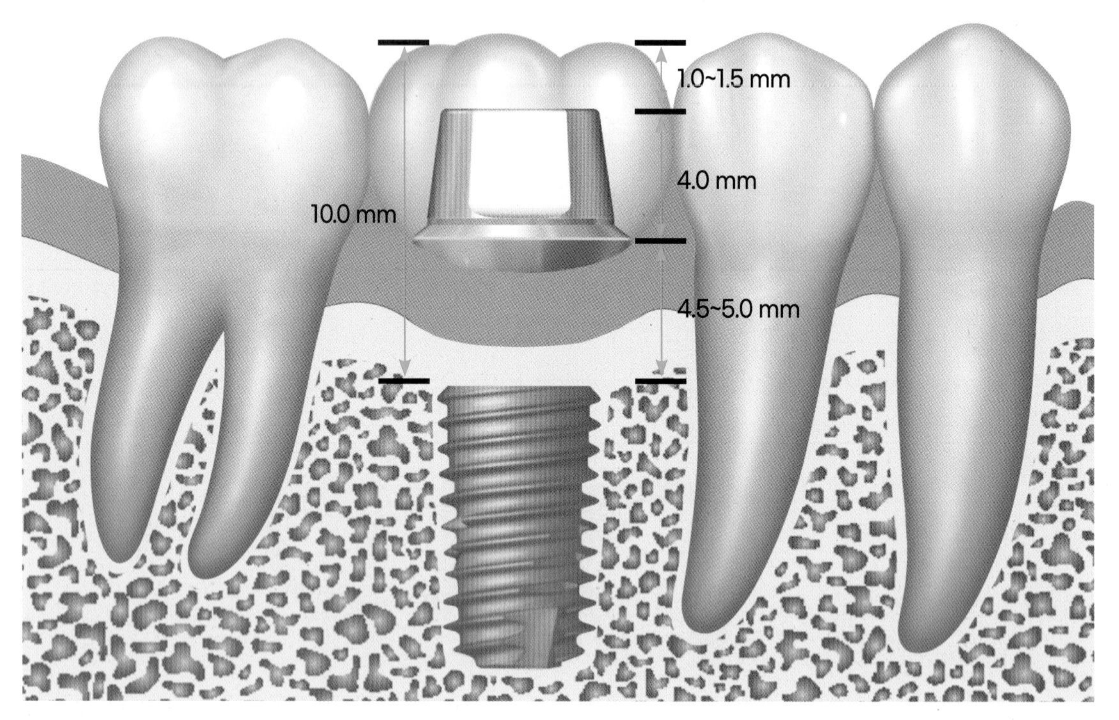

3.24 필자가 생각하는 이상적인 임플란트의 높이

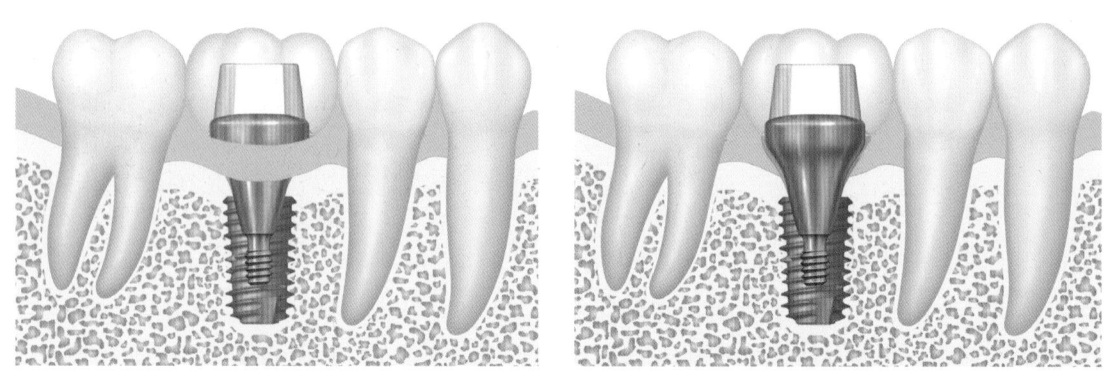

3.25 최종 임플란트 어버트먼트의 크기와 모양이 같은 힐링 어버트먼트를 장착한 상태. 이것보다 더 보이면 안 된다.

임플란트를 식립하고 힐링 어버트먼트를 꽂아 본다. 그랬을 때 인접면에 거의 맞고, 하악에서는 버칼 면에서 최대 1–1.5 mm 정도, 상악에서는 1 mm 정도 보인다면 잇몸 높이는 맞는 것이다. 이건 최소한의 깊이로, 만약 이것보다 더 보인다면 임플란트를 그만큼 더 심어야 할 것이다. 그럼 끝인가? 아니다. 싱글 크라운 기준으로 대합치까지 10 mm 권장이라고 했기 때문에 힐링 어버트먼트에서 대합치까지 거리를 봐서 5 mm 이상인지 체크한다. 그러나 힐링 어버트먼트에서 대합치까지의 거리가 5 mm보다 작다면 임플란트 길이를 줄이더라도 임플란트를 좀 더 깊게 심는 것을 권장한다. 필자는 힐링의 높이가 5 mm이기 때문에 그것의 두 배 정도로 거리를 가늠한다. 힐링 어버트먼트가 너무 뼛속에 묻혀 있다면 지름이 6.0 또는 5.0인 것을 감안하여 공간을 가늠해 본다. 어떤 원장님은 본인이 사용하는 미러의 손잡이의 지름이 5 mm라고 그것을 넣어본다고 하신다. 이와 같은 본인만의 팁을 가지고 있는 것은 매우 좋은 습관이다.

평소 남들보다는 좀 깊게 심는 필자였지만 임플란트 환자들을 장기적으로 관찰하다 보니 그보다도 조금은 더 깊은 것이 좋겠다는 생각을 하게 되었다. 환자마다 편차가 매우 크기 때문에 대부분의 환자들을 포함하는 레벨까지 안정적이게 식립하려다 보니 이전보다도 1 mm 정도 더 깊어진 듯하다.

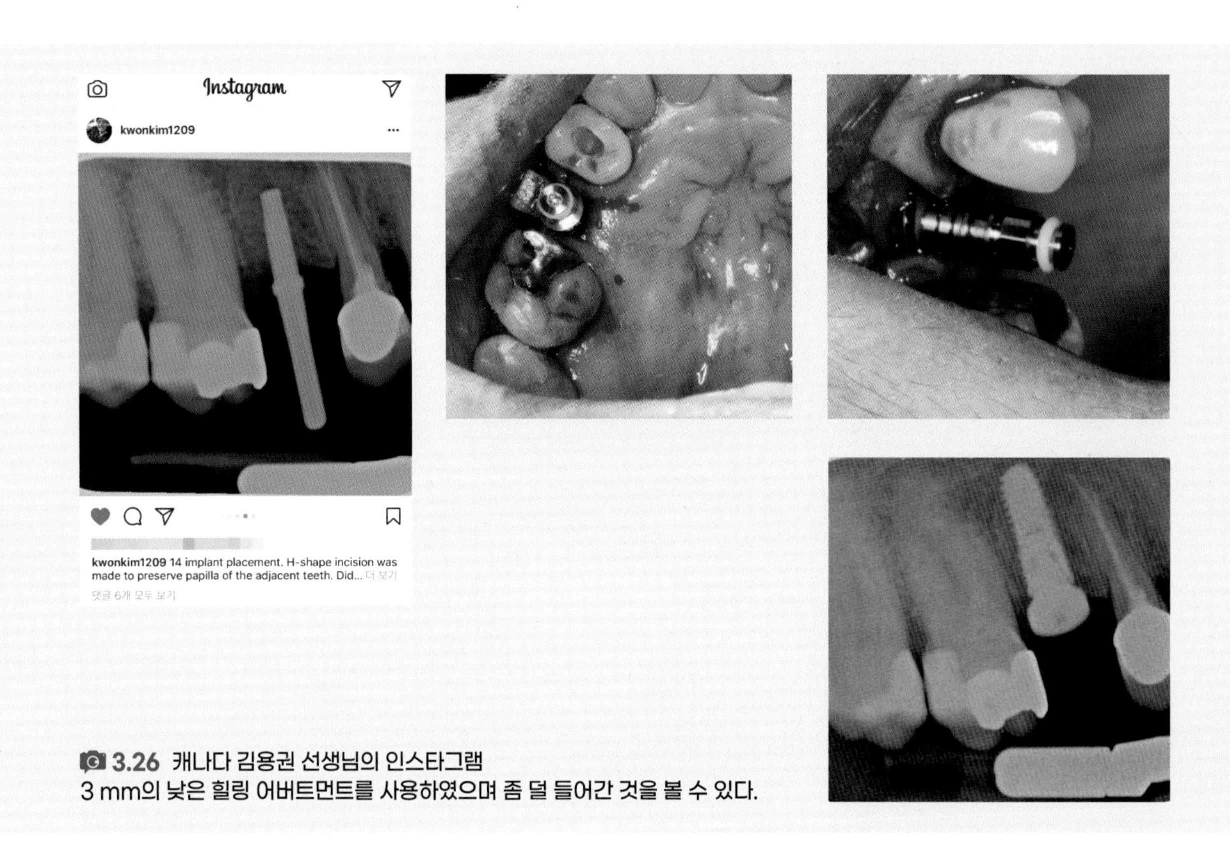

3.26 캐나다 김용권 선생님의 인스타그램
3 mm의 낮은 힐링 어버트먼트를 사용하였으며 좀 덜 들어간 것을 볼 수 있다.

몇 년 전에 캐나다 토론토의 권 킴(한국 이름 김용권) 선생님의 인스타그램에서 힐링 어버트먼트가 덜 들어간 걸 발견하여 댓글을 남기다가 친분을 쌓게 되었다. 알고 보니 필자와 같은 광산 김씨로 필자가 할아버지뻘 되는 사이였다. 그래서 좀 더 친하게 지내면서 힐링을 좀 더 긴 걸 쓰는 것과 더불어 패시브 핏과 진지발 하이트 등에 대한 필자의 철학을 이야기해 주었다. 그 이후로 필자를 캐나다 토론토에 두 번이나 초대해 주어 강의를 하게 되었다. 이 경우에도 임플란트의 길이를 한 사이즈 정도 줄여서 1–2 mm 더 깊게 심고 5 mm 힐링 어버트먼트를 사용했더라면 조금은 더 좋지 않았을까 생각해 본다. **3.26** 케이스에서 임플란트 마운트를 볼 수 있는데 덜 식립된 상태에서 마운트의 높이와 교합면을 비교해보면, 최종 식립 상태에서 이상적인 높이로 식립되었을 거라 유추해 본다.

마운트를 이용하여 임플란트 깊이 조정하기

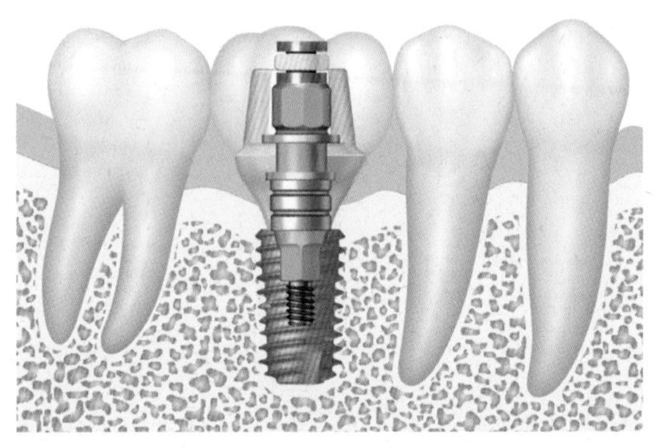

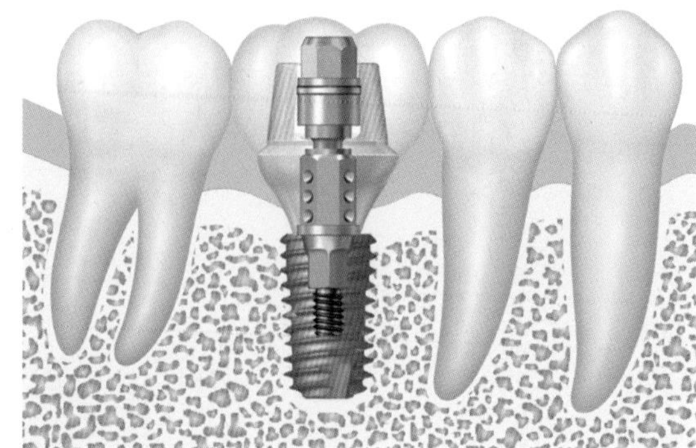

3.27 필자가 생각하는 이상적인 임플란트의 높이를 마운트로 맞춰 본 모습

김영삼 원장

전 세계 치과의사들의 대부분은 임플란트의 깊이를 마운트로 맞춘다. 회사마다 다르지만 임플란트에는 임플란트를 잡아 끼우는 마운트가 있다. 보통의 경우 마운트는 8–10 mm 정도 된다. 마주치는 치아와의 거리를 가늠해볼 수 있도록 그렇게 되어 있다. 마운트가 너무 길면 마주치는 치아와 닿게 되어 임플란트에 이상이 생길 수도 있고 오히려 높이를 보기가 어렵기 때문이다. 대부분의 경우 마운트에는 눈금이 표시되어 있어서 잇몸의 높이를 알 수 있다. 오스템의 경우에도 전체 높이는 9 mm 정도이며, 중간에 5 mm 정도에 옆으로 날개가 달려 있어서 거기에 인접면 잇몸 높이를 볼 수 있도록 되어 있다. 또한 3 mm 높이에도 작은 날개가 또 있다. 스트라우만 임플란트의 마운트는 전체 길이가 10 mm 정도이며, 마찬가지로 중간중간에 길이가 표시되어 있다. 본인이 심는 임플란트 마운트의 눈금을 잘 숙지할 필요가 있다. 그럼 왜 필자는 마운트를 참고하지 않나 하는 생각이 들 수도 있다. 우선 우리나라에는 마운트가 있는 임플란트를 쓰는 곳이 거의 없다. 가격차가 조금 나다 보니 심을 때 잠깐 편하자고 굳이 마운트가 있는 제품을 쓸 필요성을 거의 못 느낀다. 또한 심고 나서부터 제거하는 것까지 오히려 불편한 일들의 시작이 될 수도 있기 때문이다. 일반적인 마운트의 속성은 **1-1장 임플란트의 역사와 최신 경향**에 설명되어 있으니 그것을 참고 바란다. 어쨌든 필자는 5 mm 높이의 힐링 어버트먼트로 임플란트의 깊이를 가늠한다.

필자가 사용하는 힐링 어버트먼트의 형태

3.28 힐링 어버트먼트

필자는 3.28과 같이 오목한 힐링 어버트먼트도 그 오리진을 앵킬로스로 보고 있다. 아마도 내부 프릭션 각도가 5.7°이다 보니 아무래도 쭉 올라오다가 펴져야 해서 그랬을 것 같지만 그래도 참 좋은 디자인이다. 내부 각도가 1.5°인 바이콘은 쭉 뻗어서 나오다가 알사탕처럼 갑자기 둥그러지는 것을 보면 그래도 앵킬로스가 S라인의 참 멋진 디자인을 세상에 알려준 시작이라고 할 수 있다.

필자가 종종 하는 말인데 힐링 어버트먼트에서 왜 평행한 면이 있는지 모르겠다. 임플란트의 픽스처 상부에서 평행 곳은 하나도 없다. 그런데도 왜 힐링 어버트먼트는 평행할까?

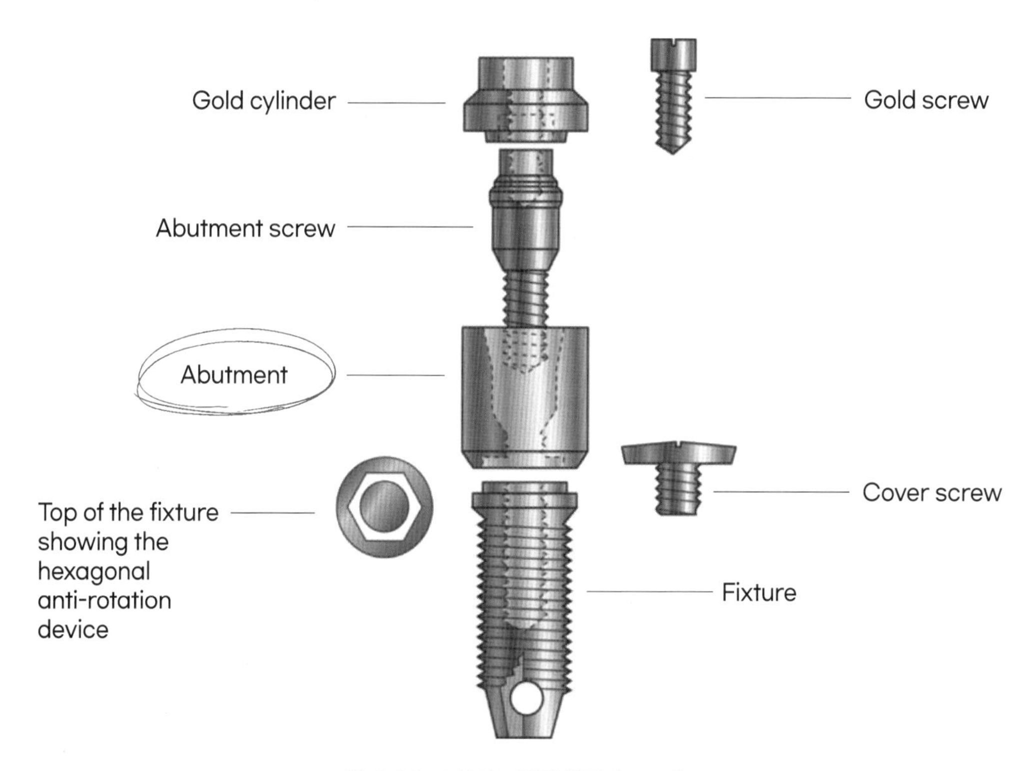

3.29 초창기 브렌막 임플란트 모식도

아마도 브렌막 임플란트에 그 시작이 있을 것이다. 스트라우만은 티슈레벨이었기 때문에 힐링에는 크게 신경 쓰지 않고 살았을 것이다. 그러나 브렌막 임플란트는 기본적으로 뼈에 임플란트를 묻고 나중에 잇몸 밖으로 노출시킨 후 그 위에서 또 다른 스크류에 보철하는 방식으로 만들어졌기 때문에 이런 구조가 되었을 것이다. 그래서 픽스처부터 잇몸 밖까지 관통하는 부분은 픽스처와 마찬가지로 평행하게 만들어졌다. 오히려 그렇게 만든 어버트먼트를 스탠다드 어버트먼트라고 했던 걸 보면 당시에는 그 위의 평행한 어버트먼트와 같은 형태의 골드 실린더에 크라운이 만들어지는 구조였다. 그러나 오늘날의 임플란트는 픽스처 위에서부터 치아와 비슷한 S자 형태로 만들어지고 있다. 그렇다 보니 굳이 평행한 면이 있을 필요가 없다. 그래서 요즘 나오는 임플란트 등은 윗부분 1-1.5 mm 정도만 평행하고, 그 밑부분은 대부분 오목하거나 최소한 그냥 사선 방향으로 일자형이다. 끝부분이 1-1.5 mm 정도 평행한 것은 근원심과 협측의 높이 차이가 딱 그 정도이기 때문에, 협측에서 좀 더 낮은 높이에서부터 힐링 어버트먼트가 보이더라도 거기에 언더컷 없이 잇몸 바깥에서는 평행하게 하기 위해서일 것이다. 그래서 요즘 힐링 어버트먼트에는 향유고래 대가리처럼 생긴 어버트먼트는 거의 사용하지 않아 사라지고 있고, 대부분 상부를 제외하고 오목한 형태의 힐링 어버트먼트가 나오고 있다.

오스템 어버트먼트의 최신 디자인과 예전 디자인을 비교한 그림이다(**3.30**). 확실히 최근 디자인이 예쁘고 수술하기에도 쉽다. 통상 임플란트를 골내로 1-2 mm 정도로 심기 때문에 힐링 어버트먼트가 그 정도 높이에서 조금 오목한 것은 수술할 때 주변에 골이 걸리는 것을 확실히 막을 수 있어서 어버트먼트의 패시브 세팅에 매우 유리하다.

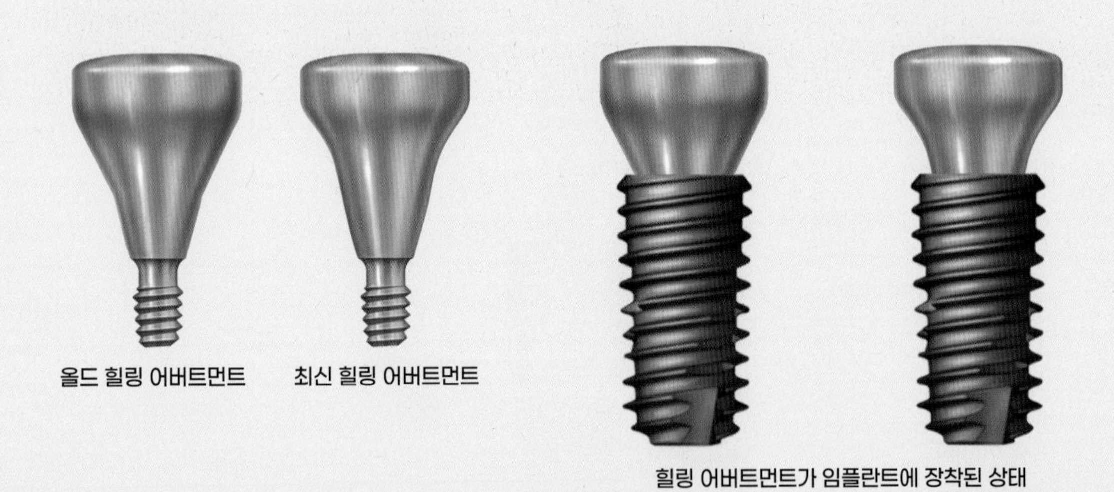

3.30 필자가 가장 좋아하는 오스템의 오목한 힐링 어버트먼트

라이브 서저리에서 힐링 어버트먼트를 사용한 케이스

필자는 라이브 서저리를 하면서 수강생들에게 모두 5 mm 길이의 어버트먼트를 사용하도록 한다. 언제나 "Under my roof, my rules"을 외치면서 말이다. 한국에서 진행하는 라이브 서저리는 덴티스가 후원하는데도 어버트먼트는 오스템 제품을 사용하였다. 그만큼 필자의 임플란트 수술에선 5 mm 높이의 C자 커브를 가진 오목한 넓은 힐링 어버트먼트가 중요하다. 사진에서도 46번의 임플란트는 덴티스지만 힐링 어버트먼트는 오스템인 것을 볼 수 있다. 반대쪽은 직전 기수에서 심은 것으로 힐링 어버트먼트와 같은 사이즈, 같은 모양의 예쁜 어버트먼트 모양을 볼 수 있다(**3.31**).

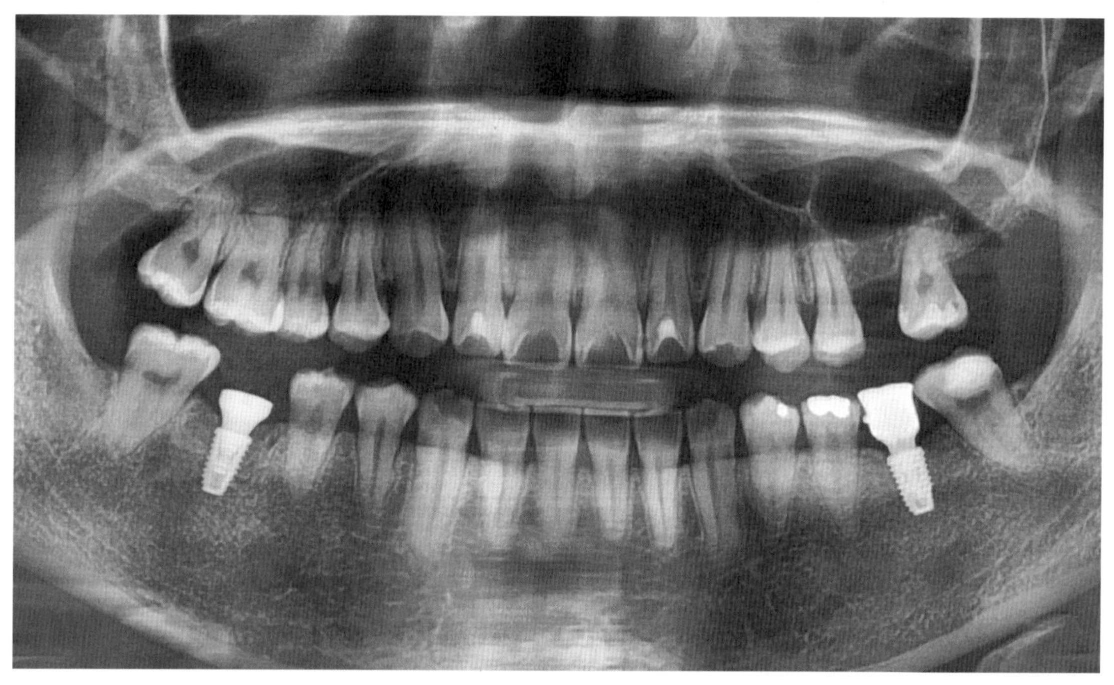

3.31 수년 전 필자의 라이브 서저리 케이스. 46번 식립 직후
46번 임플란트의 힐링 어버트먼트가 오목하여 주변 조직에 걸리지 않고 패시브하게 잘 장착된 것을 볼 수 있다. 임플란트가 1 mm 정도 더 깊었으면 어땠을까 하는 생각을 해보지만, 이것도 당시에는 매우 깊다고 느꼈었다.

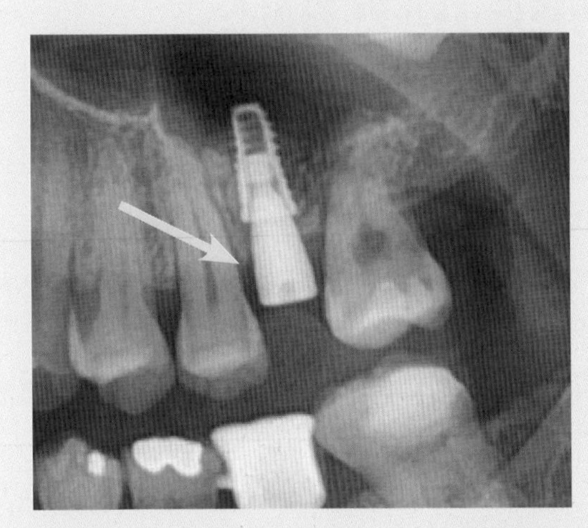

너무 깊게 식립하고 7 mm 힐링 어버트먼트를 사용한 케이스

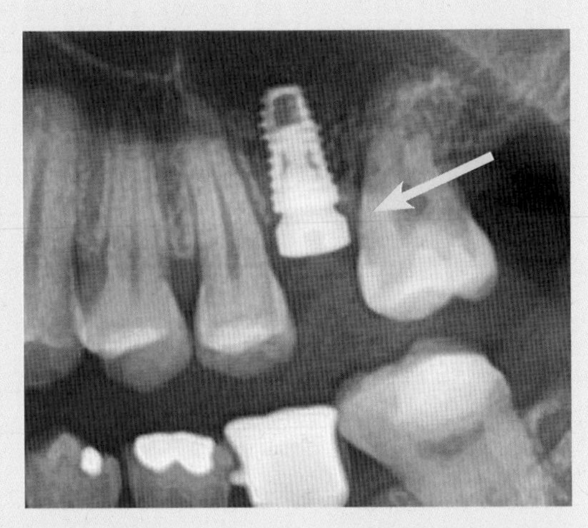

너무 얕게 식립하고 3 mm 힐링 어버트먼트를 사용한 케이스

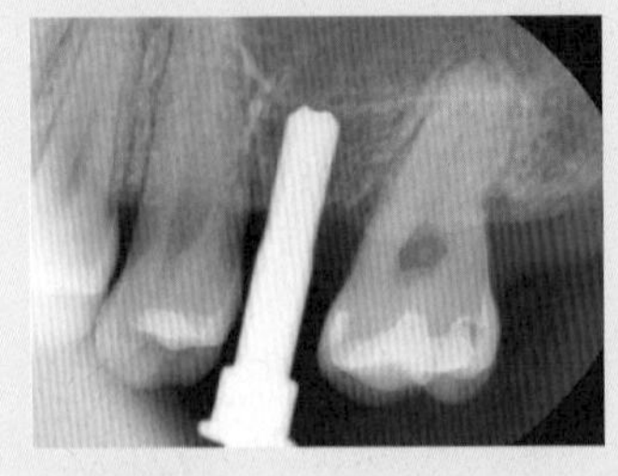

오스템의 카스 키트를 사용하는 모습

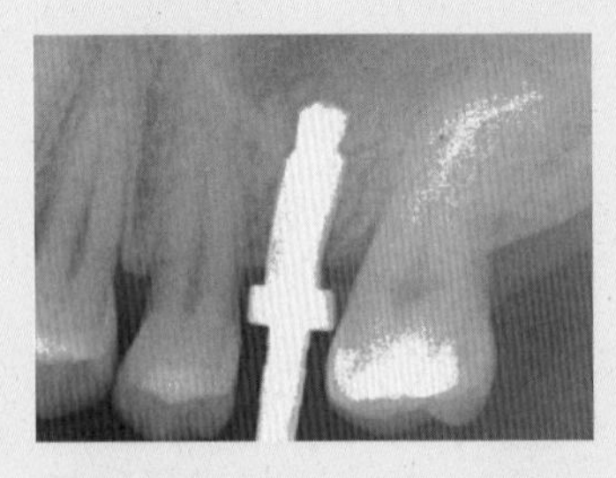

골이식재를 사이너스에 넣어 드릴을 꽂고 촬영한 방사선 사진

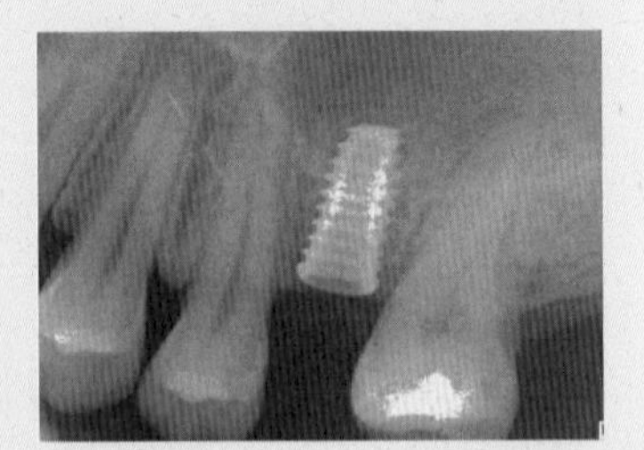

임플란트 높이를 보기 위한 방사선 사진. 골이식재가 부족하게 들어간 것을 볼 수 있다.

3.32 26번 임플란트 식립 과정

바로 이어서 26번 임플란트를 하는데 대구치 자리지만 공간이 많이 협소한 편이었다(**3.32**). 환자가 비용이 부담된다고 해서 라이브 서저리에서 임플란트만 하기로 하였다. 이건 간단한 사이너스 엘레베이션 케이스로 소개되어 지원자를 받아서 진행하였다. 수술은 필자와 친한 아우이자 수강생이었다. 필자는 예정대로 5 mm 힐링을 사용하여 버칼에서 0-1 mm 정도로 보이게 하라고 지시한 후 옆방으로 갔다. 당시에는 필자 혼자 방 두 개를 번갈아가며 지도하는 형식이었기 때문에 간단한 것들은 지시하고 옆방으로 가곤 했다. 그런데 술자가 두 가지 실수를 해버렸다. 첫째는 필자가 다 넣으라고 했던 골을 다 안 넣은 것이다. 정말 사람들은 욕을 해야만 말을 듣는다. 스스로 이만하면 되었다고 생각하고 그대로 해버린다. 필자는 정말 한 톨도 남김없이 모두 다 갖다 넣으라고 했건만… 뒤에 안 그러면 죽는다고 욕을 하든지 해야지 안 그러면 대부분 대충 한다. 사이너스 볼륨감 이야기를 엄청 했다.

두 번째 실수는 힐링도 5 mm 사용하라고 했는데 너무 깊게 심어졌다고 7 mm를 사용한 것이다. 그래서 바깥으로 조금 꺼내자 초기고정이 없어졌다. 사실 필자가 술자였다면 좀 더 넓은 힐링 어버트먼트를 써서 코티칼 본과 진지바에 꼭 끼워 눌러 고정을 얻고 마무리했을 것이다. 다시 한번 말하지만 임플란트는 손으로 돌려서 넣어도 옆으로만 안 움직이면 붙는다. 어쨌든 그날은 필자가 임플란트를 뽑아버리고 다음 달에 다시 심기로 하였다. 사실 정말 필자의 케이스였다면 한 달 반에서 두 달 정도 후에 수술 날짜를 잡았겠지만, 세미나용 환자여서 어쩔 수 없이 한 달 뒤 코스 날짜에 하기로 하였다. 그리고 전과 동일하게 진행하였다. 이번에는 잘하겠지 하고 옆방에 갔다 왔더니 조금 덜 넣고 3 mm 힐링을 사용한 것을 확인했다. 필자가 다시 하려고 했으나 이미 환자는 자리에서 일어난 뒤였다. 최종 임프레션 전에 힐링 어버트먼트를 5 mm 높이로 바꾸어서 진지바를 좀 리모델링한 후에 임프레션 하였다. 정말 가르칠 때는 욕을 하고 화를 내야만 사람들이 필자가 하는 말을 듣는다. 그래서 가끔은 일부러 강한 강조를 위하여 화난 척을 하기도 한다.

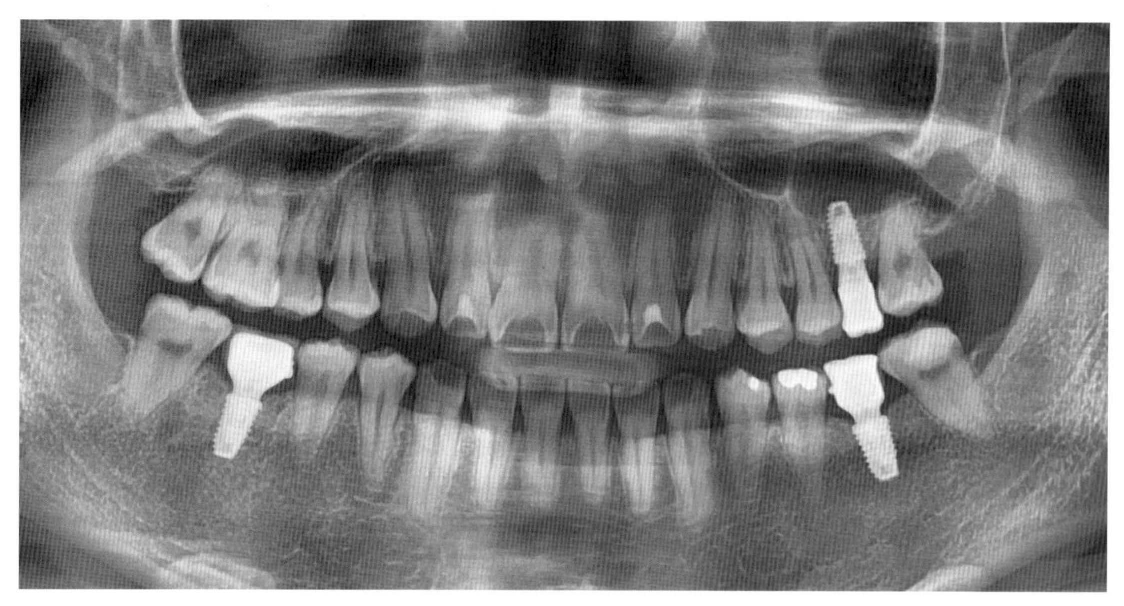

3.33 최종 완성된 임플란트의 모습
세 개의 임플란트 모두 각각 다른 치과의사의 첫 임플란트이지만 잘 심어진 것을 볼 수 있다. 다만 지금이라면 모두 1 mm 정도씩 더 깊게 심었을 듯하다.

최종 보철물 사진이다(**3.33**). 사이너스 안쪽에 필자가 사용하라고 한 양의 1/3도 안 넣은 것 같아 아쉽다(참고로 필자는 사이너스 내부에 제노그래프트를 가장 추천한다). 공간이 좁아서 그런대로 모양은 괜찮게 나왔지만, 그래도 1 mm 정도의 깊이가 아쉽다. 26번 임플란트를 할 때 5 mm 높이의 힐링 어버트먼트를 사용해서 필자의 방식대로 버칼 진지바에 0–1 mm 정도 보이게 했다면 어땠을까 생각해 본다. 그렇지만 3개의 임플란트들 모두 태어나서 처음 심는 사람이 심은 임플란트치고는 나름 예쁘게 잘 되었다. 필자한테 배운 수강생들이 종종 이런 말을 한다. 필자랑 세미나를 하면서 심었던 것이 아직까지도 자기 생에 가장 잘 심은 임플란트 같다고…. 필자에게 특별한 재주가 있어서가 아니다. 그저 내가 정한 원칙에 맞도록 한 것뿐이다. 그중 하나가 바로 이 "**5 mm 힐링의 법칙**"이다. 5 mm 힐링 어버트먼트 위로 대합치와의 사이에 최소한 3 mm(5 mm를 권장하지만) 이상의 여유 공간이 필요하다. 이상적인 크라운을 위해서만이 아니라, 힐링 어버트먼트에 가해지는 힘을 막기 위해서이다. 초보자들의 경우 힐링 어버트먼트와 대합치가 닿지만 않으면 그걸로 만족하는데, 절대 그래서는 안 된다. 교합은 절대 그렇게 간단하지가 않다. 환자가 무엇을 어떻게 씹는지도 알 수 없다. 그래서 힐링 어버트먼트는 대합치와 안 닿는 정도가 아니라 최소 3 mm 여유 있게 거리를 둬야 한다.

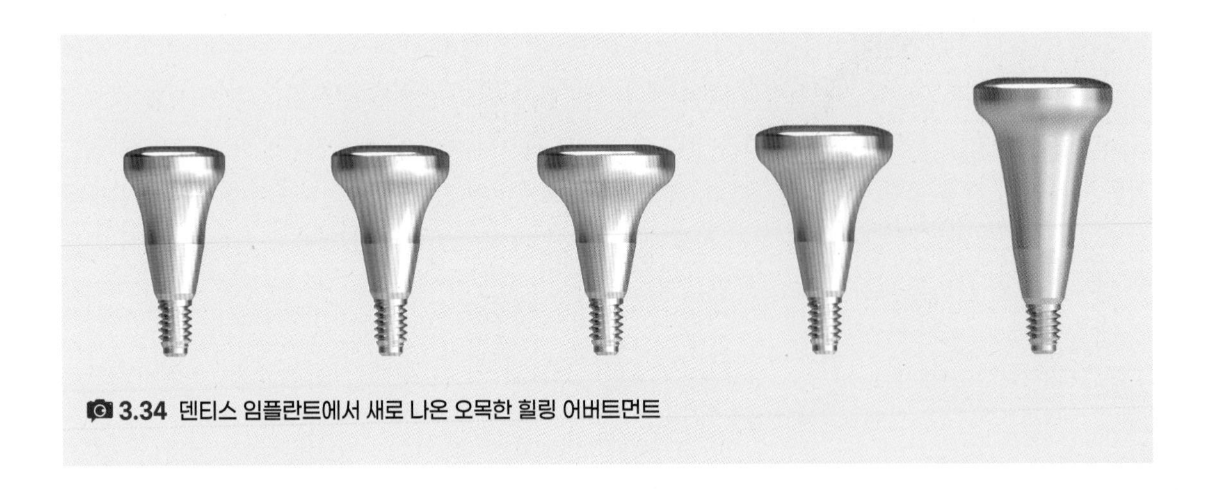

3.34 덴티스 임플란트에서 새로 나온 오목한 힐링 어버트먼트

필자가 그렇게 오랫동안 주장했는데 이제서야 덴티스 임플란트도 힐링을 3.34와 같은 형태로 바꾸게 되었다. 더 오목해졌고, 끝에 평행한 부분도 더 짧아졌다. 그리고 지름 사이즈도 4.8과 5.8로 더 작다. 필자는 소구치에 5.0, 대구치에 6.0이 마지노선이라고 생각하기 때문에 소구치는 5.8을, 대구치는 6.8로 약간 더 큰 걸 쓰고 있다. 아직까지는 반응이 매우 좋다. 이 책의 공저자인 서울 선샤인치과 김지선 원장님의 경우 힐링 어버트먼트와 최종 어버트먼트 모두 이 디자인으로 바꿨는데 매우 만족스럽다고 한다.

즉시식립 임플란트도 힐링 어버트먼트가 기준

즉시식립의 경우에도 필자의 그 모든 기준은 같다. 그리고 마지막으로 힐링 어버트먼트로 평가한다. 힐링 어버트먼트의 최종 높이를 잇몸 높이와 비슷하게 맞추는 편이다. 그럼 보통 1 mm 정도 진지바가 shrinkage되기 때문에 평소 무치악 부위에 심는 형태가 나타난다. 그런데 이 케이스에서는 뭔가 성공하지 못한 찝찝함이 보인다(3.35). 환자는 필자와 동년배의 여자 치과의사로 필자 치과에 견학을 온 날 임플란트를 심어달라고 하여 발치 후 즉시 식립하였다. 물론 시간이 없어 빨리 진행하긴 했지만 뭔가 조금 아쉽다. 딱 1 mm만 더 깊게 심었으면 어땠을까 고민해 본다.

몇 달 뒤에 원장님이 사진을 보내주었다(3.36). 홀 위치도 좋고 본인은 마음에 든다고 했다. 그러나 필자는 마음에 들지 않았다. 계획했던 것이 조금 깊은 듯하여 평소대로 딱 맞췄는데, 디스탈 쪽 골이 조금 덜 찬 것이었다. 아마도 디스탈 쪽에 염증이 있어서 그 부분에 대한 회복이 느려 골이 덜 형성된 듯했다. 3년 후에 원장님이 팔로업 파노라마 사진을 보내주었다(3.37). 화질이 떨어지긴 하지만 나름대로 본레벨은 잘 유지되고 있는 것을 볼 수 있다. 원래 계획했던 것보다 1 mm 정도 덜 심은 것이 가장 가슴 아프다. 아마도 필자가 당시만 해도 조금 깊게 심는다는 평가를 받고 있었기 때문에 그때는 그걸 너무 의식했나 하는 후회도 든다. 그래서 최근에는 즉시식립의 경우 gingival shrinkage를 고려하여 딱 평소보다 1 mm 정도 더 깊게 심자는 마인드로 진료하고 있다.

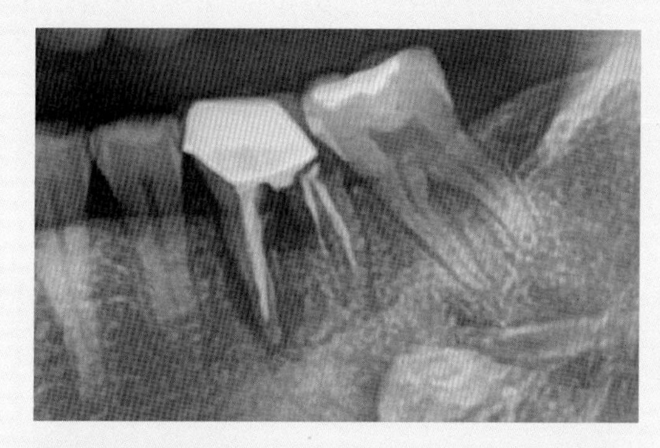
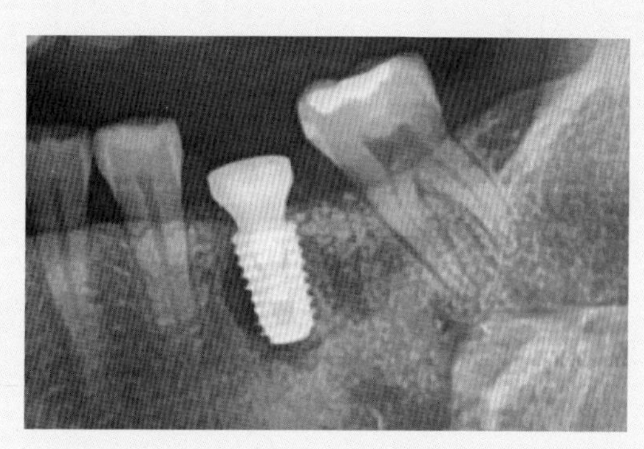

3.35 즉시식립 후 힐링 어버트먼트를 체결한 모습

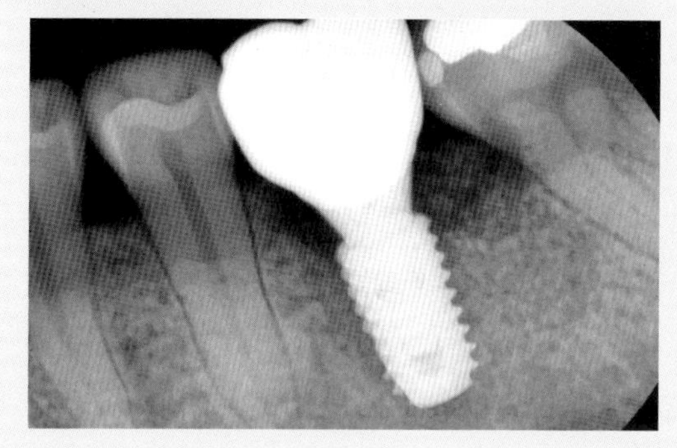
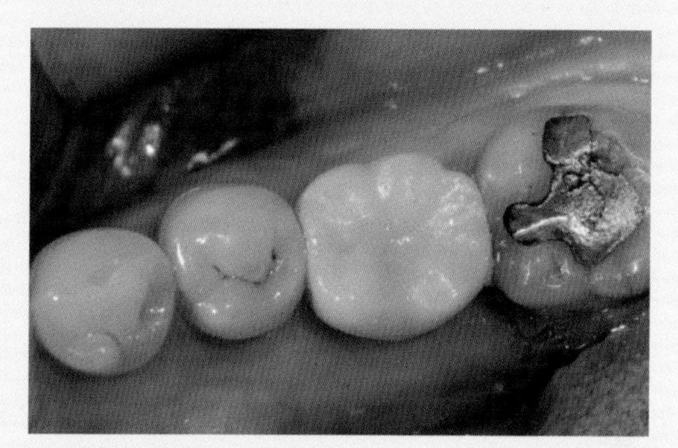

3.36 나중에 보내주신 보철 후 방사선 사진과 임상사진

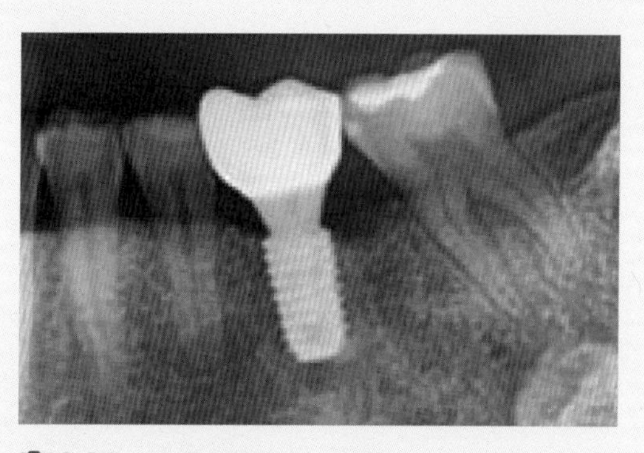

3.37 3년 후 팔로업 파노라마

식립 깊이를 잘 못 맞춘 케이스

필자 병원의 페이닥터의 케이스이다(📷 3.38). 필자가 임플란트 크라운을 세팅한 후에야 이 케이스를 발견하였다. 그렇지 않았다면 바로 뺐을 것이다. 그러나 지금 봐도 너무 잘못 심은 것 같아서 그 뒤로는 시간이 오래 지났어도 잘못 심은 것은 빼버리고 다시 심는다. 패스가 이상한 건 우선 논외로 하자.

힐링 어버트먼트 5 mm를 쓰라고 했는데 왜 3 mm를 썼느냐고 물었더니, 대합치도 정출된 것 같고 해서 대합치에 걸릴 것 같아서 그랬다고 했다. 5 mm 힐링이 대합치에 걸릴 것 같다면, 처음부터 대합치를 얼마나 삭제해서 교합을 올릴 것인지를 결정한 후 힐링 어버트먼트가 대합치에 걸리지 않도록 임플란트 길이를 줄여서라도 깊게 심으면 된다. 이 경우에는 뼈도 충분하고 좋기 때문에 그냥 깊게 심기만 했으면 되는 케이스이다. 최종 보철물 사진을 보면 크라운 모양이 이상한 것을 볼 수 있다. 더구나 47번에는 왜 6 mm 와이드를 심었냐고 했더니 고정이 안 나와서 그랬다고 한다. 필자라면 둘 다 뽑고 다시 심었을 것이다. 다행히 PAD가 다 안 좋기 때문에 필자라면 빼고 당일에 다시 심어도 초기고정을 나름 잘 얻을 자신이 있다. 참고로 반대쪽 26번 임플란트는 필자가 식립한 것이다. 26번 임플란트 크라운은 나름 필자의 원칙이 잘 지켜진 케이스임을 알 수 있다. 27번 근심면을 조금만 더 삭제하고 크라운을 제작했으면 어땠을까 하는 아쉬움도 있다.

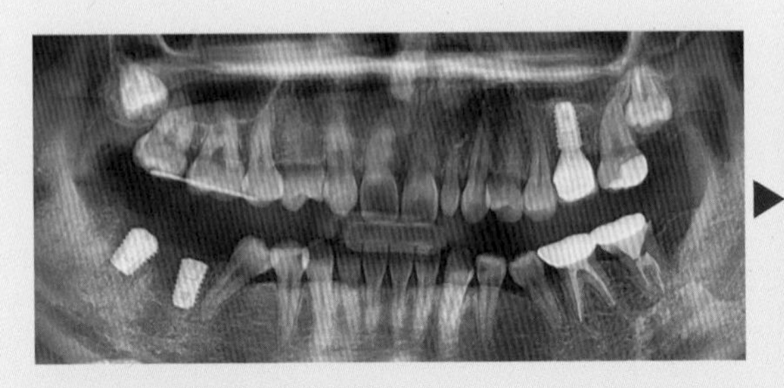
46, 47번 임플란트 식립 직후

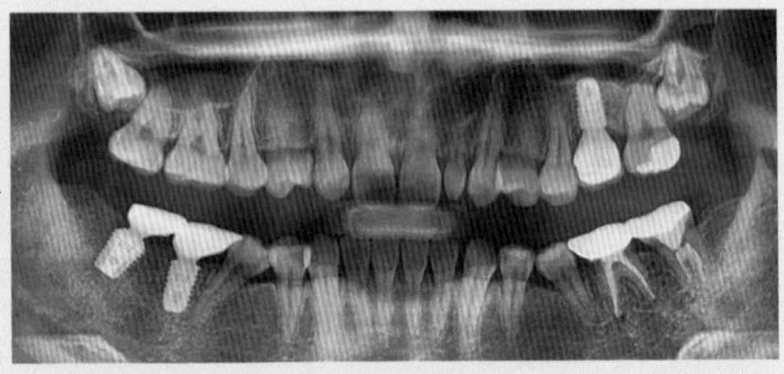
최종 크라운 완성 후. 곡괭이 두 자루를 볼 수 있다. ▲

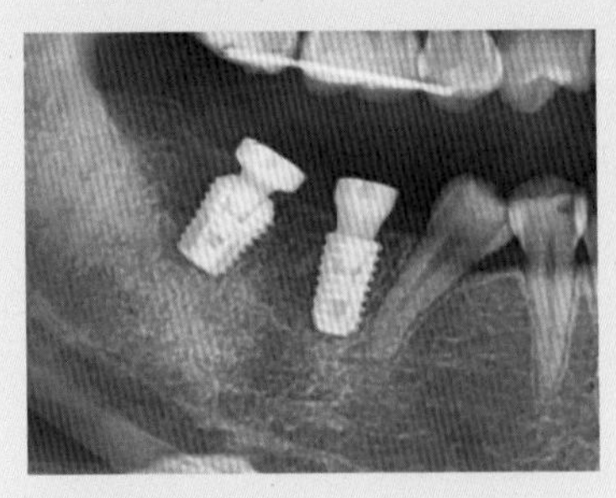
이차 수술 후 힐링 어버트먼트 체결 직후

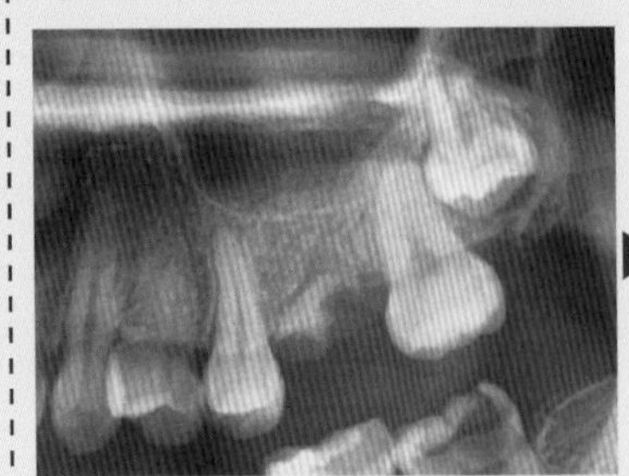
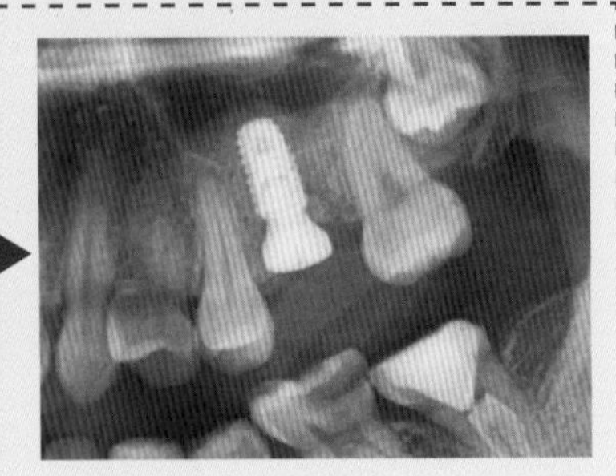
필자가 식립한 26번의 식립 전과 직후 사진

📷 3.38

식립 깊이를 잘 조절한 케이스

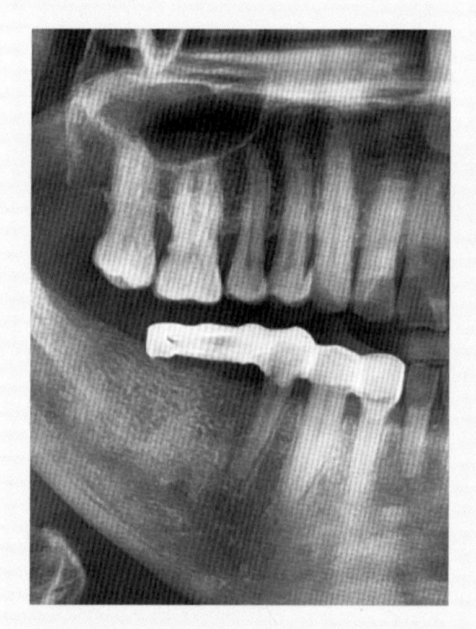
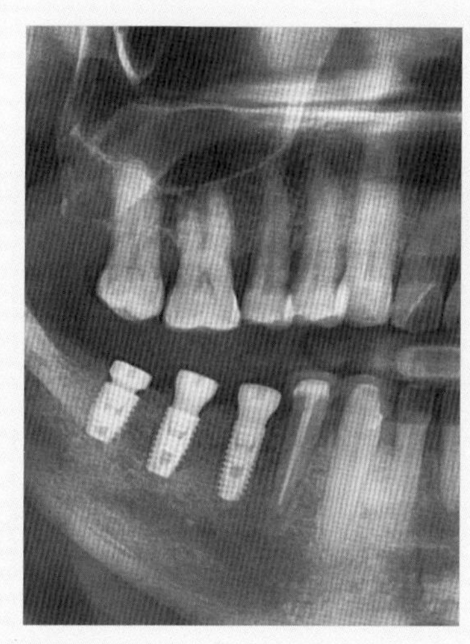
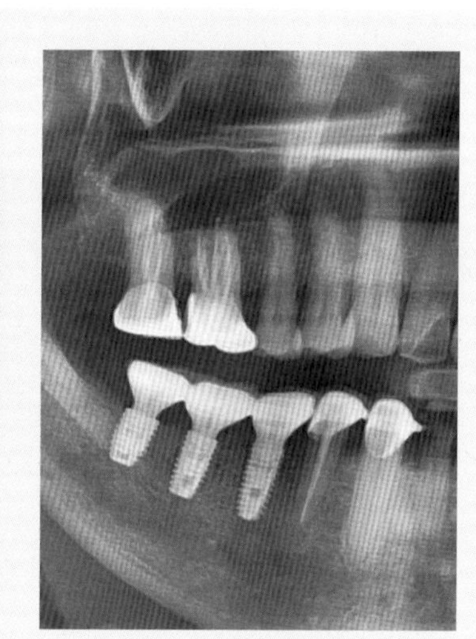

3.39 대합치와 거리가 적은 경우 필자의 케이스

3.39는 필자가 진행한 비슷한 케이스이다. 필자는 10여 년 전에 중국에 임플란트 시술을 하러 자주 다녔는데 그때 중국어 통역을 담당하던 간호사의 아버지이다. 본인이 아무리 중국에서 잘한다는 사람을 봐도 필자보다 잘하는 사람을 본 적이 없다는 아부를 하니 정말 잘해 줄 수밖에 없었다.

초진 사진을 보면 말도 안 되는 캔틸레버이다. 크라운이 다 휘어서 잇몸에 박혀 있고, 17번 대합치는 아래 잇몸에 닿아 잇몸이 붓고 아픈 상황이었다. 우선 보철과에 치료계획을 물었다. 위는 최소 3 mm 정도를 올려야 해서 근관치료 후에 크라운을 할 계획이라고 하였다. 16, 17번 치아는 먼저 삭제하고 수술을 하면 기준점을 좀 더 잘 잡을 수 있겠지만, 보통은 임플란트를 심고 기다리는 시간이 길기 때문에 수술을 먼저 한다. 47번에는 5 mm 힐링 어버트먼트를 쓰면 힐링이 대합치에 닿게 되어 드물게 3 mm 높이의 힐링 어버트먼트를 사용하였다. 앞서 언급했지만 힐링 어버트먼트는 대합치로부터 확실히 안 닿게 떨어져 있어야 한다. 나중에 근관치료하고 임프레션 하기 전에 47번 임플란트도 높이 5 mm 힐링 어버트먼트로 교체하였다. 굳이 힐링을 올리고 사진을 찍지 않기 때문에 사진은 없지만 그때 5 mm 힐링 어버트먼트를 올리고 보면 대합치와 2-3 mm 정도 여유 있는 것을 볼 수 있었다. 브릿지의 경우는 7-8 mm 높이도 충분하기 때문에 최종 보철물을 여유 있게 완성하였다. 앞서 이야기했듯이 여기서도 진지바 포지션의 길이를 줄이는 게 아니고 크라운 유지력 파트를 줄이는 형태로 제작된 것을 볼 수 있다. 다만 그래도 45번은 1.5-2 mm 정도, 46번은 1 mm 정도 더 깊게 심었으면 어땠을까 하는 후회가 남는다.

가이드 수술에서도 임플란트 높이 설정이 중요

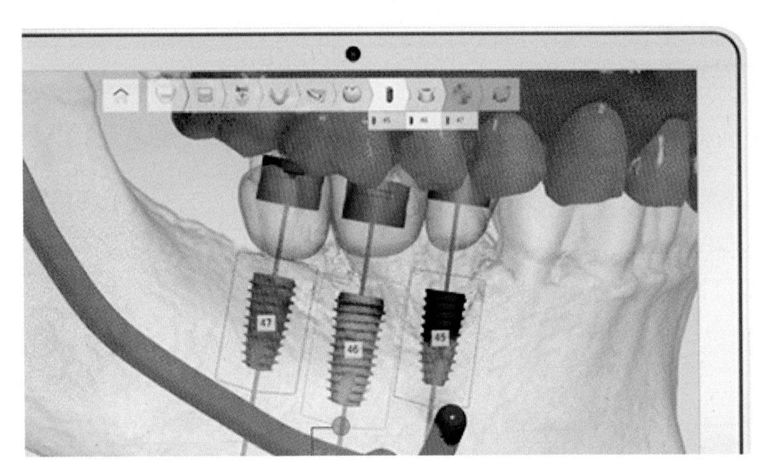

3.40 디오 임플란트 광고 이미지

우리나라에서 컴퓨터 가이드 임플란트 시스템을 선도했던 디오 임플란트의 가이드 시스템 광고 이미지이다(3.40). 사람들은 가이드 서저리가 패스에만 중요한 것처럼 생각하는데, 필자는 높이 또한 매우 중요한 요소라고 생각한다. 필자의 철학대로라면 47번 디자인이 좀 아쉽다. 물론 크라운 파트에서 얼마든지 잇몸라인 등을 고려해서 더 길어질 수 있겠지만 말이다(실제 디자인은 그랬을 수도 있다. 오로지 이 광고 이미지만을 놓고 보는 것이다). 가이드에서는 특히나 절대 낮게 디자인해서는 안 된다. 가이드 수술에서(특히 하악) 가장 큰 문제는 높이 조절이다. 특히나 D1 본에서 더 이상 심지도 빼지도 못하게 되는 "빼박이"가 되는 경우가 매우 많다. 물론 필자는 그럼 무리해서라도 빼버리고 다시 심어야 한다는 주의이긴 하다. 어쨌든 임플란트는 드릴보다는 크기 때문에 하악 구치부에서 덜 들어가고 끝나 버리는 경우가 너무 많다. 그나마도 플랩을 열고 수술한다면 어느 정도 확인하고 제거 후에 조금 더 버를 흔들어서라도 확대하고 다시 심겠지만, 플랩리스로 수술하는 사람들의 경우에는 이러지도 저러지도 못해서 덜 들어간 채 끝나는 경우가 너무 흔하다. 그래서 디자인할 때부터도 어버트먼트 길이가 짧다면 실제 임상에서는 더 큰 문제가 발생할 수도 있다.

타 치과에서 식립된 임플란트와 필자의 임플란트의 깊이 비교

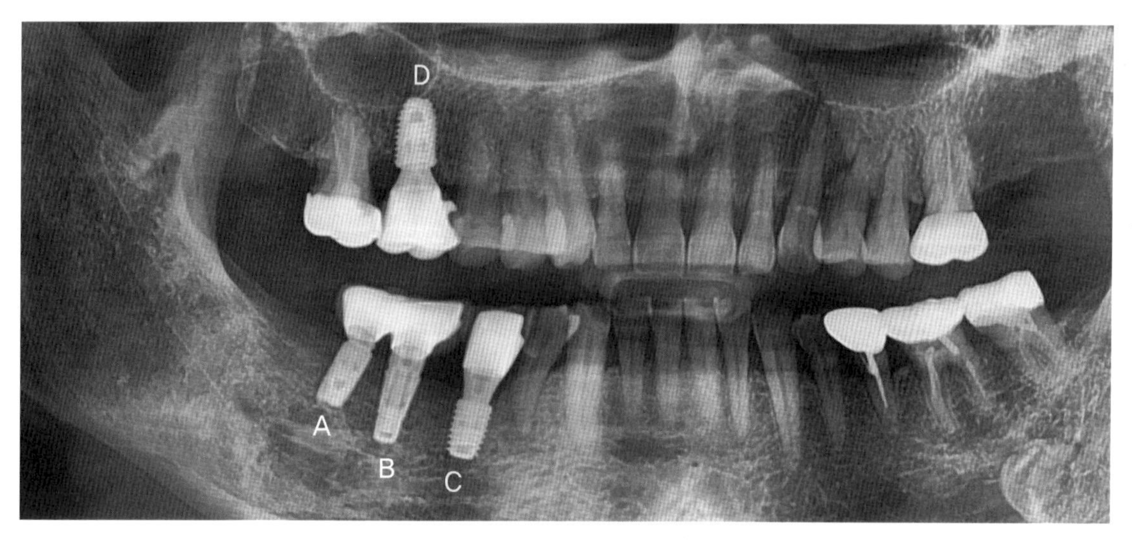

3.41 타 치과에서 행한 임플란트(A, B)와 필자 치과의 임플란트(C, D) 케이스

임플란트들을 비교해보자. 16, 45번을 필자가 식립하였다(3.41). 환자가 신흥에서 근무했던 직원의 장모님이어서 신흥 루나 임플란트를 식립하였다. 예전에는 신흥 루나 임플란트도 많이 식립하였다. 아마 이 책에도 특별히 표기하지 않아서 그렇지 이 책의 케이스에도 루나 임플란트 케이스들이 많이 있다. 필자의 어머니도 오스템과 신흥 루나 임플란트 둘 다 식립하였다. 엑스레이를 보면 어느 정도는 구분할 수 있다. 요즘은 오스템 TS 시스템을 주로 식립하고 덴티스 임플란트를 20-30% 정도, 수입 임플란트로는 스트라우만 임플란트를 식립하고 있다.

지금까지 필자의 책을 쭉 읽어왔다면 45번 임플란트가 46, 47번보다 훨씬 잘 심어진 임플란트라는 것을 알 수 있을 것이다. D의 경우 파노라마상에서는 원심 쪽에 골이 없는 것처럼 보이지만 실제 PA상에서는 충분한 골이 형성되어 있다.

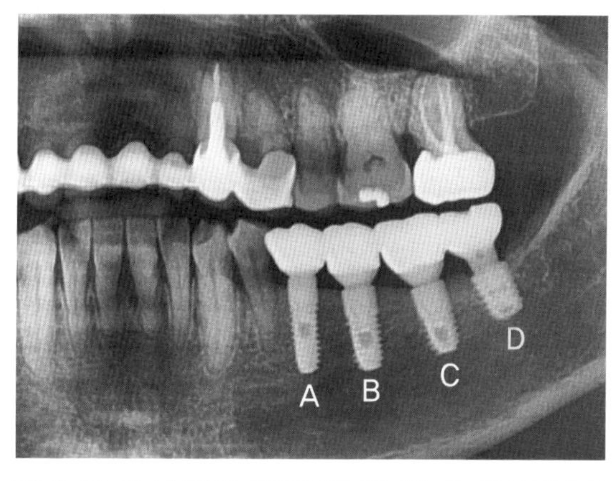

3.42 타 치과에서 시행한 임플란트(A, B, C)와 필자 치과의 임플란트(D) 케이스

이 중에 필자 치과에서 식립한 건 37번 하나이다(**3.42**). 나머지는 브릿지로 연결되어 있고, 37번은 싱글 임플란트 크라운으로 되어 있다. 앞장에서 이미 봤기 때문에 이렇게 6 mm 짧은 임플란트로도 하악 최후방 대구치 식립에 전혀 문제가 없음을 알 것이다. 이 책의 공저자이기도 한 편영훈 원장님의 케이스이다. 임플란트는 6 mm를 식립하였지만 거기서부터 대합치까지의 길이가 더 긴 걸 보면 그 멋진 철학과 노력이 보인다. 지금 이 임플란트를 순서대로 봤을 때 인류의 진화 과정을 보는 듯한 느낌이 드는 것은 왜일까?

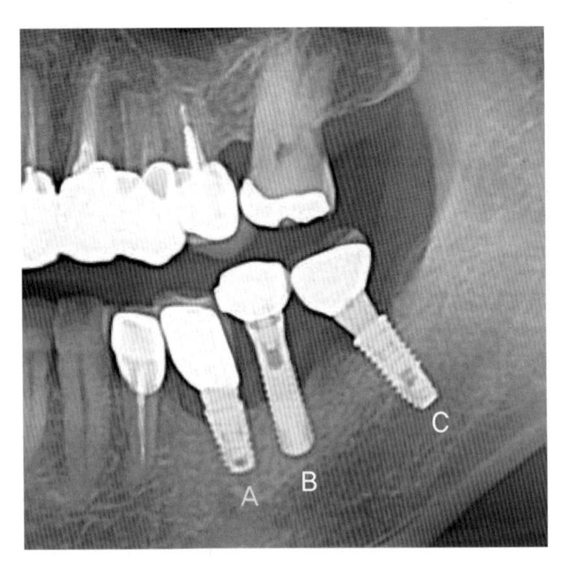

3.43 모 덤핑 치과의 임플란트 케이스

3.44 필자 병원의 치과위생사 이새희 선생님이 LA 유니버셜 스튜디오에서 촬영한 사진

부산에 계신 선생님께서 타 치과에서 시술한 재밌는 케이스라며 필자에게 보내주신 사진이다(**3.43**). 세 임플란트는 모두 같은 치과에서 했다고 한다. 우리나라에서 가장 악명 높은 과잉 덤핑 치과이다. 아마도 의사가 자주 바뀌어서 그랬을 수도 있지만, 너무 일관성이 없다. 물론 다 잘못했지만 그래도 그나마 이 중에 가장 잘한 걸 고르라면 당연히 35번(**3.43A**) 임플란트일 것이다.

3.44는 필자 치과의 직원으로 미국에 놀러 갔을 때 유니버설 스튜디오에서 찍은 사진이다. 필자가 강의 시간에 종종 보여 준다. 이 사진에 나온 캐릭터들을 임플란트라고 가정해 본다면 왼쪽의 캐릭터가 오히려 더 사람에 가까운 것이라고 말한다. 절대 임플란트를 오른쪽의 꺽다리처럼 하면 안 된다.

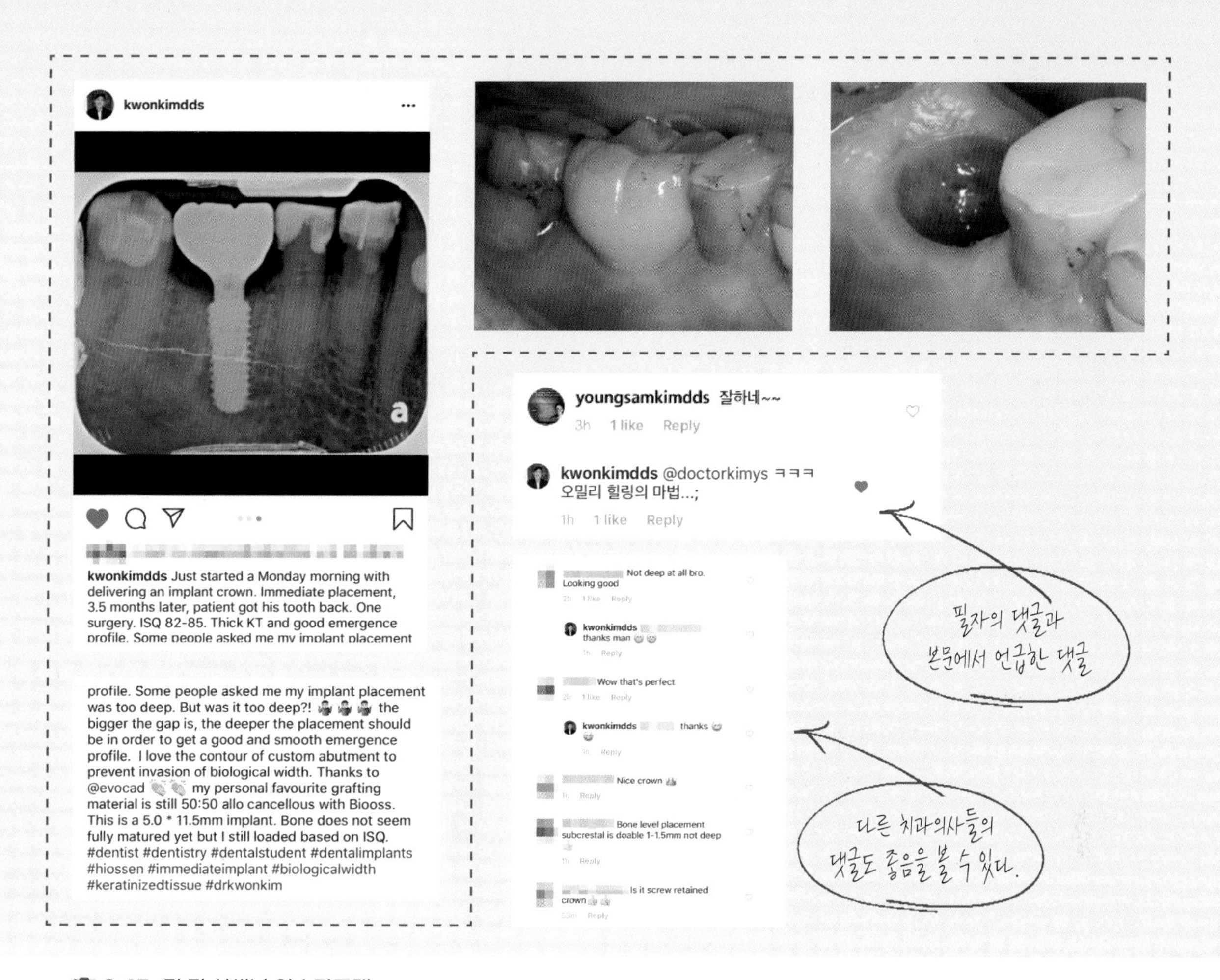

3.45 권 킴 선생님 인스타그램

오랜만에 토론토의 권 킴 선생님 인스타에서 예쁜 임플란트 크라운을 발견하여 칭찬하였더니 필자가 카톡으로 설명하고 권유한 "5 mm 힐링의 마법"이라고 대답해 주었다(**3.45**). 임플란트 길이가 너무 긴 것 같긴 하지만, 아마 필자의 임플란트 강의를 듣기 전이라 그랬을 것이다. 물론 그 이후에 필자를 캐나다에 초청하여 직접 필자의 임플란트 강의를 들을 때에도 캐나다의 덩치 큰 백인들은 치아가 너무 커서 긴 임플란트를 심어도 너무 작아 보인다고 하소연하기는 했다. 특히 즉시식립의 경우는 더 그렇다고 한다. 필자도 이해하지만, 씹는 힘과 식습관은 한국 사람들이 더 안 좋은 것을 늘 감안하라고 이 책의 첫 장에 그 내용을 쓴 것이다. 한국 사람들한테서 되는 것이라면 캐나다의 덩치 큰 백인 남자들에게도 될 것이라고 생각된다.

이것이 인연이 되어 지금은 필자의 멕시코 라이브 서저리에 종종 패컬티로도 참여 중이다. 사실 원래도 잘하던 선생님이라 살짝만 필자의 스타일을 가미한 정도지만 필자에게는 큰 힘이 되고 있다.

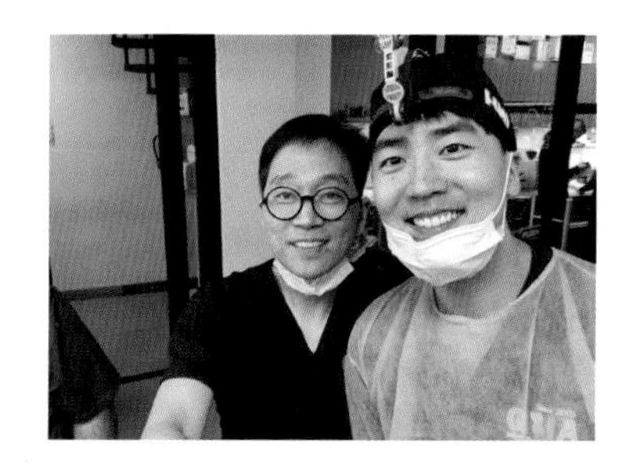
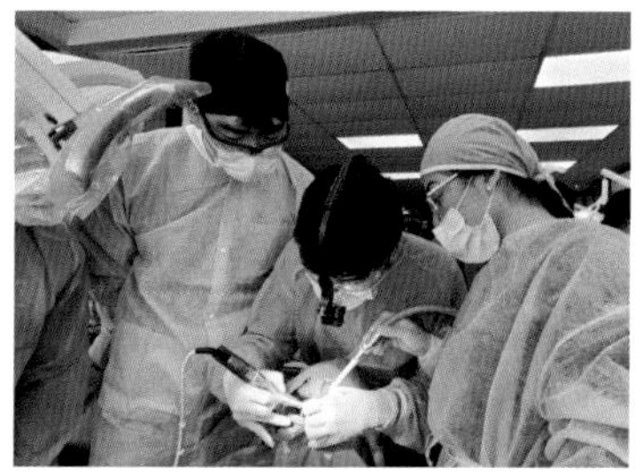
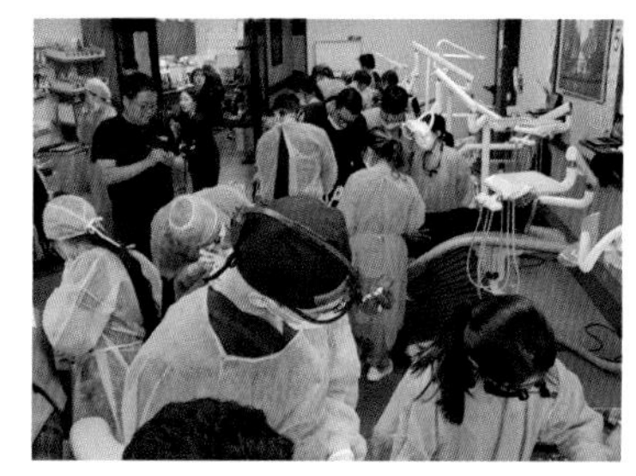

임플란트 높이에 대한 기본 개념이 바뀌기 위해 포스터부터 바꿔야

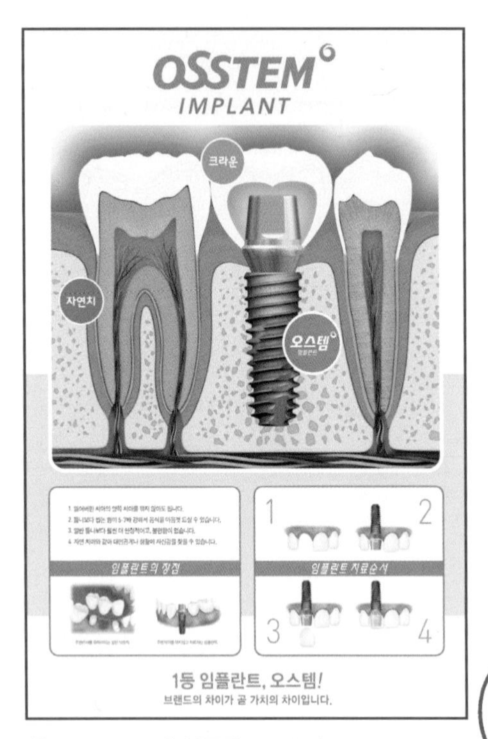

3.46 오스템 임플란트 포스터

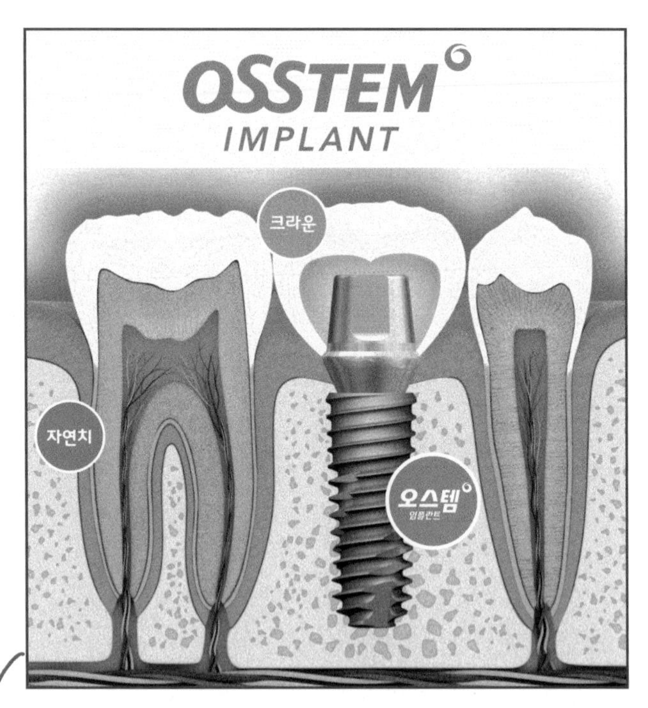

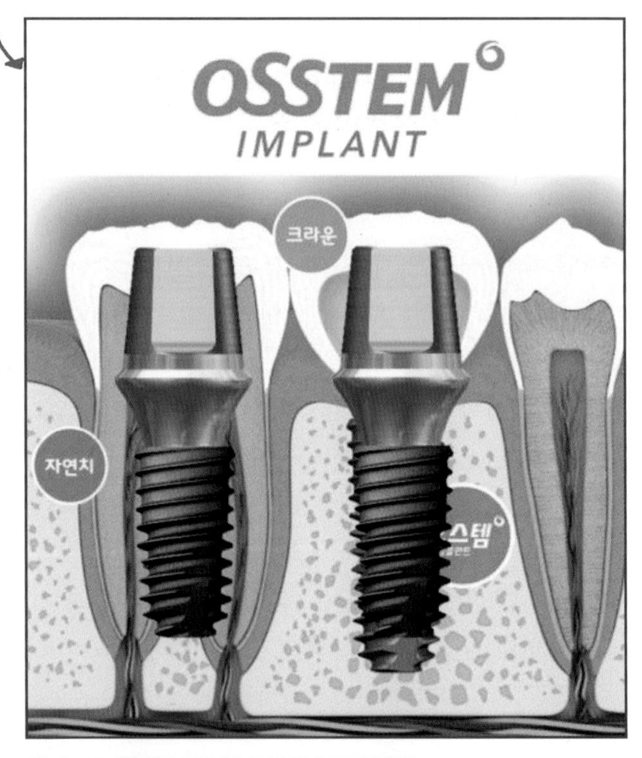

3.47 필자가 바꾸고 싶은 포스터 이미지
픽스처 5.0*8.5 mm, 어버트먼트 진지발 하이트 5 mm, 크라운 5 mm이다.

필자가 가장 많이 사용하는 임플란트인 오스템의 포스터이다(**3.46**). 이 포스터를 보고 있노라면 필자가 다시 그리고 싶다. 물론 환자용으로 대충 그린 것이지만, 초보 치과의사들도 늘 보기 때문에 포스터를 좀 바꿨으면 한다고 건의하였다. 임플란트의 사이즈를 추정해 보면 직경은 4.5 mm, 길이는 11.5 mm, 어버트먼트 진지발 하이트는 2 mm, 크라운 길이는 7 mm 정도 되는 것 같다.

이 포스터는 **3.47**처럼 바뀌어야 한다. 하악 6번이고 골이 충분함을 감안하여 임플란트 사이즈를 5.0에 8.5 정도로 하고 임플란트를 지금보다 2 mm 정도 더 깊게 심어야 한다. 오스템의 메인 유저로서 포스터도 제발 이렇게 바뀌길 기대해 본다.

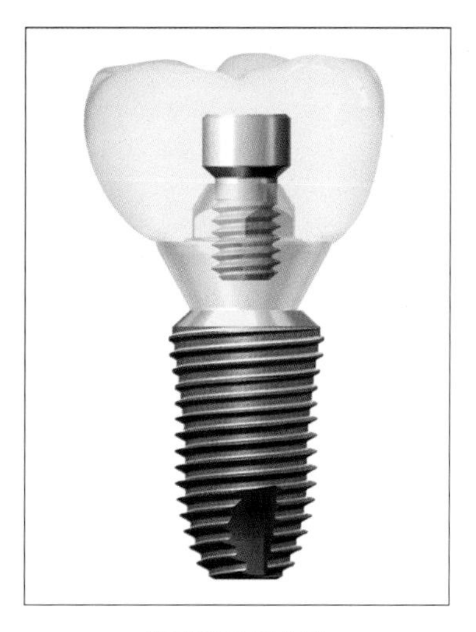

덴티움의 포스터

아크로벳임플란트 포스터

3.48 필자가 생각할 때 비교적 잘 만들어진 임플란트 이미지

국내 임플란트 산업을 선도하는 덴티움의 포스터를 보니 어버트먼트가 좀 길어진 것을 볼 수 있다(**3.48**). 물론 크라운은 왜 뜬금없이 스크류 타입인지는 모르겠지만 말이다(임플란트 포스터가 아니라 새로운 어버트먼트 포스터일 수도 있다). 그 옆이 아까 본 프로쉐이퍼를 만든 회사의 임플란트 포스터이다. 역시나 임플란트의 어버트먼트의 패시브함을 중요하게 생각한 것이 여기서도 보이는 듯하다. 포스터에서도 넉넉하게 쭉 뻗은 어버트먼트를 볼 수 있다. 혹시라도 이 책을 임플란트 업체에서 본다면 앞으로는 포스터 만들 때도 임플란트 모양을 현대적인 개념을 담은 그림으로 그려주길 바란다. 그래야 치과의사들도 좋은 임플란트와 아닌 것이 눈에 익게 될 것이기 때문이다. 필자가 늘 강의 시간에 이야기하는 원숭이와 사람을 구분하는 데 도움이 될 것이다.

3.49 이번에 필자가 아카데미 이름에 "international"이라는 말을 넣으면서 조금 수정한 로고이다. 아카데미 로고를 만들면서도 어버트먼트를 더 길게 하였다.

김영삼원장의

노트
정리

EASY SIMPLE SAFE EFFICIENT

MASTERING DENTAL IMPLANTS

임플란트 달인되기

꼭 알아야 할 임플란트의 필수 성공요소

The Essential Elements for Success in Dental Implants

PART

임플란트와 연조직

뼈가 살을 못 이긴다

5-1 Attached gingiva와 Vestibule

CHAPTER 5-1

Attached gingiva와 Vestibule

Mastering dental implants

임플란트 유지관리의 KEY는?

앞서 언급한 대로 임플란트를 올바른 "위치 · 방향 · 높이"로 잘 심었다고 한다면 추가로 살펴볼 만한 다른 요소는 뭐가 있을까? 이제는 소프트티슈 부분만 남아 있다. 아마도 임플란트 크라운 세팅 때까지는 임플란트나 골이식재 등이 노출되지 않는 한, 그 중요성이 크게 부각되지 않을 것이다. 세팅 후에 유지관리 부분에서 환자가 임플란트 주변 조직의 통증을 호소하거나, 방사선 사진상에서 골소실이 관찰되어야만 소프트티슈에 관심을 갖는 경향이 있다.

필자의 임플란트 경험 중 가장 큰 장점이라고 할 수 있는 것은 20년째 한 자리에서 임플란트를 꾸준히 시술해 온 것이다. 환자 중에 지인이 많아서 리콜이 비교적 잘 되고 있다는 점도 있다. 같이 일하는 치과의사들과 비교했을 때 기계적 파절에 의한 임플란트 문제도 비교적 적은 편이다. 그것은 아무래도 임플란트를 임플란트를 올바른 위치에 심으려고 부단히 노력했기 때문이 아닌가 생각해 본다.

그러나 의외로 소프트티슈에서는 꾸준히 문제들이 발생하는 것을 볼 수 있었다. 치과를 20년이나 해오다 보니 10대 후반이었던 임플란트 환자는 30대 후반이, 40대였던 환자들은 60대가, 60대였던 분들은 80대가 되어 있는데, 오랜 기간 동안 필자가 해온 임플란트를 보고 있노라면 **자연치는 환자의 나이에 맞춰 나이들어 가지만, 임플란트는 크라운 파트의 포셀린 파절 이외에는 거의 변하지 않는다**는 느낌을 받았다. 그런데 의외로 임플란트 연조직들은 자연치아 주변의 연조직들이 변해가듯이 세월을 두고 주변 연조직들과 함께(또는 더 빠르게) 변해가는 것을 볼 수 있었다.

이 챕터에서는 어찌 보면 바보처럼 보일 수도 있지만, 필자의 ESSE 콘셉트에 맞게 누구나 쉽게 따라할 수 있는 간단한 방법으로 소프트티슈를 다룰 것이다. 한번은 필자가 치주과 강의를 들은 적이 있는데, 주제가 임플란트 주변의 베스티뷸과 keratinized gingiva에 관한 내용이었다. 강의 주제를 요약하자면 "keratinized gingiva는 중요하지 않다. 베스티뷸이 깊은 것이 중요하고, 그로 인해서 **임플란트 주변 조직이 움직이지 않는 것이 더 중요**하다"는 것이었다. 세부적으로는 FGG 없이 vestibuloplasty만 했을 경우에도 예후가 좋았다는 내용부터 포켓뎁쓰가 5 mm 이상이면 peri-implantitis가 발생하므로 플랩 서저리가 필요하다는 내용 등이었다. 결국은 fluctuation of marginal gingiva 없이 stable marginal gingiva가 유지관리의 핵심이라는 것이다.

근본적인 취지에는 동의하면서도 한두 가지 의문점이 드는 부분도 있다. '치주낭이 5 mm 이상이면 안 좋다는데, 의외로 깊게 심는 것을 선호하여 보통 낮아도 6-7 mm 깊이로 심는 분들은 어쩌란 말인가?'라는 생각도 들었다. 양측의 견해를 듣고 있노라면 모두 맞는 말 같다. 깊게 심는 분들의 철학은 "임플란트를 깊게 심으면, 아무리 태풍이 몰아쳐 파도가 거세게 일어도 심해의 물은 잔잔하다" 정도의 취지인 듯하다. 그러나 임플란트 치주낭이 깊어서 문제였다는 말은 한 번도 들어보지 못했다. 오히려 장점이라는 말을 들어봤지만 말이다. 필자는 양측의 견해를 모두 받아들여서 **깊게 심지만, 베스티뷸도 깊어서 stable marginal gingiva가 유지**되면 더 좋겠다고 생각한다.

최근 들어 임플란트 쓰레드 몇 개 정도는 골 밖으로 노출되어도 큰 문제가 없다는 내용과 함께 부착치은이 반드시 필요한 요소가 아니라는 내용을 강의장에서 종종 들을 수 있다. 이런 부분은 컴퓨터 가이드 임플란트 서저리를 강조하는 업체의 세미나에서 자주 나온다. 모두 가이드 임플란트를 홍보하기 위해서, 치과의사들에게 가이드 수술에 대한 의구심 등을 없애기 위해서인 듯하다. 가이드 수술을 플랩리스와 엮어서 설명하는 사람들이 많은데, 이를 서로 너무 연관 지어서는 안 된다. 오히려 **플랩리스를 어쩔 수 없이 해야 한다면 그때 가이드를 고려**해야 한다고 할 수 있을 만큼 앞뒤가 바뀐 이야기다. 필자도 가이드 수술을 종종 하지만, keratinized gingiva가 넘쳐나도 환자가 전신질환이 있는 경우와 같이 매우 제한적인 케이스에만 플랩리스에 활용한다.

어쨌든 필자는 keratinized gingiva를 좋아한다. 학교 다닐 때 "부착치은(attached gingiva)"과 "각화치은(keratinized gingiva)"이라는 용어의 차이점에 대해서 공부하고 시험도 봤지만 임상에서 큰 차이는 없어 보인다. 가끔 그래도 구분해서 써야 한다고 딴지를 거는 사람들이 있는데, 임플란트를 똑바로 심는 것보다 이런 이론적인 것에만 집중하면 실력이 늘지 않는다. 그런 건 학생들이나 알면 되는 것이다. 혹시 이 책을 보고 있는 사람이 학생이라면 아직 관심 가질 필요는 없으니 얼른 내려놓고 치주학 책을 보고 두 가지 용어의 차이점이나 공부하기 바란다. 그러다가 치과의사가 못 되는 수가 있다. 😊 책을 참 이해하기 쉽게 써도 이런 문제점이 있다. 어쨌든 필자는 이 책에서 두 용어를 섞어서 쓰겠지만, 같은 말이라고 생각해주길 바란다.

필자가 임플란트를 공부하다 보면 가끔 사람들이 "keratinized gingiva는 2 mm면 충분하다"라고 영혼 없이 하는 말을 듣곤 한다. 필자는 그렇게 생각하지 않는다. 오히려 많을수록 좋다고 생각한다. 임플란트 주변에서만 생각해서 keratinized gingiva의 두께를 말하는데, 필자는 임플란트 주변보다는 오히려 베스티뷸 쪽의 양을 더 중요하게 생각한다. 베스티뷸의 중요성을 강조하는 견해와 같이 결국 무버블 연조직이 임플란트에서 멀리 떨어져 있는 것이 좋다고 생각하기 때문이다.

기억을 더듬어보면 필자가 학교를 다니던 90년대에는 임플란트가 많지 않아서 외과에서 덴쳐를 하기 위한 vestibuloplasty를 종종 했었다. 그때 내려놓은 베스티뷸이 올라오지 못하도록 자가중합 레진으로 만든 스텐트 등을 끼워서 눌러준 것을 종종 보았다. 요즘도 FGG를 하기 위해 mucosa를 구강전정 하방에 봉합하고 진지바를 그래프트한 후에 페리오 팩 등으로 구강전정을 눌러주는데, 결국 베스티뷸이 움직이지 않고 안정된 상태로 있는 것이 성공의 핵심이기 때문이다.

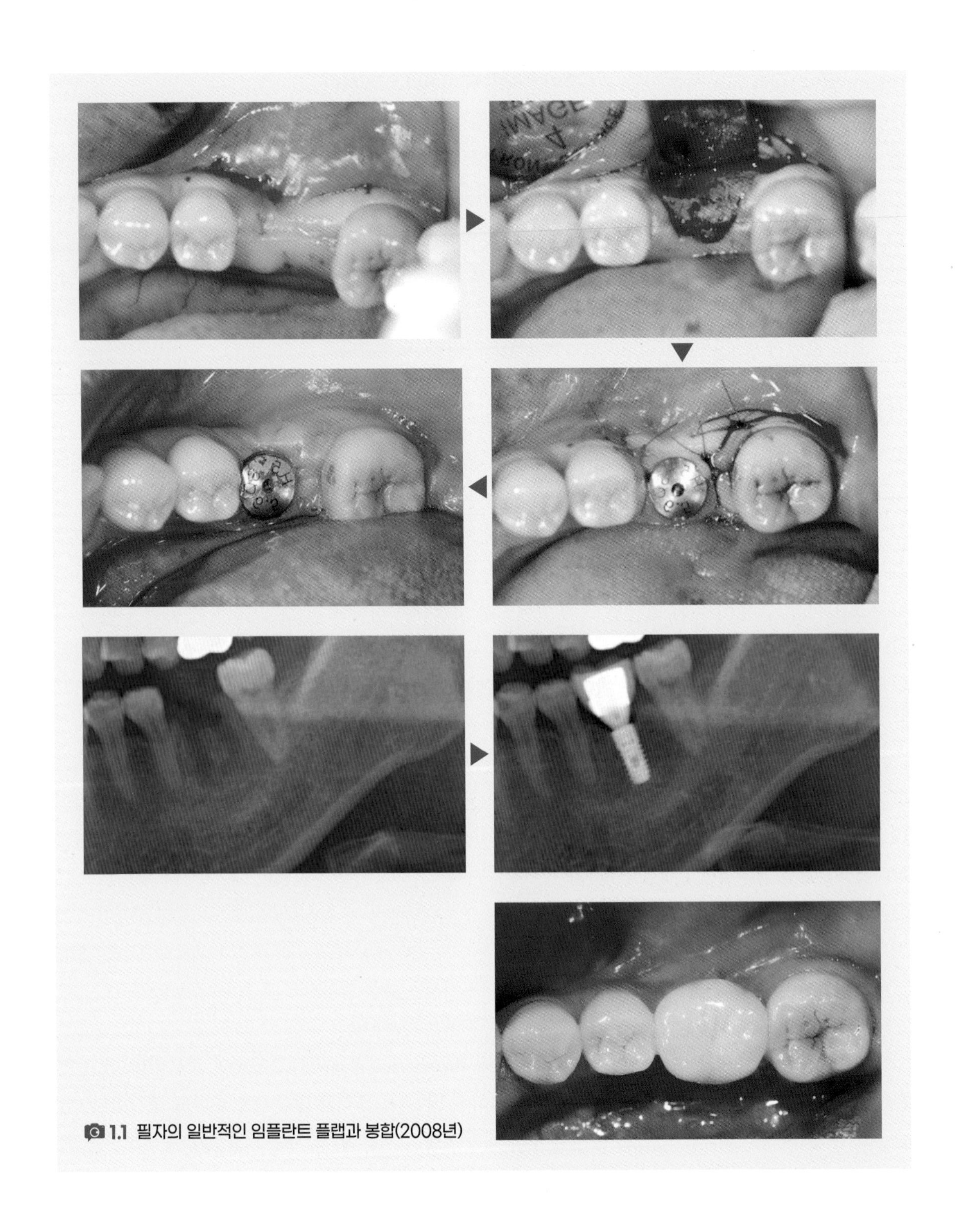

1.1 필자의 일반적인 임플란트 플랩과 봉합(2008년)

필자의 가장 일반적인 임플란트 서저리 테크닉이다. 파필라를 보존하면서 keratinized gingiva를 버칼로 밀어서 베스티뷸 높이를 일정하게 맞추면서 봉합하는 것이다. 단단한 keratinized gingiva를 페리오 팩처럼 베스티뷸을 눌러놓는 용도로 사용한다. 1.1은 오래전 케이스인데 강의 때마다 보여주다 보니 정이 들었다. 이만큼 오래전부터 필자가 같은 방식을 고수해 왔음을 볼 수 있다.

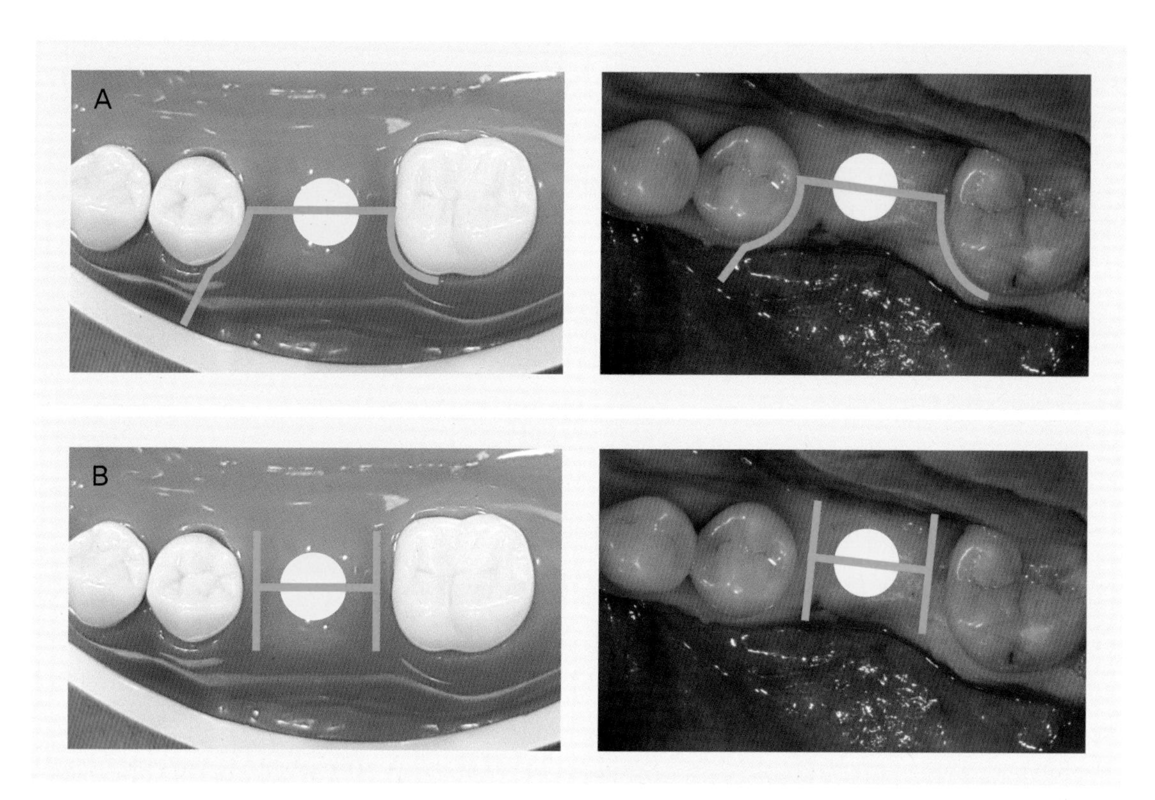

1.2 **A**: 필자가 처음 배울 때 사용한 인시전 방식, **B**: 파필라를 보존하기 위한 H자 절개

1.2A가 필자가 임플란트를 처음 공부하던 시절에 배운 가장 흔한 인시전 스타일이었다. 앞 치아의 원심면에서 수직 인시전을 하거나 그래프트 등을 해야 하면 근심면에서나 한 치아 앞에까지 와서 인시전을 했었다. 그리고 한참을 잊고 지냈는데 후배들이 임플란트 세미나를 다니는 걸 보니 요새는 H자 절개 봉합으로 많이 가르친다고 한다(**1.2B**). 아마도 파필라를 포함한 절개를 했을 경우에 확실히 더 붓고 아프고 회복도 느리기 때문일 것이다. 그리고 임플란트를 그만큼 작은 수술로 간주하게 되면서부터일 것이다.

임플란트를 많이 하다 보면 굳이 너무 크게 열 필요가 없음을 스스로 깨닫게 된다. 필자도 마찬가지여서 언젠가부터는 되도록 파필라를 포함하지 않고 필요한 만큼만 인시전하게 되었다. 사실 의외로 이런 부분은 한참 임플란트를 시작할 때 배우고 생각하는 것이지, 일정 시간이 지나면 관심 밖으로 밀려나는 것 같다.

그러나 H자 인시전을 해서 심다 보면 두 가지 문제점이 발생할 수 있다. 첫 번째는 수술 과정에서 어시스트가 링구알까지 리트랙션하고 있어야 한다는 것이다. 그렇지 않으면 드릴링할 때 계속 걸리적거리면서 불편하게 된다. 어쨌든 그렇게라도 수술을 마쳤다고 치자. 이후 힐링 어버트먼트를 올리고 봉합을 하면 어떨까? 보통은 버칼로 진지바가 밀리기라도 하지만 링구알은 사실 더 이상 어떻게 할 수 없이 힐링 어버트먼트에 접혀진 듯이 있다가 천천히 세월과 함께 흡수되어 처음부터 잘라낸 형태로 될 것이다. 아니면 봉합 전에 잘라내야 하는데, 그렇다면 keratinized gingiva가 링구알에도 부족한 매우 얇은 케이스가 아닐 경우에는 처음부터 링구알 쪽 진지바를 임플란트의 설측 접선 부위를 넘어서까지 남겨둘 필요가 없는 것이다.

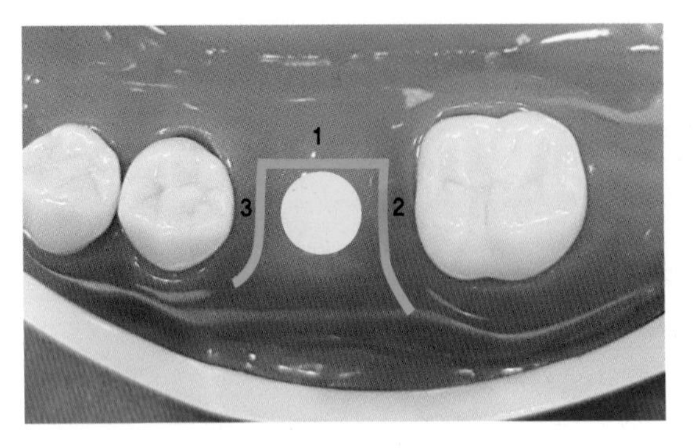

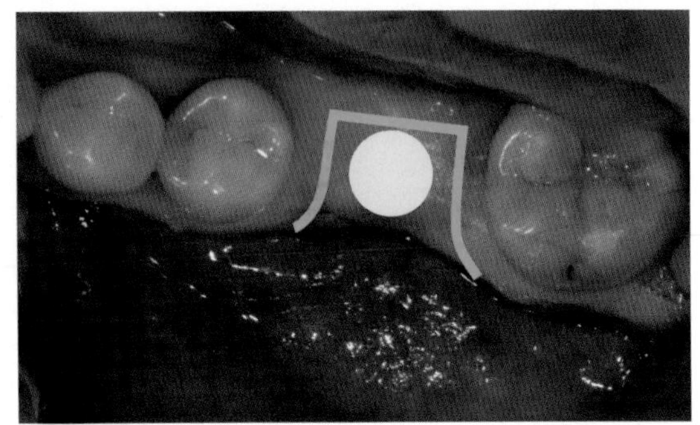

1.3 필자의 절개 방식

그래서 필자는 임플란트가 위치할 위치를 설정한 다음에 링구알 접선 부분에 근원심 절개를 가장 먼저 한다. 그리고 파필라를 최대한 보존하기 위해서 1.5 mm 정도 남기고 수직절개를 한다. 어지간한 케이스는 모두 1.3과 같이 인시전을 하는데, 의외로 이런 식으로 가르치는 사람이 없는지 수강생들이 신기해하길래 "김영삼의 접선 이론"이라고 이름 붙여 봤다. 필자의 라이브 서저리 코스에서는 가끔 파필라를 포함한 플랩이나 특정 케이스에 맞는 다른 절개 방식과 구분되는 용어로 사용되기도 한다. 필자는 임플란트 모형으로 실습할 때도 반드시 진지바가 있는 비교적 비싼 모델로 한다. 임플란트의 위치는 진지바에서 잡아야 하기 때문에 진지바 없이 임플란트 식립을 연습한다는 건 의미가 없다고 생각해서이다. 뼈보다 진지바 위치가 더 중요하다고 생각한다.

이렇게 인시전을 하고 나면 협설로 인시전 라인에서 2 mm(직경 5 mm 임플란트를 심는다는 전제하에 반지름) 정도 떨어져서 드릴링을 시작하면 된다. 이는 임플란트 위치를 잡는 데도 매우 도움이 된다. 그렇게 드릴링을 하게 되면 구멍이 커지면서 임플란트의 링구알 면이 링구알 진지바에 접하게 되기 때문에 "김영삼의 접선 이론"이라고 부르게 되었다.

그런데 초보자들을 가르치다 보면 📷 **1.4**처럼 인시전하는 경우가 많다. 앞서 곡괭이에서 설명했듯이 치아의 원심면이 잘 안 보이기 때문에 앞 파필라가 좀 크고 뒤가 얇은 형태로 되는 것이다. 이렇게 인시전이 되었다면 그때부터는 근원심으로는 인시전을 한 중간 위치가 아니라 조금은 더 앞쪽 위치에서 드릴링을 시작해야 할 것이다. 어쨌든 필자의 인시전은 최대한 파필라를 포함하지 않으면서 크게 하는 것이 원칙이다. 그래서 조금의 keratinized gingiva도 잘라내지 않고 버칼에 밀어서 봉합한다.

부착치은이 너무 넘쳐나서 봉합이 쉽지 않거나, 협측 부착치은은 많은데 잇몸의 회복기를 충분히 갖지 못하고 바로 보철을 해야 하는 경우에는 힐링 어버트먼트 부분의 잇몸을 살짝 잘라낸다. 수강생들에게 진지바를 잘라내는 연습을 시킬 때에는 원형이나 삼각형 등 힐링 어버트먼트 공간의 진지바만 잘라내도록 가르치기도 하는데, 의외로 컨트롤이 잘 안돼서 너무 많이 잘라내는 경우가 대부분이었다. 그래서 필자는 그냥 어지간하면 잘라내지 말고 봉합하라고 하는 편이다.

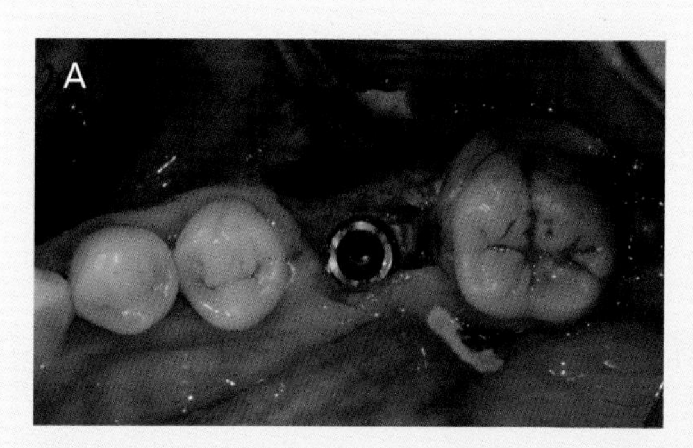

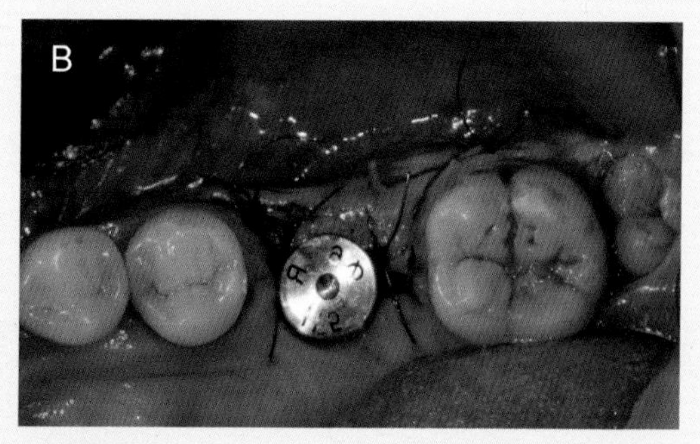

📷 **1.4 필자 방식을 따라 하는 초보자들의 일반적인 임플란트 수술 방식**

초보자들이 하는 식으로 해본 필자의 절개 봉합 케이스이다(📷 **1.4**). 좀 조잡하지만 오래전부터 쓰던 강의자료라 정들어서 버리지 못하고 강의할 때마다 사용한다. 요즘도 그냥 막 하다보면 이런 식으로도 많이 된다. 필자는 임플란트를 할 때 그것을 단순히 절개와 봉합이라고 생각하지 않고, 모든 케이스에서 FGG와 vestibuloplasty를 병행한다는 마음으로 한다. 정말 vestibuloplasty가 모든 경우에 필요할까?

김영삼 원장

정말 vestibuloplasty **구강전정성형술**이 필요한지에 대한 필자의 견해는 "언제나 해야 한다"이다. 구강전정은 생각보다 빨리 변한다. 일반적으로 입안은 빈 공간이 없다. 있는 것처럼 보이지만 치아의 안쪽은 혀가 다 채우고 있고, 버칼은 뺨이 빈 공간 없이 채우고 있다. 이것은 혀에 난 치아 자국과 볼에 난 치아 자국에서 확인할 수 있다. 그런데 만약 치아가 빠지면 어떻게 될까? 그 공간을 메워야 한다. 안쪽에선 혀가 좀 볼록해지면서 치아가 있던 자리를 채울 것이다. 그러나 뺨은 혀보다 좀 더 땡땡하고 탄력이 있어서 그런지 공간이 쉽게 메워지지 않는다. 어쨌든 우리 입에는 언제나 음압이 형성되기 때문에 계속 뭔가를 빨아들이게 된다. 하루에도 수백수천 번 그럴 수 있다. 이럴 때마다 베스티뷸은 조직을 끌고 치아가 있던 자리로 딸려 올라간다. 그래서 이가 빠진 지 몇 달만 지나도 생각보다 베스티뷸이 위로 올라와 있는 것을 볼 수 있다.

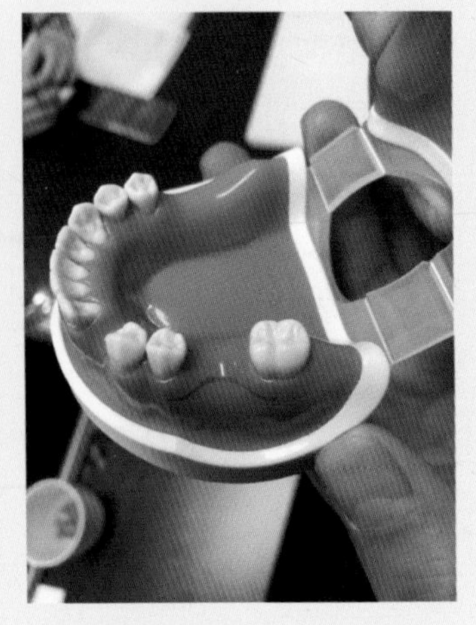

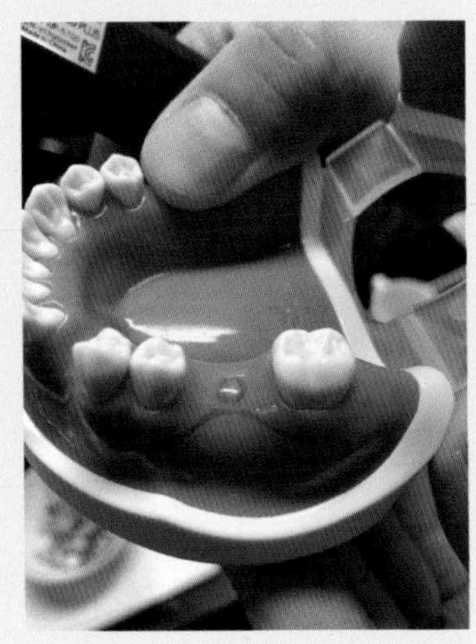

1.5 필자는 모델 실습을 할 때 베스티뷸을 그려보게 한다.

오죽하면 필자는 임플란트 모델에서 실습할 때도 반드시 인시전을 연습하기 전에 모델에 가상의 베스티뷸 모양을 그려 넣도록 한다.

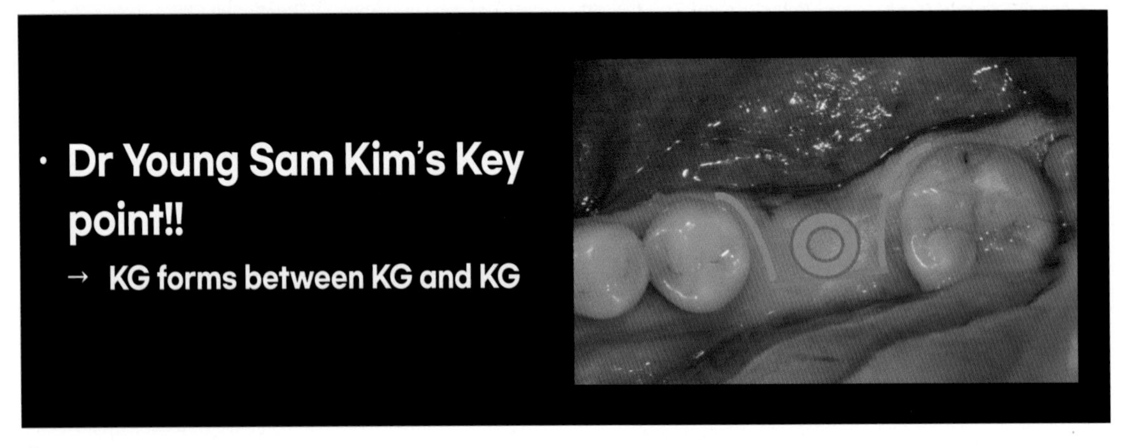

1.6 필자의 강의자료

Keratinized gingiva가 얇은 경우에는 그 사이에서 인시전을 최대한 크게 해서 최대한 멀리 벌려놓으려고 하는 편이다. 두 keratinized gingiva 사이를 벌려놓으면 언제나 keratinized gingiva가 생긴다는 신념하에 그렇게 하고 있다. 필자가 강의하면서 그냥 무조건 외우라고 하는게 몇 가지 있는데, 그 중 하나가 "**keratinized gingiva와 keratinized gingiva 사이에는 keratinized gingiva가 생긴다**"라는 것이다.

논문을 살펴보면 상피의 경우 밑에 존재하는 connective tissue의 영향을 받아서 각화 혹은 비각화 치은을 형성한다고 언급한다. 각화치은과 각화치은 사이를 벌려놓으면 두 각화치은 밑의 결합조직으로부터 granulation tissue가 형성된다. 둘 다 각화치은의 형성을 촉진하는 결합조직이므로 당연히 그 위에는 각화치은이 형성될 것이다.

J.Periodontal Res. 10:1-11

The role of gingival connective tissue in determining epithelial differentiation

T.KARRING, N.P.LANG AND HARALD LOE
Department of Periodontology, Royal Dental College, Aarhus, Denmark

참고: 밑에 존재하는 connective tissue에 따라 keratinized gingiva 또는 non-keratinized gingiva가 형성된다. 사이 공간의 경우 주변 connective tissue로부터 granulation tissue가 형성되고, 그 위에 각화 혹은 비각화조직이 생긴다(각화치은과 각화치은 사이는 둘 다 granulation tissue가 각화치은을 형성하는 connective tissue).

그러나 케이스에 따라서 많이 달라지기도 한다(**1.7**). 모든 게 지극히 정상이라면 임플란트를 심을 자리만 작게 절개하기도 하고, 최대한 옆으로, 밑으로, 근원심으로 또는 설측으로 펴지기도 한다. 거의 무조건 본 그래프트가 필요하다고 생각되거나 멤브레인을 쓰고 커버스크류를 해야 할 것으로 예상되면 플랩을 더 크게 열기도 한다.

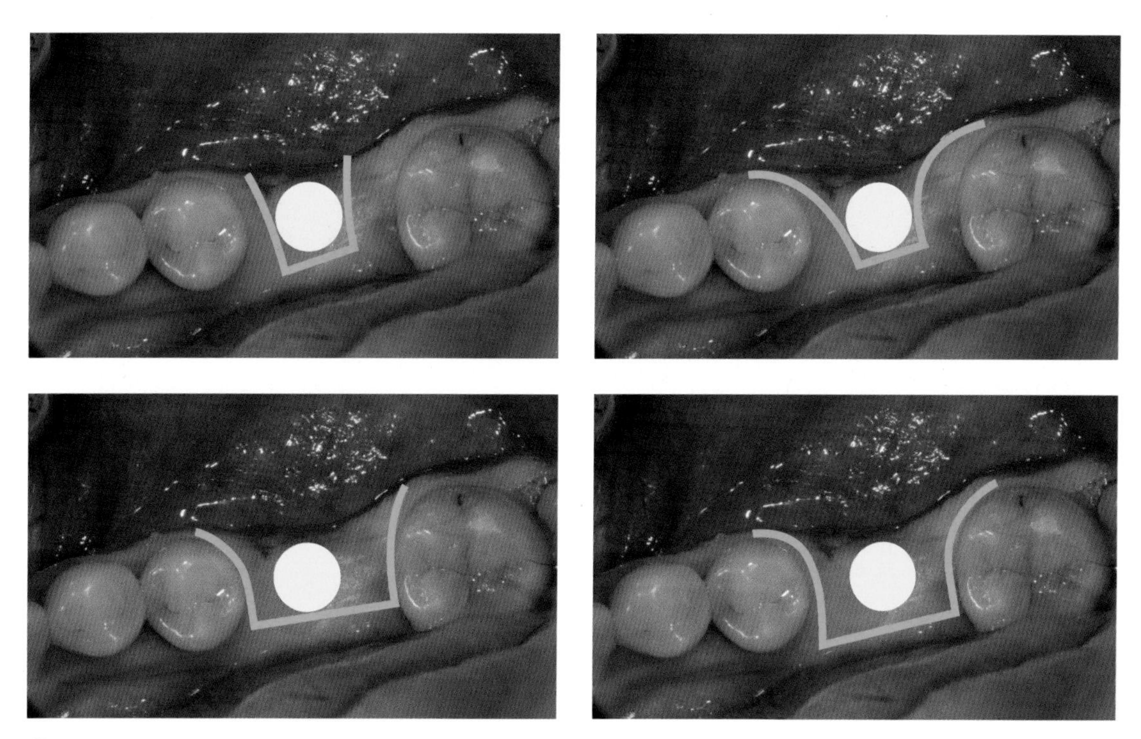

1.7 같은 임플란트 위치라도 진지바와 골의 형태, 양 등에 따라 절개 방식이 달라질 수 있다.

필자 스타일의 영삼플랩 케이스 보기 1

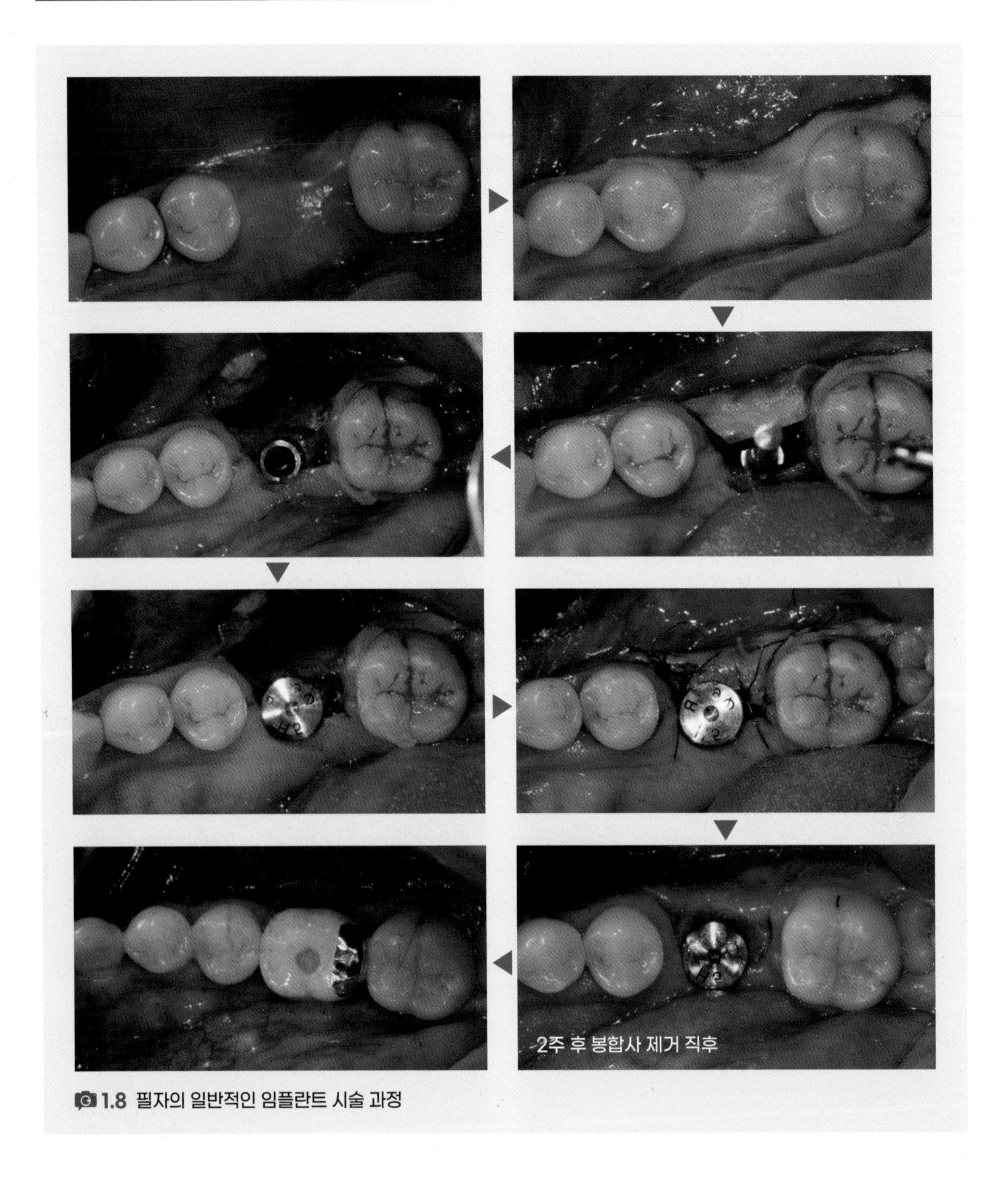

1.8 필자의 일반적인 임플란트 시술 과정

앞서 본 케이스인데 그래도 베스티뷸이 좀 더 깊어지고 keratinized gingiva가 증가한 것을 볼 수 있다(1.8). 물론 심한 케이스는 아니지만 굳이 뭐 힘들이지 않고 얻는 것이라면 이렇게 하는 게 좋다고 생각한다. 지금 당장이 아니라 멀리 본다면 조금이라도 keratinized gingiva가 더 많고 베스티뷸이 더 깊어서 나쁠 건 없기 때문이다. 이 정도 수술로 좀 더 붓거나 술후 통증이 더 심해진다고 생각되지는 않는다. 술후 통증이나 부종은 역시 파필라를 포함했느냐 안 했느냐가 더 중요한 요소라고 생각한다. 그나저나 크라운할 때 영혼이 어디 가출했었는지 아무리 오래전 케이스라고 해도 우리 직원이나 기공사나 7번 자연치가 있는데 굳이 디스탈에 메탈바이트 마진으로 한 이유는 잘 모르겠다.

필자 스타일의 영삼플랩 케이스 보기 2

가장 기본적인 하악 6번 케이스를 한 번 더 보자(1.9). 사실 좋은 케이스들이 많은데, 과정을 모두 까먹지 않고 찍은 경우가 거의 없다 보니 그나마 전후 사진이 다 있는 것으로 남겨 봤다.

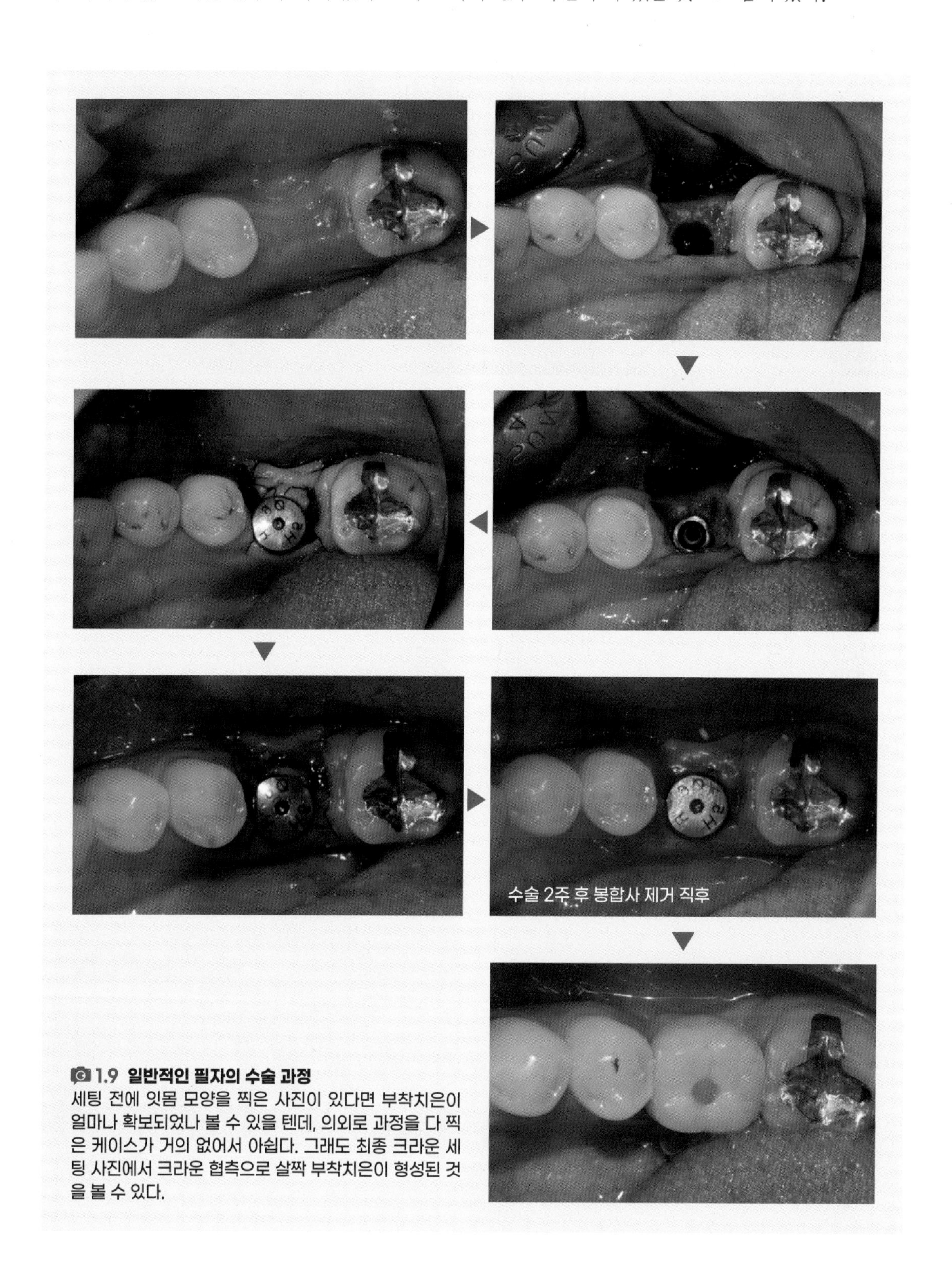

1.9 일반적인 필자의 수술 과정
세팅 전에 잇몸 모양을 찍은 사진이 있다면 부착치은이 얼마나 확보되었나 볼 수 있을 텐데, 의외로 과정을 다 찍은 케이스가 거의 없어서 아쉽다. 그래도 최종 크라운 세팅 사진에서 크라운 협측으로 살짝 부착치은이 형성된 것을 볼 수 있다.

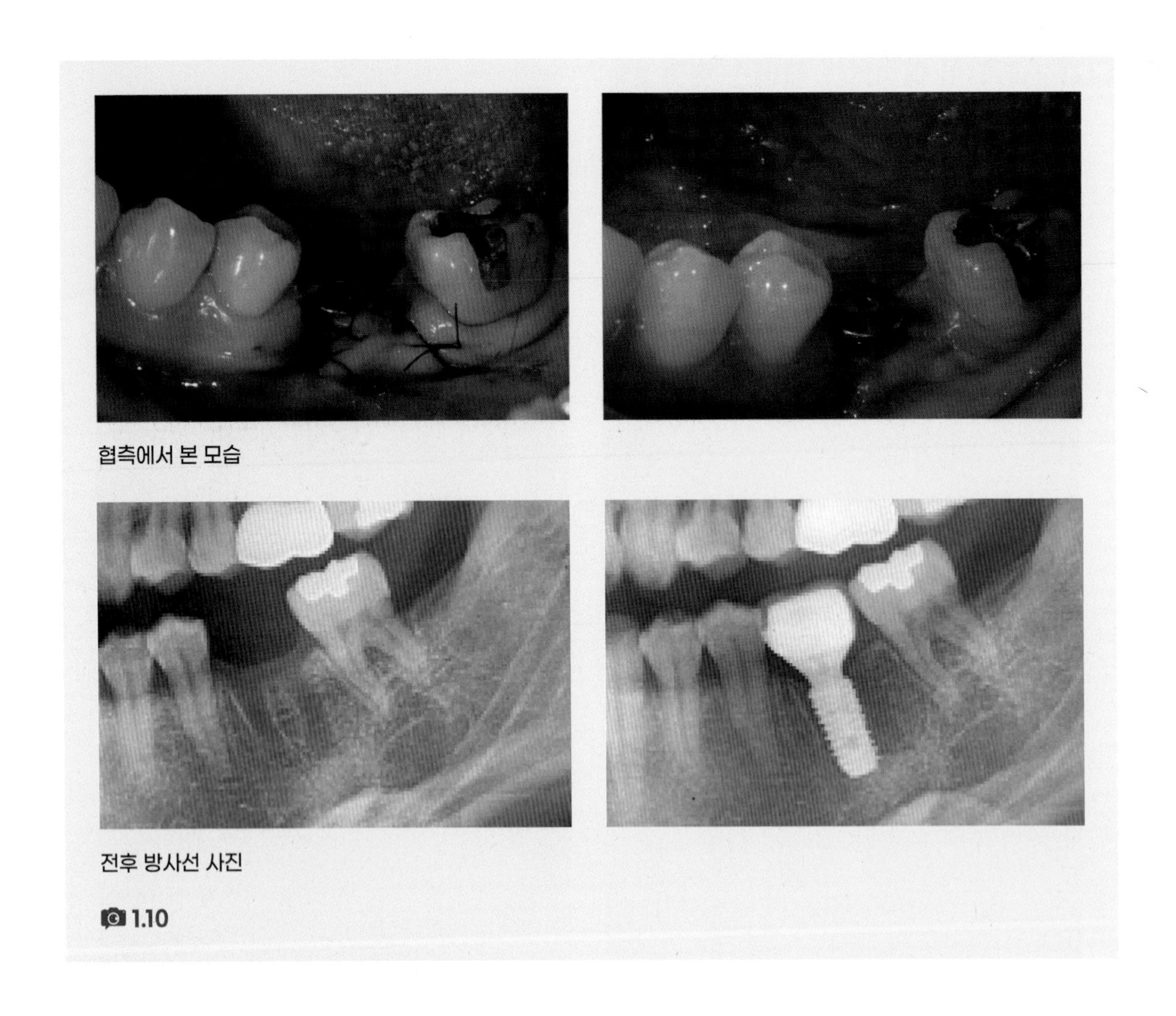

협측에서 본 모습

전후 방사선 사진

1.10

1.10 케이스는 메지알 쪽 플랩을 크게 해서 더 밑으로 내렸으면 좋았을 것 같다는 아쉬움이 남는다. 보통 이렇게 된 경우는 그냥 이 정도면 충분하다는 생각으로 영혼 없이 했거나 이공이 가깝게 있어서 메지알 버티칼 인시전을 잘못했을 수도 있다. 위축되어 좀 덜하는 경우도 종종 있다. 또한 발치하고 얼마 안 지난 경우는 크레스탈 쪽 진지바가 너무 얇아서 페리오팩처럼 부착치은을 베스티뷸 하방으로 확실하게 못 밀어주는 경우도 많다.

필자 스타일의 영삼플랩 케이스 보기 3

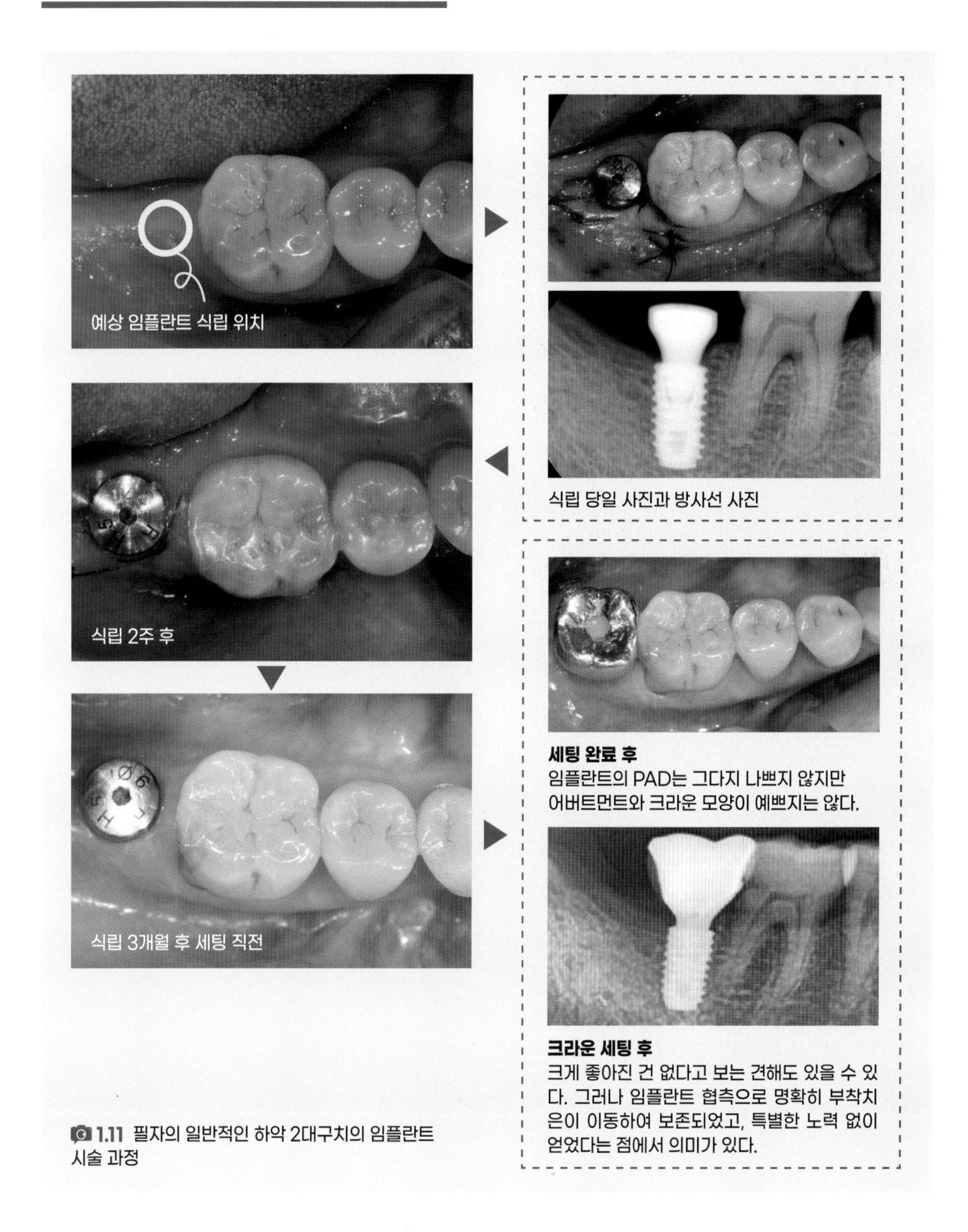

1.11 필자의 일반적인 하악 2대구치의 임플란트 시술 과정

하악 2대구치의 경우는 디스탈에는 버티컬 인시전보다는 원심협측의 ramus쪽으로 keratinized gingiva를 벌려서 식립하고 느슨하게 봉합하거나 심지어 그대로 두기도 한다(**1.11**). Keratinized gingiva가 정말 작을 때나 버칼로 밀어 놓은 진지바가 자꾸 링구알로 오게 되면 루이버튼으로 눌러주더라도 최대한 벌려 놓으려고 노력한다.

필자 스타일의 영상플랩 케이스 보기 4

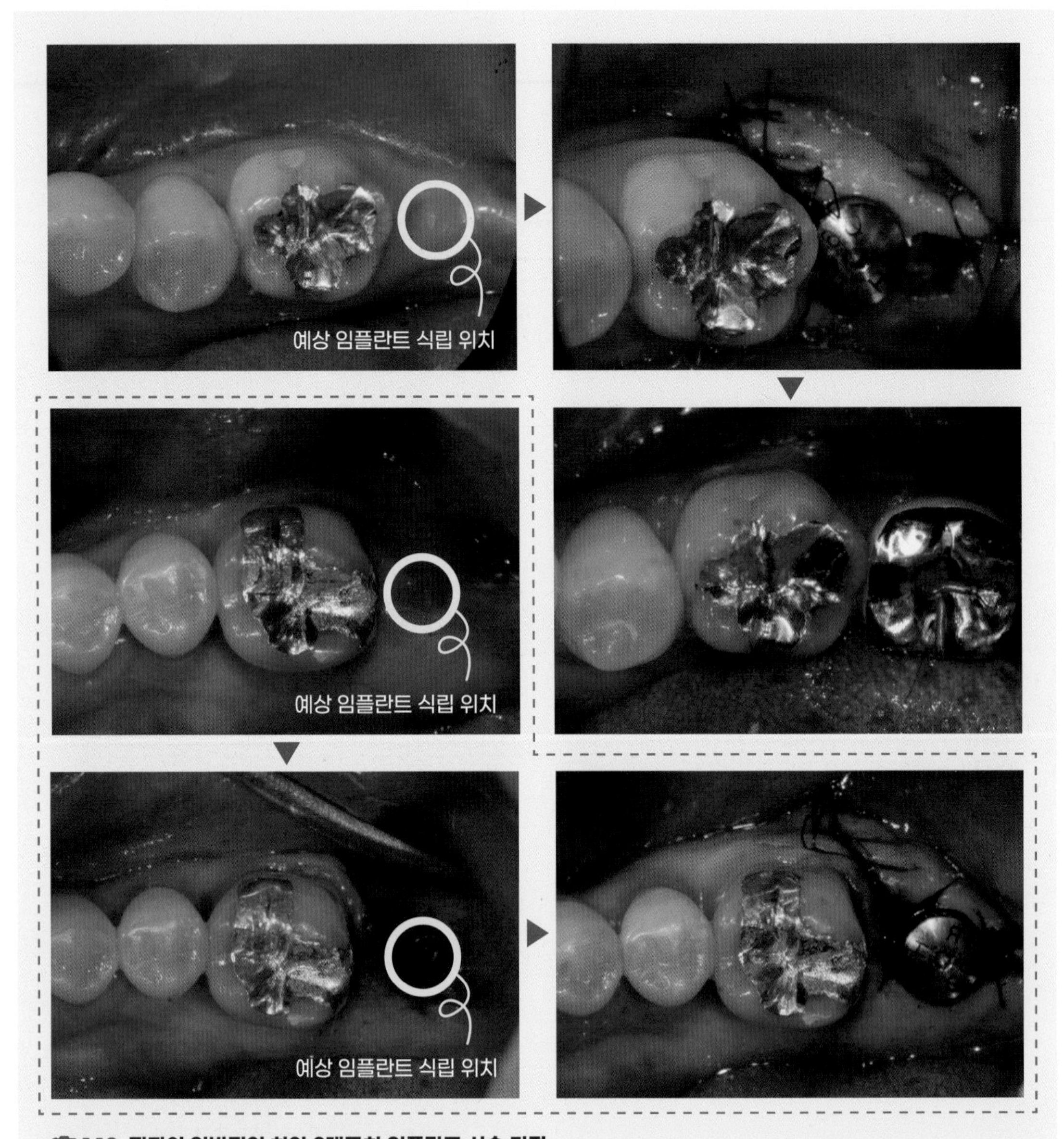

1.12 필자의 일반적인 하악 2대구치 임플란트 시술 과정
그냥 필자의 일상적인 수술을 기록해 본 것들이다. 두 케이스 모두 사진이 완성되지는 못했다. 봉합해 놓은 모습이 마치 같은 케이스처럼 비슷한 것이 중요 포인트이다.

항상 똑같이 진행하다 보니 사진이 많이 남아있지 않았다(**1.12**). 한 케이스를 완료하려면 사진을 찍는 데 동의를 잘 해주는 좋은 환자를 만나서 과정마다 빼먹지 않고 찍어야 하는데, 크라운을 보철과로 가서 하다 보니 이후에 사진을 세세하게 남기기가 여간 쉽지 않다. 어쨌든 keratinized gingiva를 버칼 진지바를 베스티뷸 쪽으로 밀어놓는 페리오 팩처럼 사용한다는 것이 핵심이다.

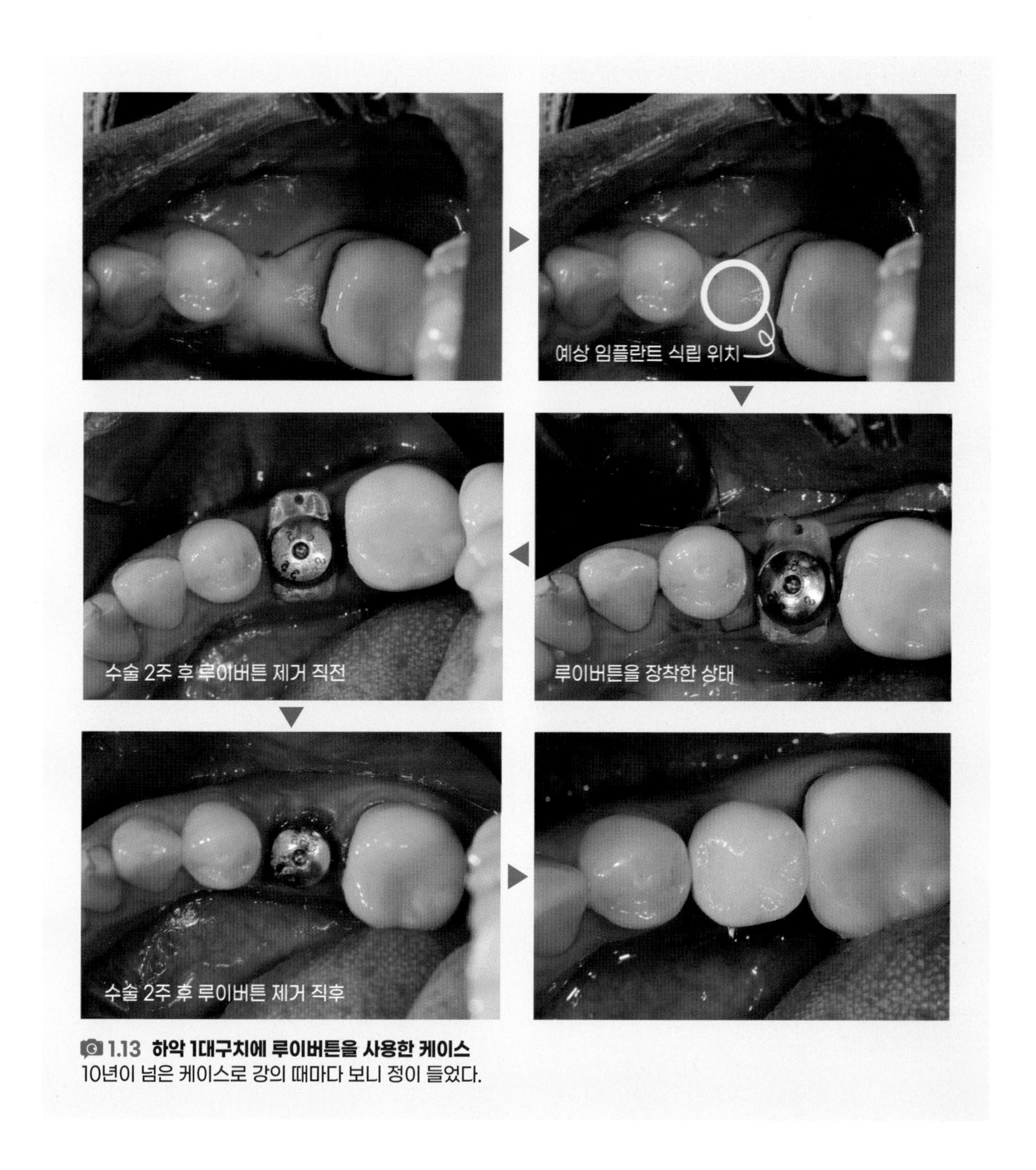

1.13 하악 1대구치에 루이버튼을 사용한 케이스
10년이 넘은 케이스로 강의 때마다 보니 정이 들었다.

덴티스 임플란트에서 나오는 루이버튼이라는 제품이 있다(1.13). 초보자들은 이런 인시전을 하기도 어렵지만 봉합하기는 더 어렵다. 그러다 보니 잇몸이 얇은 경우 다 찢어져버리는 일도 많다. 이럴 때 봉합 대신, 또는 봉합과 병행해서 진지바가 움직이지 않게 잇몸을 밑으로 눌러주는 장치(?)이다. 가격도 하나에 3천 원(미국에서 10달러) 정도로 저렴하고, 다른 회사 제품과도 대부분 호환되도록 여러 사이즈가 있다. 소구치 케이스지만 베스티뷸이 매우 깊어진 걸 볼 수 있다.

실제 임상에서 추천 가능하고, 초보라면 하악 7번에 매우 유용하다. 초보들은 하악 7번에서 플랩 봉합을 잘 못하고 버칼로 밀어놓은 진지바도 금방 움직이는 경우가 많기 때문이다.

필자 스타일의 영상플랩 케이스 보기 5

📷 **1.14**는 하악 6, 7번 케이스이다. 하악 6, 7번이 동시에 빠지면 베스티뷸을 잡아주는 주변 조직도 다 없어지기 때문인지 발치와 방향으로 매우 빠르게 keratinized gingiva가 흡수되어 베스티뷸도 같이 따라오게 된다. 📷 **1.14**와 같이 가상으로 임플란트 홀의 위치를 잡아보니 플랩리스로 심는다면 버칼에 keratinized gingiva가 거의 없어지는 것을 볼 수 있다. 또한 수술 후 사진을 보면 최소한 발치 전 정도로는 회복된 것을 볼 수 있다.

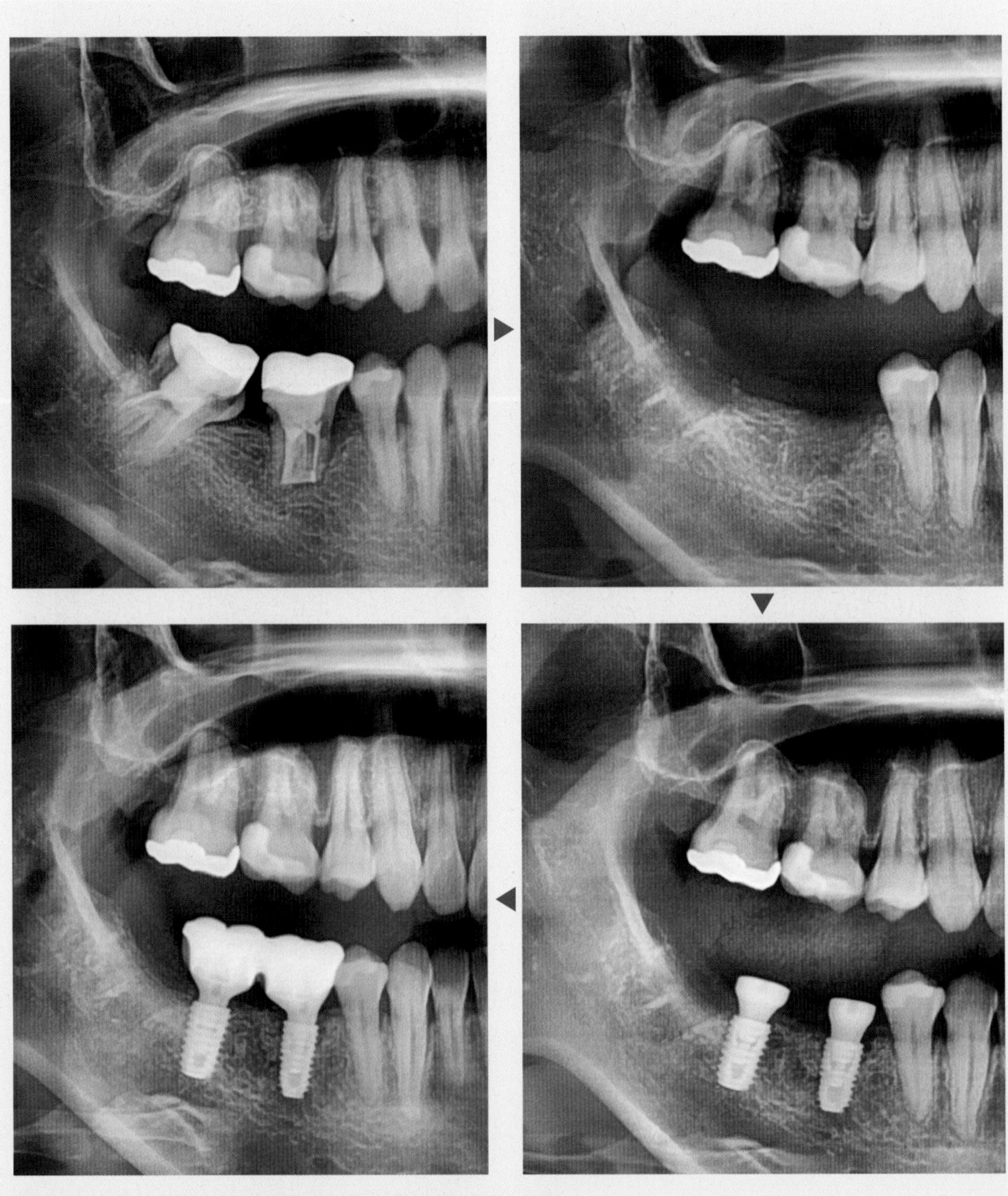

📷 **1.14A** 하악 1, 2대구치 임플란트 수술에 루이버튼을 사용한 케이스

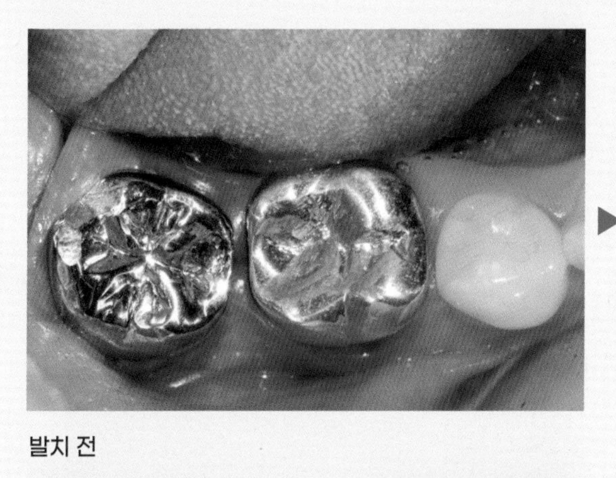

발치 전

발치 후

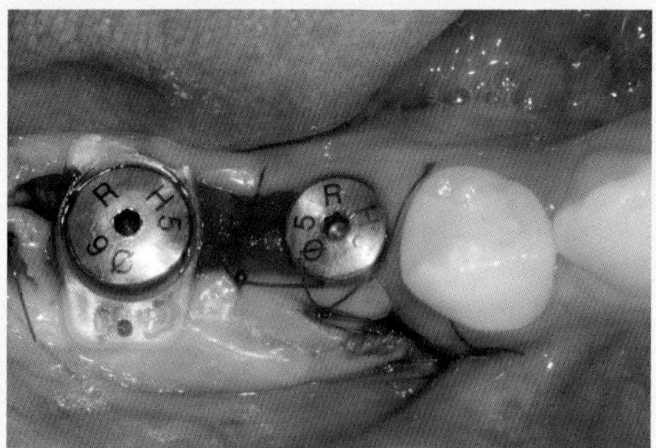

시술 직후

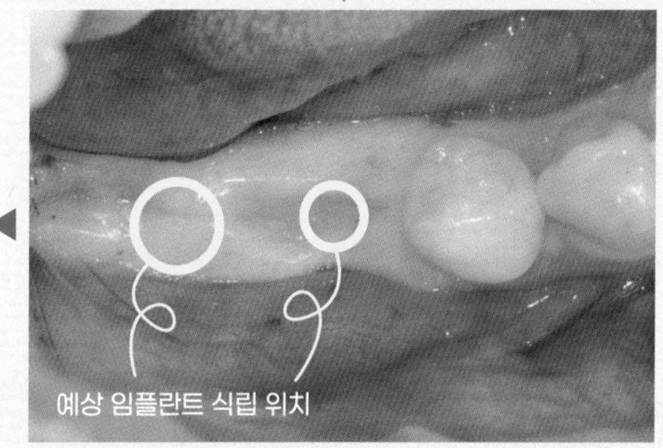

임플란트를 위해 마취한 후

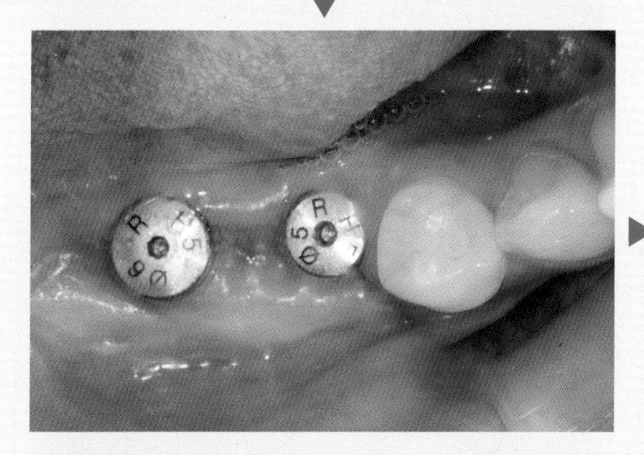

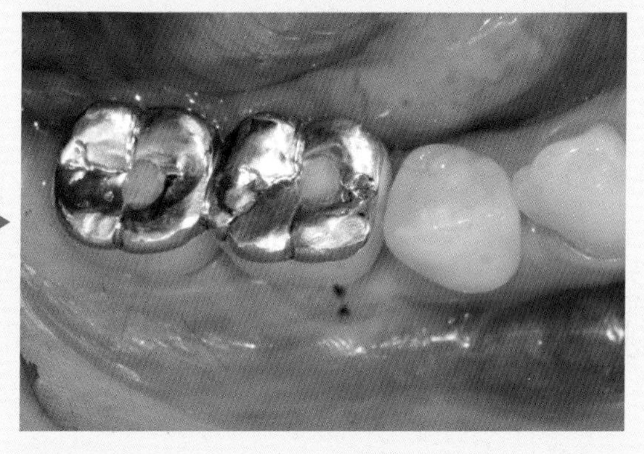

세팅 직후 측면사진

1.14B 하악 1, 2대구치 임플란트 수술에 루이버튼을 사용한 케이스
하악 6, 7번 협측으로 어느 정도 구강전정이 회복되고, keratinized gingiva가 생긴 것을 볼 수 있다.

필자 스타일의 영상플랩 케이스 보기 6

상악 6번도 같은 방법으로 한다(1.15). 얼마 지나지 않아도 베스티뷸이 올라온 것을 볼 수 있다. 상악 소구치 부위만 되더라도 다른 변수가 많고 mesial 쪽으로 갈수록 미용적인 부분도 고려해야 한다.

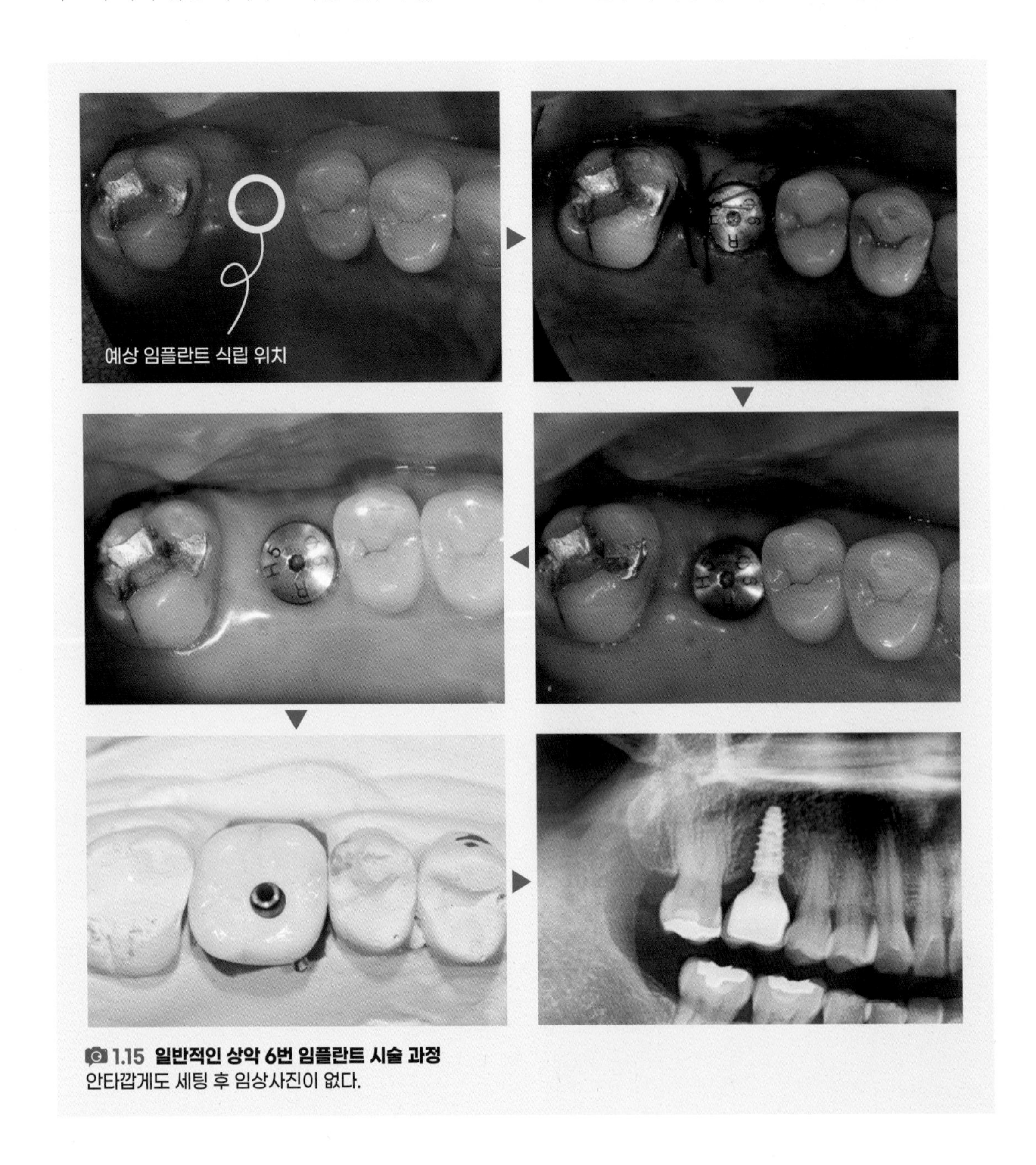

1.15 **일반적인 상악 6번 임플란트 시술 과정**
안타깝게도 세팅 후 임상사진이 없다.

필자 스타일의 영삼플랩 케이스 보기 7

📷 1.16을 보면 베스티뷸이 많이 깊어진 것을 볼 수 있다. 통상적으로 영삼플랩 후에 임플란트를 식립하였다. 나름 버칼에 구강전정도 깊어지고 keratinized gingiva도 좋아진 것을 볼 수 있다. 물론 이런 게 필요 없다는 의견도 있지만, **뭐 특별히 돈 드는 것도 아니고 힘든 것도 아닌데** 굳이 이렇게 안 할 이유도 없어서 필자는 습관대로 하고 있다.

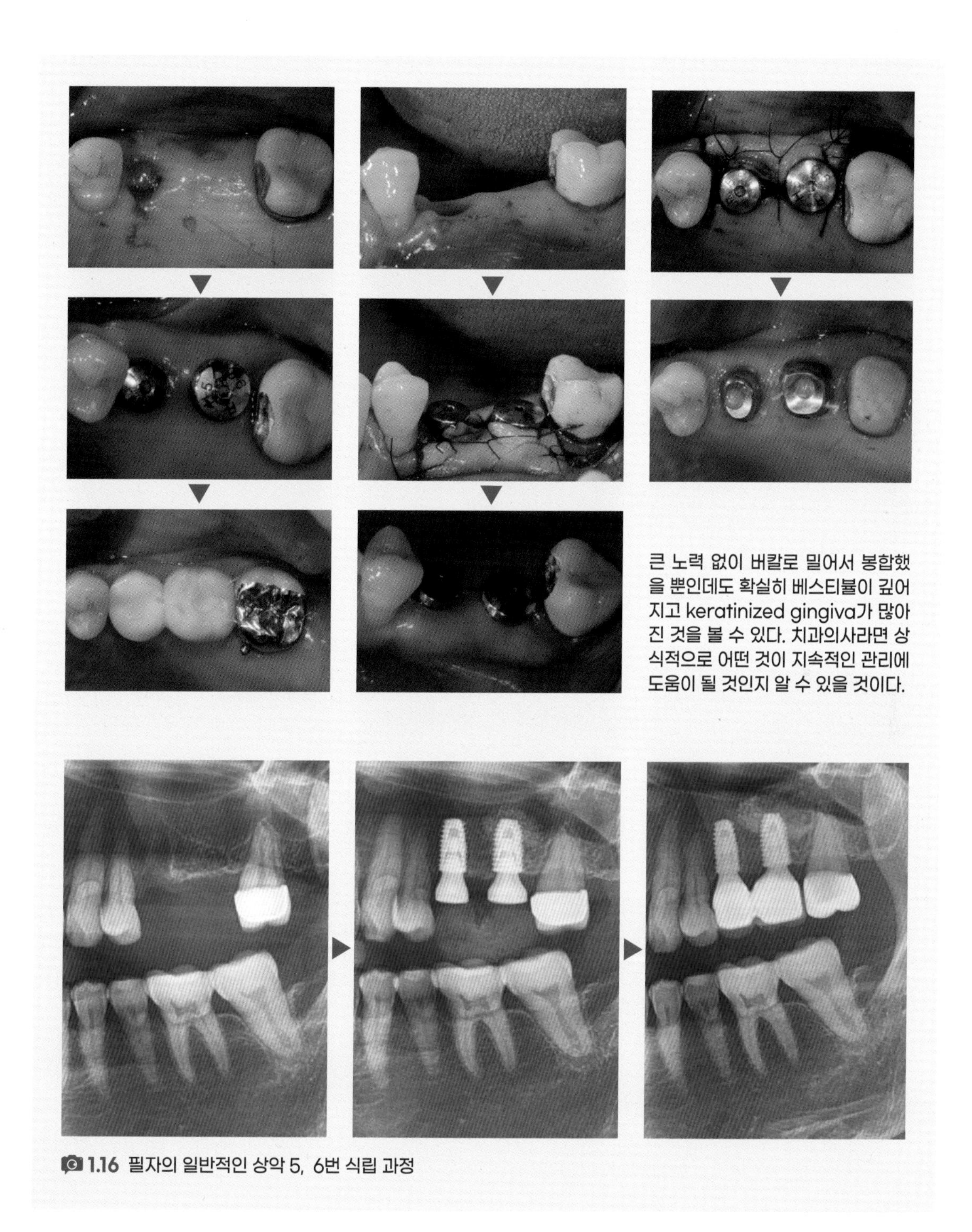

큰 노력 없이 버칼로 밀어서 봉합했을 뿐인데도 확실히 베스티뷸이 깊어지고 keratinized gingiva가 많아진 것을 볼 수 있다. 치과의사라면 상식적으로 어떤 것이 지속적인 관리에 도움이 될 것인지 알 수 있을 것이다.

📷 1.16 필자의 일반적인 상악 5, 6번 식립 과정

필자 스타일의 영삼플랩 케이스 보기 8

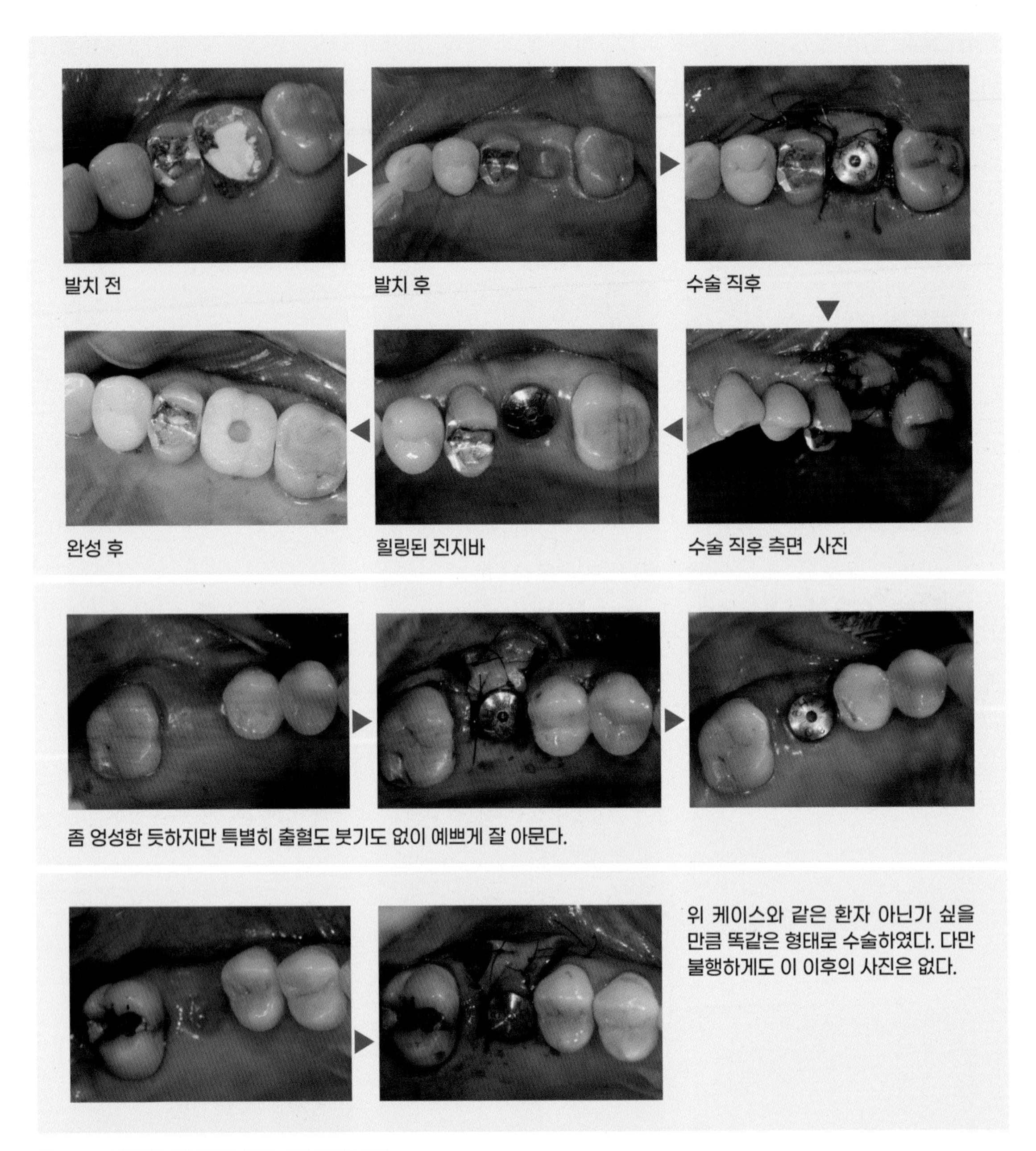

1.17 필자의 일반적인 상악 6번 식립 과정
사실 2-3 mm 정도 반달 모양으로 잇몸을 오려내고 봉합했다면 훨씬 더 예쁘게 봉합되었을 것이다. 앞으로는 필자도 습관을 조금은 고쳐볼까 생각 중이다. 베스티뷸과 keratinized gingiva를 보존하되 필요 없는 부분은 잘라내는 것으로… 그런데 가끔은 또 조금만 잘라내려고 하면 너무 잘라내서 뭔가 아쉬운 부분이 남는다. 그러다 보면 급하게 마무리해야 하는 케이스가 아니면 또 잘라내지 않게 되는 반복의 연속이랄까?

1.17 케이스들은 베스티뷸도 많이 올라오지 않아서 잇몸을 조금만 잘라내고 봉합했으면 좀 더 예쁘게 되지 않았을까 하는 생각이 들 것이다. 그렇지만 이놈의 습관이라는 것 때문에 늘 같은 방식대로 하게 된다.

필자가 라이브 서저리를 하면서 늘 강조하는 "봉합의 원칙"이 있다. **"봉합은 버칼 플랩을 링구알에 붙이는 게 아니라 버칼 본에 붙이는 것이다"**라는 것이다. 그러나 초보자들은 아무리 그렇게 설명을 해도 버칼플랩이 힐링 어버트먼트를 덮고 올라가더라도 어떻게든 링구알에 붙이려고 한다. 늘 원칙을 머릿속에 새겨야 한다. 플랩은 버칼 본에 붙이는 게 봉합의 원칙이다. 그러니 조직이 좀 벌어져 있거나 이런 것에 신경 쓸 필요 없다. 알아서 다 채워진다.

보통 라이브 서저리에서 특별한 요구 조건이 없으면 구치부에서는 거의 이런 식으로 하는데, 필자의 패컬티들은 이를 "영삼플랩"이라고 부른다. 수강생들이 "영삼플랩으로 할까요?" 이런 식으로 질문하고 답하고 하는 것을 자주 하다 보니, 요즘은 대부분 아예 "영삼플랩"이라고 이름을 붙여버렸다.

앞장에서 본 케이스처럼 상악 구치부로 갈수록 진지바가 두껍고 특히 7번 디스탈은 초보자들에게는 매니지가 쉽지 않다. 진지바가 두껍기 때문에 채워지는 속도가 느리기도 하다. 다만 상악의 경우는 하악보다 한 달 정도 더 기다린다고 생각해 보면 크라운하는 일정에 크게 영향을 주지는 않을 듯하다. 버칼에 keratinized gingiva가 충분한 경우라면 힐링 어버트먼트 자리의 잇몸을 조금만 잘라줘도 봉합이 쉽다. 상악 2대구치 부분은 버칼 베스티뷸이 얕은 경우도 별로 없기도 하다.

어쨌든 SNS에 플랩리스로 가이드 임플란트 했다고 올라오는 케이스들을 보면 너무 안타까운 케이스들이 많다. 왜 아까운 keratinized gingiva를 저렇게 없앨까 싶은 마음이랄까? 멀쩡한 치아를 깎아버린 것만큼이나 가슴이 아프다.

영삼플랩만으로 부착치은이 유지되고 베스티뷸도 다시 회복된 멋진 케이스들이 엄청 많은데, 필자가 바쁜 개원의이다 보니 임상사진을 마음대로 못 찍는 것이 너무 아쉬울 뿐이다.

여러 개의 임플란트를 식립하였을 때나 미용적인 부분이 필요할 때는 베스티뷸과 keratinized gingiva만 잘 유지된다면 필자도 다양한 형태의 절개와 봉합을 한다. 그러나 그런 플랩 매니지먼트는 여러 책들에 이미 많이 나와있으므로 굳이 필자의 책에서는 많이 다루지 않는다. 여러 개 임플란트를 심었을 때 종종 유용한 Palacci flap에 대해서만 간단히 설명하겠다.

Palacci flap에 대해서

프랑스의 치주과의사인 Patrick Palacci에 의해 디자인되었다고 해서 Palacci flap 또는 Palacci technique이라고도 불린다. 그러나 실제로 이 플랩을 배워본 적이 없는 치과의사들도 상식적으로 이렇게 알아서 하는 경우가 많다 보니, 수술을 많이 해도 의외로 이름을 모르는 사람이 많다. 필자는 라이브 서저리에서 방식을 설명하기 번거로울 때 영삼플랩과 구분하기 위해서 그때 그때 상황에 따라서 Palacci flap으로 부르곤 한다. 물론 부착치은이 매우 풍부한 경우나 심미적으로 매우 중요한 경우 아니면 거의 시행하지 않는다. 그런데 며칠 전에 필자의 라이브 서저리에서 좋은 본보기가 하나 나왔길래 그 케이스를 올려본다.

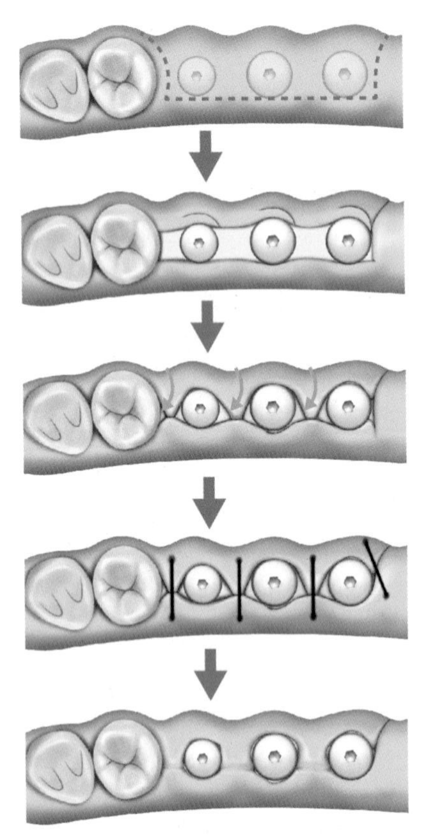

Palacci flap에 대한 간단한 모식도

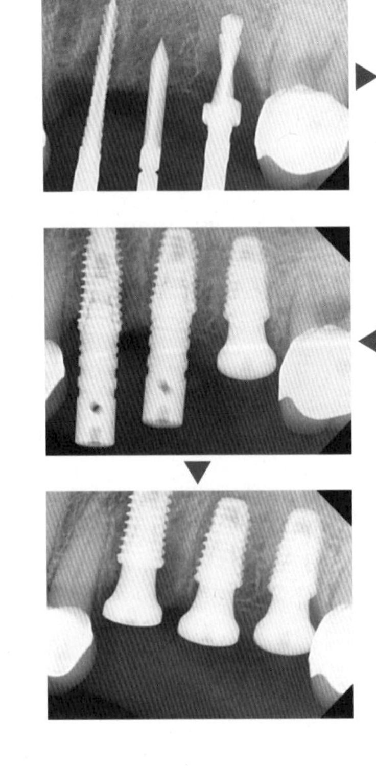

수강생은 연차가 좀 있는 보존과를 전공하신분으로 이제 임플란트를 배워보고 싶다고 필자의 라이브 서저리에 등록하였다. 역시나 연차가 있어서인지, 보존과의사로서 디테일이 좋아서인지 필자의 요구대로 단계별로 멋지게 임플란트를 식립하였다. 식립 후에 필자는 다른 수강생을 보기 위하여 나왔고, 나머지는 독일 하이델베르크 치대 출신 홍정표 원장님께서 패컬티로 지도하였다.

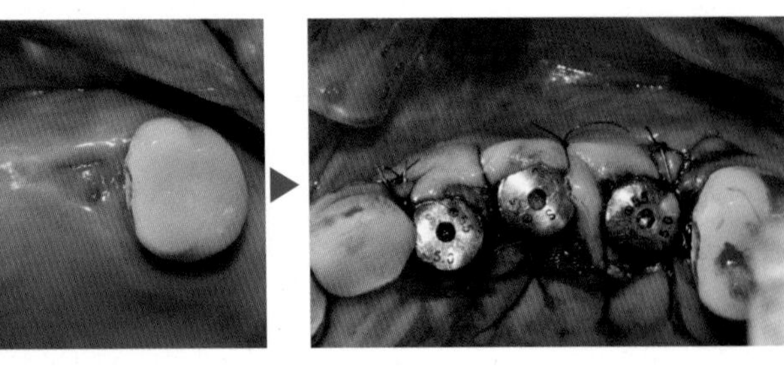

수술 직전 잇몸 사진(발치 2개월 후)

Palacci flap 완성 후 임상사진

사진상에 잘 나와있지 않지만 메지알 플랩 디자인을 너무 팔라탈로 해서 24번 임플란트의 힐링 어버트먼트와 팔라탈 진지바 사이에 갭이 크게 존재하였기 때문에 palacci flap이 더욱 효과적으로 보이는 듯하다.

1.18

창피하지만 잘못된 봉합 케이스를 한번 보자.

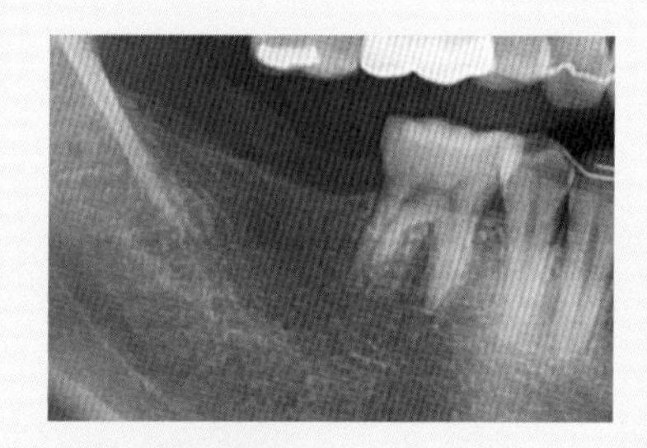

초진 시 파노라마

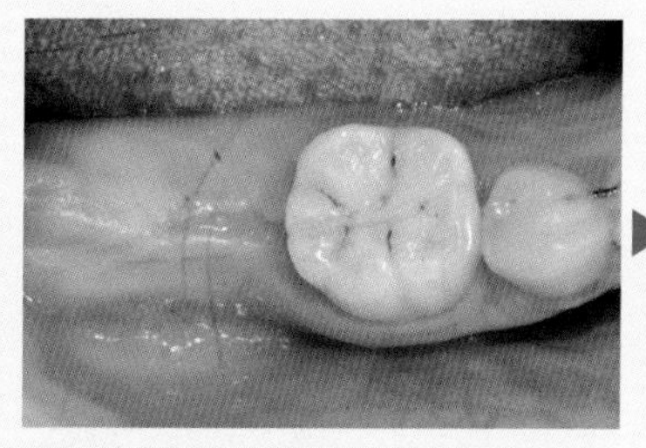

협측 치조골과 잇몸이 어느 정도는 흡수되었지만 나름 잘 보존되고 있는 상태

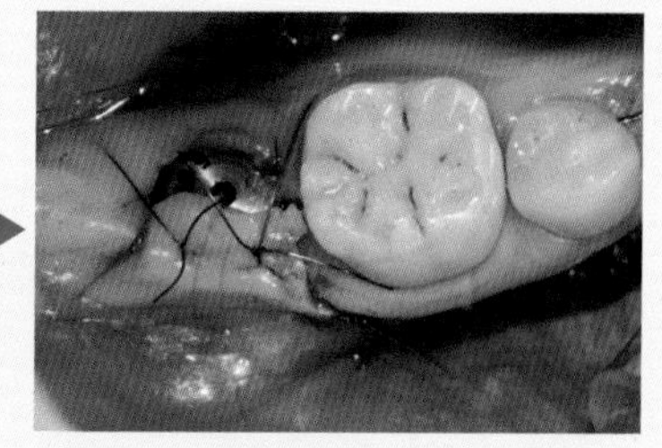

수술 직후 임상사진
필자가 의도해서 이렇게 한 것이 아니다. 협측으로 밀어놓은 것이 엑스레이와 임상사진을 찍고 하느라 리트렉션하는 과정에서 밀려 올라간 듯하다.

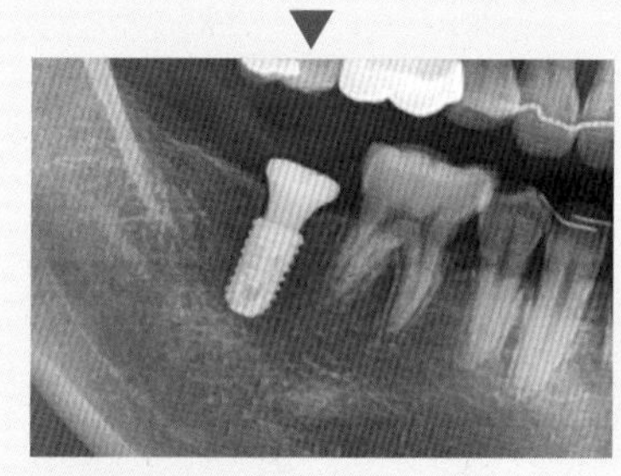

식립 직후 파노라마

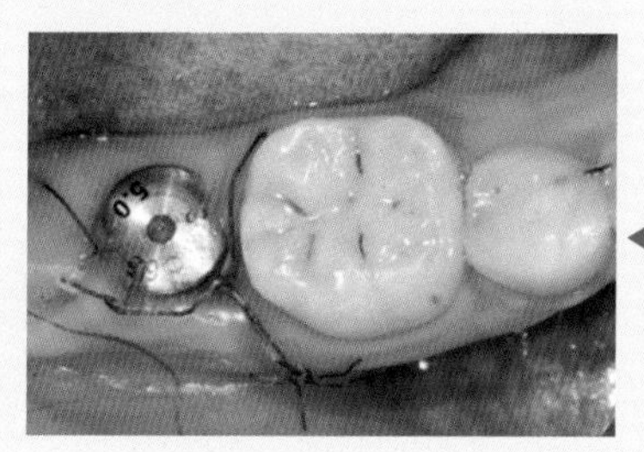

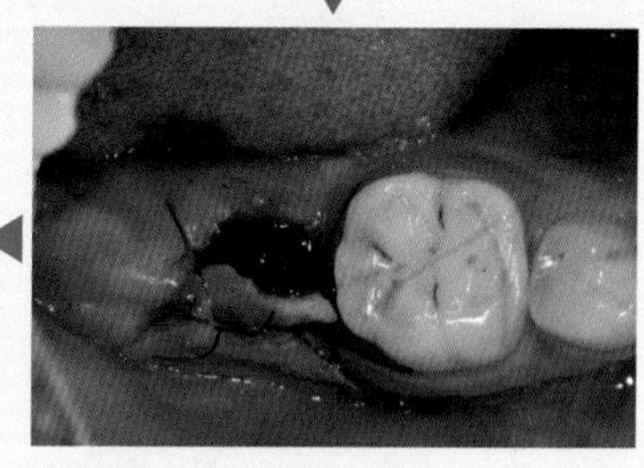

수술 후 다음날 임상사진
필자는 다음날 소독을 하면서 상태를 확인하였다. 반달 모양으로 잘라내었더라면 얼마나 좋았을까 하는 아쉬움이 남는다.

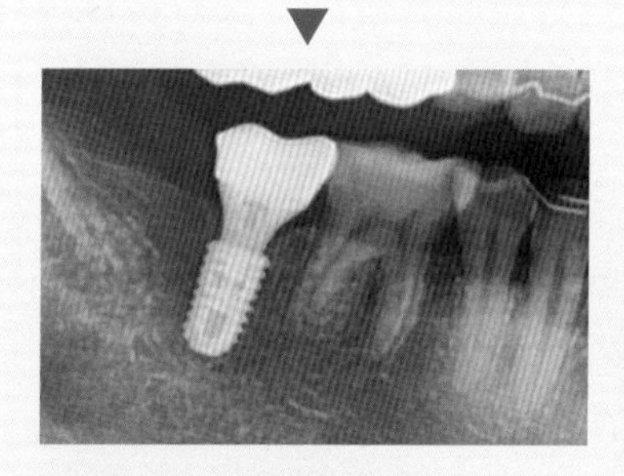

크라운 세팅 후 파노라마

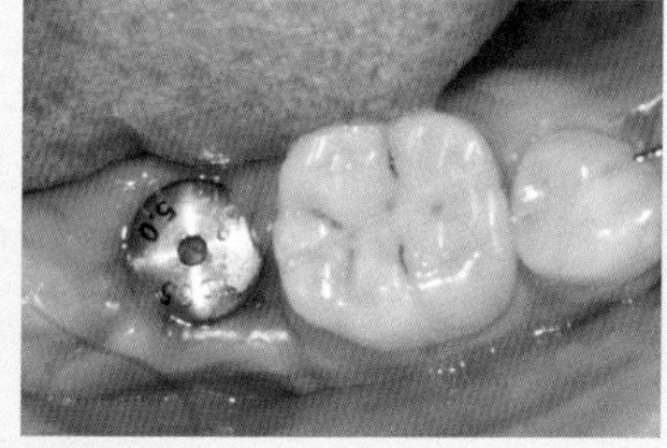

2주 후
이런 케이스에서는 잇몸이 올라오지 못하도록 루이버튼을 이용해 주면 나름 유용하다.

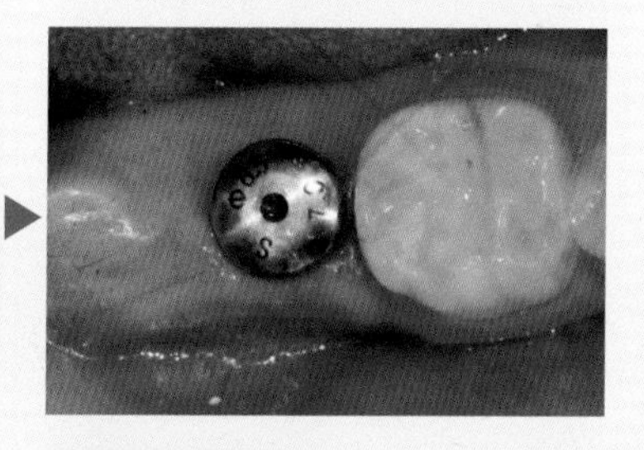

2개월 후 임상사진

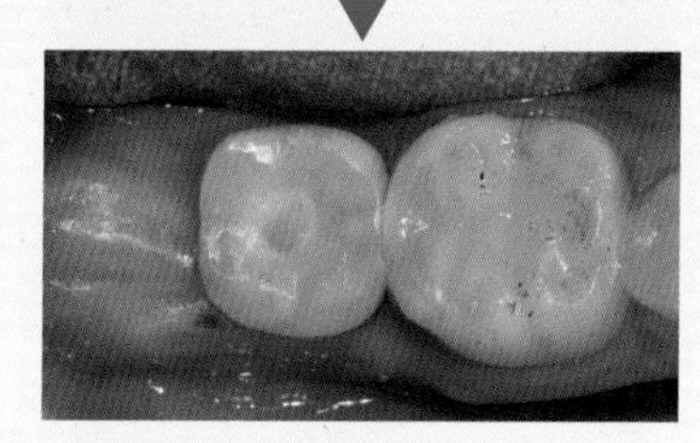

크라운 세팅 후 임상사진

1.19

언제나 아쉬움이 남는 케이스는 있다. 그러나 이러한 영삼플랩의 최대 장점은 돈이 들어가는 것도, 다른 노력이 더 필요한 것도 아니라는 것이다. 이렇게 keratinized gingiva를 잘라내지 말고 협측으로 vestibuloplasty처럼 하는 습관을 들이면 장기적으로 봤을 때 잇몸의 예후에 매우 좋고, 잇몸 통증 등으로 FGG 해야 하는 케이스가 매우 드물어진다.

필자의 라이브 서저리 영상플랩 케이스 보기

1.20 필자의 첫 번째 멕시코 라이브 서저리 세미나 때 사진(2019년 2월)
필자가 인스타그램에 올린 사진 그대로이다.

필자가 멕시코에서 처음으로 라이브 서저리를 했던 2019년 2월의 사진들이다(**1.20**). 젊은 치과의사들과 보내는 3박 4일은 정말 다이나믹하고 흥미로운 나날들이었다. 낮에는 열심히 라이브 서저리를 하고 저녁에는 맛있는 멕시코 음식과 테킬라를 비롯한 멕시코 술을 즐겼고, 매일매일 다른 레스토랑에서 식사를 하며 멕시코 문화를 즐겼다. 오른쪽 아래 사진은 시저스 샐러드가 처음 만들어졌다는 시저스 호텔의 레스토랑이다. 식사하는 테이블 옆에서 쉐프가 직접 시저스 샐러드를 만들어주어

다들 사진을 찍느라 바빴다. 함께 사진을 찍은 이들은 평소에 필자를 추종(?)하던 영삼교 신자라고 자청하는 사랑하는 수강생들이다. 지금은 거의 모두 패컬티로서 그 이후 세미나들을 도와주고 있다.

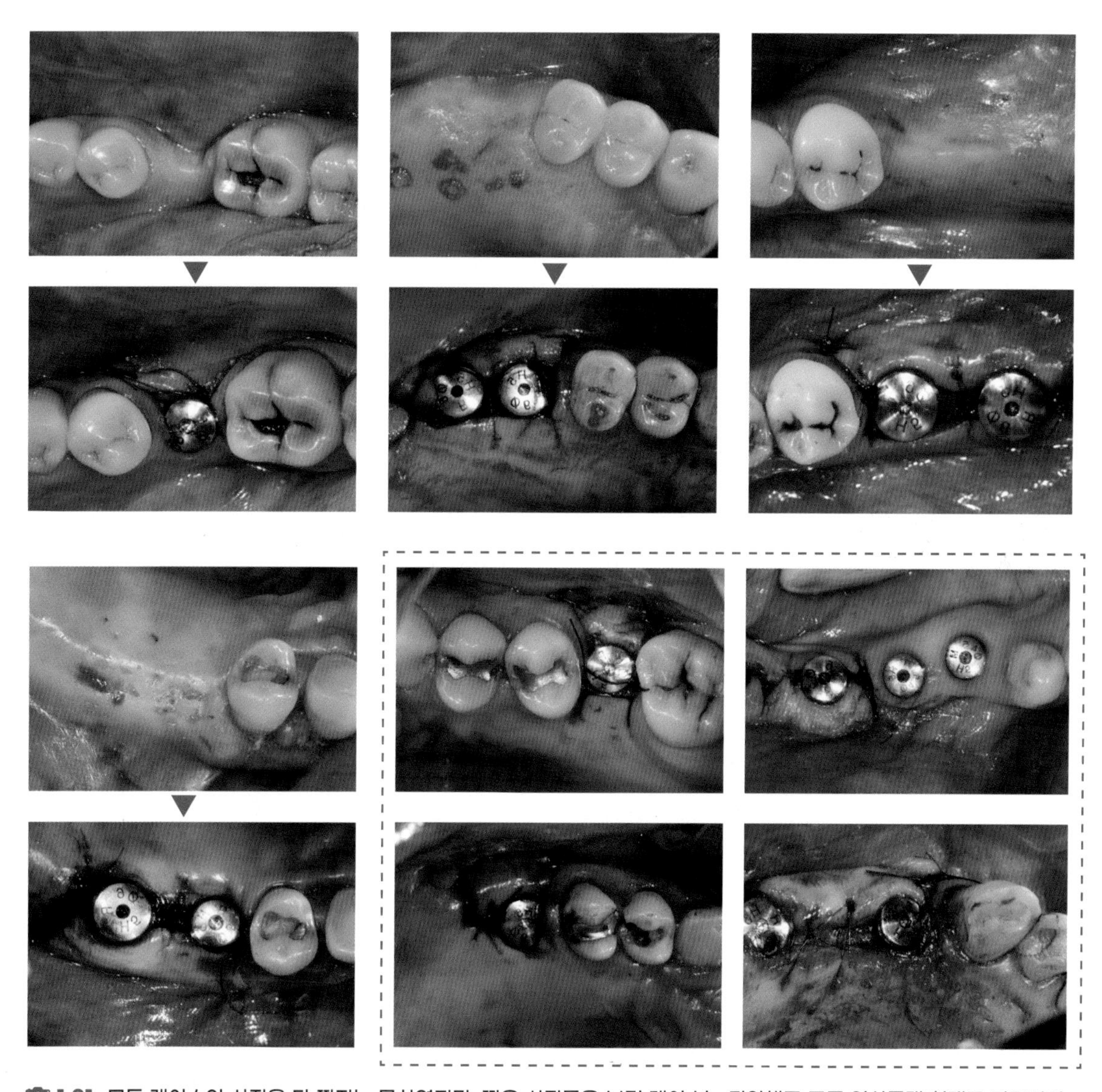

1.21 모든 케이스의 사진을 다 찍지는 못하였지만, 찍은 사진들을 보면 케이스는 다양해도 모두 영삼플랩 형태로 마무리되었다. 본인 치과에 가서는 본인 마음대로 해도 되는데, 필자에게 배울 때는 필자의 방식대로 해야 한다는 것이 필자의 원칙이다.

첫 멕시코 라이브 서저리의 케이스들을 보자(**1.21**). 필자는 수술만큼이나 본인이 한 수술을 복기하는 것을 중요하게 가르친다. 그래서 멕시코 라이브 서저리에도 한국 직원들을 초청하여 모든 케이스에 임상사진을 찍게 했다. 첫 멕시코 세미나 기념으로 필자가 직접 사진을 정리하였다. 두 번째부터는 직원들이 정리하여 세미나 끝나면 수강생에게 메일로 보내주고, 수강생들은 케이스들을 라이브 서저리 페이스북 그룹에 브리핑하는 것으로 마무리를 하고 있다.

그날의 케이스들을 보면 대부분 필자의 철학대로 인시전하고 봉합한 것을 볼 수 있다. 처음 인시전

할 때는 필자가 periodontal probe로 점을 찍어서 인시전 라인을 알려 준다. 어릴 때 해본 것처럼 "다음 점을 따라 이으시오" 이런 식으로 인시전을 알려준다. 봉합도 대부분 필자의 방식대로 하라고 한다. 다른 데 가서는 자기 마음대로 해도 된다. 그러나 라이브 서저리에서는 필자가 언제나 외치는 "Under my roof, my rules" 원칙대로 시킨다.

여기서 다른 수강생의 케이스를 자세히 한번 보자. 닥터 윤의 첫 번째와 두 번째 임플란트 케이스이다(**1.22, 1.23**). 태어나서 처음 심은 임플란트 치고는 아주 잘 심었다고 생각한다. 두 번째 케이스를 보자. 필자는 본인이 가르치는 곳에서는 언제나 최소 4개 과정의 엑스레이가 없으면 임플란트를 아무리 잘 심었어도 뽑아버린다. 이 케이스는 과정을 잘 따라 한 것을 볼 수 있다.

어쨌든 가장 최악의 봉합은 진지바가 힐링 어버트먼트를 덮었거나 타고 올라가는 봉합이다. 앞서 언급했듯이 봉합은 잇몸을 버칼 뼈에 붙이는 봉합이다. 힐링 어버트먼트가 아니다. 이런 식으로 봉합하면 아까운 keratinized gingiva가 대부분 흡수되어 버린다.

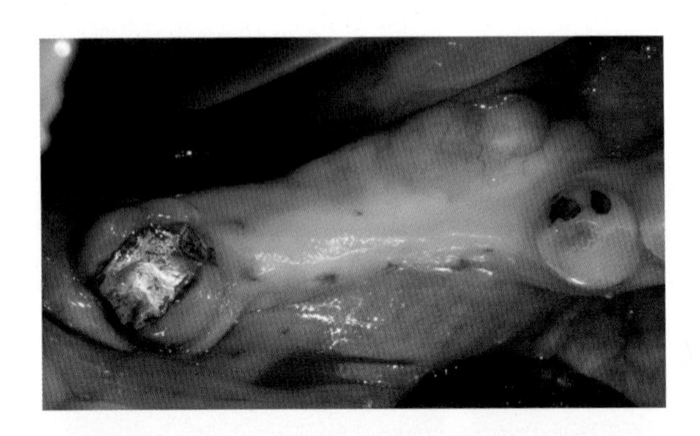

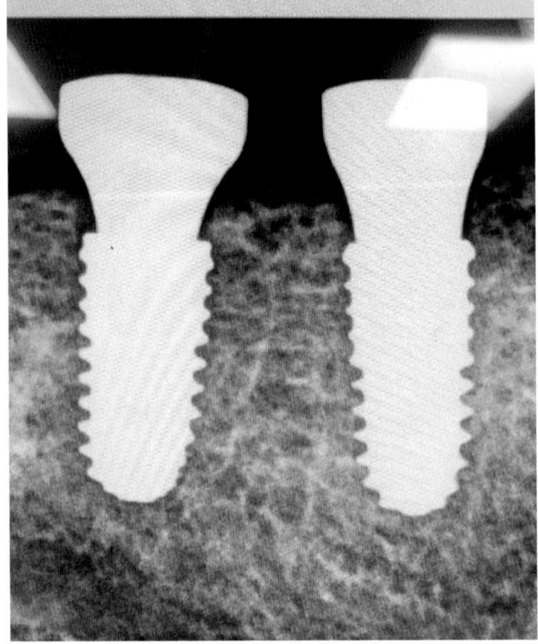

1.22 Dr. Yoon의 첫 번째 임플란트 케이스

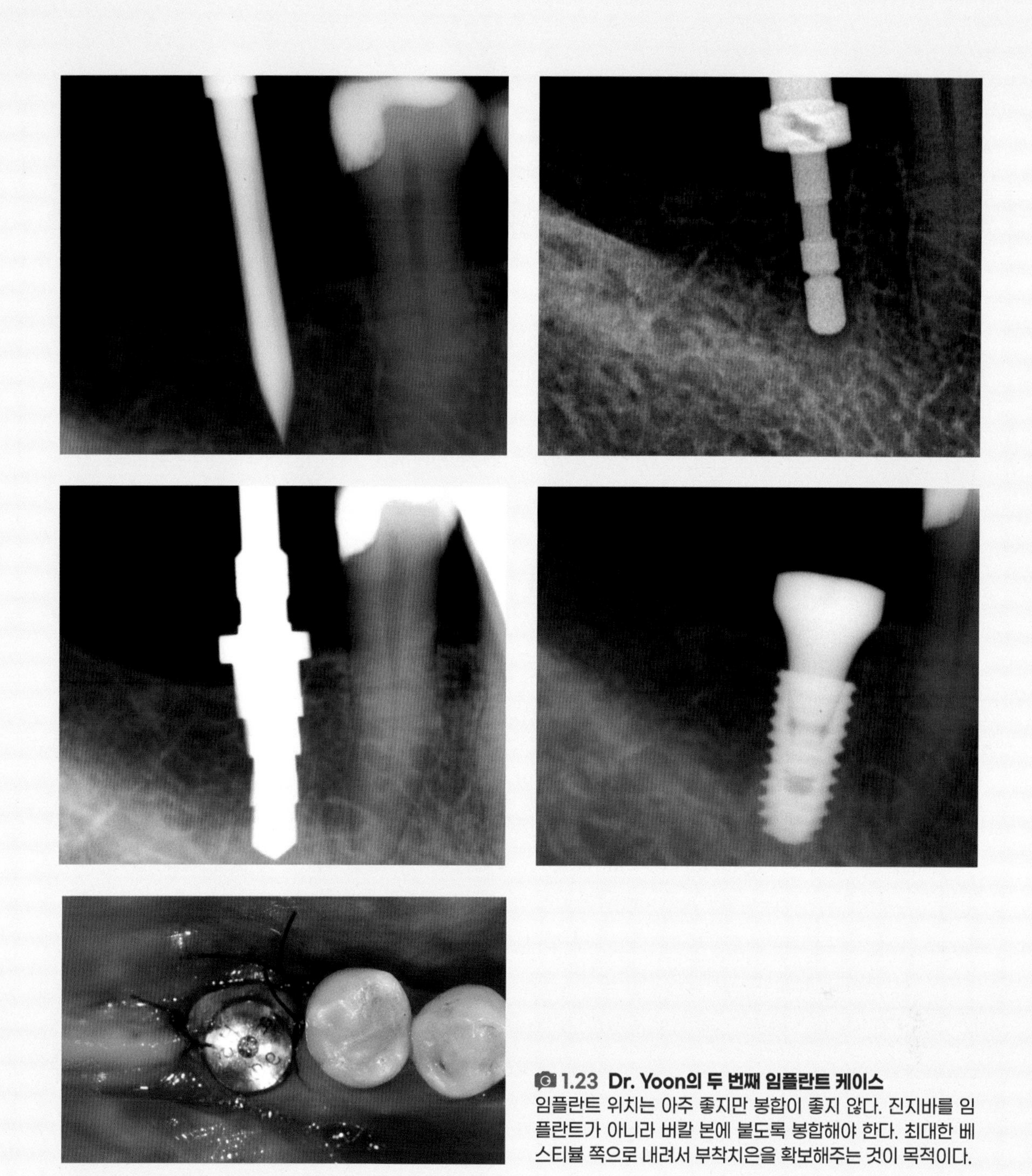

1.23 **Dr. Yoon의 두 번째 임플란트 케이스**
임플란트 위치는 아주 좋지만 봉합이 좋지 않다. 진지바를 임플란트가 아니라 버칼 본에 붙도록 봉합해야 한다. 최대한 베스티뷸 쪽으로 내려서 부착치은을 확보해주는 것이 목적이다.

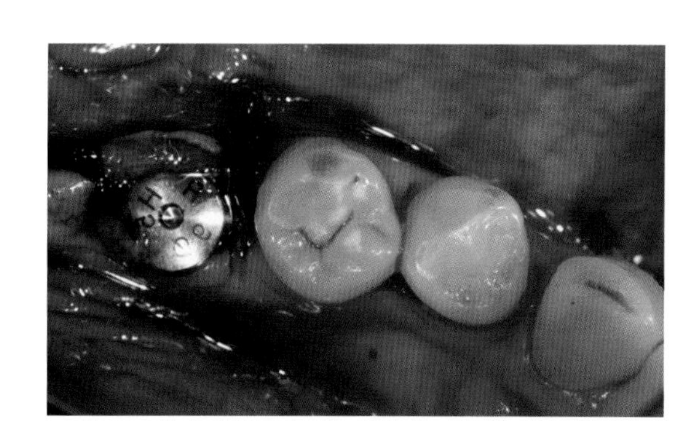

1.24 **또 다른 케이스에서 보인 바람직하지 못한 봉합**

참고 : 필자의 라이브 세미나 때 임플란트 식립 시 제출해야 하는 4장의 표준촬영

1. 처음 랜스드릴을 5 mm 정도 꽂고 엑스레이를 찍어야 한다. 너무 넣어도 안 된다. 랜스드릴은 깊이를 보자는 것이 아니고 "위치·간격·방향"을 보자는 것이기 때문이다.

2. 두 번째는 트위스트 드릴링 후 찍은 엑스레이이다. 회사마다 다르지만, 대부분 2.0 mm 정도의 드릴을 깊이 측정용으로 사용한다. 눈금이 있는 가이드핀이나 드릴을 직접 넣고 찍는 것이 필수이다. 이때도 무조건 식립할 임플란트 사이즈만큼 깊게 드릴링할 필요는 없다. 드릴이나 가이드 핀을 꽂아서 깊이를 측정해보는 것에 의미가 있기 때문에 위치와 방향도 판단하고, 기타 다른 해부학적 구조물로부터 안전하다고 판단될 때 풀 사이즈 드릴을 사용해도 된다.

3. 세 번째는 최종 식립할 픽스처의 전 단계 드릴을 넣고 찍은 엑스레이이다. 이것은 마지막으로 한 번 더 수정할 가능성을 염두에 둔 엑스레이이다. 최종드릴을 넣고 찍는 것은 위치나 방향을 바꿀 수 없기 때문에 의미가 없다. 가끔 5.0 등 중간 드릴이 많이 필요한 경우는 초보자라면 중간 과정에서도 한 번 정도 더 체크하길 권한다.

4. 픽스처를 넣은 사진이다. 많이 찍는다면 보통 쓰레드를 본레벨에 맞춰서(조금 덜 넣고) 엑스레이를 찍어 본다. 픽스처를 더 넣고 빼는 놈이 가장 바보이다. 언제나 픽스처는 덜 넣고 고민해야 한다. 그리고 필자는 잘 찍지는 않지만 힐링 어버트먼트가 제대로 들어갔는지 볼 수 있는 사진이다. 물론 필자는 sudden stop을 느끼는 손의 느낌이 더 중요하다고 생각해서 안 찍는 것뿐이다. 사진상에 다 들어간 것처럼 보이지만 안 들어간 경우가 너무 많기 때문에 사진상에 안 들어갔다면 정말 아주 많이 안 들어간 것이다. 식립하면서도 여러 장을 찍으면 좋겠지만 필수 제출 이미지는 힐링 어버트먼트를 꽂은 상태의 사진을 주로 한다. 그리고는 최종적으로 파노라마를 찍어서 전반적인 내용을 체크한다.

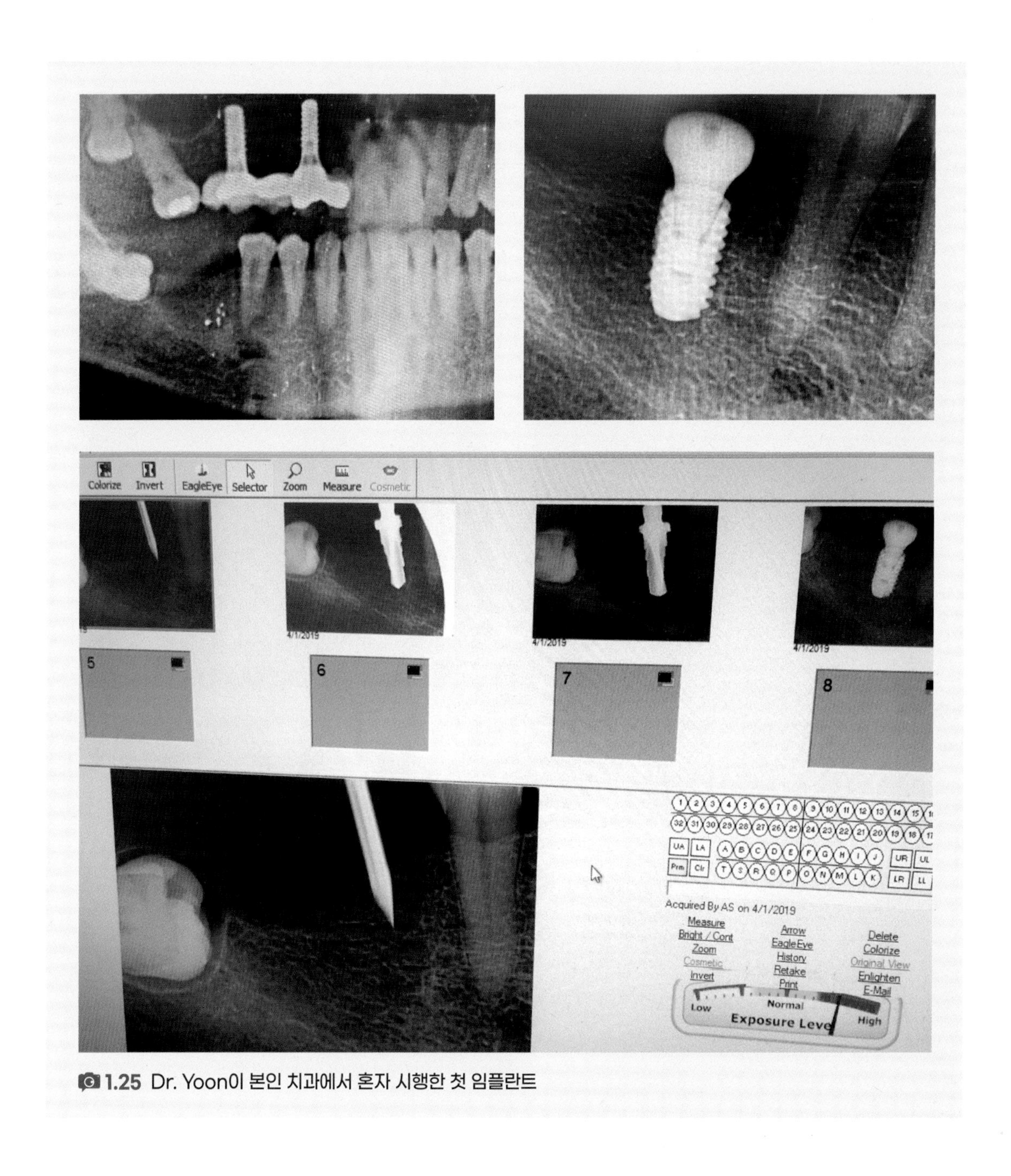

1.25 Dr. Yoon이 본인 치과에서 혼자 시행한 첫 임플란트

참고로 닥터 윤이 세미나를 마치고 바로 돌아가서 본인 혼자 심어서 보내온 사진이다(**1.25**). 필자가 칭찬해 주었다. 다만 깊이 측정용 사진이 없다고 했더니, 찍었는데 직원이 지웠거나 저장이 안 된 것 같다고 해명하였다. 그리고 마지막에 힐링이 덜 들어간 것을 지적하였다. 반드시 sudden stop을 느껴야 한다. 초보들은 진지바 인시전을 잘 못하기 때문에 잇몸에 걸려서 잘 안 들어가는 경우도 많다. 어쨌든 필자는 라이브 서저리에서는 **케이스를 잘하는 것보다 수술 진행 과정을 똑같이 하는 것을 더 중요**하게 생각한다. 그래야 나중에 본인이 치과에 돌아갔을 때 혼자 할 수 있게 된다고 말이다. 어느덧 닥터 윤도 실력이 일취월장하였고, 누구보다 필자 스타일의 임플란트를 잘 알고 있기 때문에 필자의 멕시코 라이브 서저리에 패컬티로 와서 필자를 도와주고 있다.

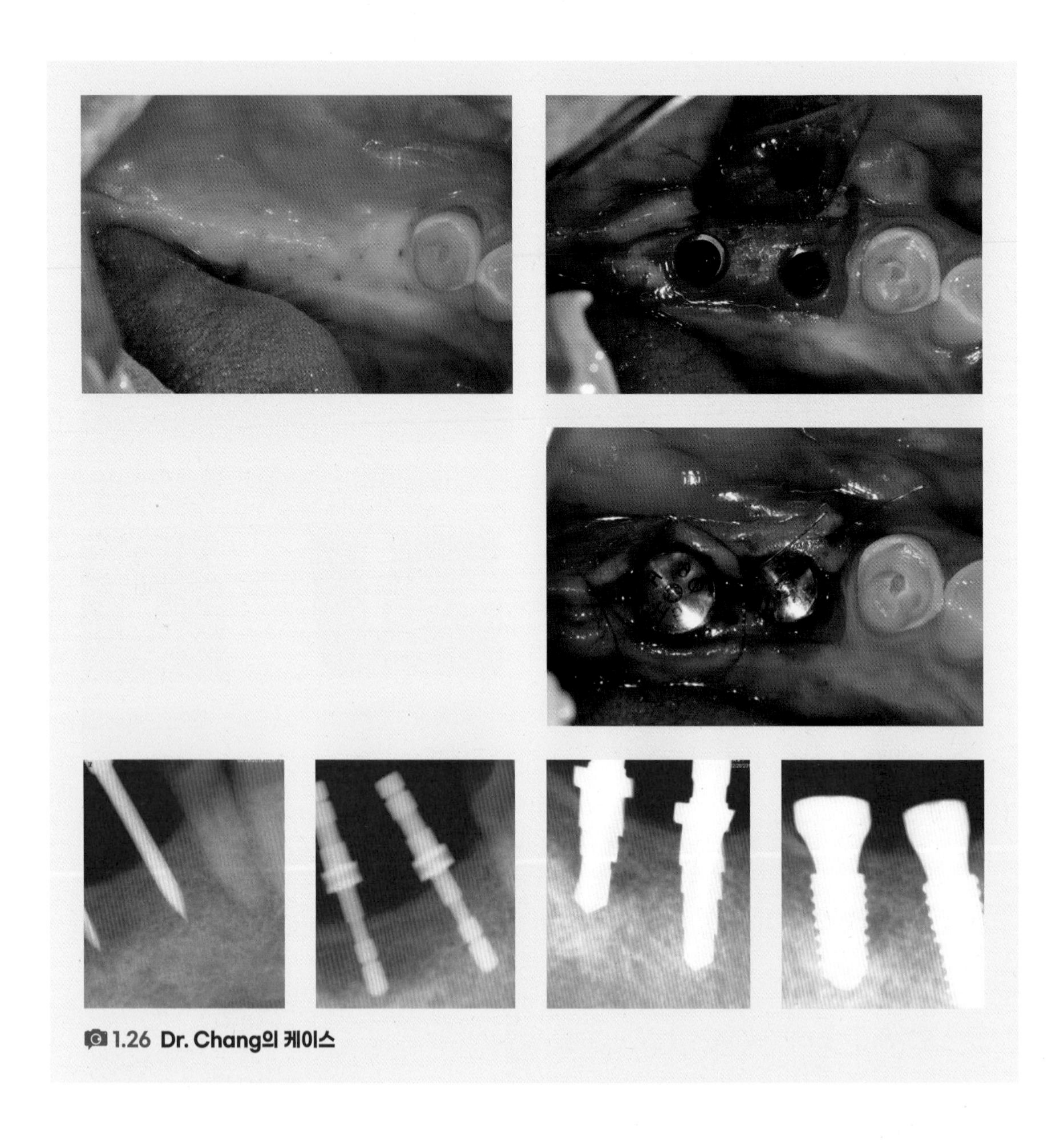

1.26 Dr. Chang의 케이스

인시전에 자신이 없다고 하면 필자가 인시전 라인을 프루브로 점 찍어서 표시해 준다. 필자가 예뻐하는 시애틀의 닥터 장의 케이스인데, 그동안 가이드를 이용하여 플랩리스로만 임플란트를 심어왔다고 해서 필자가 큼지막하게 플랩 라인을 잡아주었다(1.26). 다만 점 찍어 준 라인보다 조금 더 설측으로 인시전되어 있다. 메스의 방향이 위에서 수직이 아니라 본에 수직으로 들어갔다면 조금 더 자연스럽게 버칼로 인시전 라인이 이동했을 것이다. 또한 절개선이 디스탈 쪽에서 버칼 쪽으로 약간 휘어져서 mucosa까지 이어졌더라면 구강전정도 회복되고 부착치은도 더 보존되었을 것이다. 봉합을 최대한 벌려서 버칼 본에 해야 하는데 링구알로 좀 많이 당긴 것이 아쉽다. 그러나 필자의 철학이 많이 반영된 케이스라 좋아한다.

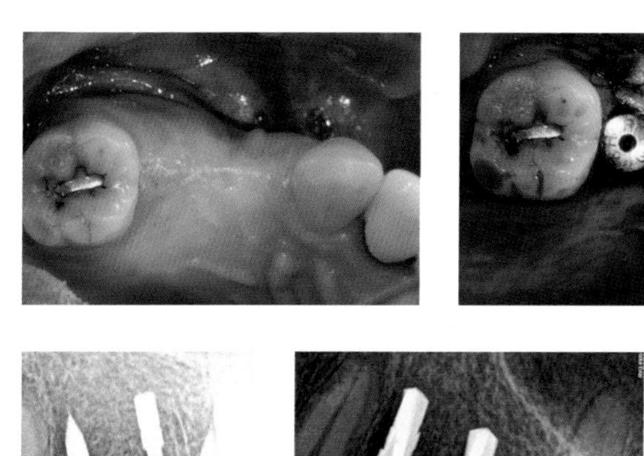
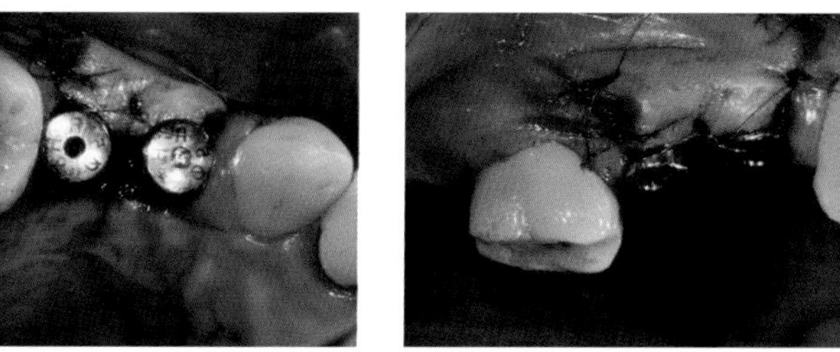
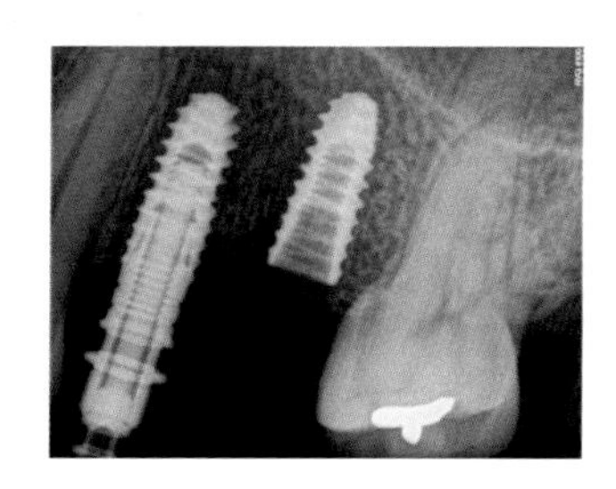
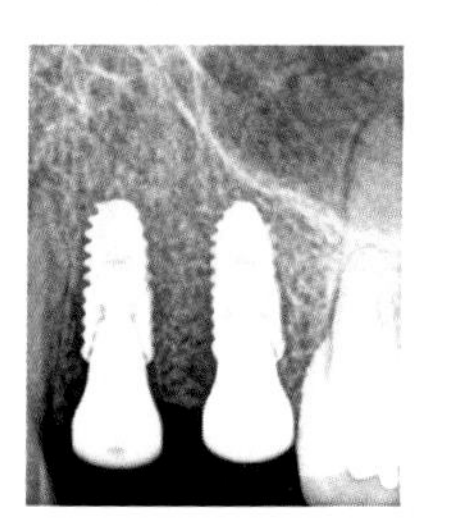

1.27 Dr. Lee의 케이스

텍사스의 닥터 리의 케이스이다(**1.27**). 원래도 손이 좋고 훌륭하지만, 필자의 케이스대로 따라해 주려고 노력해서 더 고마운 케이스이다. 다만 disto−buccal에서 진지바가 조금 접힌 것이 아쉽다. 물론 버칼에 keratinized gingiva가 충분해서 뭐 크게 중요한 문제는 아니지만 차라리 잘라내거나, palacci flap을 해서 파필라를 채우거나, 좀 더 밑으로 내려서 봉합했으면 하는 아쉬움이 남는다. 엑스레이를 보면 뼈가 충분하여 깊이 측정과 위치를 한 번에 한 것과 마지막에 힐링이 조금 덜 들어간 것을 볼 수 있다.

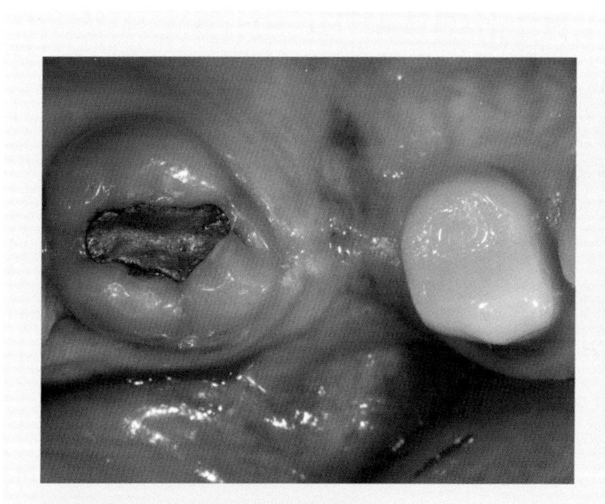
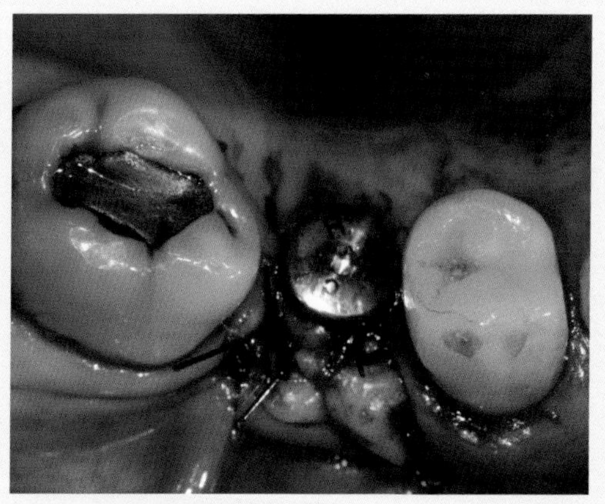

1.28 Dr. Lee의 또 다른 케이스
사진에 조금 잘렸지만 임플란트 협측으로 4-5 mm 이상 keratinized gingiva가 생긴 것을 볼 수 있다.

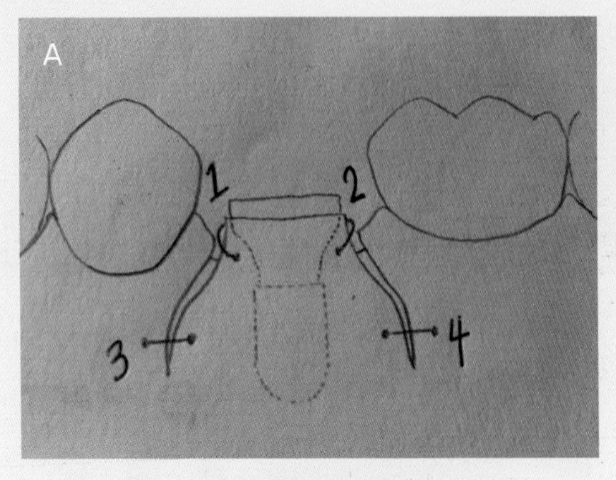

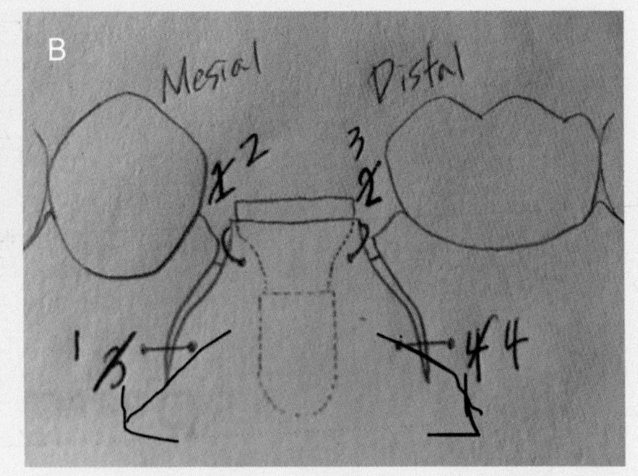

1.29 Dr. Lee가 그린 영삼플랩 봉합 순서

그랬더니 1.29처럼 본인이 직접 그림을 그려서 봉합을 어떤 순서로 하는지 물어보았다. 필자는 이렇게 손재주가 좋은 치과의사들을 보면 너무 부럽다. 일반적으로 1.29A처럼 한다. 부득이한 경우에는 그림 속 4번은 봉합을 하지 않기도 한다.

심미적으로 근심면이 중요하거나 keratinized gingiva가 부족한 경우에 최대한 밑으로 내리기 위해 1.29B처럼 봉합하기도 한다. 그때 그때 조금씩 다르다.

참고

재미난 건 한국과 미국의 치과 현실이 많이 달라서일 수도 있지만, 닥터 장이 사랑니와 임플란트를 제외한 일반 발치나 골융기절제술 등은 필자보다 훨씬 잘한다고 느낄 정도였다는 것이다. 우리나라는 젊은 무치악 환자가 별로 없고, 살릴 수 있으면 어지간하면 살리기 때문에 일반적으로 기능하는 치아를 발치하는 경우가 거의 없다. 그러나 미국은 우리와 달라서 차마 말로 하기는 좀 그렇지만, GP들도 비교적 큰 구강내 수술까지 많이 하는 편이었다. 닥터 장의 개인 케이스들을 보면 필자보다 실력이 뛰어난 듯 보였다. 필자의 스타일을 잘 이해하고 있어서 필자의 세미나에 패컬티도 종종 와서 필자를 도와주고 있다.

Dr. Lee와 함께

한국 이름으로 말해보자면 이정우 선생님으로 지금 필자의 멕시코 라이브 서저리에서 오른팔로서 가장 중요한 역할을 하고 있다. 손이 좋아서 전치부 즉시식립 후에 임시보철물을 만드는 것도 필자를 대신하여 직접 강의를 하고 있다. 라이브 서저리에서도 모든 케이스를 필자 스타일대로 멋지게 지도해 주고 있다. 이 자리를 빌려서 나를 찾아와줘서… 잘 따라줘서… 그리고 이제는 나를 잘 이끌어줘서 고맙다는 말을 하고 싶다. 고맙다 정우야.

이정우 선생님(Dr. Joung Lee)과 함께

이정우 선생님 강의 장면

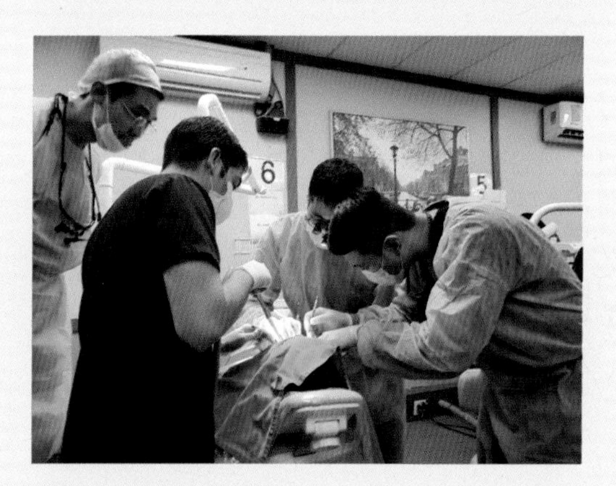

이정우 선생님 지도 장면

필자를 믿고 지지해 준 멕시코 라이브 서저리 1기 수료생들과 함께… 너무 보고 싶습니다. 

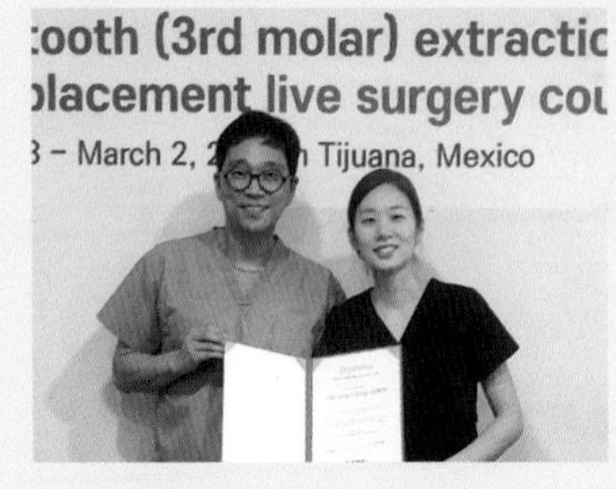

Dr. Addie Chang

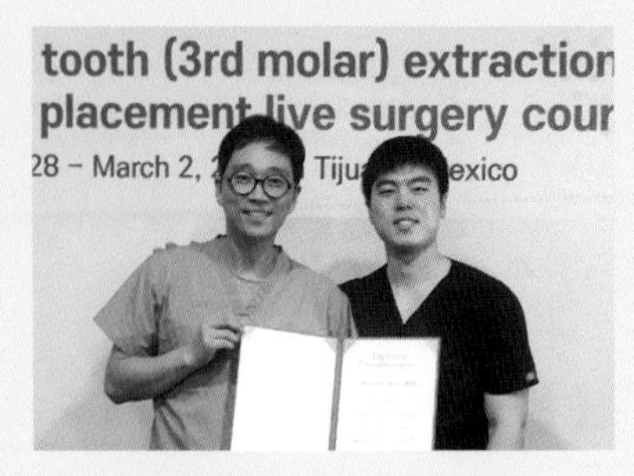

Dr. Jongho Yoon

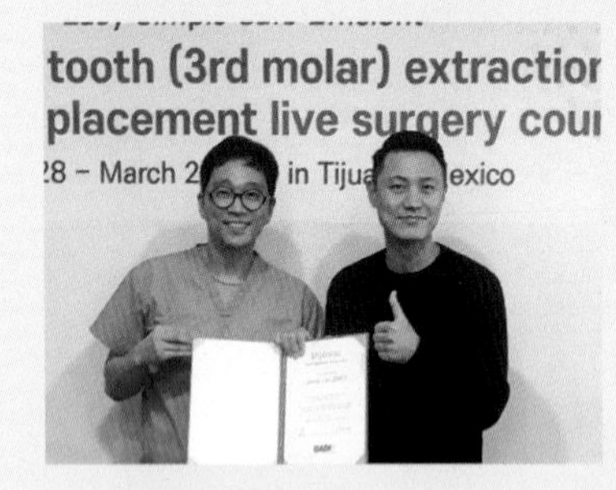

Dr. Joung Lee

Dr. Juli Kim

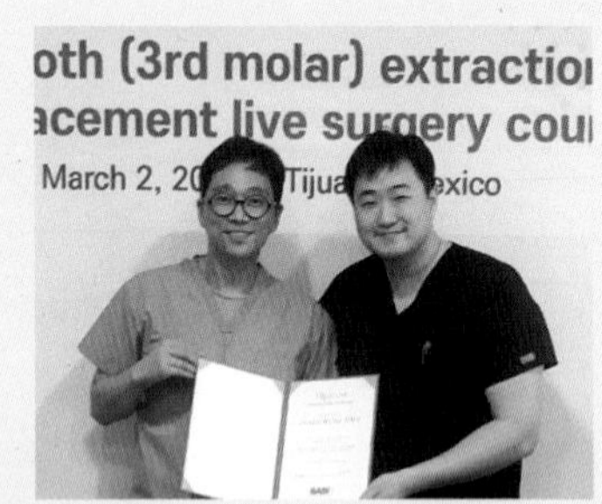

Dr. Leo Choe

1.30 1기 수료식

엄청나게 많은 사람이 등장함에도 불구하고 이 사진의 사용을 동의해준 멕시코 티후아나 Clinica my dentist의 대표원장님이신 Dr. Adriana Cervantes에게 진심으로 감사의 말씀을 드리며, 지금까지 필자의 라이브 서저리를 지원해주셔서 진심으로 감사하다는 말씀을 이 지면을 빌려 올립니다. 앞으로도 잘 부탁드립니다. Gracias! Dr. Adriana

Le quiero agradecer a la Dra. Adriana Cervantes de Clínica my dentist en Tijuana, México. Gracias por darnos la permissión a usar la foto, apoyar nuestro curso, proveer la clínica. Espero seguir esta relación amigable. Gracias.

"내가 옳은 것이 중요한 것이 아니고
같이 행복한 것이 더 중요합니다."

● 혜민 스님 ●

김영삼원장의

노트
정리

EASY SIMPLE SAFE EFFICIENT

MASTERING DENTAL IMPLANTS

임플란트 달인되기

꼭 알아야 할 임플란트의 필수 성공요소

The Essential Elements for Success in Dental Implants

PART 6

임플란트의 골이식

공짜 점심은 없다

CHAPTER

6-1 멤브레인

Mastering dental implants

멤브레인

임플란트 수술에서 멤브레인을 사용하는 것에 대해 예나 지금이나 논쟁이 많다. 우선 "멤브레인이 임플란트 수술에서 꼭 필요한가?"라는 질문에 답을 해보자. 필자가 한참 임플란트를 배우던 2000년대 초반에는 대부분의 멤브레인이 비흡수성이었으며, 타이타늄으로 강화된 형태도 많았다. 아무래도 임플란트를 길고 굵은 것을 선호하던 때이기 때문에 그랬을 것이다. 그런데 점차 세월이 변하면서 그 트렌드도 변하고 있다. 필자가 자주 하는 말이다. "어차피 **시장은 대중이 원하는 방향으로 따라 간다**" 이제 그 흐름을 함께 살펴보고자 한다.

1.1 2006년 5월 캐나다 토론토에서 열린 치과 전시회 참가 기념 촬영

1.2 2005년 10월 나이아가라 폭포에서 기념 촬영
평일엔 공부, 주말엔 여행하면서 보낸 캐나다 생활

2005년 가을 필자가 캐나다 토론토 치과대학 치주과에서 공부할 때 교수님 중 한 분이 **"가장 좋은 멤브레인은 페리오스티움이다"**라는 명언과 함께 푸념 섞인 이야기를 하신 적이 있다. 치과계 연구나 논문이 너무 상업적으로 변질되었고, 대부분 회사의 후원을 받아서 연구를 하다 보니 순수한 논문이 나올 수 없는 현실이라는 것이다. 본인이 생각할 때 가장 좋은 멤브레인은 페리오스티움인데, 그렇다 보니 어디에서도 연구에 대한 후원을 해주지 않고 강의도 들어오지 않는 반면, 회사의 후원을 받는 커머셜 교수들은 그렇게 연구도 하고 논문도 쓰고, 또 회사에서 알아서 좋은 저널에 퍼블리싱까지 해주고, 좋은 강연장에 초청도 해준다는 것이다. 그러나 본인은 학자로서 그럴 수 없기에 여기서 가장 좋은 멤브레인은 페리오스티움이라는 말이나 하고 있다는 식으로 씁쓸해 하셨다. 필자가 영어가 짧아서 제대로 알아들었는지 의문이긴 하지만, 그때 그 교수님의 말씀이 지금도 기억에 남는다. 필자가 이렇게 강의도 하고 책도 쓸 줄 알았다면, 그때 그 교수님과 사진이라도 한 장 찍어 놓을 걸 하는 아쉬움이 남는다.

1.3 2008년 3월 UCLA 치주과 레지던트 3년차들과

1.4 2008년 3월 치주과 교수님 강의를 청강하며 치주과 교수님께서 한 턱 내신 날

반대로, 2007년부터 2008년까지 UCLA 치과대학 치주과에 있을 때 교수님 중 한 분은 멤브레인을 쓰지 않은 경우 이식된 골조직 내로 소프트티슈 등이 많이 생겨 있는 것을 보여주시면서 멤브레인의 중요성을 강조하셨다. 그러다 보니 수련의들도 진료할 때 멤브레인을 많이 사용하게 되었다. 아무래도 수련과정에서 재료를 아낌없이 사용하면서 하고 싶은 것은 다 해보는 것이 좋다는 그런 취지이기도 했을 것이다. 늘 아끼며 꼭 필요한 곳에 필요한 만큼의 재료만을 써왔던 필자의 입장에서는 신선한 경험이었다.

한국 치과의사들은 보통 외국의 치과의사들이 수술하는 것을 보면 아무리 잘한다고 하는 사람이라 한들 그다지 감동하지 않는 경우가 많다. 그냥 우리 학교 교수님들이 수술하는 것만 봐도 더 잘하는 것 같고, 다른 원장님들이 하는 것을 봐도 해외 유명 연자들보다 더 잘한다고 느끼기 때문일 것이다. 당시 치주과에 연차별로 2명씩 6명의 수련의가 있었는데, 나름 다들 특색 있는 선생님들이었다. 그중 3년 차 두 명이 잘하는 편이었다. 연차가 3년 차라서 그럴 수도 있지만, 필자가 봤을 때 다른 치주과 의사들보다 실력이 충분히 뛰어나다고 느꼈었다.

그즈음 3년 차 한 명이 사이너스 래터럴 엘레베이션을 하고 있었다. 보통 UCLA 치주과는 사이너스 수술을 하면 엄청나게 많은 동종골을 위주로 넣는다. 그때도 필자는 사이너스는 크레스탈 어프로치로 엘레베이션해서 작은 것을 심던 시절이라 이런 것이 익숙하지 않았다. 마침 그 치주과 교수님 강의를 같이 들었던 차라 사이너스에 그래프트를 할 때도 멤브레인을 써야하냐고 물어봤다. 그랬더니 누구나 하는 답변처럼 '찢어지면 쓰고, 아니면 안 쓴다'고 하는 것이다. 그래서 필자가 '멤브레인을 안 쓰면 소프트티슈가 개재되어 안 된다고 교수님께서 말씀하시지 않았냐'고 대화를 하다가 영어로 심오한 대화는 불가능한 수준이라… 그냥 어리버리 멋쩍게 웃으면서 대화는 끝나버렸다.

어쨌든 필자는 언제나 모든 임플란트 수술에서 깔끔한 페리오스티움을 얻을 수 있다면 굳이 멤브레인을 쓰지 않는다. 멤브레인은 소프트티슈의 blood supply를 막아서 치유에 방해가 된다고 생각하기도 하고, 또한 그로 인해 얻는 것 중 특별한 것은 없는 것에 비해 재료도 비싸고 술식도 복잡해지고 무엇보다 실패할 확률이 매우 높아지기 때문이다.

페리오스티움이 얼마나 중요한지에 대한 강의를 들은 적이 있다. "MRONJ"에 관한 강의였다. 우선 강의의 결론부터 말하자면 "옛날처럼 너무 걱정은 하지 말아라"는 것이다. 강의 중간에 MRONJ로 하악골을 절제한 환자의 회복 과정에서 신생골이 저절로 생기는 과정을 볼 수 있었는데, 악성종양 등으로 하악골을 절제한 다른 케이스들과 비교했을 때 MRONJ 케이스는 페리오스티움을 절제하지 않고 남겨두기 때문에 그런 것이 아닌가 추정된다고 들을 수 있었다. 페리오스티움이 뼈를 만드는 것은 아니지만, 이에 매우 중요한 역할을 하는 것 정도로 해석해 볼 수 있다. 아마 모든 치과의사가 비슷한 생각을 할 것이라 생각된다.

실제로 요즘 콜라겐 본 등이 많이 나오는데, 회사에 정식으로 사용법을 문의해 보면 멤브레인 없이 써도 된다는 답변을 들을 수 있다. 그저 본이 덩어리져 있을 뿐인데도 말이다. 본 파티클 사이의 콜라겐이 소프트티슈의 진입을 막는 것도 아닐 텐데, 그리고 그 이전에 멤브레인 사용을 적극 지지하던 분들이 멤브레인을 골이 뭉쳐 있게 하는 용도로만 사용한 것도 아닐 텐데 말이다. 현재 필자가 사용하는 덴티움의 오스테온3 콜라겐의 개발자가 라이브 서저리 과정에서 멤브레인을 사용하지 않고 그냥 편하게 쓰는 것을 본 적이 있다.

필자의 케이스 하나를 보자(📷 1.5). 필자의 임플란트 수술법은 언제나 똑같지만 유난히 기록이 잘 된 것이 있어서 올려본다. 이렇게 페리오스티움이 깨끗하게 잘 박리된 경우에는 굳이 멤브레인을 사용하지 않는다. 환자가 2년 만에 다시 내원하였길래 CT를 찍어서 버칼 본을 관찰하였다.

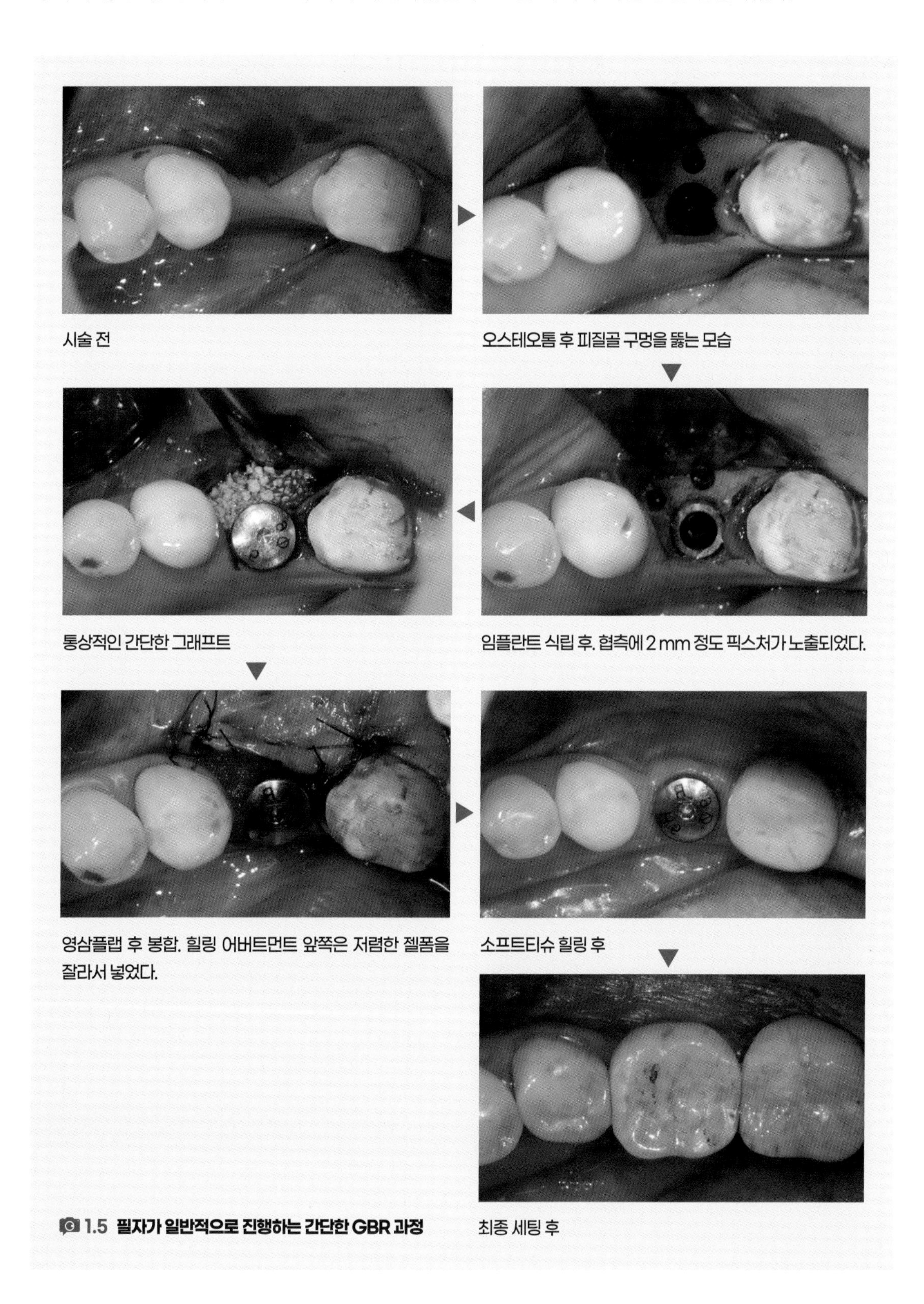

📷 **1.5 필자가 일반적으로 진행하는 간단한 GBR 과정**

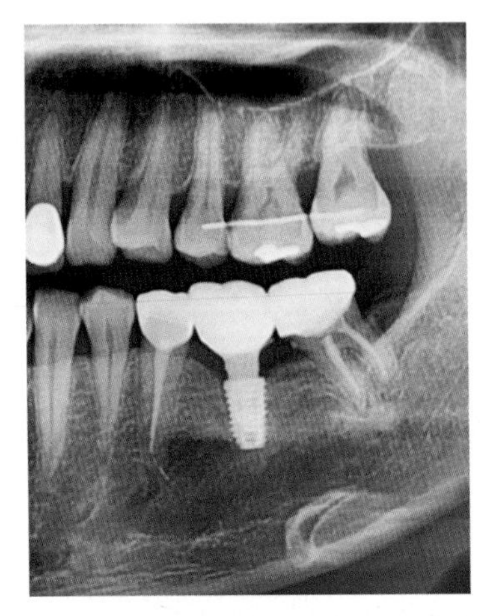
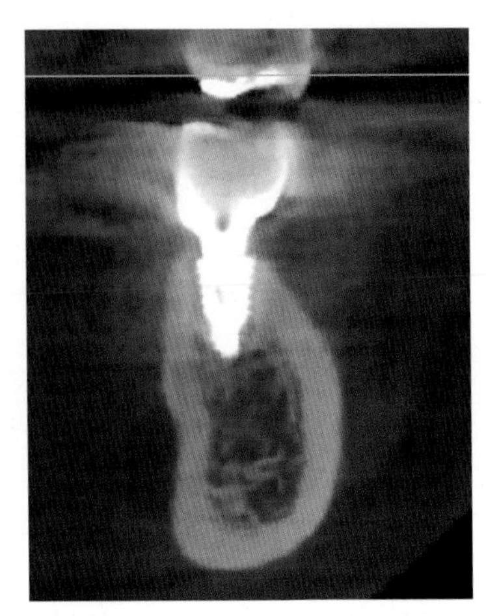
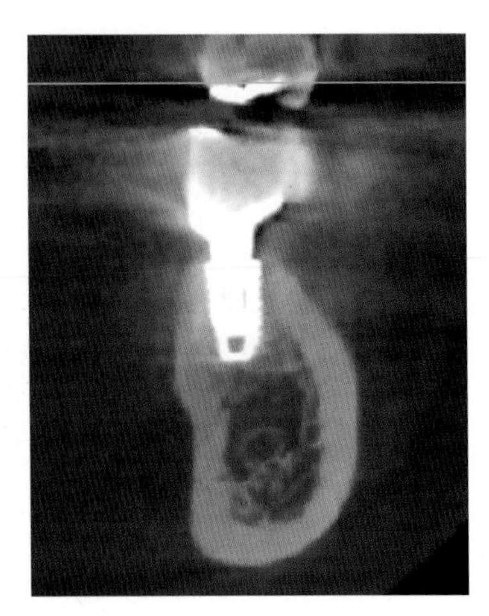

1.6 세팅 2년 후 내원하였을 때 촬영한 CT 단면

1.6을 보면 특이한 소견 없이 의외로 풍융하게 잘 되어 있는 것을 볼 수 있다. 보통 필자는 이런 경우에 소량의 제노그래프트를 선호하는데, 임플란트 픽스처가 덴티스의 OneQ라는 제품이다 보니 이왕이면 임플란트와 같은 회사 제품을 사용하는 원칙하에 덴티스의 오비스본(BCP 합성골 80 β-TCP +20 HA)을 사용하였다.

사실 임플란트를 심을 때 뼈를 찾아서 심는 것보다 올바른 위치에 심기 때문에 이렇게 버칼 디펙트가 생기는 케이스가 많다. 그 자체는 큰 문제가 되지 않지만 필자는 노출된 부분은 이렇게 골로 덮어주는 편이고, **임플란트를 중심으로 바깥쪽으로** 2 mm 이상 할 필요성은 크게 느끼지 못하고 있다. 가끔은 이게 정말 필요한지 모르겠지만 내 마음 편하려고 하는 것이기도 하다. 골이식의 목적은 흡수 방지, 형태 유지, 소프트티슈 지지 이 세 가지 밖에 없다. 어떤 골이식재를 사용할 것인지에 대해서는 다음 장에서 충분히 다룰 것이다.

부착치은이 매우 부족한 케이스였지만 "영삼플랩"을 통해서 그냥 간단하게 극복해 보았다. 최상의 결과라고 볼 수는 없지만 노력에 비하면 소득은 좋았다. 필자가 심은 임플란트라고 보기에는 홀이 디스탈에 위치하고 있는데, 필자도 좀 억울한 점이 있다. 뒤에 메지알로 틸팅된 크라운의 사이즈를 조절했다면 충분히 좀 더 가운데로 오지 않았을까 싶은 생각이 든다. 보통 이렇게 디스탈 치아가 메지알로 기울어진 경우에는 메지알을 6, 디스탈을 4 정도의 크기로 심는데, 그 이유는 보철과의사가 뒷 크라운을 조절할 수 있기 때문이다. 또한 나중에 7번이 빠졌을 때 임플란트를 할 수도 있으니 지금 단순히 좁아져 있는 공간이 아니라 최대한 원래 6번 치아에 심는 느낌을 살려서 5번 치아에 평행하도록 하는 편이다. 이 경우는 5번 치아가 디스탈로 틸팅되어 좀 특이하게 보이는 케이스이다. 이런 다양한 경우에 어떻게 심을 것인가에 대한 고민은 후속편을 기대해 주길 바란다.

골이식할 때 피질골에 구멍을 뚫는 것이 필요한가?

보통 이렇게 그래프트를 할 때 종종 버칼 피질골에 구멍을 뚫는데 이것이 정말 필요한지에 대한 논란은 이미 끝난 지 오래다. 많은 연구와 강의 등에서 하나마나 똑같다고 하였기 때문이다. 필자의 생각도 같다. 그래서 구멍을 크게 많이 뚫지는 않지만 습관 때문에 두세 개 정도 뚫기도 한다. 수술하다 보면 뚫어 놓은 구멍 때문에 골이식재가 밀려나지 않고 안정적으로 유지되는 미끄럼 방지 효과(?) 정도는 있는 것 같다.

교합면에서 본 임상사진

발치 3개월 후

약간 협측에서 본 진행 과정

1.7 통상적인 GBR 케이스

디펙트가 조금 더 큰 케이스이지만 크기만 크게 해 언제나처럼 똑같이 한다(1.7). 이 케이스에서 보면 알겠지만, 치아가 발치되고 나서 바로 베스티뷸이 교합면 쪽으로 올라왔다. 보통 이런 경우에도 필자는 어지간하면 힐링 어버트먼트를 사용하는데, 영삼플랩을 했을 경우 본 파티클이 빠져나갈까 봐 커버스크류를 사용하였다. 아마도 오로지 사진을 찍기 위함인 듯하다. 크게 중요한 내용은 아니지만 환자가 지인이어서 사진찍는 데 동의하여 그냥 과정을 기록하는 의미로 촬영한 케이스이다.

실제로 힐링 어버트먼트가 오히려 연조직이 눌리는 것을 막아서 버칼 본이 밀려 내려가지 않기 때문에 어지간하면 힐링 어버트먼트를 사용한다. 아마도 베스티뷸을 최대한 버칼로 미는 효과를 위해서 하는 듯하다. 아니면 디펙트 부위가 매우 클 경우에 세컨 서저리에서 이식재의 움직임을 확인하고 한 번 더 크래프트 하려고 하는 경우도 종종 있다(이건 아마도 후자인 듯하다). 어쨌든 이 경우에는 세컨 서저리에서 영삼플랩을 잘 해서 마이너한 vestibuloplasty와 FGG을 한 것처럼 좋은 결과를 얻었다.

1.8은 파노라마 방사선 사진으로 본 것이고, 마지막 파노라마는 세팅 1년 후의 파노라마 방사선 사진이다. 반대쪽의 경우도 비슷하게 진행했음을 볼 수 있다.

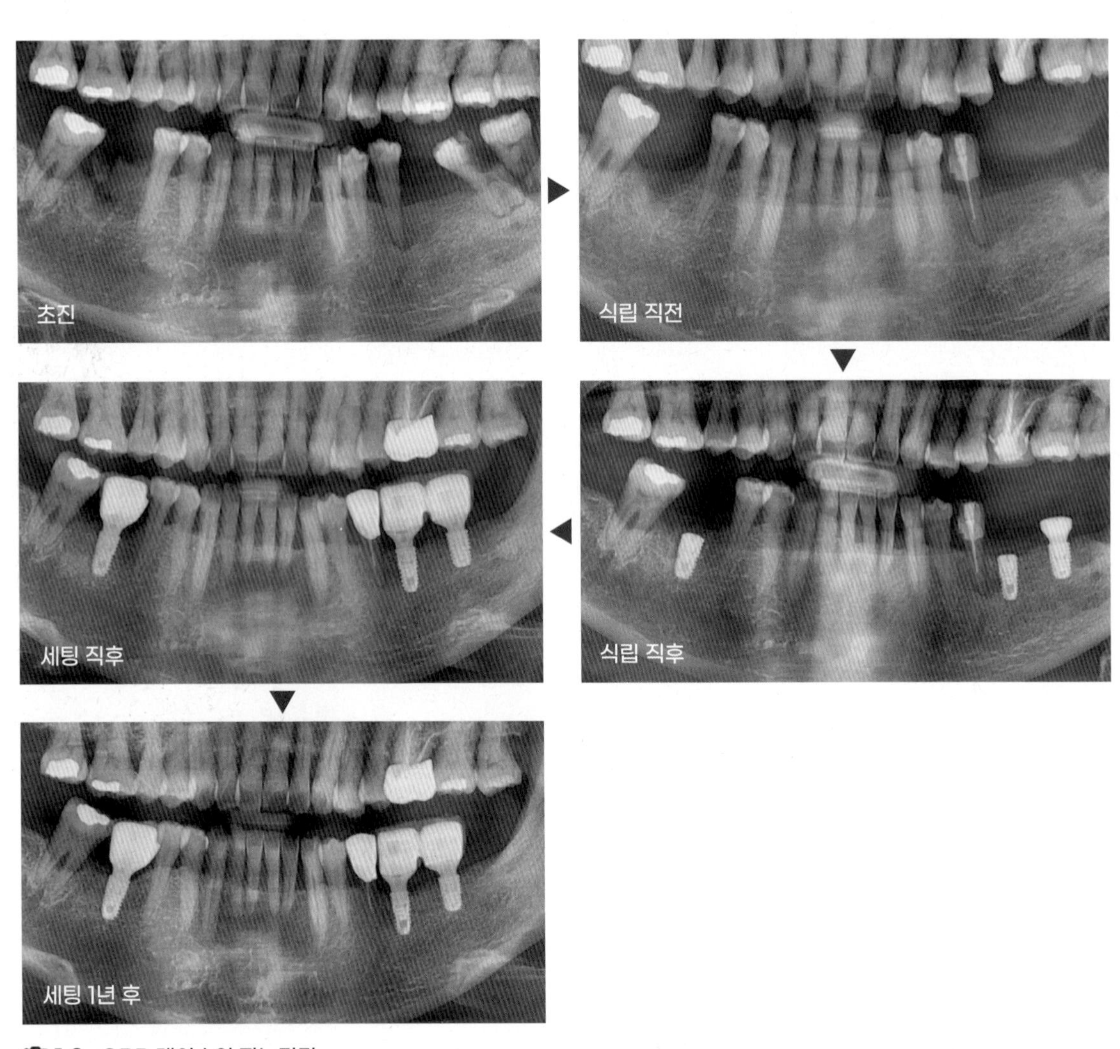

1.8 GBR 케이스의 파노라마

반대쪽 36, 37번 케이스 보기

참고로 같은 환자의 36, 37번 임플란트 케이스도 같이 보겠다. 당시에는 thin biotype에도 불구하고 충분히 깊게 심었다고 생각했지만 지금 보면 조금만 더 깊게(36번 1 mm, 37번 1.5 mm 정도) 심었더라면 어땠을까 하는 아쉬움이 남는다. 이 케이스는 4-5년 전으로, 최근 필자는 예전보다 임플란트를 1 mm 더 깊게 심고 있다. 36번 세컨 서저리에서도 영삼플랩으로 버칼에 keratinized gingiva가 형성한 것을 볼 수 있으며(📷 1.9), 세컨 서저리 사진의 협측에서 힐링 어버트먼트가 1-1.5 mm 정도 보이는 것을 볼 수 있다. 그래서 요즘 하악에서는 거의 5 mm 힐링 어버트먼트가 잇몸과 거의 같은 높이가 되도록 맞추고 있다. 여기서도 플랩이 깔끔하게 형성되어 멤브레인은 사용하지 않았다.

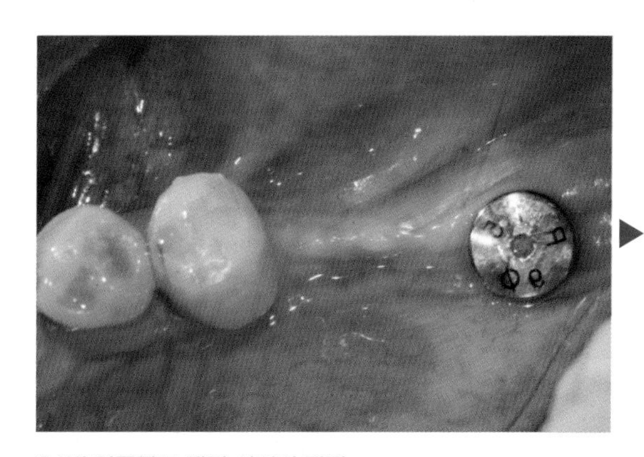

36번 임플란트 세컨 서저리 직전

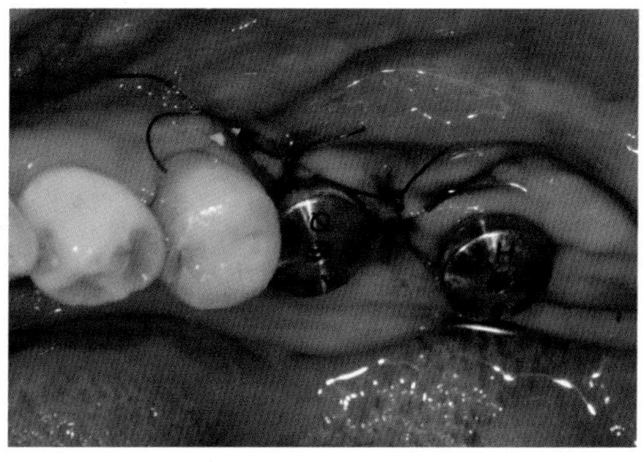

36번 임플란트 세컨 서저리 직후
세컨 서저리도 영삼플랩 형태로 진행하여 부착치은을 최대한 보존하려고 노력한다. 플랩형성 과정에서 예전에 이식했던 골이식재가 몇 개 빠져나온 것이 보여서 아쉽다. 또한 이렇게 thin biotype에서는 골에서의 임플란트 위치만을 생각하지 말고 좀 더 깊게 심어야 한다는 것을 늘 명심해야 한다.

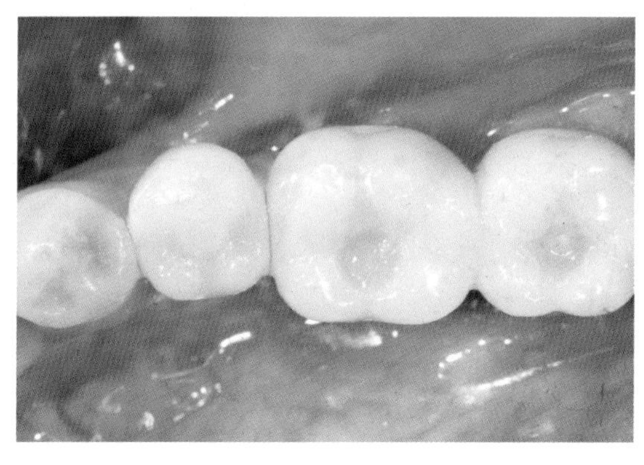

세팅 직후 임상사진
36번 임플란트가 조금은 설측으로 심어진 것을 볼 수 있다. 필자도 말은 늘 올바른 위치라고 하지만, 자기도 모르게 뼈 있는 곳을 향해 조금은 더 이동하나 보다. 세팅 직전 임상사진이 있다면 영삼플랩에 의해서 부착치은이 얼마나 잘 유지되었는지를 알 수 있을 텐데 없어서 아쉽다.

📷 1.9 36, 37번 임플란트 임상사진

또 하나 아쉬운 점은 골이식재로 β-TCP가 80%인 합성골을 사용하였다는 것이다. 필자는 이런 경우에 흡수되지 않고 오랫동안 형태 유지를 해주는 제노그래프트를 권한다. 그리고 충분히 깊게 식립하는 것이 좋다.

멤브레인을 사용한 케이스 1

환자는 친한 개그맨 후배의 어머니로, 염치 불고하고 사진촬영에 협조해 달라고 부탁하여 얻은 사진이다. 이 자리를 빌려 감사의 마음을 전한다.

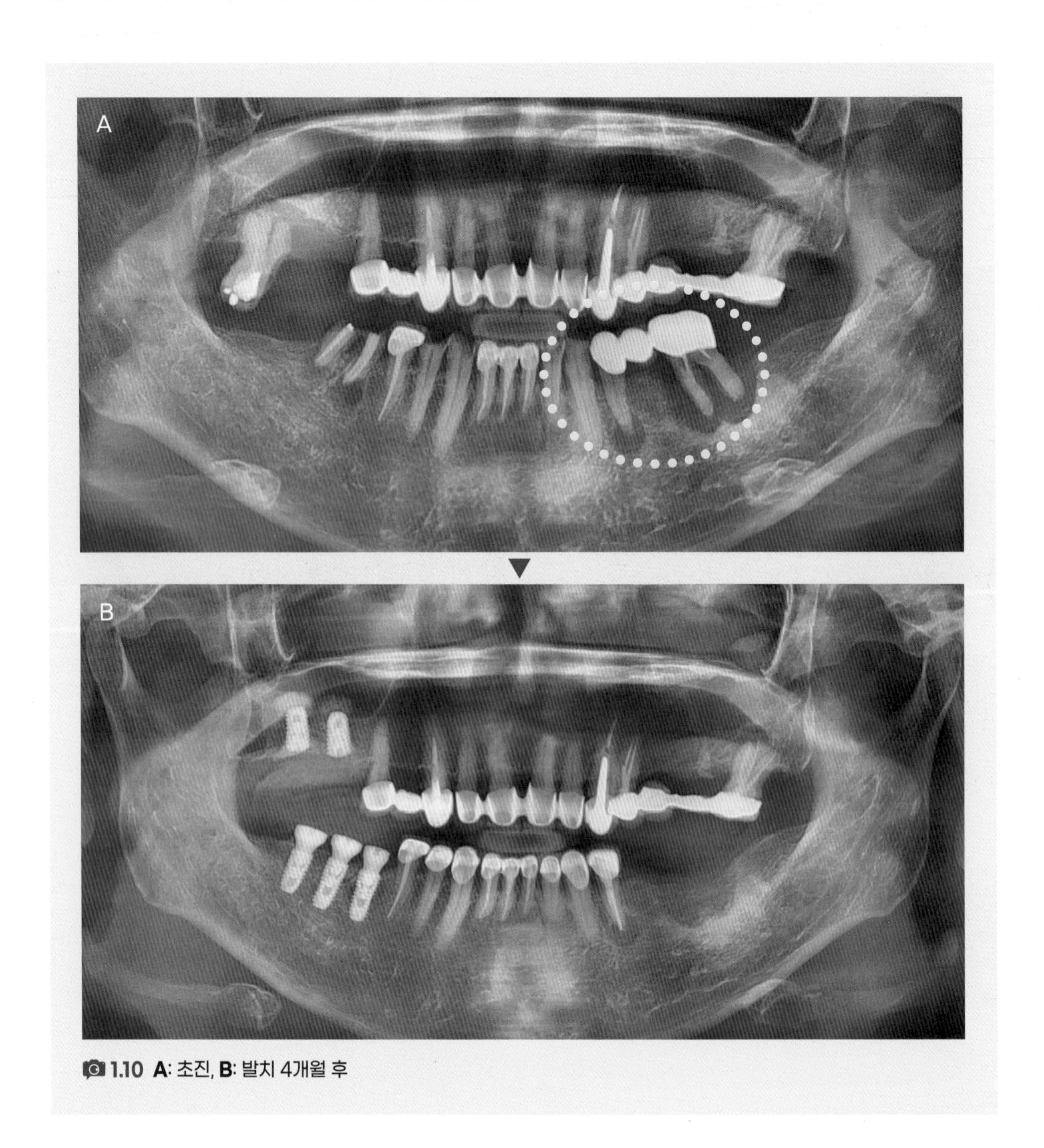

1.10 A: 초진, B: 발치 4개월 후

1.10은 71세 여성 환자의 초진 사진이다. 36번을 발치하고 35, 36, 37번 임플란트를 하기로 하였다. 그리고 많이 정출된 20번대 브릿지를 제거하고 임플란트를 하기로 하였다. 발치 4개월 후에 임플란트 수술을 하는데 워낙 본 디펙트가 크고 환자가 고령이라 그런지 발치와 부분이 깨끗하지 않았다.

그래서 임플란트 식립 후에 골이식을 한 후 멤브레인을 사용하였다. 본은 필자의 한국 내 라이브

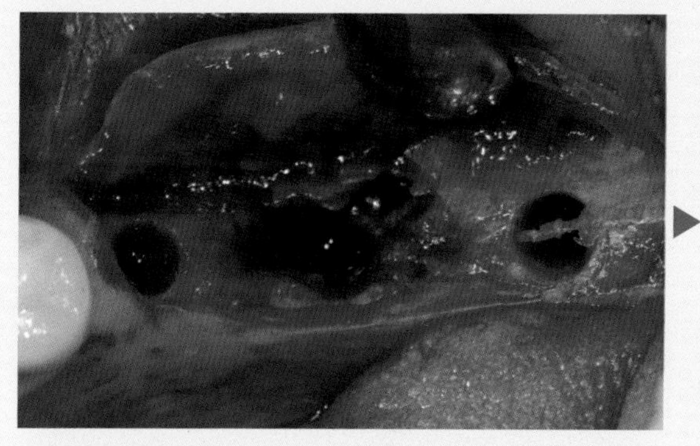

소켓의 윗부분은 골막이라기보다는 육아조직처럼 보이는 것들로 덮여있다.

식립 후에 6번 디펙트 부위와 7번 협측으로 골이식 준비를 하였다.

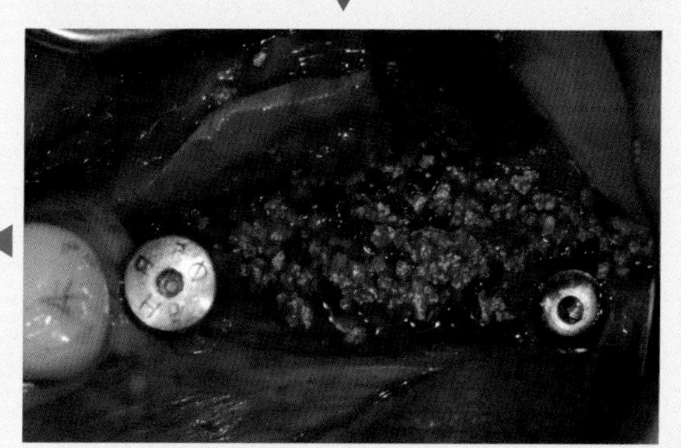

골이식재로 디펙트 부위를 덮었다.

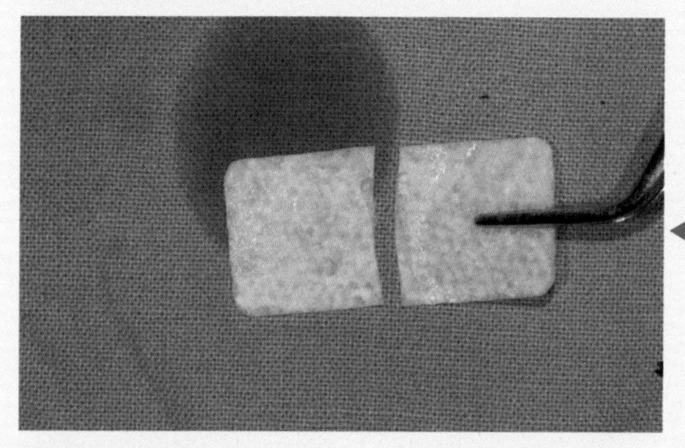

보통의 경우 필자는 15 * 20 mm 멤브레인을 잘라서 모양에 맞게 쓰는데, 직원이 더 긴 걸 꺼내서 그나마도 반을 잘라냈다.

페리오스티움이 깨끗하지 않은 부분만 덮었다.

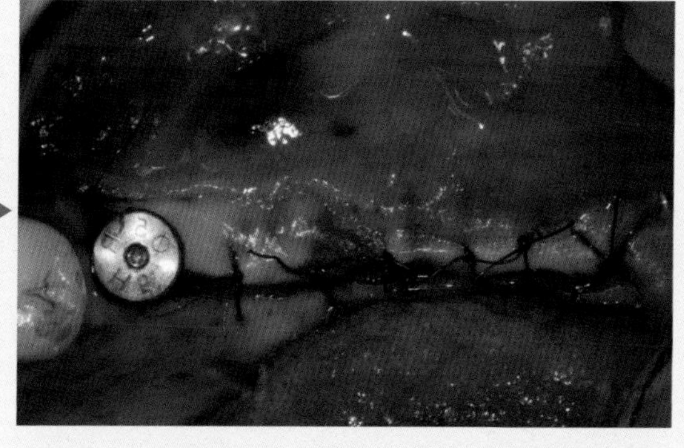

35번은 영삼플랩을 하고, GBR한 부위는 일반적인 단속 봉합을 하였다.

1.11

서저리를 후원해 주고 있는 덴티스의 합성골 Ovis를 사용하였으며, 멤브레인은 국내 가장 대표적인 덴티움의 제노스(GENOSS)의 흡수성 멤브레인 사용하였다. 멤브레인의 사이즈를 보면 알겠지만 그래프트 머트리얼을 덮었다기보다는 페리오스티움이 없는 소켓 윗부분만 골라서 덮은 정도이다(1.11).

수술하고 10일이 지난 후에 멤브레인이 노출된 것을 볼 수 있다(📷 1.12). 그러나 일주일 정도 지나자 멤브레인 윗부분이 거의 소프트티슈로 채워졌고, 4개월 후에 진행한 세컨 서저리 당시 사진을 보면 거의 단단하게 형성된 것을 볼 수 있다.

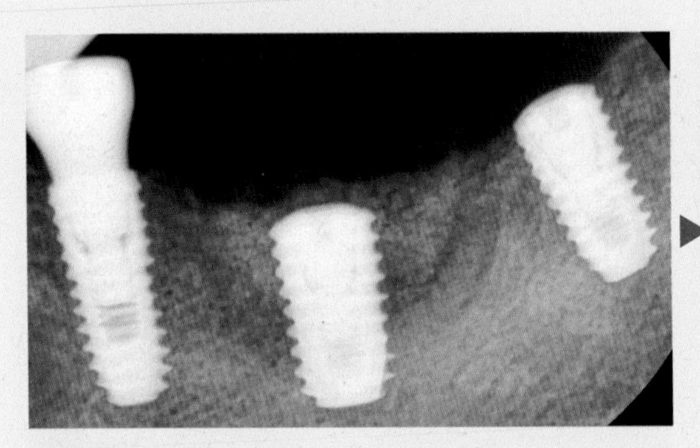
식립 직후

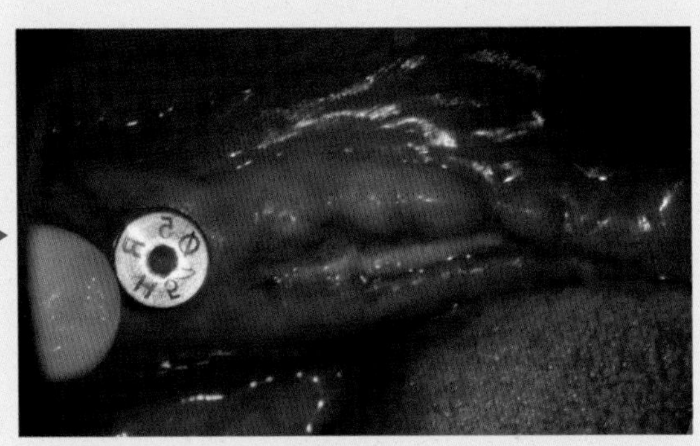
10일 후 멤브레인이 노출되었다.

4개월 후 잇몸이 정상적으로 회복되었다.
(34번 근관치료 실패로 중간에 발치함)

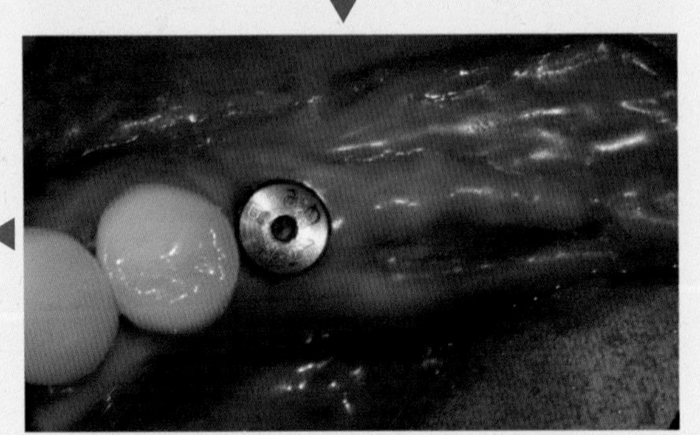
17일 후 노출된 멤브레인이 정상 잇몸으로 덮여졌다.

📷 1.12

김영삼 원장

수술이 멋있게 되지도 않았고 37번 임플란트도 삐뚤어지게 식립되었지만 멤브레인이 노출되었다가 예쁘게 잇몸으로 덮여졌기에 많은 분들께 희망을 드리기 위해서 이 케이스를 올려본다. 식립 당시 임상사진을 보면 36번 본디펙트를 피하고자 37번을 좀 더 디스탈로 심으려다가 골면이 경사져서 근심 경사지게 심어진 것을 볼 수 있다. 게다가 환자가 예정되었던 상악 치료를 미루는 바람에 최종 완성된 크라운은 너무 꼴불견이 되어버렸다.

그러나 세컨 서저리를 하려고 열어 보니, 안에 있는 멤브레인이 이제 방금 넣은 것처럼 선명하게 남아 있었다(1.13). 그래도 흡수성 멤브레인이니 알아서 없어지겠지 하고 교합면에 있는 부분만 제거하고 세컨 서저리를 마무리하였다.

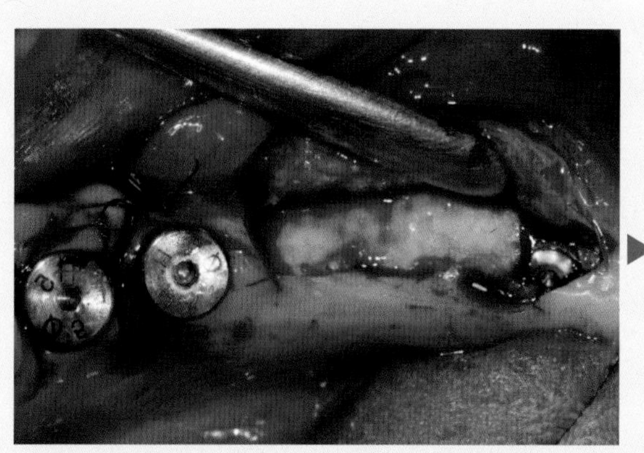

4개월 후 34번을 식립하면서 36, 37번 세컨 서저리

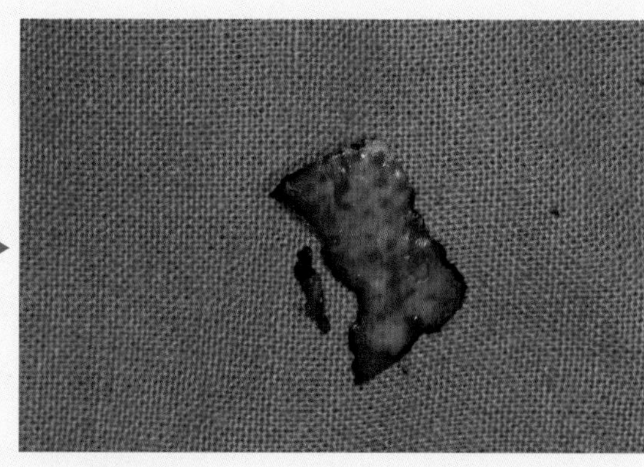

제거된 멤브레인

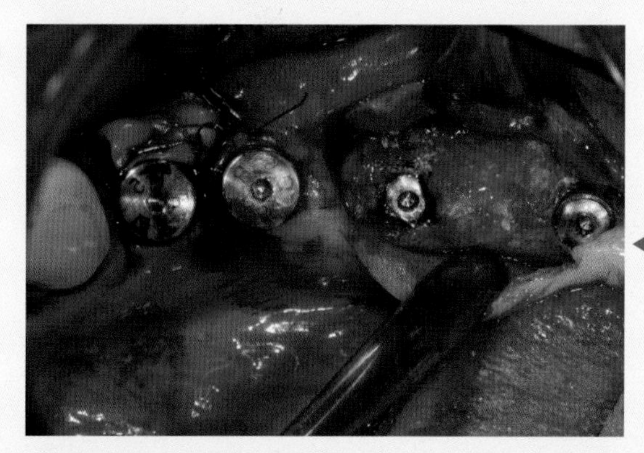

픽스처 상부 골이식재를 제거하여 픽스처의 커버스크류 노출

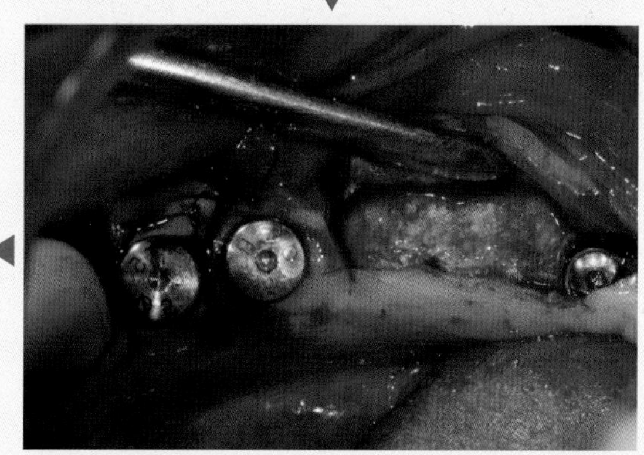

제거한 후 치조골

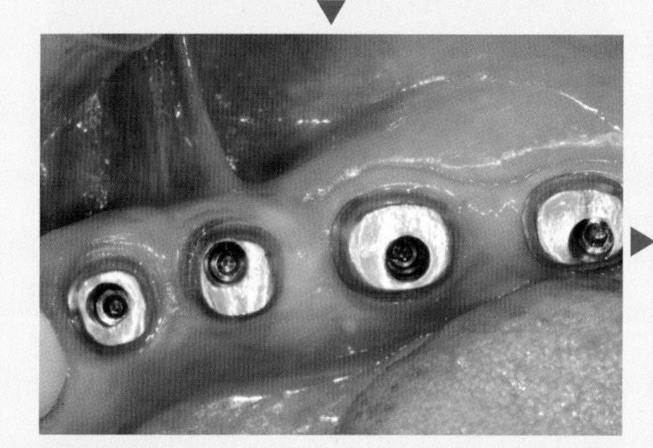

어버트먼트 장착 후
세컨 서저리 직후 임상사진은 없으나 어버트먼트 장착 후 사진을 보면 영삼플랩으로 임플란트 주변으로 잘 형성된 부착 치은을 볼 수 있다.

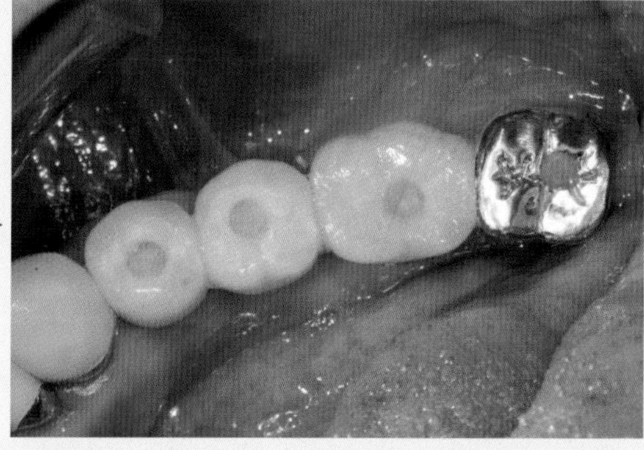

세팅 후
여전히 37번 임플란트의 위치가 아쉬움이 남는다. 36번 본 디펙트를 무시하고 좀 더 앞쪽에 식립했어야 했다.

1.13

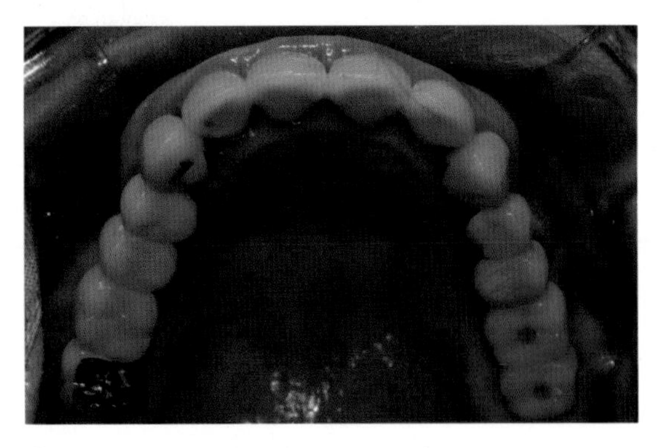
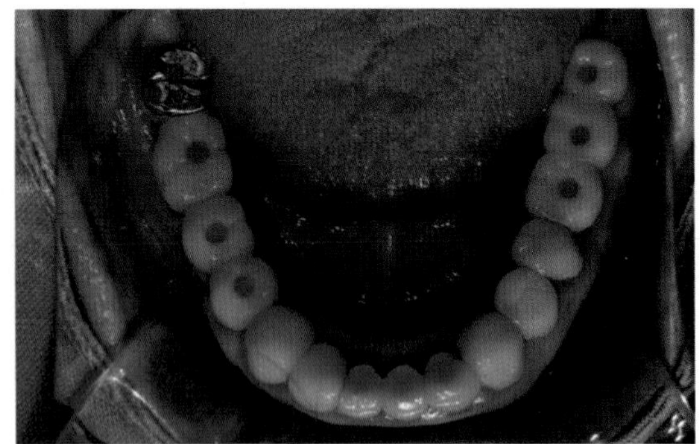

1.14 최종 세팅 후 임상사진

1.14는 최종 마무리 사진인데 환자가 20번대 치료를 끝까지 거부하면서 교합면이 너무 낮게 형성되었고, 그로 인해서인지 반대쪽마저도 좀 낮아져 버렸다. 반대쪽의 경우는 위와 아래를 같이 심다 보니 높이 조절에 조금은 덜 신경 쓰게 되었다. 반대쪽과 높이를 맞춘 건지… 그렇게 얕게 심은 정도는 아닌데… 크라운이 너무 아쉽다. 오래전 케이스라 그래도 비교적 긴 임플란트이다.

아마도 20번대를 같이 치료하셨다면 양쪽 하악 구치부 교합 평면을 같이 높일 수 있어서 크라운이 조금은 예쁘게 끝나지 않았을까 하는 푸념을 해본다. 최종 높이를 보면 여러 가지로 아쉽다. 그래서 필자는 보철이 어렵고 싫다.

그래도 1년 뒤 파노라마를 보면 골이 잘 형성된 것을 볼 수 있다(1.15). 5년 후 사진을 봐도 거의 변화가 없는데(1.16), 얼마 못 갈 것 같다고 교체하자고 했던 20번대 어금니들이 지금까지 잘 버티고 있는 걸 보니 조금은 무안했다. 치료는 언제나 보수적으로 지켜보면서 결정하는 것이 좋겠다는 생각을 다시 한번 하게 되었다.

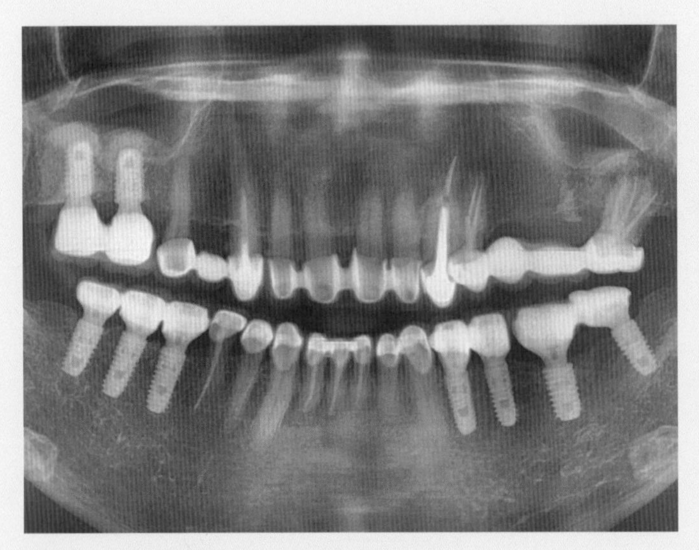

1.15 보철물 세팅 1년 후 파노라마 방사선 사진

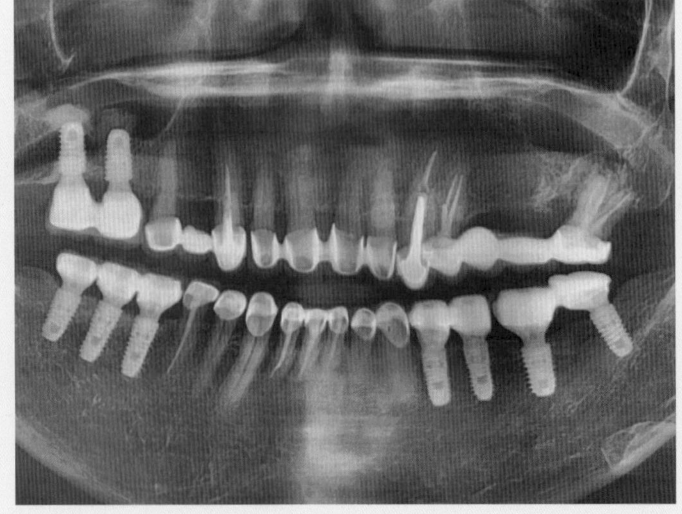

1.16 5년 후 파노라마 방사선 사진

어떤 멤브레인을 사용할 것인가?

필자가 처음 임플란트를 공부하던 2000년대 초반에는 비흡수성 멤브레인이 유행했었다. 그러다가 2005년 전후로 한창 임플란트 수술에 물이 올라 블록본 그래프트나 ridge splitting 등이 유행했을 때를 보면, 그런 세미나만 찾아다녀서 그런지는 몰라도 흡수성 멤브레인이 유행했었다. 아무래도 본 자체가 텐트 역할을 해주기 때문에 굳이 형태 유지를 위한 멤브레인을 사용할 필요가 없었기 때문이다. 심지어 한동안 비흡수성 멤브레인 사용이 줄면서 우리나라에 수입을 중단하는 일도 있었다. 필자가 보험 강의를 많이 하기 때문에 그런 제품의 수입과 등록 등 많은 이야기를 접하기 때문에 알 수 있었다.

그러다가 2010년을 넘어가면서 굵고 긴 임플란트를 심는 것보다 짧은 임플란트라도 올바른 위치에 심는 것이 중요하다는 것이 부각되었고, 다시 형태를 유지해주는 타이타늄 메쉬나 비흡수성 멤브레인이 시중에 많이 나오기 시작하였다. 지금은 수술 자체를 좀 심플하게 하는 것이 트렌드라 굳이 텐트 효과가 필요한 곳이 아니라면 일반적인 흡수성 콜라겐 멤브레인이 대세인 것 같다. 심지어 타이타늄 메쉬의 사용도 줄고, 임플란트 식립과 동시에 수직 증강이나 버칼 본이 연속적으로 얇은 경우에는 텐트 효과를 위해 임플란트 위에 끼워 쓰는 타이타늄 메쉬(오스템의 스마트 멤브레인)를 사용하는 경우들이 늘고 있다. 최대한 수술에서 트라우마를 줄이고 횟수를 줄이기 위한 방법일 것이다. 이런 타이타늄 메쉬를 사용하면서도 그 위에 멤브레인을 써야 하는지에 대해서 논란이 많지만, 필자는 늘 그렇듯이 페리오스티움이 어떤가에 따라 그 사용 여부를 결정한다.

멤브레인이 노출되면 어떻게 할 것인가?

멤브레인 종류에 따라서 노출되어도 좋은 멤브레인이 있고, 처음부터 노출시킬 생각으로 쓰는 멤브레인이 있다. 어차피 필자가 쓰지 않는 것들까지 알아둘 필요는 없으니 필자가 사용하는 일반적인 콜라겐 멤브레인에 대해서 경험담 위주로 써보겠다.

필자가 한참 임플란트를 공부할 때는 콜라겐 멤브레인은 절대 노출되면 안 된다고 배웠다. 그러나 강사나 수강생이나 진료하다 보면 충분히 잘했다고 생각되었던 케이스에서 멤브레인이 노출되어서 당황한 적이 있을 것이다. 필자도 마찬가지였다. 보통 다음날까지는 멀쩡하다가도 2주 뒤에 실밥을 뽑으려고 보면 멤브레인이 노출되어 있는 경우가 종종 있었다. 필자는 그래프트에서 가장 중요한 것이 blood supply라고 생각한다. 보통은 텐션이 가장 나쁘다고 하는 분들도 있는데, 아마 텐션에 의해서 blood supply가 잘 안돼서 조직이 죽는 것일 거라고 생각한다. 텐션을 없애주기 위해서 릴리징 인시전도 하고 충분히 잘했다고 생각하는 경우에도 언제나 예상대로 되지 않을 때가 있었다(여기서 릴리징 인시전은 그래프트 전과 봉합 직전 중 언제 하는 게 좋을까 하는 고민도 해본다).

그런데 마침 실밥 뽑는 날 너무 바빠 도저히 그것을 뜯고 다시 어떻게 할 수 있는 상황이 안돼서 며칠 뒤로 약속을 잡아달라고 했는데, 그날 와서 보니 잇몸이 멤브레인을 완전히 덮고 있던 경험이 몇 번 있었다. 아마 누구나 정성을 다해서 했던 그래프트의 멤브레인이 노출된 것을 보게 되면 꽤나 당황스러울 것이다. 누군가는 과감하게 확 까서 제거하고 다른 걸 넣든 빼든 하고, 다시 봉합하고 뭐 할 수 있는 건 다 했을 것이며, 누군가는 어떻게 하는 방법을 몰라서 다른 사람에게 연락도 해보고 공부도 해보고 하면서 기다리다가 리콜해서 보니 멀쩡해져 있어 당황스럽기도 했을 것이다. 수강생이나 강사나 이런 경험을 통해서 멤브레인이 노출되어도 염증이 없으면 우선 지켜보면서 좋은 결과를 얻었을 것이고, 이것이 발전하다 보니 일반 콜라겐 멤브레인으로도 오픈 멤브레인 테크닉도 시도하게 되었으리라 생각한다.

필자는 그래서 강의할 때 이렇게 말한다. 그래프트에서 텐션 없이 잘 봉합하는 것이 가장 중요하지만, 다만 그런데도 얼마 안 가서 멤브레인이 노출되면 그때는 오픈 멤브레인 테크닉으로 했다고 생각하라고… 그리고 리콜해서 체크하면서 기다리라고….

멤브레인을 사용한 케이스 2

필자가 SNS에 사이너스 엘레베이션 케이스 하나를 올렸더니 후배가 아래 사진은 GBR을 한 거냐고 물어봤다(📷 1.17). 그래서 직원들한테 GBR 케이스 사진을 찾아보라고 해 받은 사진을 올려봤다. 그 후 사진이 좀 빈약해서 아쉬울 뿐이다.

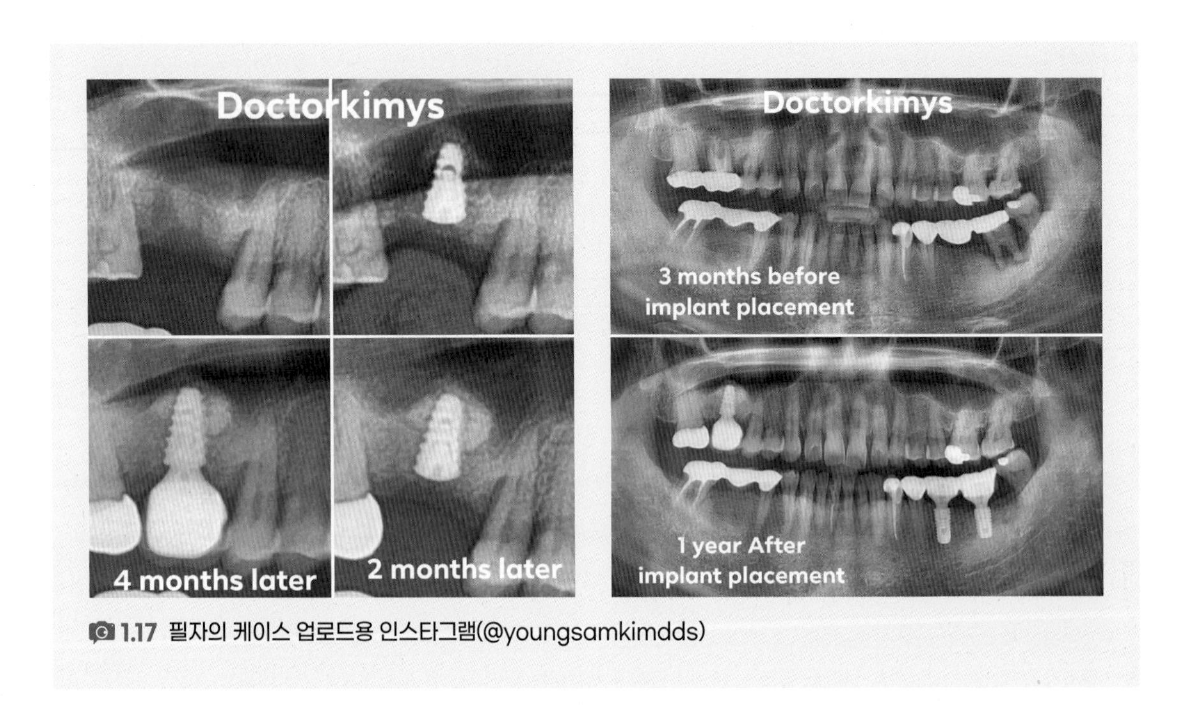

📷 1.17 필자의 케이스 업로드용 인스타그램(@youngsamkimdds)

발치하고 3개월 후에 수술에 들어갔지만 사진과 같이 소켓이 아직 충분히 골화되어 있지 않아서 제노그래프트(스트라우만의 Cerabone®)를 넣고 오스템에서 판매하는 OssGuide®라는 흡수성 콜라겐 멤브레인으로 덮고 봉합하였다. 7번 임플란트는 뼈가 있는 곳을 찾느라 조금 설측으로 심은 듯하여 마음이 좋지는 않다. 그래도 초기고정이 좋았기 때문에 한 달 반 뒤에 세컨 서저리를 하고 그 후 다시 한 달 반 뒤에 임프레션하여 크라운을 마무리하였다.

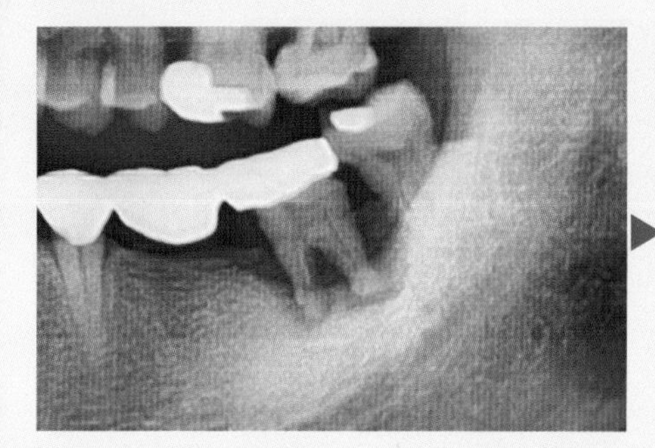

발치 전 초진 파노라마

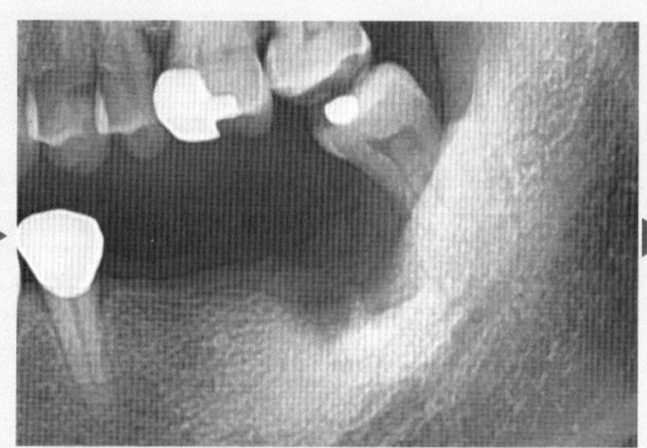

발치 3개월 후

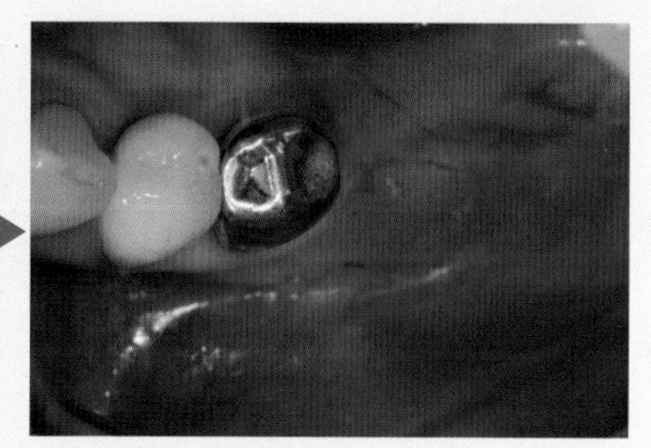

발치 3개월 후 수술 직전

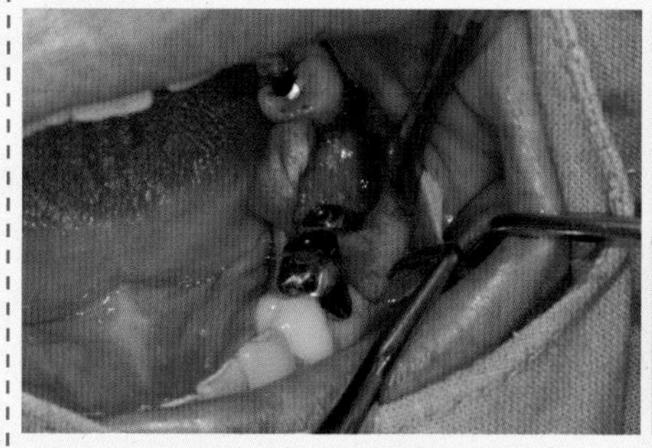

본 디펙트 부위가 크고 골막이 깔끔하지 않아서 멤브레인을 사용하기로 결정하고 설측에 위치시킴

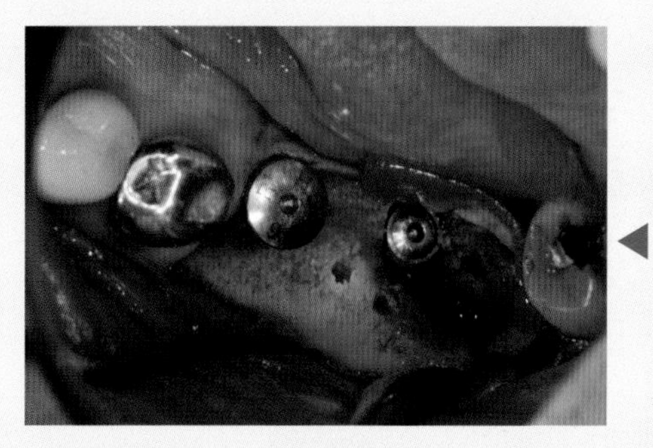

골 미끄럼 방지(?) 구멍을 뚫었다.

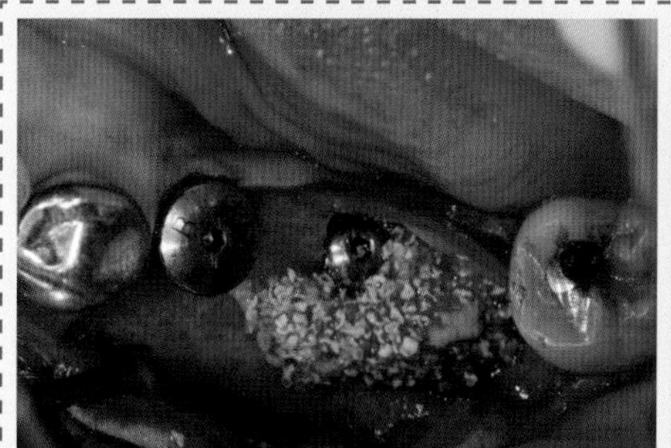

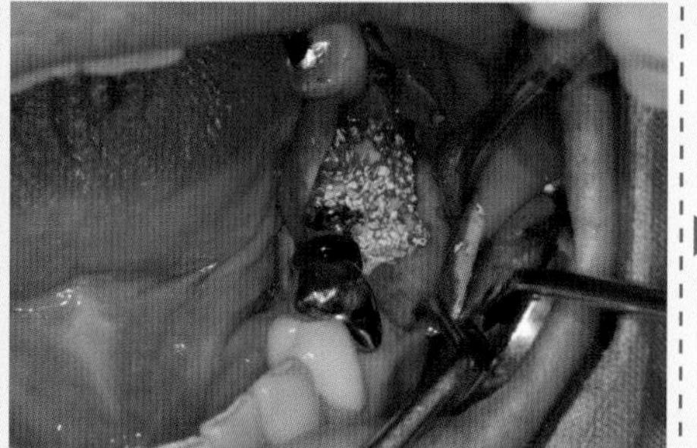

본 디펙트 부위가 너무 커서 안쪽에는 자가골을 넣고 위에 이종골을 넣었다.

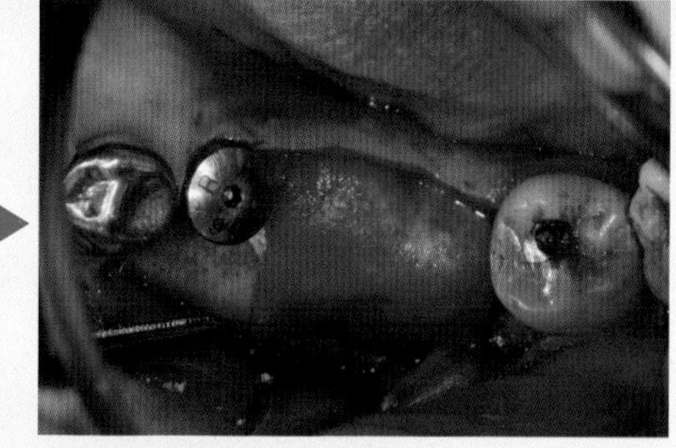

멤브레인을 덮고 봉합 직전

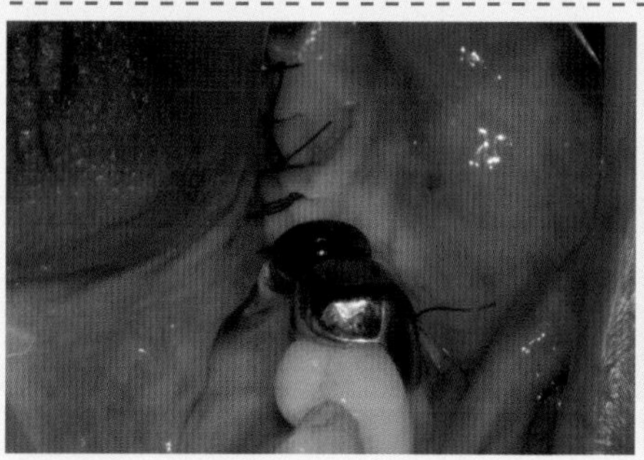

봉합 직후

필자는 일반적으로 단속 봉합만 시행하는 것을 원칙으로 하고 있다. 봉합을 잘 못하는 것 같다. 공간감각은 좀 있는 것 같은데, 이런 분야에선 어지간히 손재주가 없는 듯하다. 그래서 필자가 하는 대로 가르치면 수강생들이 잘 따라하는 것일 수도 있다.

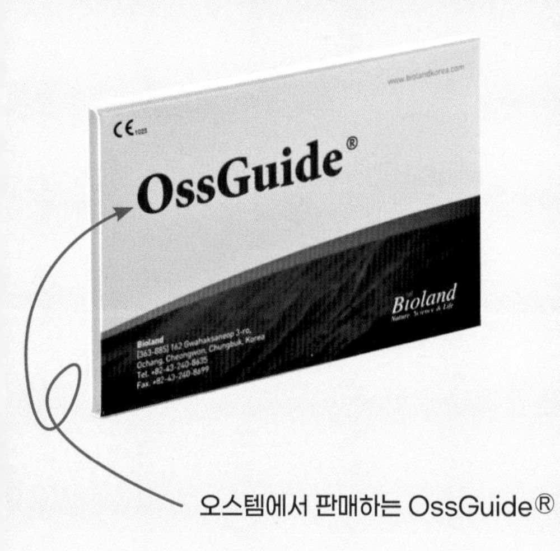

오스템에서 판매하는 OssGuide®

1.18

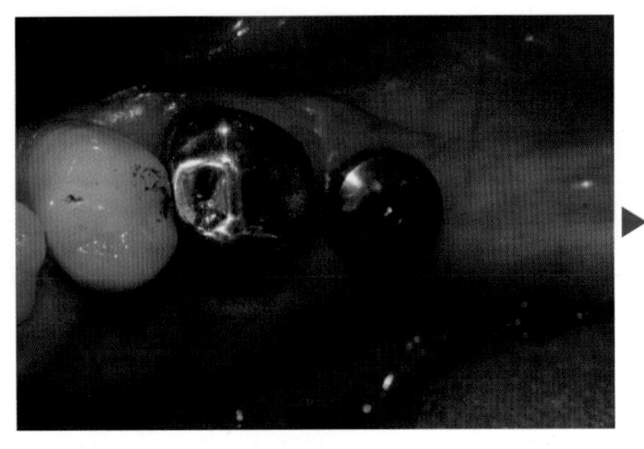

식립 한 달 반 뒤 세컨 서저리 직전

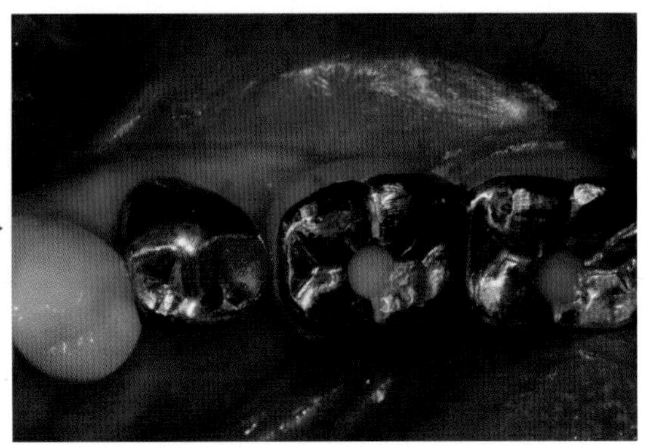

최종 크라운 세팅 후

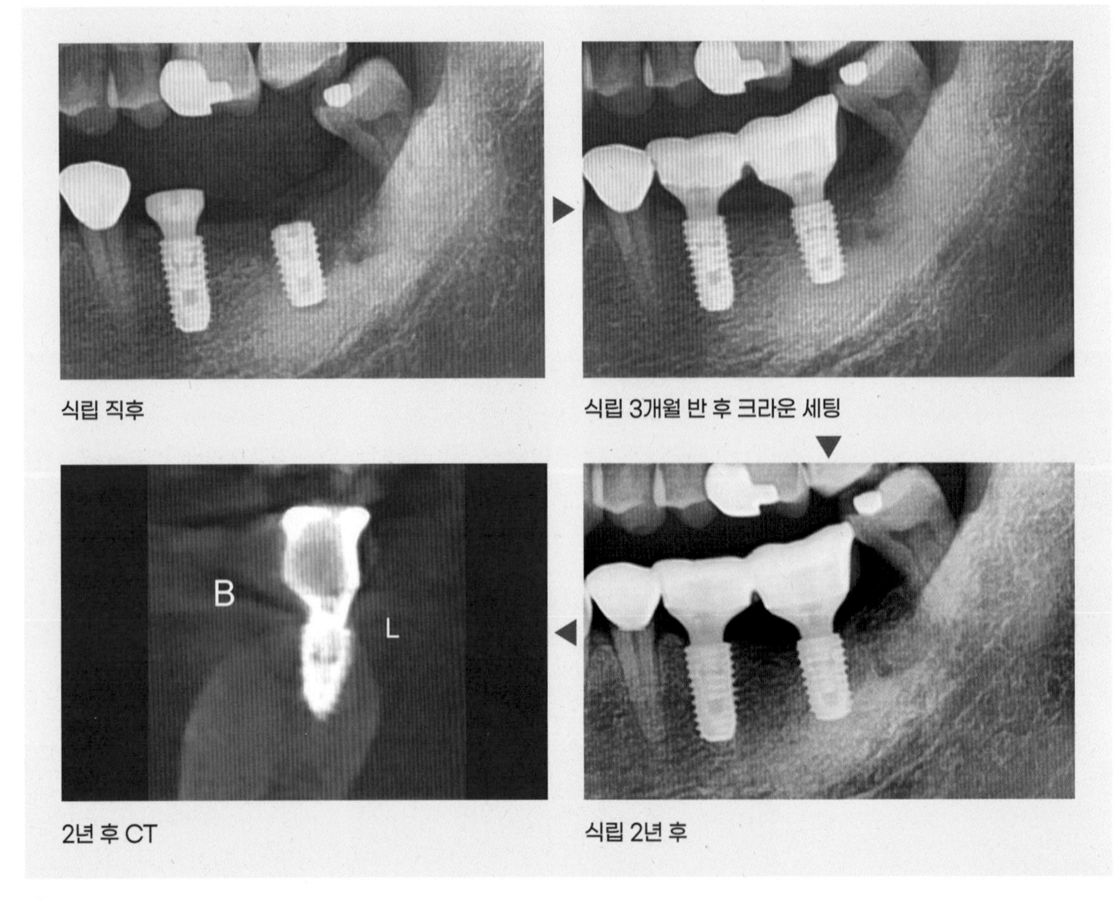

식립 직후

식립 3개월 반 후 크라운 세팅

2년 후 CT

식립 2년 후

1.19

필자는 잇몸이 완성(두께가 수술 전만큼 회복)되는 것을 중요하게 생각하기 때문에 2단계로 심었을 경우에는 최대한 빨리 세컨 서저리를 하려고 하는 편이다. 식립 2년 후 CT를 찍어 봐도 골이 예쁘게 형성된 것을 볼 수 있다(📷 1.19). 물론 정말 골질이 어떤지는 누구도 알 수 없지만 그래도 지금까지 4년 넘게 잘 유지하고 있다(📷 1.20, 1.21).

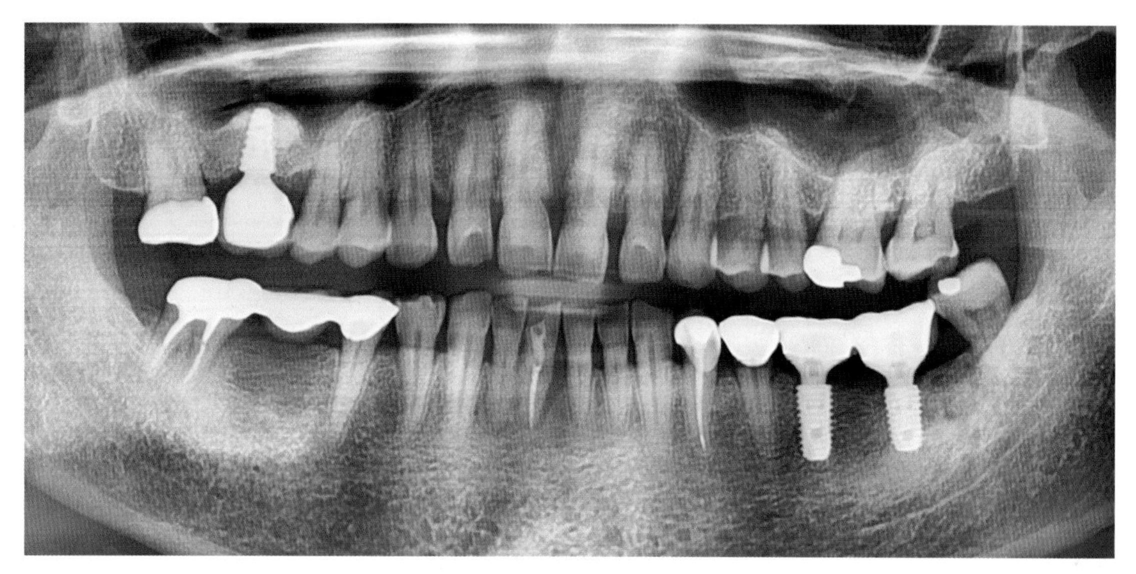

📷 1.20 식립 3년 후

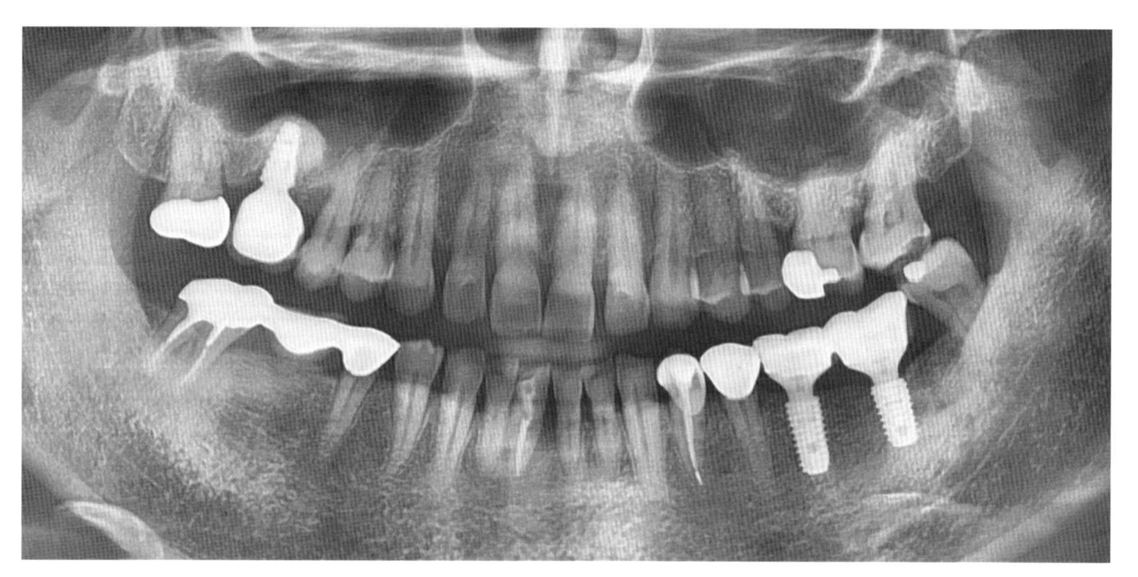

📷 1.21 식립 4년 후

필자는 수술 중간에 찍은 임상사진이 별로 없다

필자는 사진을 그렇게 열심히 찍지는 않고, 직원들이 시간이 될 때 찍는 편이다. 그런데 직원들도 매우 바쁘다. 보통 필자는 3명의 치과 위생사와 한 팀으로 일하는데, 이 책을 쓰고 있는 직전 달인 2021년 4월 통계를 보니 18일 출근해서 사랑니 463개를 뽑고, 임플란트 48개를 심은 것으로 확인됐다. 평일에 4일은 라이브 서저리를 병행하기 때문에 평소 환자의 반도 못 본다는 것을 감안하면 너무 바빠서 사진을 찍을 만한 시간적인 여유가 없다. 또 한편으로는 성격이 급해서 수술을 빨리 끝내야 하기 때문에 중간에 사진을 찍지 못하는 경우도 많다. 그래서 수술 전후 사진만 많고, 중간 사진이나 그래프트 사진은 거의 없다. 특히나 한국 환자들은 수술 중간에 사진 찍는 것에 대해 매우 민감하게 반응하는 편이다. 그래서 제대로 된 과정 사진이 부족한 점은 양해 바란다. 뭐 워낙 일반적이라 굳이 사진이 필요하지 않기는 하다. 그나마 사진이 있는 케이스들은 대부분이 지인들인 이유이다.

보통 발치 후에 언제 식립하나?

몇 년 전에 한국 치과의사들에게 발치 후 언제 심는 것을 선호하는지에 대한 설문조사가 시행되었는데, 당시 대부분이 "한 달 반 정도"라고 응답하였다. 그러나 최근 들어서 필자는 초기고정만 나온다면 대부분 즉시 식립을 하는 편이다. 한 달 반 정도 후에 심는 것은 기본적으로 뼈는 형성이 안 되었지만, 소프트티슈는 형성된 상태로 수술을 하겠다는 뜻일 것이다. 필자도 늘 그렇게 해왔지만 요즘엔 그렇게 하지 않는다. 뼈 상태가 좋아서 식립 시 그래프트가 필요 없거나 많이 필요하지 않은 경우에는 언제 해도 크게 문제없지만, 소켓이 살아 있지 않은 상태로 치아 주변으로 광범위한 골소실이 있는 경우처럼 식립과 동시에 많은 골 이식이 필요한 경우라면, 1차적인 소프트티슈 힐링만이 아니라 3개월 정도까지 좀 더 기다렸다가 하는 것이 좋다고 생각한다. 그래도 끝나는 최종 시간은 비슷할 것이다. 그 기간 동안 어느 정도 골이 형성되는 것도 중요하다. 그럼 초기고정만 잘 얻을 수 있는 게 아니라, 필자가 늘 강조하는 올바른 위치에 심을 수 있는 데도 큰 도움이 된다. 그러나 필자가 가장 중요하게 생각하는 것은 연조직이 제대로 형성되는 것이다. 특히나 하악 6번의 경우는 한 달 반 정도 지난 뒤 생긴 잇몸이 정상적인 잇몸보다 얇다. 얇은 것만의 문제가 아니라 blood supply를 옆에 진지바에서 받는 게 아니라, 아래 소켓에서 받고 있는 경우가 많다(필자의 생각은 그렇다). 그래서 소켓을 깨끗이 한 후 임플란트 심고 그래프트 하면 잇몸이 수술 후에 죽는 경우가 매우 많다. 더구나 거기에 멤브레인까지 쓴다면 blood supply에 큰 지장을 받기 때문에 멤브레인 위의 진지바가 제대로 살지 못하는 경우가 많다. 뭐 어디서 본 건 아니고 필자의 경험에서 우러나와서 하는 말이다.

주변골이 충분하면 멤브레인 사용 없이도 가능

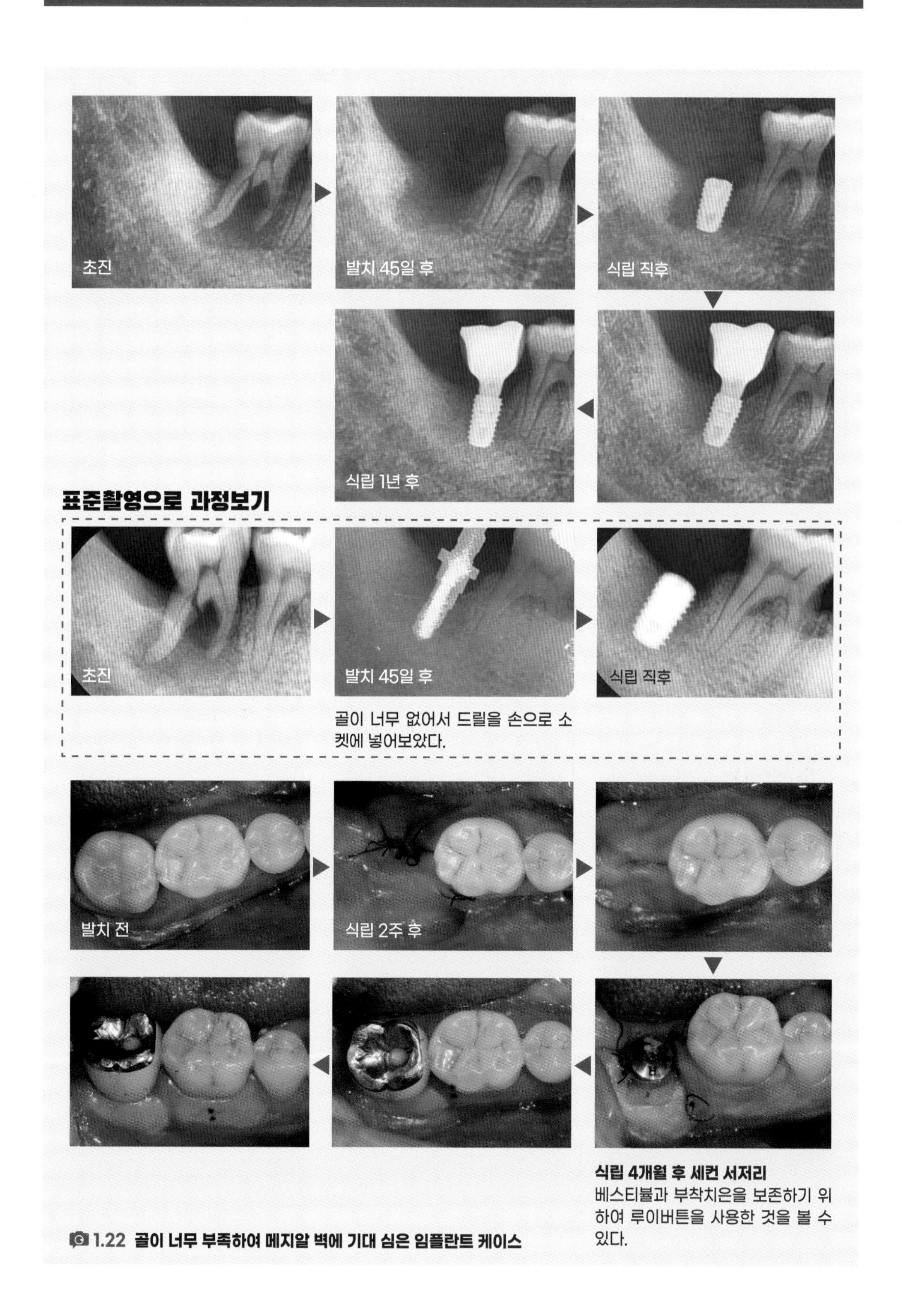

1.22 골이 너무 부족하여 메지알 벽에 기대 심은 임플란트 케이스

1.22의 케이스는 우리 직원들이 수술을 너무 일찍 잡아서 도저히 심을 수가 없었다. 사실 환자들이 발치까지만 하고 임플란트를 할지 말지는 나중에 결정하는 경우가 많은데, 그럼 직원들이 늘 그렇듯이 알아서 한 달 반 뒤에 잡아 놓을 때가 많다. 그러나 이런 케이스가 한 달 반 뒤에 골이 제대로 형성됐을 리가 없다. 필자가 심은 것 치고 패스가 좋지 못했다. 뼈가 너무 없어서 드릴도 최종 드릴로 그냥 한번 넣은 데다가 고정이 너무 안 나와서 픽스처를 넣어 놓으면 막 움직이는 수준이었기 때문이다. 그나마 뼈가 있는 메지알 면에 붙여서 넣어 놓았다. 이런 경우 가끔 0.5-1.0 mm 높은 커버스크류를 쓰기도 하는데, 너무 고정이 안 나와서 건드리면 안 될 것 같아 일반 커버스크류를 사용했다. 안에 소프트티슈를 다 긁어내고 그냥 픽스처를 손으로 넣어 놓고 커버스크류 한 뒤 골이식도 하지 않고, 멤브레인도 안 쓰고 그대로 봉합하였다. 이유는 주변 골이 임플란트 픽스처 탑보다 높은 위치에 있어서 그냥 그대로 둬도 뼈가 잘 형성될 위치로 보였기 때문이다. 역시 골은 저절로 생긴 것이 가장 골질이 좋고, 그래프트해서 생긴 것은 골질이 떨어지기 때문에 어차피 골이 생길 것 같은 곳에는 그래프트를 하지 않는다. 워낙 골질이 안 좋았기 때문에 세컨 서저리도 4개월 후에 하였다. 여기서도 세컨 서저리할 때 영삼플랩(덴티스의 루이버튼 사용)을 하였는데 베스티뷸이 깊어지고 부착치은이 늘어난 것을 볼 수 있다. 시술한지 3년이 넘어서 리콜을 해보고 싶지만, 환자가 코로나 시대에 어디 돌아다니기 불편하다고 계속 리콜을 거부하시고 있다. 다만 임플란트는 전혀 문제없이 잘 쓰고 있다고 한다.

김영삼 원장

세미나에 가보거나 SNS를 보면 멤브레인에 구멍을 뚫고 힐링 어버트먼트를 끼워서 체결한 것들을 종종 볼 수 있다. 여러분들은 이것을 어떻게 생각하는지 궁금하다. 필자는 반대하는 입장이다. 아무리 좋은 멤브레인이라도, 심지어 타이타늄 멤브레인의 경우도 그 하방의 골을 보면 골질이 좋지 않은 것을 볼 수 있다. 필자와 비슷한 경험을 한 사람들도 많을 것이다. 필자는 그래서 최소 필요한 골보다 1 mm 이상(요즘은 2 mm)은 오버그래프트 하고 멤브레인을 써야 한다고 생각한다. 힐링 어버트먼트에 멤브레인이라면 임플란트 탑 바로 위에 멤브레인이 있다는 뜻인데, 필자의 생각으로는 그다지 좋은 방법이 아니다. 심지어 주변 골의 높이가 낮다면 1 mm 이상 높은 커버스크류를 쓰고, 그것이 다 잠길 만큼 그래프트를 하는 것이 좋다.

타이타늄 메쉬(Titanium mesh)

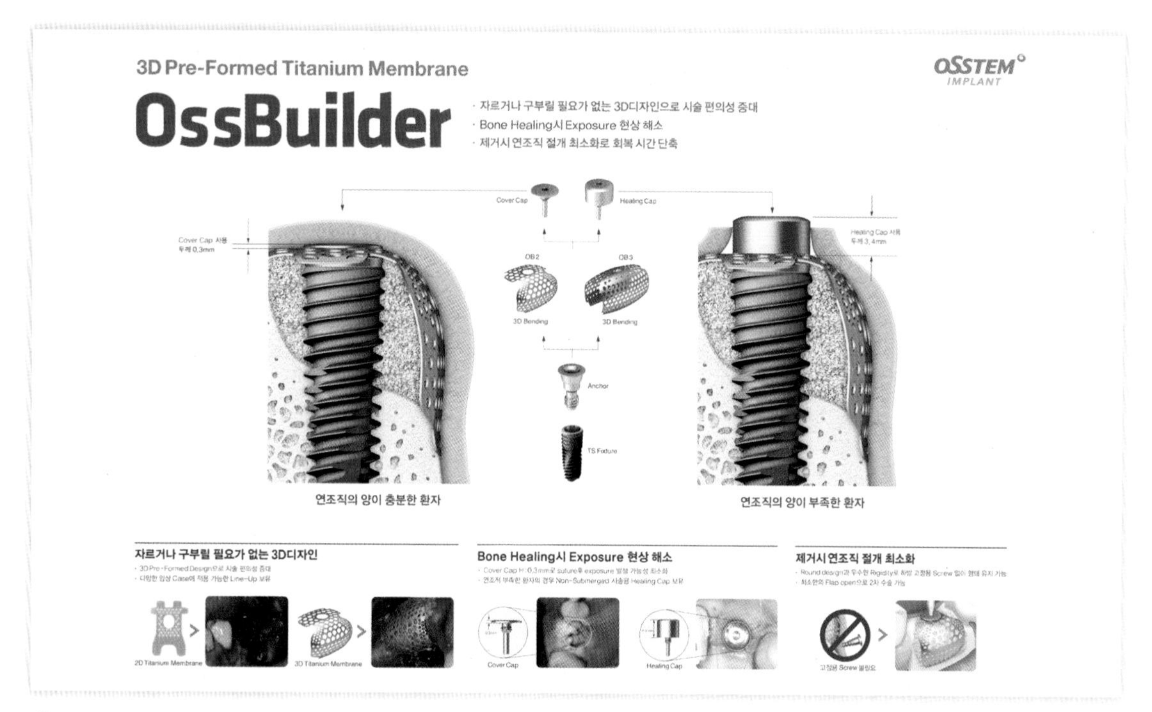

📷 **1.23 오스템이 이름을 여러 번 바꾸더니, 이제는 Oss Builder로 부르고 있다. 이름을 자주 바꿔서 무엇이 진짜 최종 이름인지도 모르겠다. 어쨌든 스마트 멤브레인, 스마트빌더, 오스빌더 이 세 가지는 모두 같은 것이다.**

리지가 너무 얇고 그 얇은 폭이 길고, 수직적 골소실을 올릴 필요가 있다면 임플란트에 끼워서 사용하는 타이타늄 메쉬를 사용한다. 그동안 필자는 수술을 잘 못해서 그런지 수직적 골증강술에서 타이타늄 메쉬를 쓰거나 하면 너무 오래 걸리고 힘든데다 그에 비해서 결과가 좋지 않았다. 환자도 심한 불편감을 겪었던 것 같다. 그래서 필자가 임플란트 상부에 타이타늄으로 텐트를 치는 것을 만들어서 사용한 적이 있다. 2009년에 오스템 본사에 방문해서 필자의 아이디어를 그림으로 그려서 보여주고 "본커버"라는 이름을 붙였었다. 이후에 오스템에서 시제품을 만들어서 필자에게 주고 필자가 한동안 사용했었다. 그게 지금 시판되는 스마트 멤브레인의 원리와 100% 동일하고, 초창기 사용했던 보철용 어버트먼트 등으로 하는 고정 시스템과도 100% 같다. 요즘은 스마트빌더 전용 고정스크류 등이 나와서 사용법이 좋아졌다. 이후 얼마 지나지 않아 오스템에서 이 기구를 만들어서 판매하였다. 필자가 그래서 오스템을 한동안 매우 미워했었다. 나중에 필자가 개발자에 필자의 이름이라도 올려달라고 말해 봤지만 반영되지는 않았다. 그때 오스템이 필자에게 만들어 준 시제품은 지금 보면 너무 두껍고, 버칼에서 둥글어지는 라인을 술자가 잡아서 휘었어야 했기 때문에 그 부분이 각지고 부드럽지 못했다. 타이타늄 성분도 그리 좋지 않았는지 하방에 골화도 좀 더디고, 소프트티슈가 좀 끼었던 것 같다. 필자가 좀 더 열정적으로 직원과 소통하며 제품 개발에 힘썼더라면 좋았을 걸 하는 아쉬움이 든다. 나중에 필자도 치과의사로서 더 인정받고 오스템과 사이도 좋아져서 당시의 이야기를 꺼내보니 해당 직원은 퇴사한 지 오래고 기록도 안 남아 있다더라… 본인들이 시제품도 만들어 줬으면서… 어쨌든 이것은 필자가 시판되던 제품이 없을 때부터 생각하던 방식인데, 지금은 모두 이 방식으로만 타이타늄 메쉬를 사용하고 있다.

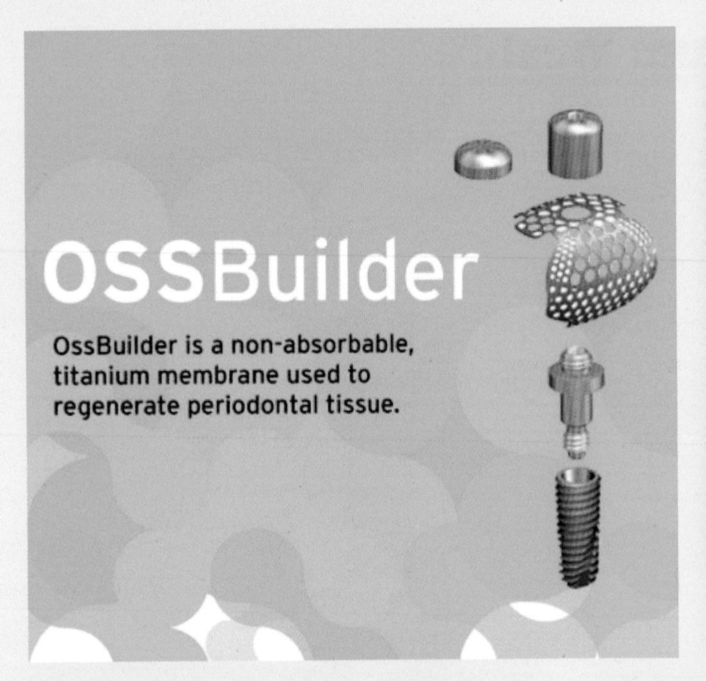

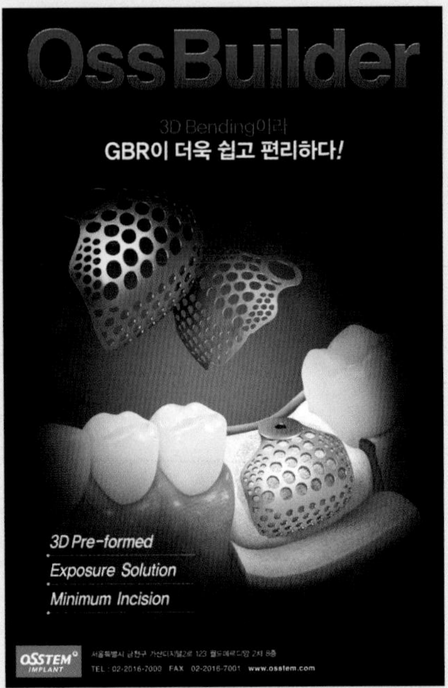

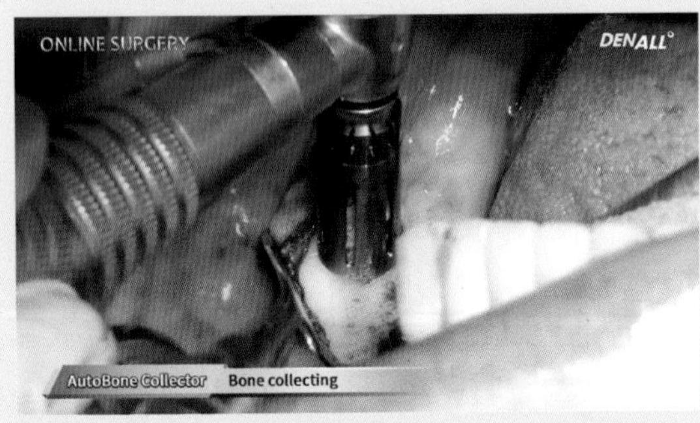

https://youtu.be/ezY8mHlqYSc
필자가 치과계 김연아라고 부르는 신의 손 선생님의 케이스

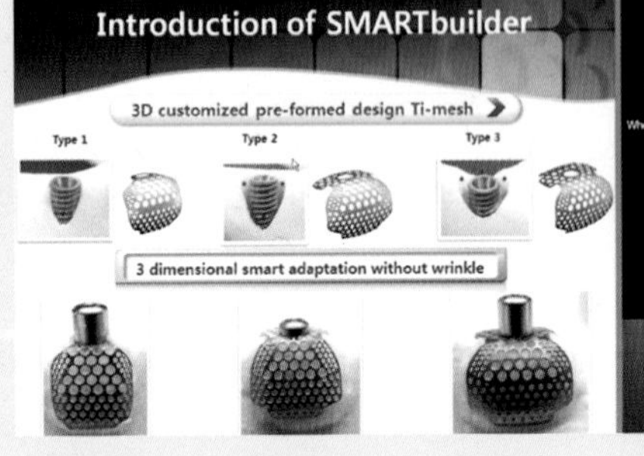

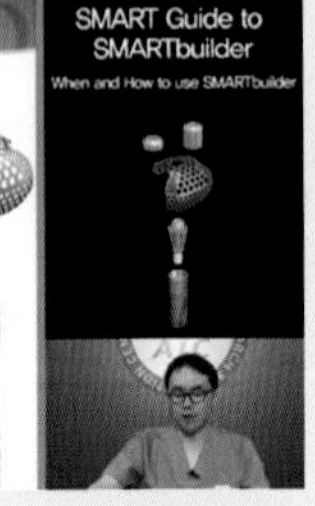

https://youtu.be/kgfTXI3ghBE
필자가 대세남이라고 부르는 떠오르는 원장님의 강의

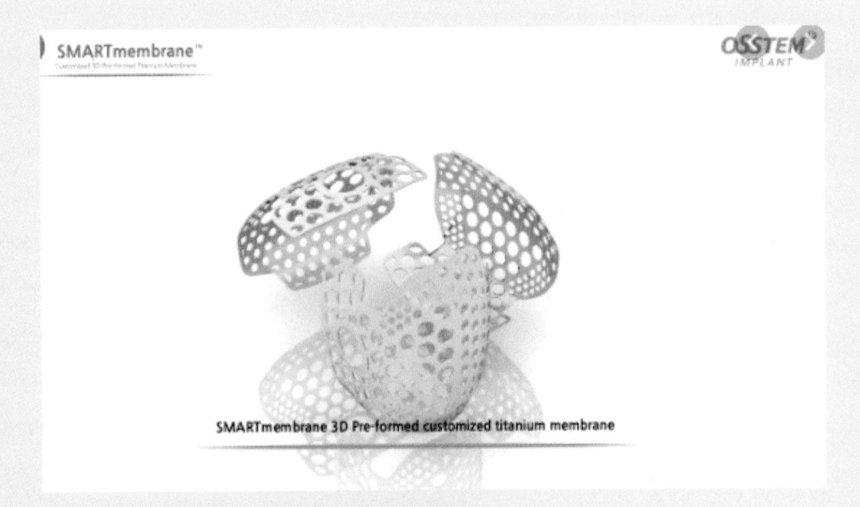

https:// youtu.be/
FnWNmHabKPc
오스템의 OssBuilder
소개 영상

1.24 오스템의 OssBuilder 관련 영상들

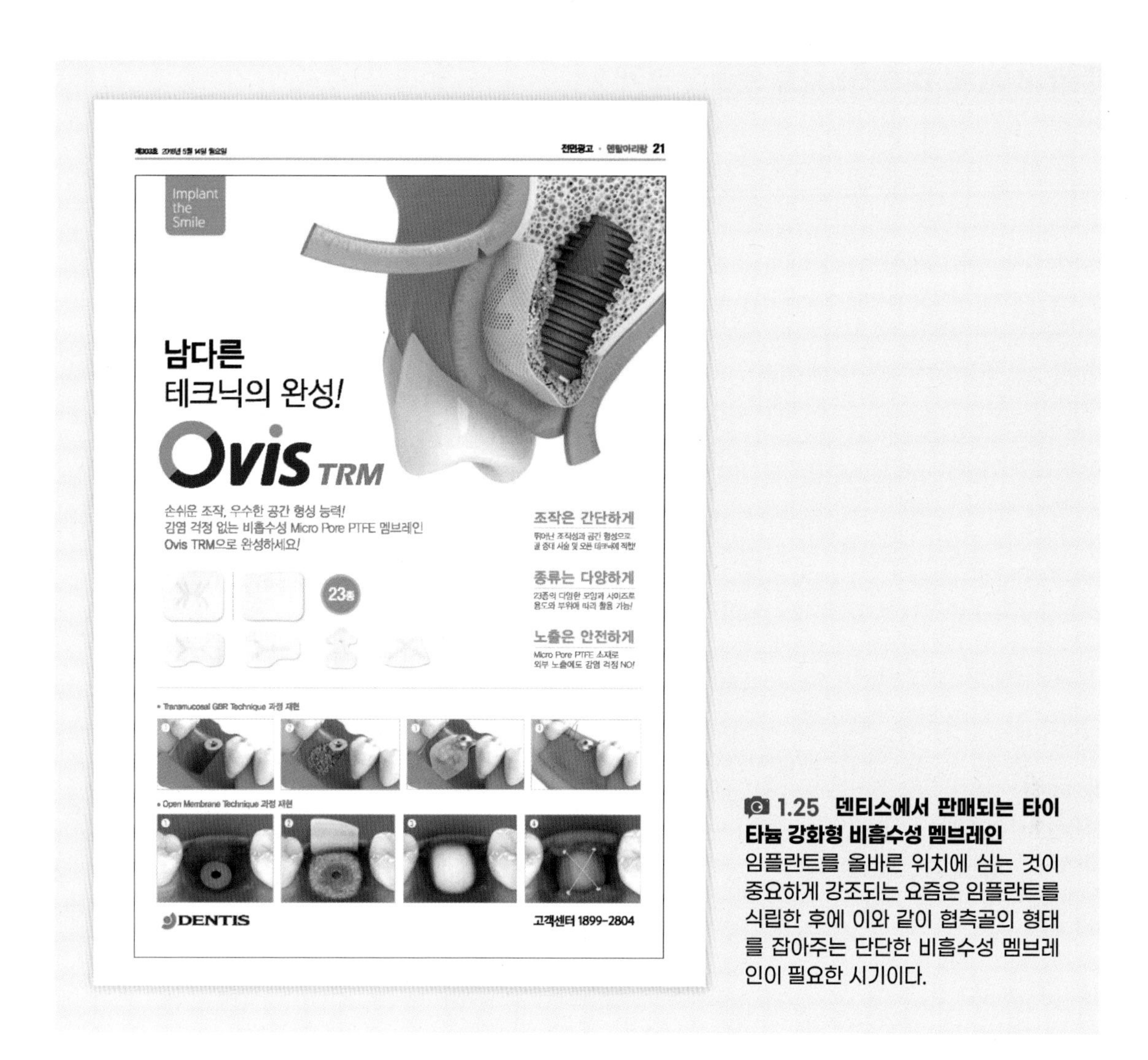

1.25 덴티스에서 판매되는 타이타늄 강화형 비흡수성 멤브레인
임플란트를 올바른 위치에 심는 것이 중요하게 강조되는 요즘은 임플란트를 식립한 후에 이와 같이 협측골의 형태를 잡아주는 단단한 비흡수성 멤브레인이 필요한 시기이다.

요즘은 오스템의 OssBuilder만 사용하는데 빈도는 적은 편이다. 그것도 비교적 본 형태가 적당히 유지되는 콜라겐 본을 사용하면서 빈도가 더 줄고 있다. 그래도 2–3 mm 정도 수직적인 골증강술에는 매우 유용하다고 생각한다. 타이타늄 메쉬 형태인 OssBuilder를 사용하고 나서 그 위에 일반 콜라겐 멤브레인을 사용할 것인지 말 것인지는 술자들마다 의견이 다르지만 필자는 언제나 필자의 스타일대로 골막이 깨끗하게 잘 박리되면 멤브레인을 쓰지 않고, 그렇지 않은 경우에만 멤브레인을 사용한다. 이 부분은 매우 심플하기 때문에 제품 카탈로그만 봐도 누구나 쉽게 사용할 수 있다(1.25).

Titanium mesh 사용 케이스 보기 1

타이타늄 메쉬를 이용한 케이스를 보자. 필자는 숏 임플란트를 좋아하기 때문에 수직증강술은 잘 하지 않는 편이다. 그러나 이 경우에는 수직적으로뿐만 아니라 협측 골소실이 너무 심하여 인접 임플란트와의 높이를 맞추기 위해서 사용하였다. 초진 시 임플란트 주위로 심한 염증 상태였으나 바쁘다는 이유로 배농만 하면서 지내다가 결국 제거하기로 하였다. 그러나 25번 임플란트는 제거하지 않고 그대로 두었다.

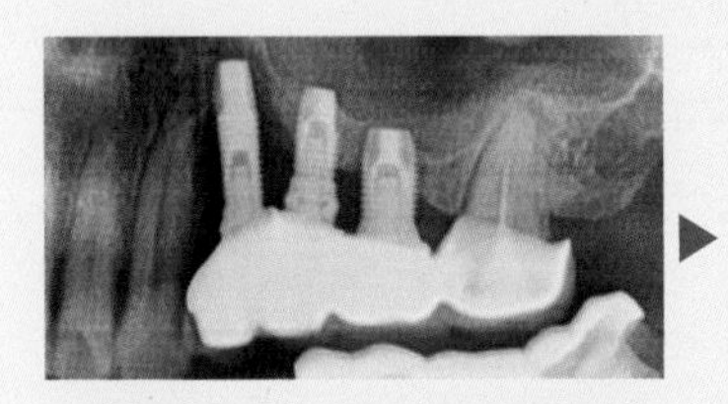

초진 당시 파노마라 방사선 사진

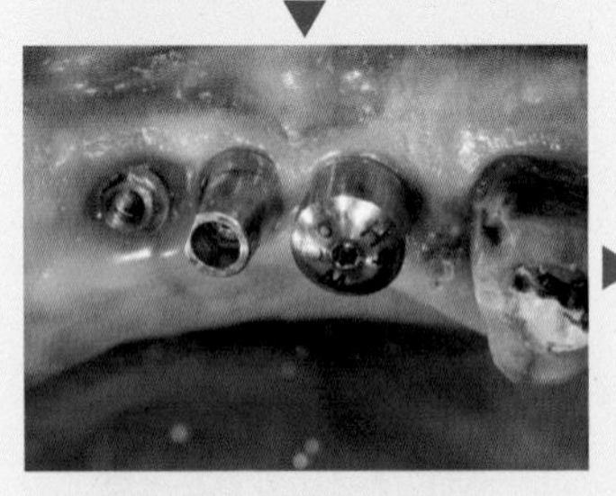

임플란트 제거 직전 임상사진

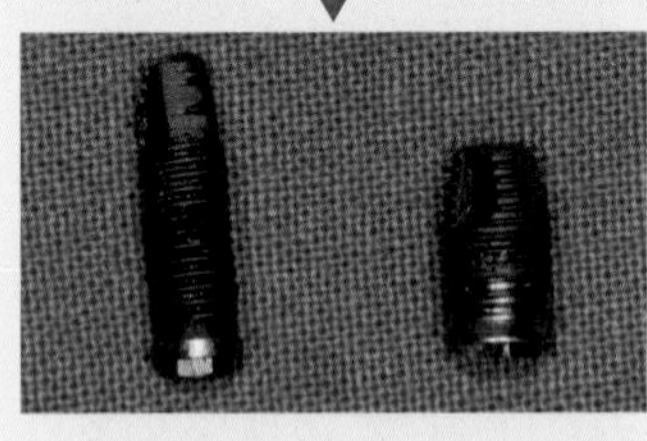

25번 임플란트는 그대로 두고 24, 26번 임플란트만 제거하였다. 원래 필자가 워낙 패시브한 스타일로 진료하기 때문이기도 하고, 환자 또한 모두 제거하는 것에 대한 심리적인 부담감을 토로하여 비교적 상태가 양호한 25번 임플란트는 제거하지 않기로 하였다. 결과적으로 잔존골 유지에도 도움이 된 듯하다.

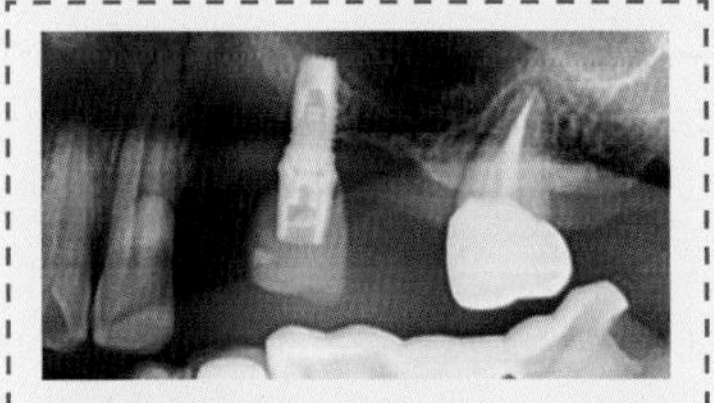

임플란트 제거 6개월 뒤 방사선 사진

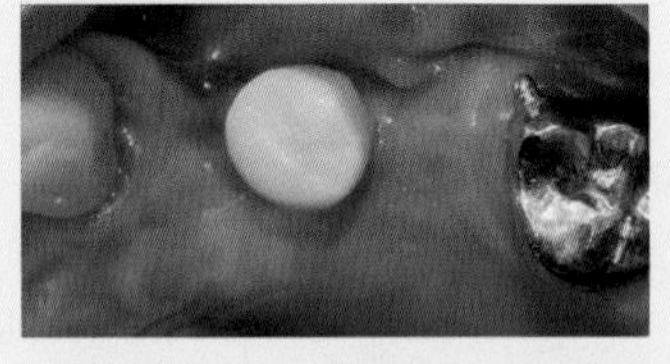

임플란트 제거 6개월 뒤 임상사진. 24번 협측골이 심하게 소실된 것을 볼 수있다.

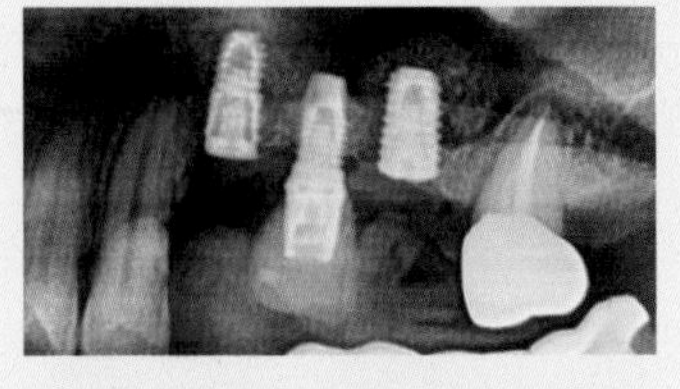

식립과 동시에 타이타늄 메쉬를 사용하였으며 임플란트의 높이는 25번 임플란트의 예상되는 골 높이에 맞추었다.

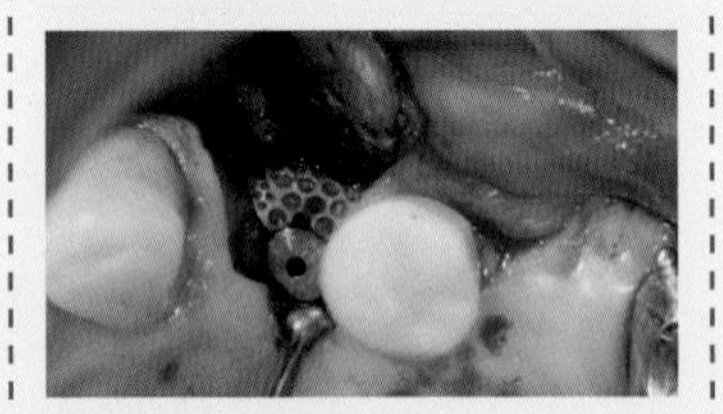

수술 당시 임상사진은 없지만, 제거 당일 임상사진이 하나 있어서 이 케이스를 넣어 보았다.

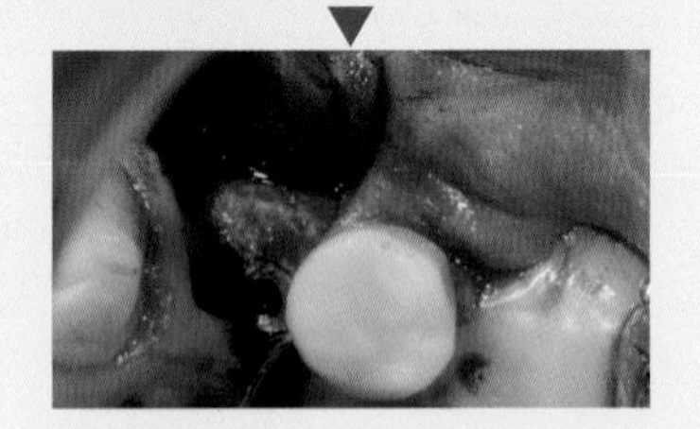

제거 직후 골이 잘 형성된 것을 볼 수 있다.

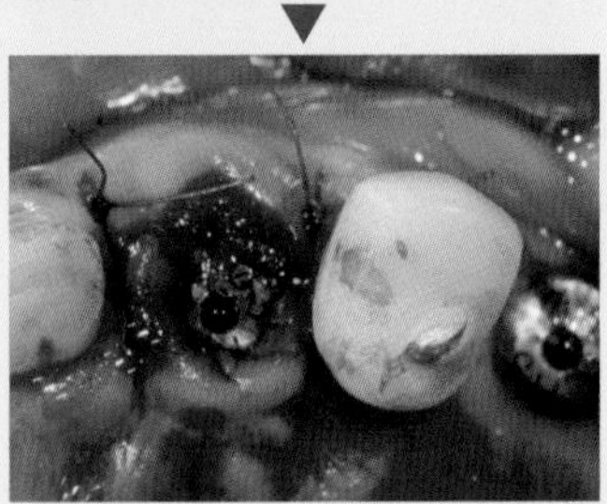

힐링 어버트먼트를 장착하고 봉합하였다.

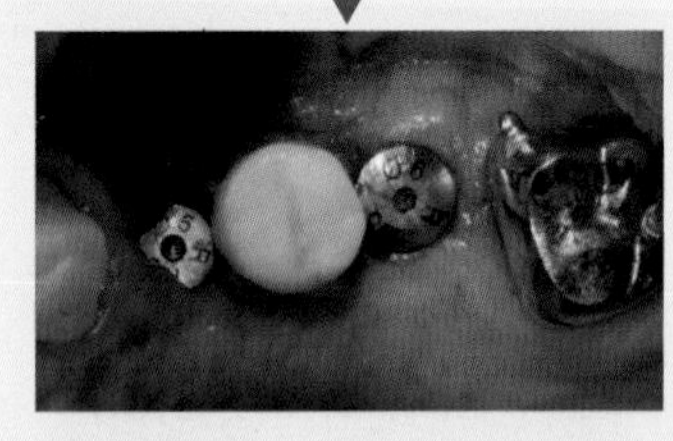

인상채득 전

식립 8개월 뒤 최종 보철물 장착 직후

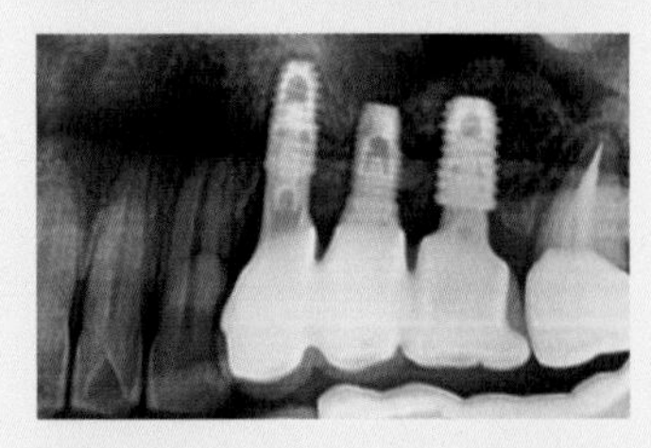

최종 보철물 장착 후 파노라마 방사선 사진
식립 후 8개월 만에 보철치료를 완성하였는데, 다른 이유가 있는 것이 아니라 환자가 내원을 제때 안 해서이다.

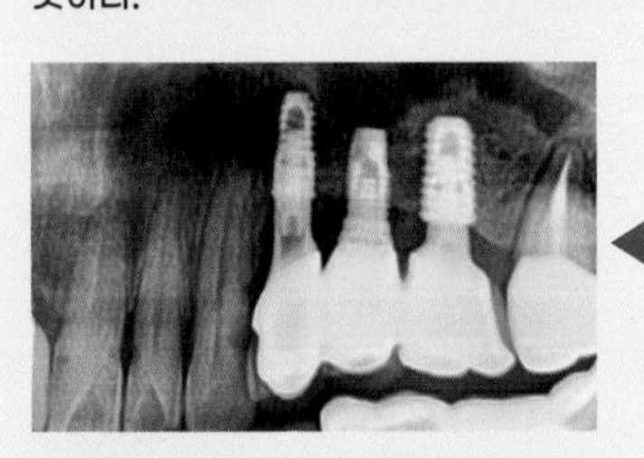

최종 보철후 15개월 경과한 파노라마 사진
24번 수직증강된 골뿐만 아니라 26번 사이너스 부분까지 확실하게 골화된 것을 볼 수 있다.

1.26

35번 임플란트를 제거하지 않고 둔 이유

김영삼 원장

임플란트를 보존하기 위해서라기보다는 골을 확인하기 위해서였다. 나중에라도 주변조직이 좋아지면 그때 추가로 뽑을지 말지를 검토하기로 하였다. 원래 필자의 스타일이 진료를 최소한으로 하는 것이다 보니 환자의 니즈와 잘 맞았다. 6번 임플란트는 하나의 사이너스 엘레베이션 케이스라고 생각하고 별도로 진행하였으며, 성공적으로 식립한 후에 24번 수술을 같은 날이지만 별개의 수술이라고 생각하고 진행하였다. 수직적 · 수평적 골소실이 심하였기 때문에 스마트 빌더를 이용하여 본그래프트(덴티움 오스테온2)를 하였고, 멤브레인은 사용하지 않았다. 마찬가지로 수술 도중의 임상사진은 없지만, 대략 수술 전 사진만 비교해 봐도 크게 차이가 나는 것을 볼 수 있다. 결과적으로 보면 24번을 1 mm 정도만 덜 깊게 심었다면 좋았을 것 같다는 생각이 들지만, 수술 당시에는 결과가 좋을지 모르는 마음으로 한 것이기 때문에 이만큼으로도 만족스러웠다. 환자도 고생 안 하고 간단히 수술이 되어 좋다고 만족스러워했던 케이스다. 그나마 하나 남겨 놓은 것으로 적당히 기능했기 때문에 더 그런 듯하다.

Titanium mesh 사용 케이스 보기 2

73세 남성 환자로 왼쪽 아래가 너무 아프다는 주소로 내원하였다. 보존과에 의뢰하여 근관치료를 시도하였으나 결국 발치하는 것으로 진단되어 발치를 진행하였다. 파노라마 방사선에 잘 나오지는 않는데, 36번 협측으로 골소실이 너무 심한 상태였다. 두 달 후에 임플란트 수술을 진행하였으나 협측으로 임플란트의 반 이상이 노출된 상태였고, 더구나 골막이 깔끔하지 못하고 골소실 부위가 육아조직으로 채워져 있어서 멤브레인을 사용하기로 하였다. 골소실 부위가 너무 넓고 커서 골이식재가 안정적으로 유지되지 않을 것 같아 타이타늄 메쉬를 사용하고 콜라겐 멤브레인을 그 위에 덮었다(타이타늄 메쉬 – 오스템의 OssBuilder®, 멤브레인 – 덴티스의 Ovis® 멤브레인, 본 그래프트 머트리얼 – 오스템의 합성골 Q-Oss®).

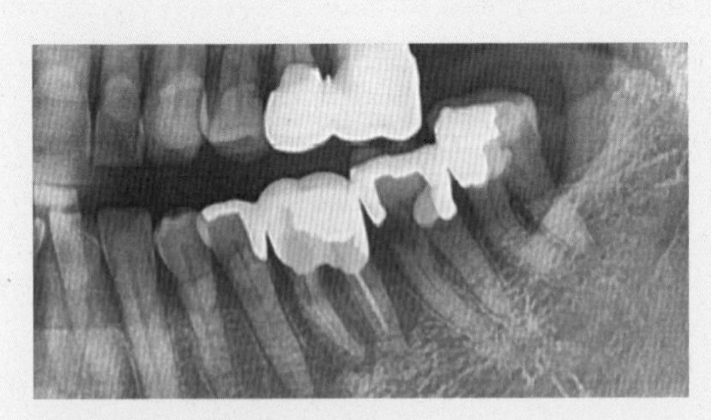

초진 시 파노라마 방사선 사진

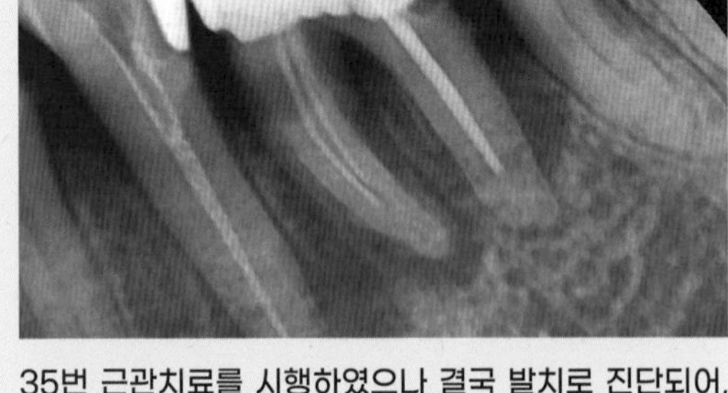

35번 근관치료를 시행하였으나 결국 발치로 진단되어, 35-38번까지 4개의 치아를 발치하기로 하였다.

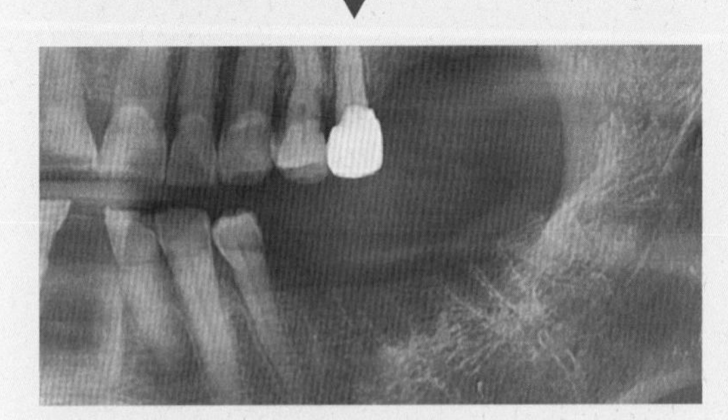

발치 2개월 후 파노라마 방사선 사진

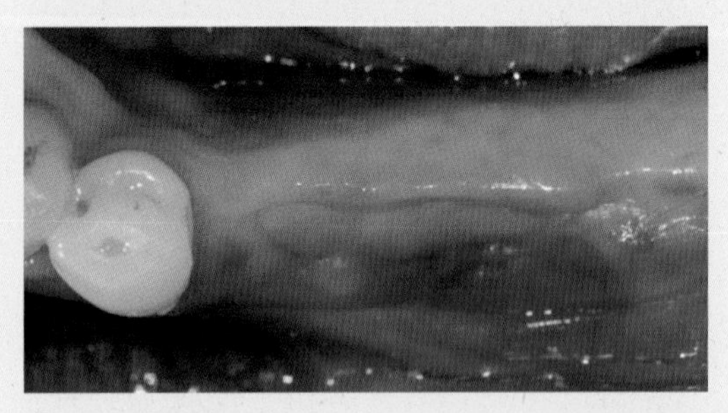

발치 2개월 후의 임상사진. 사진상에서 보면 볼륨감이 있어 보이지만 36번 부위는 협측으로 육아조직성 연조직으로 채워져 있었다.

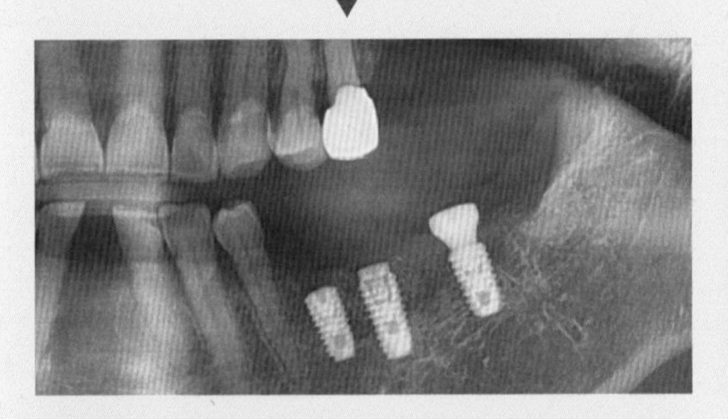

식립 직후 방사선 사진. 36번 임플란트에 1 mm 높이의 앵커 위에 타이타늄 메쉬를 덮은 것을 볼 수 있다.

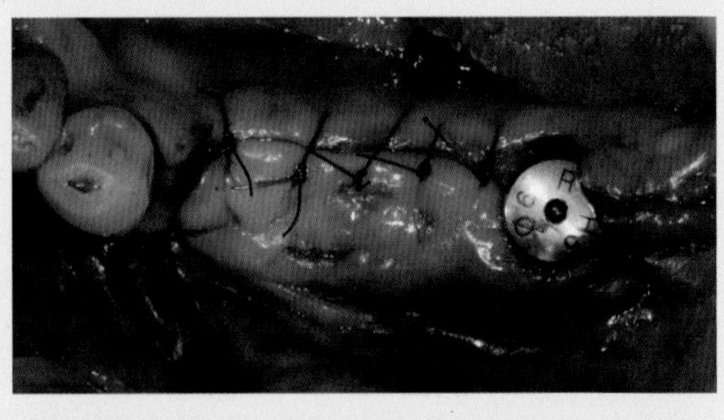

식립 직후 임상사진. 협측의 두꺼운 육아조직성 연조직을 제거하고 릴리징 인시전을 충분히 시행하여 봉합하였다.

1.27

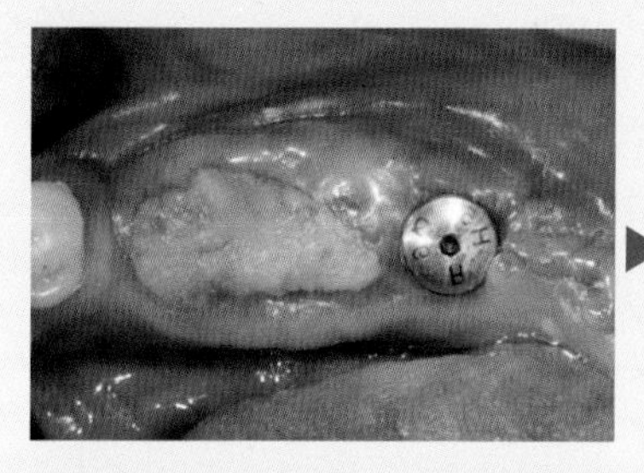

식립 후 15일이 경과하여 봉합사를 제거한 직후. 예상대로 그래프트 머트리얼 위의 진지바는 죽고 콜라겐 멤브레인이 노출되었다.

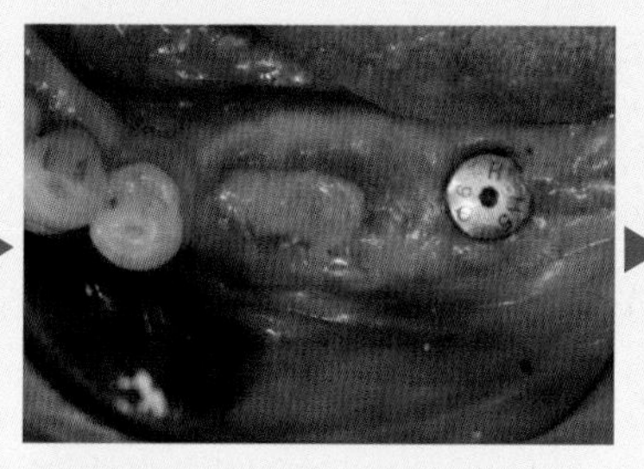

그로부터 11일 경과한 식립 26일 후. 점점 새로 생긴 진지바에 의해 덮이기 시작했다.

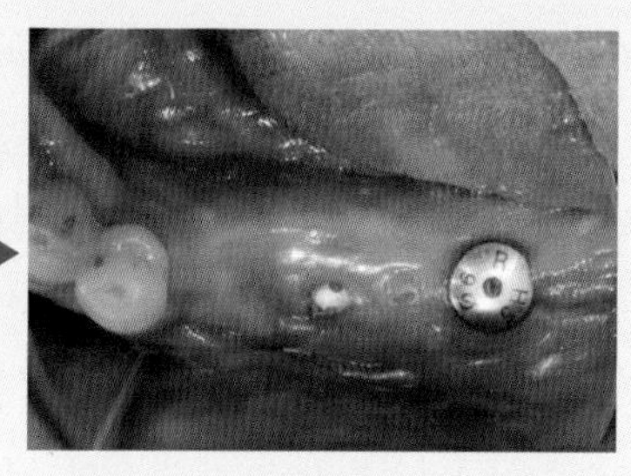

그로부터 30일 경과한 식립 56일 후. 진지바가 덮이는 속도보다 콜라겐 멤브레인이 빨리 흡수되어 타이타늄 메쉬가 보인다.

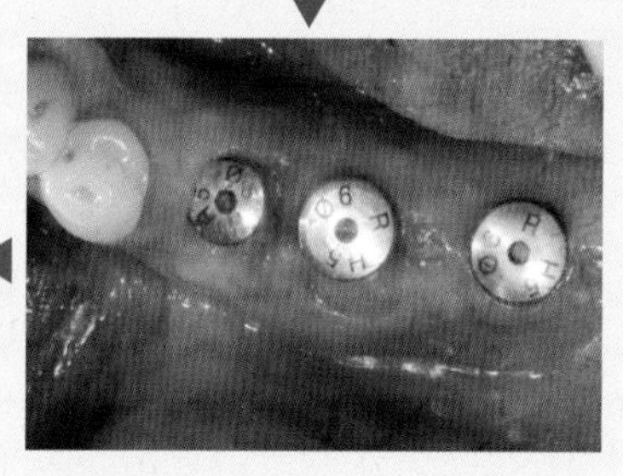

식립 5개월 후. 35번 세컨 서저리 후 봉합사를 제거하였다. 안타깝게도 세컨 서저리 전 사진이 없다. 필자 기억으로는 저절로 타이타늄 메쉬가 덮였던 것으로 기억된다.

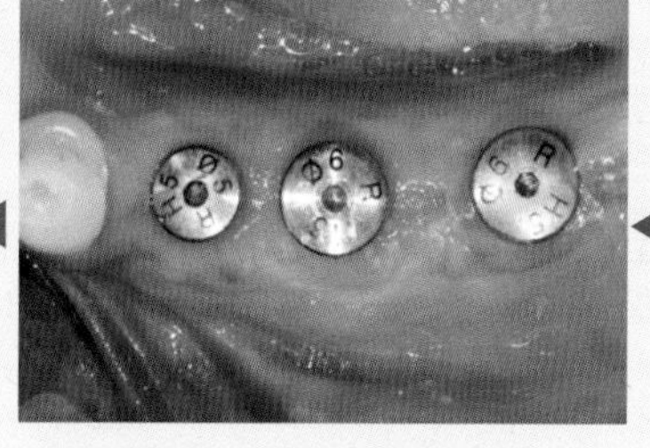

식립 6개월 반 뒤 임프레션한 직후. 더 빨리 할 수 있었지만 이후에 식립한 상악 임플란트와 함께 제작하기 위하여 늦게 임프레션을 진행했다.

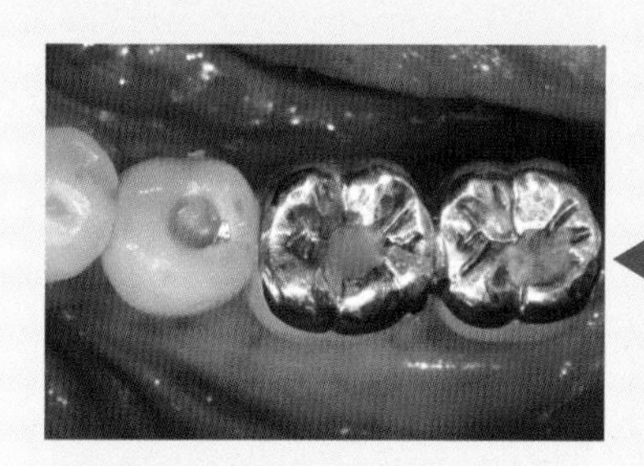

최종 보철물 접착 15개월 후. 15개월 기능하였는데도 교합면에 레진이 덕지덕지 있는 걸 보면 이상한 생각이 든다. 최근에 홀을 교체한 건지 아예 기능을 하지 않은 건지… 보철은 참 어렵다.

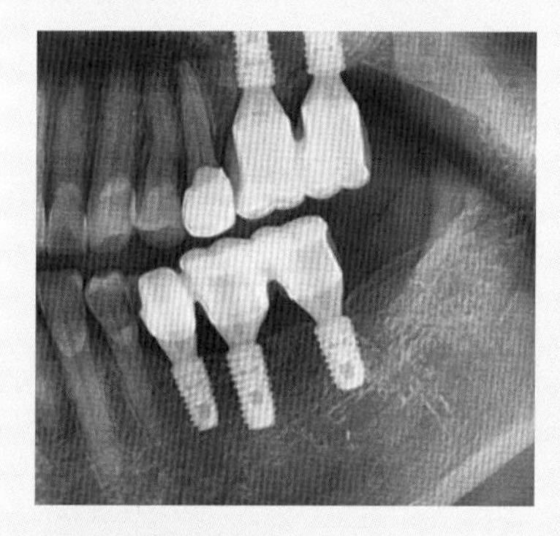

최종 보철물 세팅 후

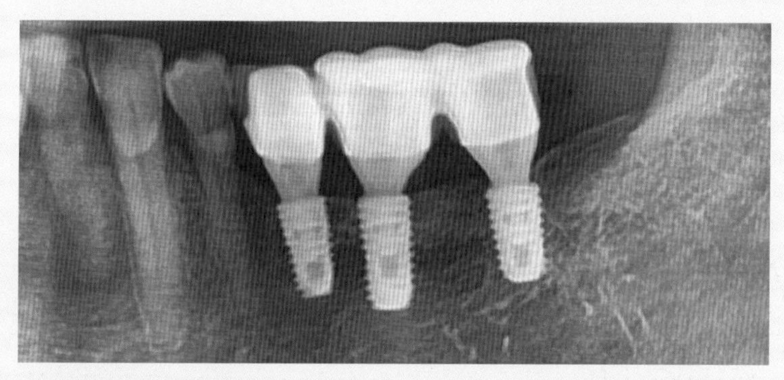

최종 보철물 세팅 15개월 후. 골 높이가 매우 양호하게 유지되는 것을 볼 수 있다.

1.28

필자는 멤브레인을 사용하는 경우가 아니라면 어지간하면 5 mm 높이의 힐링 어버트먼트를 장착한다. 그래서 37번은 통상적으로 힐링 어버트먼트를 장착하였다. 어차피 나중에 세컨 서저리를 할 때 한꺼번에 하면 될 텐데 굳이 왜 이렇게 하는지 궁금해하는 분들이 많은데, 그냥 필자의 습관이기도 하고 나중에 기준점 역할을 해서 더 편하기도 하다. 특히나 이렇게 발치와에 새로 생긴 진지바는 GBR을 하기에 결코 좋지 않다. 필자 경험에 의하면 이런 경우뿐만 아니라 대부분의 임플란트 수술에서도 마찬가지였다. 이렇게 발치와 위에 새로 생긴 진지바는 blood supply를 주로 발치와에서 받고 있으며, 아직 베스티뷸 쪽 진지바에서 충분한 혈행이 형성되지 않았기 때문일 것이다. 그래서라도 필자는 발치하고 한 달 반 정도 뒤에 임플란트를 식립할 때 이러한 진지바에 의존하는 GBR은 잘 하지 않는다. 차라리 그냥 힐링 어버트먼트를 끼고 협측에 멤브레인 없이 간단한 GBR만 시행한다. 이 경우에는 그나마도 협측의 두꺼운 소프트티슈를 모두 메스를 이용하여 제거하였기 때문에 특히나 blood supply에 문제가 있었을 듯하다. 더구나 거기에 과도한 골이식을 하고 타이타늄 메쉬와 콜라겐 멤브레인을 덮었기 때문에 멤브레인 위의 진지바는 아무리 릴리징 인시전을 잘해서 수동적으로 봉합을 하였다고 하더라도 결국 blood supply의 문제로 괴사될 가능성이 매우 높다는 것을 알아야 한다. 그러나 bone defect가 너무 커서 선택의 여지가 없었다. 그래서 보통 타이타늄 메쉬 위에 멤브레인을 잘 안 쓰는데, 차라리 노출될 가능성을 염두에 두고 콜라겐 멤브레인으로 타이타늄 메쉬를 커버하였다.

이 환자는 사이너스에 염증이 심해 상악 사이너스에서 아쉬움이 많이 남는 케이스이다. 16, 26번 치아를 빼고 싶은 곳의 사이너스 엘레베이션 잘 안 됐다. CT로 확인했어야 했는데, 아마도 발치 전에 감염된 사이너스 멤브레인이 확실하게 회복이 되지 않은 상태에서 수술했기 때문인 듯하다. 골이식도 오스템 합성골 Q-oss를 사용하였는데, 오랜 시간이 지나고 보면 제노그래프트처럼 예쁘게 형성되지 않고 부분적으로 흡수된 알사탕 같은 모양을 하는 경우가 흔하다. 보통 사이너스 엘레베이션에서는 제노그래프트만 사용하는데 이 케이스에서는 왜 그랬는지… 후회가 많이 남는 케이스이다.

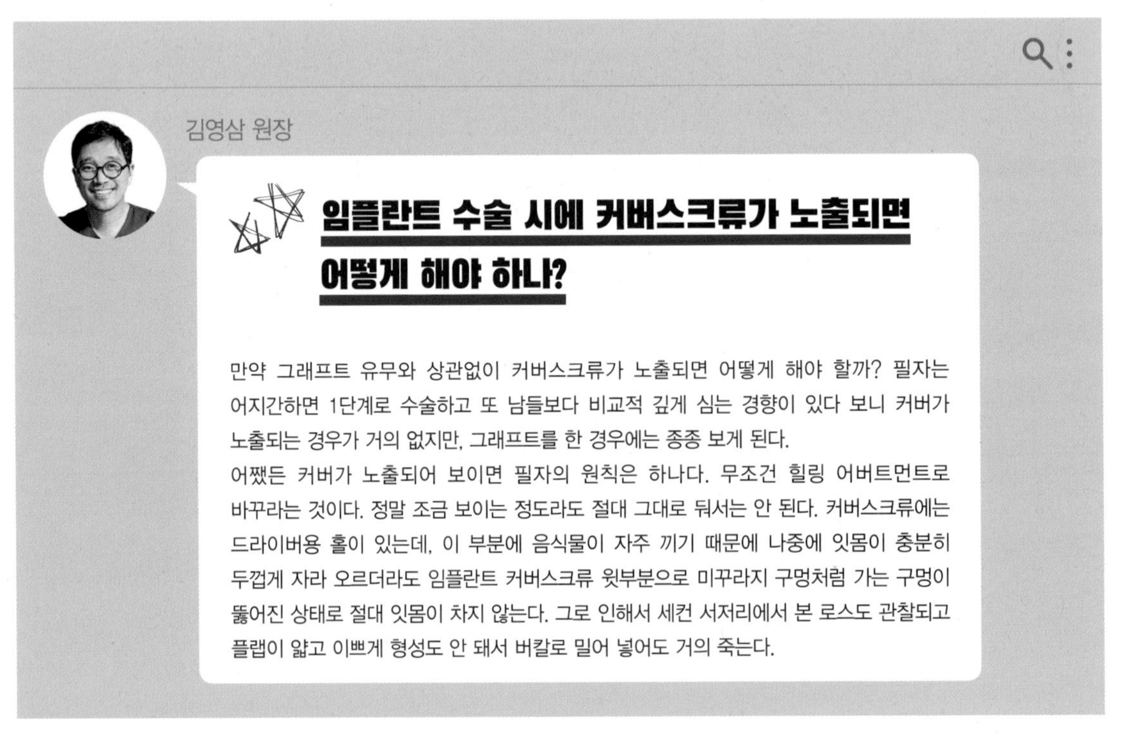
김영삼 원장

임플란트 수술 시에 커버스크류가 노출되면 어떻게 해야 하나?

만약 그래프트 유무와 상관없이 커버스크류가 노출되면 어떻게 해야 할까? 필자는 어지간하면 1단계로 수술하고 또 남들보다 비교적 깊게 심는 경향이 있다 보니 커버가 노출되는 경우가 거의 없지만, 그래프트를 한 경우에는 종종 보게 된다.
어쨌든 커버가 노출되어 보이면 필자의 원칙은 하나다. 무조건 힐링 어버트먼트로 바꾸라는 것이다. 정말 조금 보이는 정도라도 절대 그대로 둬서는 안 된다. 커버스크류에는 드라이버용 홀이 있는데, 이 부분에 음식물이 자주 끼기 때문에 나중에 잇몸이 충분히 두껍게 자라 오르더라도 임플란트 커버스크류 윗부분으로 미꾸라지 구멍처럼 가는 구멍이 뚫어진 상태로 절대 잇몸이 차지 않는다. 그로 인해서 세컨 서저리에서 본 로스도 관찰되고 플랩이 얇고 이쁘게 형성도 안 돼서 버칼로 밀어 넣어도 거의 죽는다.

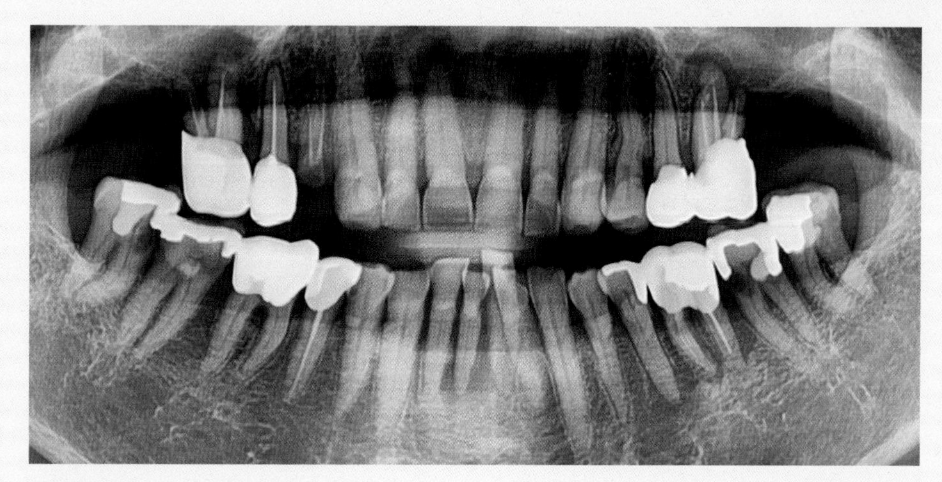

초진

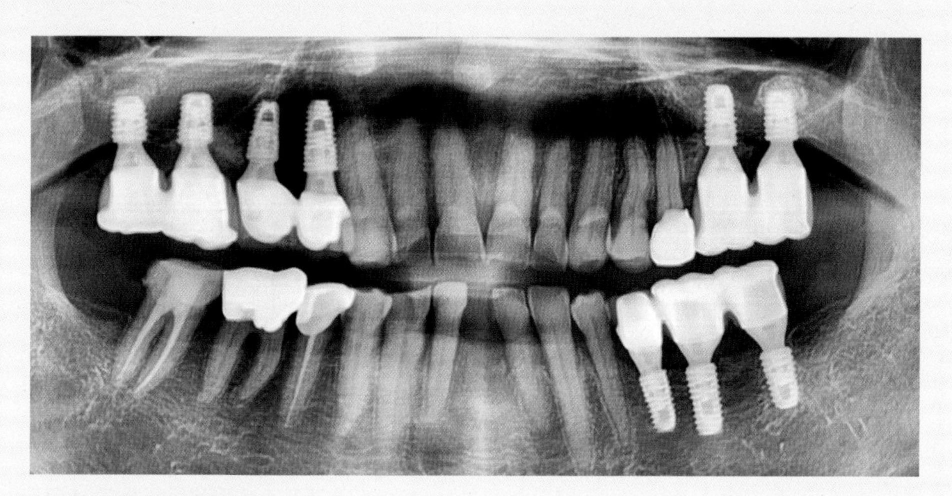

식립 10개월, 세팅 4개월 후

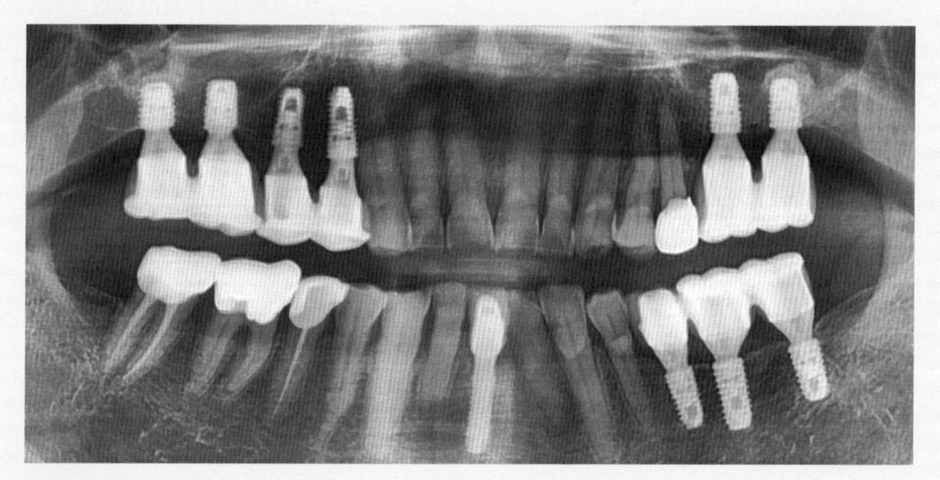

3년 후

1.29

CHAPTER

6-2 골이식재

Mastering dental implants

골이식재

이 챕터에서는 골이식재에 대해 이야기해보려 한다. 앞장인 멤브레인에서 이미 충분히 이야기했고 필자가 간단하게 골이식을 하는 스타일이라 간결하게 기술하겠다. 필자는 숏 임플란트를 비교적 깊게 심는 스타일이다 보니 골이식에 대해서는 다른 치과의사들보다는 고민을 덜 하는 편이다. 여기서 필자의 철학을 미리 짧게 몇 가지만 이야기하자면 아래와 같다.

1. 뼈는 뼈가 만든다.
2. 골이식재는 한꺼번에 뼈가 형성되는 것이 아니라 뼈에서 가까운 부분부터 천천히 뼈로 변한다(필자는 대략 한 달에 1 mm씩 생긴다고 가정하고 진료한다). 필자는 수강생들에게 그냥 무조건 외우라고 한다. 뼈는 한 달에 1 mm씩 생기고, 연조직은 하루에 1 mm씩 자란다. 무조건 이렇게 외우라고 하지만, 굳이 필자의 생각을 조금 더 가미하자면 뼈는 한 달에 1 mm보다 조금 더 생기는 것 같고, 잇몸은 하루에 1 mm보다 좀 덜 생기는 것 같다.
3. 이식재는 뼈를 만드는 것이 아니다. 공간만 제공한다.
4. 뼈는 뼈에서부터 1 mm씩 생기기 때문에 골이식재는 뼈가 만들어지는 공간만을 확보하는 것이 아니라 공간과 시간을 확보하는 것이다.
5. 골이식재가 뼈가 된다기보다는, 골이식재 사이로 뼈가 물처럼 스며들어 간다는 표현이 더 적절하다.
6. 뼈는 아무것도 없이 자기 혼자 만들어진 것이 골질이 가장 좋다.
7. 흡수되지 않는 골이식재와 함께 생긴 뼈는 염증에 대한 방어기전이 취약하다. 그러나 염증에 취약해도 골흡수가 진행돼도 뼈대는 남아있다(이종골 기준).

그래서 골이식에 대한 필자의 철학은 **"골이식은 흡수되지 않는 골이식재를 최소한으로 사용한다"**는 것이다. 필자는 어쨌든 간단한 골이식만을 고집한다. 골이식은 심플해야 실패도 적고 성공 확률도 높기 때문이다. 우선 여기서 골이식재의 종류를 나열해서 설명하는 것은 시간 낭비이다. 그 정도는 다들 알고 있을 거라고 생각하고, 간단하게 필자의 생각을 써보도록 하겠다. 일반적으로 골이식재가 골이 되는 능력을 순서대로 표시하자면 아래와 같을 것이다.

Autograft > Allograft > Xenograft > Synthetic bone

어느 책에서나 강의에서나 본 듯한 이 순서… 근데 막상 어디서 뚜렷한 근거를 본 것 같지는 않다. 필자가 생각할 때 이 순서는 그냥 추상적으로 이럴 것이라고 생각되는 순서인 듯하다. 어떤 골이식재가 어느 부위에 이식되었느냐에 따라서도 다를 것이고, 제조회사에 따라서도 다를 것이다. 이종골이라면 어떤 동물이냐에 따라서도 다를 수 있고, 합성골이라면 그 성분의 종류와 비율에 따라서도 다를 수 있다. 그냥 여기서 골이식재 종류별로 필자의 생각을 이야기해보겠다.

오토그래프트(자가골)

환자의 뼈를 채취해서 사용하는 것으로 당연히 가격은 공짜일 것이다. 그러나 예전엔 자가골 채취에 사용하는 기구나 분쇄하는 기구 등이 고가였고, 요즘에는 자가골을 가공해서 사용하는 기술들이 발달했지만 이 또한 가격이 상당히 높은 편이다. 이제 여기서는 처음부터 사용하기 쉽도록 채취한 작은 자가골 덩어리를 가정하고 이야기하겠다.

필자는 자가골을 일부러 채취하지는 않는다. 그러나 굳이 저절로 얻어진 것을 억지로 써야 한다면 발치와 소켓의 깊숙한 곳이나 사이너스 엘레베이션했을 때의 최하방 부위 등의 있으나 마나 한 곳, **템포러리 공간 유지용** 정도로만 사용한다. 필자의 철학은 간단하다. 상처받은 뼈에 첫 번째로 전달된 내 몸의 명령은 즉시 죽으라는 것이다. 그러므로 상처받은 뼈들을 모아서 그래프트를 한들, 흡수되기 전까지 한시적인 공간을 유지하는 능력 이외에 크게 기대할 수 있는 바가 없다. 물론 그나마 골형성 유도 능력이 있는 것은 자가골뿐이겠지만, 골형성에는 공간뿐만 아니라 시간을 확보해야 한다. 그러나 자가골은 그 시간을 확보하기 어렵기 때문에 단독으로는 거의 사용하지 않는다. 그래서 어차피 빨리 뼈가 될 곳들에만 선택적으로 사용한다.

여기서 ridge splitting이나 블록본 등은 논의하지 않겠다. 그런 것들이 정말 필요한 곳이 있다는 걸 필자가 모르는 것은 아니지만, 필자도 하지 않고 이 책을 읽는 독자들에게는 더 필요가 없을 것이라고 생각하기 때문이다.

혹자들은 자가골을 이식했을 때 뼈의 골질이 가장좋다고 하는데, 뼈는 원래 생길 곳에 생긴 것이고 자가골이 모두 흡수되고 새 뼈들이 생긴 것 또한 당연히 모두 자기 뼈이기 때문에 골질이 좋다고 표현한 것이 아닐까 생각된다. 글을 써놓고 보니까 자가골을 너무 폄하한 것 같아서 내 뼈한테도 좀 미안해진다. 사실 가장 좋은 뼈일 수도 있지만, 꼭 필요한 곳에만 최소한으로 골이식을 하는 필자와 같은 스타일의 술자에게는 별로 중요하지 않다는 말이 더 정확할 것이다.

알로그래프트(동종골)

동종골이라고 불리는 다른 사람의 뼈를 가공한 것이다. 주로 탈회 냉동건조 동종골(demineralized freeze-dried bone allografts, DFDBA)을 말한다. 요즘은 동종골을 거의 안 써서 뭐가 대중적인지도 잘 모르겠다. **보통 동종골은 osteoinduction 기능이 있어서 뼈가 잘 생긴다고 알려져 있지만 필자는 늘 의문이었다.** 아니, 다른 사람의 뼈를 가공해서 만들었는데, 그 가공의 첫 번째 전제 조건이 면역학적 거부반응을 최소한으로 하기 위해서 남은 단백질을 많이 없앤다는 것이다. 그런데 어떻게 그게 남의 몸에 들어가서 뼈를 만든단 말인가? 알로그래프트에서 선택적으로 bmp만 남기는 것보다도 필자는 차라리 다른 osteoconduction 기능만 있는 다른 골이식재를 이식하고 bmp를 추가 투여하는 게 나을 수도 있다고 생각한다. 어쨌든 논문들을 찾아봐도 뭐 그럴싸한 논문이 별로 없다. 그나마도 너무 오래전 것들이 많았다. **그냥 오래전부터 그렇다고 들어왔기에 그냥 그런 줄로만 믿고있는 것** 같다. 요즘 들어 보면 이런 부분에 대해서 의구심을 갖는 사람이 필자 말고도 많은 것을 볼 수 있다.

이 알로그래프트의 가장 큰 문제는 적당한 시간이 지나면 거의 흡수된다는 것이다. 제품마다 다를 수 있겠지만 수 주만 지나도 거의 형태도 없이 사라진 것을 볼 수 있다. 그러다 보니 발치 후 즉시식립의 경우에는 치조골과 잇몸을 가리지 않고 빈틈에 막 몰아넣는 경우도 많이 볼 수 있었다. 적당히 메워 놓으면 뼈가 될 곳은 뼈가 되고, 잇몸이 될 곳은 잇몸이 되지 않겠냐는 식인 것 같다. 흡수되지 않는 뼈들을 넣었을 경우에 나중에 잇몸이 힐링되고 나면 그 잇몸 내에 파티클이 남아있을 것이므로 알로그래프트를 더 추천하는 것 같기도 하다. 알로그래프트는 대충 넣어도 되지만, 흡수되지 않는 뼈들은 뼈까지만 본을 잘 넣고 밖으로 흘러나오지 않게 잘 막아야 하기 때문이다. 이것이 가장 어려운 문제이기도 하다.

뼈가 되든 안 되든 어쨌든 알로그래프트의 가장 큰 장점이자 단점은 바로 흡수된다는 것이다. 그러므로 어차피 뼈로 대체될 곳에는 적절할 수 있지만, 뼈가 되는 데 시간이 좀 걸리는 피질골 바깥 부분이나 나중에라도 흡수에 저항해야 하는 부분에서는 매우 좋지 않다. 그러다 보니 꼭 필요한 부분에 최소한으로만 사용하는 것을 원칙으로 하는 필자의 철학과는 잘 맞지 않아서 사용하지 않게 되었다.

필자도 초창기에는 뼈가 잘 된다고 해서 10여 년 전까지는 여러 회사의 제품들을 사용했었다. 그러나 나중에 세컨 서저리를 하기 위해서 열어 보면 이미 녹아 버린 경우가 많았다. 상악 전치 협측 부위는 새로운 뼈가 형성되기 전에 거의 먼저 흡수되는 듯하다. 발치와 내부에서도 상악견치처럼 협측 코티칼 본과 임플란트 사이의 공간이 큰 경우에 동종골을 이식하고 나중에 확인해 보면 협측 코티칼 본과 이식된 동종골이 모두 같이 없어진 것을 볼 수 있다. 공간은 확보했을지 모르지만, 시간을 확보하지는 못하는 듯하다.

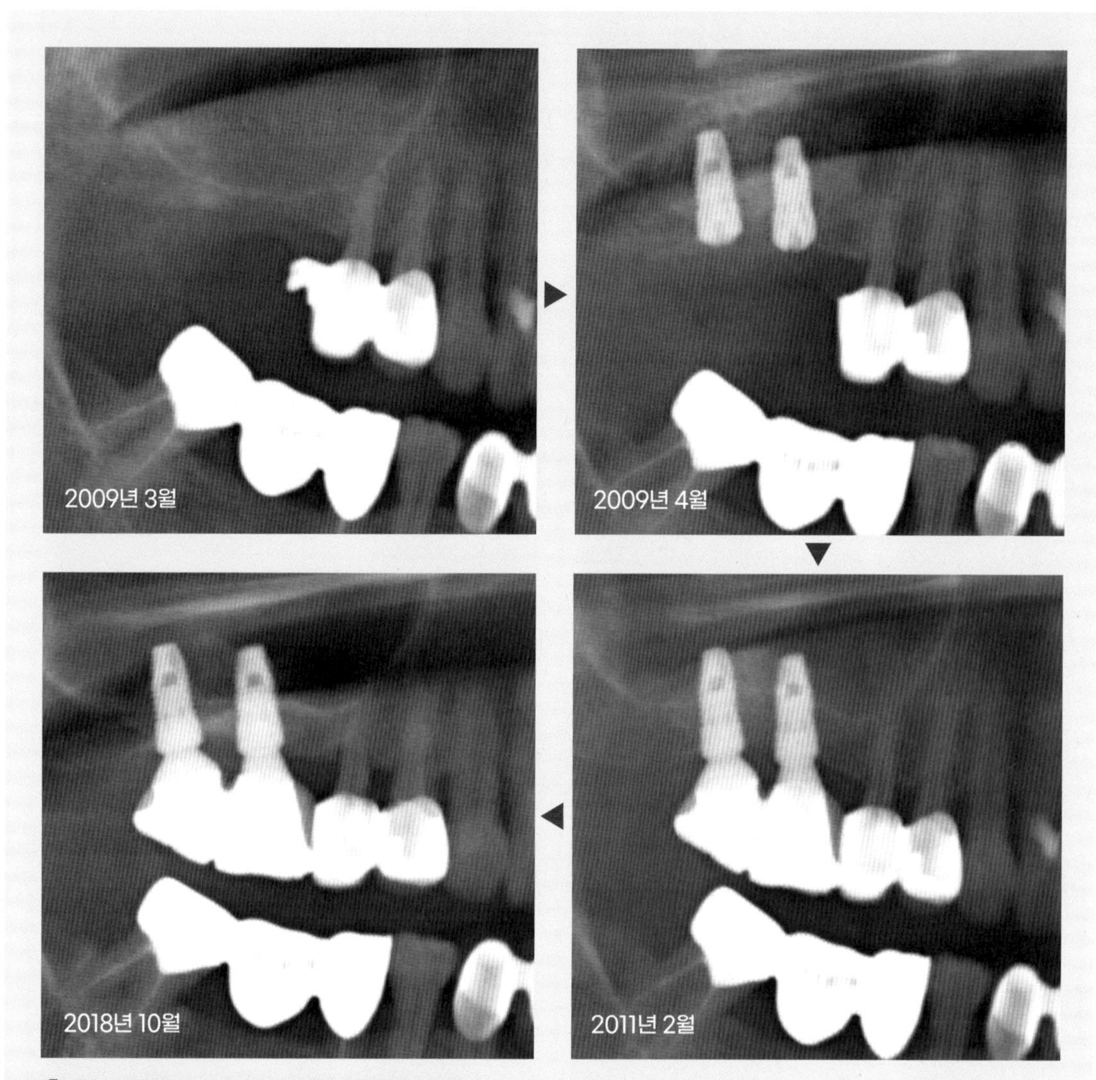

2.1 상악동 lateral로 이식된 동종골의 변화
상악동 골이식에 모 회사의 동종골 FDBA 코티칼 칩 본을 사용하여 상악동이식술을 한 것이다. 몇 년 지나지 않아 거의 없어진 것을 볼 수 있다.

알로그래프트 중에는 예전부터 지금까지 퍼티형 본들이 좀 나온다. 예전에 오쏘블라스트가 한참 유행하다가 사라졌는데, 요즘 북미에서 보면 노바본이라고, 사이너스에 짜 넣는 퍼티형 본을 사용하는 것을 종종 본다. 필자는 매우 반대하는 입장이다. 퍼티형은 아무래도 골이 스며들듯이 형성되기도 어렵지만, 오래 지나지 않아 흡수되어 버린다. 또한 퍼티형 본을 사이너스에 넣었을 때 사이너스가 퍼포레이션 되는 경우에는 그 자체를 제거하는 것이 너무 어렵다. 파티클 형태의 본을 사용한다면 대부분 오스티움을 따라서 나오지만 퍼티형 본들은 그렇지 못하기 때문이다.

제노그래프트(이종골)

바이오스로 대표되는 골이식재이다. 다른 동물이다 보니 유기물은 모두 없애고 뼈대만 갖추고 있어서 뼈가 형성될 수 있는 틀(osteoconduction)만 유지하고 있는 골이식재로 불린다. 또한 골이식 후에도 그 틀이 사라지지 않고 그대로 골 이식재로 남아 있는 경우가 많다.

그렇기 때문에 필자는 이종골을 가장 많이 사용한다. 앞서 숏 임플란트에 대해서도 언급했듯이 그다지 길고 굵은 임플란트를 심을 필요가 없기 때문에 많은 뼈를 필요로 하지 않는다. 필자는 '**골이식은 임플란트 주변으로 2 mm 정도면 충분하다**'라고 생각한다. 심지어 쓰레드가 뼈 바깥으로 나와있어도 모르고 잘 쓰는 사람도 많은데, 굳이 많은 뼈를 얻기 위해서 너무 무리한 수술을 할 필요는 없다고 보는 것이다. 임플란트를 대충 하자는 것이 아니다. 누구보다 임플란트를 똑바로 잘해야 한다고 생각하지만 중요하게 생각하는 곳이 다르다고 봐주면 좋을 것 같다.

골이식은 뼈가 되라고 하는 게 아니다. 필자가 생각하는 골이식재의 역할은 **흡수 방지, 형태 유지, 소프트티슈 지지**이다. 물론 세 가지가 같은 말처럼 들릴 수도 있지만, 부위에 따라서 미세하게 다른 느낌이 있기 때문에 이를 강조한다.

가장 흔한 케이스로 임플란트를 올바른 위치와 높이에 심고 버티칼과 버칼에 약간의 쓰레드가 보이는 경우에도 약간의 이종골을 이식한다. 임플란트보다 **수직적으로는 1-2 mm 정도 높게 하고, 수평적으로는 2 mm 정도 두께**로 이종골을 이식하는 것만으로 충분한 골이식이라고 생각한다. 뼈가 뼈를 한 달에 1 mm씩 만든다고 가정했으므로 두세 달 후면 적당히 뼈가 생겼을 거라 보고 보철을 진행하는 것이다.

그래서 버칼의 vertical dehiscence 같은 부위에 2-3 mm 정도 두께로 이종골을 이식한다. 절대 많이 하지 않는다. 그래프트를 많이 하면 뼈가 되는 시간도 오래 걸리지만, 골이식 부위가 너무 크면 뼈가 뼈를 만드는 것을 포기해버릴 가능성도 있기 때문이다(뭔가 학문적이지 못한 표현인 건 알지만 이것보다 더 잘 표현할 말을 찾지 못했다).

당연히 상악동 엘레베이션 이후에도 최근에는 제노그래프트만을 사용한다. 굳이 긴 임플란트를 쓰지 않기 때문에 너무 많이 올릴 필요도 없다. 그렇다면 발치와에 임플란트를 심는 경우라면 어떨까? 당연히 저절로 뼈가 찰 것 같은 소켓 내부는 그대로 두고, 얇은 버컬 플레이트 쪽은 뼈가 생기는 속도보다 흡수가 매우 빠른 경우가 많기 때문에 임플란트와 버칼 플레이트 사이에 이종골을 살짝 넣는 정도이다. 소켓 내부에 너무 많이 넣게 되면 임플란트 주변의 골질이 너무 떨어지기 때문에 버칼 쪽에만 최소한으로 넣는 편이다.

제노그래프트의 가장 큰 단점은 바로 바이오스라는 좋은 제품이 너무 고가라는 점이다. 그래서 저렴한 국산 제품들도 나오기 시작했는데, 몇 케이스에서 호되게 당해보면 단순히 싼 게 좋은 것만은 아니라는 걸 느끼게 될 것이다. 개인적으로 이종골 등을 가공하는 능력에 있어서 어떻게 하는지의 방법보다는 그것을 **완벽하게 하는 제조회사의 기술력**이 더 중요하다고 생각한다. 그래서 가끔 폭탄들이 터진 것이 아닌가 생각해 본다.

참고

골흡수 정도

필자는 형태유지 측면에서 이종골을 가장 중요하게 생각하는데, 그렇다면 일반적으로 골이식재별로 골 내 잔존하는 비율을 보면 어떨까?

Xenograft → Synthetic bone → Allograft → Autograft

일반적으로 위와 같이 말하는 사람이 대부분일 것이다. 필자도 그렇고 다른 사람들도 다 이렇게 말한다. 제노그래프트 파티클은 거의 그대로 남아있다는 연구결과나 임상적인 평들이 많다. 그렇다고 전혀 없어지지 않은 것은 아닐 것이고, 조금은 없어지겠지만 프레임이 남아있으니 더 그렇게 보이는 것 같다.

가장 잘 흡수되는 것은 자가골이다. 앞서 말했듯이 상처받은 골은 빨리 죽어줘야만 새로운 뼈들에게 공간을 내어줄 수 있다. 그래서 죽는 것이다. 그러나 경우에 따라서 적절한 큰 조각이 고정이 잘 이루어진 상태로 흡수와 골화를 동시에 진행하다 보면 조금은 살아남아 있을지 않을까 하는 생각도 든다. 그러나 어쨌든 한번 뼈가 되고 나면 이미 구별이 불가능할 테니 잔존하지 않는다고 할 것이다. 굳이 이 순서도에서 잔존하는 비율이 낮다는 표현보다는 그냥 흡수가 빠르다고 표현하는 것이 더 알맞을 수 있다. 필자도 말은 이렇게 했지만, 예전에 블록본 그래프트를 해놓은 것을 보면 가끔 그 프레임 모양이 잘 유지되고 있는 것을 보게 되는데… 어떻게 해석해야 할지 모르지만, 이렇게 단정 지어서 말하면 안 되겠다는 생각이 들기도 한다.

다음으로 흡수가 빠른 것은 알로그래프트이다. 알로그래프트도 종류가 많지만, DFDBA나 FDBA나 근본적으로는 흡수가 되는 것을 대전제로 하고 있다. 필자의 경험으로도 그렇다. 그러나 그 속도가 너무 빨라서 놀라운 경우가 많다. 그래서 FDBA 코티컬 칩본을 쓰는 분들도 많지만 궁극적으로는 큰 차이가 없는 듯하여 필자는 거의 쓰지 않는다. 한국 내에서는 임상적으로 사용이 줄고 있는 것 같은데, 미국에서는 많이 사용하고 있다. 아무래도 실력이 부족한 사람들이 영혼 없이 막 쓰기에는 편한 부분들이 있어서인 듯하다. 버칼 디펙트에 동종골을 사용하고 다시 한 번 열어본 사람이라면 다시 사용하기에 겁이 날 것이다. 그렇다고 필자가 이런 경험이 많은 것은 아니다. 몇 번만 경험해 보면 굳이 그 경험을 계속할 필요가 없기 때문이다. 특히나 상악 견치에서 즉시 식립 후에 얇은 코티칼 본과 임플란트 사이에 동종골을 이식한 적이 있었는데, 세컨 서저리를 위해서 열었을 때 코티칼 본도 없어지고 동종골마저도 다 없어진 것을 본 뒤로는(딱히 그 이유만이 아닐 수도 있지만) 그 뒤로 절대 사용하지 않는다. 그 케이스는 다시 세컨 서저리를 하면서 버칼에 노출된 임플란트 위에 제노그래프트를 이식한 후 마무리하였다.

마지막으로 이종골과 동종골 사이의 합성골인데, 합성골은 사실 합성골의 성분과 그 비율에 따라서 너무 다르다. 심지어는 제노그래프트보다 더 흡수가 안 되는 것이 있을 수도 있다. 물론 그런 성분과 비율로는 안 만들기 때문에 위와 같은 순서로 일반화했을 것이지만 말이다. 그렇다면 이제 다시 합성골에 대해 이야기해보자.

Synthetic bone (합성골)

앞서 언급했듯이 임플란트 관련 연구는 이미 학문이 아니라 산업이 되어버린 지 오래다. 관련된 케이스를 보는 것이나 논문을 순수하게 읽기가 불편할 지경이다. 앞서 언급한 골이 되는 순서를 보면 합성골이 가장 떨어진다고 했지만, 정말 기도원에서 앉은뱅이가 일어나듯이 합성골에 의해서 골이 드라마틱하게 형성된 케이스를 많이 볼 수 있다. 관련된 논문도 많이 있으나 많은 사람들이 그냥 그런가 보다 하지 진심으로 관심을 갖는 경우를 못 봤다. 정말 합성골이야말로 그 성분이나 비율에 따라서 많이 다르다. 여기서 대표적으로 많이 쓰이는 두 가지에 대해서 이야기해보겠다.

Hydroxyapatite

치아와 뼈의 주 성분이기 때문에 치과의사라면 모두가 매우 친숙한 이름이다. 다른 설명은 다 필요 없고, 이것만 알아두자. HA는 분해속도가 매우 느려서 비흡수성 골이식재로 분류되고, 주로 합성골에서 볼륨을 유지하는 역할을 한다.

Beta-Tricalcium Phosphate (β-TCP)

주성분이 칼슘과 인이다 보니 뼈가 생기는 데 원료 공급원 역할을 한다. 그러나 분해속도가 빨라서 금방 흡수된다.

흡수율을 보는 방법은 ❶ 용액에서 담가서 용해율을 보는 방법, ❷ 동물실험, ❸ 임상실험이 있지만 임상에서 언제쯤 흡수되느냐가 가장 중요할 것이다. 이것들을 종합해서 결론을 낸 논문들에서는 '사람에서의 경우 β-TCP는 6-12개월 후 대부분 흡수된다'고 보고하고 있다. 정말 이 속도로 β-TCP가 흡수된다면 뼈가 만들어져야 하는 자리에 그래프트를 했을 때 처음에는 볼륨을 유지해주다가 뼈가 만들어지면서 흡수될 수 있는 좋은 속도를 가지고 있는 것으로 보인다.

β-tricalcium phosphate as bone substitute material: properties and clinical applications

중요 내용

순수한 β-tricalcium phosphate는 bovine derived grafts와는 다르게 동물시험에서 6개월 후에 거의 대부분 흡수되어 vital bone으로 대체되며, 면역반응이 없다는 장점을 가지고 있으므로 골이식 재료로 이상적인 재료로 생각된다는 내용을 담고 있다.

Journal of Osseointegration. 2010.

대부분의 합성골은 언급한 두 가지 성분이 주가 되고, 이를 BCP (biphasic calcium phosphate)라고 부른다. 외국의 상품들을 보면 천연성분을 넣은 것이나 칼슘 설페이트를 섞은 것 등 다양하게 있지만, 이 두 재료가 기본이기 때문에 우선 두 재료의 비율에 대한 이야기를 해보려고 한다.

필자가 예전에 썼던 외국산 합성골에 대한 기억은 별로 없다. 아마도 주로 바이오스를 썼기 때문일 것이다. 그러나 대부분 재료상들과의 관계 때문에 다른 재료들을 안 쓸 수 없기 때문에 수없이 많은 재료들을 여기저기에 사용해본 것 같다.

그래도 지금까지 가장 많이 썼고, 지금도 쓰고 있는 재료는 덴티움의 오스테온이다. 필자가 2005년 정도에 덴티움 임플란트를 사면서 같이 사용하게 되었다. 세컨 서저리를 위해서 다시 플랩을 열었을 때 느낌이 다른 골이식재들과는 많이 달랐던 것으로 기억된다. 안쪽이 뼈가 되었는지 안 되었는지는 몰라도 가장 바깥 부분은 거의 알갱이들이 보였다. 몇 개는 굴러떨어지기도 하고 당시에 필자가 사용한 오스테온은 오스테온1으로, HA가 70%로 거의 흡수가 안 되는 재료였기 때문에 더 그랬을 수도 있다. 이후 2011년 오스테온2가 나왔는데 HA와 β-TCP의 비율을 바꿔서 HA가 30%로 해서 출시되었다. 그러고는 덴티움 제품을 많이 사용하지 않게 되어 오스테온2는 거의 써보지 못했지만, 우리나라 합성골 시장에서 최대의 히트작이 아닌가 생각된다. 그러다 보니 유사품도 많이 뒤따라 나오게 되었는데, 주로 HA 비율을 20-30% 정도로 낮춘 것들이었다. 그래서 필자도 비슷한 비율의 유사 제품을 사용해봤을 때 나름 나쁘지 않았다. 특히 β-TCP가 사진발을 잘 받아서 상악동에 넣어도 엑스레이상 하얗고 예쁘게 잘 나오는 편이라 특히 마음에 들었다. 물론 상악동에는 제노그래프트를 넣는 것을 가장 선호하고, 또 이를 가장 추천한다.

그러나 오스테온2가 나온 시기가 어떤 시기였는지를 이해하면 좋을 것 같다. 당시는 ridge splitting 이나 블록본 그래프트 같은 것들이 한참 유행할 때였다. 그러다 보니 기본 프레임은 그런 블록본과 본 사이에서 임시로 공간을 유지해 줄 재료들이 필요했을 것이다. 그래서 이렇게 나중에 흡수되는 β-TCP가 많은 골들이 고가의 동종골을 대신하여 판매되지 않았을까 생각해 본다. 수술을 크게 크게 하던 시절이라 중간중간에 넣는 골들도 엄청나게 많은 양을 사용했는데, 임플란트 가격은 급격히 하락하기 시작해서 비용 대비 효과로 합성골이 많이 팔리기 시작하였다(오로지 필자의 생각이다).

그러나 최근 들어 다시 서저리는 작아지고 그래프트를 많이 할 필요가 없어지다 보니, 흡수되지 않는 골이식재를 최소한으로 사용하는 형태로 골이식도 변하였다. 그래서 그런지 합성골 시장을 이끌어 가고 있는 덴티움도 흡수되지 않는 **HA 비율을 60%까지 확대한 오스테온3**를 2016년에 만들었다. 회사에서 배포한 자료들을 곧이곧대로 다 믿어서도 안 되겠지만, 사용했을 때 골화도 잘 되고 지속적인 형태 유지도 잘 되는 듯하다. 물론 장기적으로 양질의 골이 많이 형성되어 유지되고 염증 등의 외부 환경 변화에도 잘 저항하는지는 오래 지켜봐야 할 것이다. 덴티움이 오스테온으로 합성골 시장을 앞서가다 보니 아무래도 다른 회사들에서도 비슷하게 HA의 비중을 높인 골이식재가 생산되지 않을까 생각된다. 어쨌든 필자는 가성비 때문에 합성골을 종종 사용하는 편이다. 특히나 흡수되는 비율이 높은 β-TCP가 많은 골은 발치와에 사용하기도 한다. 그러나 **꼭 필요한 곳에 필요한 만큼만 사용해야 한다면 무조건 검증된 이종골**을 사용한다. 현재는 오스템의 제노그래프트 에이오스를 가장 많이 사용한다. 제노그래프트는 꼭 검증된 제품을 사용하라고 권하고 싶다. 저렴하다고, 사은품이라고 막 가져다 썼다가는 참담한 일을 경험하게 될 수도 있다. 다만, 합성골은 회사의 기술력의 차이가 이종골보다는 좀 덜하다는 게 필자의 생각이다. 어차피 합성한 것이라면 대기업 소금이나 중소기업 소금이나 뭐 소금은 소금이겠지 하는 생각이긴 하다. 다만 합성골이 비교적 가격이 저렴한 편인데, 굳이 거기서까지 싼 것을 사용할 필요가 있을까 고민해 본다.

그래서 지금 편하게 공간을 채우는 골로는 β-TCP 비율이 높은 합성골인 덴티스의 오비스본과 오스템의 큐오스를 사용하고 있고, 형태 유지가 꼭 필요한 중요한 부분에는 오스템의 에이오스를 사용하고 있다. 굳이 합성골만을 써야 한다면, 예전에 동종골을 썼을 부위에는 β-TCP 비율이 높은 것을, 이종골을 썼던 곳에는 HA 비중이 좀 더 높은 것을 사용하고 있다.

김영삼 원장

파티클 사이즈는 어떤가?

지금까지 책을 읽었다면 필자의 스타일을 이미 파악했을 것이라 생각한다. 골이식재도 되도록이면 한두 가지만 쓰고 싶지만, 세미나와 연계되어 후원하는 회사가 다르기도 하고 필자도 공부를 해야 하기 때문에 몇 가지를 쓰고 있다. 그래도 파티클 사이즈는 되도록 한 가지만 사용한다. 보통 회사마다 표기 방법이 다르지만, 미디엄 사이즈(0.5-1.0 mm)를 주로 사용한다. 언제 어디서 편하게 사용 가능하고, 사이너스 엘레베이션에 사용할 때 사이너스 내부로 넘어가도 오스티움으로 나오는 사이즈이다. 파티클 사이즈에 대해서도 강의나 논문에서 많이 다루는데, 장단점을 고민해보면 그냥 중간 사이즈를 하는 게 좋을 듯하다.

콜라겐 본은 어떤가?

필자가 2017년도에 어떤 행사장에 갔다가 처음으로 경품에 당첨되었는데, 바로 바이오스 콜라겐 본이었다. 이야기만 들었지만 한 번도 써보지 않은 것이었다. 필자도 늙었는지 익숙한 제품을 쓰려고 하지 새로운 제품을 사용해 보고 싶은 욕구는 점점 더 사라지던 차였지만, 때마침 얻은 경품 덕에 겸사겸사 콜라겐 본에 대해서 공부도 할 겸 오스테온3 콜라겐 본을 구입해서 사용하게 되었다. 오스테온3 콜라겐은 기본적으로 흡수가 안 되는 HA가 60% 조성으로 바이오스 콜라겐처럼 기본적으로 형태를 유지해 주는 골이었다. 실제로 써보면 알겠지만 덩어리져 있어서 조작성이 용이하나 그렇다고 외부 압력에 변형되지 않을 만큼의 강도는 아니기 때문에 블록본이나 타이타늄 메쉬를 대신할 정도는 아니다. 그러나 조작성이 편하고 파티클이 흩어지는 정도도 아니라 사용 빈도가 점점 더 늘고 있는 편이다. 필자뿐만 아니라 필자 병원의 다른 치과의사들도 점점 더 많이 사용하는 걸 보면 크게 나쁘지는 않은 듯하다. 아직 오래되지 않아서 아직도 익숙하지 않고 장기적인 예후는 더 지켜봐야겠지만 현재로서는 매우 만족하고 있다.

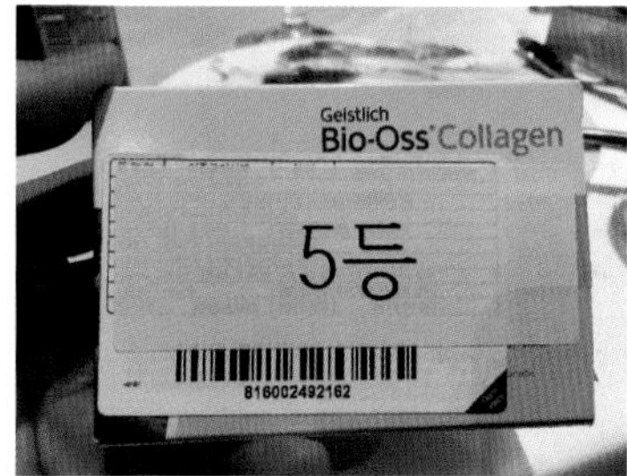

2.2

기억나는 환자가 있어서 한번 올려본다(2.3). 필자가 미국에서 귀국해 치과에 갔더니 처음 보는 백인 여성 환자가 호주에서 와 있었다. 호주가 워낙 임플란트가 비싸다 보니 아직 보편화가 좀 덜 되었는데, 필자에게 강의를 들은 선생님이 한국은 임플란트를 저렴하게 잘하니까 본인을 가르쳤던 선생님한테 한번 가보라고 해서 왔다는 것이다. 그 선생님으로부터 파노라마는 미리 받아보았지만 실제로는 리지가 매우 얇은 형태였다. 환자는 이 수술만 하고 호주로 돌아갈 것이고, 한국 관광이 너무 재밌고 좋다고 하였다. 호주에서 임플란트 세 개 할 돈으로 여기서는 관광까지 다 해도 충분히 남는다는 것이다. 한편으로는 자존심이 상하긴 했지만 그래도 기쁜 마음으로 수술을 진행하였다.

역시나 리지가 너무 얇아서 임플란트의 버칼 파트가 다 노출되었다. 평소 같다면 이렇게 넓고 얕게 흡수된 골에는 타이타늄 메쉬(OssBuilder)를 사용했을 것이다. 그런데 필자가 생각하는 타이타늄 메쉬의 가장 큰 단점은 술자의 모니터링이 반드시 필요하다는 것이다. 환자도 세컨 서저리부터 호주에서 할지, 아니면 크라운도 한국에 와서 할지를 정하지 못한 상황이었기에 호주 선생님도 우선 식립만 부탁하였다. 그러다 보니 바로 호주로 돌아간다는 환자에게 이를 사용하기에는 무리가 있었다. 그렇다면 위험을 감수하고 100점짜리를 하기보다는 안전한 80점짜리를 하자는 취지로 임플란트를 심고 버칼에 콜라겐 본만을 그래프트 하였다. 나중에 호주에서 세컨 서저리만 하고 임프레션과 크라운을 하기 위해서 한국에 다시 내원하였는데, 호주에 연락해 보니 쓰레드가 살짝 크레스탈 쪽에서 노출된 것도 있었다고 한다. 필자가 지금도 후회하는 것이 있다면, 이때 커버스크류가 아니라 힐링 어버트먼트를 사용했어야 한다는 것이다. 그렇다면 크레스탈 쪽에서 본이 더 잘 유지되었을 것이다. 그런데 그 당시에는 무조건 문제없이 해야 한다는 생각에 최대한 심플하게 수술하는 것에만 집중했었다. 물론 세컨 서저리도 필자가 하였다면 알아서 추가적인 골이식과 keratinized gingiva 확보를 위해서 좀 더 노력하였을 것 같다는 아쉬움이 있지만, 나름 환자는 만족하고 끝난 케이스이다. 아무런 준비도 없이 급하게 다른 환자를 보는 중에 한 수술치고는 필자도 80점은 주지만 아쉬움이 많이 남는다. 어쨌든 이렇듯 조금은 이식된 골의 형태 유지가 필요한 경우에는 콜라겐 본이 유용할 때가 많다. 가끔은 사이너스 엘레베이션할 때도 파티클들 중간에 형태 유지를 위해서 넣어주기도 한다. 조작하는 동안 파티클이 흩어지지는 않는 정도의 점도는 큰 편리함을 준다.

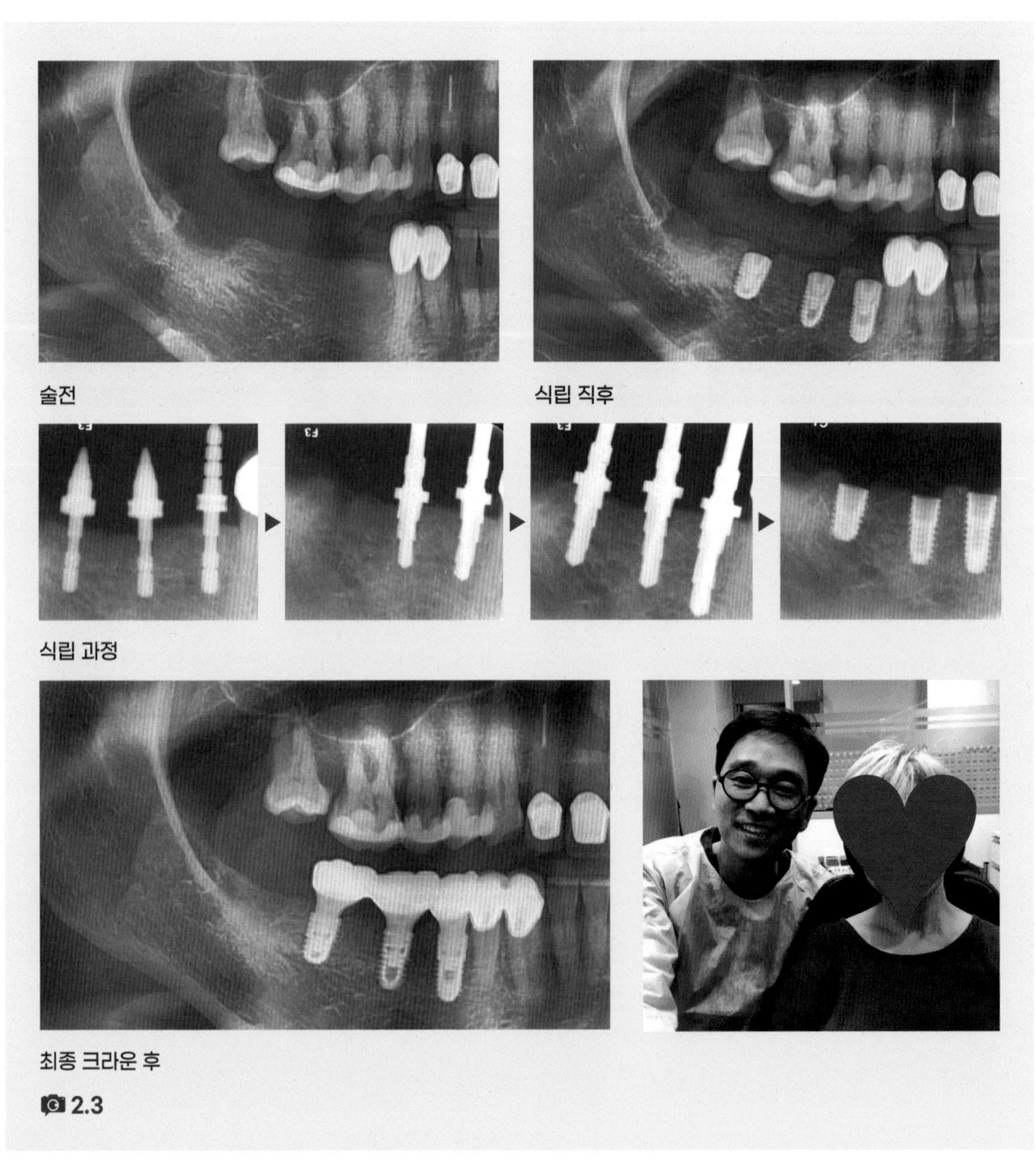

2.3

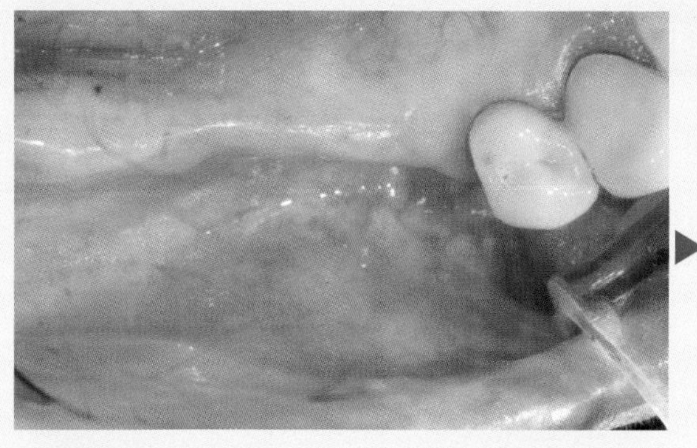

수술 전

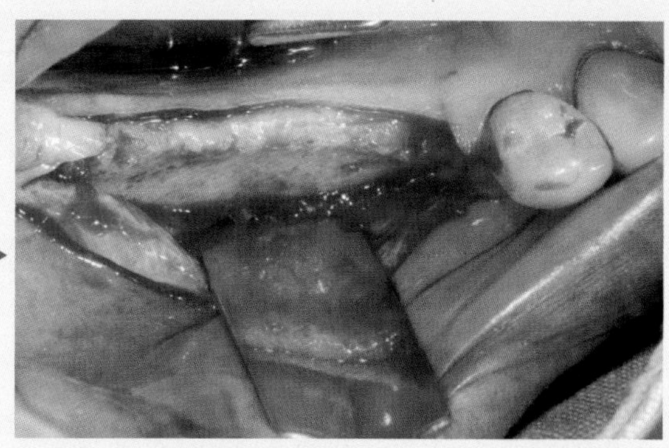

리지가 얇기도 하지만, 잇몸이 매우 얇은 경우를 볼 수 있다. 필자의 경험상 외국보다 우리나라 사람들의 잇몸이 좀 더 두껍다. 백인이라고 모두 그렇다고 볼 수는 없지만 사진처럼 잇몸이 얇은 환자들이 많다. 특히 멕시코의 경우 대부분의 환자들의 잇몸 두께가 우리나라 환자들 반도 안 되는 것 같다. 인종별 잇몸 두께에 관한 좋은 연구결과가 있다면 추천 바란다.

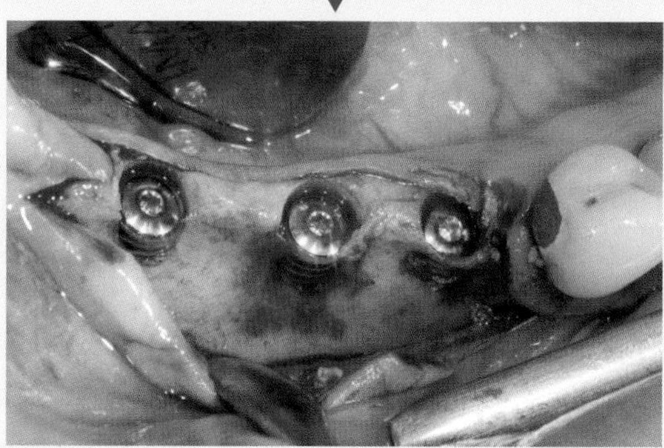

협측으로 임플란트 쓰레드가 노출된 것을 볼 수 있다.

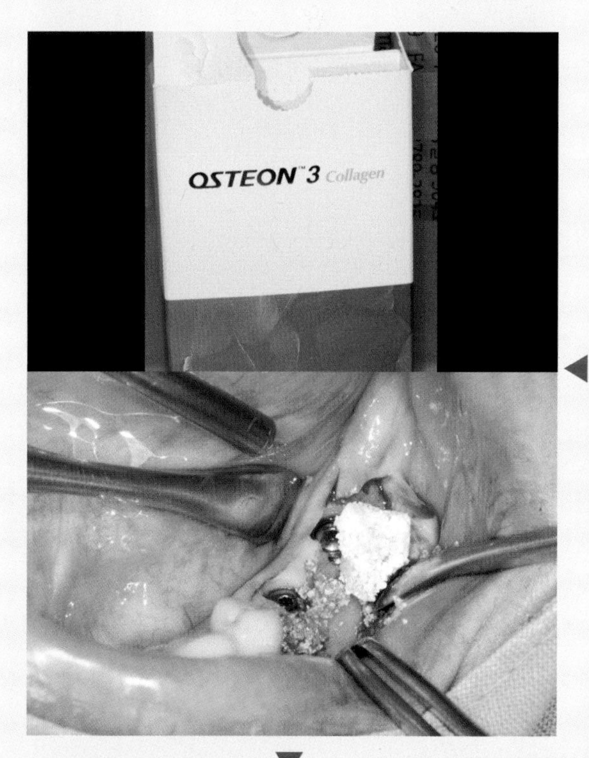

콜라겐 본으로 임플란트의 협측 골을 충분한 두께로 덮어주었다.

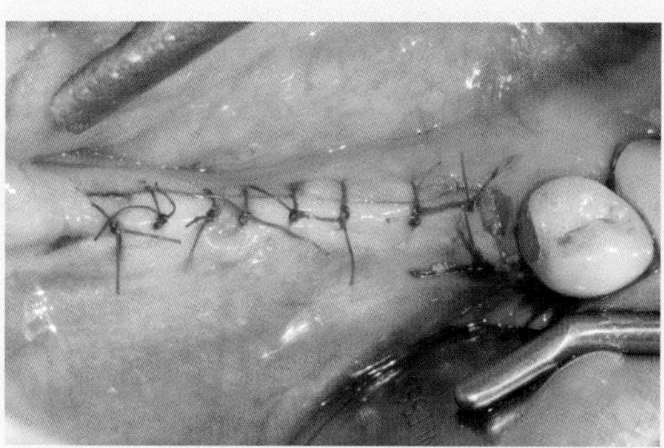

일반적인 단속봉합으로 마무리하였다.

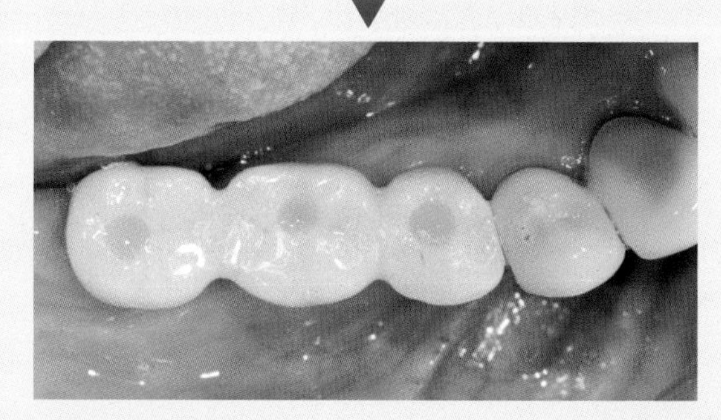

크라운 세팅 직후

2.4

PRF는 어떤가?

이미 이 책을 여기까지 읽었다면 눈치챘을 것이다. 필자는 이를 절대 사용하지 않고 권하지도 않는다. 물론 이견이 많기 때문에 이 책에서는 더 이상 다루지 않을 것이다. PRF 하면 스티키본도 같이 많이 언급되는데, 필자는 콜라겐 본 등이 이미 제품으로 나와 있는 상황에서 굳이 사용할 필요가 있을까 생각해 본다. 더구나 스티키본은 강도는 콜라겐보다 강한 듯하지만, 점성이 없어서 한번 형태 유지를 위해 변형시키면 그냥 모래알처럼 떨어져 버리는 경향이 있어서 필자는 사용하지 않는다. 여기서 필자가 더 이야기해봐야 소용이 없을 듯하니, 최근에 과장 광고로 판결을 받은 사례에 대해서 말해보겠다. 2.5는 불법 의료광고 사례집 32페이지에 나오는 사례이다. 사례집에 나온 "자가 혈액으로 골성장을 촉진시켜 빠른 회복"이라고 쓴 글은 과장광고로 판결을 받았다. 이 판결에 참조가 된 관련 학회의 공식 입장을 첨부한다.

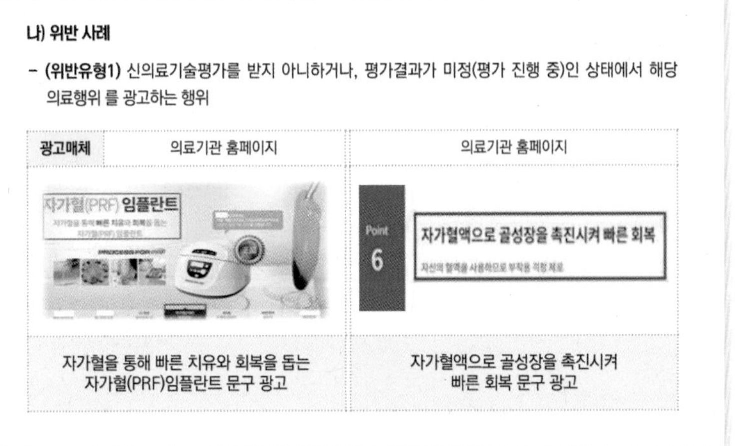

나) 위반 사례

- (위반유형1) 신의료기술평가를 받지 아니하거나, 평가결과가 미정(평가 진행 중)인 상태에서 해당 의료행위 를 광고하는 행위

광고매체	의료기관 홈페이지	의료기관 홈페이지
	자가혈(PRF) 임플란트	Point 6 자가혈액으로 골성장을 촉진시켜 빠른 회복
	자가혈을 통해 빠른 치유와 회복을 돕는 자가혈(PRF)임플란트 문구 광고	자가혈액으로 골성장을 촉진시켜 빠른 회복 문구 광고

2.5

출처: 보건복지부 및 의료광고심의위원회

〈대한치주과학회〉 2018

배경

- Platelet rich fibrin (PRF)에는 platelet에 존재하는 과립내에 성장인자(growth factor)들이 있어서(Weibrich et al 2002) 연조직 경조직 치유를 촉진시킬 것이라는 가설 하에 여러 학자들이 다양한 실험을 하였음.
- 연조직의 치유를 촉진시키는 결과가 있으며(Marenzi et al., 2015), 치주골결손부의 치료를 도와준다는 보고도 있음(Pradeep et al., 2017).
- 상악동 골이식에서 DFDBA와 PRF를 같이 사용하였을 때 치유 시간을 줄일 수 있다는 보고도 있음(Choukroun et al., 2006).
- 하지만, 아직은 일부 학자들의 연구결과이며, 대다수 학자들이 PRF가 골형성 속도와 골재생을 촉진한다고 합의(consensus)가 이루어진 것은 아님.
- 그러기 위해서는 긍정적인 효과를 보여주는 더 많은 연구가 필요함.

출처: 대한치주과학회(2018)

〈대한치과이식임플란트학회〉

의견을 말씀드리기에 앞서 PRF에 대한 문헌을 고찰해보면, 아직 논쟁적인 요소가 있는 부분이 많습니다. 정리해보면 다음과 같습니다.

1) PRF에 대한 골형성 촉진 관련된 연구는 기본적으로 골이식재에 혼합하여 사용 시 효과가 있었는지에 대한 문헌이 기본적입니다. 주로 이종골, 합성골과 동반하여 사용하고 조직학적 소견을 바탕으로 관찰한 결과에 따라 효과가 있었는지 여부를 판단합니다. 그 결과 역시 약간효과가 있다 또는 전혀 차이를 내지 못했다로 다양합니다. 효과적이었다고 발표한 경우에도 상악동 골이식술 증례에서 might have positive potential 정도의 잠재적인 효과 가능성만 언급한 경우가 많습니다. 작년 합성골 베타TCP에 혼합하여 어느 이식재를 사용해도 좋은 결과가 예상되는 상악동 골이식술에 이용한 경우 No beneficial effect, 즉 촉진효과가 없었다고 언급한 논문도 있습니다. 따라서 골이식재 동반 사용 시에도 촉진효과에 대한 여부는 아직 검증되었다 보기 힘듭니다.

2) 아울러 PRF가 광고문구처럼 골유착에 촉진효과를 내는지에 대한 연구도 있습니다.
이는 대부분 발치즉시 임플란트 식립 후 Gap 부위에 PRF를 적용하고 초기안정성 initial stability를 ISQ 증가 관점에서 평가한 문헌으로 단기적으로 로딩 시기를 당겨주는 장점은 있으나 장기적인 효과는 입증된 바 없습니다. 아울러 이에 대한 논문의 결과 해석도 초반 연구에서는 ISQ증가에 효과가 있다고 하지만 비교적 최근에 좀 더 상세히 구별되게 설계하여 시행된 연구(RCT)에서는 골유착 촉진에 부가적인 효과가 없었다고 보고되기도 하였습니다. 발치즉시 임플란트를 시행하고 골유착 촉진에 대한 여부를 평가 시 PRF의 사용이 골유착 속도와는 관계가 없는 것으로 나타났습니다.

3) 아울러 PRF의 효과가 줄기세포 때문이라고 표현하는 것은 다소 과장이라고 보입니다.
아직도 PRF가 효과를 내는 기전에 대해서는 의견이 다른 부분이 있으나 tabilization에 도움을 주는 것으로 판단되며 stem cell 함량이 효과를 내기에는 세포수 등의 측면에서 부족하다고 판단됩니다.

4) 종합적인 결론을 말씀드리면, 지금의 광고문구는 마치 임플란트의 골유착 속도를 증가시키는 것으로 오해의 소지가 있어 보이나 이에 대한 증명은 되지 않았다고 판단할 수 있습니다. 아울러 골이식재와 동반사용 시 효과를 내었다고 보고된 경우도 상악동 골이식술과 같은 특정한 부위에서 한정된다고 판단됩니다. 따라서 일정부분의 문구수정이 필요합니다. 예를 들어 골이식재의 치유를 촉진시키는 PRF 정도의 문구는 허용될 수 있으나 지금의 문구는 오해의 소지가 있으므로 수정이 필요합니다.

출처: 대한치과이식임플란트학회

발치와보존술은 어떤가?

발치와보존술은 하루 종일 이야기해도 부족할 것이다. 그러나 예상했겠지만 필자는 굳이 할 필요가 있겠냐는 주의이다. 발치와보존술을 하고 임플란트를 심으면 골질이 너무 떨어진 골들이 임플란트 주변에 많이 있을 수밖에 없다. 버칼 본이 날아가는 한이 있더라도 임플란트와 동시에 그래프트를 하면 버칼 쪽에만 골질이 떨어지는 골이 있기 때문에 차라리 그 부분이 더 나을 것이라 보인다. 물론 경제적(환자 입장), 시간적인 부분에서도 유리하다고 생각한다. 특히나 발치와보존술에는 동종골이 많이 쓰이는데, 결국 버칼 본의 흡수를 막지 못하고 같이 날아가 버리는 경우도 많이 봤다. 그래서 이종골을 쓰게 되면 소켓 내에 골질이 너무 떨어지게 되어 필자는 바람직하지 않다고 생각한다. 종종 발치와보존술 이후에도 임플란트 수술을 하다 보면 수술하면서 다시 그래프트를 해야 하는 경우도 많이 생긴다. 그래서 필자는 개인적으로 발치와보존술을 좋아하지 않는다.

물론 가장 추천하는 것은 버칼 본이 날아가기 전에 일찍 식립하거나 발치 즉시 식립할 수 있다면 그것이 가장 좋은 방법이라고 생각한다. 그리고 흡수될 가능성이 높은 협측 갭에서만 최소한의 이종골이식만 하는 것이다. 이런 임상 이야기는 후속편에서…

Jumping distance in implants

임플란트와 골 사이의 거리가 2 mm 이내이면 자연적으로 골화된다는 말은 여기저기서 흔하게 들었을 것이다. 이 내용을 공부 좀 하겠다고 굳이 논문을 찾아볼 필요는 없을 것 같다. 필자도 검색해보니 대부분이 오래전 논문이고, 최근 논문들에서도 특별하게 느껴지는 결과를 보고한 것은 찾지 못했다. 그냥 필자의 경험 토대로 정리해보면 이렇다.

- 임플란트와 골 사이의 거리가 2 mm 이상이라도 어차피 골이 찰 곳은 다 찬다.
- 임플란트와 골 사이의 거리가 2 mm 이내라도 골이 안 차는 곳은 안 찬다.
- 임플란트와 골 사이의 거리만큼이나 바깥 골의 두께와 주변 소프트티슈의 바이오타입이 더 중요한 요소인 듯하다.
- 상악 전치와 소구치의 버칼 플레이트는 본이 아니라 1 mm 정도의 두께를 가진 lamina dura에 가깝다. Lamina dura는 blood supply를 치주인대에서 받기 때문에 이가 빠지고 나면 빨리 흡수된다.
- 상악 전치와 소구치에 발치 즉시 임플란트를 했을 경우에 버칼 jumping distance는 무시하고 본그래프트를 하는 것을 추천한다.
- 필자는 흡수되지 않는 이종골을 추천한다.

BMP는 어떤가?

이 부분도 길게 쓰면 얼마든지 길게 쓸 수 있지만, 필자의 강의와 이 책의 취지대로 “Easy Simple Safe Efficient”의 개념으로 보면 아직은 좀 먼 이야기가 아닌가 생각해 본다. 요약하면 어느 정도 실력이 늘고 나서 정말 큰 온레이 그래프트 형태의 수직적 골증강술이 필요한 경우에만 하면 좋을 듯하다. 그 정도가 아니라면 지금 하는 술식 정도로 굳이 BMP 도움 없이도 충분하다고 생각한다.

필자가 생각할 때 주로 BMP에 대해 치주과에서는 그다지 달가워하지는 않는 것으로 보인다. 최근에 기초학 분야에서도 BMP가 암을 일으킬 수 있다는 발표 등이 있었는데, 그보다는 전혀 영향이 없다는 연구 결과들이 더 많은 듯하다. 물론 연구가 순수하지는 않겠지만 말이다.

2.6 원주 치과 김영욱 원장님과 함께
필자의 치과에 한 치과의사의 아버지께서 임플란트를 하러 오셨는데, 치주질환이 심하여 도저히 풀 마우스 임플란트 식립이 쉽지 않아 보였다. 그 선생님과 상의하고 김영욱 원장님을 초빙하여 BMP를 이용한 상악 풀 마우스 식립을 하였다. 지금은 경과를 보는 중이다. 수술하러 오신 날 기념촬영한 것이다.

필자가 아직 BMP를 쓰지 않는 이유는 가격이 너무 고가인데다가, 굳이 사용하지 않아도 수술에 큰 문제가 없기 때문이다. 다만 앞으로의 가능성을 높게 보고 있고, 천천히 사용을 시작해 볼 생각이다.

필자가 BMP를 사용해보려고 마음먹는 데 큰 계기가 된 분이 한 분 계신데 그분의 케이스를 한 번 소개해보겠다. 원주치과의 김영욱 원장님으로, 다양한 분야에서 강의도 하시고 열심히 활동하고 계시는 분이다. 필자가 김영욱 원장님 강의를 들은 후 허락을 받고 이를 필자의 책에 싣기로 하였다.

김영욱 원장님 BMP 케이스 보기

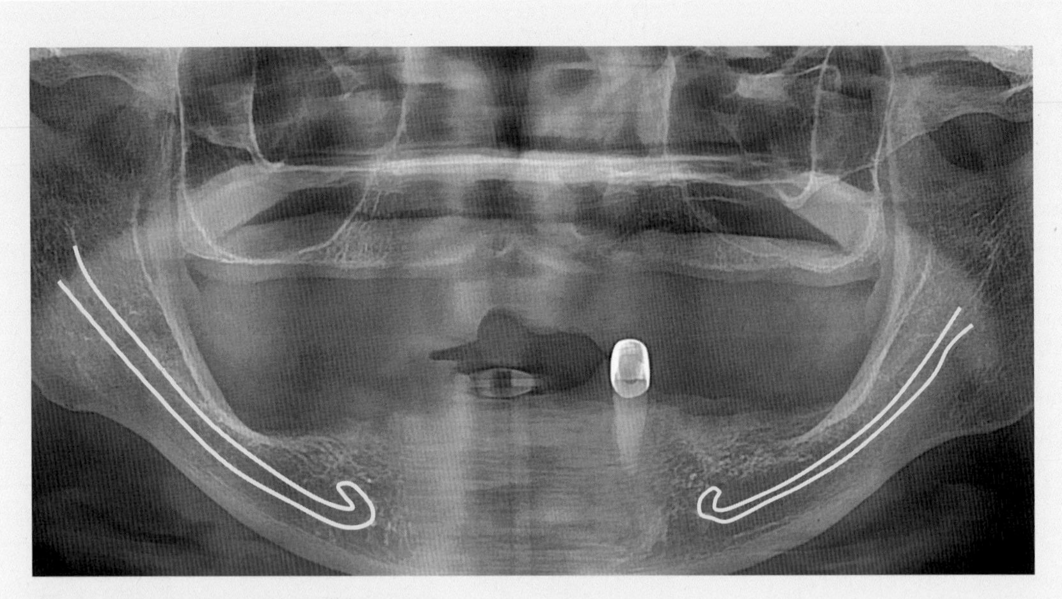

2.7 70대 여자 환자로 초진 당시 파노라마

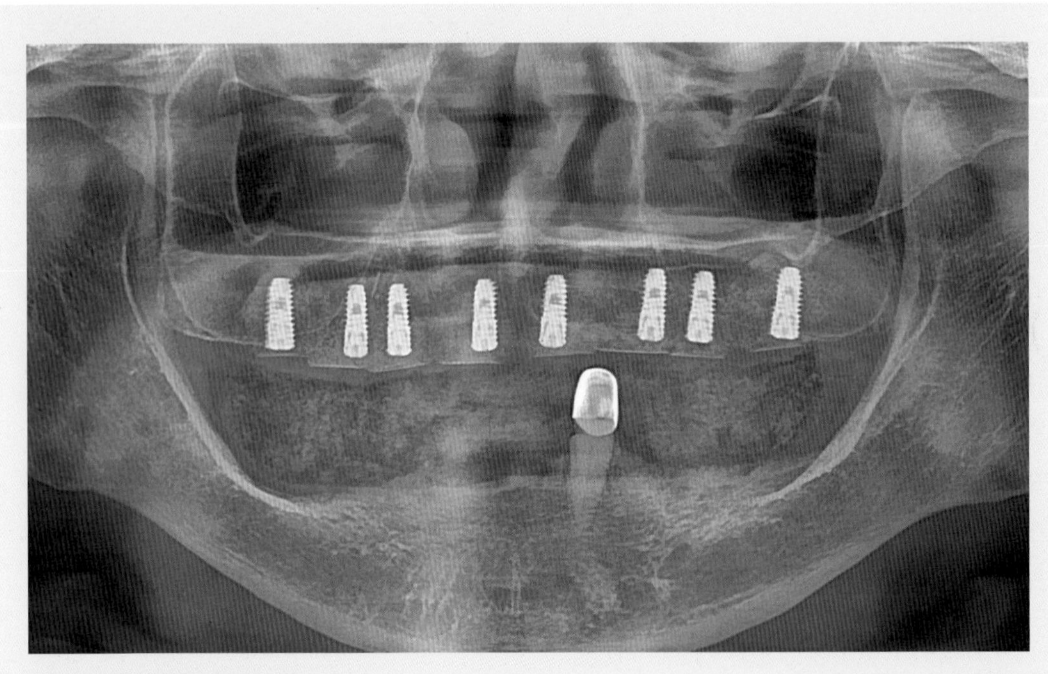

2.8 상악 임플란트 직후 파노라마

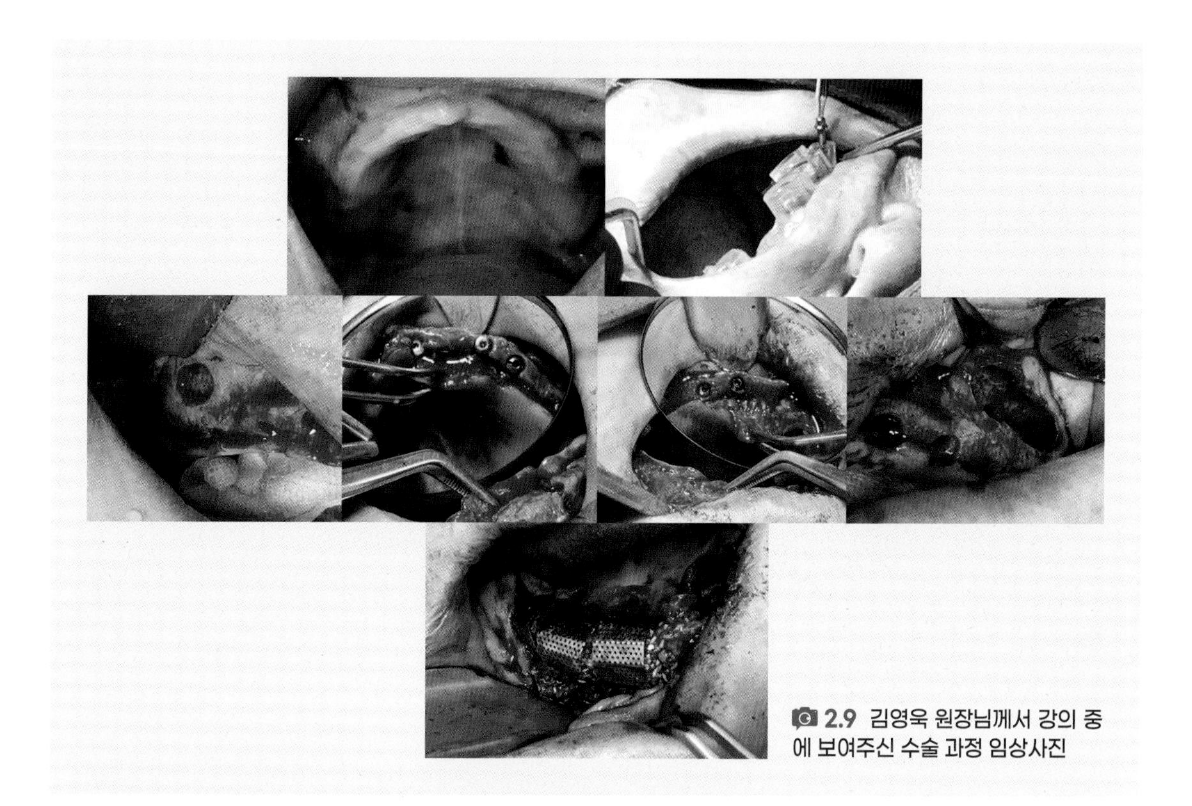

2.9 김영욱 원장님께서 강의 중에 보여주신 수술 과정 임상사진

2.10 하악 리지도 매우 얇은 것을 볼 수 있다.

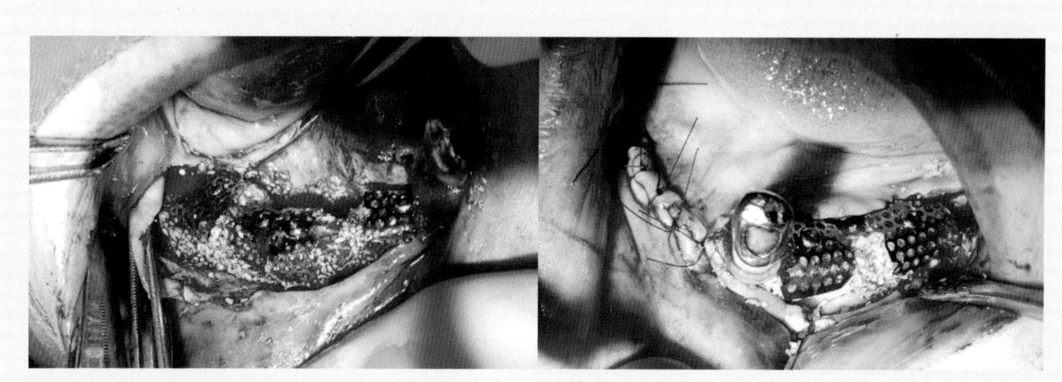

2.11 앞서 설명했던 오스템 오스빌더를 이용하여 수직적 수평적 골증강술을 하였다.

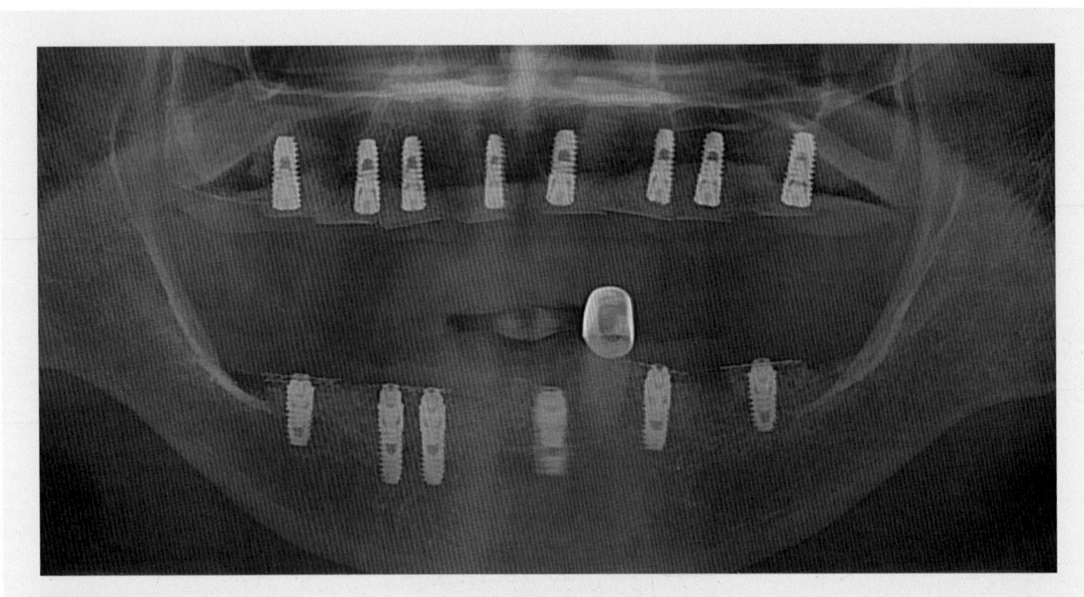

2.12 식립 직후 파노라마

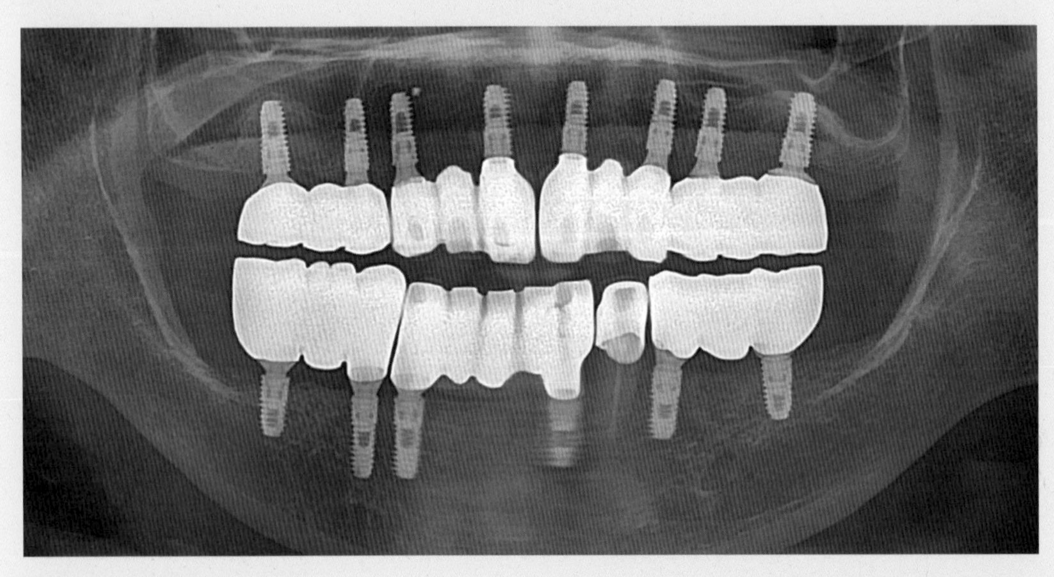

2.13 최종 보철 후 파노라마

출처: 원주치과의원 김영욱 원장님 제공

원장님께서 원래 수술을 잘하는 건 알고 있었지만, 이 정도로 잘 하실 거라고는 생각을 못했다. BMP를 떠나서도 수술을 잘 했지만, 솔직히 본인도 BMP가 없었다면 이런 수술을 시도하지는 않았을 것이라 하셨다. 조만간 기회가 되면 필자도 BMP를 써볼 생각이다.

필자의 전형적인 골이식 스타일 케이스

필자의 전형적인 골이식 스타일을 보여주는 환자의 케이스 하나를 올리고 이 장을 마무리하겠다. 환자는 앞서 **4-2장 임플란트의 식립 위치와 방향**에서 다룬 치과의사의 어머니 케이스이다. 다양한 종류의 GBR을 시행한 듯하여 필자도 정리할 겸 한번 올려본다.

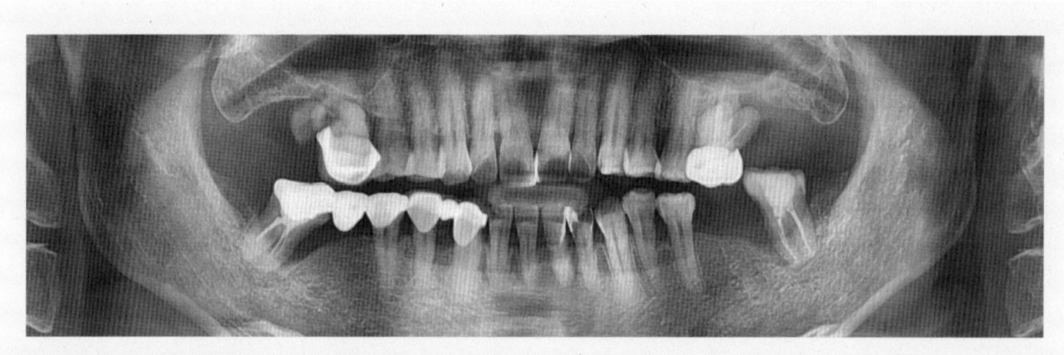

2.14 초진 시 파노라마 방사선 사진

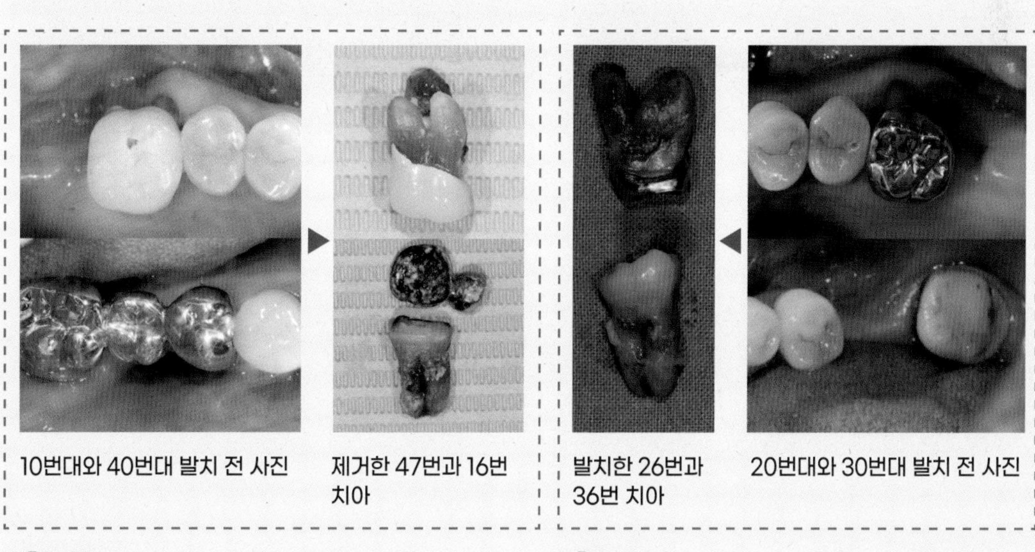

10번대와 40번대 발치 전 사진 / 제거한 47번과 16번 치아

2.15

발치한 26번과 36번 치아 / 20번대와 30번대 발치 전 사진

2.16

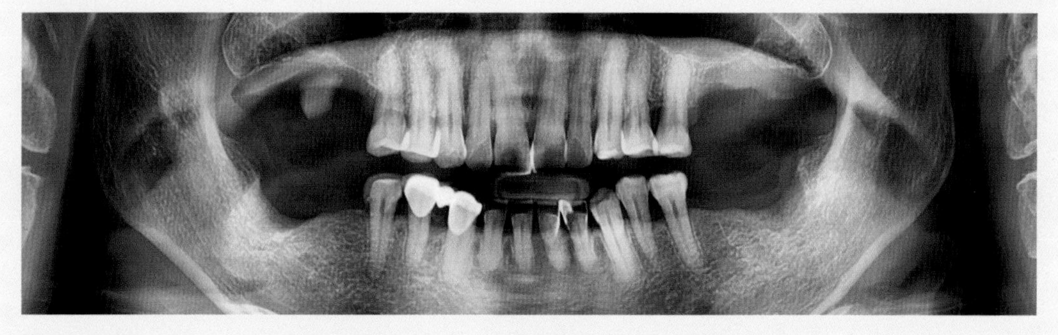

2.17 발치 한 달 반 뒤 본격적인 치료가 시작되는 시점에서 촬영한 파노라마 방사선 사진

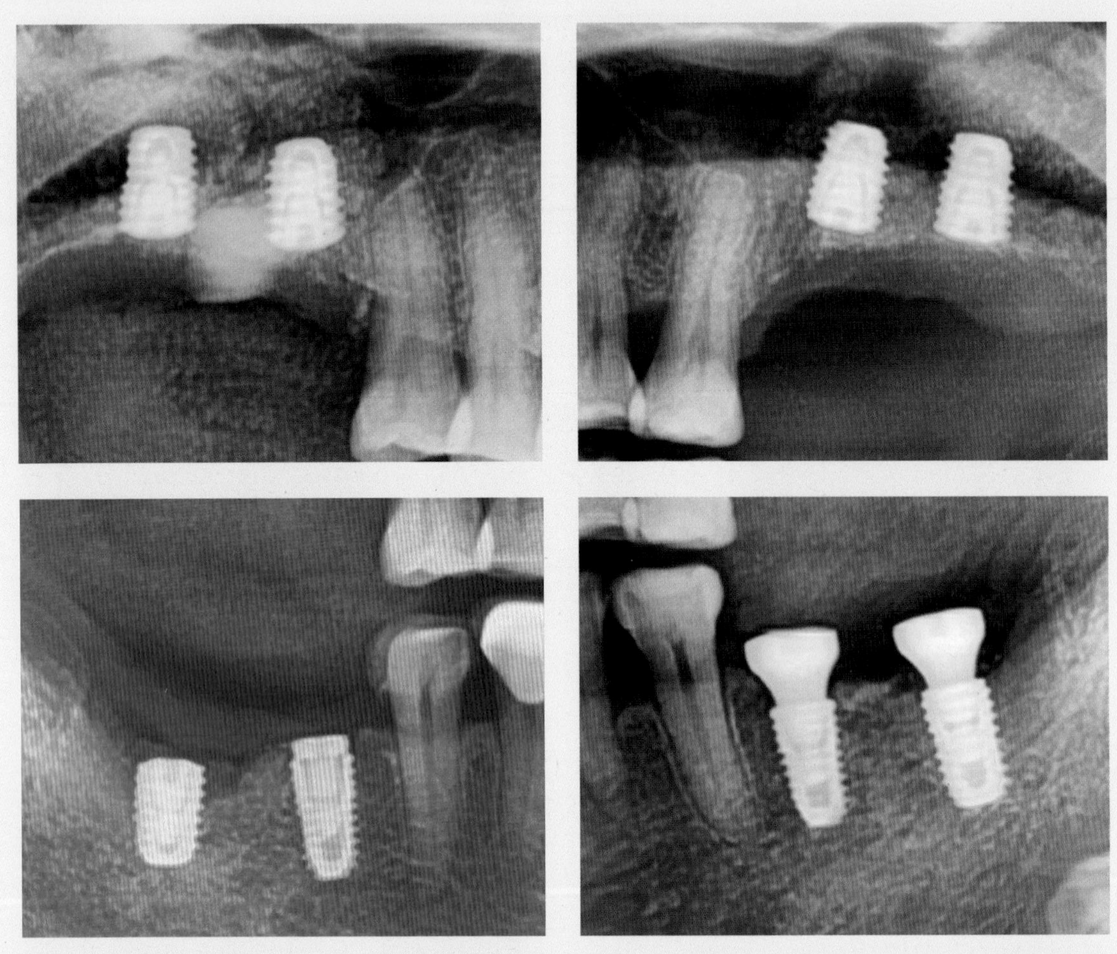

2.18 각 부위의 수술 직후 파노라마 방사선 사진. 30번대는 1 stage로 진행하였다. 필자의 경우는 초기 고정 상태가 매우 나쁘거나 멤브레인을 사용할 경우만 2 stage 수술법으로 진행하며, 2 stage는 전체 수술의 5% 이내일 정도로 어지간하면 1 stage로 진행하는 편이다.

이제 어떤 식으로 골이식이 이루어졌는지 부위별로 나눠서 보겠다. 환자는 초진 때 이미 치아가 많이 안 좋은 상태로 내원하였다. 전신질환도 있었기 때문에 험난한 치료가 예상되었다. 환자의 개인 사정상 4개월 정도 후에 본격적인 치료를 시작해 거의 10개월에 걸쳐 모든 치료를 끝낸 케이스이다.

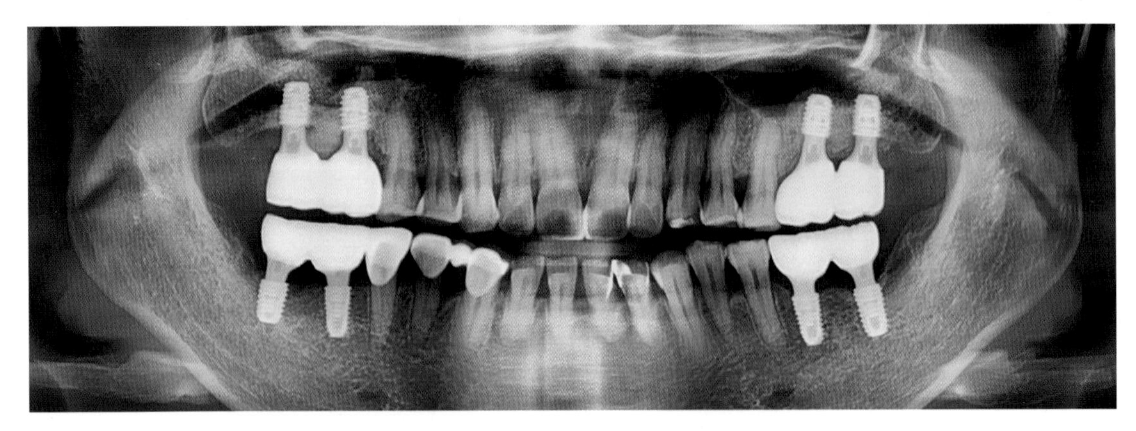

2.19 치료 시작 10개월 뒤 임플란트 크라운 최종 접착 후 파노라마 방사선 사진

▶ **40번대는 메쉬와 멤브레인 사용으로 커버스크류를 사용하여 2 stage로 진행**

46번_타이타늄 메쉬(오스템 오스빌더), 47번_콜라겐 멤브레인(덴티움 제노스) + 이종골(오스템 A-Oss 0.25 g)

▶ **30번대는 초기고정이 좋고 노출된 부분 없이 소켓 내부나 골막이 깨끗한 부위에만 골이식하여 멤브레인 없이 힐링 어버트먼트를 장착하고 1 stage로 진행**

37번_멤브레인 없이 발치와 주변으로 합성골(오비스 본 0.1 g 덴티스, β-TCP 80% + HA 20%)

▶ **10번대는 초기고정이 좋지 않고 멤브레인 사용으로 커버스크류를 사용하여 2 stage로 진행**

상악동 내에는 위쪽에 이종골(오스템 A-Oss 0.5 g 중 0.3-0.4 g) + 사이너스 하방에는 합성골(오스템 A-Oss 0.5 g), 크레스탈 본 그래프트 이종골(오스템 A-oss 0.5 g 중 0.1-0.2 g) + 콜라겐 멤브레인(덴티스 Ovis 15*20 mm)

▶ **20번대는 골막이 깨끗하여 멤브레인을 사용하지 않았지만 초기고정이 좋지 않아 커버스크류를 사용하여 2 stage로 진행**

상악동 내에는 위쪽에 이종골(오스템 A-Oss 0.5 g 중 일부) + 사이너스 하방에는 합성골(오스템 Q-Oss 0.5 g), 크레스탈 본에는 이종골 일부를 멤브레인 없이 사용

상악의 경우 심고 오래 기다려야 할 듯해서 양쪽을 먼저 식립하였고, 비교적 쉬운 30번대를 식립한 후 마지막으로 발치 6개월 후에 골이 너무 적은 40번대를 식립하였다. 40번대는 오랫동안 47번 근심으로 골 소실이 심하여 기다린다고 해서 골이 차오르지 않았다. 마주치는 치아도 없고 골 모양도 좋지 않았지만 최대한 올바른 위치를 추정하여 식립하였다. 이에 대하여 **4-2장 임플란트의 식립 위치와 방향**에 나오기도 하니 마지막으로 식립한 40번 케이스부터 먼저 보도록 하자.

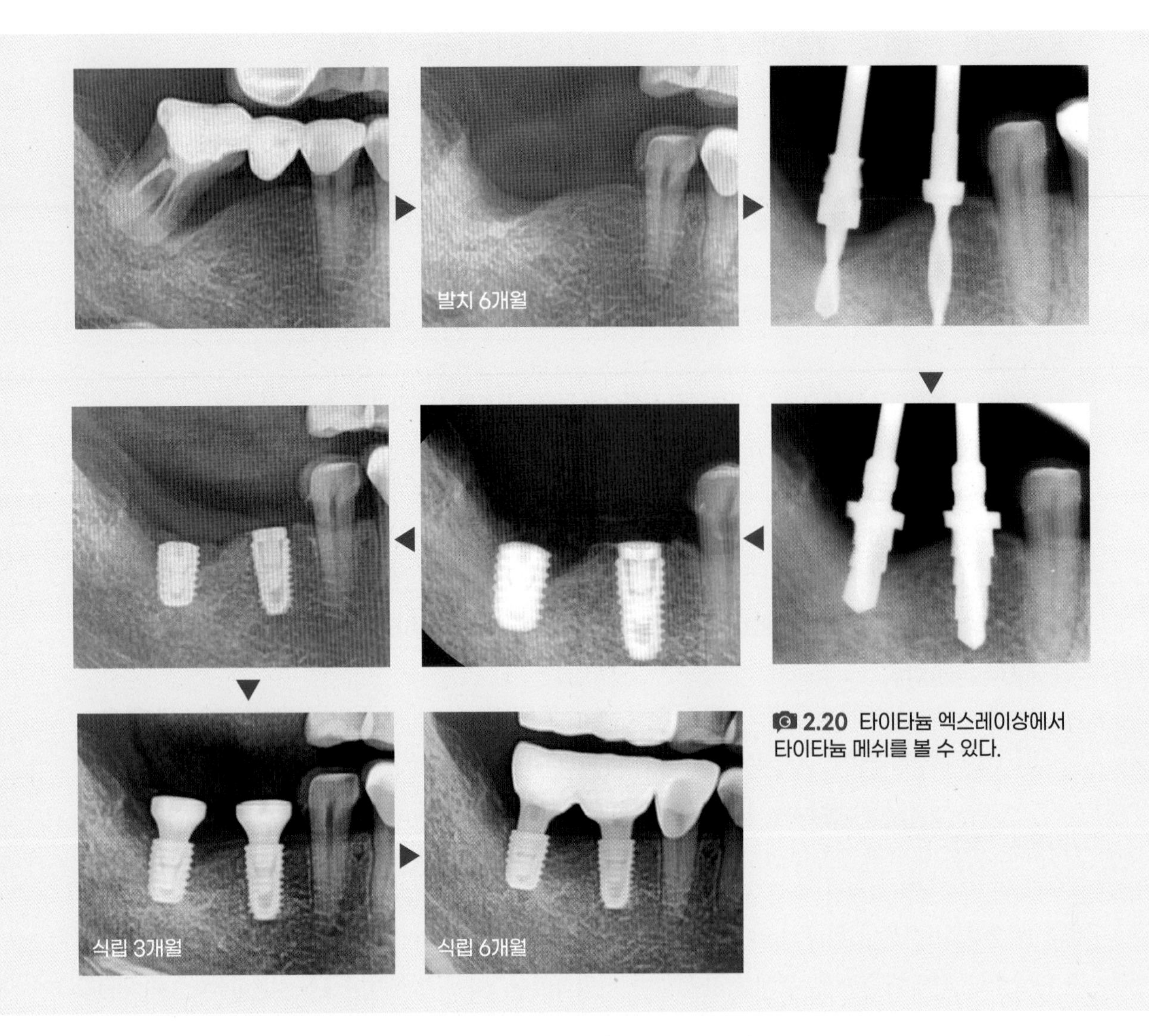

2.20 타이타늄 엑스레이상에서 타이타늄 메쉬를 볼 수 있다.

식립 후에 보니 46번은 픽스처의 반절 정도로 쓰레드 4-5개 정도가 상부에서 버칼로 노출되어 있었고, 47번은 메지알과 버칼이 쓰레드 2개 정도가 노출되어 있었다. 수평적, 수직적으로 모두 골소실이 심하여 Titanium mesh를 사용하기로 하였다. 그래서 46번은 버칼 쪽을 본 그래프트하였고, 47번은 디스탈 본이 높고 근심과 협측으로도 46번 타이타늄 메쉬가 충분히 텐트 역할을 할 수 있을 듯하여 그래프트(오스템 A-Oss 0.25 g + 덴티움 GENOSS 멤브레인)만 하고 봉합하였다. 지금 생각해 보면 1 mm 정도 높은 힐링을 사용하거나 0.5 mm 정도 깊게 메지알로 심었다면 더 좋았을 것 같다는 생각이 든다. 그러나 필자는 수술하면서 충분한 시간을 보낼 수 없기 때문에 짧은 시간치고는 잘 되었다고 생각하며 마무리하였다. 타이타늄 메쉬를 사용한 후에 사진을 찍지 못한 것이 못내 아쉬웠다.

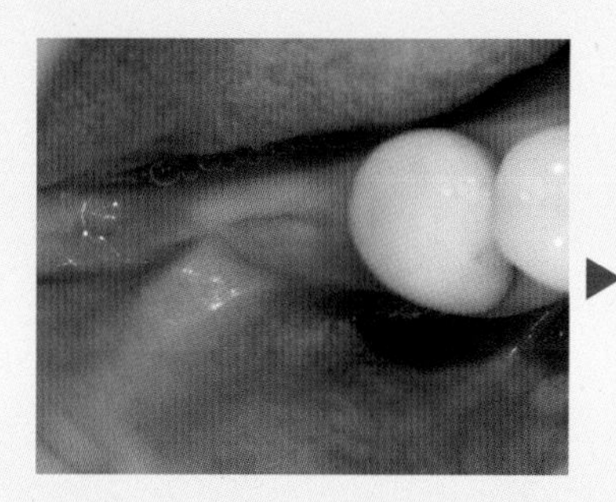

브릿지 파닉이 있던 46번 쪽은 협측 골이 많이 소실된 걸 볼 수 있다.

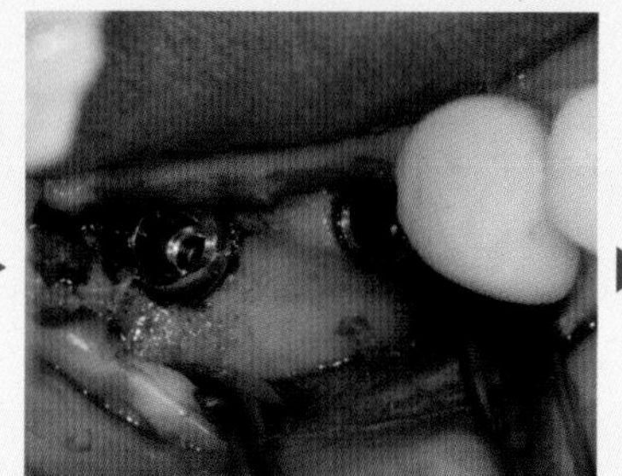

47번 임플란트는 수직적 · 수평적으로, 46번 임플란트는 수평적으로 협측이 노출되어 골이식 후 46번에는 타이타늄 메쉬를 사용하였고, 47번에는 콜라겐 멤브레인으로 덮어주고 봉합하였다. 과정 사진이 없어서 아쉽다.

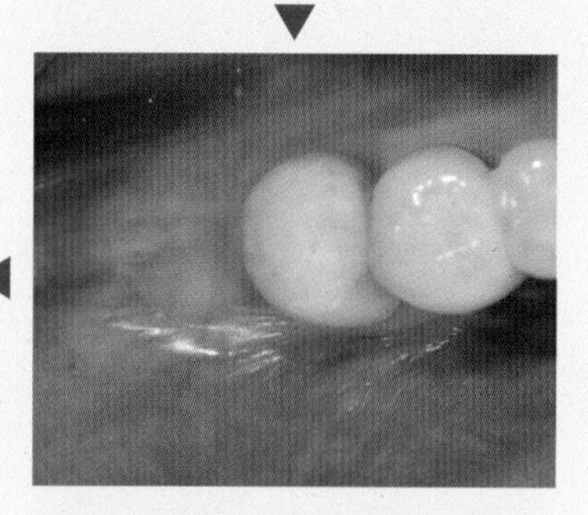

식립 3개월 후에 타이타늄 메쉬를 제거하기 위하여 내원하였다.

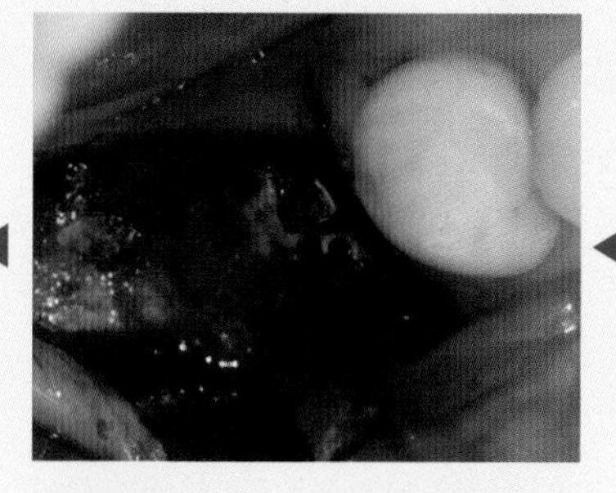

플랩을 열어서 타이타늄 메쉬를 확인하였다.

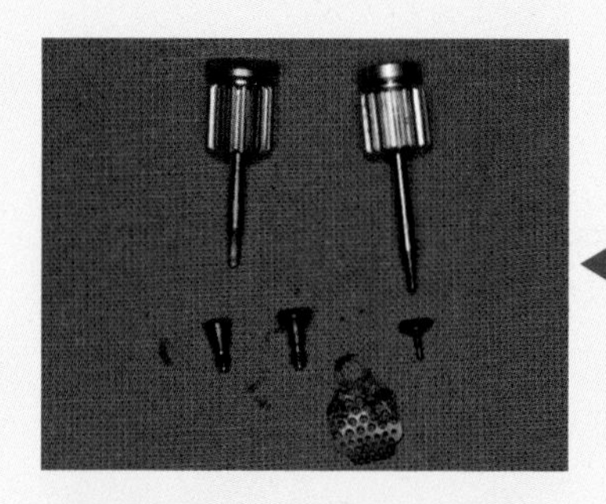

제거한 스크류와 타이타늄 메쉬 모습

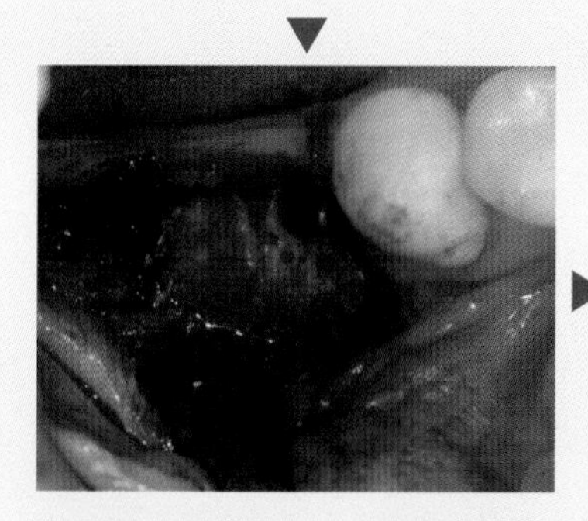

타이타늄 메쉬를 제거한 치조골 모습. 골화가 잘 된 것을 볼 수 있다.

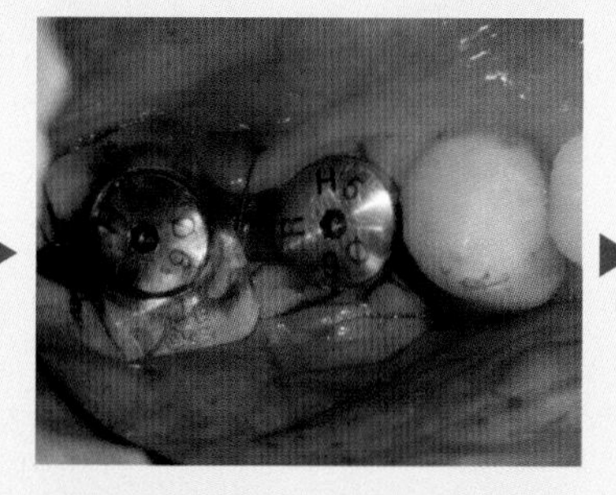

47번 임플란트 협측으로 구강전정의 형성과 부착치은을 보존하기 위해서 루이버튼(덴티스)을 사용하였다.

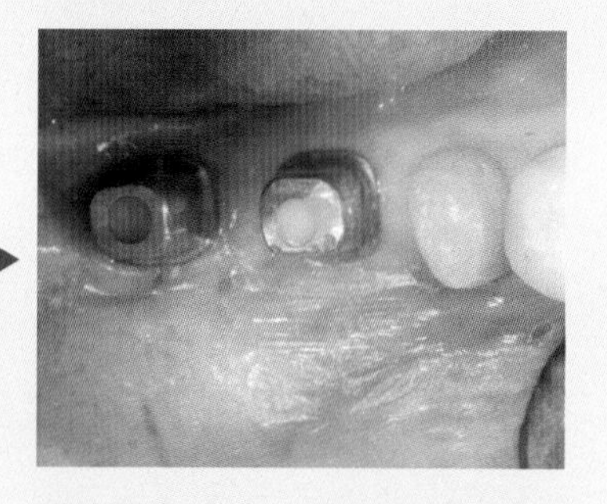

세팅 직전, 협측 진지바가 안 보여서 아쉽다.

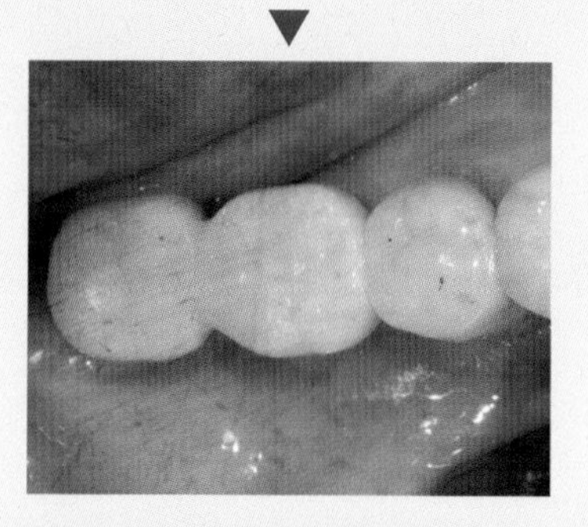

최종 보철 세팅 직후 임상사진

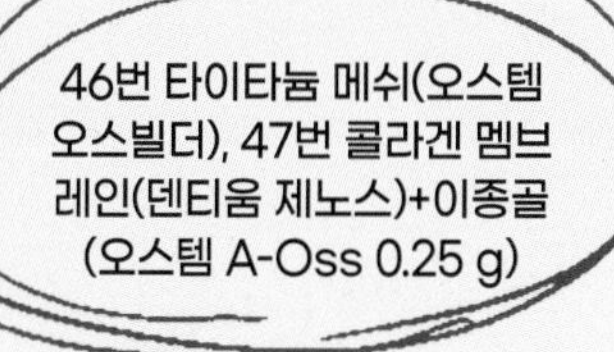

2.21 **40번 수술 과정**

필자는 다른 치과의사와 치과의사의 가족인 환자가 아주 많은 편이다. 동료들한테 실력을 인정받은 것 같아 기분이 좋기는 하지만, 이렇게 사진촬영을 하고 싶을 때는 딜레마에 빠지곤 한다. 그래도 3개월 후에 메쉬를 제거하고 세컨 서저리하는 날에는 미러를 대고 정식으로 찍지는 못하더라도 간단하게나마 술자의 눈높이에서 촬영하였다. 골이 풍부하게 생긴 것을 볼 수 있었다. 그러고는 통상적으로 마무리하였다. 앞서 언급했듯이 7번 진지바가 자꾸 교합면으로 올라와서 루이버튼으로 눌러 주었다. 그래도 나중에 반 정도는 남아있는 것을 볼 수 있다. 크라운을 올릴 때까지 계속 버칼로 밀어주는 기구가 있으면 좋겠지만 disto-buccal 쪽에는 진지바가 좋지 않다.

그에 비해 30번대를 간단히 보면 이 정도는 통상적으로 진행할 수 있다.

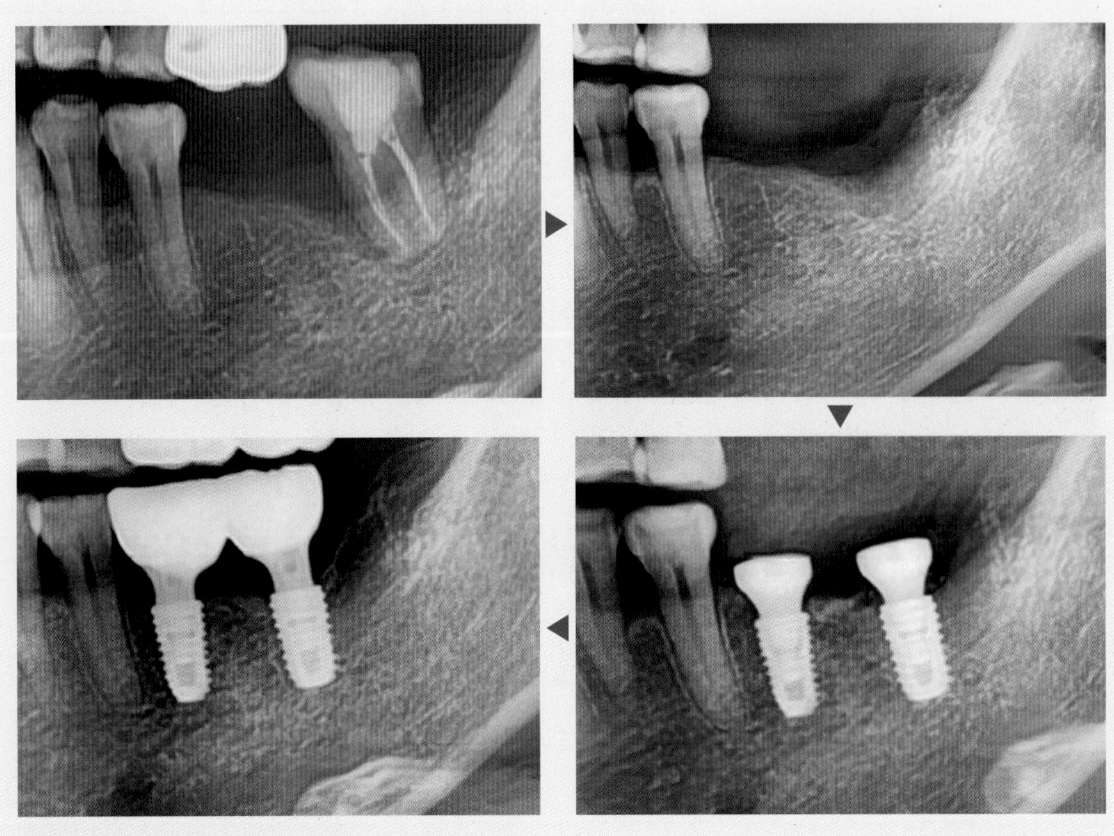

2.22 30번대 진행 과정 파노라마 방사선 사진

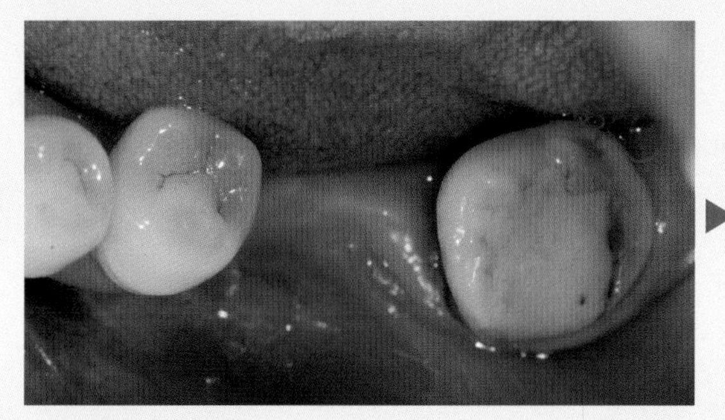

치료시작 전 임상사진

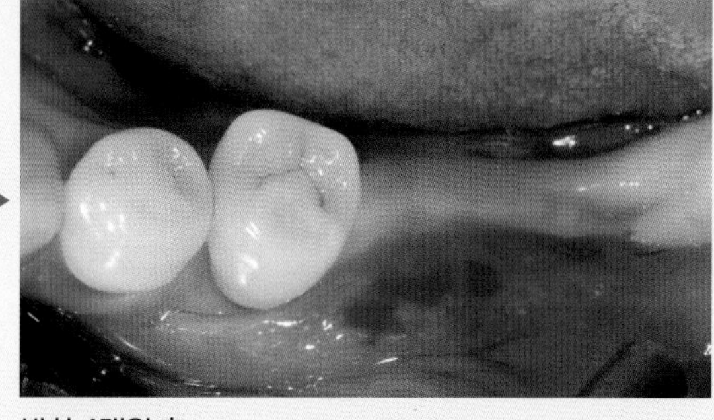

발치 4개월 후

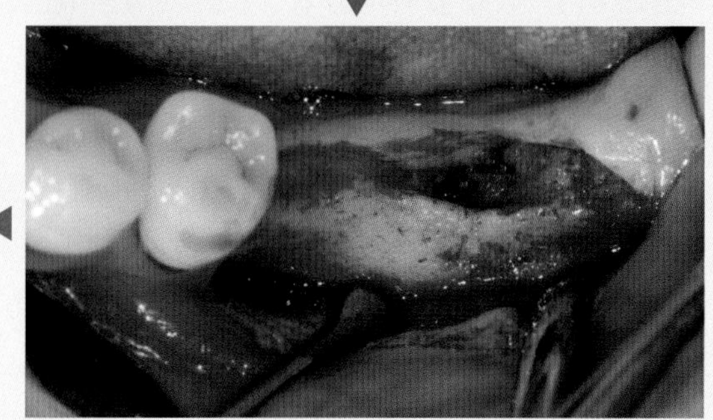

절개 직후

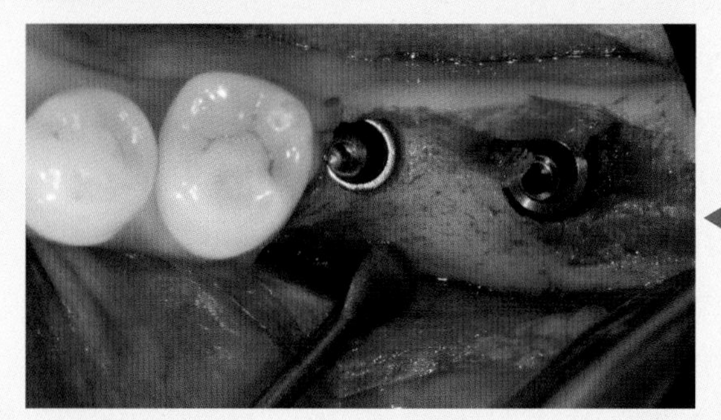

임플란트 식립 직후

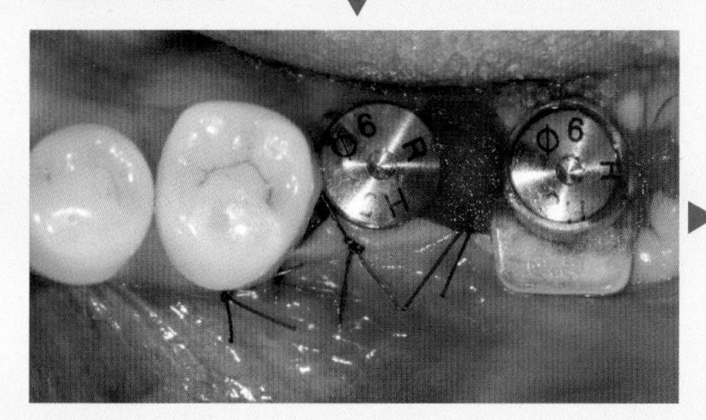

봉합 직후

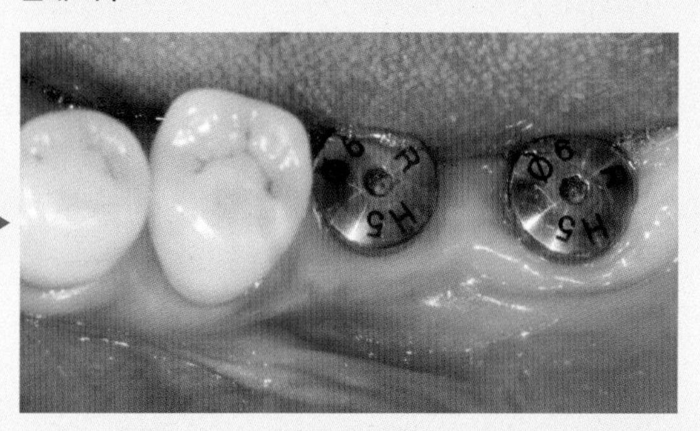

식립 5개월 후 간단한 영삼플랩만으로도 잘 형성된 부착치은을 볼 수 있다.

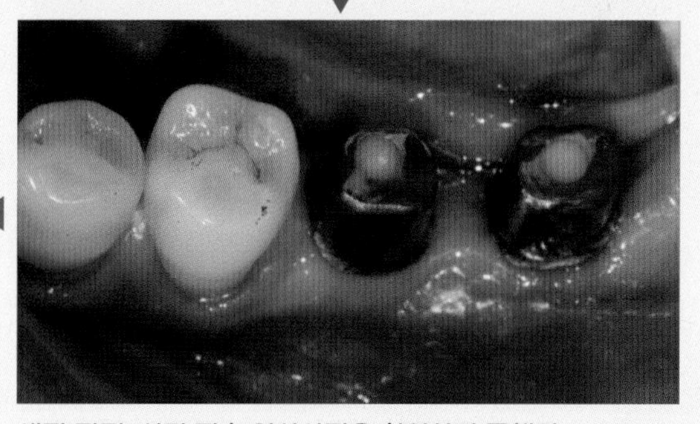

세팅 직전. 식립 직후 임상사진은 촬영하지 못했다.

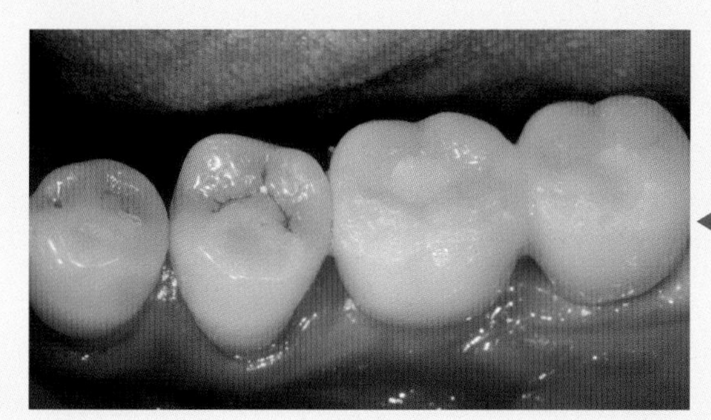

세팅 직후

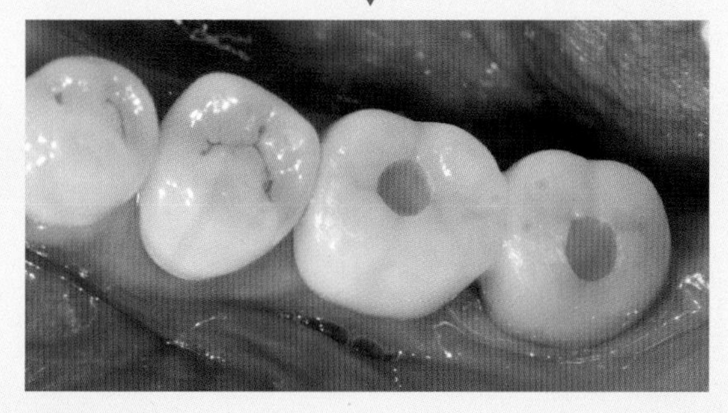

세팅 9개월

2.23

식립 후를 보면 36번은 버칼에 쓰레드가 노출되지는 않았지만 약간의 피질골 파절이 관찰된다. 37번은 발치 소켓 때문에 최종 식립에서 임플란트가 버칼로 좀 밀려서 틀어진 것을 볼 수 있다. 이런 덜 차오른 소켓에 심을 때는 언제나 소켓 부분과 나머지 피질골의 골밀도가 너무 차이 나서 임플란트 식립 방향을 맞추기 쉽지 않다. 지금 생각해보면 코로날 부분을 좀 더 삭제(앵킬로스 권법)했다면 픽스처가 버칼 방향으로 휘는 것을 막을 수 있었을 듯하다.

이곳에는 통상적으로 약간의 본그래프트(덴티스 Ovis Synthetic bone) 후에 멤브레인 없이 봉합하였다. 왜 하필 많이 흡수되는 합성골을 사용하였는지 기억이 나지 않는다. 아무래도 37번 소켓 내부에 주로 사용하는 것이라 그런 듯한데, 36번 협측 등에는 이종골을 사용하였으면 어땠을까 하는 아쉬움이 남는다. 아주 소량 그래프트하였지만 구멍을 뚫지 않아서 그런지 골이 밑으로 좀 더 미끄러져 내려간 듯한 느낌을 받았다. 이 정도만 되어도 매우 크게 그래프트하는 치과의사들을 많이 볼 수 있다. 좀 더 완벽하게 하기 위해서 그런다고 하지만 수술하는 동안에도 힘들고, 그렇게 만들어진 뼈가 장기간 예후에… 특히나 peri-implantitis에 더 강할 수 있다고 생각하지는 않는다. 그래서 필자는 앞으로도 그래프트는 최소한으로 한다는 그 취지를 쭉 이어가려고 한다. 여기서도 발치 4개월 후 임상사진을 보면 베스티뷸이 얼마나 빨리 교합면으로 올라오는지를 알 수 있다.

콘빔 CT 화면으로 보면…

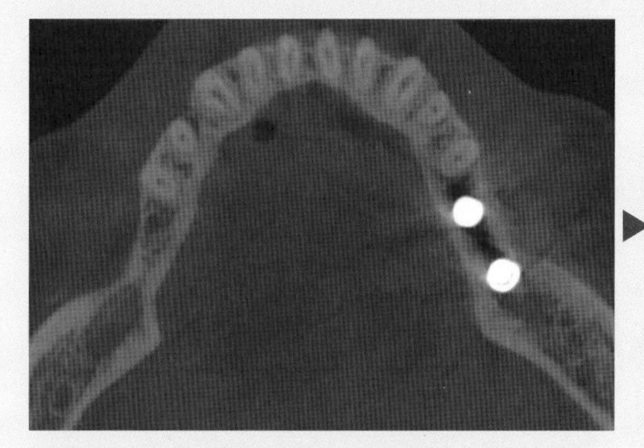

40번대 수술 전 하악골의 절단 영상(30번대 식립 1개월 후)

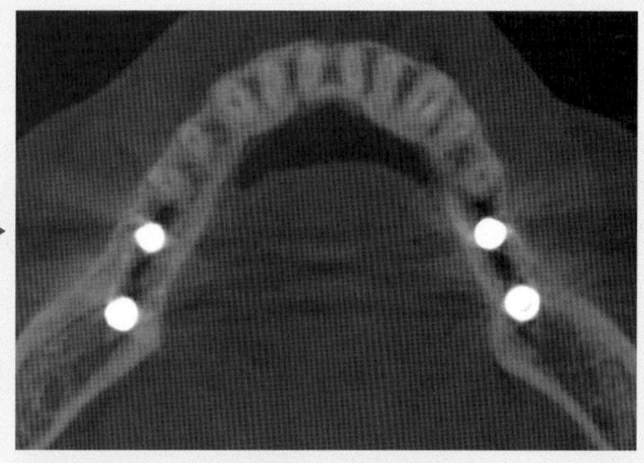

식립 후 6개월 뒤 보철물 세팅 후

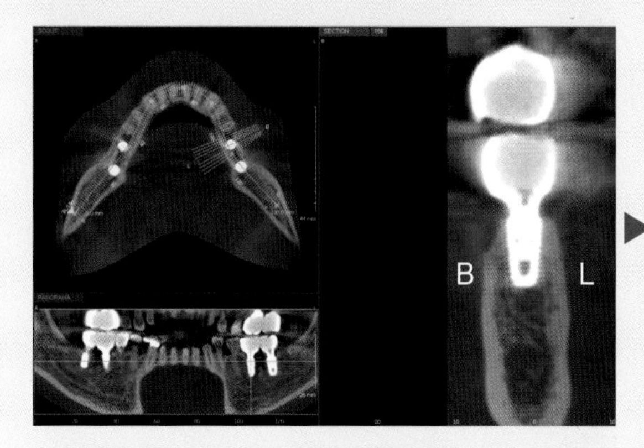

36번 협측골이 매우 얇고 살짝 파절되었던, 식립 7개월 후 CT 영상

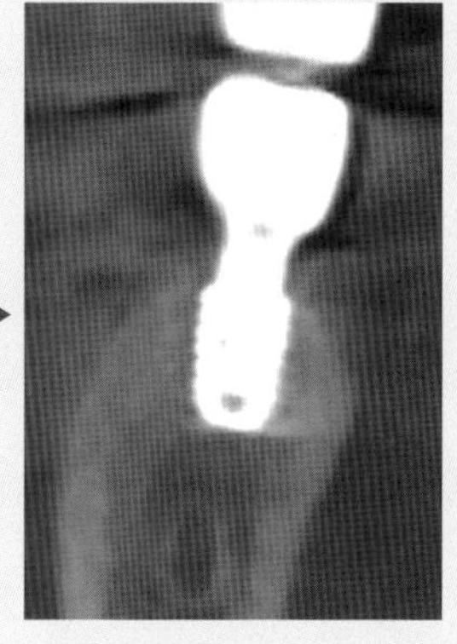

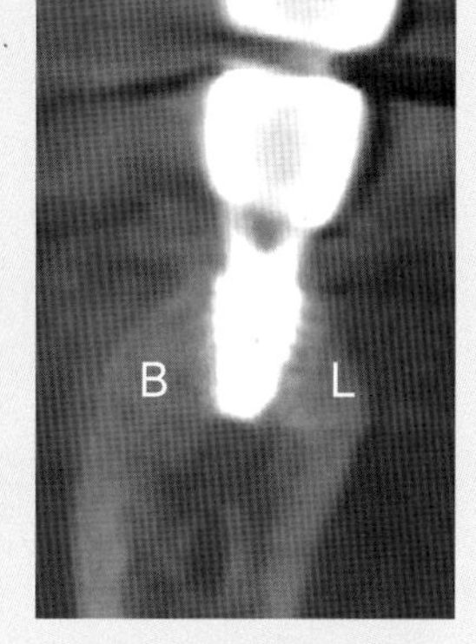

식립 6개월 후 46, 47번 임플란트 부위를 왼쪽 방향으로 섹션해본 것으로 CT에서 임플란트 주변으로 골이 잘 형성된 것을 볼 수 있다.

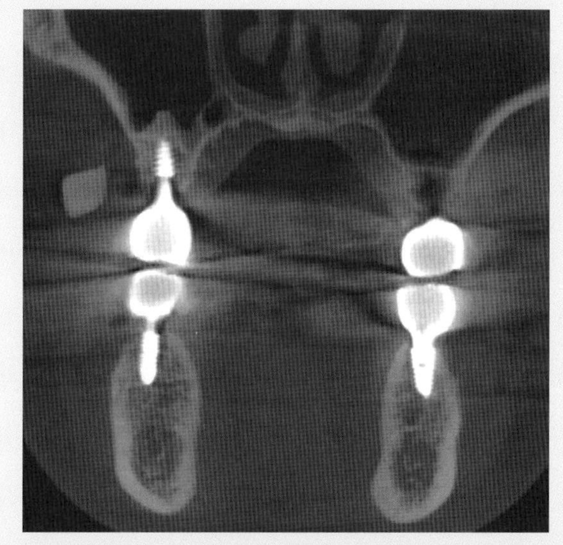

10번대 볼에 방사선 불투과성 물체가 관찰된다.

2.24

수술 전후 CT를 보면 그래도 임플란트 버칼에 뼈가 형성된 것을 볼 수 있다. 파노라마상에서 보이는 상악 10번대 임플란트 사이의 방사선 불투과성 물질은 볼에 있는 물질로 추정된다(필자도 뭔지 모르겠으나 보형물로 추정된다).

상악은 모두 크레스탈 어프로치에 의한 사이너스 엘레베이션으로 진행하였다. 전반적인 잇몸 수술 과정만 참고적으로 올려본다. 필자는 초보자도 할 수 있는 간단한 방식으로 수술을 진행하므로 그만큼 누구나 따라할 수 있고 무난하게 임플란트 수술의 질을 유지할 수 있다. 수술이 간단할수록 실패할 확률도 적기 때문이다.

10번대 진행 과정의 임상사진

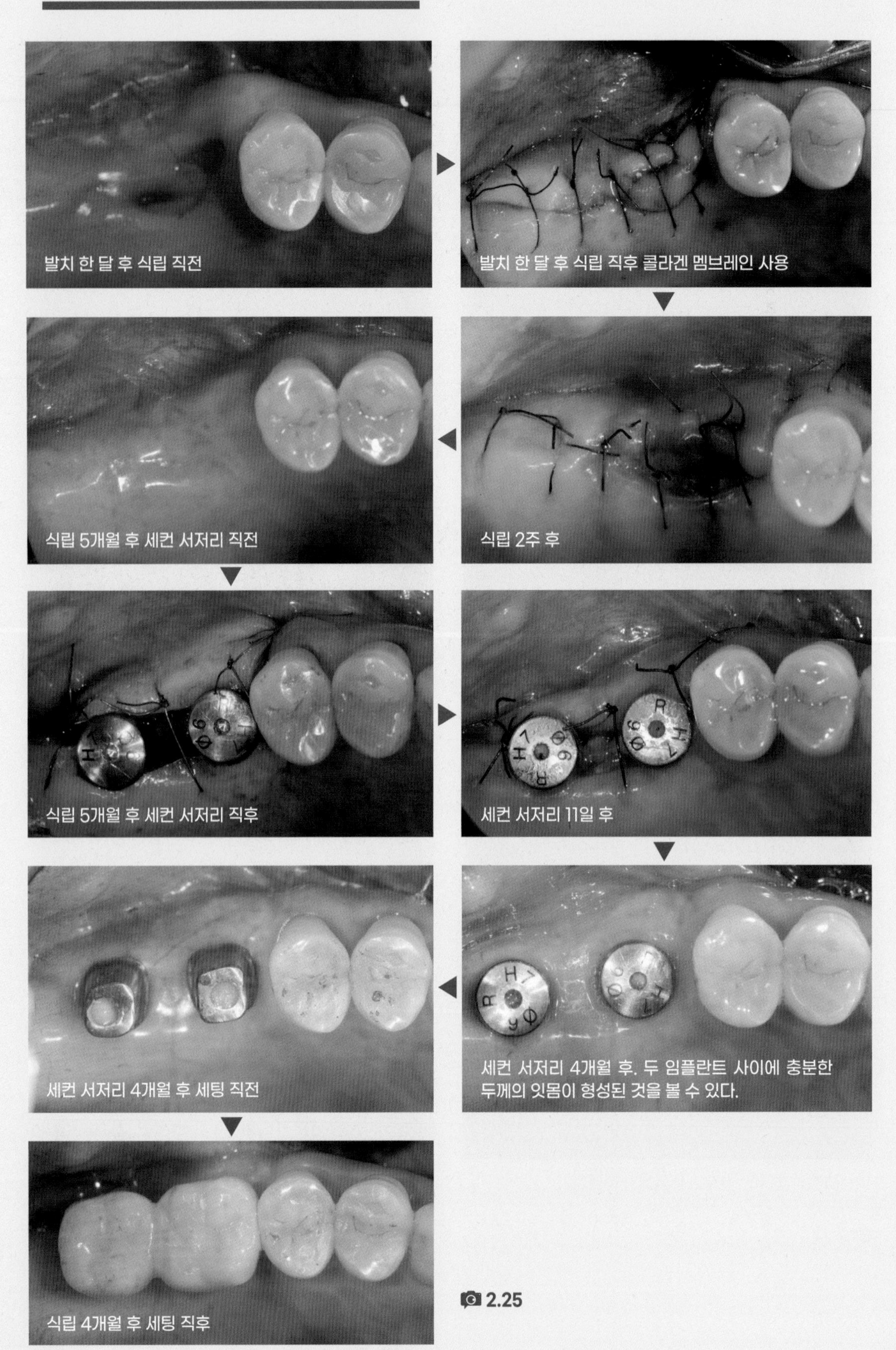

2.25

20번대 진행 과정의 임상사진

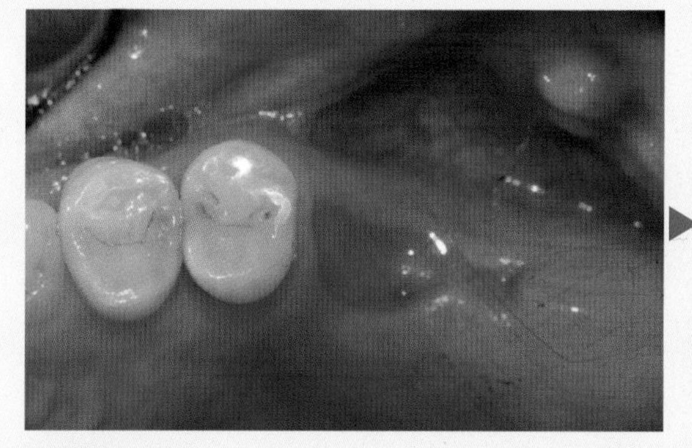

발치 한 달 후

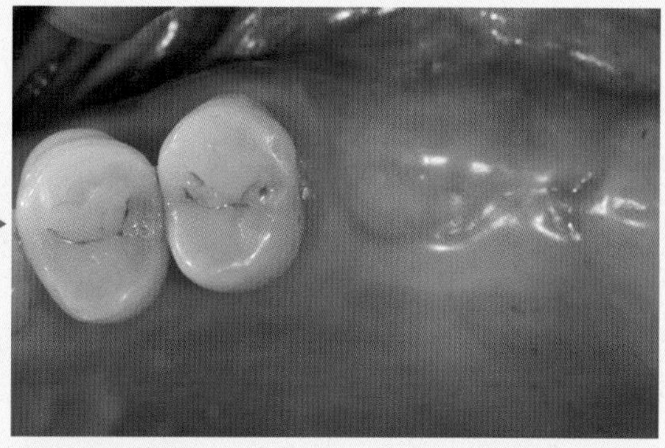

발치 두 달 반 후

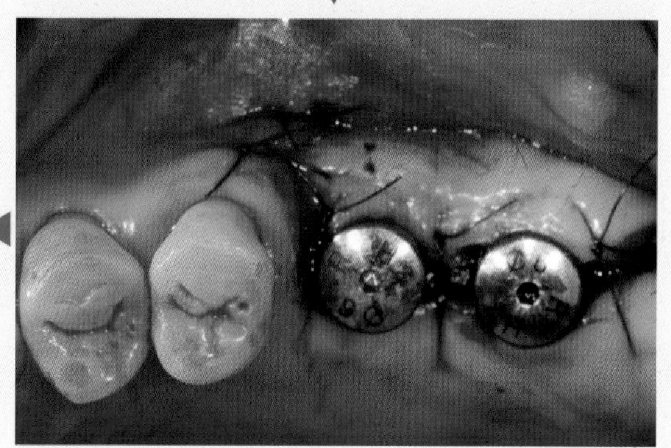

식립 3개월 반 뒤 세컨 서저리 직후. 식립 직후 임상사진은 촬영을 못한 듯하다.

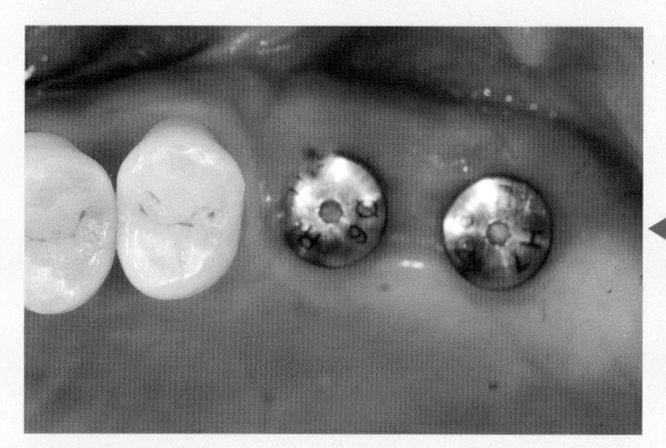

세컨 서저리 1개월 2주 후. 두 임플란트 사이에 잇몸이 충분히 형성되지 않았다. 잇몸이 제대로 형성될 것을 감안하여 어버트먼트와 크라운을 디자인해야 한다.

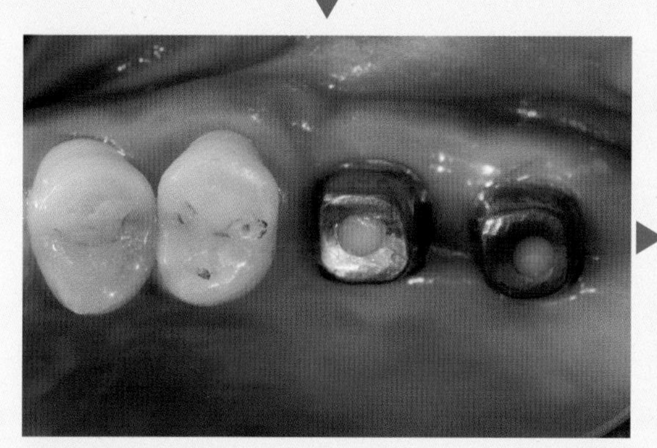

세컨 서저리 1개월 3주 후 세팅 직전. 세컨 서저리 후에 얼마 지나지 않아서 임프레션 할 경우에는 잇몸의 두께나 모양이 정상적으로 회복되지 않았음을 기공사들에게 명확하게 전달해야 한다. 그렇지 않으면 당시 잇몸에만 집중해서 크라운을 이상하게 만들게 된다.

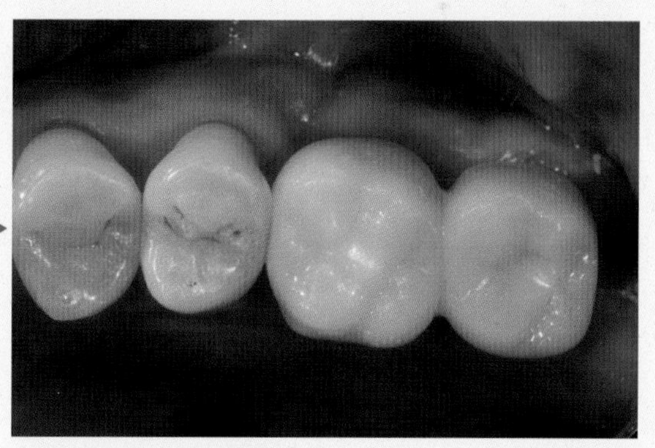

세팅 직후(식립 5개월 후)

2.26

10, 40번대 치료 완료 9개월 후(20, 30번대는 세팅 11개월 후)

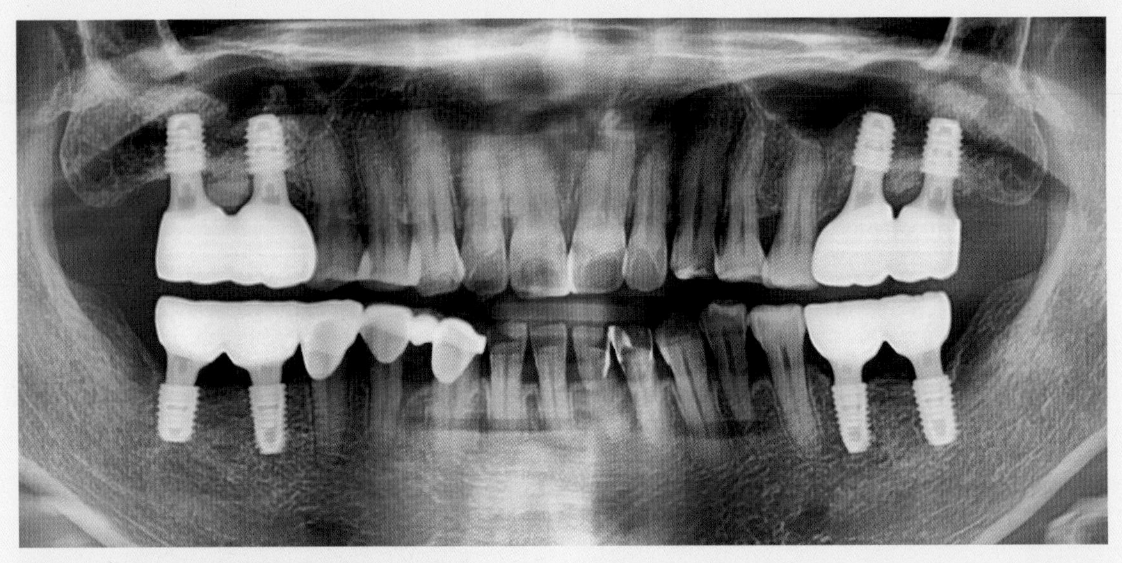

2.27 우측 세팅 9개월 후 파노라마 방사선 사진
상악 우측 임플란트 사이에 있는 물질은 환자의 볼에 있는 물체이다. 상악 좌측 26번 임플란트의 경우에는 잔존골의 양이 너무 부족하고 수직적인 골소실이 심하여 사이너스 엘레베이션 후에 좀 깊게 심었는데, 의외로 골 형성이 너무 잘 되는 바람에 2차 수술할 때 어려웠다. 최종 완료 후에도 임플란트 위치나 모양 등이 마음에 들지는 않는다. 이렇게 골이 잘 형성될 줄 알았다면 조금만 덜 깊게 심거나 좋은 위치로 심으려고 노력했다면 더 좋지 않았을까 후회해 본다. 초기고정이 안 나와서 너무 그 부분에만 집중한 듯하다.

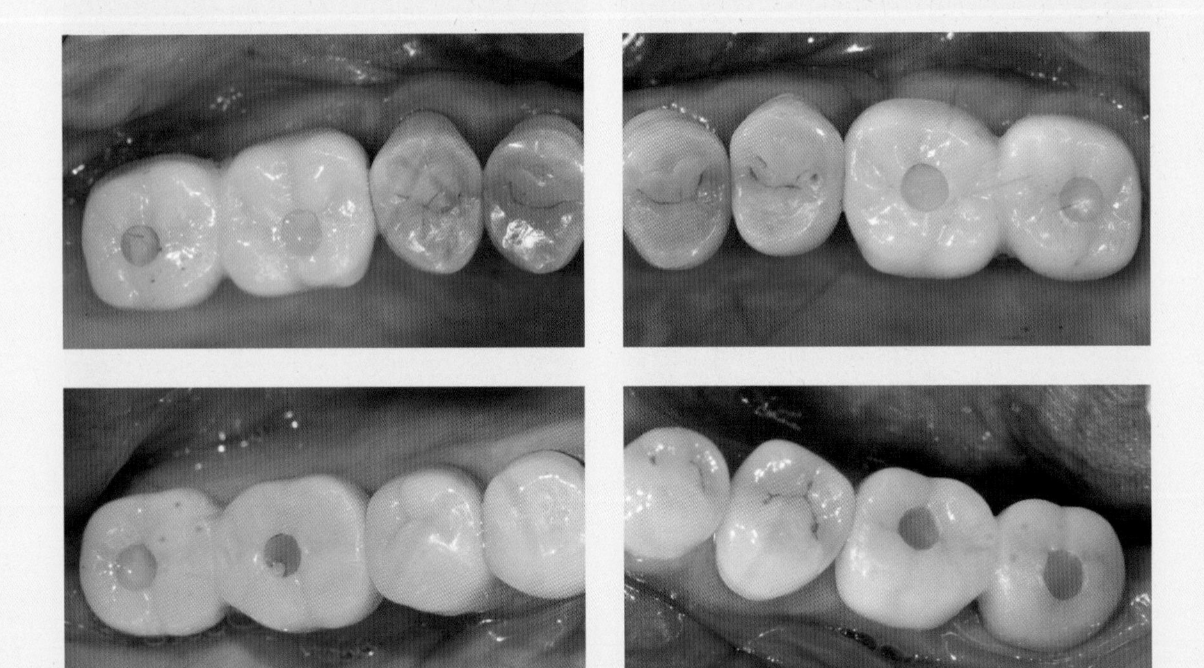

2.28 세팅 완료 9개월 후 임상사진
대합치가 없는 상태에서 각기 다른 시기에 소구치의 배열만을 참고하여 식립한 것 치고는 비교적 좋은 위치에 잘 심어진 것을 볼 수 있다. 필자의 수술이 화려하고 멋있지는 않을지라도, 간단하고 예지성 있다고 장담할 수 있다. 수술을 크고 멋지게 하는 데 집중하지 말고 원래 임플란트가 있어야 할 위치에만 집중해서 심으려고 노력한다면 누구나 비슷한 결과를 얻을 수 있을 것이라고 생각한다. 더구나 요즘은 컴퓨터 가이드수술이 보편화되고 있는 상황이니 컴퓨터 가이드 임플란트를 플랩리스 서저리라고 생각하지 말고, 가이드를 잘 만들어진 스텐트라고 생각하며 플랩을 열어서 keratinized gingiva와 vestibule을 잘 보존하도록 노력해야 한다.

30개월 팔로업 체크 영상

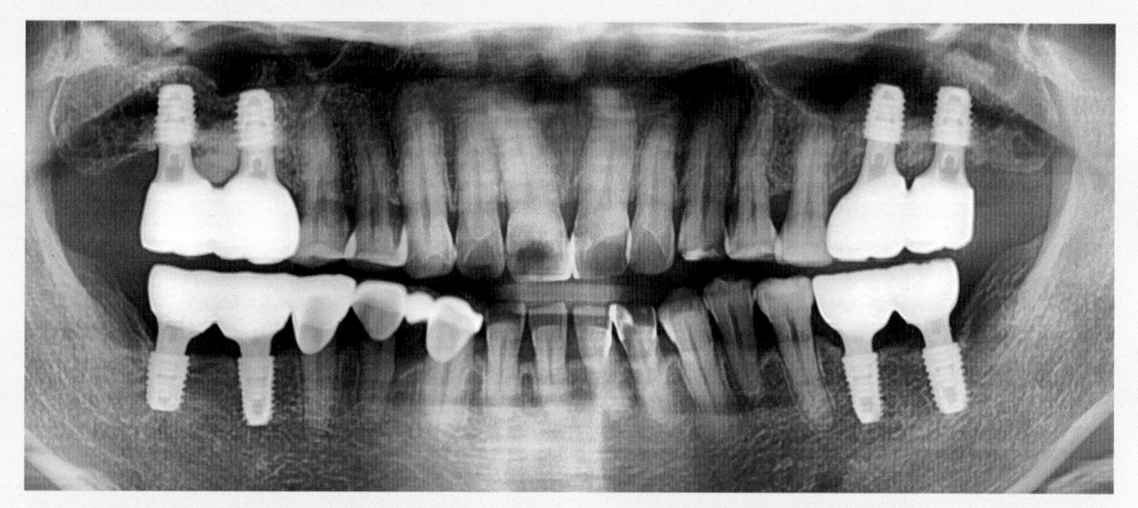

2.29 **30개월 후 파노라마 방사선 사진.** 본레벨이 꾸준히 안정적으로 유지되는 것을 볼 수 있다.

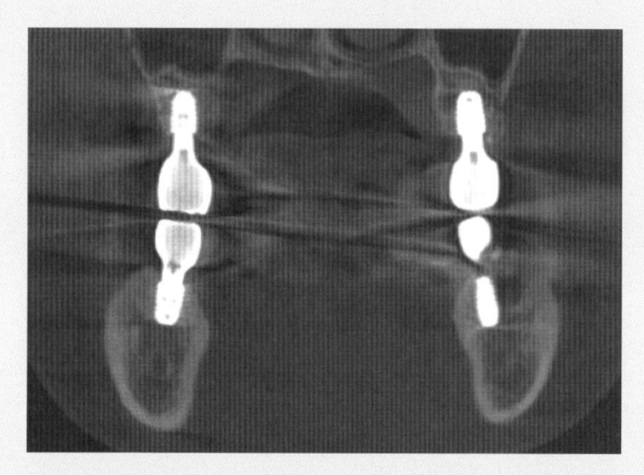

2.30 **최후방 7번 임플란트가 잘 보이도록 코로날 섹션해본 영상**
아직까지는 골이 잘 유지되고 있는 것을 볼 수 있다. 특히나 상악에서는 좀 과하게 유지되는 듯하다. 필자는 임플란트 픽스처 주변으로 2 mm가 목표이다.

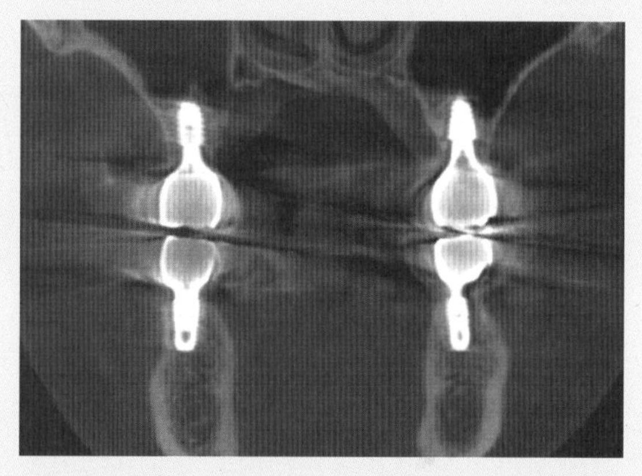

2.31 **최후방 6번 임플란트가 잘 보이도록 코로날 섹션해본 영상**
아직까지는 골이 잘 유지되고 있다. 그러나 7번보다는 조금 부족한 게 아닌가 하는 아쉬움이 있다. 상악에 먼저 넣은 비흡수성 제노그래프트들이 7번 쪽으로 밀리고… 밑에 넣으려고 한 합성골이 6번 방향으로 집중된 것이 아닌가 생각해 본다. 46번도 타이타늄 메쉬를 좀 더 협측으로 벌려서 골을 좀 더 많이 이식했더라면 어땠을까 하는 아쉬움이 든다.

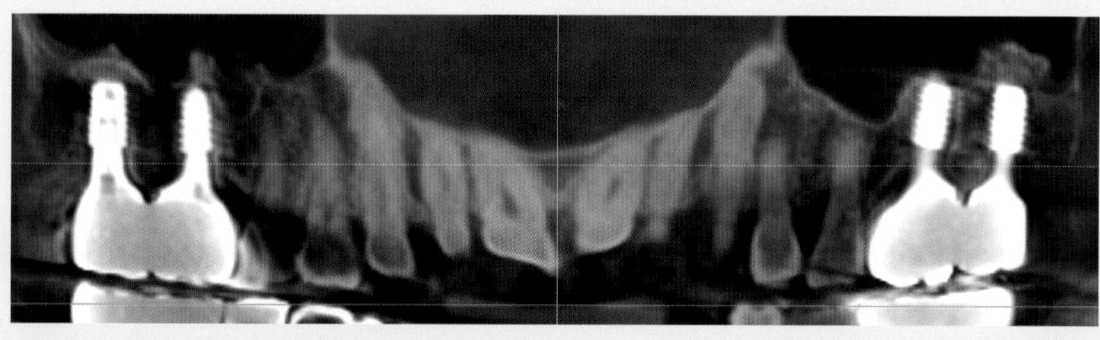

2.32 파노라마 사진상에서 임플란트 사이가 좀 비어 보여서 CT로 임플란트 사이를 섹션해보았다. 골은 적당히 형성되어 있지만 흡수성이 높은 β-TCP 성분이 많은 합성골이 흡수되어 남아있는 제노그래프트 머트리얼과 대비되어 검게 보이는 게 아닌가 생각해 본다. 자가골이나 흡수성이 높은 합성골을 이종골과 섞어서 사용하면 사이너스 골이식 부위가 이와 같이 부드럽지 못하고 별사탕처럼 울퉁불퉁해지는 것을 볼 수 있다. 필자에게 다시 하라고 하면 이종골만 조금 더 적은 양을 사용했을 것이다.

김영삼원장의

노트 정리

EASY SIMPLE SAFE EFFICIENT

MASTERING DENTAL IMPLANTS

임플란트 달인되기

꼭 알아야 할 임플란트의 필수 성공요소

The Essential Elements for Success in Dental Implants

PART 7

어버트먼트의 선택과 크라운

사랑했으니 책임져!

CHAPTER 7-1

어버트먼트와 크라운의 형태

Mastering dental implants

이상적인 어버트먼트의 모양과 형태

지금까지 임플란트 성공에 영향을 미치는 매우 중요한 임플란트 요소들을 알아봤다. 올바른 위치와 방향과 높이, 소프트티슈와 골이식… 그렇다. 여기까지는 수술의 영역이다. 그러나 필자가 수년간 임플란트를 해오면서 본 가장 아쉬운 부분들은 잘못된 보철물에 있어왔다. 잘못된 수술보다 오히려 잘못된 어버트먼트의 선택과 보철 테크닉이 임플란트의 실패에 더 큰 영향을 미치는 것으로 보인다. 필자가 보철은 안 하지만 나중에 크라운이 올라간 것을 보고 다시 하라고 잔소리는 한다. 수술이 잘 되었다면 제대로 보철물을 만들어야 한다.

필자가 예전에 했던 임플란트 중에서 어버트먼트 선택을 잘못했다고 생각되는 것들 중에 최근에 본 케이스들이다(1.1). 최소 10년 이상 된 케이스들인데, 이 중 두 개는 임플란트마저 뽑고 다시 했고, 하나는 크라운이 깨져서 교체한 김에 어버트먼트까지 교체하였다.

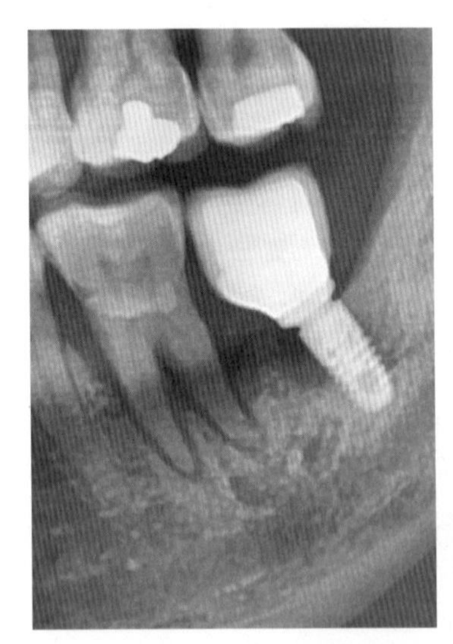
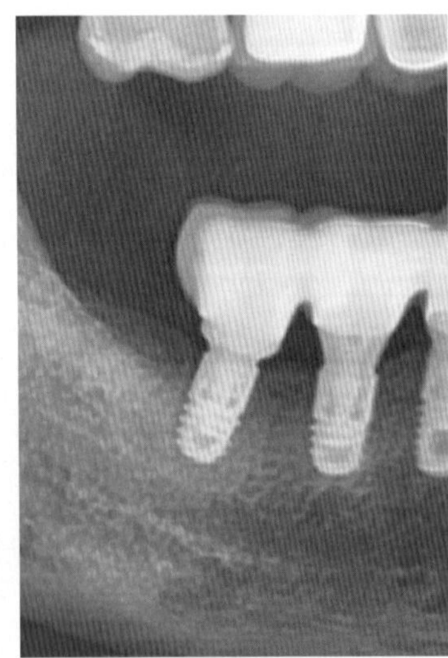
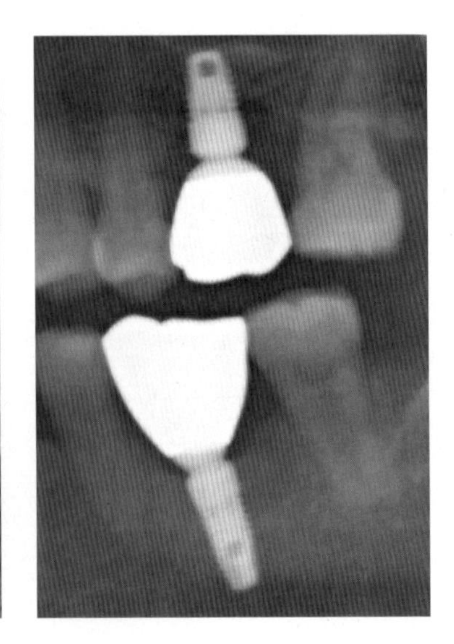

1.1 잘못된 어버트먼트의 선택이라고 생각되는 케이스

언젠가 모 교정과 교수님의 강의를 듣는데, 교수님께서 도서관에서 우연히 본 것이라며 논문 하나를 소개해 주셨다. "Peri-implantitis 미래의 재앙"이라는 제목의 퀸테센스 잡지였다. 이 논문에서는 결국 아직까지 peri-implantitis에 효과적인 치료법이 고안되지 못했으며 예방만이 유일한 방법이라고 결론을 내리고 있었다.

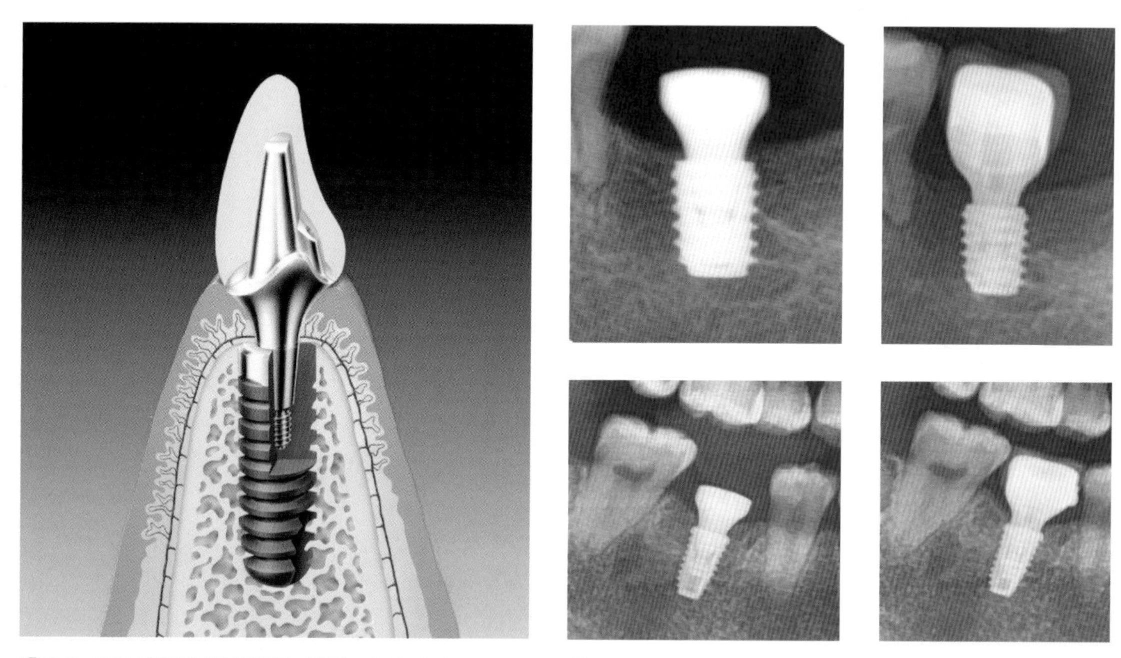

1.2 잇몸 건강에 최적이라는 앵킬로스의 어버트먼트

1.3 오목하고 긴 형태의 어버트먼트를 선택한 경우

앞서 언급한 앵킬로스 임플란트 이야기 중에 주목할 것이 한 가지 있다. 바로 치주적으로 매우 안정적이라는 것이다. 이유가 무엇일까? 우선 internal friction 각도가 너무 작아서 거의 콜드웰딩에 가깝게 이루어지기 때문에 마진의 갭이나 무브먼트가 없다. 다만 각도가 작으면 어떤 문제가 생길 수 있는지도 언급했으므로 기억이 나지 않으면 다시 **2-3장 어버트먼트의 분류와 이해**를 확인하길 바란다.

그리고 핵심은 바로 가늘고 긴 C자형 오목한 어버트먼트이다. 어버트먼트가 오목하다는 것은 그만큼 더 많은 잇몸을 담을 수 있다는 말이 된다. 대부분의 경우 임플란트는 치아보다 작다. 그렇기 때문에 크라운 파트에서는 넓어져야 하는데, 어떠한 형태로 넓어질 것인가에 대한 의문이 남을 것이다. 필자가 어떻게 표현할까 하다가 이런 표현을 해본다. **"최대한 잇몸을 많이 담아야 한다"** 그래서 어버트먼트는 매끈한 표면으로 가늘게 쭉 뻗다가 잇몸 밖으로 퍼져 나가면서 S라인 몸매를 만드는 것이다. 사람만 S라인이 좋은 게 아니라 어버트먼트도 S라인이 가장 예쁘다. 최근 오스템이나 덴티스에서도 힐링 어버트먼트처럼 어버트먼트를 C자형 오목한 형태로 만들고, 크라운으로 이어지는 부분부터 다시 휘어지는 S형 어버트먼트를 출시하고 있다. 물론 이 케이스들은 커스텀 어버트먼트이지만 결국 기공사들도 이런 디자인 형태에 익숙해져야 한다. 앞에서도 이야기했지만 이런 S라인이 나오려면 우선 어버트먼트 길이가 짧아서는 안 된다.

볼록한 보철물이 임플란트 주위염 만든다

허성주 · 구기태 · 이유승 교수팀 JCP 3월호 게재

출현윤곽 볼록 · 출현각 30도 넘으면 유병률 46%

허성주 교수

구기태 교수

이유승 교수

볼록한 보철물이 임플란트 주위염의 원인 중 하나로 지목됐다. 서울대 치의학대학원 허성주(치과보철과) · 구기태(치주과) · 이유승(치과보철과) 교수 연구팀이 보철물에 따른 임플란트 주위염의 발생 가능성을 연구한 논문을 '유럽치주학회 저널(Journal of Clinical Periodontology)' 3월호에 발표했다.

연구팀은 환자 169명의 임플란트 349개를 방사선학적으로 분석해 임플란트 보철물의 출현 각도(emergence angle)와 출현 윤곽(emergence profile)을 기록한 후, 5년간 추적 관찰 데이터를 모아 임플란트 주위염 발생 여부를 조사했다. 그 결과, 임플란트에 출현 각도가 30도 이상이고 출현 윤곽이 볼록한 보철물을 했을 경우 임플란트 주위염 발생률이 46.6%로 가장 높았다. 반면 출현 각도가 30도 미만이고 출현 윤곽이 오목한 보철물을 했을 경우에는 발생률이 2.4%에 그쳤다.

임플란트 주위염 발생 위험을 비교한 결과에서는 보철물의 출현 윤곽이 볼록할 경우, 오목한 경우보다 임플란트 주위염 발생 위험이 7.04배 더 높았다. 보철물의 출현 각도가 30도 이상일 경우에는 30도 미만인 경우보다 임플란트 주위염 발생 위험이 3.8배 더 높았다. 그 밖에 3개 이상의 임플란트를 연결해 보철물이 제작된 경우, 중간에 위치한 임플란트에서 주위염이 더 많이 발생했다.

향후 연구팀은 생물 · 역학적 측면을 모두 고려한 이상적인 보철물 디자인을 연구할 예정이다.

허성주 교수는 "서울대 치과보철과와 치주과가 오랫동안 준비한 연구로 프랑크 슈바르츠 독일 프랑크푸르트대 교수 등도 함께했다"며 "치주학 분야 유수의 저널에 실려 기쁘다"고 밝혔다.

구기태 교수는 "자연치를 대상으로 한 기존 연구에 따르면 볼록한 보철물이 치주 조직에 좋지 않았다"며 "임플란트에도 볼록한 보철물이 악영향을 미친다는 사실을 알 수 있다"고 말했다.

이유승 교수는 "임플란트 주위 조직의 영향을 고려하지 않고 보철물로 인접 공간을 꽉 채우거나, 인접한 임플란트를 연결해 보철물을 제작하는 경우도 주의해야 한다"고 제언했다.

최상관 기자 skchoi@dailydental.co.kr

1.4 치의신보(2020.03.05) 기사

국내의 저명하신 교수님들이 발표한 논문을 살펴보자.

임플란트에 출현 각도가 30° 이상이고, 출현 윤곽이 볼록한 보철물을 했을 경우, 출현 윤곽이 오목하고 출현 각도가 30° 이하인 보철물에서보다 임플란트 주위염의 발생 빈도가 늘어난다는 내용이다.

정리하자면 출현 윤곽이 볼록하면서 출현각도가 30° 이상인 경우의 임플란트들에서 임플란트 주위염 발생률이 46.6%로 가장 높았고, 반면 출현 각도가 30° 미만이었으며, 출현 윤곽이 오목한 보철물을 했을 경우에는 발생률이 2.4%에 그쳤다는 내용을 담고 있다.

또한 임플란트 주위염 발생 위험을 비교한 결과에서는 보철물의 출현 윤곽이 볼록할 경우 오목한 경우보다 임플란트 주위염 발생 위험이 7.04배 더 높았고, 보철물의 출현 각도가 30° 이상일 경우에는 30° 미만인 경우보다 임플란트 주위염 발생 위험이 3.8배 더 높았다고 보고하였다. 특히 볼록하면서 출현 각도가 30° 이상인 보철물을 했을 때의 임플란트 주위염 발생 위험은 오목하면서 출현 각도가 30° 미만인 경우보다 무려 35.74배나 더 높았다고 한다.

결과적으로 볼록한 보철물과 출현 각도가 30° 이상인 보철물들은 잇몸이 살아갈 공간을 좁게 하고 위생관리를 어렵게 하기 때문에 잇몸 건강에 좋지 않으며, 임플란트 주위염을 일으킨다고 볼 수 있겠다.

Osstem Meeting 2017

Lecture 2
09:30 ~ 09:50 좌장 : 박상원 교수

적절한 임플란트 보철물 외형 및 치간공극 형성 (SmartFit Abutment)

보철물의 외형 및 치간공극은 식편저류 및 심미성과 밀접한 연관이 있습니다. 아무리 적절한 위치에 식립하더라도 기성 지대주만으로 이상적인 외형과 치간공극을 형성하기 어려운 경우를 우리는 임상에서 종종 만나게 됩니다. 이런 상황에서 SmartFit Abutment를 활용한다면 좋은 결과를 얻을 수 있습니다.

그러나 우리가 임상에서 사용하는 SmartFit Abutment들을 관찰해 보면 SamrtFit Abutment가 초래하는 재앙이 앞으로 2-3년 후에 닥칠지도 모르겠다는 생각이 듭니다. 환자의 연조직 상태나 식립 깊이등과 연관 없이 최근 만들어져 오는 것들을 보면 대부분 최대한으로 벌어져서 60-70도 넘게 경사지게 만들어져 있는 것들이 관찰됩니다. 그렇게 되면 결국 연조직과 지대주 부착으로 기대할 수 있는 방어막이 약해지게 되고 임플란트 변연골 유지에 불리함이 생기게 됩니다.

따라서 스마트 핏이 모든 걸 해결하는 게 아니라 잘못 쓰면 오히려 기성 어버트먼트보다 훨씬 좋지 않다는 것입니다.

SmartFit Abutment를 올바르게 활용하여 적절한 보철물 외형과 치간공극 형성을 형성해 주기 위한 노력에 대해 함께 고민해야 할 시점이라고 보여집니다.

이것만은 피하자!
얕은 깊이로 식립 & 과도한 직경의 지대주 사용

박종현 원장

- 강릉원주대학교 치과대학 졸업
- 강릉원주대학교 보철과 레지던트 수료
- 2014 Dentphoto award
- 2016~7 월간 치과계 필진

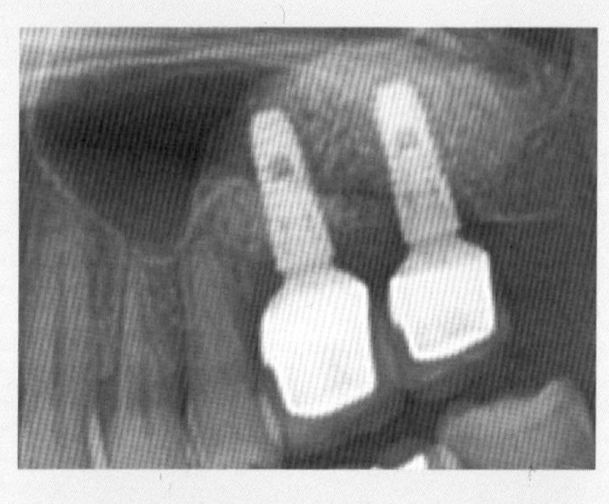

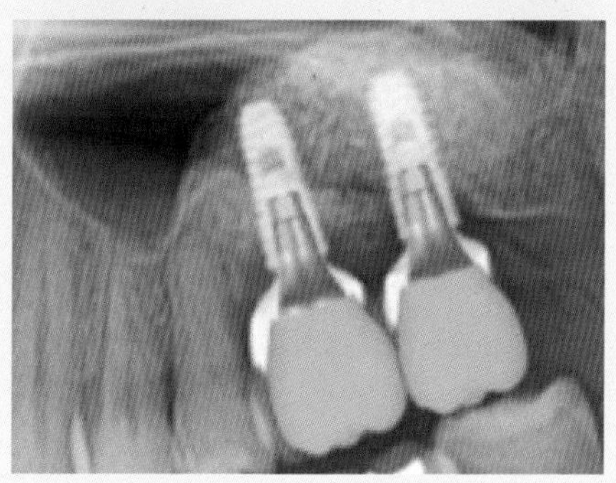

1.5 박종현 원장님 초록(오스템 심포지엄 2017 초록집)

2017년 오스템 심포지엄에서 필자가 강의할 때 옆방에서는 박종현 원장님의 강의가 진행되고 있었다(**1.5**). 필자가 인간적으로나 학문적으로나 좋아하는 분이다. 임플란트 치료도 하시고, 특히 어금니에는 오스템 티슈레벨(SS2)을 주로 사용하시는 분이다. 이 분의 강의 요점은 "임플란트를 얕게 심는 것과 굵은 직경의 어버트먼트 사용은 피해야 한다"는 것이다.

1.6-1.8은 박종현 원장님께서 오스템과 함께 만든 이미지라고 한다. 필자도 오스템으로부터 사용 허락을 받고 올려본다. 참으로 잘 설명된 그림이라고 할 수 있다. **1.6**은 임플란트 어버트먼트의 가장 잘못된 예이다.

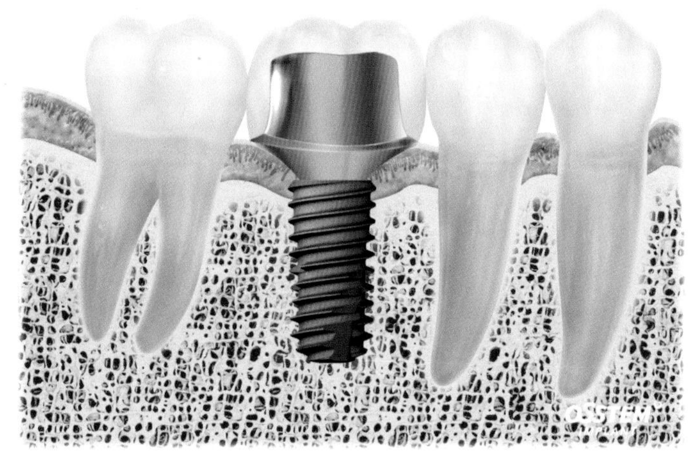

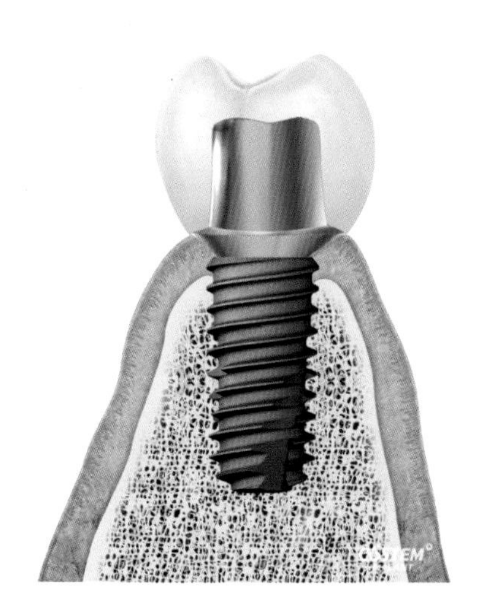

1.6 낮게 심어지고 두껍게 만들어진 보철물

1.7은 비교적 어버트먼트를 잘 선택한 케이스라고 볼 수 있다.

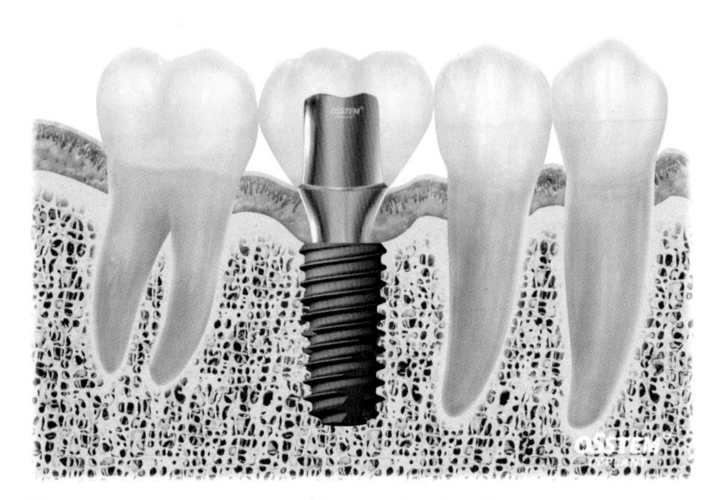

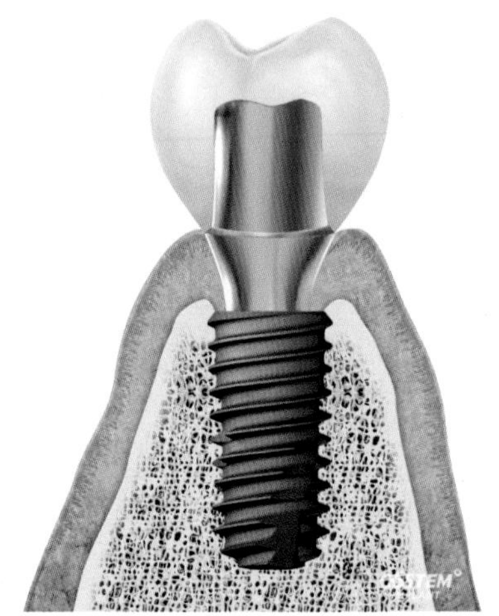

1.7 비교적 적절한 식립 깊이와 어버트먼트의 선택

1.8은 좀 더 깊게 심어 어버트먼트와 크라운 모양까지 S자 모양으로 만들어서, 잇몸까지 리모델링을 더 잘 하는게 좋다는 취지의 그림이다. 필자에게 이 그림을 다시 그리라고 한다면 임플란트 주변에 잇몸이 가득차게 하고 근원심과 협측의 높이차를 좀 더 크게 하여 자연치에 가깝도록 할 것이다.

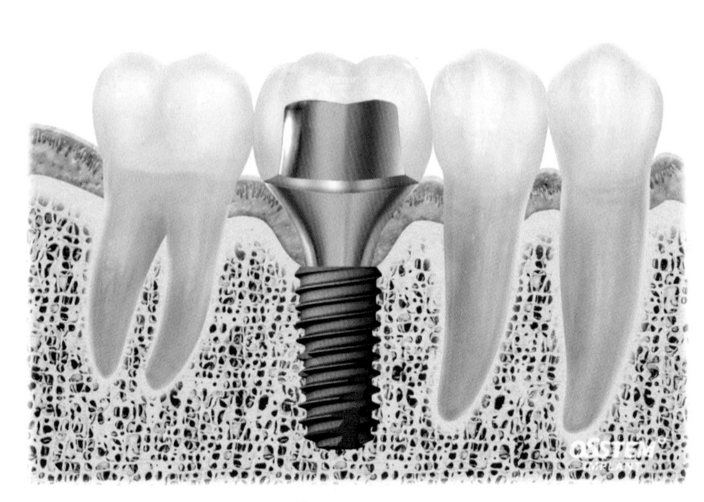

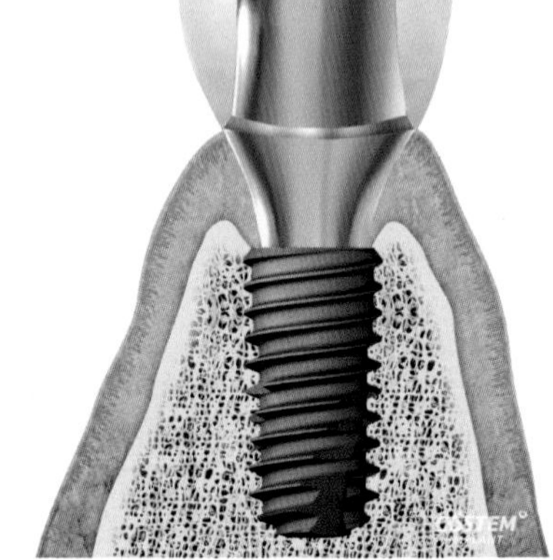

1.8 보다 이상적인 어버트먼트 길이와 형태

기성 어버트먼트의 선택

어버트먼트와 크라운이 어떤 모양이어야 임플란트와 잇몸 건강에 좋은지는 치과의사뿐만 아니라 기공사들도 반드시 알아야 하는 부분이다. 보통 내 마음에 안 드는 임플란트 크라운이 왔다고 해서 임플란트를 세팅한다고 기대에 부풀어 내원하는 환자를 되돌려보내는 것이 그리 쉬운 일이 아니다 보니 억지로 세팅하는 경우도 종종 있다. 필자는 이렇게 설명한다. **"어버트먼트를 두껍게 하지 말고, 잇몸을 두껍게 하라"**고 말이다.

필자의 경우는 임플란트 크라운을 직접 하지 않고 보철과 선생님들이 대부분 한다. 우리나라 치과의 대부분은 어버트먼트를 픽스처에 꽂아 놓고 어버트먼트 레벨에서 임프레션을 하는 것으로 알고 있다. 그러나 필자는 픽스처 레벨에서 임프레션해서 기공소로 보내 제작을 하는데, 나름 개수가 많다 보니 일일이 어버트먼트를 골라주는 게 아니라, 스탁을 많이 보내놓고 그중에 기공사들이 모델에 맞는 걸 골라서 제작하는 방식이다. 물량이 너무 적은 치과를 제외하곤 대부분 그렇게 할 것이다.

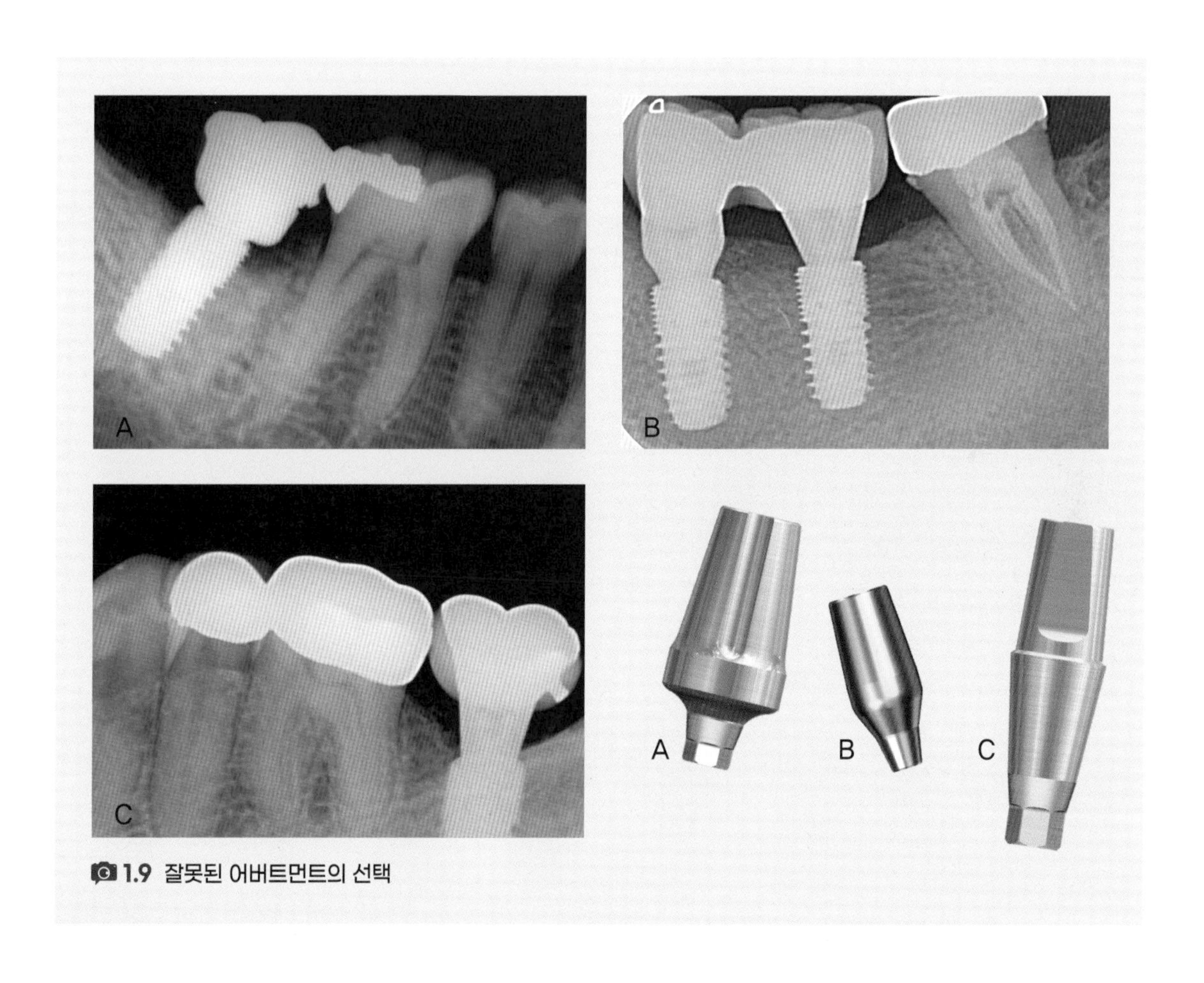

1.9 잘못된 어버트먼트의 선택

필자가 한 케이스들 중에서 정말 잘못되었다고 생각하는 케이스들이다(1.9). 모두 10년 이상 된 케이스들로, 아마 그때는 필자도 이런 개념이 좀 부족했던 것으로 보인다. 보철과의사가 그렇게 만들어 왔어도 세팅을 하면 안 되지 않았을까 생각해 본다. 필자가 internal friction type을 심기 시작한 것이 2005-2006년 정도부터이고 본격적으로 많이 심기 시작한 것은 2008년 말이기 때문에 그 시점에서는 필자나 보철과의사나 개념이 좀 부족했던 것 같다. 그런 보철물을 세팅하다니….

본격적으로 본레벨 internal friction type을 많이 심은 것이 오스템의 GS3이기 때문에 잘못된 보철물들의 본보기들이 대부분 GS3인 것을 볼 수 있다. 단종된 지 거의 10년이 넘어 가기 때문에 사진만 봐도 그 이전 것들임을 알 수 있다.

정말 다양한 종류의 어버트먼트가 있다(1.10). 왼쪽은 오스템에서 나오는 기성 어버트먼트로 힐링 어버트먼트처럼 C자형으로 오목하다. 굳이 기성을 써야 한다면 이런 것을 쓰면 어떨까 한다. 친동생이 기공사인 필자의 경우도 형제끼리 싸움이 날 만큼 자주 이야기하는데, 생각보다 어버트먼트 초이스가 마음에 안 든다.

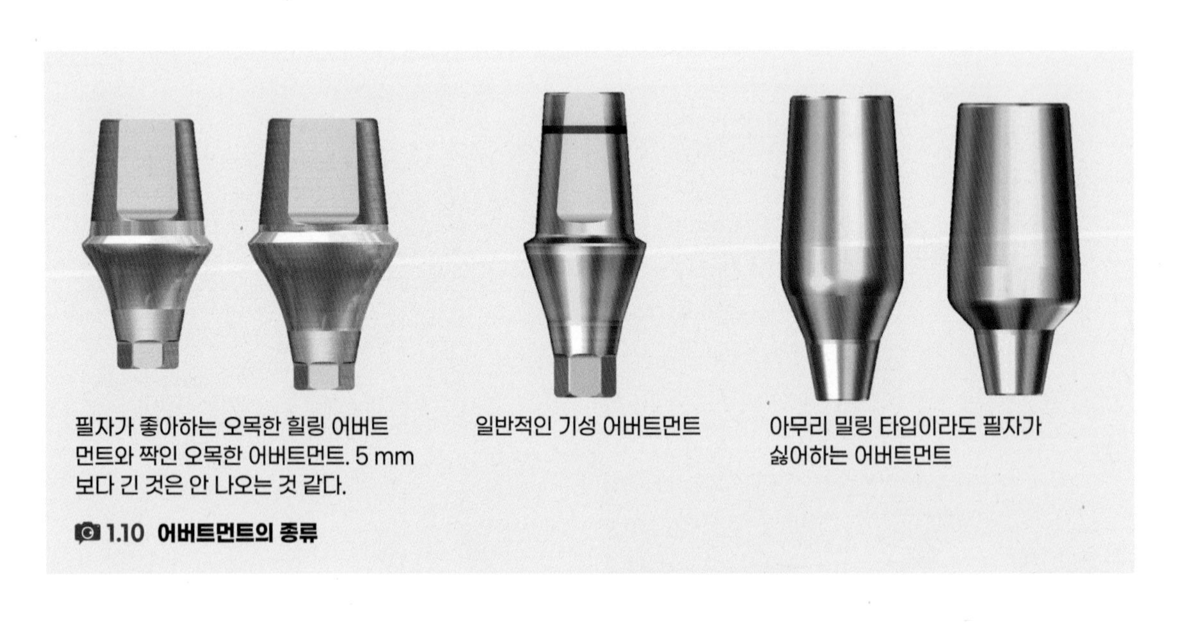

1.10 어버트먼트의 종류

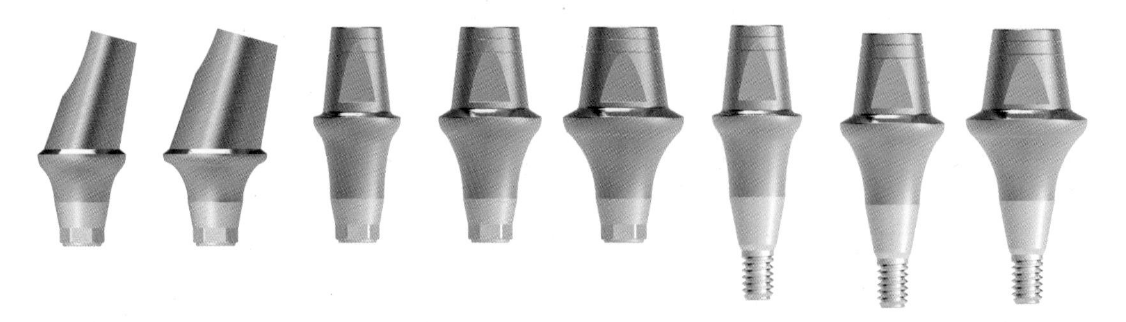

1.11 덴티스에서도 새롭게 나온 C자형 힐링 어버트먼트에 맞게 나온 어버트먼트

필자도 다음 달부터 시범적으로 몇 케이스 사용해보기로 하였다. 이 책의 공저자인 서울 선샤인치과 김지선 원장님의 경우 현재 덴티스 SQ 임플란트와 새로운 디자인의 힐링 어버트먼트와 새로운 어버트먼트(위 사진)를 사용하는데, 매우 만족도가 높다고 한다. 이제 모두 시대적 흐름을 따라서 가늘고 쭉 뻗은 S자형 어버트먼트를 사용할 때이다.

잘못된 어버트먼트 사용 케이스 보기

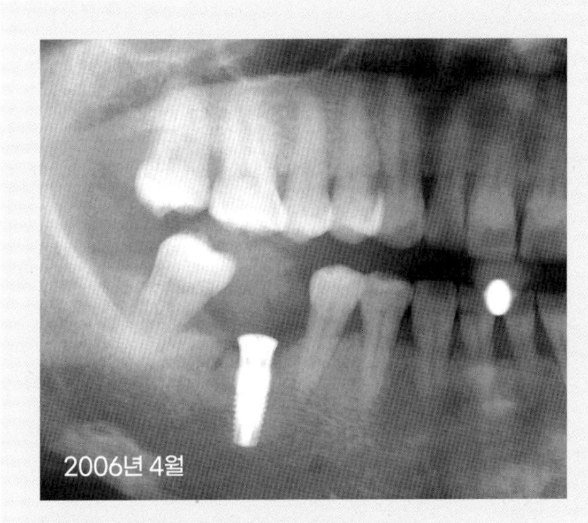

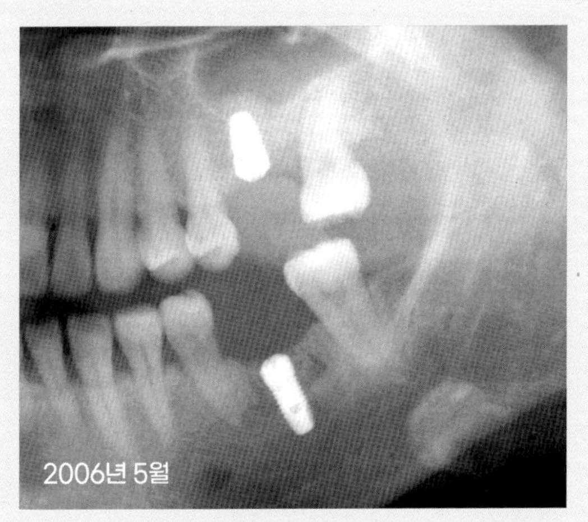

1.12 필자의 이모 케이스(식립 직후)

2006년 필자가 한창 임플란트 수술을 크게 하던 시절의 케이스이다(1.12). 당시에는 덴티움의 임플란티움을 심으면서 internal friction type에 익숙해져 가던 때였다. 상악은 사이너스 엘레베이션을 해서 예쁘게 올라간 걸 볼 수 있는데, 필자는 그때에도 엔도포어 때문에 사이너스 엘레베이션에 능숙한 편이었다. 하악 파노라마 사진을 잘 보면 양쪽 다 ridge splitting하여 심은 흔적을 볼 수 있다. 당시에 피에조를 좋아해서 얇은 리지는 모두 블록본이나 ridge splitting을 하던 시절이었다.

46번은 디오 임플란트의 티슈레벨 임플란트이다. 이 케이스가 디오 임플란트를 처음 심어본 것이다. 필자는 가끔 "왜 익숙한 시스템을 사용해야 하는가"에 대한 본보기로 잘못 심은 이 케이스를 보여주기도 한다. 임플란트에 어느 정도 익숙하게 되면서 건방도 떨고 평소 연습을 게을리 한데다가 처음 써보는 디오 임플란트 기구가 익숙지 않아서 난감했던 케이스로 기억된다. 필자의 "곡괭이" 케이스이다.

이 환자는 필자의 이모로 수술은 나름 성공적으로 잘 끝났고 이후 큰 문제 없이 지내셨다. 다만 지방에 계셔서 임플란트 세팅 후에는 서울에 거의 오지 못하셨고, 3년 뒤에 전주에 있는 필자의 후배 치과로 연결시켜 드리게 되었다.

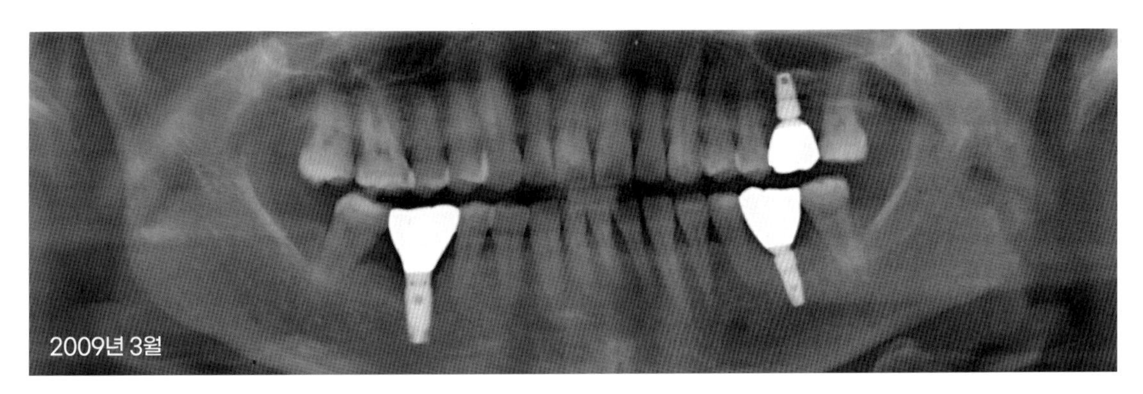

1.13

세팅 직후 파노라마는 없고, 세팅 후 3년 뒤 파노라마만 있다(📷 1.13). 파노라마 회사가 시로나 계열이다 보니 화질이 예전 것(포인트닉스)과는 많이 다름을 알 수 있다(최근 7년은 바텍). 46번 주위와 26번 임플란트에 골소실이 많이 보이는데, 환자는 크게 불편감을 호소하시진 않았다. 환자가 필자의 이모이시다 보니 하나씩 공짜로 교체해드리기로 하였고, 2006년 당시는 금값이 급등하기 직전이라 가격이 저렴했기 때문에 모두 골드 크라운으로 하였다. 2009년에는 이미 금값이 급등하여 이전 크라운을 제거하여 금을 팔면 기공료를 다 내고도 남을 만큼이 되었기 때문에 필자도 손해는 아니었다.

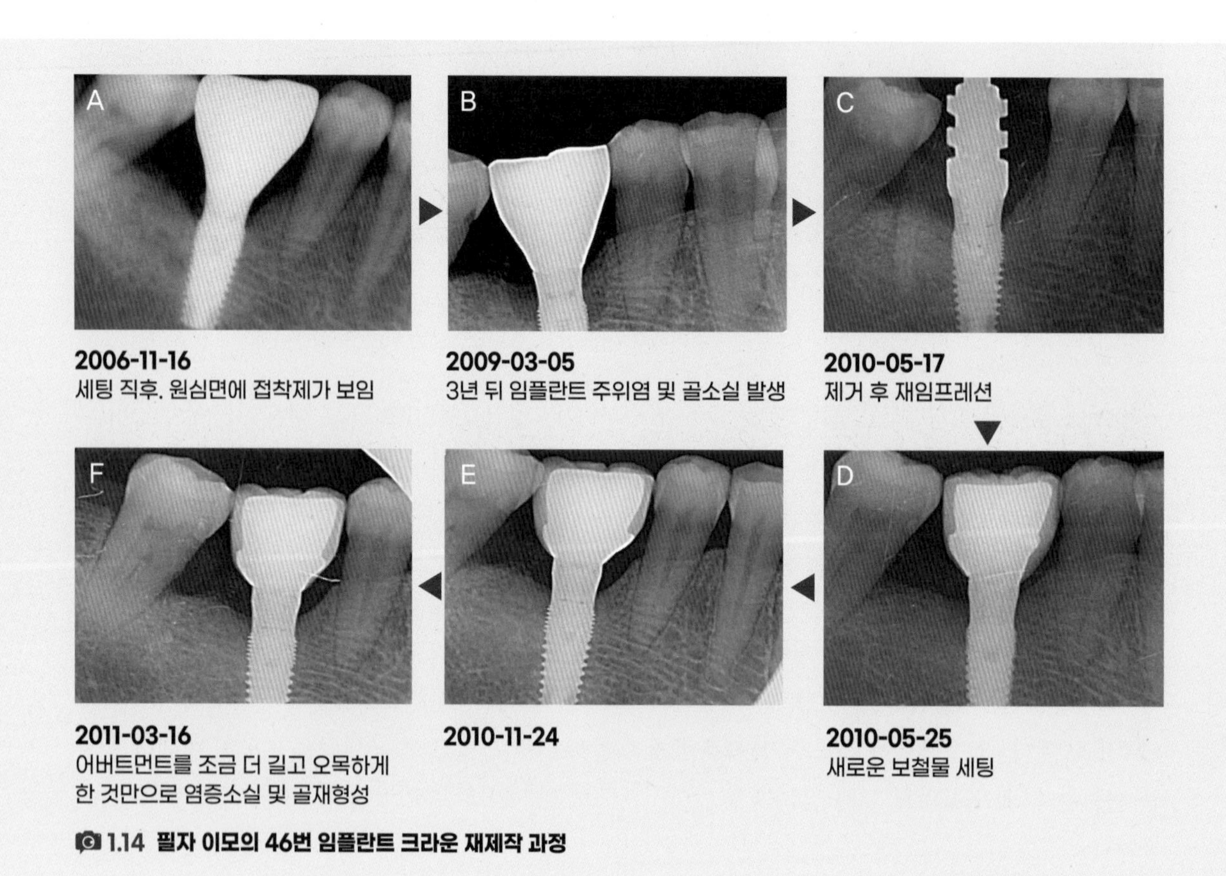

📷 1.14 필자 이모의 46번 임플란트 크라운 재제작 과정

2006년 당시에도 보철은 보철과에서 했다(📷 1.14). 실력은 뛰어난 선생님인데 필자처럼 헤픈 스타일이 아니고 많이 아끼는 스타일이라 가능한 한 기성 어버트먼트로 아낄 수 있다면 아끼는 형태로 제작한 것으로 보인다. 그래서 2006년에는 솔리드 어버트먼트 위에 큰 크라운을 붙였다. 티슈레벨 임플란트였기 때문에 어버트먼트 모양이나 크라운 모양이 나쁘지는 않은데, 2006년 당시 사진에도 시멘트가 남아있는 것을 볼 수 있다(📷 1.14A). 이 크라운은 크라운 마진이 너무 깊어서 염증이 자주 생겼다(📷 1.14B). 2010년에 이를 제거하고 기성 어버트먼트로 조금 높여서 제작했을 뿐인데도 염증이 사라지고 골이 완벽하게 재생된 것을 볼 수 있다(📷 1.14C, D). 스케일링이나 잇솔질 등 비외과적 치주치료 이외에는 어떤 외과적인 치주수술이나 골이식 등은 하지 않았다(📷 1.14E, F).

아래 크라운 교체만 했음에도 잇몸이 좋아지는 것을 보고 26번도 크라운 교체를 하기로 하였다.

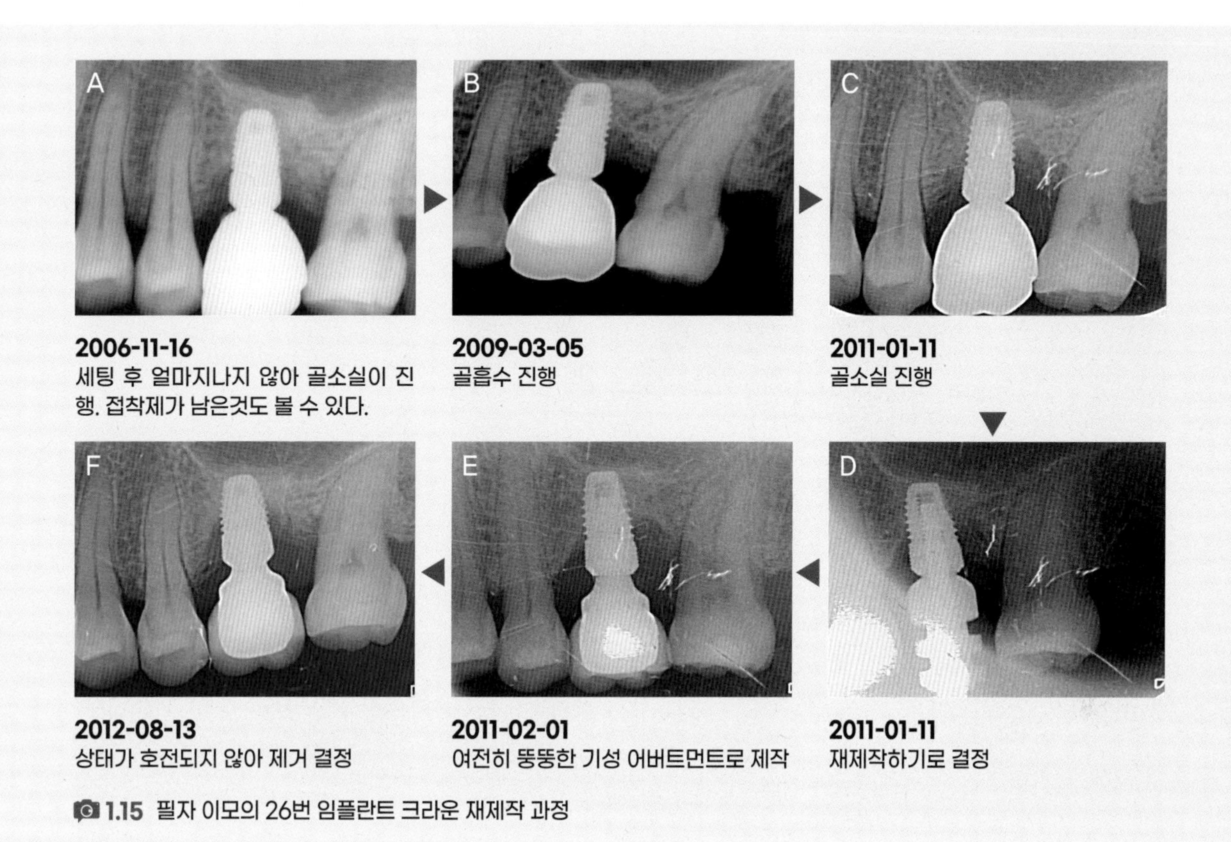

1.15 필자 이모의 26번 임플란트 크라운 재제작 과정

그제서야 어버트먼트와 크라운의 형태가 중요함을 깨닫기 시작했다(**1.15A, B**). 2011년도에 임프레션을 다시 해서 크라운을 제작하였는데, 정말 심각한 상태로 크라운이 제작되어 왔다(**1.15C, D**). 여차하면 임플란트를 뺄 생각이었고, 환자가 필자의 이모여서 그냥 세팅하고 경과를 보기로 하였다.

36번은 골흡수 소견은 없지만 아래 임플란트도 자주 붓고 아프기 시작하였다(**1.16**). 환자가 60대였기 때문에 점점 면역력이 떨어지는지 피곤하면 임플란트 주변이 불편하다고 하셨다. 제거해 보니 어버트먼트가 매우 짧고 언제부터 있던 건지 모를 찌꺼기 등이 있었고, 심지어 시멘트처럼 보이는 것도 있었다. 그래서 임플란트 크라운 마진은 잇몸에 깊게 하면 안 된다는 생각이 들게 되었다. 반드시 SCRP로 진지바에 깊지 않게 하고, 시멘트가 제거가 안 된다면 스크류를 풀어서 제거하고 다시 스크류를 조이는 방식으로 해야 한다.

어버트먼트를 제거하고 힐링을 꽂는 것만으로도 크라운 공간이 얼마나 컸는지 알 수 있다. 금값도 좀 아낄 수 있었는데 아깝다.

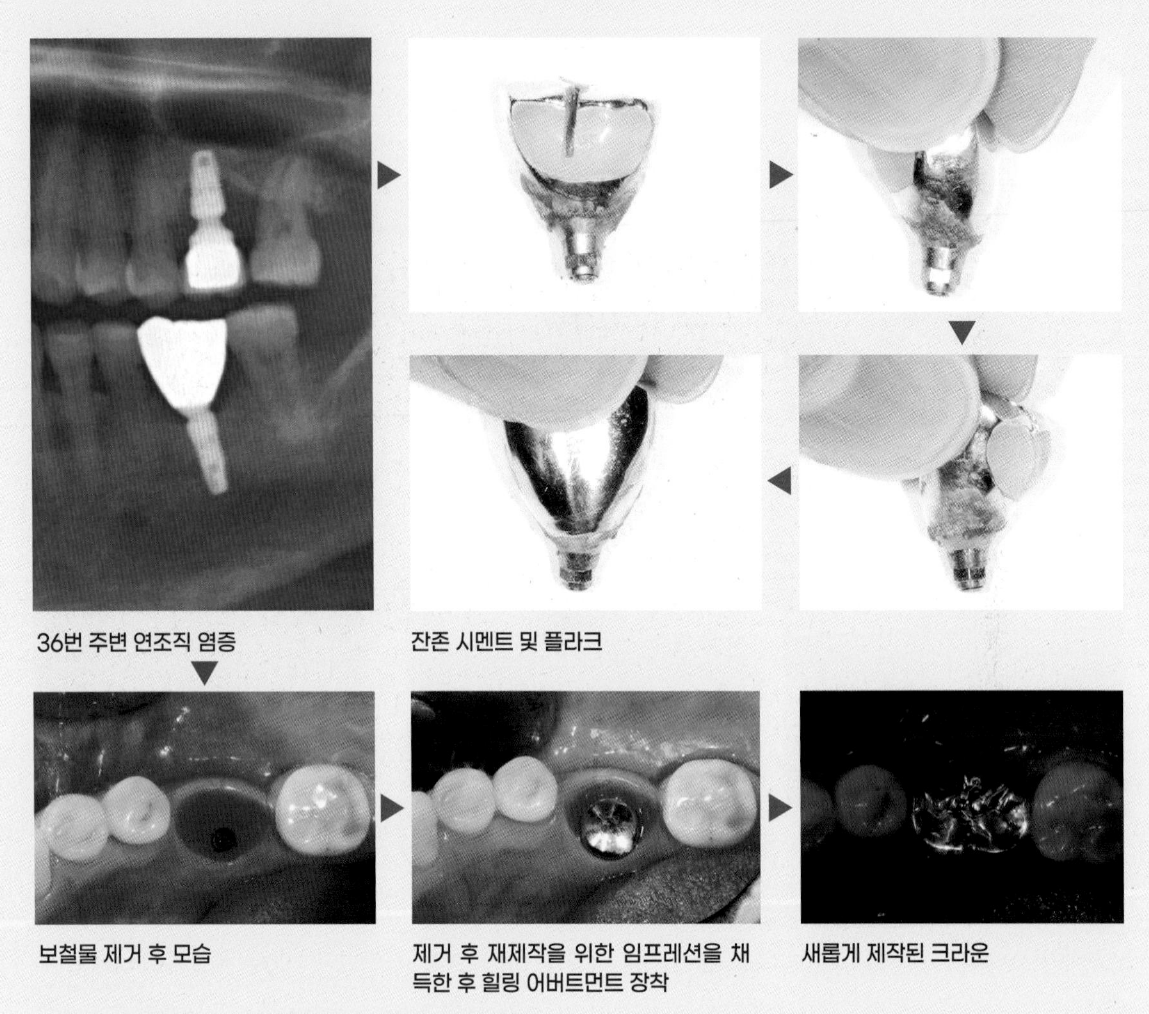

36번 주변 연조직 염증

잔존 시멘트 및 플라크

보철물 제거 후 모습

제거 후 재제작을 위한 임프레션을 채득한 후 힐링 어버트먼트 장착

새롭게 제작된 크라운

1.16 필자 이모의 36번 임플란트 크라운 재제작 과정

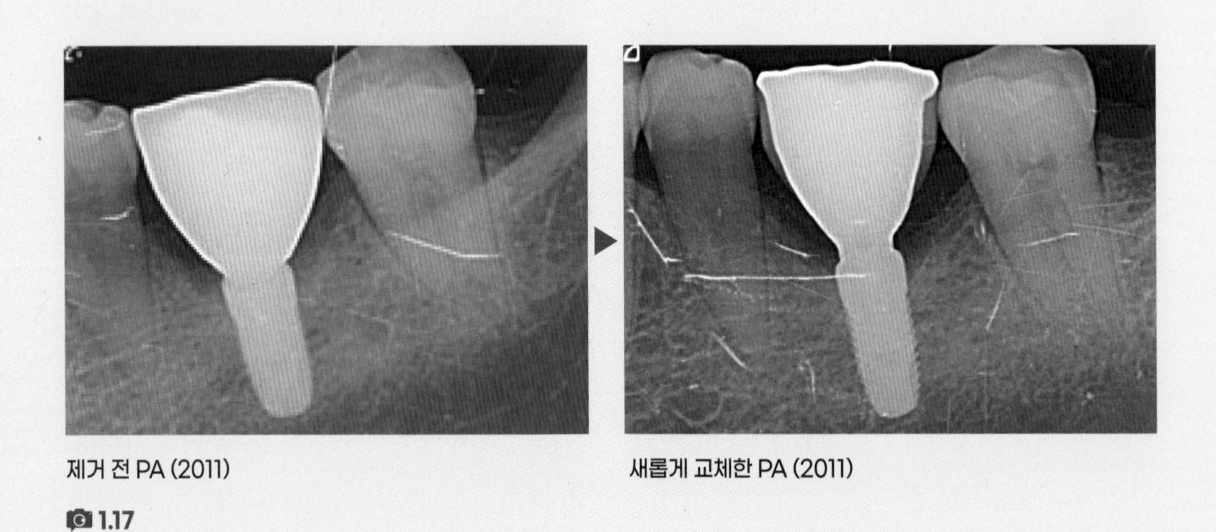

제거 전 PA (2011)

새롭게 교체한 PA (2011)

1.17

필자가 임플란트 책을 집필하게 될 것이라고는 생각하지 못했기 때문에 사진이 많이 부족하다. 각도가 좋지는 않지만 대략적인 비교는 가능해서 표준촬영 사진을 비교해 본다(1.17). 확실히 임플란트 주변으로 두꺼운 잇몸이 만들어진 것을 볼 수 있다.

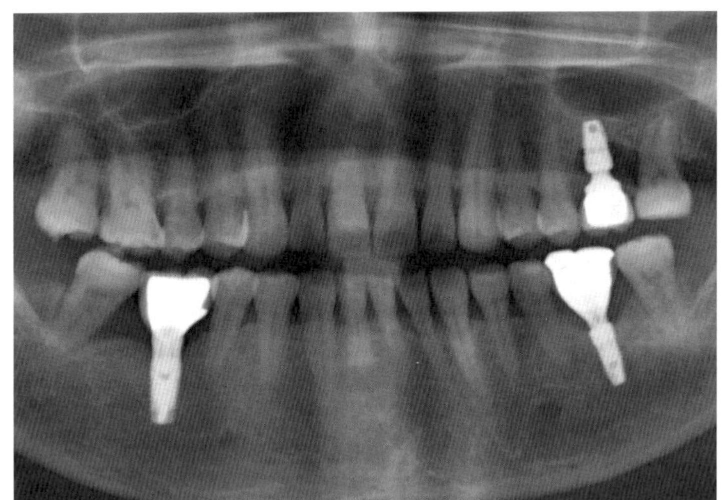

식립 5년만에 1차 완성된 크라운 재제작(2012년)

26번 제거 후 재식립(2013년)

1.18

결과적으로 2006년에 심었던 임플란트를 4년 뒤부터 1년에 한 개씩 바꿔 나간 셈인데 식립만큼이나 크라운의 중요성을 알 수 있다(1.18). 26번의 경우는 크라운이 매우 안 좋기도 하고 시멘트도 잔존해 있었지만, 크라운을 처음 세팅하던 때부터 약간의 골소실을 보이는 것을 보면 당시 덴티움 임플란트의 제품 불량으로 리콜을 한참 하던 시절이라 그런 부분들까지도 의심해볼 수 있다.

결국 26번 임플란트는 이모도 늙어가시지만, 필자도 늙어가기 때문에 그냥 전주에 있는 후배한테 다시 해달라고 해서 후배가 빼고 다시 심었다. 임플란트를 너무 깊게 긴 걸 심어서 마음에 안 들긴 하지만 어버트먼트와 크라운은 예쁘게 잘 된 것을 볼 수 있다. 원래 치아 프렙이나 진료를 매우 잘하는 후배로 손 좋다고 소문이 나서 전주를 떠난 치과의사들이 부모님이나 가족, 지인들을 많이 보내기로 손꼽히는 치과 중 하나다.

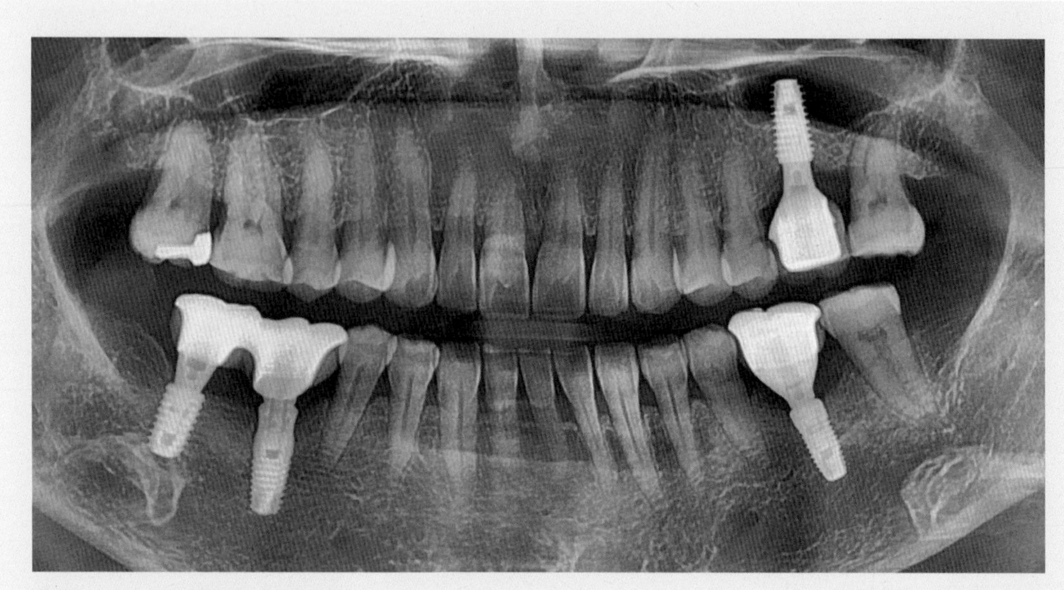

1.19 2021년 5월 22일 파노라마

필자가 이 책을 마무리하는 과정에서 지방에 계신 이모한테 간곡하게 부탁하여 서울에 한번 오시게 되었다(1.19). 15년이 지났어도 임플란트는 여전히 튼튼하게 잘 사용하고 계셨다. 최근에 47번 치아를 빼고 임플란트를 하는 과정에서 46번 임플란트의 크라운을 제거하고 두 개를 브릿지로 이어서 크라운을 하였다고 한다. 그러나 46번 티슈레벨 임플란트의 어버트먼트 선택이 아쉽다. 여기서 사용된 디오의 티슈레벨 임플란트는 15년 전에 필자가 식립한 것이다 보니, 티슈레벨 임플란트의 보철물에 대한 이해가 부족하였거나 관련된 제품을 확보하고 있지 않았기 때문이 아닌가 생각해 본다.

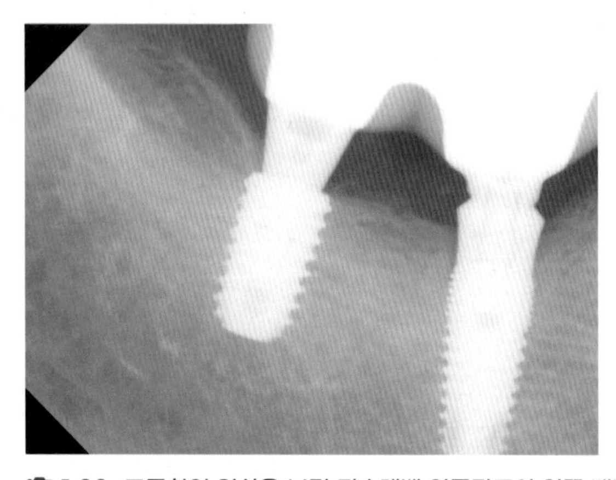

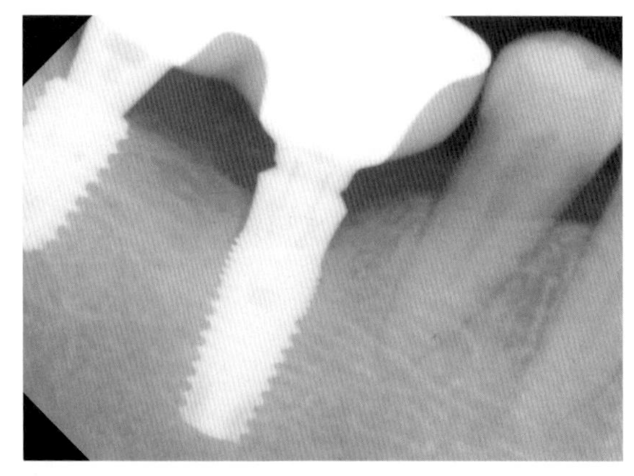

1.20 표준촬영 영상을 보면 티슈레벨 임플란트의 윗쪽 베벨을 커버하지 않는 어버트먼트를 사용한 것을 알 수 있다. 이런 어버트먼트를 사용했으면 임플란트의 상부 베벨까지 크라운을 덮었어야 한다. 물론 예전처럼 상부 베벨까지 덮은 어버트먼트를 쓰고 잇몸레벨에서 크라운의 마진을 주는 것이 가장 이상적이었을 거라 생각된다.

Gingival remodeling & Black triangle

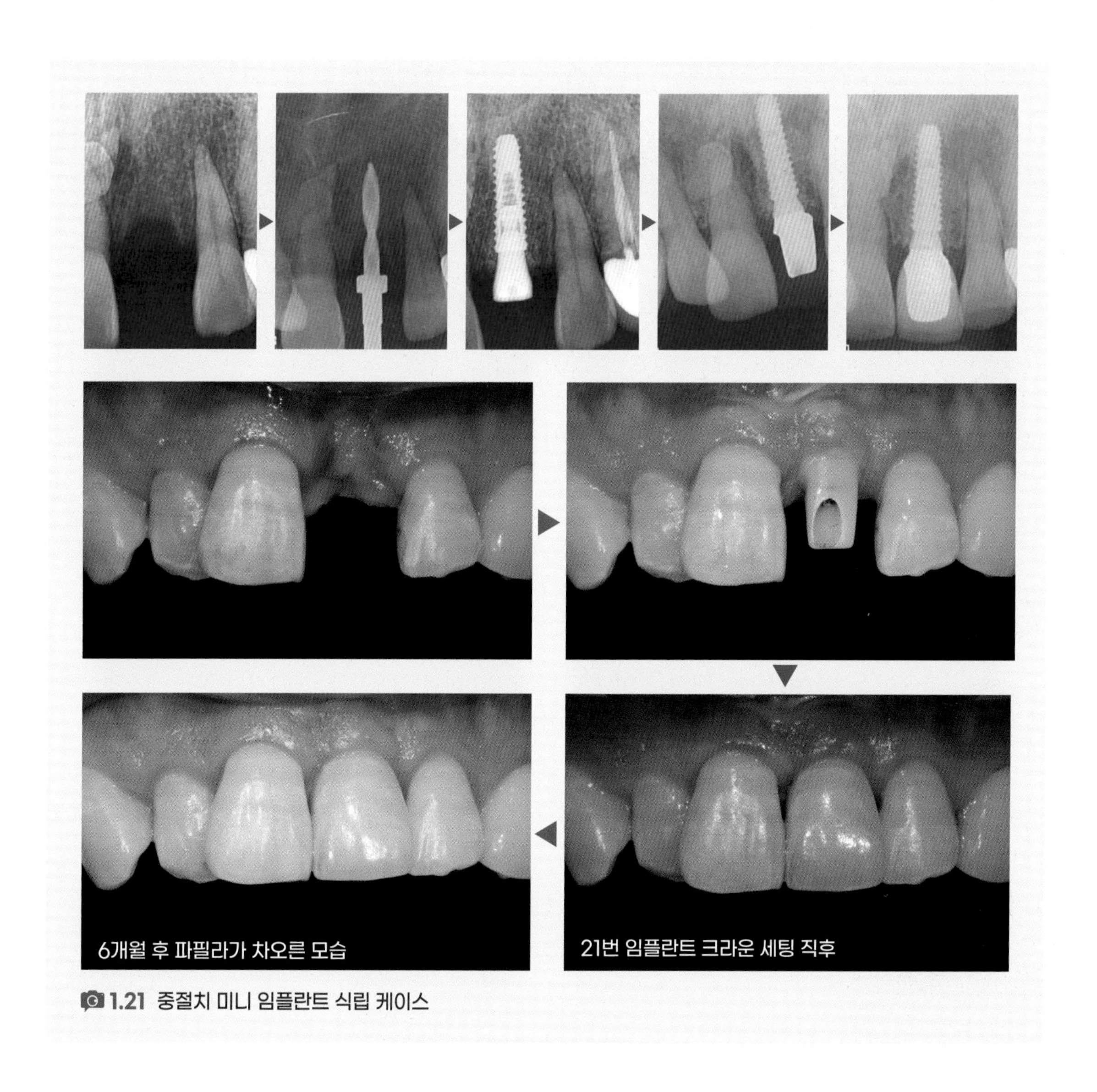

1.21 중절치 미니 임플란트 식립 케이스

상악 중절치에 3.5 mm를 심었다는 **3-2장 임플란트 지름의 선택**에서 봤던 케이스이다(**1.21**). 살짝 버칼로 심은 것 같지만 블랙트라이앵글 없이 진지바가 예쁘게 나온 것을 볼 수 있다. 그러나 사실 진지바는 처음부터 이렇게 형성된 것은 아니고, 임시치아로 유도한 것도 아니다. 그냥 세팅했는데 나중에 올라온 것이다. 물론 보철과에서 했지만, 기본적으로 한국에서는 임플란트 가격이 너무 저렴해지면서 파필라 보존도 임시치아로 잇몸의 모양을 미리 만들어보는 gingival remodeling도 거의 하지는 않는 편이다.

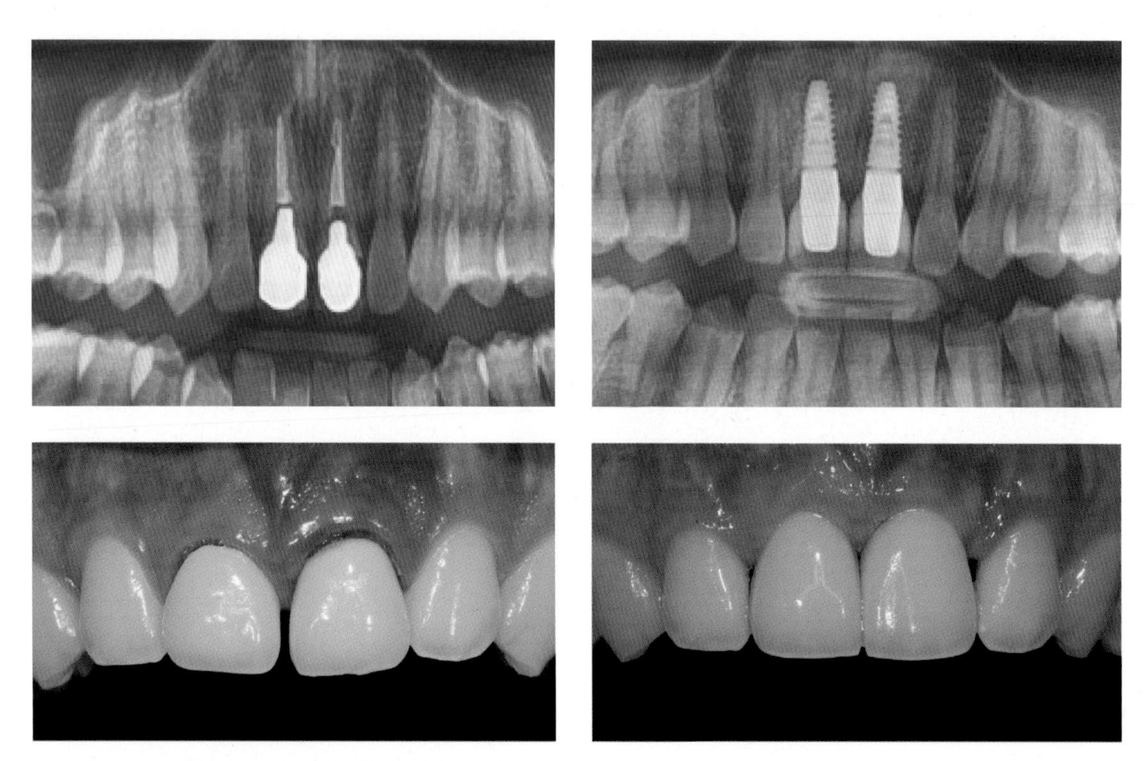

1.22 21-22번 사이에 형성된 블랙트라이앵글

또 하나의 케이스이다(1.22). 아마도 이 케이스는 진지바가 앞으로도 채워지지 않을 것으로 보인다. 하필 보철과에서 왜 이렇게 만들었는지 이해는 안 가지만 환자가 세팅 후 이민을 가는 바람에 그 뒤를 알 수는 없었다. 그렇지만 잇몸이 차올라 블랙트라이앵글이 없어지지는 않았을 듯하다. 그럼 이제 어떻게 하면 임플란트 주변 파필라를 채워나갈 것인가에 대해서 고민을 해봐야 할 것이다.

임플란트 주변의 파필라는 어떻게 형성되는 것일까?

1.23 Dr. Dennis Tarnow와 LA에서

1.24 Dr. John Kois와 라스베가스에서

여기서는 두 명의 대가가 등장한다(**1.23, 1.24**). 최근 들어 많은 추가 연구가 있지만 결국 이 두 분이 만들어 놓은 틀에서 크게 벗어나지 못하고 있다. 우선 이 두 분의 견해를 살펴보도록 하자.

데니스 타나우를 스타덤에 올려놓은 유명한 논문 《The effect of distance from the contact point to the crest of bone on the presence or absence of the interproximal dental papilla》이다(J periodontol. 1992).

자연치에서 크레스탈 본과 치아의 컨택 포인트의 거리에 따른 파필라의 존재 유무를 조사한 논문으로 여기서 존재 유무는 파필라가 embrasure 공간을 꽉 채우고 있나 없나를 Yes/No로 측정하여 결과를 내었는데, 크레스탈 본과 컨택 포인트가 5 mm 이하인 경우에서는 거의 모든 경우 파필라가 embrasure 공간을 채우고 있다고 보고하고 있다. 필자도 예전부터 "타나우의 5 mm rule"이라고 불리는 걸 들었었다. 그러나 유명한 논문이긴 하지만 논문의 조사대상이 자연치였고, 크레스탈 본과 컨택 포인트의 거리 하나만을 가지고 이야기하고 있다. 따라서 이 논문의 결과를 임플란트에서 interdental papilla의 형성 여부를 위한 기준으로 사용하기는 부족해 보인다. 이분은 해외 초청연자로서 한국에도 여러 번 오셨고, 홍보 포스터에 '데니스 타나우가 스스로를 부정하다' 이런 식으로 세미나가 홍보되었던 것을 본 기억이 있는데, 아마도 이런 개념들에서 현대적 개념으로 바뀌어 간다는 내용들이 아닐까 추정해 본다.

임플란트에서 interdental papilla의 형성 여부와 블랙트라이앵글의 해결을 위해 좀 더 다양한 요소를 고려하고 있는 존 코이스의 강연과 논문을 참고하여 살펴보고자 한다. 《Predictable single tooth peri-implant esthetics: five diagnostic keys》라는 유명한 논문이다(Compend Contin Educ Dent. 2001). 이 논문은 심미적인 요소가 중요한 전치부를 대상으로 이야기하고 있지만 나오는 고려 사항들은 구치부 임플란트에서도 적용될 수 있다고 생각한다.

이 논문에서는 자연치에서 심미적인 전치부 임플란트를 하기 위한 가장 중요한 5가지 키워드를 다음과 같이 말하고 있다.

1. **Relative tooth position** 치아의 위치
2. **Form of the periodontium** 치은의 본래 형태
3. **Phenotype of the periodontium** 치은의 두께
4. **Tooth shape** 치아의 모양
5. **Position of the osseous crest** 크레스탈 본의 위치

1.1 Peri-Implant Esthetics

LOW RISK		FIVE DIAGNOSTIC KEYS	HIGH RISK
More Coronal or Lingual	1	Tooth Position/FGM	More Apical or Facial
Flat Scallop	2	Gingival Form	High Scallop
Thick	3	Phenotype	Thin
Square	4	Tooth Shape	Triangular
High Crest	5	Osseous Crest Position	Low Crest
More Likely to be Favorable		OUTCOME	More Likely to be Unfavorable

출처: Kois JC. Predictable single tooth peri-implant esthetics: five diagnostic keys. Compend Contin Educ Dent. 2001 Mar;22(3):199-206.

1.1을 살펴보면 치아의 위치가 coronal 혹은 lingual에 위치할수록, 치은의 형태가 굴곡이 적고 편평할수록, 치은의 두께가 두꺼운 바이오타입일수록, 치아의 형태가 사각형의 형태일수록, 치조골의 위치가 높을수록 좀 더 심미적인 전치부 임플란트의 결과를 예측할 수 있다고 나와 있다. 이 논문을 보면 추가적으로 **임플란트의 종류, 디자인, 치조와 보존술의 여부, 임시치아의 제작 여부 등은 중요한 요소이기는 하지만** 전치부 심미치료의 결과를 예상할 수 있는 요소라고는 분류하고 있지 않다.

존 코이스의 논문의 경우 다양한 요소들을 이야기하고 있기는 하지만, 아직까지 치과계에서 가장 중요한 요소라고 보고 있는 것들은 인접한 크레스탈 본의 레벨에서 치아의 컨택 포인트까지의 거리라고 봐야 할 것 같다. 거기에 필자는 잇몸의 두께와 치아의 모양을 가장 쉽게 추가적으로 고민해 볼 수 있는 요소라고 생각한다.

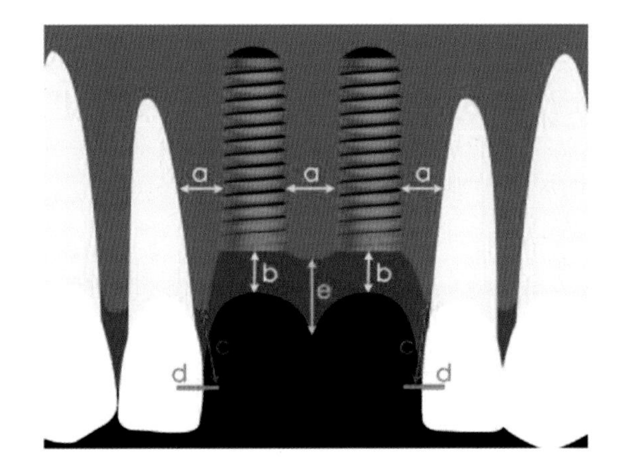

1.25 ITI Treatment Guide 중 interdental papilla 관련 그림을 발췌하였다.

1.2 Esthetic Risk Analysis

Esthetic Risk Factors	Level of Risk		
	Low	Moderate	High
Medical status	Healthy, co-operative patient with an intact immune system		Reduced immune system
Smoking habit	Non-smoker	Light smoker (<10 cigs/day)	Heavy smoker (>10 cigs/day)
Patient's esthetic expectations	Low	Medium	High
Lip line	Low	Medium	High
Gingival biotype	Low scalloped, thick	Medium scalloped, medium thick	High scalloped, thin
Shape of tooth crowns	Rectangular		Triangular
Infection at implant site	None	Chronic	Acute
Bone level at adjacent teeth	≤5 mm to contact point	5.5 to 6.5 mm to contact point	≥7 mm to contatct point
Restorative status of neighboring teeth	Virgin		Restored
Width of eden	1 tooth (≥7 mm)	1 tooth (≥7 mm)	2 teeth or more
Soft tissue anatomy	Intact soft tissue		Soft tissue defects
Bone anatomy of alveolar crest	Alveolar crest without bone deficiency	Horizontal bone deficiency	Vertical bone deficiency

출처: ITI Treatment Guide (2009)

앞서 세계 최고의 임플란트라고 할 수 있는 스트라우만 임플란트에 대해서 이야기했었다. 이 스트라우만 임플란트의 이론적인 배경이 되는 근간이 ITI (International Team for Implantology)라는 것은 모두가 다 아는 사실이다. 그로부터 나온 2009년 ITI Treatment Guide를 살펴보자. 사실 이런 관련된 연구를 심심치 않게 보는데 임플란트가 external hexa type이나 요즘에 잘 안 쓰는 임플란트인 경우가 대부분이다. 스트라우만이 2007년에 와서야 본레벨 internal friction type의 임플란트를 만들었으니 2009년 자료면 나름 의미 있는 자료라고 생각이 되어 인용해본다. 다들 필자보다 똑똑할 테니 표를 한번 쭉 보면 대략 이해가 갈 것이다. 여기서는 딱 몇 mm라고 단정 짓지 않고 오로지 모든 것이 가능성이 높고 낮음의 문제라고 보고 있다.

결국 여러 논문과 필자의 경험에 의하면 임플란트에서는 그 거리가 5 mm가 아니라 4 mm여야 파필라가 잇몸으로 다 찬다. 그렇다고 모든 경우를 4 mm로 만들 수도 없고 그래서도 안 된다. 7 mm인 경우나 그보다 더 큰 경우에도 잇몸이 다 차오르는 경우는 많다.

필자는 앞서 살펴본 요소 중 개인적으로 **환자한테서는 잇몸의 두께와 치아 모양이 중요한 요소**라고 생각한다. 당연히 얇은 잇몸보다는 두꺼운 잇몸이, 부채꼴 모양보다는 스퀘어 모양이 잘 찰 것이다. 환자의 몸을 바꿀 수 없으니 부채꼴 모양의 치아라면 치아를 삭제해서라도, 인접치를 보철을 해서 치아 모양을 스퀘어 형태로 바꿔서라도 컨택 포인트를 밑으로 낮춰야 한다. 이 부분에서 전반적인 비용 또한 고려하지 않을 수 없다.

필자도 5년 전까지는 전치부 심미치료도 많이 했는데, 블랙트라이앵글을 만들지 않기 위해서 했던 고민들을 임플란트에도 똑같이 하고 있다. 구치부에서 디스탈 치아가 앞으로 기울어져 있는 경우에는 메지알 면을 삭제하는 것도 나쁘지 않고, 정도가 심하게 틸팅되어 있거나 충치 등이 있다면 임플란트를 임프레션할 때 MO 인레이나 크라운을 같이 제작하는 형태로 많이 한다. 그러나 앞서 언급한 존 코이스의 논문에 의하면 임플란트 제조회사, 임플란트 디자인, 즉시식립, 임시치아 이용, socket preservation 등은 영향을 미치지 않는다고 한다.

비록 존 코이스의 임플란트의 심미적인 예지성을 지닌 5가지 요소에는 포함되지 못하였지만 필자는 임플란트 주위 잇몸의 장기적인 건강을 위해서는 어버트먼트 디자인도 아주 중요한 요소이고, 장기적인 건강이 곧 심미적인 것이라고 생각한다. 결국 잇몸 건강을 위해서 어버트먼트는 임플란트에서부터 쭉 뻗어서 올라가야 하지만, 파필라를 위해서 다시 퍼져야 한다.

그래서 정답은 S자 형태를 띠어야 한다.

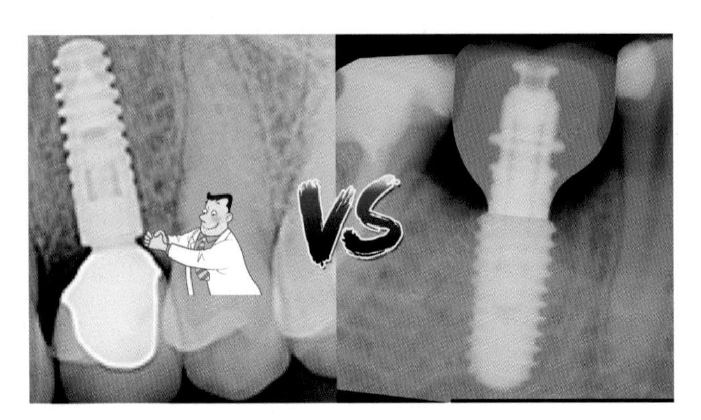

1.26 캐나다 스티브 장 선생님 페이스북에서 발췌한 사진
어버트먼트의 시작 부분이 얇아야 한다는 것을 강조하고 있다.

1.27 캐나다 토론토에서 스티브 장 선생님과 함께

필자가 페이스북에서 스티브 장이라는 선생님의 포스팅을 인상 깊게 본 적이 있는데, 캐나다 토론토에 강의를 하러 갔다가 우연히 이 분을 만날 수 있게 되었다. 역시 어딜 가나 똑똑하고 손 좋은 치과의사들을 보면 한국 사람인 경우가 많다. 어쨌든 어버트먼트가 가늘어야 한다는 것이 핵심이다.

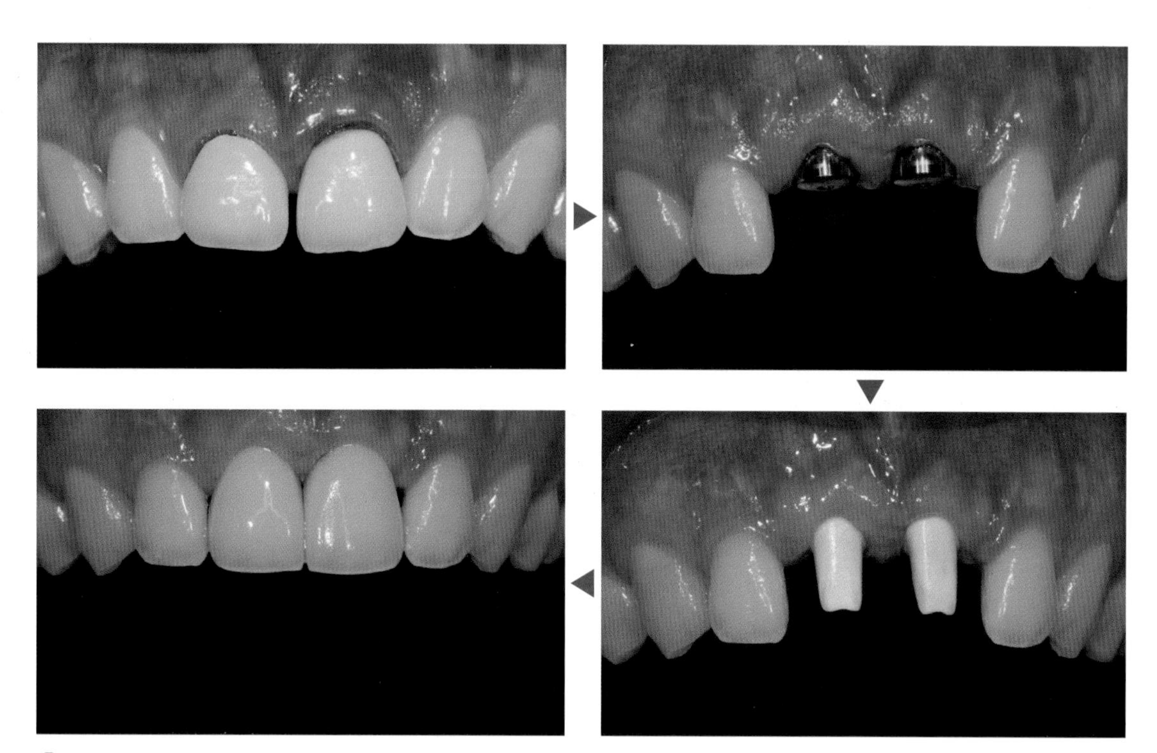

1.28 본문에서 언급한 블랙트라이앵글 케이스 제작 과정

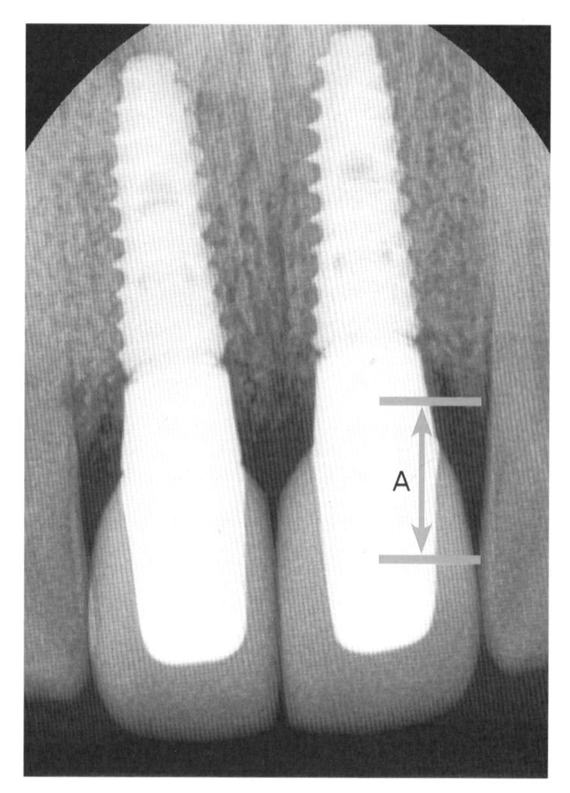

앞서 보았던 케이스를 다시 보자(1.28). 필자가 보철은 안 하지만 한다면 11번을 조금 더 크게 해서 미드라인을 조금 더 좌측으로 옮긴 뒤 21번 크라운을 조금 더 키우고, 22번 메지알을 조금 삭제해서 컨택 포인트를 조금 더 진지바 쪽으로 만들었을 것이다.

그렇게 A 길이를 4–5 mm 정도 선으로 만들었다면 파필라가 채워졌을 듯하다. 아니면 임시치아로 A 길이를 6–7 mm 정도에서부터 내려가면서 파필라 모양을 만들었을 수도 있다. 이렇게 어느 정도 잇몸이 최대한 자연스럽게 형성되도록 하는 것을 “gingival remodeling”이라고 하는데 필자가 보철을 직접 하지 않다 보니 가장 부족한 부분이다.

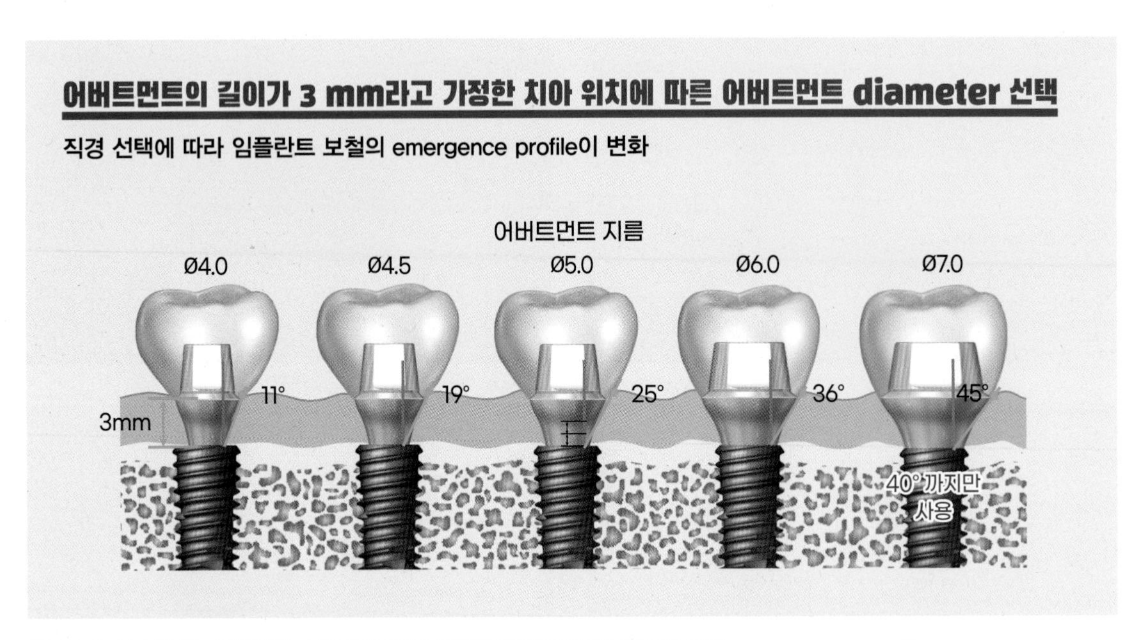

1.29 오스템 자료집에 있는 내용을 토대로 그려본 어버트먼트의 지름에 따른 emergency profile

오스템 강의 자료집에 있는 내용을 발췌한 것이다(1.29). 일반적으로 어버트먼트와 크라운의 일반적인 퍼짐 각도가 40°가 넘으면 안 된다고 되어 있는데, 이는 오늘날 일반 개원가에서 보편적인 개념이 되었다. 진지바 깊이를 평균 권장량인 3 mm라고 하면 직경 7 mm 힐링 어버트먼트를 썼을 때 그 각도가 45°로 넓어지기 때문에 6 mm 정도를 권장한다는 것이다. 꼭 직경 7 mm 이상의 어버트먼트를 사용하려면 어버트먼트 진지발 하이트가 3이 아니라 4 이상이어야 할 듯하다. 이는 필자가 인정하는 강의천재 김기성 원장님께서 만드신 것으로 알고 있으며, 일반 개원의들의 궁금증을 시원하게 정리해 주는 내용이라고 할 수 있다. 다만 필자의 경우는 인접면을 기준으로 본다면 5 mm 어버트먼트를 기준으로 보기 때문에 7 mm 지름의 어버트먼트의 사용에도 문제는 없어 보인다.

일반적으로 잇몸 건강을 위해서는 크라운의 퍼짐 각도로 30°를 가장 권장한다고 한다. 그렇다면 폭이 넓은 하악 1대구치를 놓고 본다면 어떨까? 근원심 폭경을 11 mm라고 가정하고 한번 보자. **1.30**과 같은 서식으로 지극히 정중앙에 심었다고 가정하면 6.6 mm 높이가 된다. 40°를 가정하면 4.6 mm가 된다. 이러한 부분을 대략적으로 참고하며 머릿속에 박아 놓자는 뜻에서 그려본 것이다. 필자는 원래 미적인 감각이 전혀 없기 때문에 이런 그림을 보고 자꾸 또 봐서 머릿속에 박아버려야 한다. 이보다 더 중요한 것은 그냥 1자형으로 emergency profile이 퍼지는 것이 아니라, 가늘게 쭉 상부로 뻗었다가 옆으로 퍼져가는 S자 형태를 띠어야 한다는 것이다. 대략적으로 임플란트와 각도에 따른 크라운의 모양을 머릿속에 넣어보는 연습용 그림이라고 생각해보자.

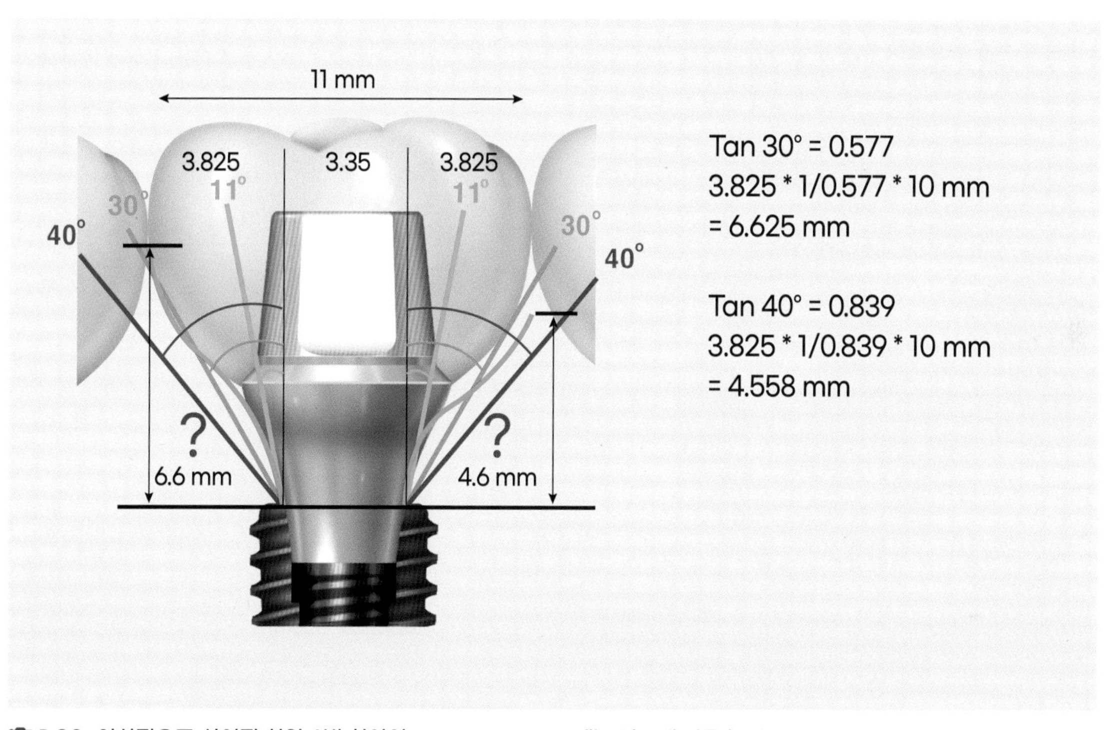

1.30 이상적으로 심어진 하악 6번 치아의 emergency profile 각도에 따른 높이

사실 오스템에서 이런 교육을 하는 이유는 알겠지만, 잘못 심어 놓은 걸 어떻게든 수습 가능한 크라운으로 만들기 위한 의도에서 나오는 것이라고 생각한다. 그냥 임플란트를 적절한 위치와 높이에 잘 심으면 이런 부분은 굳이 고려하지 않아도 된다. 그래서 필자가 하악 6번에 사용하는 오스템의 힐링 어버트먼트 이미지를 중첩시켜 보았다. 조금 짧은 듯하지만 잇몸 내부에서는 이 정도면 충분하다. 조금 더 아이디얼하게 덴티스에서 새롭게 나온 어버트먼트 직경(6.8 mm)에 높이(6.0 mm)의 힐링 어버트먼트를 올려보았다. 크라운과 좀 더 잘 어울리는 듯하다. 그래서 요즘 가끔 써보려고 좀 구매를 해두었다. 필자는 어지간하면 기구를 심플하게 사용하는 것을 원칙으로 하고 있기 때문에 가끔은 브릿지도 있고, 정말 수직적인 공간이 부족한 경우도 있어서 6 mm 높이의 힐링을 사용하면 종종 대합치에 닿거나 불편한 경우가 있다. 높이 5 mm와 큰 차이 없는 것 같지만 대합치와 가용할 공간으로 따져보면 1 mm도 큰 차이라고 할 수 있다. 결론적으로 대합치와 최소 10 mm 이상 떨어지고, 진지바에서 인접면 최소 기준 5 mm(버칼 기준 최소 3.5)로 한다면 이 모든 것은 고민할 필요가 없게 된다.

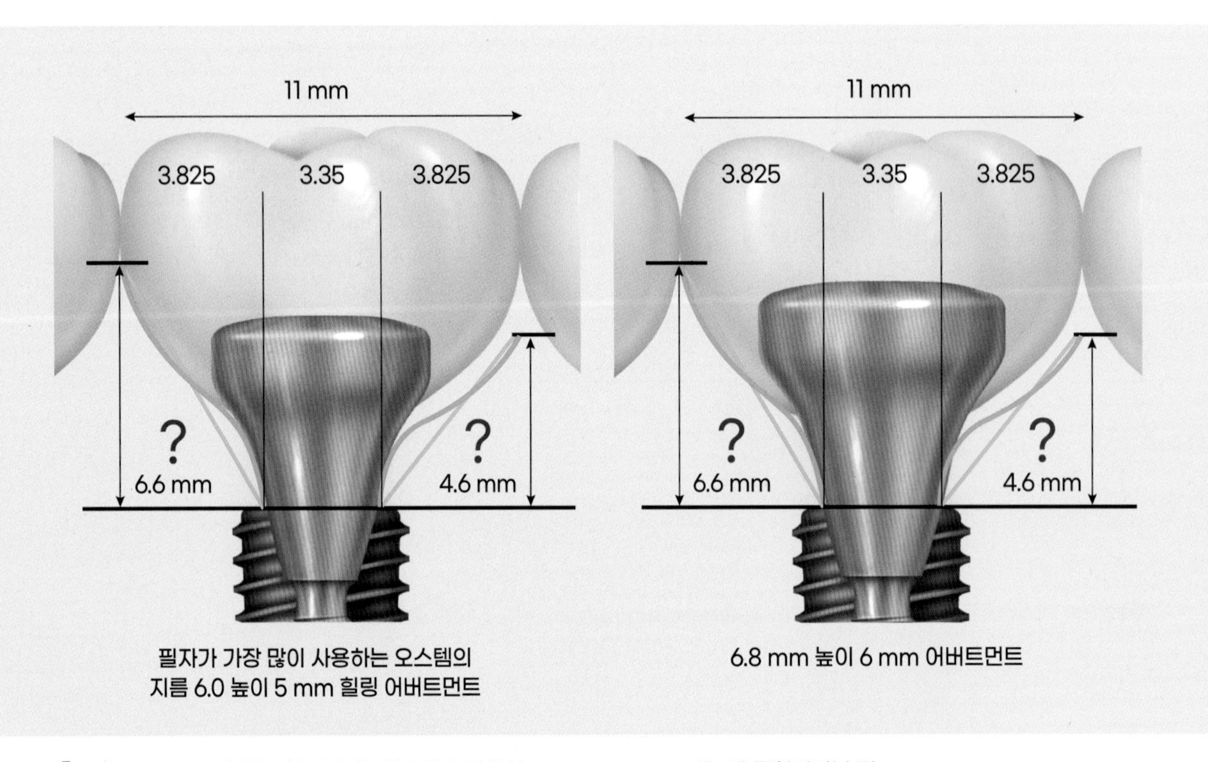

1.31 필자가 사용하는 힐링어버트먼트를 크라운의 emergency profile에 중첩시켜본 것

그래서 필자는 늘 임플란트 강의를 할 때마다 이런 말을 한다. **"임플란트는 심는 게 가장 쉽다. 그러니 대충 심고 나중에 뒷수습하려고 하지 말고, 쉬운 걸 두 번 하라."** 다시 말해서 마음에 안 들면 빼고 다시 심으라는 뜻이다. 항상 이야기하지만 만약 10 mm 이상이 공간이 없다고 해도 **어버트먼트의 길이와 모양은 항상 일정하게 유지시키고, 차라리 지대치 파트의 길이를 줄여야 한다.**

그러나 만약 올바른 위치와 높이에 심지 못했다면 어떻게 해야 할 것인가? 필자가 임플란트 보철은 하지 않지만, 심지어 필자의 임플란트를 보철하는 선생님들이 여럿이기도 하고 바뀌기도 하기 때문에 기공소에 필자의 명확한 원칙을 말해 놓는다. 임플란트가 어떻게 심어졌든 무조건 픽스처 레벨에서 어버트먼트는 쭉 뻗어서 3 mm 이상 진행한 다음에 자연스럽게 넓어지든지 어떻게든 되어야 한다. 임플란트가 잘못 심어졌더라도 그렇지 않은 기공물은 모두 바로 돌려보낸다고 말이다. '쭉 뻗는다'라는 표현은 어버트먼트가 픽스처에서 빠져나오는 각도인 11°나 그 이하를 말하는 것이고, 3 mm를 지나서 S라인을 그리면서 5–6 mm까지 바깥쪽으로 퍼지더라도 어버트먼트 시작 부위와 끝 부위를 이었을 때 30°가 넘지 않도록 하라고 한다. 그러기 위해서는 적당히 깊게 심어진 임플란트가 필요하긴 하다. 30°가 좋다고 이야기한 것은 분명 잇몸 건강을 위해서일 것이다. 그렇기 때문에 기본 진지바 두께만큼은 쭉 뻗어서 올라간 뒤에 거기서 다시 파닉을 만드는 형태를 더 추천한다.

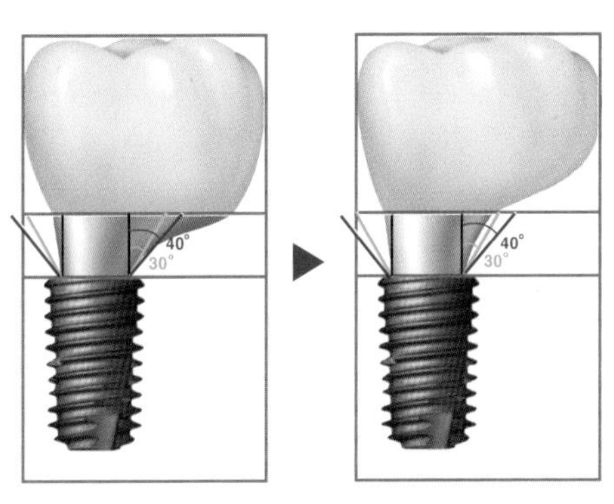

1.32 임플란트 위치에 문제가 있는 경우에도 어버트먼트의 디자인은 30° 이내로 해야 한다. 실제로 필자는 30°가 아니라 임플란트 내면의 프릭션 각도에 이어지는 11°에 준해서 쭉 뻗어서 3 mm 올라간 다음에 S자 모양으로 퍼지는 것을 권장한다. 심한 경우에는 크라운이 하나가 아니라 두 개를 만든다고 가정하고 캔틸레버를 하나 더 만든다는 마음으로 제작하라고 기공소에 요청하기도 한다. 물론 필자의 치과에는 이렇게 식립한 케이스가 없지만, 타 치과에서 식립한 임플란트와 연결해서 브릿지 해야 하는 경우가 종종 있기 때문에 개념은 명확하게 갖고 있어야 한다.

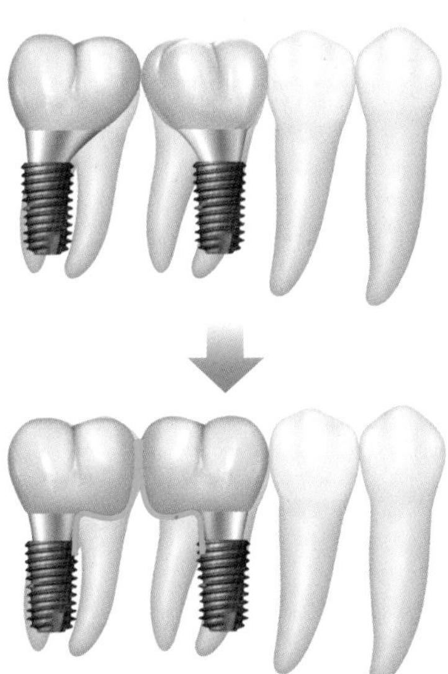

1.33 같은 이치로 각각을 싱글 크라운이라고 가정하고 쭉 뻗어서 올라간 다음에 브릿지로 연결하는 형태를 취해야 한다. 종종 크라운이 하나가 아니라 옆에 캔틸레버가 하나 더 달려있다는 마인드로 기공물을 만들어야 한다고 기공사들에게 주문하곤 한다.

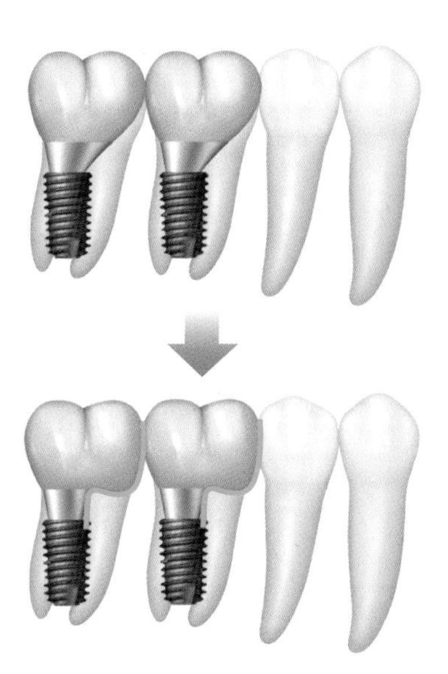

1.34 마찬가지로 각각을 싱글 크라운이라고 생각하고 쭉 뻗어서 올라간 다음에 브릿지로 연결해야 한다.

이렇게 한쪽에 치우친 임플란트의 크라운 제작 방식은 서울대학교 치과병원 구기태, 이정원 교수님, 표세욱 선생님의 덴탈아리랑 2018년 2월 특강 칼럼 및 임플란트를 깊게 식립하시는 원장님의 페이스북 케이스 등에서 참고하였습니다.

필자의 어버트먼트 교체 케이스 보기 1

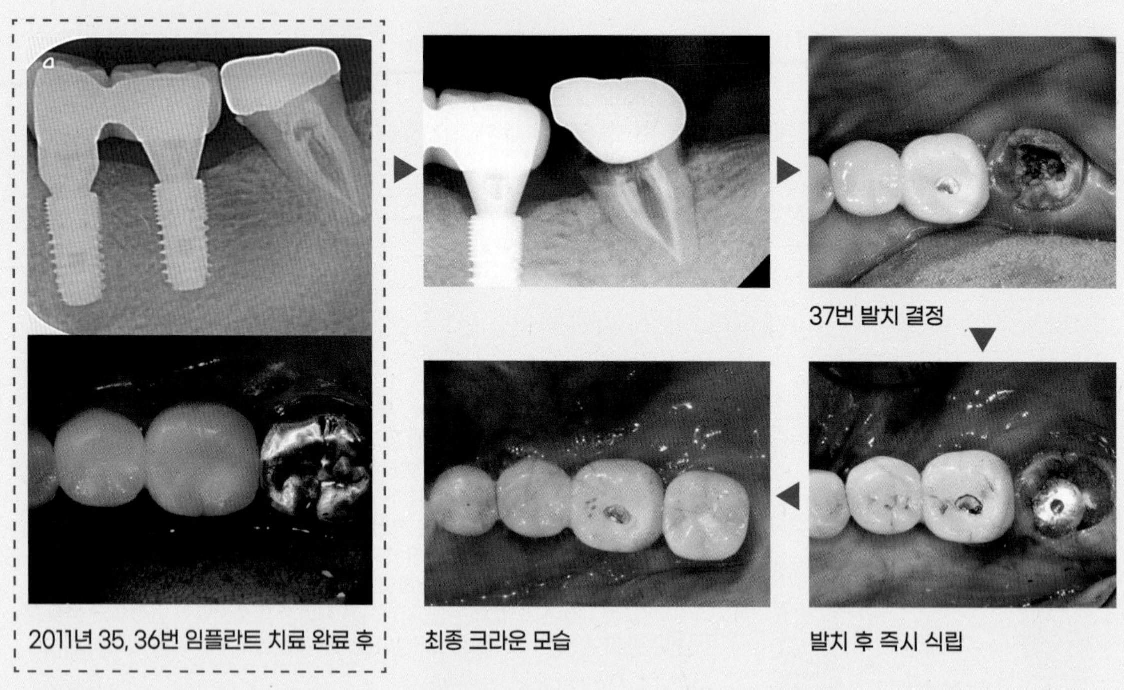

1.35 2011년도 임플란트 치료 환자의 재내원

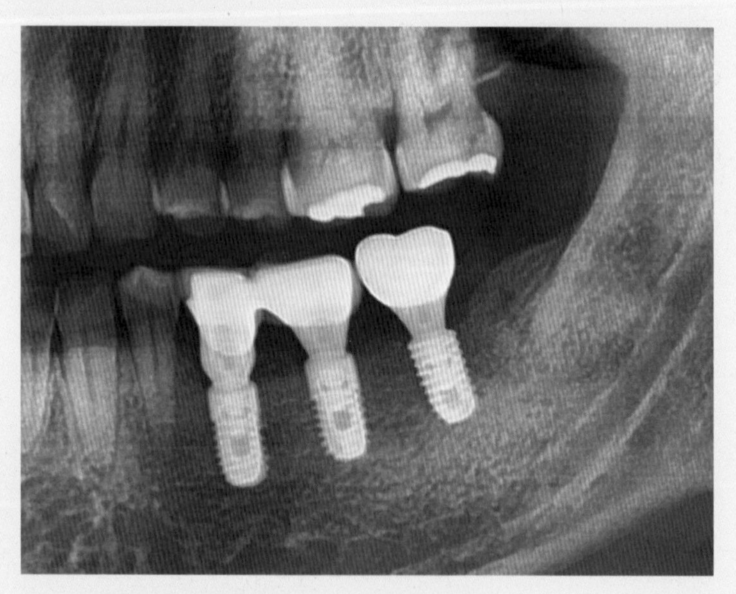

1.36 2020년 37번 임플란트 크라운 세팅 직후

앞서 보았던 35번 임플란트 어버트먼트를 잘못 선택했다는 케이스이다(1.35, 1.36). 10년이 지나서 37번을 뽑고 즉시 식립을 하였다. 10년 전 어버트먼트와 최근의 어버트먼트 차이를 알 수 있다.

필자의 어버트먼트 교체 케이스 보기 2

필자가 2009년에 식립한 케이스이다(1.37). 크라운은 필자가 하지 않았지만, 2019년 크라운이 빠져서 다시 붙이기 위해 내원하였다. 2002년부터 오랫동안 온 가족이 치료받는 환자라 그냥 공짜로 교체해드렸다. 예전 것은 SCRP가 아니어서 사실 제거도 쉽지 않았는데, 겸사겸사 새로 해드리니 이제서야 마음이 편하다. 지금 보면 크라운을 조금만 더 크게 만들었더라면 어땠을까 생각해 본다. 그럼 크라운 홀도 더 중앙이었을 것 같은 아쉬움마저 든다. 지금 시대가 어느 시대인데 임플란트 크라운이라고 교합면을 이렇게 작게 만드는지….

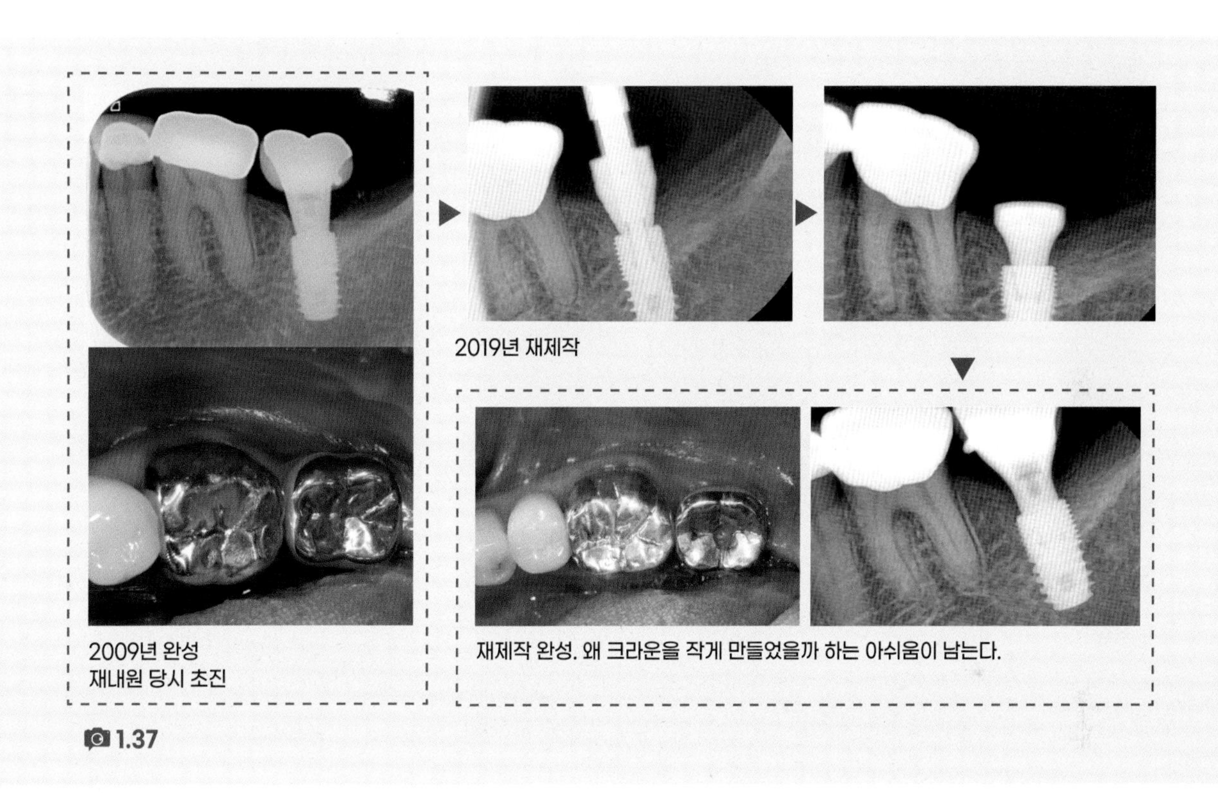

1.37

1.38은 환자의 최근 상태이다. 가장 오래된 임플란트는 2005년에 심은 엔도포어 임플란트인데 아직까지는 잘 쓰고 있다. 아마도 브릿지로 묶어 놔서 틸팅이 없고, 마이크로 갭과 무브먼트도 없어서 그런 듯하다. 그냥 지금은 운이 좋았었나 보다 하고 생각하고 있다.

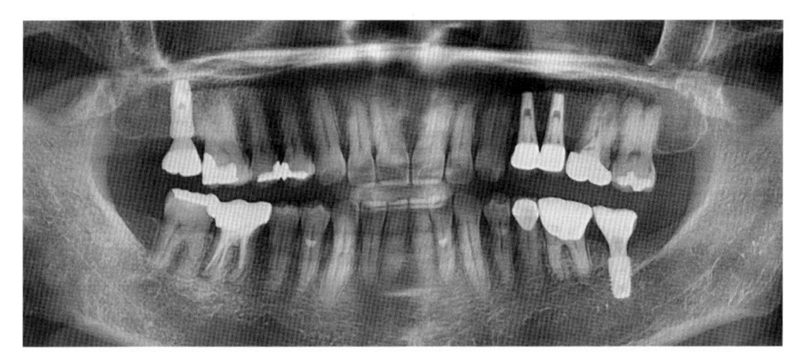

1.38 임플란트 식립 후 15년이 지난 최근 파노라마
17번 - 2006년, 24=25번 - 2005년, 37번 - 2009년 식립

필자의 어버트먼트 교체 케이스 보기 3

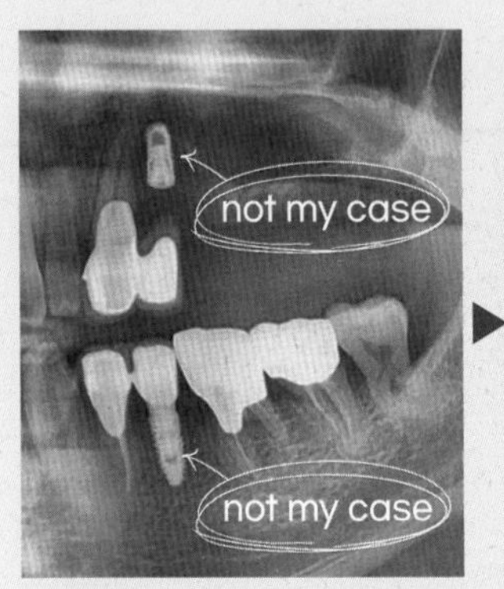

수술 전

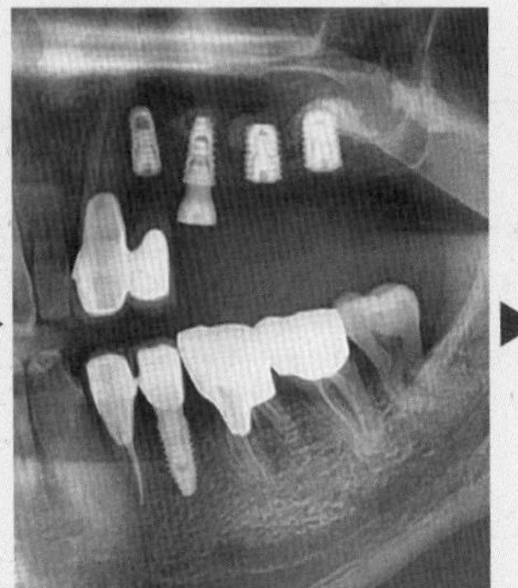

수술 직후

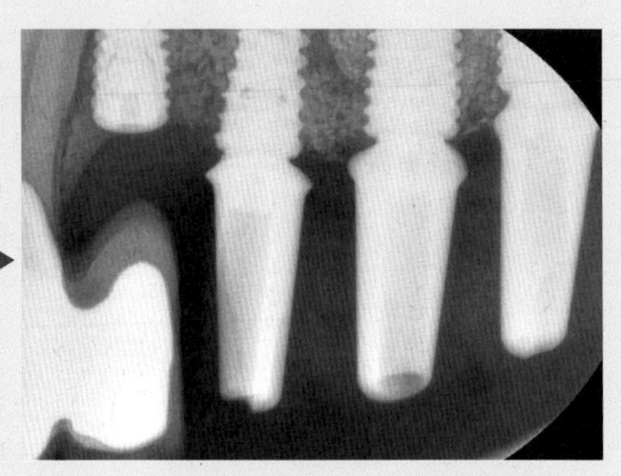

어버트먼트의 1차 시적 후

1.39 사이너스 엘레베이션 케이스

필자가 가끔 투명 어버트먼트라고 부르는 케이스이다(**1.39**). 24번 임플란트는 정말 대단하다는 생각만 든다. 환자에게 임플란트 비용을 받은 건지 궁금하기도 하고… 20번대 구치부 치아를 제거하고 4개월 후에 사이너스 엘레베이션하고 나서 임플란트를 식립하였다. 필자는 보통의 경우 대부분 힐링 어버트먼트를 올리는 1단계 수술법으로 임플란트를 한다. 그러나 가끔 이렇게 힐링을 썼을 때 상악동으로 밀려들어갈 만큼 뼈가 조금 남은 곳에서 최대한 깊게 심고자 할 경우에는 어쩔 수 없이 커버스크류로 한다.

세컨 서저리 40일 후에 임프레션을 떠서 크라운을 제작하였는데, 어버트먼트와 크라운이 너무 심각하게 만들어져서 보철과에서 이대로 하면 필자에게 혼난다며 확인을 받으러 왔다. 당연히 다시 제작하라고 했다. 세컨 서저리한 지 얼마 안 돼서 임플란트 사이에 잇몸도 없다 보니 기공사들은 얇은 인접면 잇몸 높이에 맞춘 것이다. 물론 그런 게 아니어도 낮고 퍼진 어버트먼트가 기공사들이 작업하기 가장 좋기도 하기 때문에 이런 어버트먼트를 자주 사용한다. 필자가 되돌려 보내자 잇몸이 없는데 어떻게 그렇게 하냐고 물어왔다. 잇몸은 무시하고 당연히 무조건 진지바에서 쭉 뻗어서 3 mm 올라간 뒤에 1–2 mm 퍼진 다음에 픽스처에서 최소 4–5 mm 떨어져서 크라운 마진이 생겨야 한다고 말했다. 기공사들은 진지발 리모델링이라는 개념을 잘 모른다. 특히 2 stage로 임플란트를 수술해서 기공물을 맡기면 파필라가 안 찬 상태에서 진행하다 보니 크라운 모양이 이상적이지 못하게 만들어져 오는 경우가 생길 수 있다. 뼈 위로 임플란트를 심은 경우가 아니라면 상악 구치부 잇몸은 평균적으로 3–4 mm 이상이기 때문에, 골 내로 1 mm 정도 깊이로 심은 정상적인 임플란트라면 어버트먼트 모양은 기본형 사이즈로 해도 충분히 잇몸이 재형성되어 모두 채울 것이다.

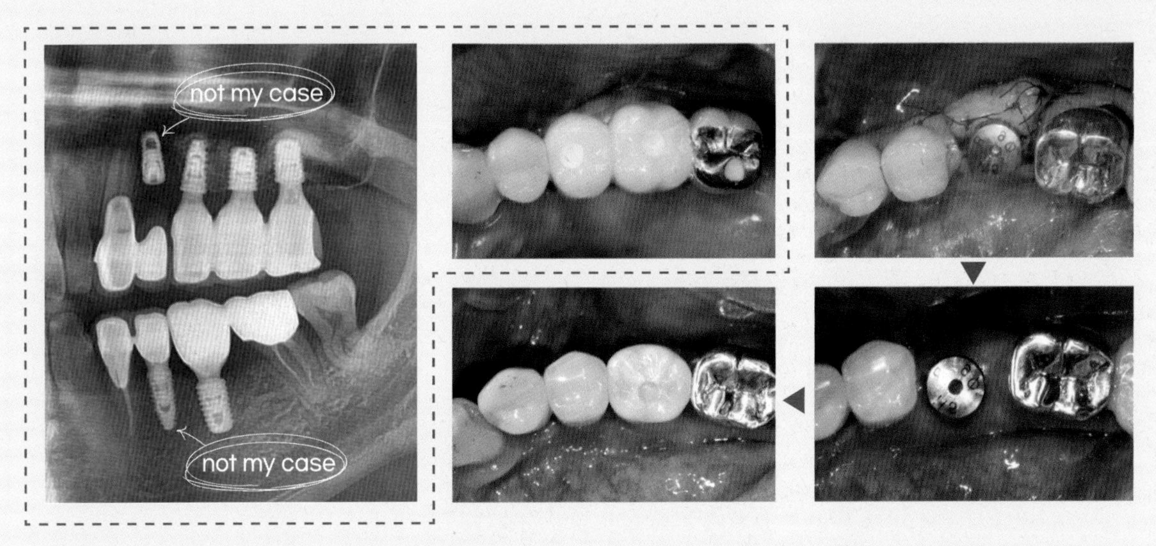

1.40 최종 세팅된 쭉 뻗은 어버트먼트의 모양

참고 - 36번 임플란트 진행 과정 임상사진

1.40은 세팅하고 18개월이 지난 사진으로 27번 홀의 위치는 좀 아쉬운 면이 있지만 실제로 27번 부위는 얼핏 임상사진에서 보이듯이 버칼에 골이 거의 없기 때문에 타협하여 심을 수밖에 없었다. 보통 상악 6번은 그 뒤에 7번이 있어서 버칼본이 급격히 얇아지는 경우가 별로 없지만, 상악 7번은 버칼 본이 디스탈로 갈수록 거의 없어져 버리는 경우가 있어서 그런 경우에는 어쩔 수 없이 이렇게 심어지는 경우가 종종 있다. 상악 7번 발치된 지 오래된 곳의 사이너스 엘레베이션 케이스에서도 가끔 있다. 상악 7번 디스탈에 뼈가 없기 때문에 버칼 GBR도 쉽지 않다.

36번 치아도 망가져서 발치하고 임플란트를 하였는데, 아래의 경우도 언제나처럼 진지바를 잘라내지 않고 버칼로 밀어서 봉합을 해야 한다. 필자의 경험상 이렇게 벌려 놓은 진지바는 하악의 경우 두 달 반 정도는 되어야 정상적인 두께로 형성되고, 상악 최후방 진지바처럼 두꺼운 부위는 3-4개월 정도 되어야 정상 두께로 회복하는 듯하다. 필자는 앞서 이미 여러 번 언급했지만 거의 모든 케이스를 1 stage로 하는데, 그 이유 중 하나가 잇몸이 정상 두께로 완전 회복되는 데 하악이 두 달 반, 상악이 세 달 정도 걸린다고 보기 때문이다. 대부분 잇몸이 정상 두께로 회복되는 것과 임플란트가 인테그레이션 되는 기간이 비슷하다. 잇몸이 덜 회복되어 얇은 경우에 기공사들이 이를 간과한 채 어버트먼트를 짧은 것을 선택하기 때문에 필자가 가장 강조하는 부분이다.

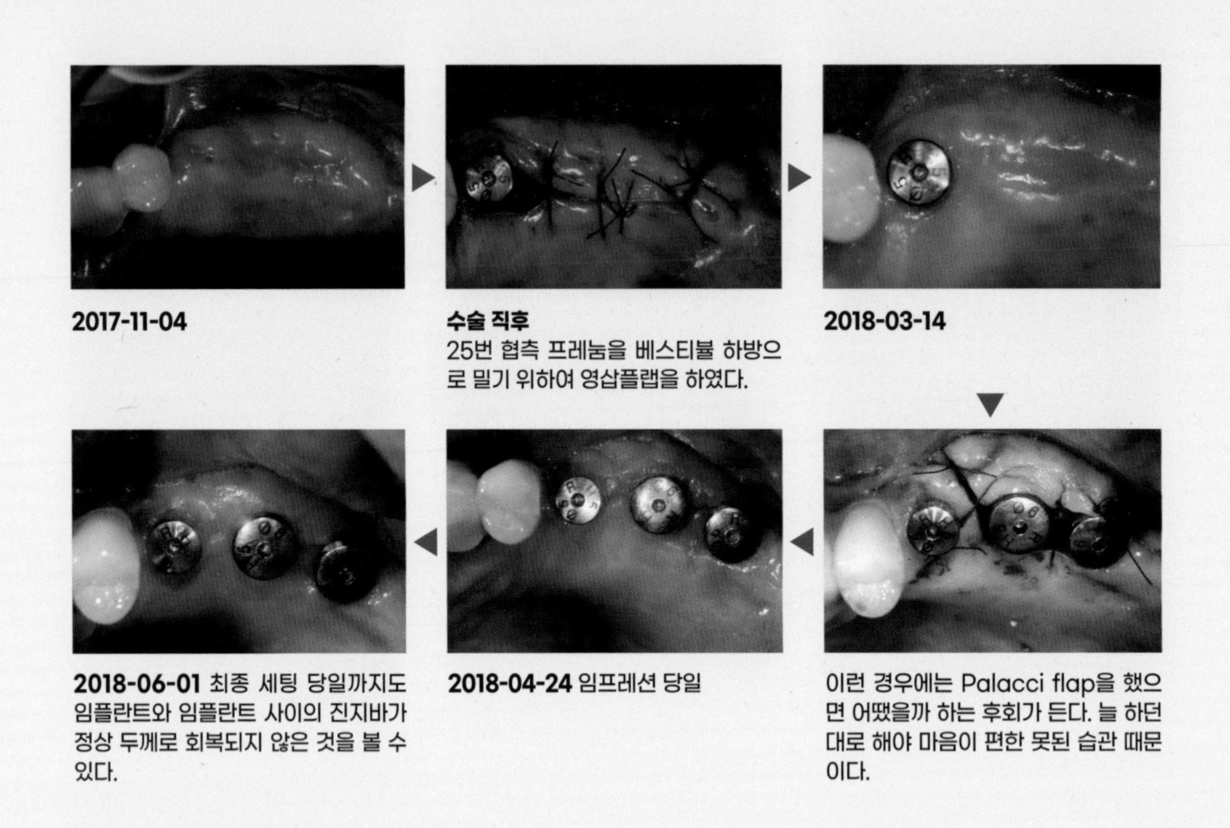

2017-11-04

수술 직후
25번 협측 프레늄을 베스티뷸 하방으로 밀기 위하여 영삽플랩을 하였다.

2018-03-14

이런 경우에는 Palacci flap을 했으면 어땠을까 하는 후회가 든다. 늘 하던 대로 해야 마음이 편한 못된 습관 때문이다.

2018-04-24 임프레션 당일

2018-06-01 최종 세팅 당일까지도 임플란트와 임플란트 사이의 진지바가 정상 두께로 회복되지 않은 것을 볼 수 있다.

1.41 20번대 수술 과정

상악의 경우 잇몸도 보자. 어쩔 수 없이 crestal approach를 통한 상악동 엘레베이션 때문에 2 stage로 하였다. 보통 세컨 서저리를 하면 한 달 이내에 임프레션을 할 것이다. 빠른 사람들은 1–2주 후에 실밥을 제거하면서 하기도 한다. 세컨 서저리하고 잇몸이 완전히 형성될 때까지 몇 달을 다시 기다리는 사람은 없을 것이다. 그래서 이런 경우는 예상되는 잇몸을 예측하고 전치부 임플란트 파필라처럼 진료를 진행한다. 이 케이스는 4개월 반 정도 있다가 세컨 서저리를 했는데도 잇몸을 벌려 놓았다. 잇몸을 벌려 놓는다기보다는 그만큼 베스티뷸 쪽으로 keratinized gingiva를 밀어 놓았다. 솔직히 이처럼 잇몸이 좋은 경우는 잇몸을 좀 semi–lunar 형태로 잘라 주거나 Palacci flap 등을 했어도 될 듯하다. 하지만 필자는 늘 하던 대로 하는 게 원칙이라 평소처럼 밀어서 봉합하였다. 좀 엉성하게 봉합된 듯하지만 필자는 언제나 잇몸을 거의 잘라내지 않는다. 아까워서 못자르는 이상한 습관이 있다. 이런 경우는 keratinized gingiva가 충분하고 베스티뷸도 깊기 때문에 잇몸을 조금만 잘라냈으면 오히려 더 좋았을 것 같다는 생각이 든다.

필자는 치아가 아까워 프렙을 못해서 수술을 한다고 했는데, 수술하면서는 keratinized gingiva가 너무 아까워서 잘라내지 못하는 편이다. 이건 필자의 병이니 여러분들은 절대 따라하지 말기를 바란다. 그래서 이렇게 interdental papilla가 정상적으로 형성되지 않은 경우에 임프레션을 할 때는 기공사들에게 반드시 잇몸 높이에 맞추지 말고 무조건 쭉 뻗어서 3 mm 이상 올라가고, 거기서부터 펴지게 해서 만들어 달라고 해야 한다.

임플란트 강의 수강생분들의 후기

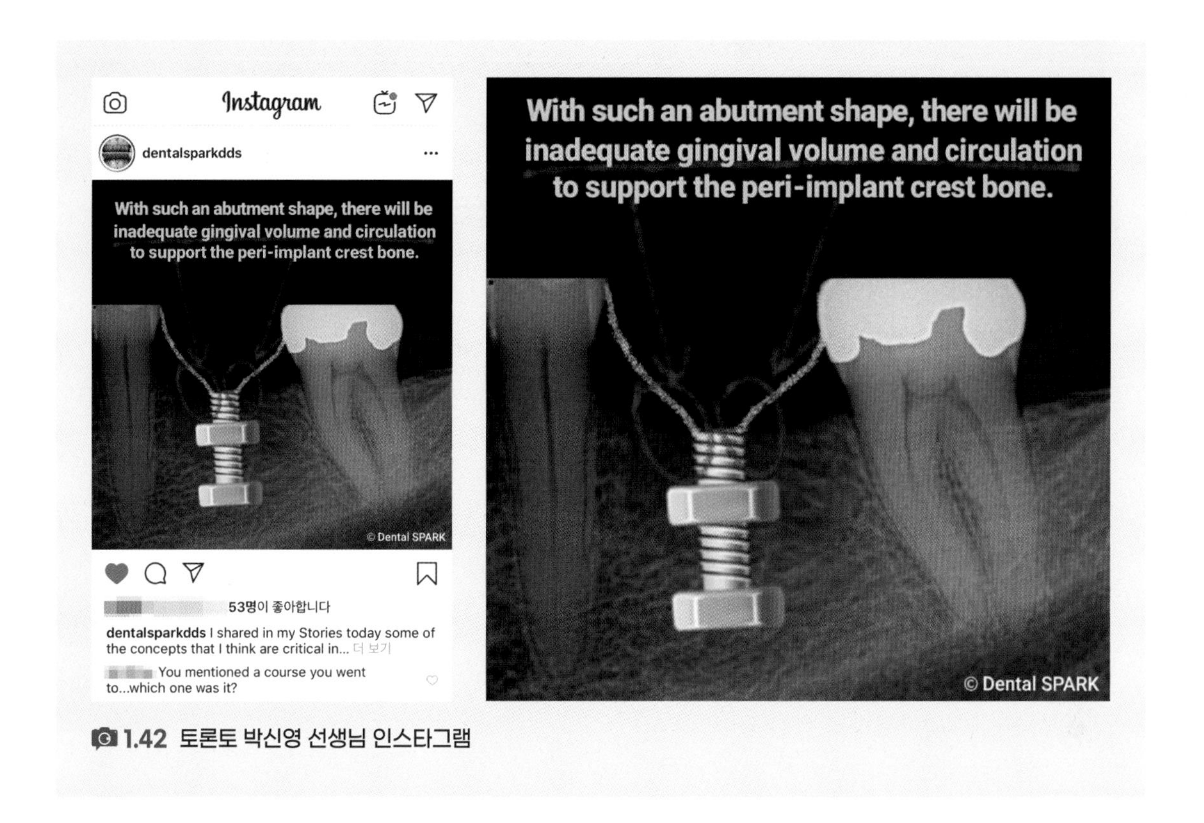

1.42 토론토 박신영 선생님 인스타그램

토론토에서 나름 인스타그램으로 유명한 치과의사 박신영 선생님의 인스타그램 피드이다(1.42). 치과의사라면 팔로우하는 것을 추천한다. 필자가 캐나다 토론토에서 2018년도에 사랑니, 2019년도에 임플란트 강의를 했을 때 필자의 강의를 들은 선생님이다. 필자의 임플란트 강의를 듣고 이 부분이 마음에 들었다며 이렇게 인스타에 업로드했다. 사실 손이 워낙 좋아서 이미 모든 치료를 잘 하고 있었던 선생님이기 때문에 필자한테 배운 게 큰 도움은 안 됐을 듯하지만, 그래도 강의를 듣기 전까지 자신의 임플란트는 곡괭이와 원숭이뿐이었다며 듣기 좋은 이야기도 해주었다. 2019년 말에 필자의 멕시코 라이브 세미나에도 친동생과 함께 참가하였다.

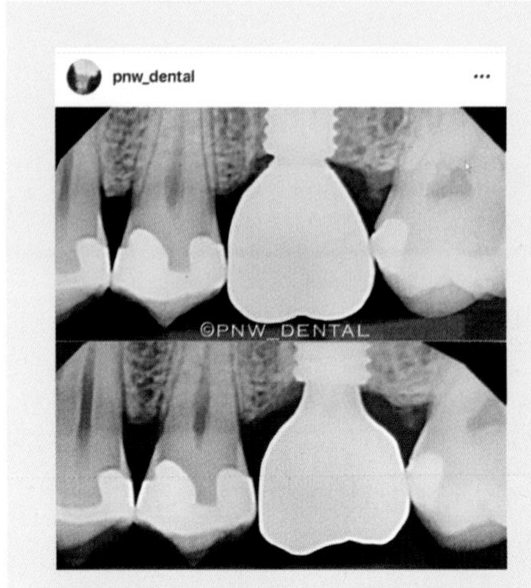

1.43 시애틀 김규안 선생님 인스타그램

미국 시애틀의 김규안 선생님 인스타에 올라온 사진이다(**1.43**). 필자한테 시애틀에서 임플란트 강의를 들으시고 예전의 뚱뚱한 어버트먼트를 S라인의 어버트먼트로 교체하였고, 그 후 peri-implantitis 환자가 좋아졌다고 올린 글이다.

필자가 여기저기 강의 다니면서 가장 기쁜 순간들이 이런 순간들이다.

CHAPTER 7-2

왜 SCRP 인가?

Mastering dental implants

Internal friction type 임플란트에서 왜 screw retained crown을 해서는 안 되는가?

기공소에서 크라운을 제작하는 과정에서는 실제 입안에서와 조금은 오차가 발생할 수 있다. 우리는 그것을 기공 오차라고 부르고 보통은 50 ㎛ 이내로 보고 있으며, 일반적인 크라운에서는 시멘트 스페이스로 그 오차를 극복하고 있다고 할 수 있다. 임플란트에서도 임플란트의 종류에 따라 다르지만 비슷한 정도의 기공 오차가 발생할 수 있지 않을까 생각해 본다.

참고로 칼 미쉬의 저서 《Avoiding complications in oral implantology (2017)》에 보면 external hexa type 임플란트에선 그 오차가 훨씬 더 크다고 한다. 책의 내용에 따르면 임플란트 제조 회사는 어버트먼트 혹은 coping에 대해 misfit range를 허용하고 있으며 이로 인해 지대주나 coping은 임플란트 body 안에서 ±10° 이내의 misfit rotation이 발생할 수 있고, 각도상 10° 정도의 misfit degree가 발생할 경우 수평적인 오차(horizontal discrepancies)는 99 um에 이른다고 보고되고 있다고 한다. 또한 연구들은 (screw type 보철물 제작 시 사용하는) plastic castable pattern은 부정확할 수 있으며, 약 66 um 정도 높이의 수직 오차를 보일 수 있다고 한다.

하지만, 최근 저서임에도 불구하고 인용한 논문들을 보면 대부분 1996년 것이므로 최근 개념과는 안 맞는다고 할 수 있지만, external hexa type의 경우 기본적으로 어느 정도 오차를 인정하고 제작하는 것인 만큼 스크류 타입 보철물을 제작해도 큰 문제는 없다고 보고 있다. 또한 external hexa type의 경우에는 어버트먼트와 픽스처 사이의 갭 또한 처음부터 인정하고 식립하는 만큼 스크류 타입 보철물을 세팅할 수 있다고 생각한다.

그러나 internal friction type 보철물에서는 원칙적으로 어버트먼트와 픽스처 사이에는 갭이 있으면 안 된다는 전제하에 시술되는 것이므로, 기본적으로 오차가 발생해도 크게 상관없다는 전제하에 제작하는 external hexa type과는 다르게 접근해야 한다. 물론 최근에 대화를 나눠본 대가 분은 본인도 그렇게 생각해서 internal friction type 임플란트에서 스크류 타입 보철물을 제작하지 않았는데, 요즘은 워낙 정밀해져서 잘 제작하면 문제 없이 세팅되기도 한다고 하셨다. 여기서 필자의 생각을 정리하자면, internal friction type에서 스크류 타입 보철물을 만들 수는 있지만 매우 정밀하게 제작되어야 하고, 조금만 오차가 발생해도 조정해서 세팅하는 데 시간이 오래 걸리기도 한다. 또한 영구적인 오차로 남아서 일정기간이 지나면 임플란트의 실패로 나타나는 경우가 많기 때문에 굳이 스크류 타입 보철물을 만들 필요가 있을까 싶다. 만들고 싶은 사람은 만들어도 되지만, 굳이 왜 어려운 길을 가려고 하나… 하는 생각이 든다. 그냥 SCRP 크라운으로 하면 될걸….

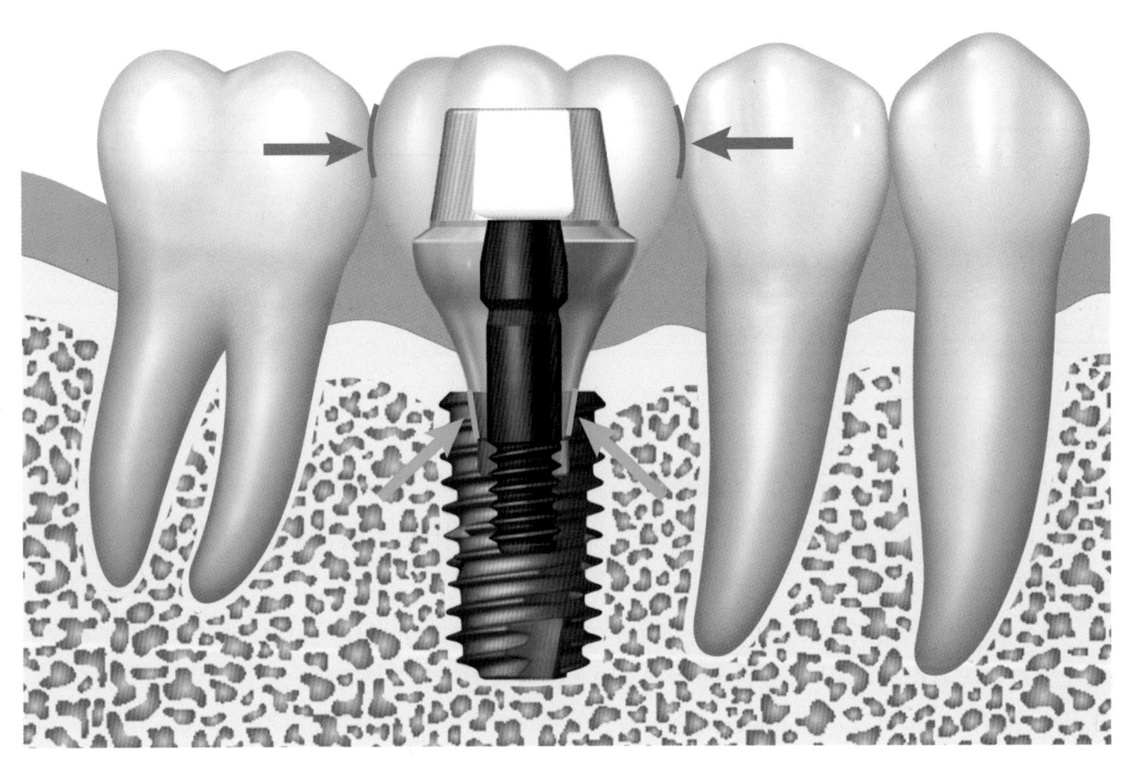

2.1 본레벨 internal friction type 임플란트에 스크류 타입 보철물을 장착한 모식도

필자는 대부분의 크라운을 SCRP (Screw & Cement Retained Prothesis, Secrewmentale crown)로 하는데, 미국에서는 internal friction type 임플란트에 크라운과 어버트먼트가 붙어있는 스크류 유지형 크라운으로 하는 것을 흔하게 보았다. Internal friction type 임플란트에서는 절대 그렇게 해서는 안 된다.

기공소에서 2.1처럼 크라운과 어버트먼트가 붙어 있는 보철물을 만들어왔다고 가정해보자. external hexa type 만큼은 아니라도 기본적으로 오차가 있을 수밖에 없는 보철물이다. 우선 입 안의 픽스처에 시적해보고 잘 맞는지 확인을 해봐야 하고, 보라색 화살표의 컨택부터 조정해서 잘 맞도록 해야할 것이다. 안 그러면 크라운이 들어가지 않을 것이기 때문이다. 그렇다면 파란 화살표 부분의 어버트먼트와 픽스처와의 갭은 어떻게 될까? 컨택이 조정되어 잘 맞게 되었다면 지금까지 기공 과정과 컨택 조정 과정에서 발생한 오차는 모두 픽스처와 어버트먼트 사이의 갭으로 남아 있게 된다. 비교적 기공 과정이 정밀했다면 앞뒤 치아의 움직임도 있기 때문에 어느 정도 눌러서 스크류도 조여주면 문제없이 쓸 수도 있다. 그러나 기공 과정의 오차가 크다면 컨택 조정 후에는 파란 화살표가 가리키는 파란 마진의 갭이 더 크게 형성될 수도 있다. 당장 스크류로 조여주면 흔들림은 없겠지만, 조금만 시간이 지나도 픽스처와 어버트먼트 사이의 갭에 의한 마이크로 무브먼트가 생기고 이로 인해서 스크류나 어버트먼트의 파절, 주변 골흡수와 픽스처의 테어링 등이 발생할 수도 있다. 이러한 스크류 유지형 보철물을 굳이 사용해야 한다면 처음부터 어버트먼트와 픽스처 사이의 misfit degree와 갭이 용인된 external hexa type 임플란트에서만 사용해야 한다.

필자는 김기성 원장님 강의를 매우 좋아한다. 어쩜 내가 뭘 궁금해하는지 꿰뚫어 보고 미리 공부하고 경험한 후 알려주시는 것 같은 정도이다. 김기성 원장님 강의는 본인의 경험에서 우러난, 수강생들이 알아야 할 내용을 정리해서 알려주는 듯한 느낌이 든다. 이분이야말로 "천재 강사"이시라고 필자는 말하고 싶다. 김기성 원장님 강의를 듣고 있자면, 마침 등이 간지러운데 누가 와서 긁어주고 있는 느낌이다.

어쨌든 김기성 원장님께서 《Comparison of implant component fractures in external and internal type: A12-year retrospective study (J Adv Prosthodont. 2018;10:155–62)》를 언급하시면서 논문에서 잘못된 결론을 내고 있다고 말씀하셨다. 이 논문에서는 구치부에서 internal friction type(아스트라 타입)의 어버트먼트 파절이 잘 일어나므로 external hexa type을 사용하라고 결론을 내리는데, 논문에 나와 있는 실험 방법을 읽어보면 이는 잘못된 결론이라는 것을 알 수 있다. 논문에서 사용된 모든 보철물은 gold cast UCLA type으로 제작됐다. 그러므로 논문 설계 방법이 잘못되어 있거나, 아니면 'Internal friction type 임플란트의 구치부에 스크류 유지형 크라운을 제작해서는 안 된다'라는 결론을 냈어야 한다고 생각한다. 비슷하게 《Cumulative survival rate and complication rates of single-tooth; focused on the coronal fracture of fixture in the internal connection implant (Journal of Oral Rehabilitation. 2013 40;595—602)》 내용도 마찬가지이다. 아스트라 4.0 레귤러 사이즈 임플란트를 식립한 케이스의 41.2%에서 픽스처 파절이나 스크류 루즈닝이 발생하였다고 하지만, 이 모두 cast-to abutment 형태였다. 그러므로 여기서도 임플란트의 성공률이나 합병증 발병률 따위는 중요하지 않다. Internal friction type에서는 어버트먼트와 크라운이 한 몸인 스크류 유지형 보철물을 절대 하지 말라고 결론을 냈어야 한다고 생각한다.

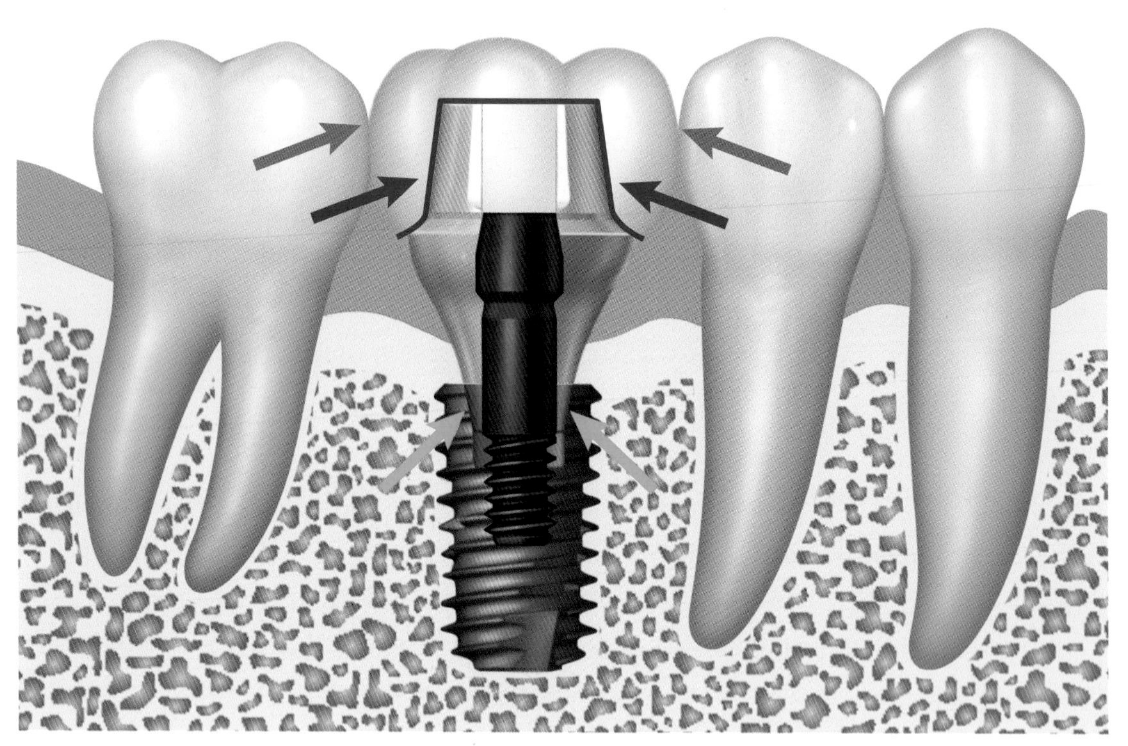

2.2 본레벨 internal friction type 임플란트에 시멘트 유지형 크라운을 장착한 모식도

그래서 필자는 모든 internal friction type 임플란트의 크라운은 시멘트 유지형으로 제작한다. 임플란트 보철물이 제작되어 오면, 먼저 2.2와 같이 파란색 화살표가 가르키는 부분의 갭이 없도록 임플란트에 어버트먼트를 잘 장착한다. 그리고 크라운의 컨택을 조정하여 보라색 화살표가 가르키는 부분이 잘 맞도록 한 다음 크라운을 세팅하면 인상채득부터 기공 과정에서 생긴 오차 등은 모두 빨간 화살표가 가르키는 접착제 공간으로 상쇄되는 것이다.

보라색 화살표가 가르키는 컨택 포인트가 안 맞으면 환자가 불편하고, 파란색 화살표가 가르키는 어버트먼트와 픽스처 연결부가 맞지 않으면 나중에 모두가 불편해지기 때문이다.

그러나 이러한 시멘트 접착형에서는 어버트먼트에 시멘트가 잔존하여 임플란트 주위염의 원인이 되기도 하고, 크라운에 문제가 있거나 유지관리를 위해 내원하였을 때, 어버트먼트의 제거를 위해 크라운에 구멍을 뚫어야 하는 번거로움이 발생한다. 더구나 최근에는 크라운의 재질이 구멍 뚫기도 힘든 지르코니아로 많이 바뀌고 있어서 더욱더 교합면에 스크류 제거용 홀이 있는 SCRP 크라운으로만 하고 있다. 사실 SCRP 크라운의 탄생은 이렇게 나중에 크라운을 넣고 빼고 하는 것만을 위한 게 아니라, 크라운을 어버트먼트에 접착제로 접착한 후에 다시 제거하여 크라운과 어버트먼트 마진 사이의 잉여 접착제를 제거하는 것이 아니었나 생각해 본다. 필자 또한 SCRP에서 이 부분이 가장 큰 장점 중에 하나라고 생각은 하지만 실제 임상에서 그 과정이 매우 번거롭기 때문에 잘 시행은 하지 않고 있다. 필자는 직접 보철을 하지 않기에 보철과에 꼭 그렇게 해달라고 하지만 필자의 뜻대로 시행되진 않는 것 같다. 어쨌든 꼭 그렇게 하지 않더라도 그만큼 임플란트에서 시멘트가 어버트먼트와 크라운 사이에 잔존할 수 있는 가능성이 많음은 언제나 염두에 두고 진료에 임해야 할 것이다.

SCRP 크라운의 접착제 제거

우리나라의 특성상 접착제의 제거를 대부분 치과위생사들이 하고 있다 보니 치과의사들이 신경을 많이 못쓰는 것은 사실이다. 그러나 앞서 언급했듯이 SCRP 크라운의 탄생 이유 중에 중요한 부분이 바로 접착제의 제거를 위한 것이다.

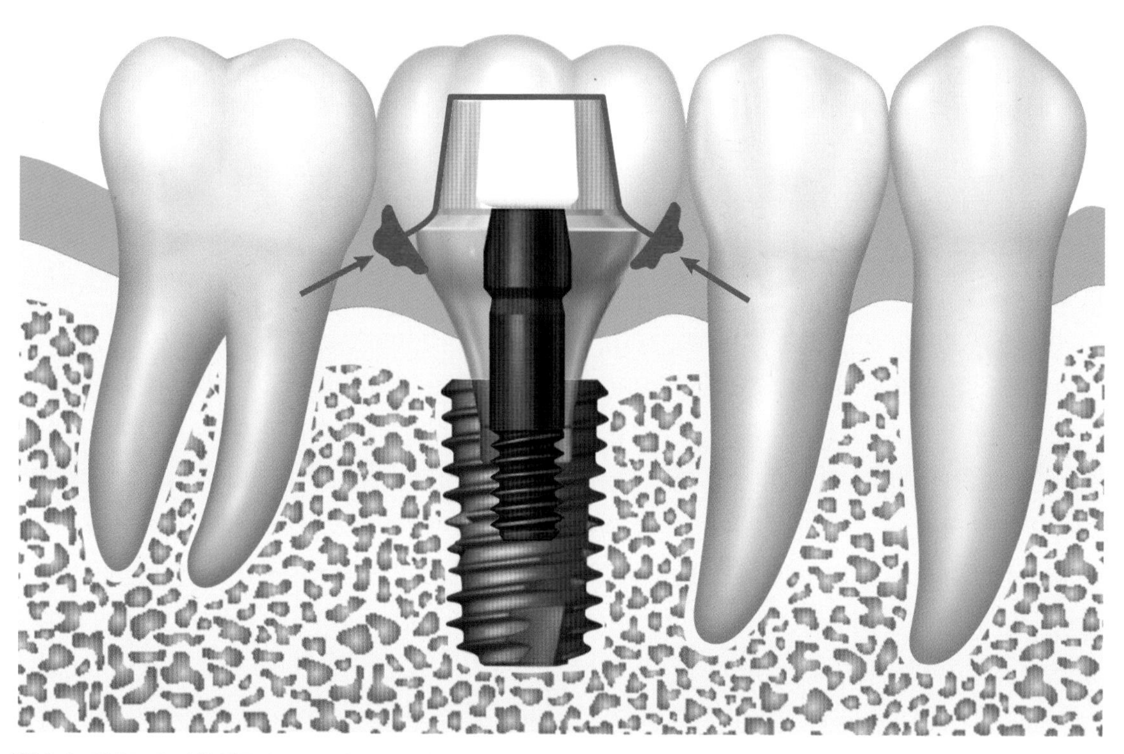

2.3 시멘트 유지형 임플란트 크라운을 세팅했을 때 시멘트가 잔존하는 경우의 모식도

빨간 화살표가 가리키는 부분에 많은 양의 시멘트가 넘쳐흘러 붙어있는 경우가 흔하다. 필자는 보철과에 임플란트 크라운을 세팅하고 나면 방사선 노출량을 낮춰서 표준촬영을 시행해보는 것을 습관화하라고 한다. 정기검진할 때도 마찬가지다. 의외의 경우에 잔존하는 접착제가 보이는 경우 또한 흔하기 때문이다. 그나마도 협설측으로 잔존하는 접착제는 방사선 사진상에 보이지도 않는다.

방사선 사진에서 근심면에 잉여 접착제가 보이고 있다. 필자의 경험상 근심면이 가장 많은 접착제가 남아 있는 것 같다. 필자처럼 커스텀 어버트먼트를 사용하는 경우가 이 정도인데 기성 어버트먼트를 사용할 경우 근심 마진이 너무 깊게 형성되어 제거가 쉽지 않을 것이다.

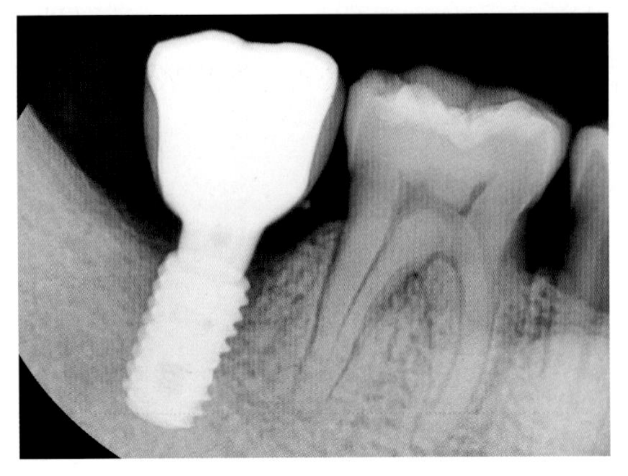

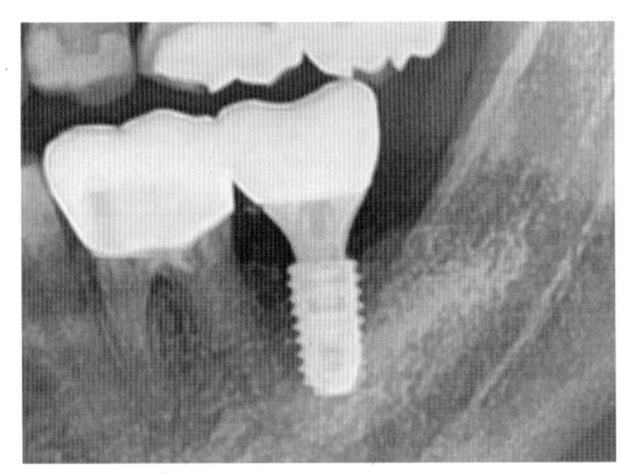

2.4 임플란트 크라운 세팅 직후 방사선 사진에서 접착제가 남아있음을 볼 수 있다. 그러나 협설면이나 어버트먼트면에 얇게 붙어 있는 경우는 식별하기 어렵다.

접착제 잔존 케이스 보기

시멘트가 얼마나 제거하기도 어렵지만 발견하기도 얼마나 어려운지를 보여주는 케이스가 있다. 필자가 5년 전인 2016년도에 치료한 케이스이다. 유명한 배우의 아버지로 메탈이 보기 싫다고 하셔서 PFM 포셀린 바이트로 제작해드렸다. 그러나 역시 건장한 남자들에게 최후방 대구치 포셀린 바이트를 했을 때 거의 깨지기 마련이다. 점점 더 깨져서 지르코니아로 바꾸기로 하고 제거하려는데 제거하고 나서 깜짝 놀랐다. 크라운을 제거한 임플란트 잇몸 주변으로 하얀 것이 보이는 것이다. 혹시 골이식재인가 하고 봤더니 접착제였다. 그래서 제거한 크라운을 보니 역시나 접착제가 선명하게 남아 있었다. 5년 이상 지난 접착제인데 색이 너무 선명해서 오래되어 보이지 않았다. 임플란트 주위 염증이 생기지 않은 것이 다행일 따름이었다.

크라운 세팅 후 5년 후에 접착제가 잔존하는 것으로 밝혀진 케이스의 제작 과정

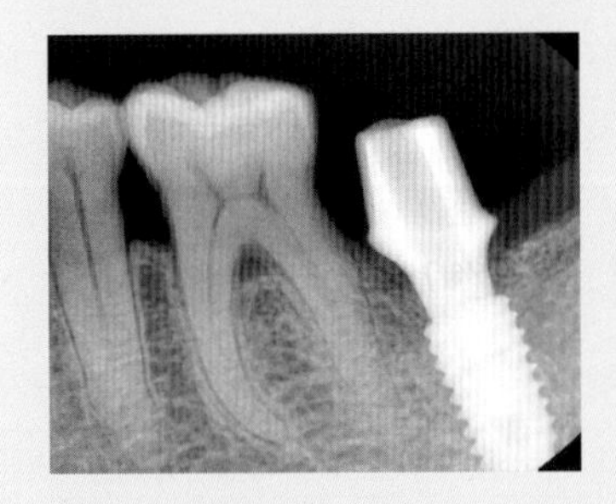

2.5 어버트먼트 세팅 후 표준 촬영

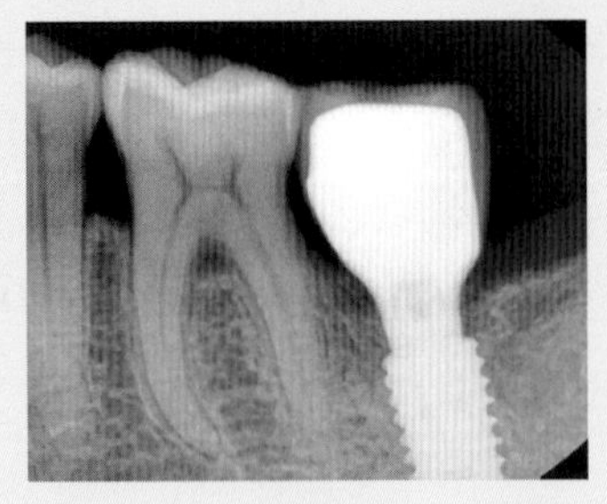

2.6 크라운 세팅 직후 표준 촬영

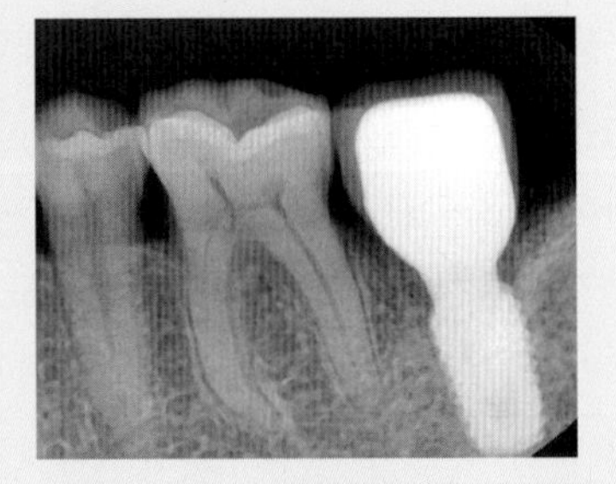

2.7 크라운 세팅 3년 후 표준 촬영

제작 과정 어느 곳에서도 접착제를 발견하지는 못하였다.

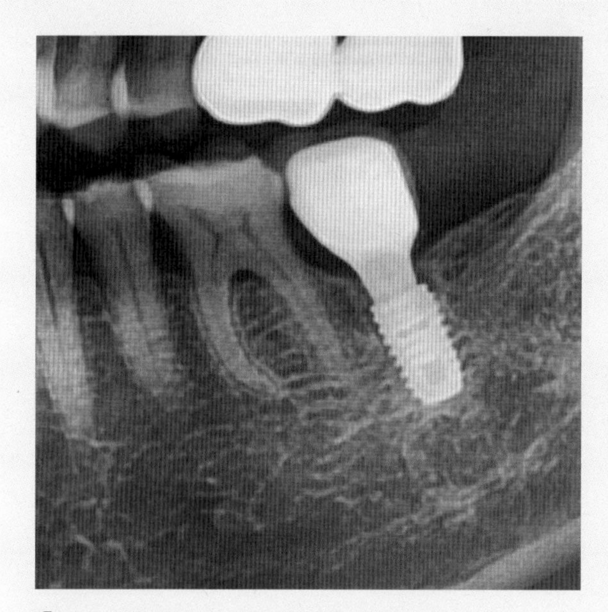

2.8 임플란트 크라운 제거 직전의 파노라마

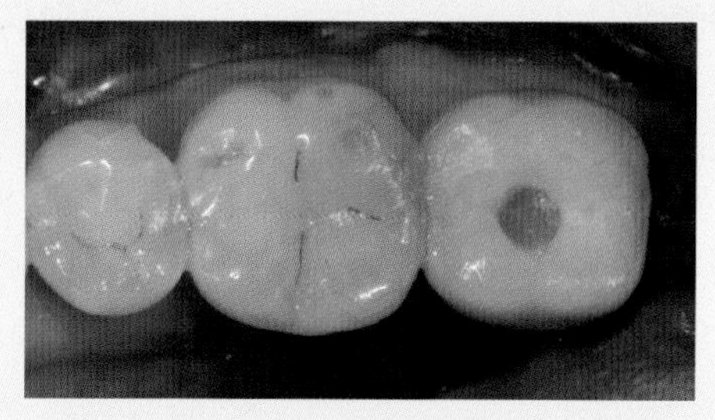

2.9 임플란트 크라운 제거 직전의 임상사진

▼

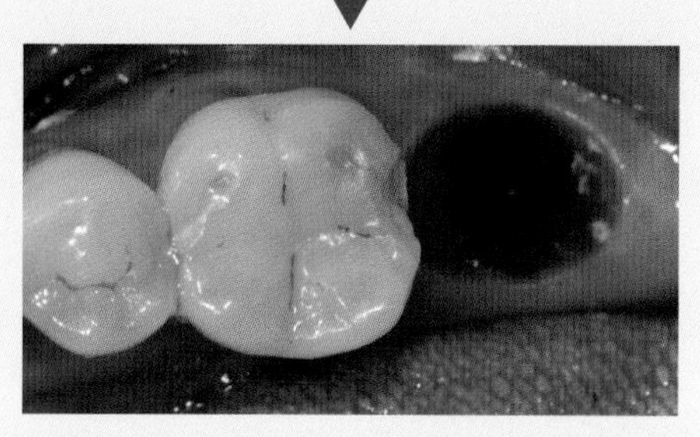

2.10 임플란트 크라운 제거 직후의 임상사진. 잇몸에 접착제가 남아있는 것을 볼 수 있다. 혹시나 본 파티클이 아닐까 하고 제거해봤지만 접착제였다.

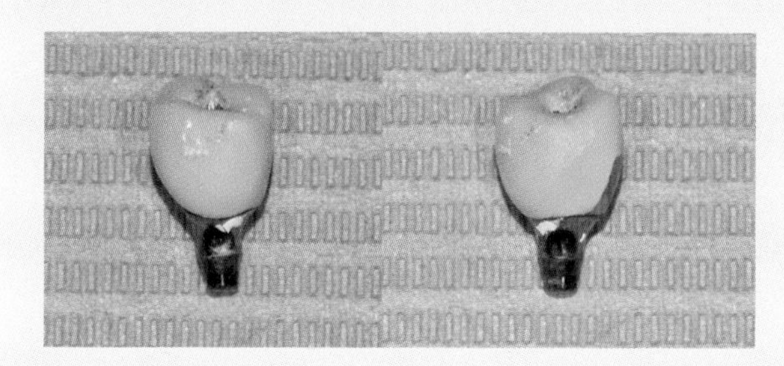

2.11 제거한 임플란트 크라운 어버트먼트에서 잔존하는 시멘트를 볼 수 있다.

이 케이스 말고도 오랜만에 제거한 임플란트 어버트먼트에서 접착제를 보는 경우는 매우 흔하다. 임플란트 주변에 염증이 없었던 경우는 의외로 변색 없이 멀쩡한 경우가 많다. 이전 표준촬영 영상에서도 접착제처럼 보이는 것은 없었다. 필자가 보철은 안 하지만 보철과에 노출량을 최대한 낮추고 최대한 수평으로 엑스레이를 자주 찍도록 강조하곤 한다.

이렇도록 주기적으로 검진하면서 파노라마 및 표준촬영을 하였으나 접착제가 잔존한다는 생각조차 하지 않았다. 방사선 사진에 나오지 않는 경우가 대부분이다.

이상적인 SCRP 크라운의 세팅 과정

아래는 필자가 일부러 사진을 촬영하기 위하여 직접 세팅한 환자이다. 환자는 현직 치과의사의 아버지로 임시치아 접착상태로 오래 계시다가 최종 접착을 위해서 내원하신 때 SCRP 크라운의 접착제 제거 방식을 위한 촬영에 응해주셨다.

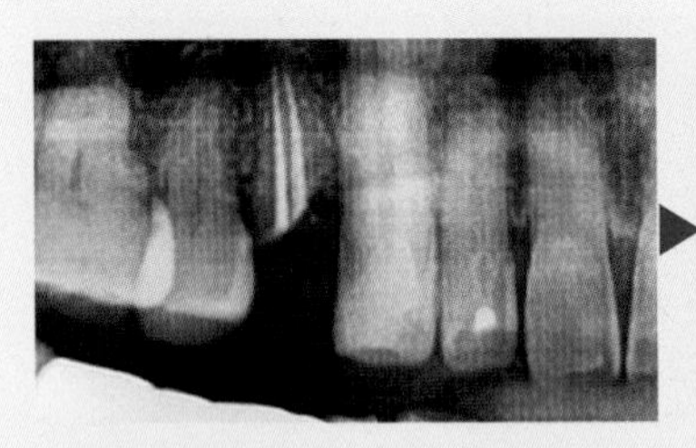

임플란트 치료 전 14번 파노라마

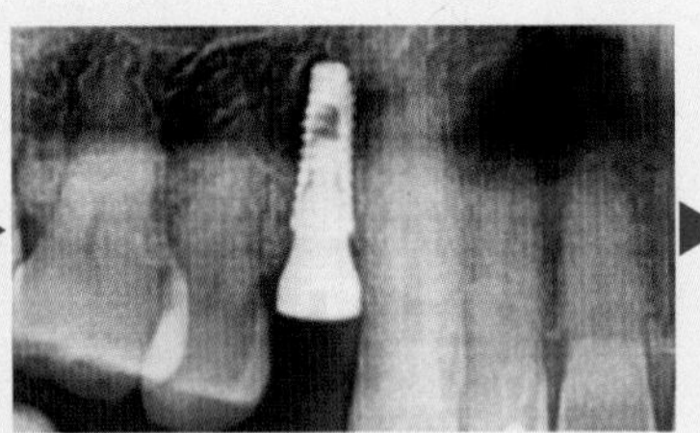

발치 후, 즉시 식립 후 파노라마

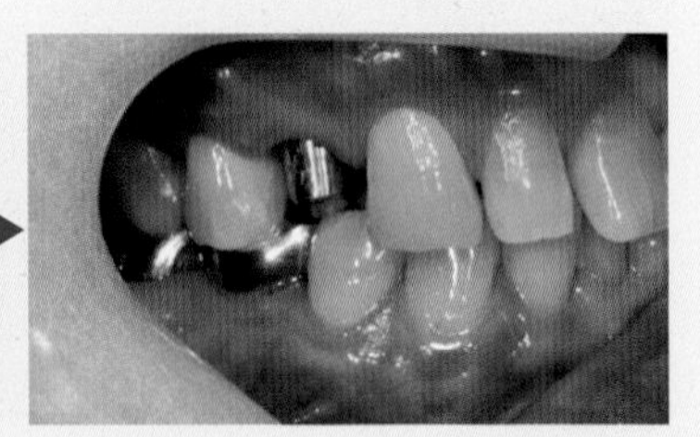

최종 접착하기 전 어버트먼트 장착 상태

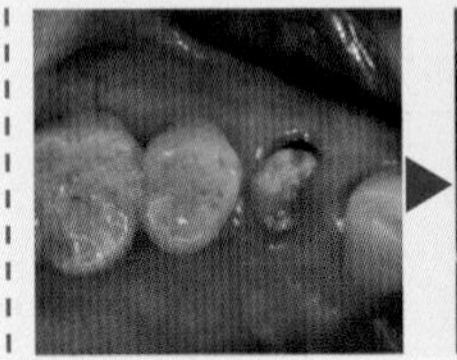
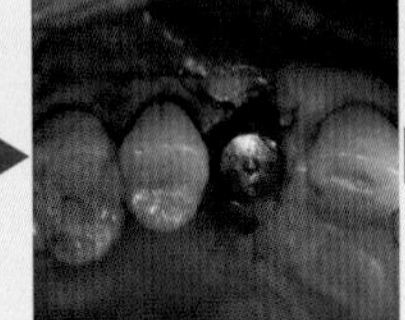
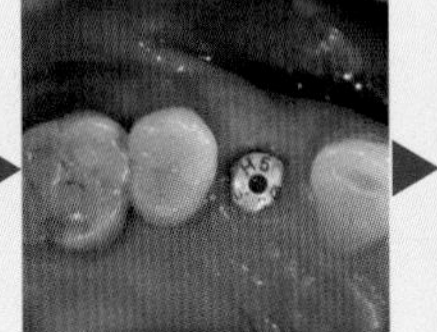
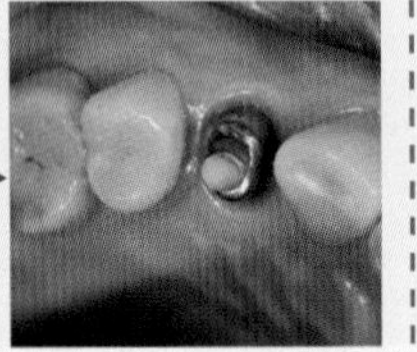

통상적인 임플란트 치료 과정

크라운 접착 후 표준촬영

크라운을 접착한 후 제거한 SCRP 크라운과 어버트먼트
접착제를 덜 제거하기도 했지만, 어버트먼트 레벨에서도 접착제가 붙어 있는 것을 볼 수 있다.

크라운을 접착한 후, 어버트먼트를 제거한 후의 잇몸
잇몸 속에도 접착제가 들어가 있는 것을 볼 수 있다.

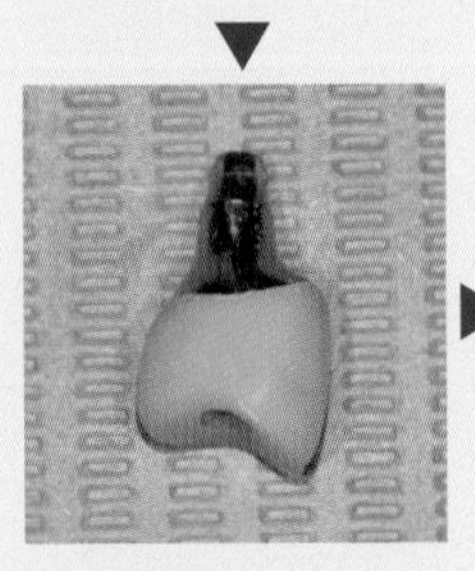

접착제를 다 제거한 후의 SCRP 어버트먼트와 크라운

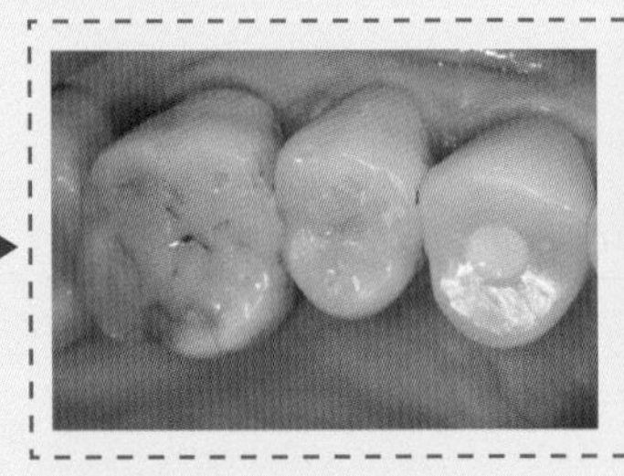
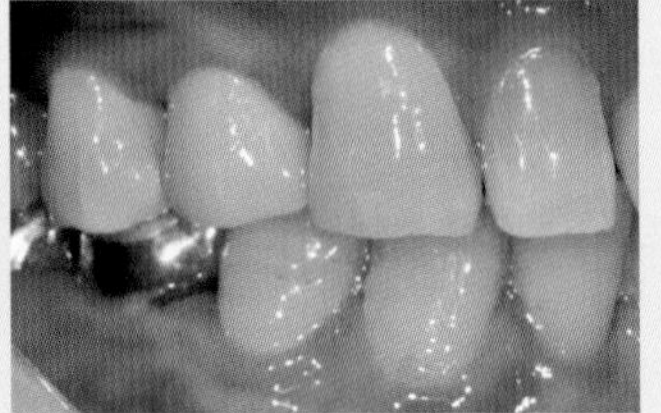
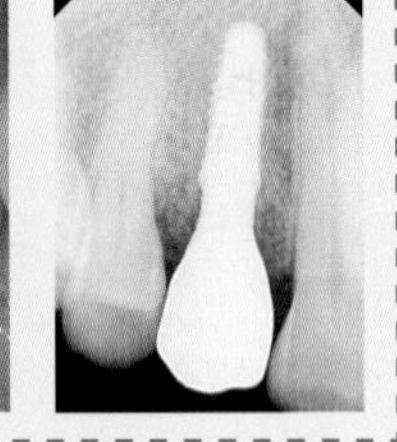

잇몸 속 접착제를 모두 제거한 후에 다시 스크류를 이용하여 부착한 모습
스크류 홀은 Ketac molar를 이용하여 충전하였다.

2.12

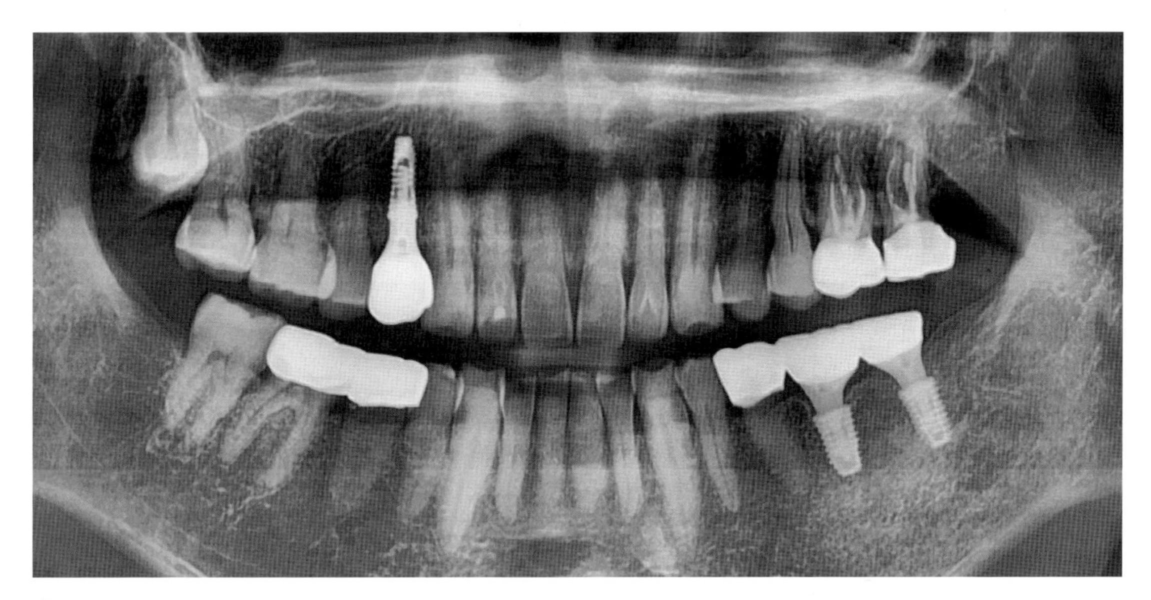

2.13 크라운 세팅 18개월 후

크라운을 임시접착한 상태에서 제거한 후에 최종 접착하였다. 이후 스크류를 풀어서 어버트먼트와 크라운을 제거하고, 접착된 크라운과 어버트먼트와 잇몸을 사진 촬영하였다. 어버트먼트 측면과 잇몸 모두에 접착제가 남아 있음을 볼 수 있다.

이후 잇몸과 어버트먼트와 크라운의 접착제를 제거하고 폴리싱한 뒤에 스크류를 이용하여 다시 임플란트에 부착하고 사진 촬영하였다. 식립 이후로 2년이 경과한 지금도 잘 유지되고 있다. 원칙적으로 SCRP는 이렇게 부착하도록 설계되었으나 임플란트 수가가 하락함에 따라 절차가 복잡하게 느껴져서인지 일반 시멘트 타입처럼 세팅이 되어버린다.

출판 직전 어느날 미국과 호주에서 동시에 날아온 카톡

필자는 전 세계에서 필자 강의의 수강생들이나 누군지도 모르는 외국 치과의사들에게 많은 메일과 메시지 등을 받는다. 어떤 날은 이런 연락에 답변하느라 하루 일과 중 남는 시간을 모두 보내기도 한다. 귀찮기도 하지만 필자는 팬 레터라고 생각하고 기쁜 마음으로 대부분 답변을 하고 있다. 그런데 필자가 이 책을 마지막으로 검토하는 날에 미국과 호주에서 필자 강의를 수강하셨던 분들에게서 비슷한 내용의 카톡이 동시에 와서 여기에 올려 본다.

의외로 이런 질문이 너무 자주 오기 때문이다. 주로 Ti–base 지르코니아 어버트먼트를 스크류 타입으로 제작하여 장착한 뒤에 생기는 문제들이다. 이미 이 책을 읽은 분들이라면 답변을 알 것이다. 우선 Ti–base 지르코니아 어버트먼트의 특징이라고 하면 연결 부위가 파절을 방지하기 위해서 어버트먼트가 시작 부위부터 매우 두껍다는 것이다. 필자도 전치부에 어쩔 수 없는 경우에 종종 사용하지만, 구치부에는 거의 사용하지 않는다. 가격이 비싸서이기도 하지만, 가늘고 쭉 뻗은 어버트먼트를 좋아하는 필자 입장에서는 파절될 수도 있기 때문이다. 그래서 필자는 굳이 사용해야 한다면 전치부에만 SCRP나 시멘트 타입으로 사용하기를 권한다.

필자에게 질문해온 케이스들을 보면 모두 픽스처 상부 1 mm 위에서부터 뚱뚱해진 것을 볼 수 있다. 힐링 어버트먼트를 어떤 것을 사용했는지는 몰라도 이렇게 두꺼운 파이널 어버트먼트와 크라운을 패시브하게 픽스처에 적합시키기는 쉽지 않다. 더구나 그것이 스크류 타입이라면 더욱더 힘들어진다. 훨씬 많은 비용과 시간, 에너지를 투자하고도 이렇게 좋은 결과를 얻지 못할 수 있다. 굳이 지르코니아 크라운을 제작하고 싶다면 어버트먼트는 일반 커스터마이즈 타이타늄 어버트먼트를 가늘고 쭉 뻗는 형태로 만들어서 만들어서 패시브하게 장착하고 그 위에 크라운을 접착하는 SCRP 형태를 추천하고 싶다. 바로 이 챕터를 쓴 이유이다.

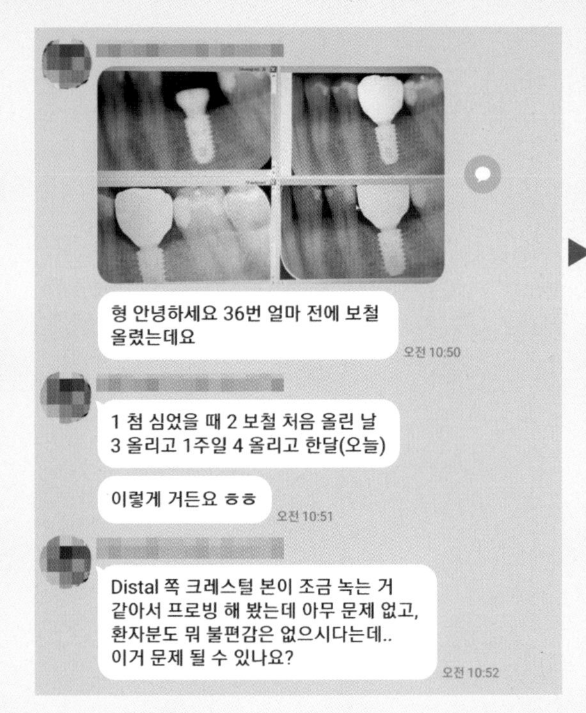

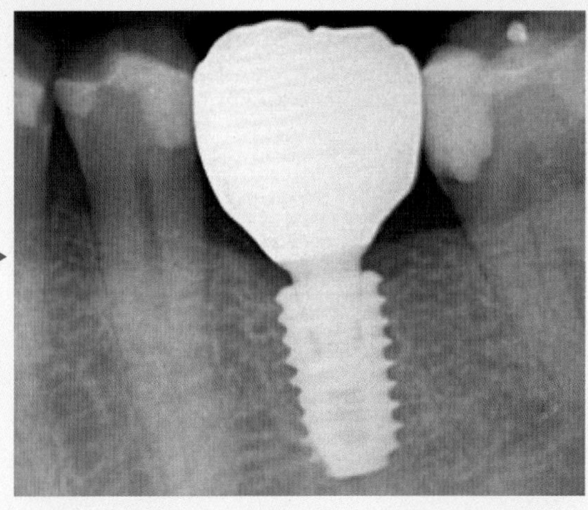

세팅 직후 사진이라고 하는데, 이미 어버트먼트와 픽스처 사이의 갭이 보인다.

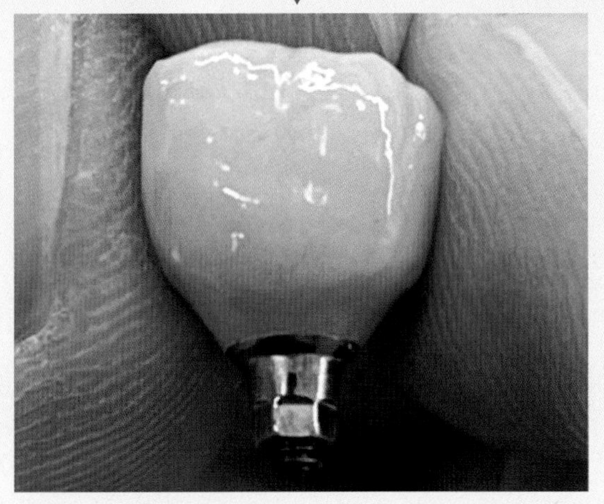

결국 제거된 크라운 사진을 보내왔다.

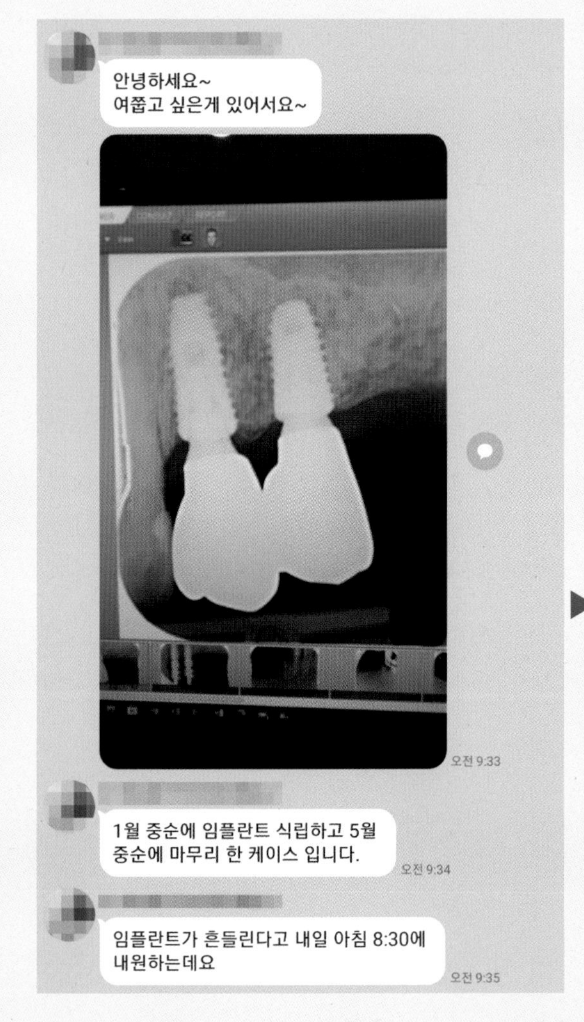

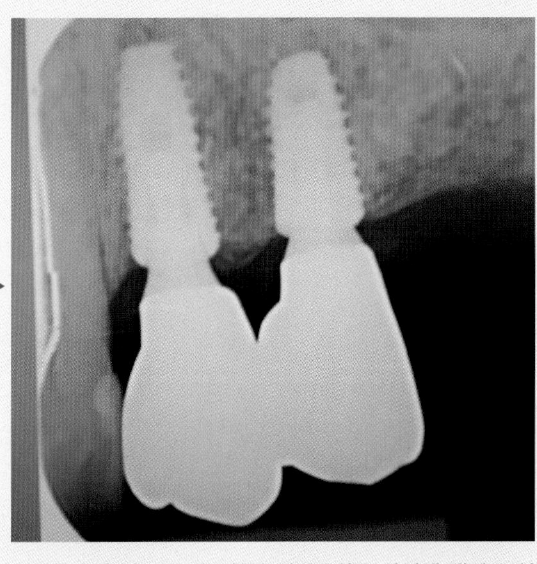

이것도 마찬가지로 픽스처와 어버트먼트 사이에 갭이 보인다. 세팅 당일에는 어느 정도 제대로 세팅된 듯해도, 일정한 시간이 지나서 눌린 조직히 흡수되고 나면 그때부터 흔들리고 문제를 야기하게 된다.

2.14 결국 그래서 필자는 구치부에는 쭉 뻗어서 올라가는 가는 어버트먼트와 SCRP 크라운을 추천한다.

김영삼원장의

노트
정리

EASY SIMPLE SAFE EFFICIENT

MASTERING DENTAL IMPLANTS

임플란트 달인되기

꼭 알아야 할 임플란트의 필수 성공요소

The Essential Elements for Success in Dental Implants

PART 8

임플란트의 실패

임플란트의 실패는 성공의 어머니가 아니다

CHAPTER 8-1 임플란트 주위염

Mastering dental implants

Peri-implantitis

지금까지 이 책에서 강조한 것은 임플란트의 올바른 위치와 높이 그리고 어버트먼트가 패시브 핏하게 연결되어 마이크로 갭과 무브먼트가 없어야 한다는 것이었다. 실제 인터넷에 peri-implantitis의 치료를 검색해보면 대부분 이것들을 지키지 않아 **잘못 심어져있거나 잘못 만들어진 어버트먼트 크라운의 케이스인 것**을 볼 수 있을 것이다. 임플란트 주위염에 대한 대가들의 강의를 들어봐도 '저런 걸 왜 치료하지? 저건 애초에 임플란트 자체가 잘못 심어진 거야' 또는 '어버트먼트와 크라운 자체가 잘못 만들어진 거야'라는 생각이 들 때가 많다.

앞서 언급했듯이 peri-implantitis에서 가장 중요한 것은 바로 "예방"이다. 뻔히 예상되게 심지 않는 것이다. 어쨌든 임플란트 주위염의 치료를 검색해보면 대부분이 플랩을 열고 노출된 임플란트 면을 최대한 깨끗이 하는 것을 그 첫 번째로 하고 있다. 다시 그곳에 골이식을 하여 골을 형성시키려는 경우는 레이저나 기타 도구들을 이용하여 오염된 표면을 깨끗이 하려는 노력을 한다. 그러고 난 후에 그곳에 골을 이식한다.

필자는 개인적으로 임플란트의 표면처리는 매우 고도의 기술이라고 생각하기 때문에 한번 오염된 **임플란트 표면이 임상적으로 치과의사에 의해서 다시 골유착될 만큼 잘 재현되거나 재형성될 수 있다고 생각하지 않는다.** 그래서 필자는 골소실이 되었고 그 부분이 이미 오염되어 버렸다면 과감하게 포기하는 편이 좋다고 생각한다. 골소실이 심하지 않고 명백하게 어버트먼트와 크라운의 제작이 잘못된 경우라면 그것들을 재제작하는 것이 그 첫 번째 순서이다.

그래도 각종 회사에서 노출된 임플란트 표면을 부드럽게 하는 기구들을 많이 상품화하였다. 가장 대표적인 것은 치과계의 에디슨 네오바이오텍의 허영구 사장님께서 개발한 기구들이다.

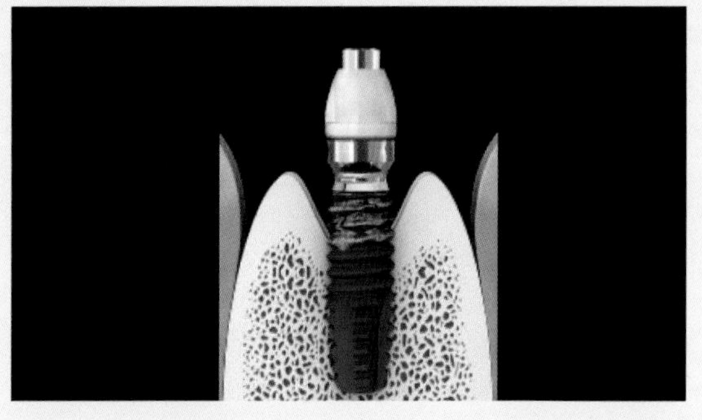
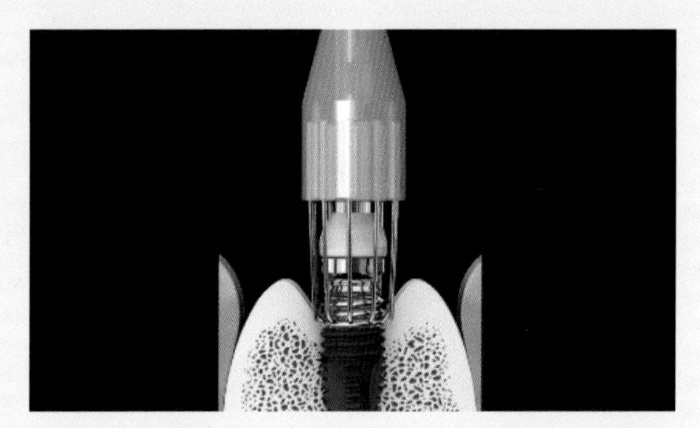

1.1 오염 전 임플란트 표면의 세척(출처: 네오바이오텍)

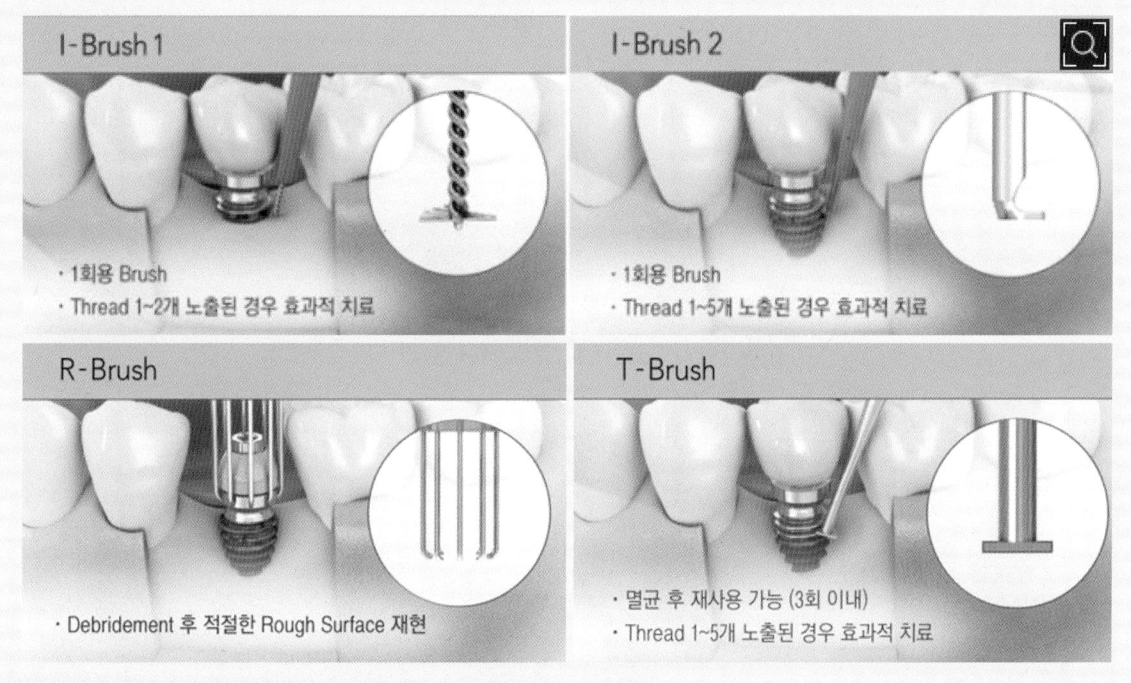

1.2 네오바이오텍의 또 다른 임플란트 세척 기구(출처: 네오바이오텍)

앞서 **2-1장 임플란트의 재료와 표면처리**에서 언급했듯이 잇몸은 거친 표면에는 붙지 않는다. 어차피 오염된 표면이라 뼈가 안 붙는다면 잇몸이라도 잘 붙어야 하기 때문에 플랩을 열고 polishing을 한 후 다시 잇몸을 봉합하여 이미 노출된 임플란트 표면에 잇몸이라도 잘 붙어있기를 바라는 것이다. 그러나 필자는 그런 케이스들을 보면 그저 측은지심 밖에 안 든다. 솔직하게 이런 치료를 하시는 분들도 환자에게 임플란트를 빼자고 했을 때 거부해서 억지로 하는 경우가 대부분일 것이다. 강의에서 보거나 인터넷에 있는 케이스들을 봐도 필자는 그것들이 성공한 케이스라고 절대 인정해야 하나? 하는 의문이 드는 경우가 많다. 물론 설득이 가장 큰 관건이다. 필자라면 peri-implantitis를 치료하는 시간에 어떻게든 환자를 더 설득해서 제거를 하자는 쪽으로 유도하고 싶다.

그럼 필자는 어떻게 하느냐. 필자는 임상적인 증상이 없다면 그대로 두기도 하고 지속적으로 지켜본다. 다만 임플란트 총 길이의 반 정도까지 내려간 경우라면 증상이 없어도 제거하고 다시 심는다.

필자가 생각하는 가장 손쉽고 확실한 peri-implantitis의 치료는 제거 후에 다시 심는 것이다. 그래서 너무 긴 임플란트를 심지 않는 것도 중요한 요소가 된다. 짧아서 peri-implantitis가 생기는 것은 절대 아니기 때문에 여러모로 유리하다.

네오바이오텍의 제품과 그에 관련된 유튜브 영상을 참고하면 좋을 듯하다. 네오바이오텍의 기구가 점점 발전하는 것도 볼 수 있어서 좋다.

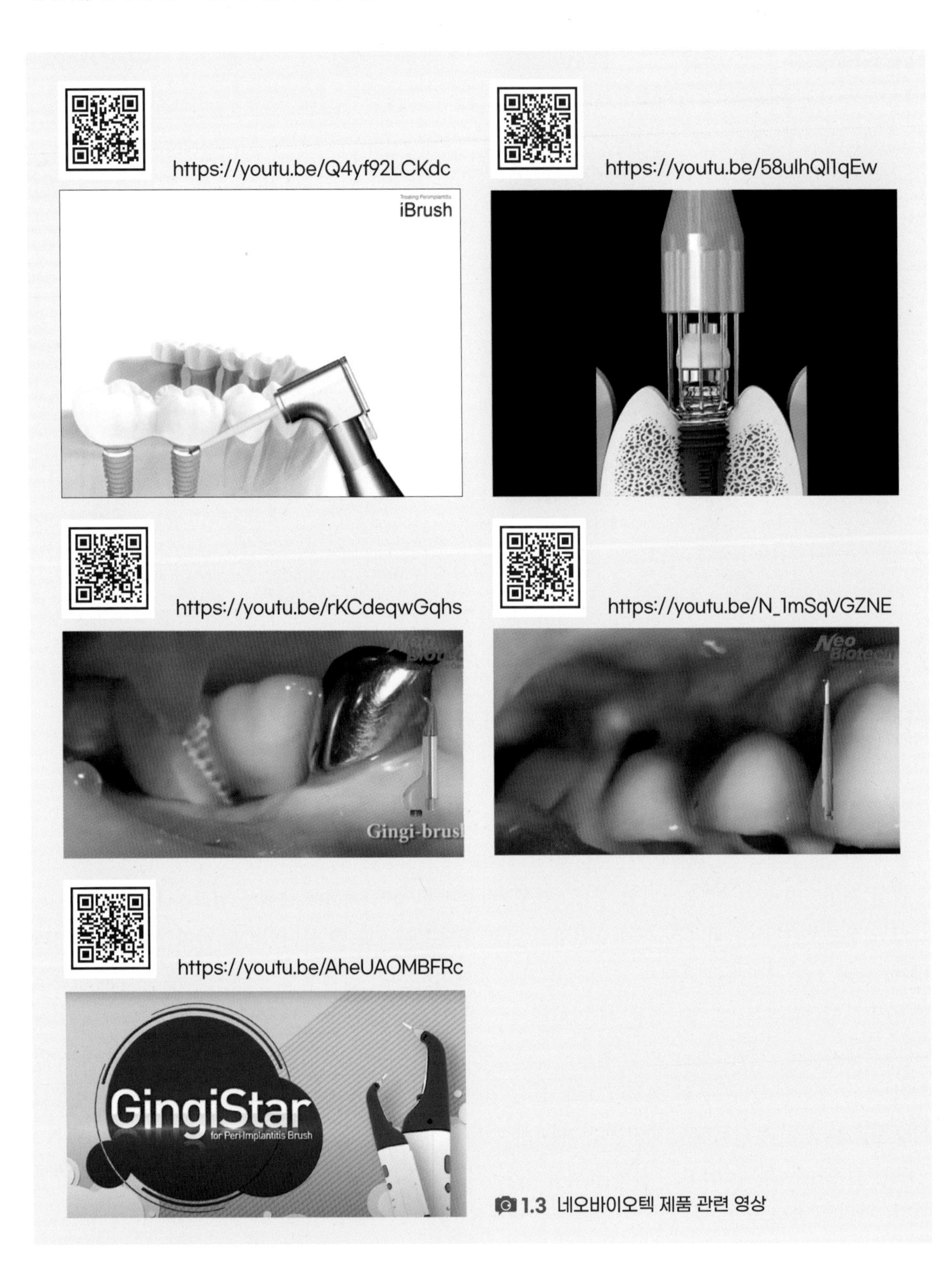

1.3 네오바이오텍 제품 관련 영상

CASE 1

첫 번째로 거친 표면의 대명사이자 이 책의 마스코트인 엔도포어 임플란트의 peri-implantitis 케이스이다.

환자는 2003년 8월 19일 당시 30대 후반의 남성으로 지인의 소개로 온 화가였다. 26번 치아의 통증과 48번 사랑니 발치를 주소로 내원하였다. 1.4는 초진 시 촬영한 방사선 사진으로 10여 년 전 엔도포어 임플란트 세미나에서 성공 케이스를 발표하고자 스캔해뒀던 것이 우연히 남아있었다.

2003년 당시에 치아는 크라우딩도 심하고 교합관계도 좋지 않았고 치주 관리가 전혀 되지 않아 조만간 치아가 다 빠질 수도 있는 상태였다. 환자에게 열심히 관리하자고 약속한 후 치료를 시작하였다. 가끔 필자가 잇솔질의 중요성을 이야기하면서 이 환자를 언급하는데, 화가라 그런지 손이 워낙 좋아서 칫솔질을 알려 드린 대로 그대로 잘 따라했다. 그래서 18년째 더 이상 나빠지지 않은 상태로 유지되고 있는 듯하다.

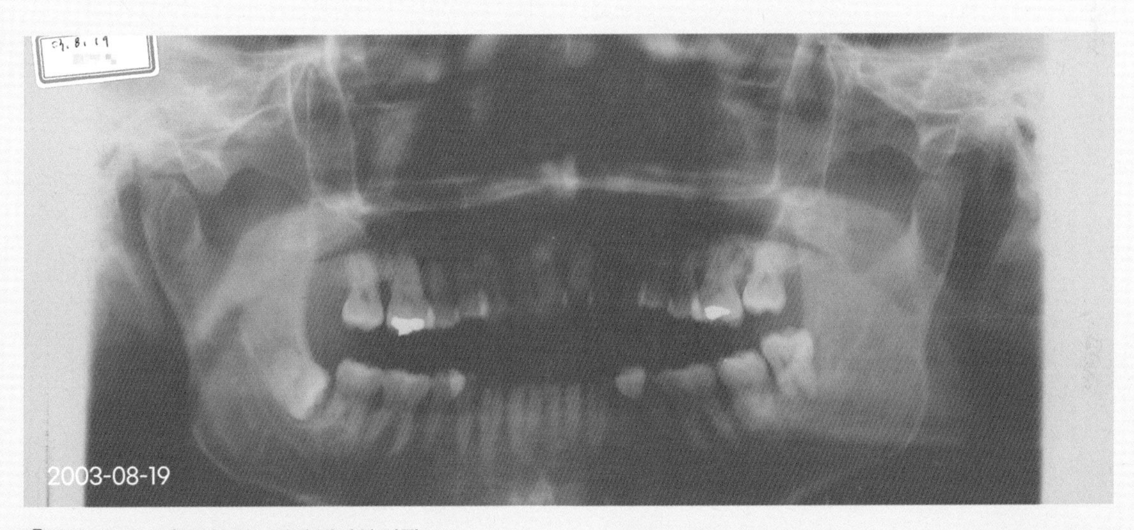

1.4 초진 시 촬영한 파노라마 방사선 사진

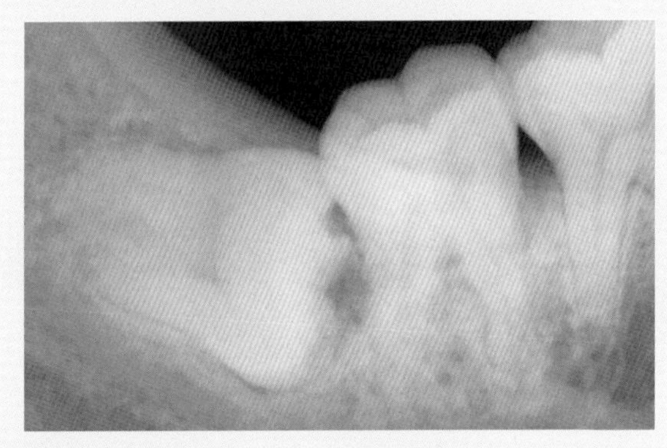

1.5 2003년 당시 48번 표준촬영 영상
역시 디지털이 좋다. 지금까지 화질이 유지된다.

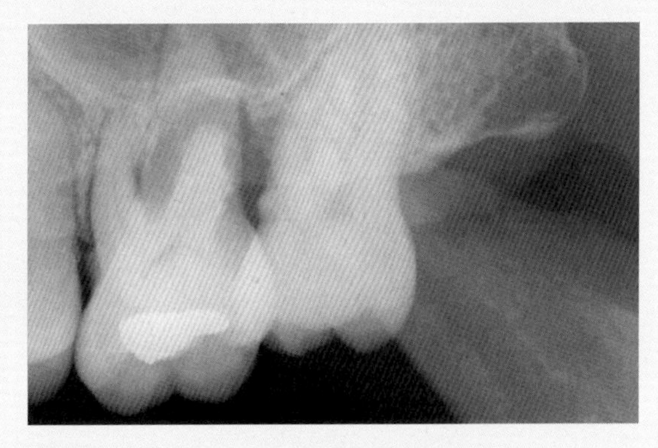

1.6 발치 후 임플란트 하기로 한 26번 치아

2003년 당시 엔도포어 임플란트 식립 및 보철 진행 과정

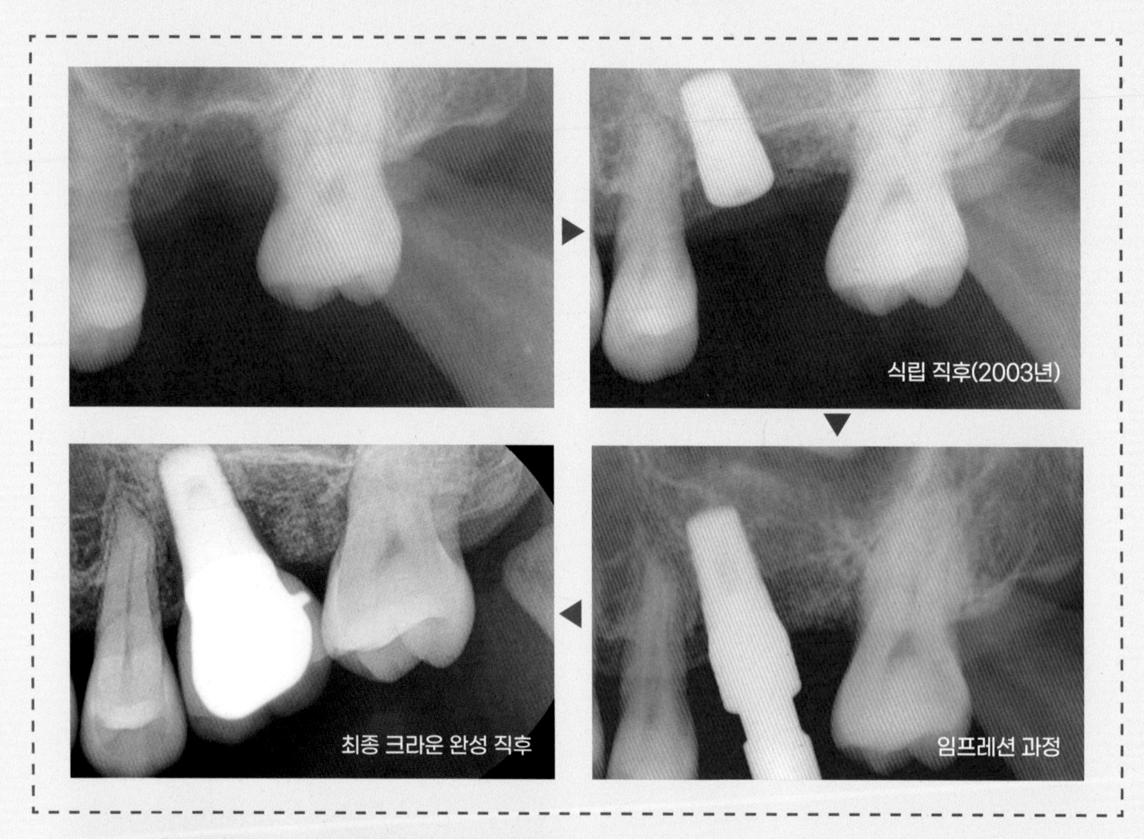

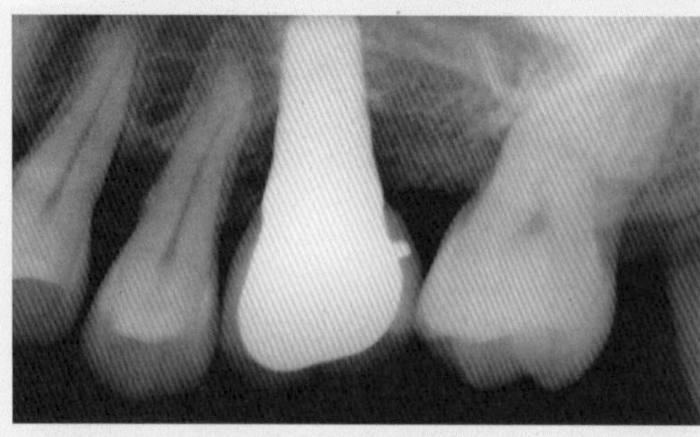

2012-10-20
이후로 다른 치아의 치료를 진행하였으나 26번 영상은 없다. 27번 근심 부분 치조골 상태가 회복된 것은 지금 생각해도 놀랍다.

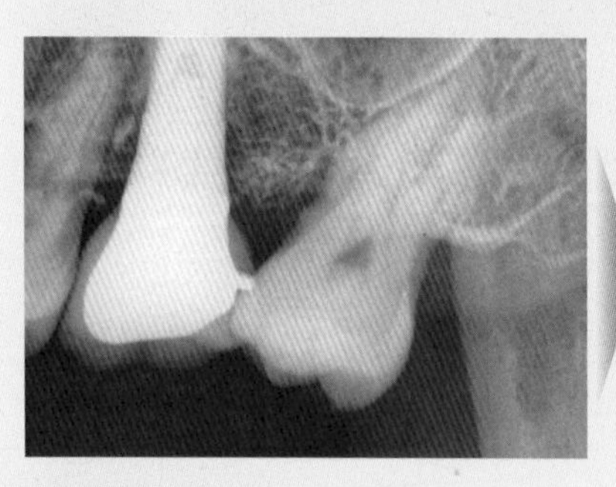

2017-03-09
임플란트 주변 잇몸이 아프다고 내원해 방사선 촬영을 해본 결과 peri-implantitis로 진단하였으나 동요도는 없어서 통상적인 치주치료 후 경과를 보기로 했다.

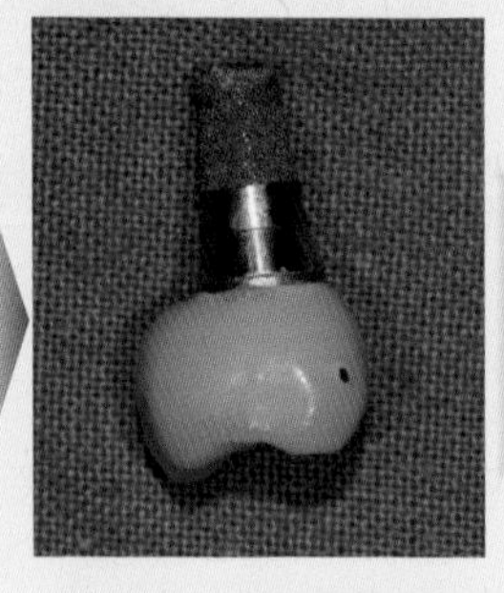

23일 뒤에 환자가 임플란트를 손으로 들고 왔다.

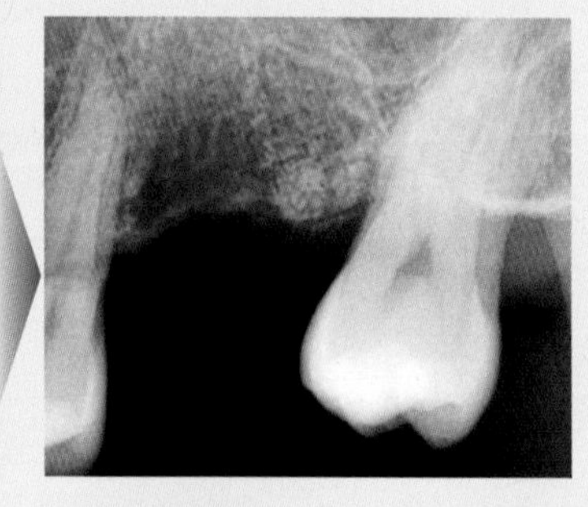

2017-06-05
표준촬영 영상으로 한 달 뒤에 임플란트를 식립하기로 날짜를 약속 잡았다.

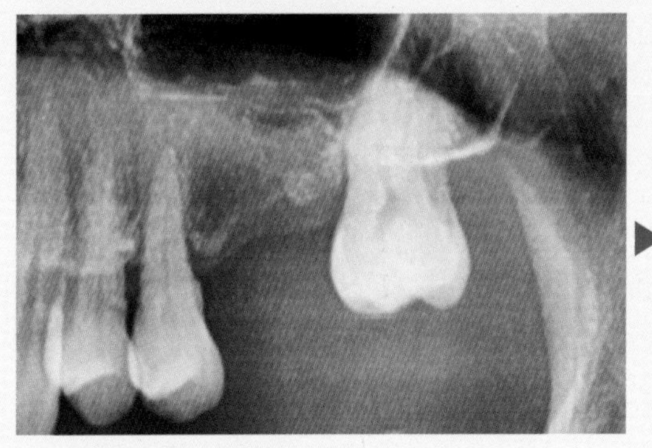

2017년 7월 3일
식립 당일 직전 파노라마

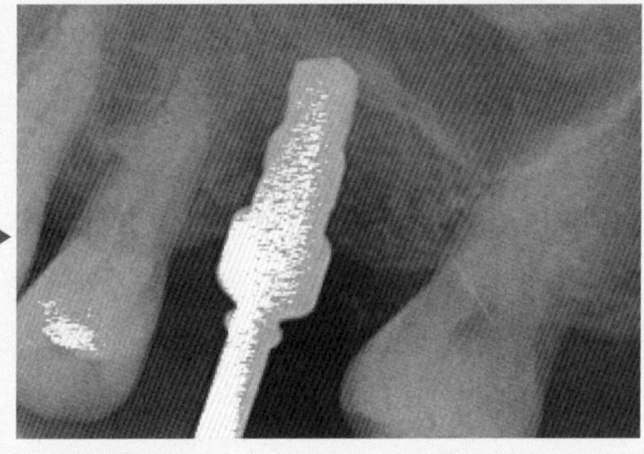

저절로 빠지고 3개월이 지났지만, 임플란트가 빠진 자리에 골형성이 거의 되지 않아 그 자리에 단 한 번의 드릴링으로 식립하였다.

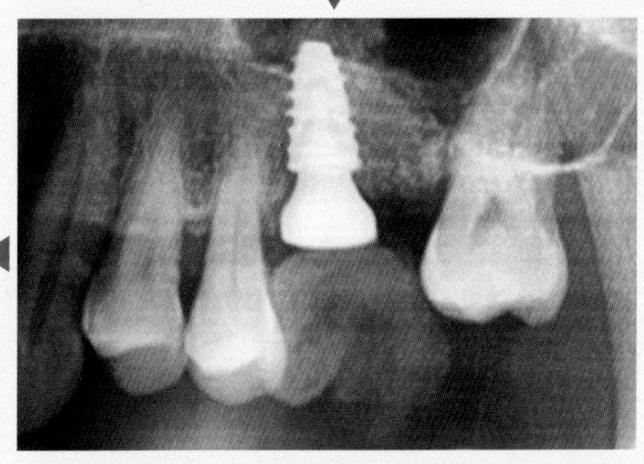

식립 직후 파노라마 영상. 골질이 너무 좋지 않아서 한 사이즈 언더드릴링 후에 나사산이 큰 오스템 TS4 5.0에 8.5 mm 임플란트를 식립하였다.

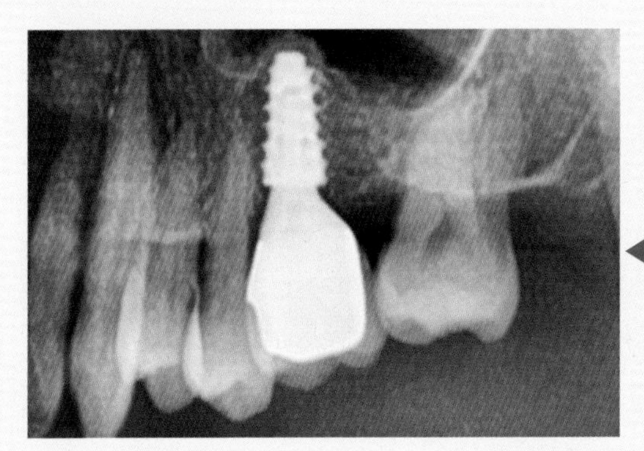

식립 5개월 후 크라운 세팅 직후

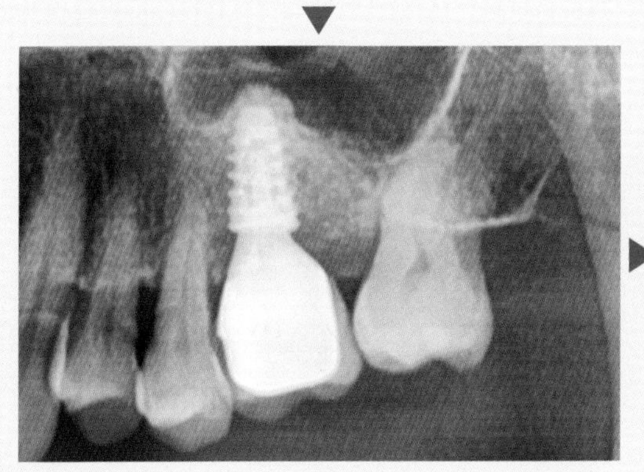

크라운 세팅 식립 20개월 후

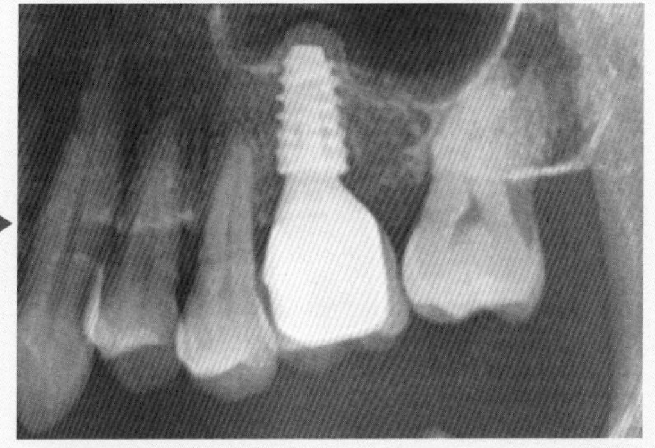

크라운 세팅 34개월 후

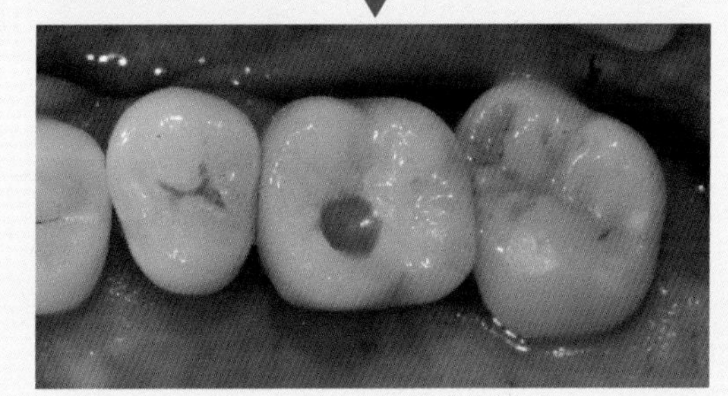

크라운 세팅 34개월 후 임상사진

1.7 **엔도포어 임플란트 식립 및 보철 과정**

엔도포어 임플란트에 생긴 peri-implantitis는 거친 표면 때문에 너무 빨리 진행된다. 그러나 표면에 박힌 알갱이들 사이를 세척할 수가 없기 때문에 지켜볼 수밖에 없다. 이 경우도 마찬가지로 엄청나게 빠른 속도로 진행되어 한 달도 되지 않아서 임플란트가 저절로 빠져서 왔다.

다만 이렇게 저절로 빠질 정도면 임플란트 주변으로 염증이 심하게 진행되었다는 뜻이기 때문에 빠진 부위 골 회복이 느릴 수밖에 없다. 3개월 뒤에 식립하였지만, 임플란트 패스를 심하게 바로 잡지는 못하였다. 더구나 치아가 전반적으로 크라우딩도 심하고 대합치가 링구알로 틸팅되어 있어 최대한 타협하는 중간 위치에 식립하였다. 환자는 현재도 6개월에 한 번씩 정기적으로 내원하고 있다. 임플란트 패스에 여전히 아쉬움이 있지만, 2003년보다는 실력이 좀 더 늘었다는 데 만족해야 할듯하다.

CASE 2

2009 당시 32세 여성 환자로 필자의 병원에서 수술을 매우 잘하는 선생님이 식립한 임플란트 케이스이다(1.8). 이 임플란트는 형태가 좀 특이하기도 하지만, 도입한 지 얼마 되지 않아 익숙하지 않던 시기이다. 해당 선생님은 이 임플란트 식립 후에 퇴사하였고, 나머지 부위 임플란트와 향후 치료는 필자가 맡아서 진행하게 되었다.

식립 당일 파노라마를 보면 특히 37번은 apex에 오버드릴링 되어 "빼박이"가 된 것을 볼 수 있다. 매우 단단한 D1 코티칼 본에 이렇게 코로날 부분이 두꺼운 임플란트를 식립해 본 적이 별로 없는 치과의사들은 이런 실수들을 많이 저지른다. 지금 생각해 보면 여기서는 필자가 말하는 앵킬로스 권법을 사용했어야 한다고 생각한다. 코로날은 거의 한 사이즈 큰 드릴로 완전 임플란트 풀 사이즈 드릴링하고 apex에서만 고정을 얻었다면 얼마나 좋았을까 생각해 본다. 아마 코티칼 본에도 엄청난 스트레스가 가해졌을 것이라고 본다. 거기다 어버트먼트와 크라운도 잘못 만들어서 짧은 어버트먼트에 꽉 누른 크라운 형태이다. 정확한 골소실의 원인을 무엇이라 단정 지을 수는 없지만, 전혀 이상하다고 보기는 어렵다고 생각한다.

치조골은 지속적으로 흡수되어 결국 식립 4년 만에 제거하였다. 그리고 통상적인 방법으로 재식립하고 크라운을 완성한 케이스이다. 현재 보철물 세팅 후에도 5년 넘게 아무 문제 없이 잘 사용하고 있다. 그때보다 임플란트 깊이가 좀 깊어지긴 했지만, 임플란트 길이가 짧아진 대신 어버트먼트 길이가 증가한 것을 볼 수 있다. 진지바 두께를 충분히 확보했다고 볼 수 있다. 가장 최근 파노라마 방사선 사진을 보면 같은 시기에 심은 46번 임플란트를 포함하여 전반적으로 잘 유지되고 있음을 볼 수 있다.

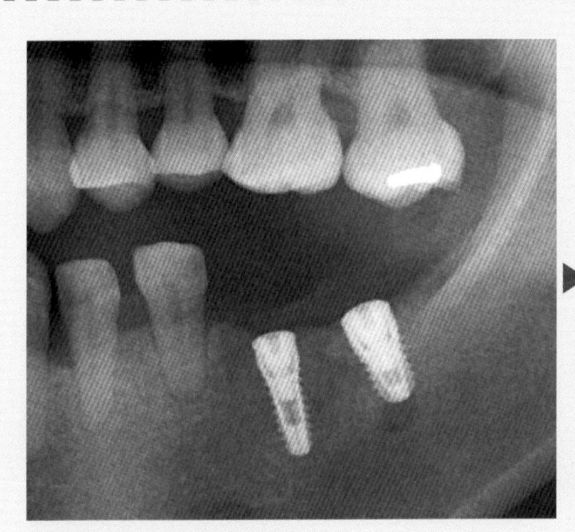

임플란리 식립 직후 파노라마
(임플란트 제조원: 디오임플란트)

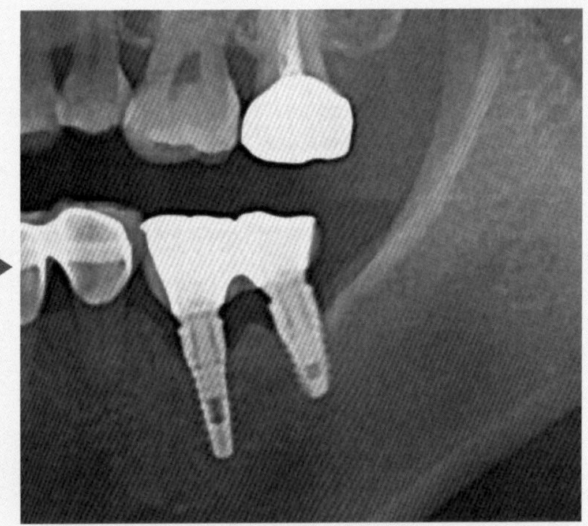

크라운 세팅 3년 후 파노라마

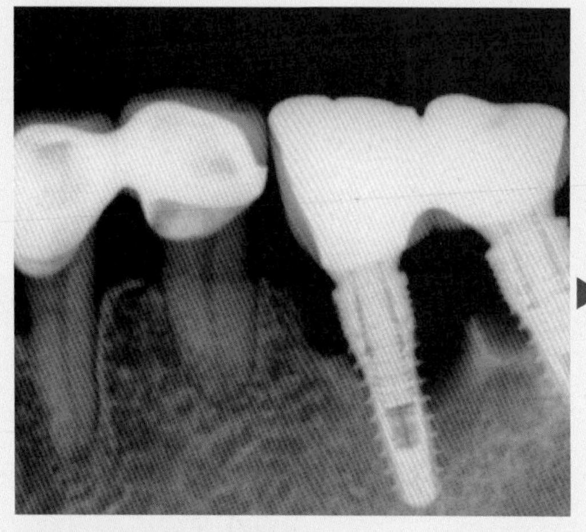

크라운 세팅 4년 후 표준촬영
골소실이 좀 더 진행되어 픽스처를 제거하기로 결정하였다.

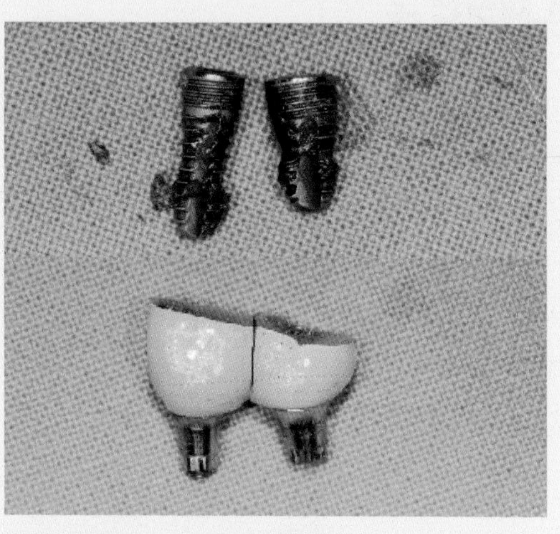

제거한 임플란트 픽스처와 크라운

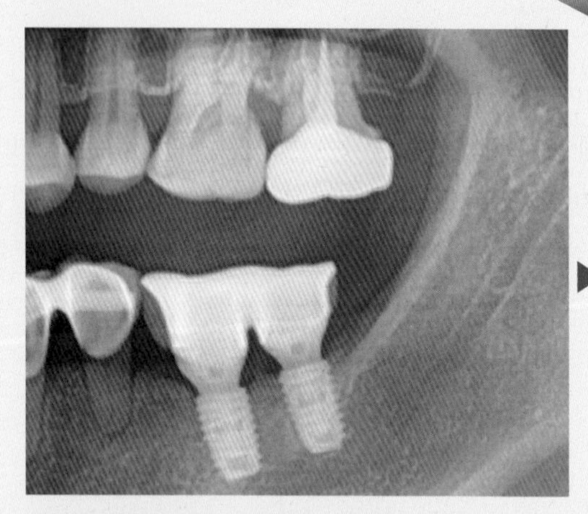

37번 임플란트 재치료 직후 파노라마
36은 2년 전에 먼저 싱글로 치료를 완성하였다.

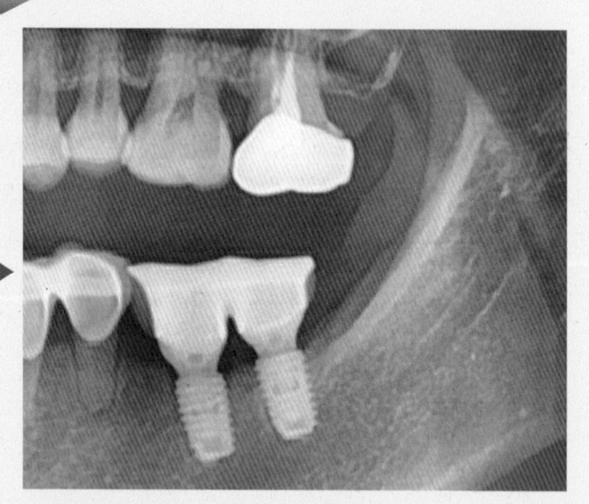

임플란트 재치료 3년 후 파노라마
(임플란트 제조원: 오스템)

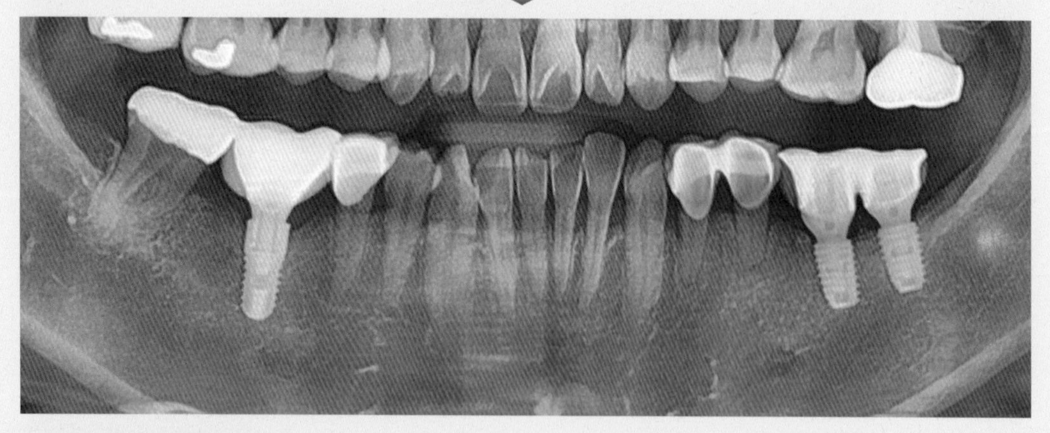

2021년 4월 재치료 5년 후
36, 37번 - 처음 식립 후 12년 후, 46번 - 2010년 식립(제조원: 디오임플란트)

1.8

CASE 3

원래 치주가 매우 좋지 않은 환자의 케이스를 보자. 당시 40대 초반 남성 환자로 필자가 10여 년 전에 오스템 GS3로 식립한 케이스이다(📷 1.9). 원래 전반적으로 치주가 매우 좋지 않았고, 환자 스스로도 이를 큰 스트레스로 생각하고 있었다. 지금 보면 임플란트의 위치와 방향이 좋지 못하고 특히나 어버트먼트가 굵고 짧은 가장 나쁜 형태로 제작되어 있다. 기능하고 5년 반 후에 앞 치아와 함께 염증이 심해서 모두 발치하고 기다렸다가 임플란트를 식립하였다. 임플란트 크라운을 세팅하고 벌써 4년째 잘 지내고 있다. 다른 치아도 치주가 좋지 않아서 꾸준히 관리가 필요하다고 해도 말을 잘 듣지 않는 환자이다.

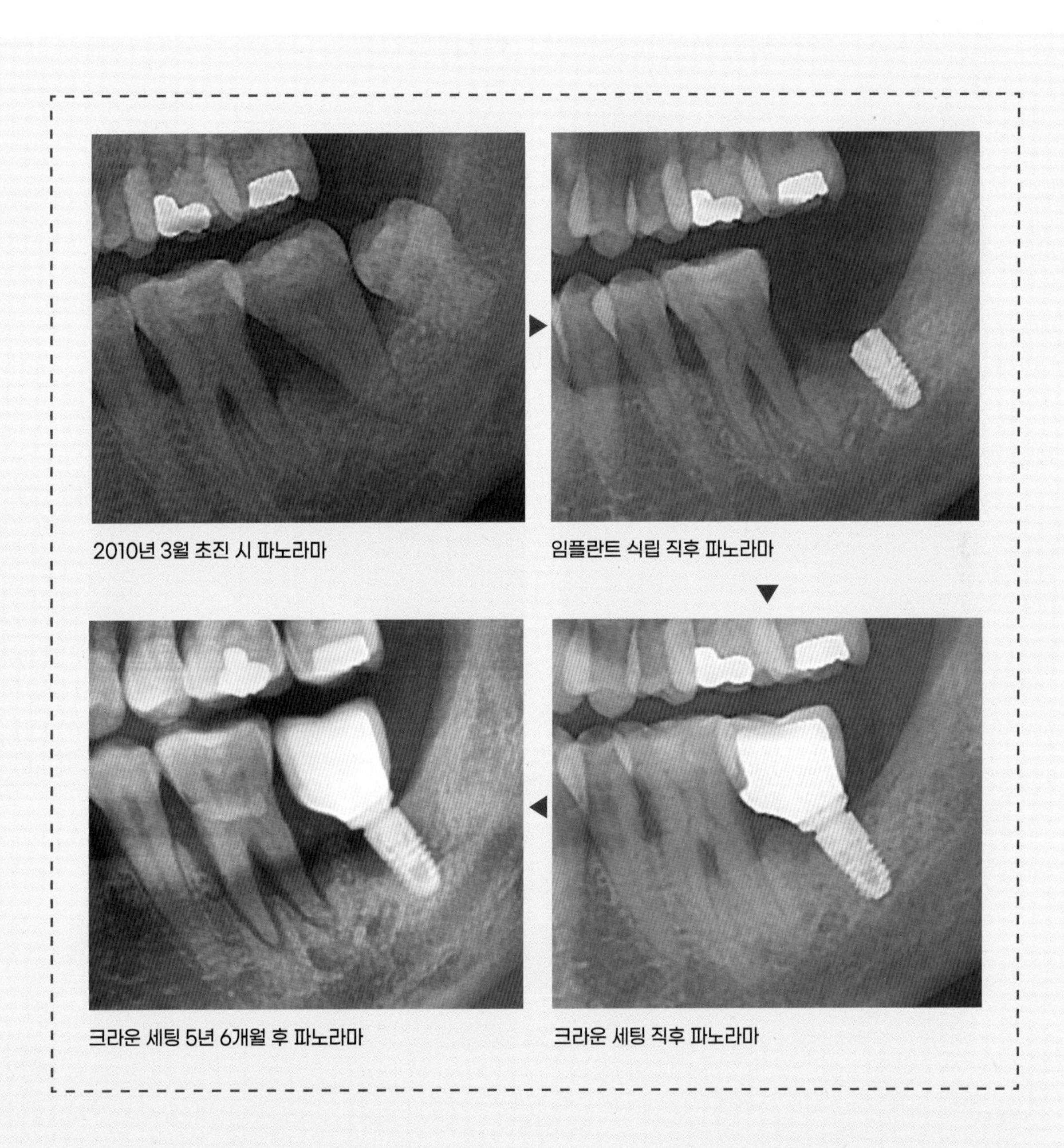

2010년 3월 초진 시 파노라마

임플란트 식립 직후 파노라마

크라운 세팅 직후 파노라마

크라운 세팅 5년 6개월 후 파노라마

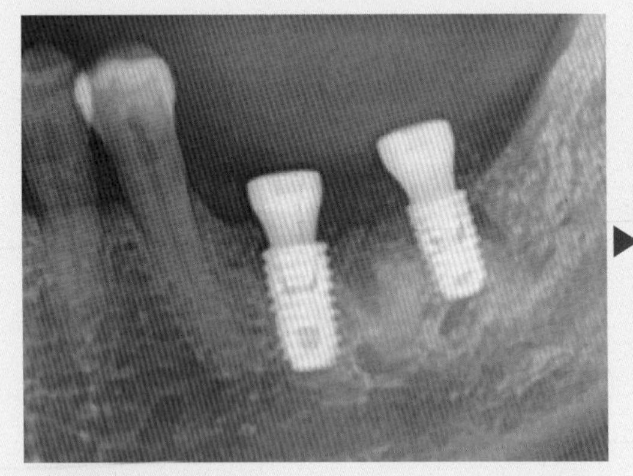

재식립 직후

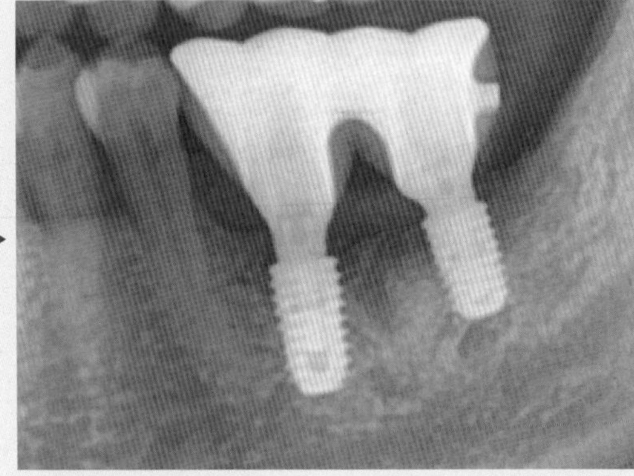

크라운 세팅 직후 파노라마

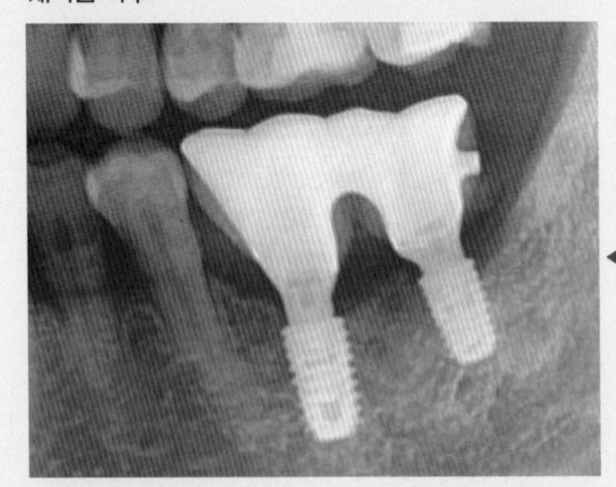

크라운 세팅 41개월 후

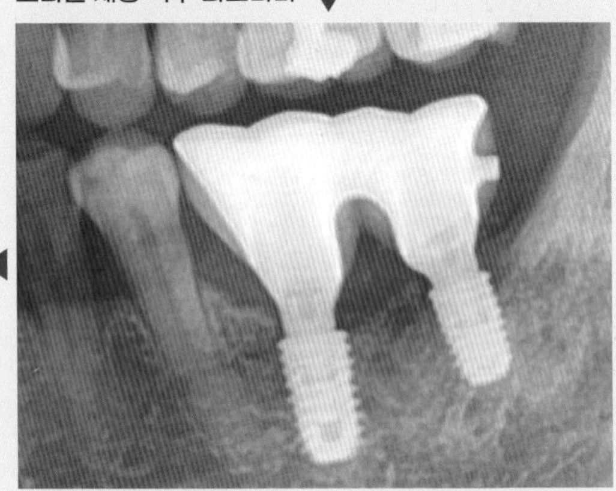

크라운 세팅 29개월 후 파노라마

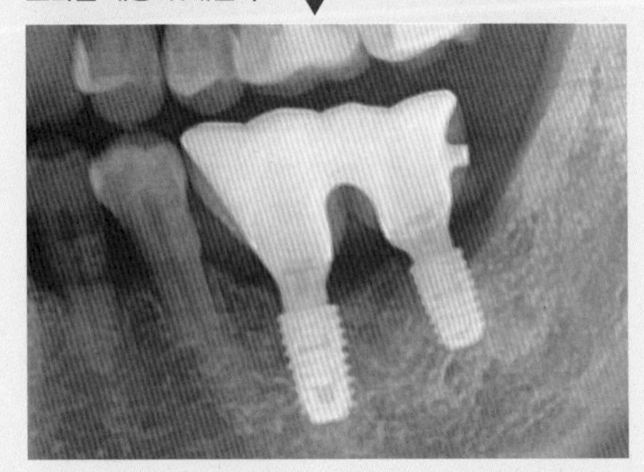

크라운 세팅 52개월 후

임플란트 세팅 직전 잇몸 모양
임플란트 협측으로 keratinized gingiva를 볼 수있다.

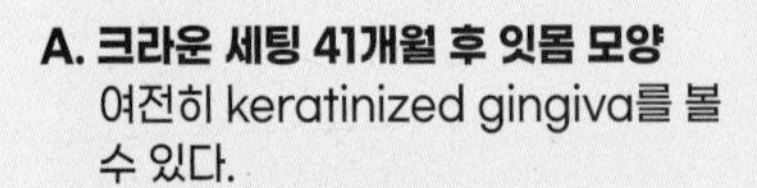

A. 크라운 세팅 41개월 후 잇몸 모양
여전히 keratinized gingiva를 볼 수 있다.

B. 크라운 세팅 41개월 후 크라운 모습
당시에는 지르코니아가 일반적이지 않아서 PFM 메탈바이트로 하였다.

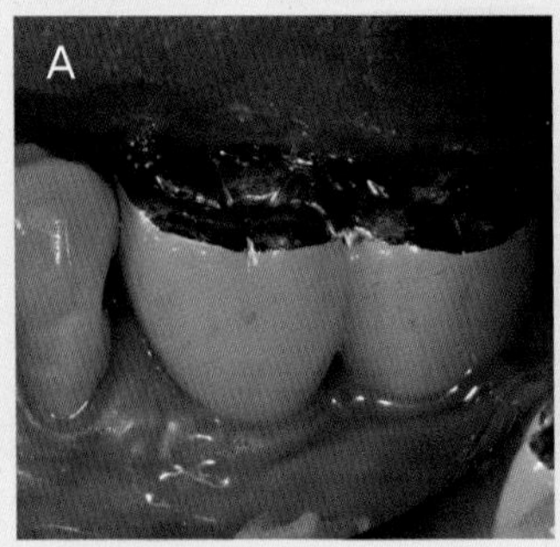

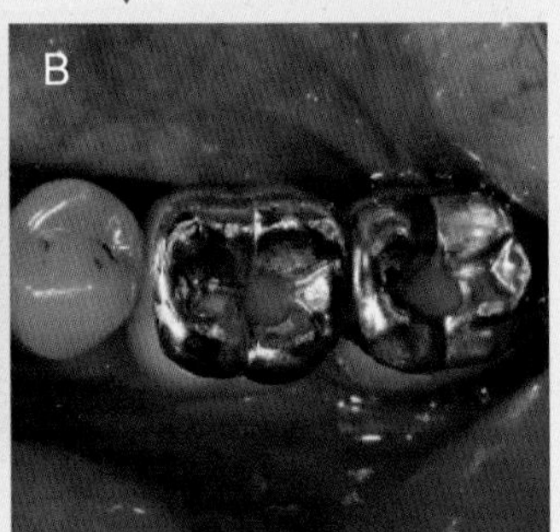

1.9

CASE 4

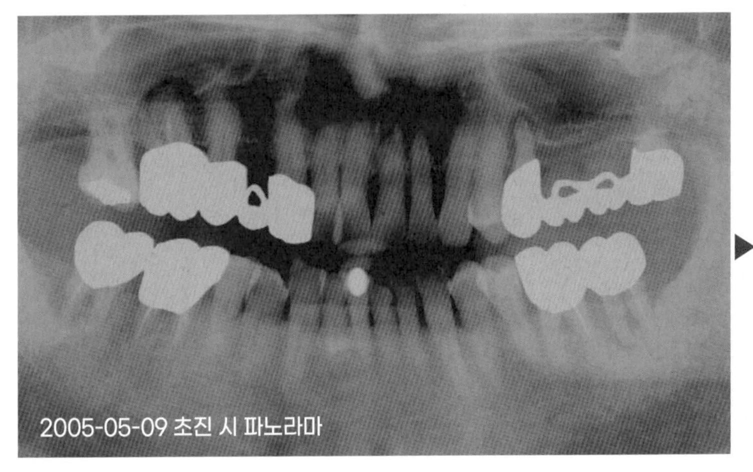

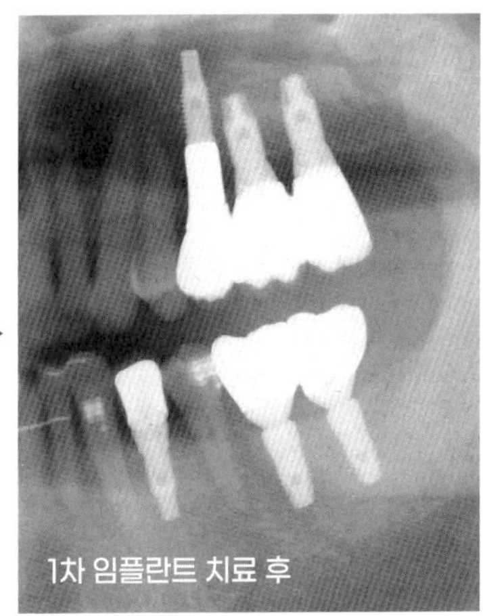

1.10

이 케이스는 필자에게 여러 가지 교훈을 주었기에 책에 실어본다.

2005년 당시 좌측 어금니 통증으로 내원하여 장기간에 걸쳐서 치료하였으며, 현재까지도 주기적으로 체크 받으러 오는 환자이다(1.10). 당시에는 임플란트 임플란트 시술 능력도 떨어졌지만, 전반적으로 치과계 전체에 이론적인 지식마저도 적었다. 무조건 뼈를 만들어서 길고 굵은 임플란트를 식립하는 것을 목표로 했었던 것 같다. 과도한 사이너스 그래프트, 깊게 심어진 25번 임플란트, 너무나도 긴 임플란트의 어버트먼트가 눈에 띈다.

우리가 이 환자의 케이스에서 주목해서 볼 부분이 좌측이지만, 우측 임플란트도 지금까지 잘 쓰고 있기 때문에 참고삼아 전반적인 치료 진행과정을 올려본다(1.11). 지금은 거의 하지 않는 수술 방식임을 파노라마 사진상에서도 확인할 수 있다.

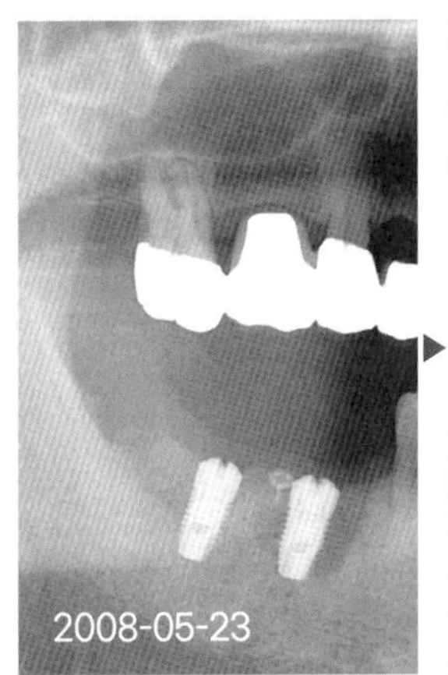

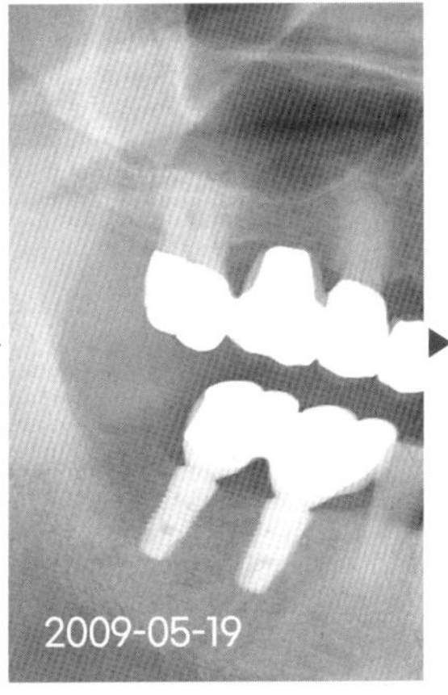

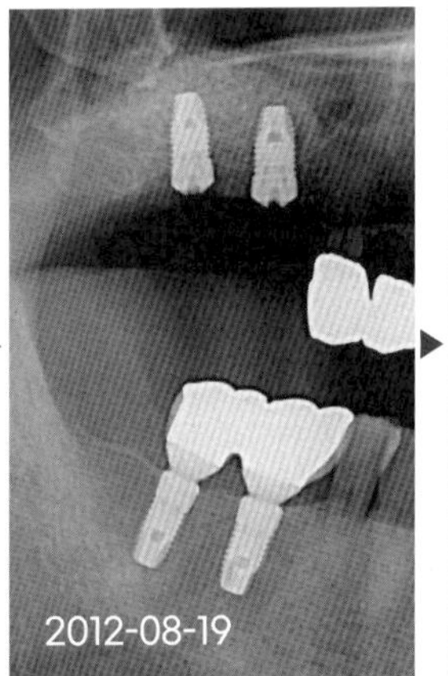

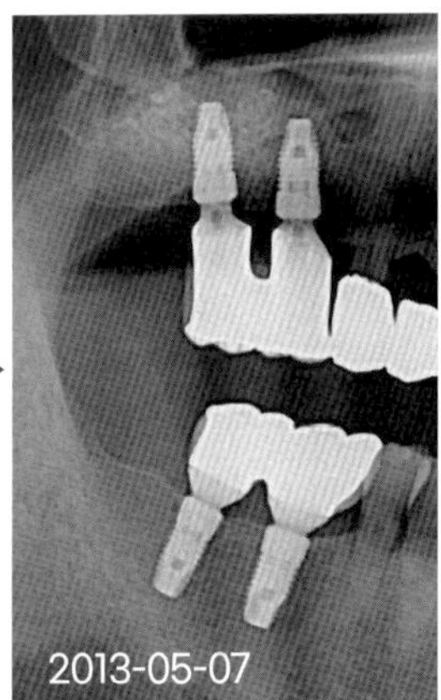

1.11 우측 임플란트 진행 과정

임플란트를 시작한 지 정확히 10년째 되는 날인 2015년 5월 8일, 24-25번 주변의 잇몸 통증으로 내원하였다(📷 1.12). 잇몸이 부어있고 pus가 나오는 상태였다. 임플란트 크라운을 제거한 뒤 25번 임플란트는 묻어 두고 캔틸레버 브릿지로 세팅하였다.

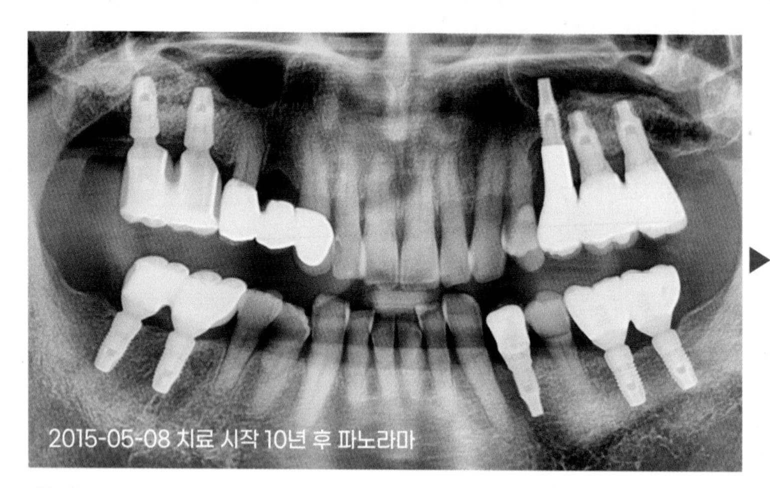

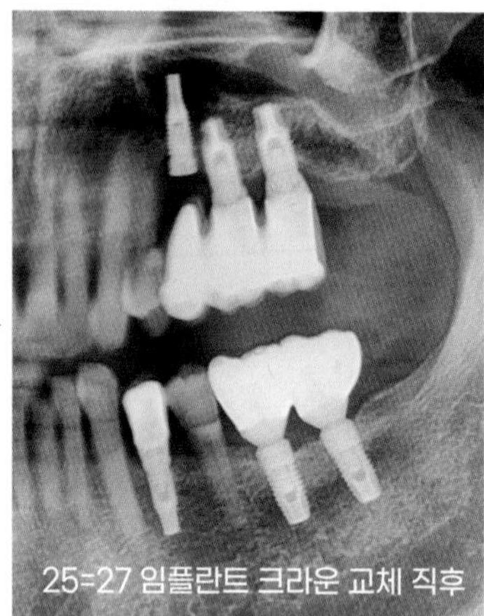

📷 1.12

그리고 2년이 경과한 시점에서 36번 임플란트의 골 소실이 발견되었다. 환자의 자각 증상은 없었지만 치료하기로 하였다.

필자는 이미 이런 치료에 부정적인 사람이어서 계속 관리하면서 지켜볼 생각이었는데, 필자 치과의 페이닥터가 이 케이스에 관심을 보였다. 본인이 할 수 있다고 해보겠다고 해서 치료를 하게끔 했다. GBR 시행 후 힐링 어버트먼트 상태에서 한 달 정도 경과한 뒤에 기성 어버트먼트에 템포러리 크라운으로 경과를 지켜보기로 하였다. 본인은 치료에 만족하는 편이었지만, 오래 지켜보는 필자는 마음이 편하지는 않았다. 결국 그 선생님은 퇴사했고, 골이식 후 18개월이 경과하고 나서 환자는 불편함이 전혀 없다고 했지만 필자는 임플란트를 제거하였다(📷 1.13).

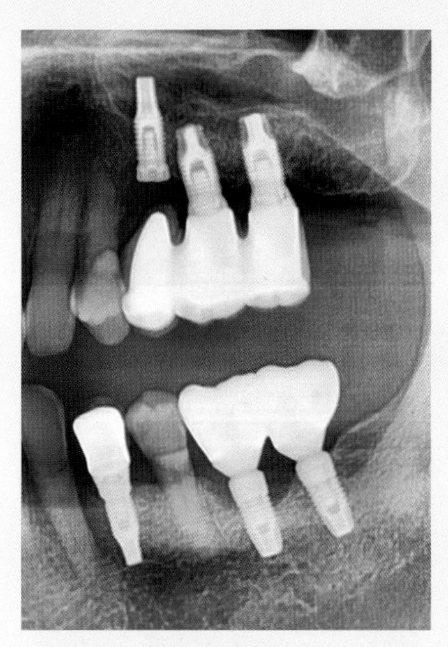

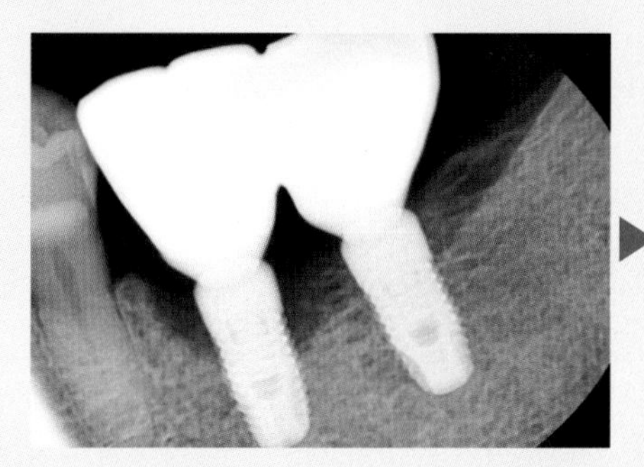

상악 보철물 교체 2년 후 표준촬영 하악 36번 임플란트 주변에 골흡수 소견이 보인다.

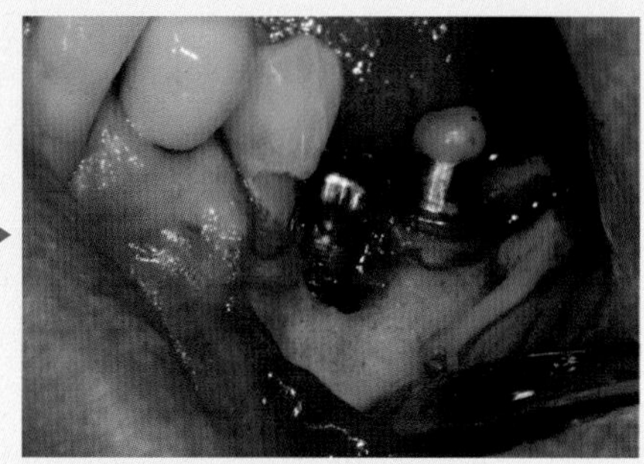

통상적인 peri-implantitis 치료 및 GBR 시행

상악 보철물 교체 2년 후 파노라마

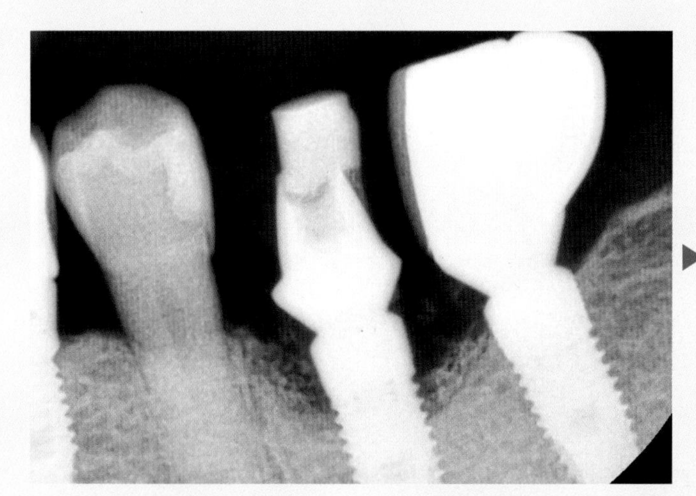

GBR 시행 2개월 후

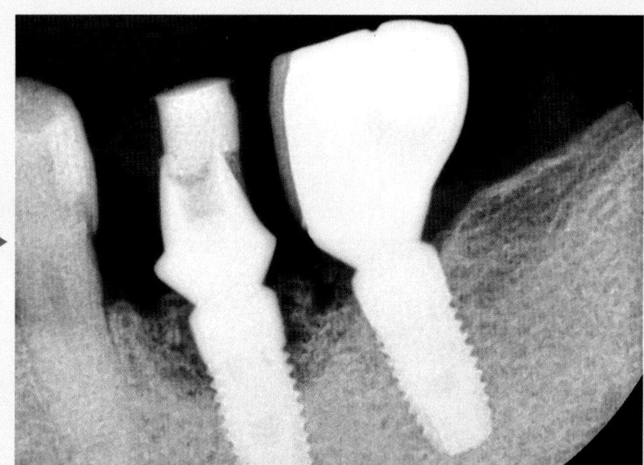

GBR 시행 8개월 후

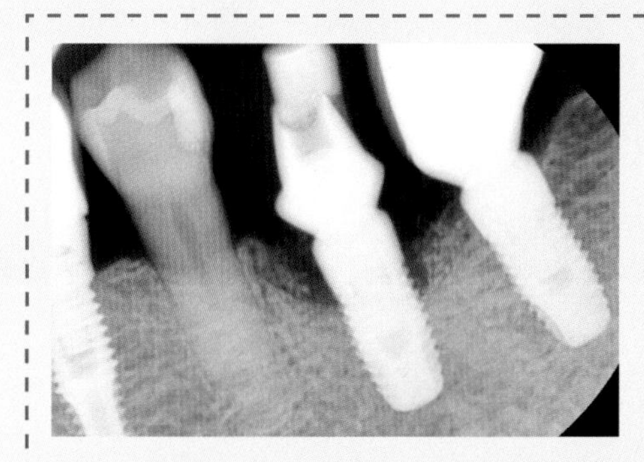

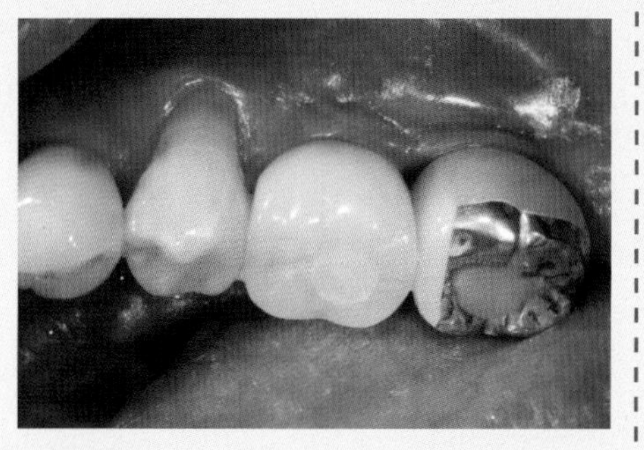

GBR 시행 18개월 후 표준촬영과 임상사진(크라운은 임시치관)

임플란트 제거 후

1.13

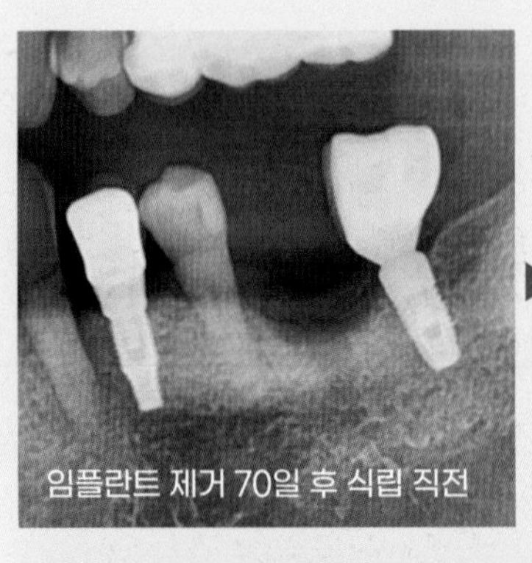

임플란트 제거 70일 후 식립 직전

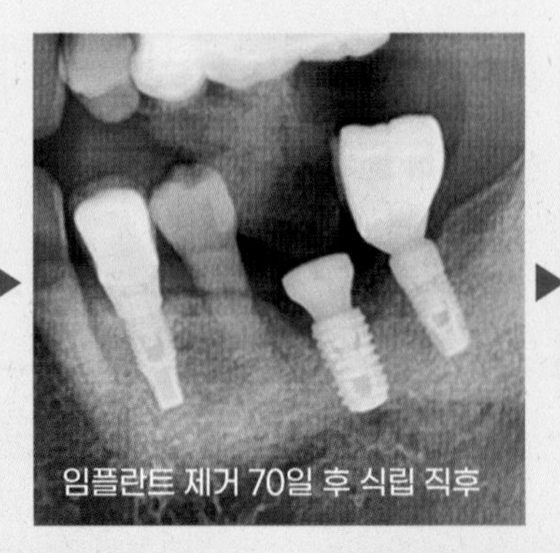

임플란트 제거 70일 후 식립 직후

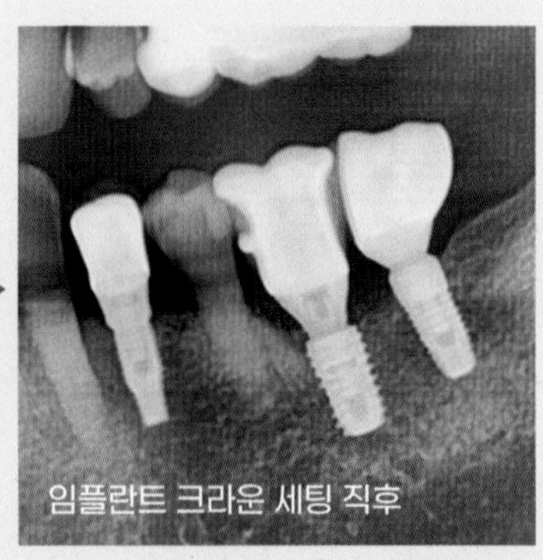

임플란트 크라운 세팅 직후

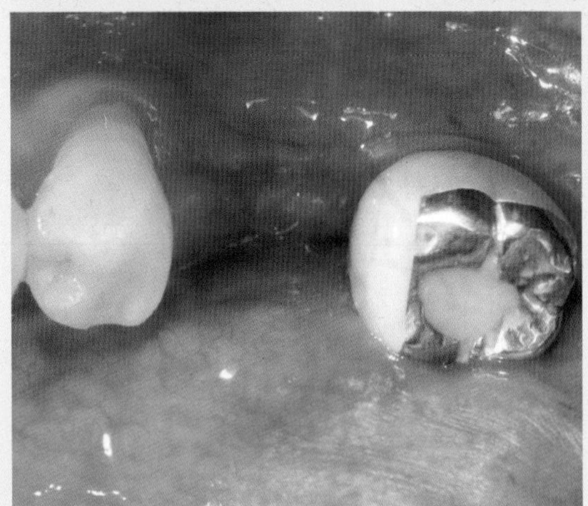

임플란트 제거 70일 후 식립 직전

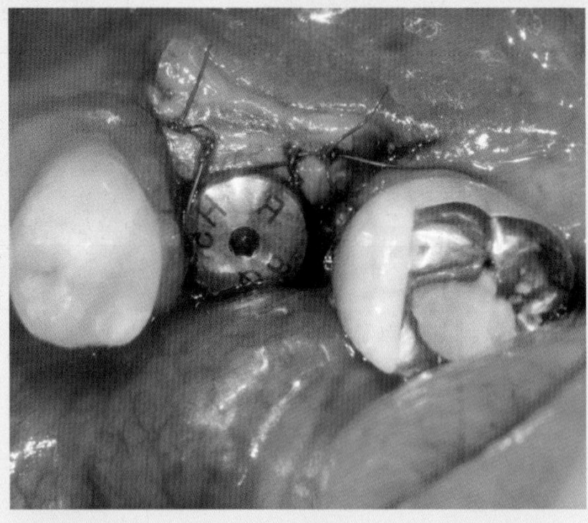

임플란트 제거 70일 후 식립 직후

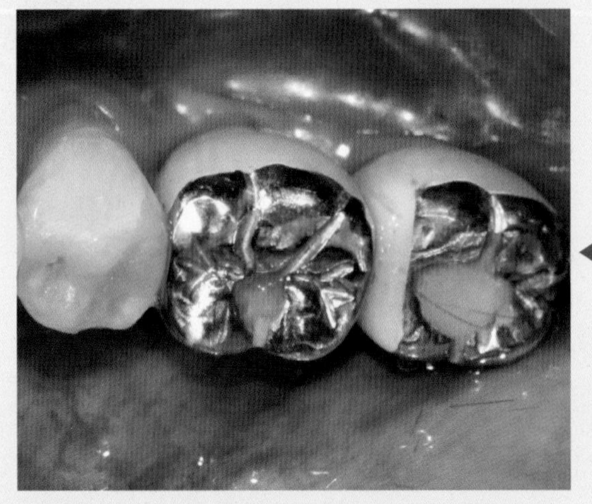

크라운 세팅 7개월 후(임시 크라운 상태로 오래 지켜본 후)

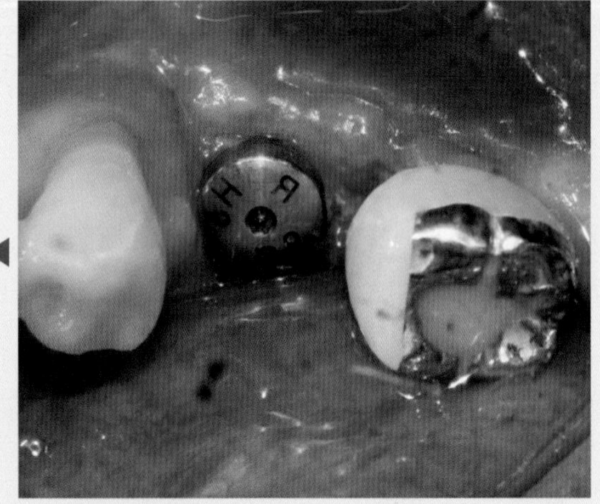

식립 2주 후 봉합사 제거 직후

1.14

이후 임플란트 수술은 통상적인 필자의 방식으로 진행하였다. 영삼플랩으로 기본적인 구강전정과 keratinized gingiva가 유지되고 있는 것을 볼 수 있다. 뒤 37번의 오래전 임플란트는 여전히 15년 전 최초 제작된 크라운을 수정한 것을 사용하고 있다. 36, 37번 임플란트 모두 언제 무슨 일이 생길지 모르기 때문에 장기간 지켜보고 있는 중이다.

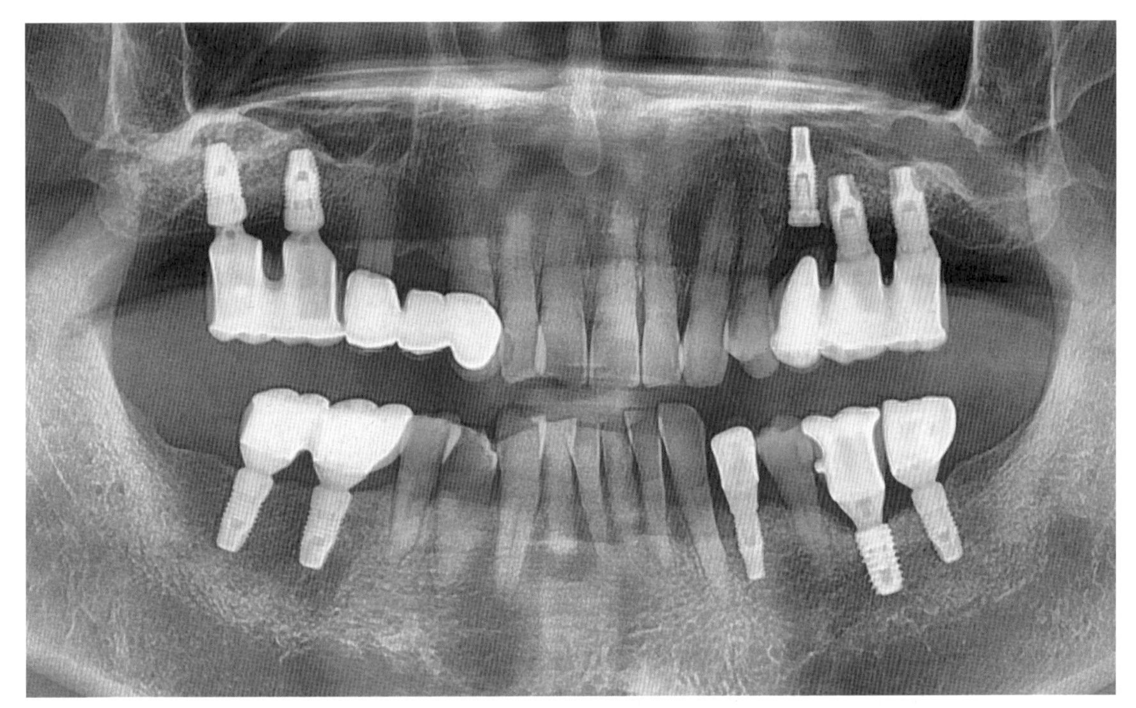

2021년 3월 크라운 세팅 2년 후, 최초 임플란트 진료 시작 16년 후

1.15

최근 파노라마 방사선 사진을 보면 임플란트가 모두 안정적으로 유지되는 것을 볼 수 있다(**1.15**). 24번 치아와 24번 임플란트 사이에도 골형성이 많이 진행되었으며, 잇몸 상태 또한 매우 안정적으로 유지되고 있다. 앞서 언급했지만, 다시 기존 임플란트 옆에 새로운 임플란트를 할 때 조금만 더 깊게 심었다면 어땠을까 하는 생각이 든다. 예전에도 남들보다는 깊게 심는 편이었지만, 한 자리에서 20년 동안 치과를 운영하면서 최근 1–2년 사이에 평균 임플란트 식립 깊이가 1 mm 정도는 더 깊어진 것 같다.

사진상으로는 상악 임플란트 주변에 골소실처럼 보이는데, 직전에 찍은 파노라마에서는 정상적인 골소견을 보여서 파노라마 영상의 문제로 생각된다. 앞으로도 지속적인 관리가 필요할 듯하다.

임플란트 제거는 어떻게 할 것인가?

사실 앞서 본 케이스에서 임플란트는 렌치로 제거되지 않았다. 임플란트 기구로 아무리 힘을 주어도 조금도 움직이지 않았다. 하악 소구치 포셉으로도 발치를 시도했으나 여의치 않았다. 그래서 대구치 포셉까지 이용했는데도 미동도 하지 않았다. 필자가 포셉을 이용한 사랑니 발치에 능숙함을 감안하면 얼마나 튼튼하게 박혀 있는지 짐작이 갈 것이라 생각된다(다만, 임플란트를 포셉으로 제거할때 인접치를 건드리지 않도록 매우 신중해야 한다).

이런 경우에 필자는 트레핀 버를 사용하지 않고, 얇은 버나 4번 서지컬 라운드 버를 이용하여 임플란트의 어느 한쪽(주로 인접치아와 거리가 좀 더 먼 근원심)의 골을 삭제하고 반대편에서 엘리베이터를 이용하여 사랑니를 발치하듯이 그 틈을 벌려서 제거한다. 어떻게든 임플란트가 조금만 움직이면 그 때부터는 제거가 쉬워진다.

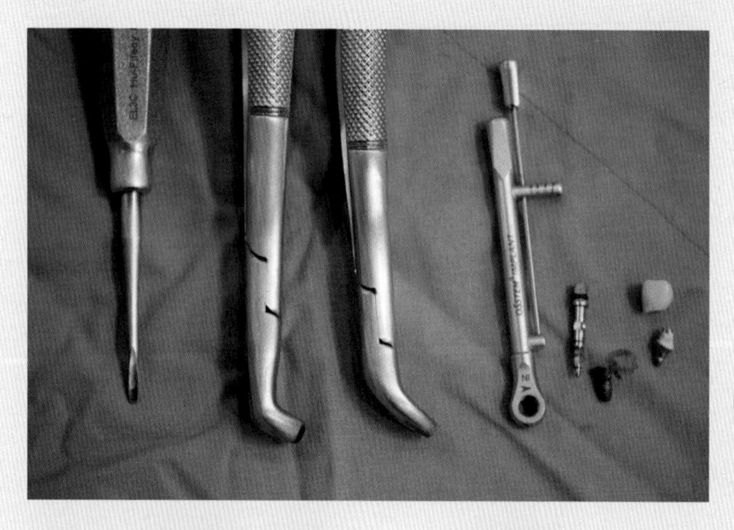

1.16 임플란트 제거 후 사용한 기구를 놓고 찍은 사진. 필자는 평소 안 쓰던 기구를 사용한 경우에는 사용한 기구와 발치한 임플란트를 놓고 사진을 찍는 습관이 있다.

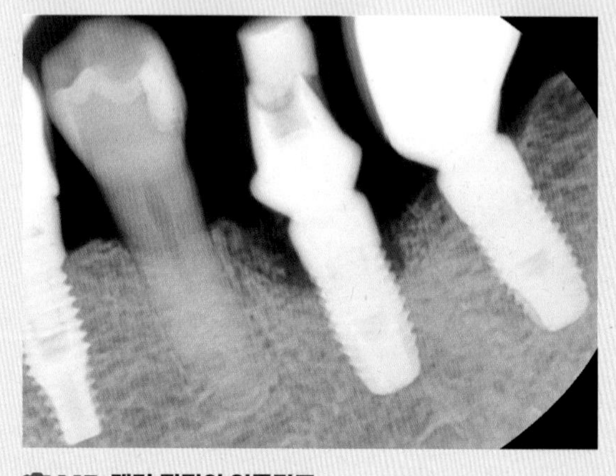

1.17 제거 직전의 임플란트

제거 직전의 임플란트 표준촬영 사진이다(**1.17**). 임플란트의 반 정도의 골이 소실되었고 crown-root ratio도 형편없음에도 오랜 시간 동안 불편함 없이 싱글 치아로 기능하였으나 제거할 때 너무 힘들었다. 사진 자료는 없지만 이보다 골 소실이 더 심한 경우를 제거할 때도 애를 먹는 경우가 종종 있다. 굳이 우리가 긴 임플란트를 고집할 필요가 없는 이유이다. 앞서 언급했지만, 임플란트의 길이는 골유착 전까지만 중요하며 그 이후로 길이는 크게 중요한 요소라고 생각하지 않는다. 필자의 경험에 비추어보면 **4-5 mm정도만 유착된 임플란트의 제거는 매우 어렵고, 3 mm 이내의 임플란트는 그보다 훨씬 쉽게 제거되는 것 같다.** 그래서 필자는 임플란트 길이는 싱글로도 4-5 mm면 충분하고, 굳이 무리해가면서 그 이상의 긴 임플란트를 심을 필요는 없다고 생각된다.

CASE 5

이 책의 앞 부분에 나왔던 케이스로 치근단만 붙어 있는 임플란트이다(1.18). 온 가족이 필자의 환자로 오랫동안 치료받고 있는 VIP 가족들이다. 환자는 이 가족의 60대 아버지로 임플란트를 식립하고 6년 후에 이와 같은 상태로 내원하였다.

사진을 보면 만성적으로 골흡수가 생긴 것이지, 현재 활성형 염증 상태가 아니기 때문에 환자는 전혀 불편함이 없다고 하였고, 당시 남아메리카의 볼리비아에 거주하면서 잠깐 귀국한 것이기 때문에 제거를 반대하였다. 이미 몇 년 전부터 이 상태였던 것 같았고, 환자가 불편함이 없다고 하니 그냥 보내드릴 수밖에 없었다. 그리고 다시 15개월 뒤에 귀국했을 때 이번에는 조금 길게 체류한다고 하여 필자가 우겨서 제거하였다. 솔직히 그때도 환자는 아무렇지도 않아 했지만 필자가 보는 것이 너무 불편하여 제거한 것이다. 그러나 환자가 여전히 볼리비아와 한국을 왔다 갔다 오갔기 때문에 정상적인 진료 스케줄은 불가능하였다.

제거하고 한 달 반 후에 식립, 두 달 반 뒤에 임프레션을 하였다. 당시 환자는 한국에 오면 짧게는 몇 주, 길게는 몇 달 머무르는 상황이었다. 한국에 오래 머무를 때 서둘러서 처리할 수밖에 없었다. 임플란트 주변 골이식재도 충분히 골화되지 못하고 잇몸도 제대로 형성되지 않은 상태였지만, 이번에 돌아가면 언제 돌아올지 모른다고 하여 두 달 반 뒤에 임프레션 하고, 2주 후에 세팅하였다.

그러나 세팅 당일 최악의 상황이 벌어졌다. 보통 필자가 우리 기공소에 전달하는 가장 중요한 요구사항은 기본적으로 어버트먼트는 쭉 뻗어서 3 mm 올라가고, 그 뒤부터 크라운 모양을 만들기 시작하라는 것인데, 이러한 중요한 케이스에 사진과 같이 말도 안 되는 크라운이 제작되어 온 것이다. 기공소에 전화해서 난리를 쳤더니, 새로운 직원이 모르고 그랬다고 했다. 잇몸이 아직도 덜 형성되어서 그랬을 수도 있지만 정말 최악의 크라운이었다. 그러나 환자는 이것을 붙이고 다시 볼리비아에 돌아가야 하는 상황이어서 마음에 들지 않았음에도 다음에 뽑고 다시 하기로 하고 붙인 상태에서 보내드렸다.

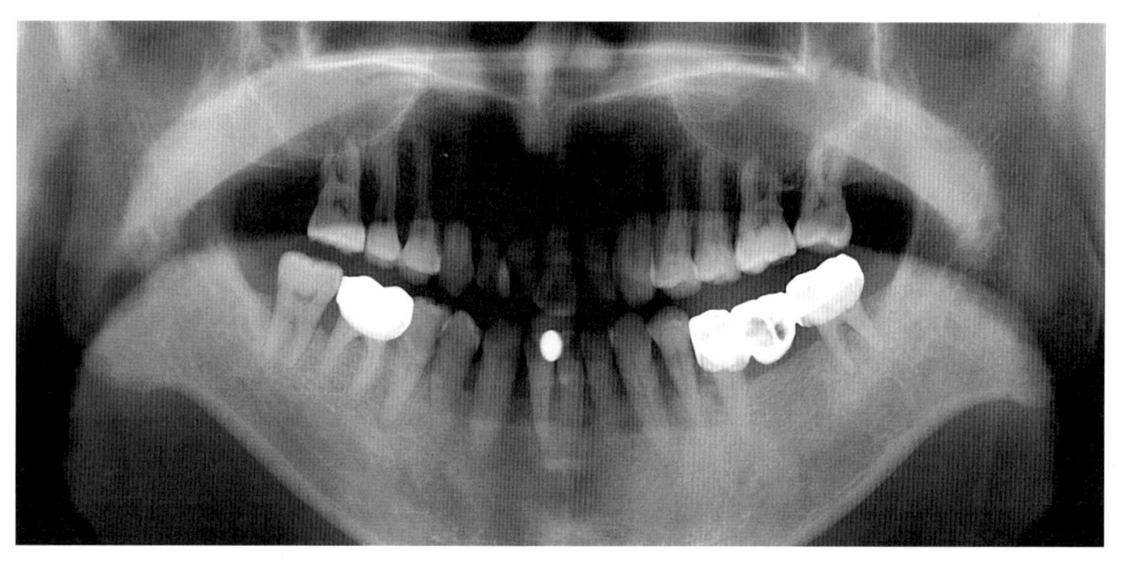

1.18 2008년 7월 9일 당시

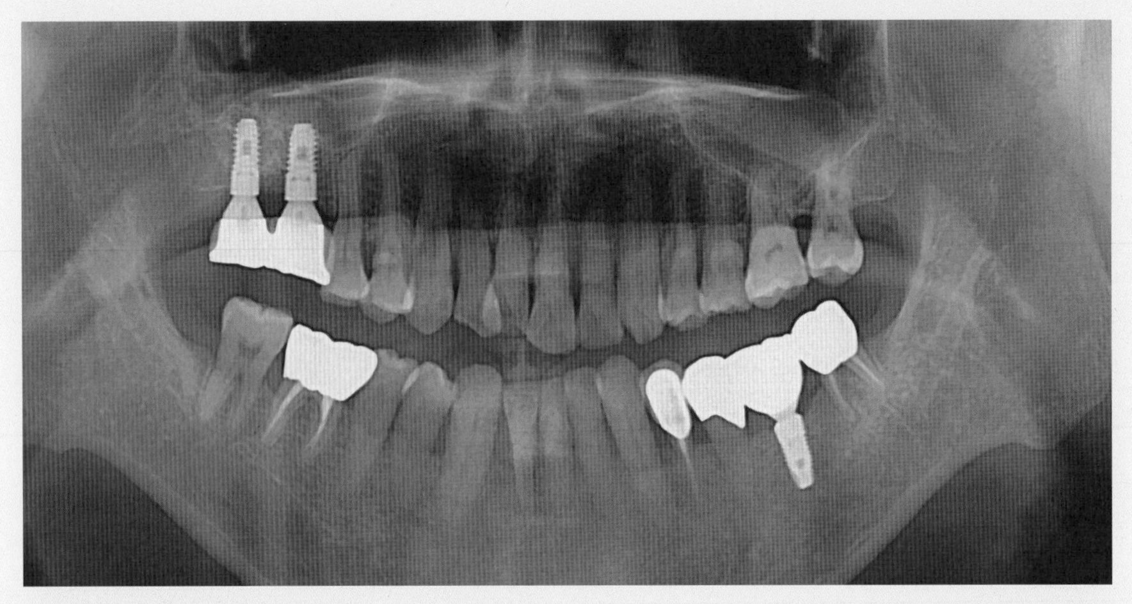

2010년 7월(임플란트 식립 2년 후 체크)

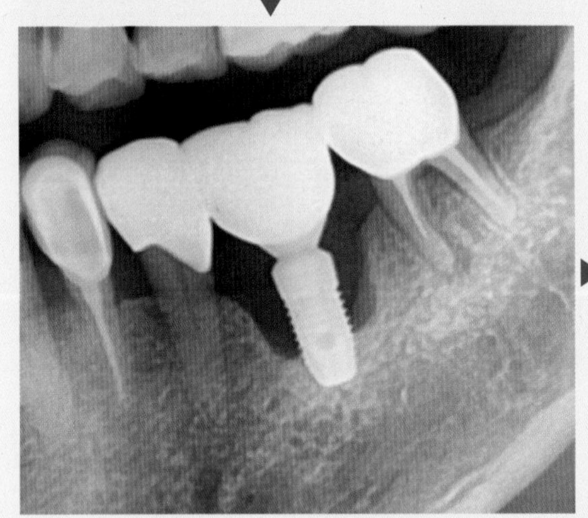

2014년 4월(임플란트 식립 6년 후 체크)

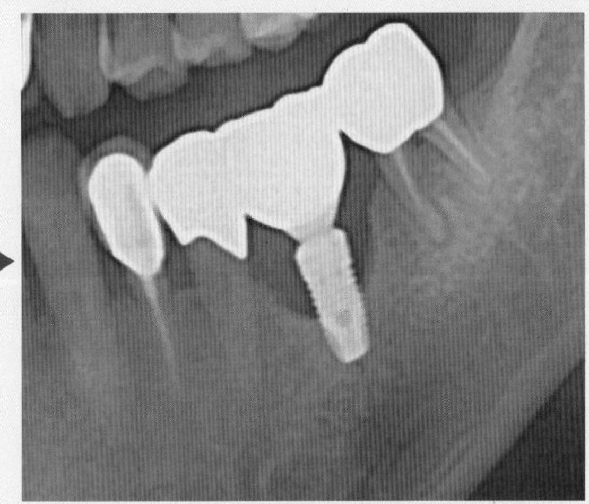

2015년 7월(임플란트 식립 7년 후 체크)

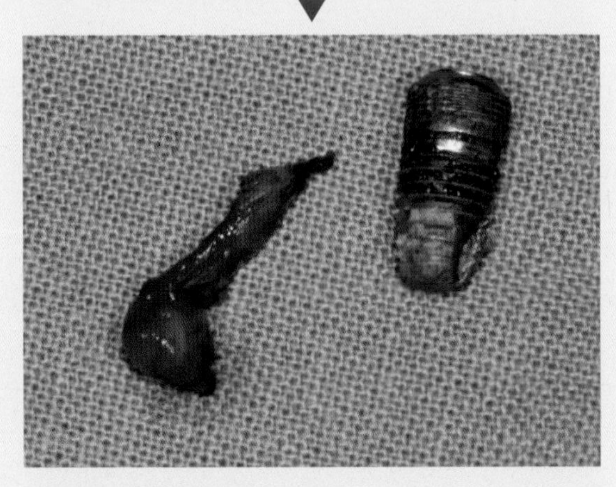

임플란트 제거 직후 모습

1.19

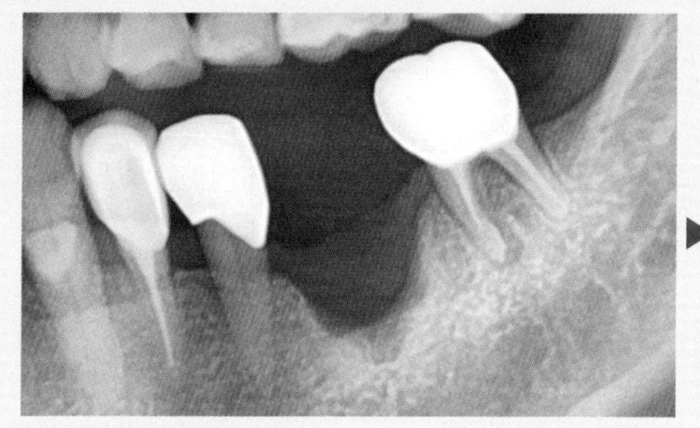

재식립 전(2015-08-18)

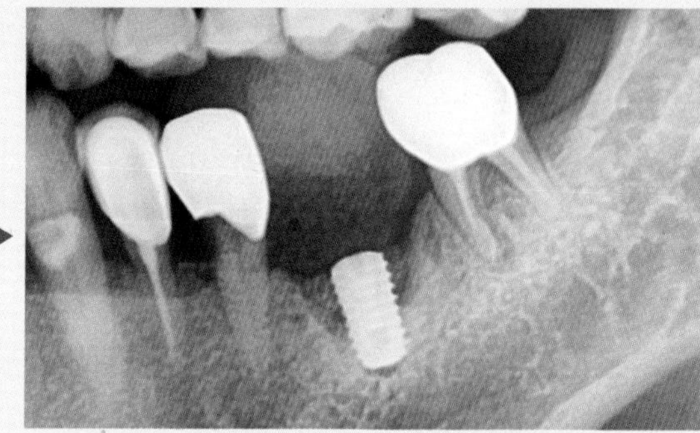

재식립 직후

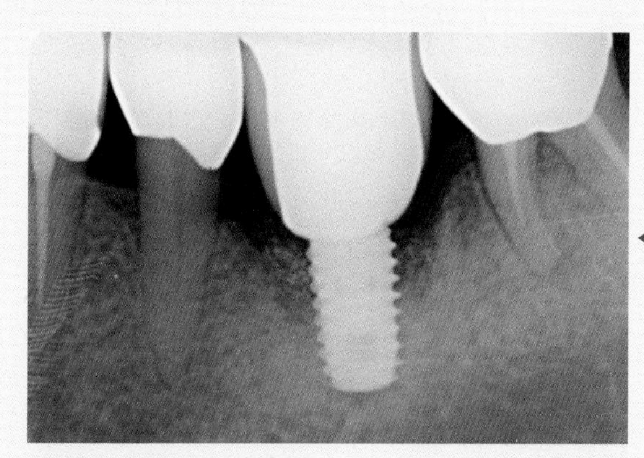

크라운 세팅 직후
상식 밖의 어버트먼트와 크라운이 도착하였지만, 바로 출국이라 우선 붙여드렸다. 필자 치과에서의 임플란트 어버트먼트와 크라운은 어떤 상황에서도 무조건 픽스처 레벨에서 3 mm 이상 쭉 뻗어서 올라간 뒤에 넓어져야 한다는 원칙이 있는데, 급히 하느라 아직 진지바 두께가 정상적이지 않아 이런 크라운을 제작한 듯하다. 기공소에 새로온 직원의 실수라고 한다.

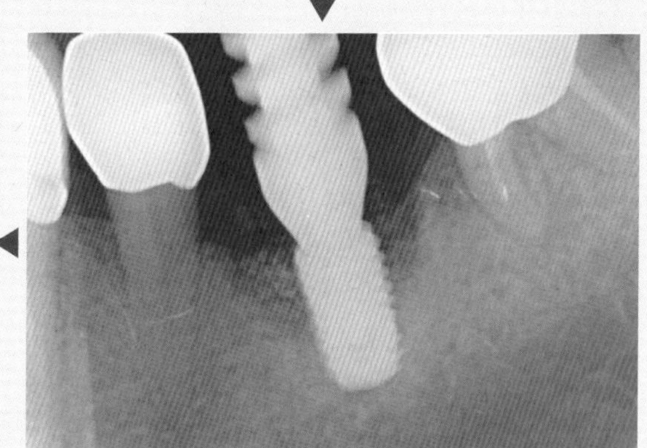

두 달 반 뒤 임프레션

1.20

4개월 뒤에 한국에 한 번 귀국했을 때 이번에는 잠깐만 있다가 가는 것이라 아무것도 못한다고 해서 사진만 한 장 찍고 돌아갔고, 다시 6개월 후에 내원했을 땐 그 뒷 치아가 아파서 볼리비아 현지에서 뺐다고 했다. 그래서 급히 임플란트를 심고 싶다고 했다. 앞에 것도 문제가 심각한데 이것까지 할 엄두가 안 났지만, 어쩔 수 없이 환자의 요구대로 심고 난 후 다시 볼리비아로 보내드렸다. 그리고 9개월 만에 다시 내원했을 때도 바로 돌아가야 한다고 해서 아무것도 못하고 보내드렸다. 그리고 다시 6개월 만에 내원했을 땐 이제 한국에 좀 오래 계신다고 하여 36번과 37번을 모두 제거하고 3개월 후에 재식립하였다. 재식립하면서도 어찌나 떨리고 신경 쓰였는지 모른다. **37번 bone density의 정도가 심하게 단단한 상태여서 임플란트를 식립할 때 방향이나 높이 조절이 용이치 않았다.** 결국 36번 임플란트를 예상보다 좀 덜 심고 그래프트를 하여 두 임플란트 높이를 최대한 맞추려고 노력하였다.

그리고 5개월 후에 최종 보철을 올린 상태로 2년 정도 팔로업 체크를 하고 있는 상황이다. 이유를 알 수 없는 임플란트의 치조골 흡수로부터 시작된 치료지만, 임플란트의 식립 방향과 높이, 크라운의 모양 등이 얼마나 중요한 요소인지를 다시금 깨닫게 된 케이스이다.

부끄럽지만 반성하는 마음으로 최종 36, 37번 임플란트 식립 과정을 올려본다.

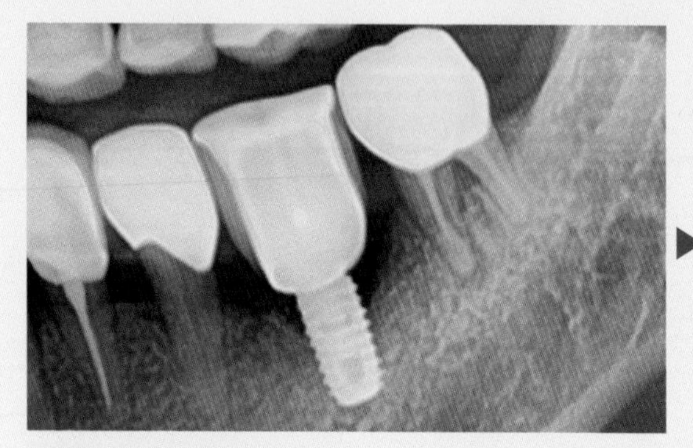

크라운 세팅 4개월 뒤
앞서 이야기한 대로 이런 어버트먼트와 크라운 형태는 바로 치조골 흡수를 야기한다.

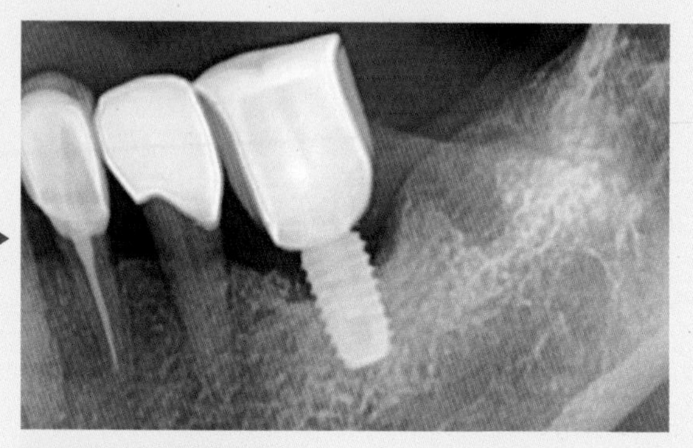

크라운 세팅 22개월 후
볼리비아 현지에서 37번 발치 후 내원하였다. 한국에 짧게 체류하기 때문에 이번에 식립만 해달라고 했다.

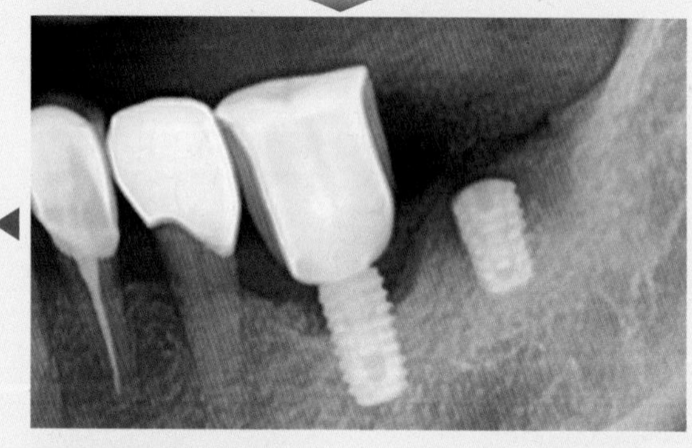

37번 임플란트 식립 직후
골이 너무 단단하여 아무리 드릴링해도 드릴링이 되지 않았다. 더 깊게 심었어야 했다.

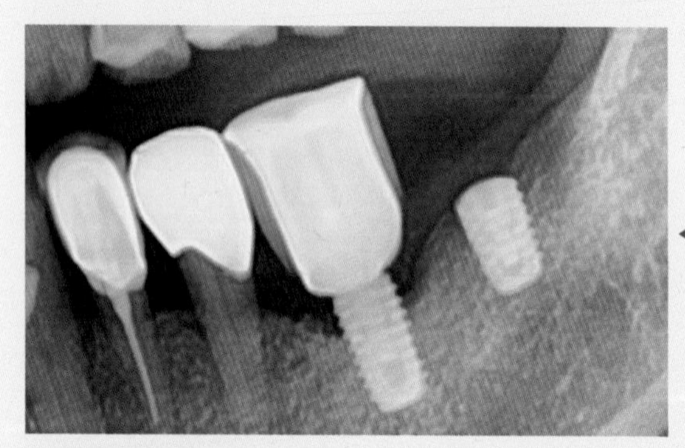

37번 식립 15개월 후
36번 세팅 35개월 후(2008년 12월)

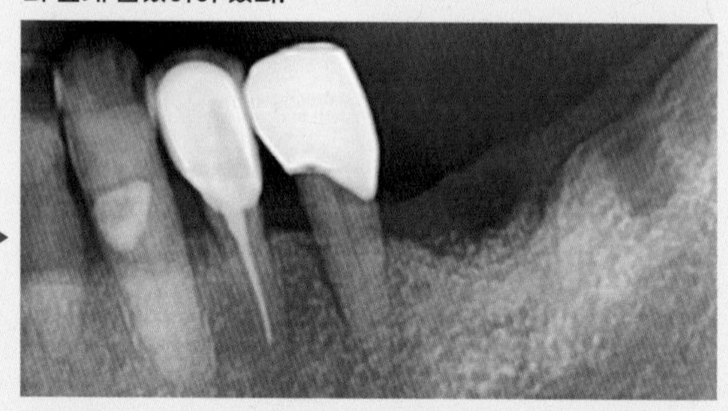

임플란트 간 높이를 맞추는 것이 불가능하다고 생각되어 제거하였다. 임플란트 마운트 드라이버로 손쉽게 제거되었다.

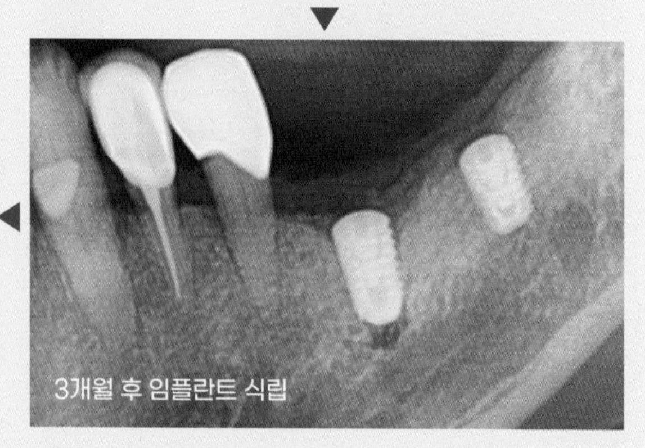

3개월 후 임플란트 식립

5개월 후 보철물 세팅 후(2019년 8월)

1.21

연조직 사진들을 보면 염증과 잦은 수술 때문인지 부착치은이 현저하게 줄어들어 있는 상태였다 **(1.22)**. 진지바에 스카도 많이 형성되어 있는 상태여서 그런지 마지막 수술 때도 36번 임플란트의 커버스크류가 노출되어 바로 힐링 어버트먼트로 교체하였다. 앞서 언급했듯이 필자는 커버스크류가 노출되면 반드시 힐링 어버트먼트로 교체한다. 그래서 나중에 영삼플랩으로 협측에 부착치은을 충분히 형성할 수도 없었기 때문에 37번 세컨 서저리 후에 FGG를 시행하여 베스티뷸과 부착치은을 형성하였다. 개인적으로 이렇게 잦은 수술로 형성된 스카는 이후에도 여러 가지 염증반응 등의 기전에 나쁜 영향을 나타낸다고 생각하기 때문에 아직도 예의 주시하고 있다.

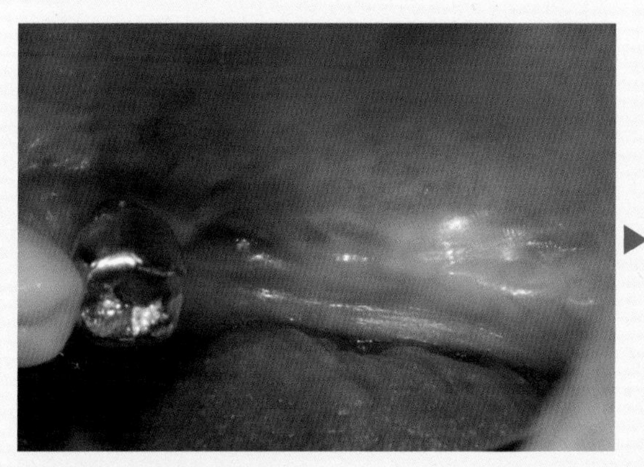

재식립 직전 잇몸 상태

재식립 2주 후 봉합사 제거 전 잇몸 상태
36번 임플란트 주변으로는 잦은 수술 탓에 반흔이 형성되어 혈액공급에 문제가 생기고 임플란트 윗부분 잇몸이 죽은 듯하다.

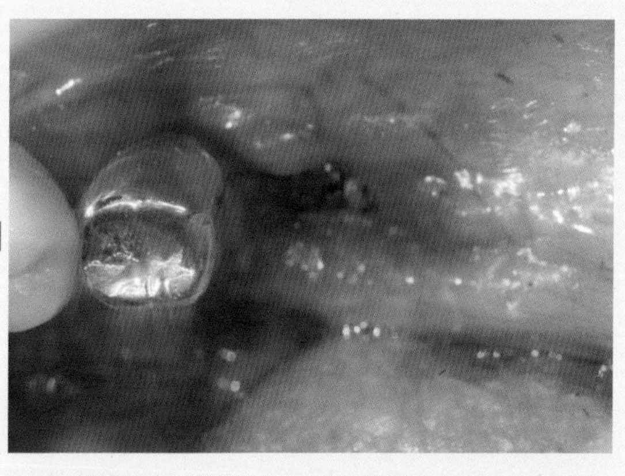

36번 임플란트의 커버스크류가 노출됐다. 커버스크류가 노출되면 무조건 힐링 어버트먼트로 바꾼다는 원칙하에 힐링 어버트먼트로 바꾸었다.

힐링 어버트먼트로 바꾸고 두 달 반 후
36번 임플란트 잇몸도 정상적으로 회복되고 있다.

37번 임플란트 세컨 서저리 직후
통상적인 영삼플랩 방식으로 진행하였다.

세컨 서저리 한 달 후
영삼플랩으로 진행하여 그나마 임플란트 주변으로 1 mm 이상의 keratinized gingiva가 유지되었지만, 이번에 실패하면 안된다는 마음으로 FGG를 결심하였다.

Vestibuloplasty & FGG 직후 임상사진

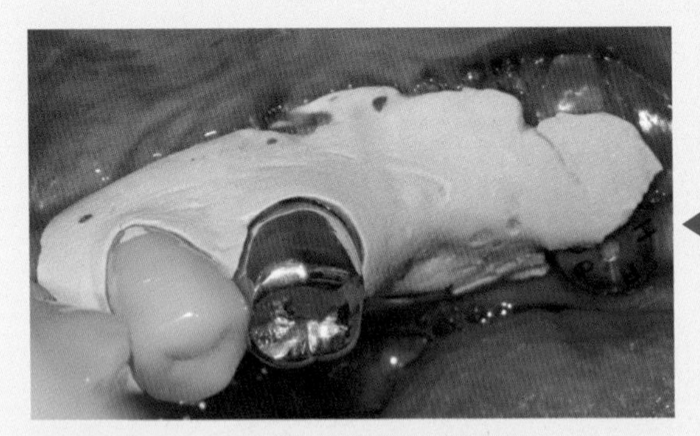

구강전정이 위로 올라오지 않도록 팩을 붙였다.

FGG 2주 후

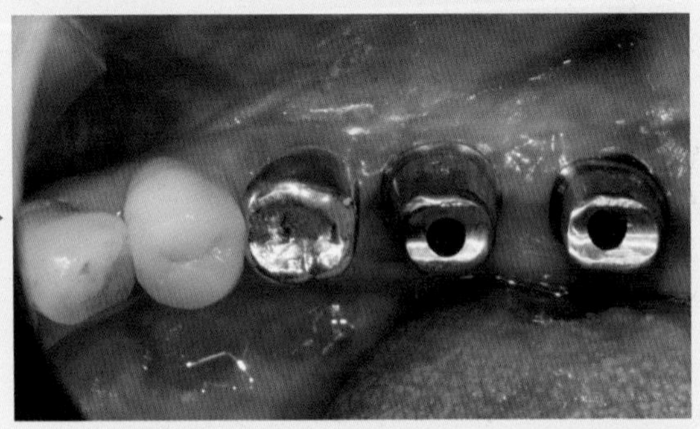

FGG 2달 후(식립 5개월 후) 세팅 직전

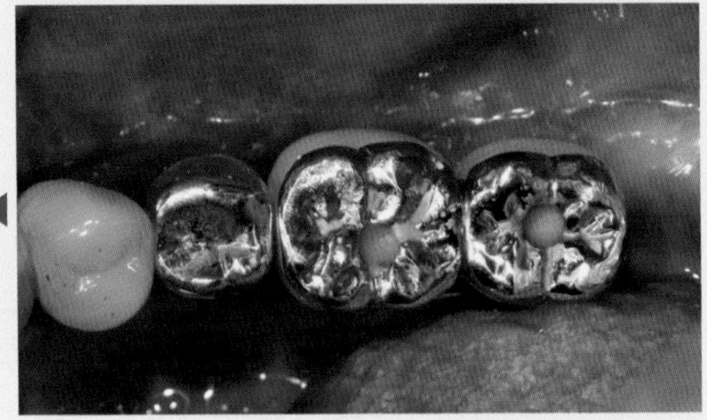

최종 크라운 세팅 후

최종 크라운 세팅 후 협측 잇몸 상태

1.22

CASE 6

이 환자는 2002년에 식립한 케이스이다(📷 1.23). 당시에는 무조건 굵고 긴 것만을 고집했기 때문에 직경 5 mm에 13 mm로 추정된다. 또한 당시에는 keratinized gingiva나 vestibule, movable gingiva 등의 개념이 없었기 때문에 이러한 부분이 많이 부족했다. 물론 환자가 당시에 20살 여학생이었으므로, 이런 부분에 더 신경쓰지 못했던 것 같다.

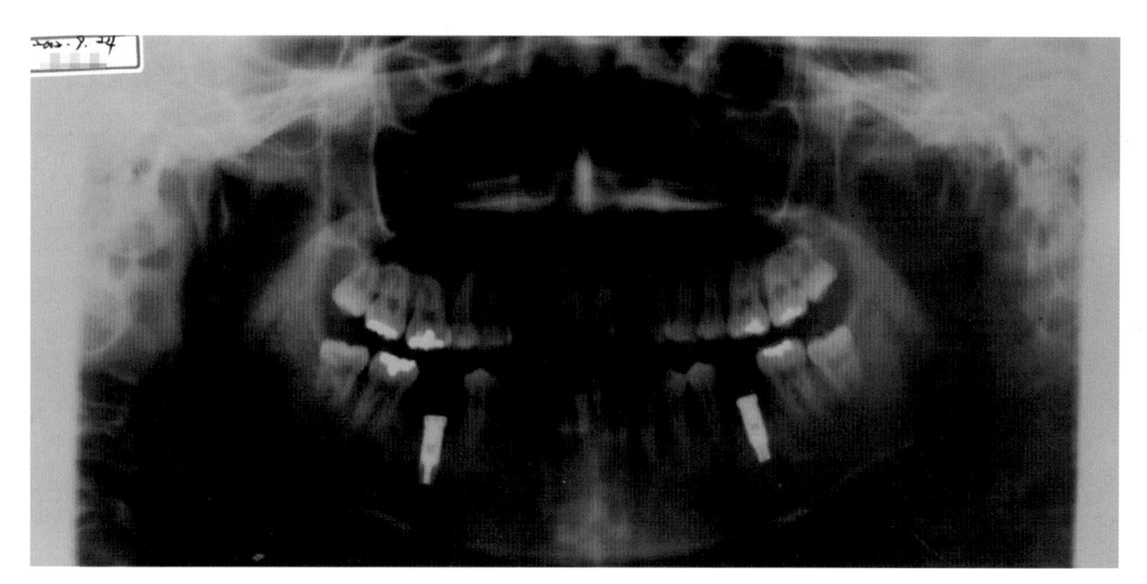

📷 1.23 임플란트 식립 직후 파노라마 방사선 사진

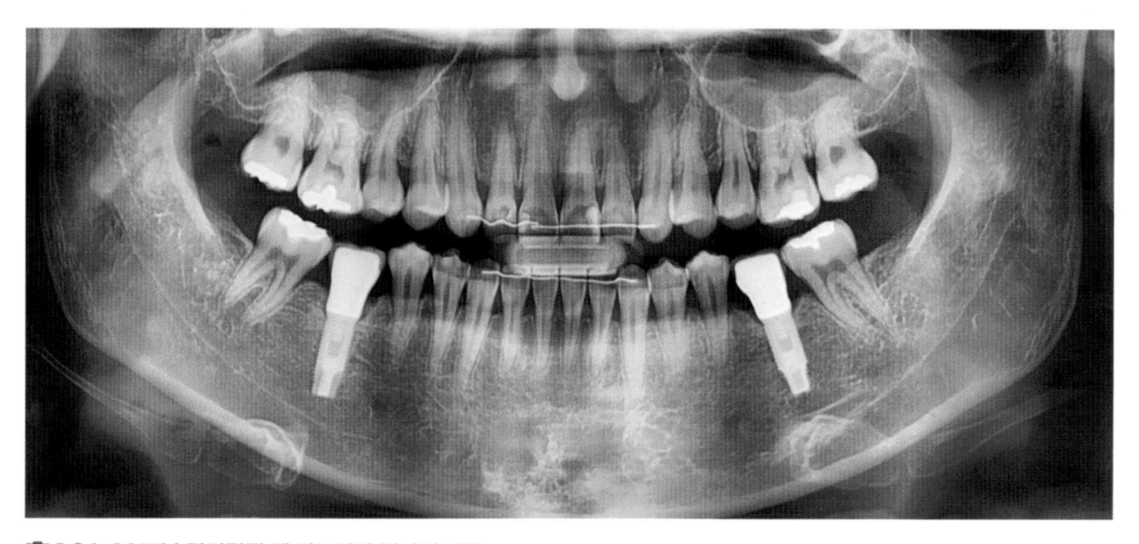

📷 1.24 2017년 정기검진 때 파노라마 방사선 사진
External hexa type이지만 특이한 골소실 소견 등은 보이지 않는다. 아마 골드 UCLA 어버트먼트와 PFG 크라운 때문일 것이라고 생각한다. 가끔 임플란트 주변 잇몸이 아프다고 하긴 했지만, 이때 36번 부위는 밥을 못 먹을 정도로 아프다고 하였다. 씹으면 임플란트 바깥쪽 잇몸이 너무 아프다며, 임플란트를 제거해달라고 하였다. 우선은 혹시 다른 문제가 있나 싶어서 스크류 홀을 찾아서 크라운을 제거하고 커버스크류를 장착하여 잇몸을 당겨서 봉합하였다.

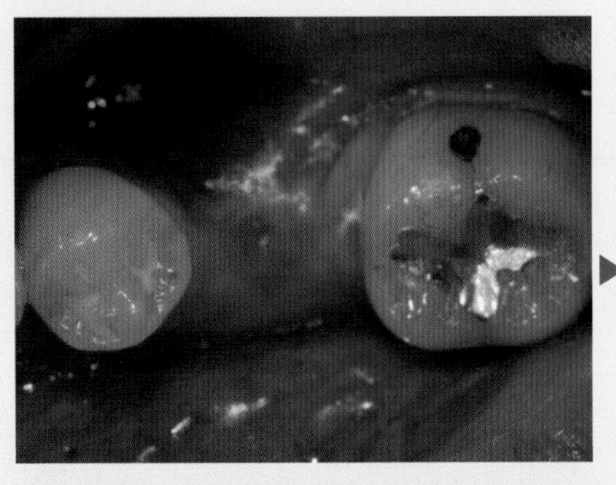

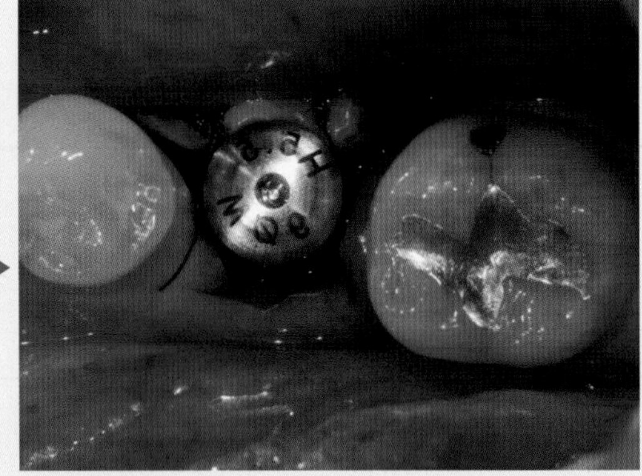

36번 임플란트 크라운 제거 2달 후, 통상적인 영삼플랩 후 봉합(2017년)

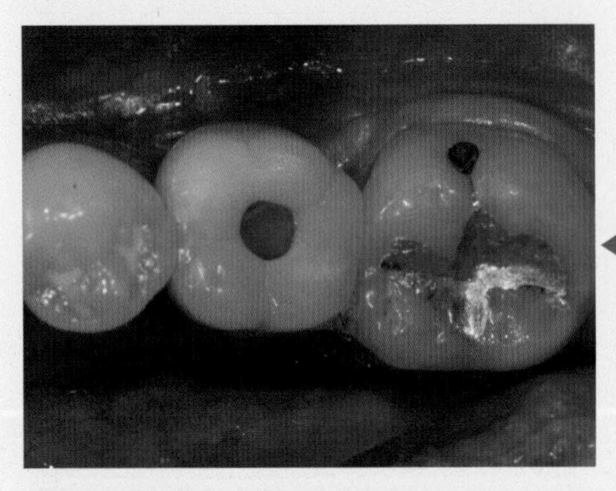

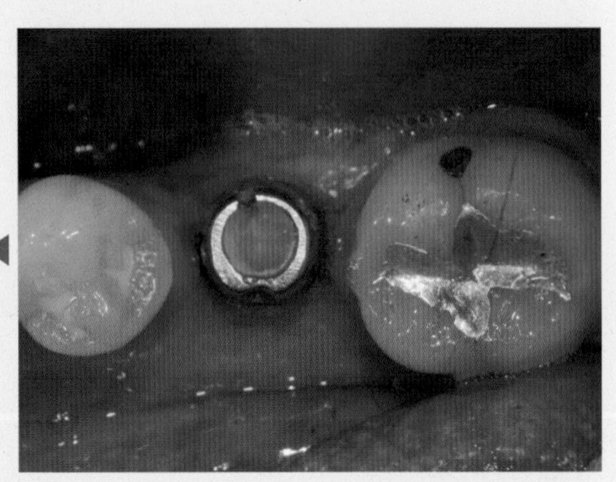

1.25 기존 골드 어버트먼트 재부착 후 새로운 크라운 제작
솔직히 마음에는 안 들지만, 잇몸 아픈 증상은 사라져서 환자나 필자나 만족하면서 지내고 있다. 영삼플랩 당시 협측 진지바를 최대한 베스티뷸 방향으로 많이 내렸으면 어땠을까 반성해본다.

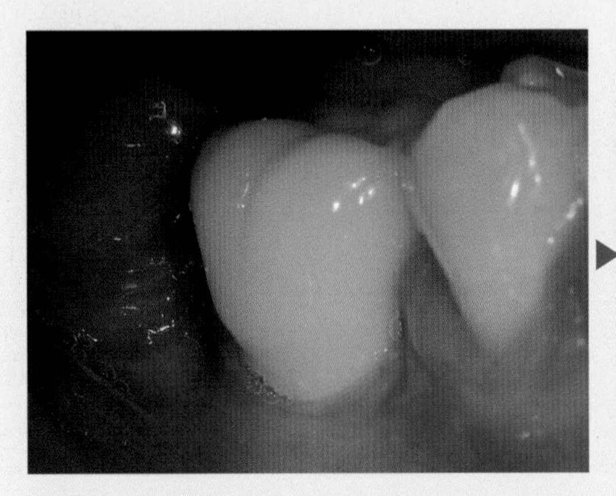

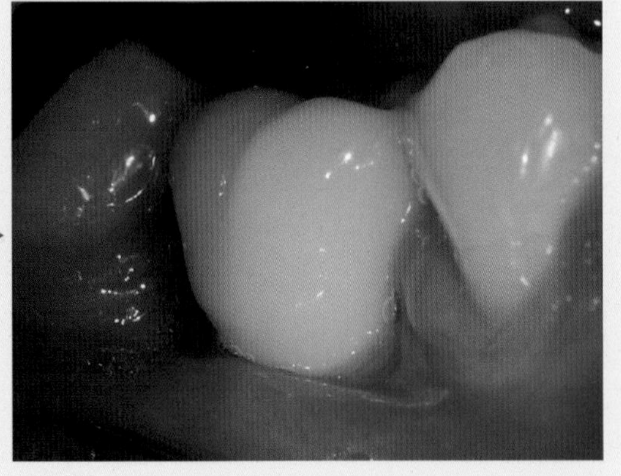

1.26 임플란트 식립이 10년째 되던 2012년에도 46번 협측에 잇몸이 없는 것이 신경 쓰였는지 필자가 찍어 놓은 사진이 있어서 올려본다. 사진에서 보듯이 협측에 marginal fluctuation이 있다.

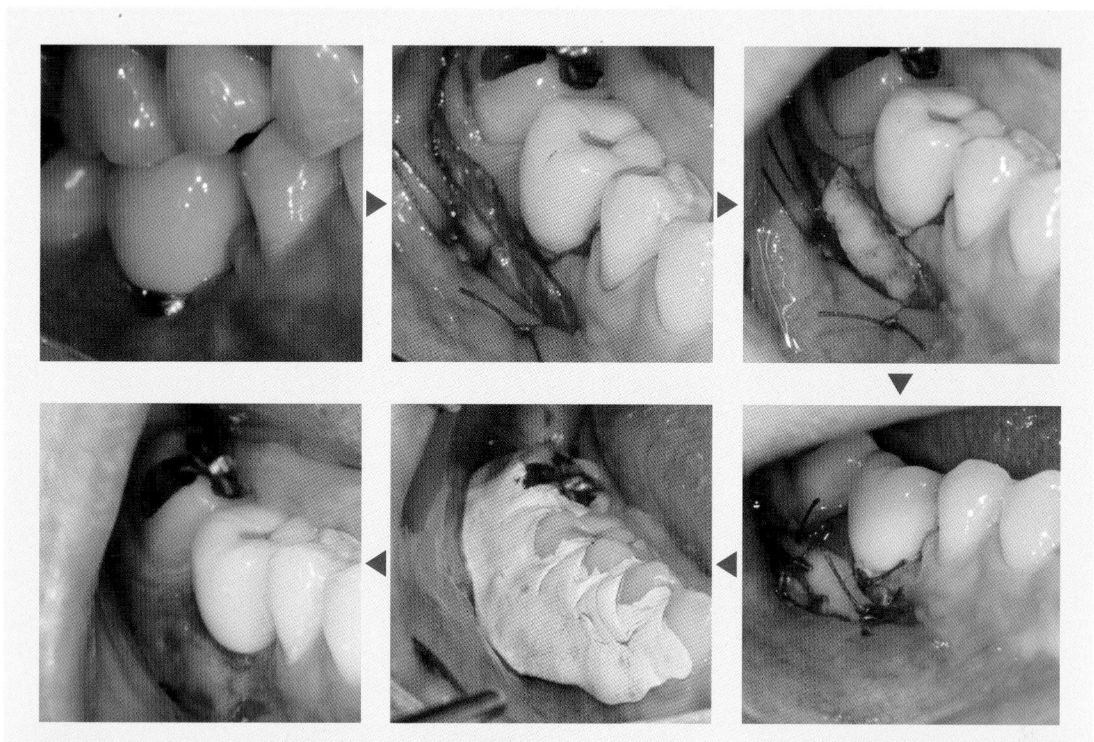

1.27 7년 후 임플란트 어버트먼트가 보이고 잇몸이 아프다고 하여 통상적인 FGG 시행했다(2019년).

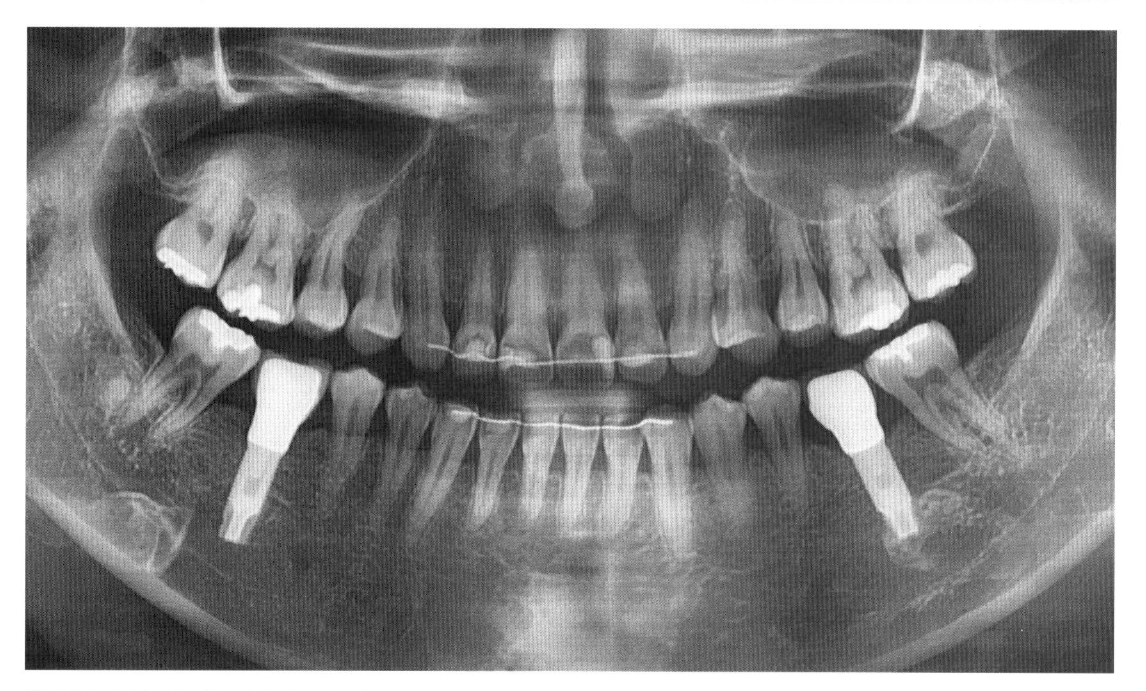

1.28 **2021년 5월.** 임플란트 식립 햇수로 20년째 되는 해까지 아직은 잇몸도 임플란트도 문제없이 잘 지내고 있다.

CASE 7

마지막 케이스는 필자에게는 역사에 남을 만한 케이스로, 10년째 꾸준히 임플란트를 식립하고 있는 환자이다.

앞서 본 케이스(peri-implantitis 치료 3번째) 환자의 어머니로 내원 당시 70세(현재 80세)였고, 젊은 시절부터 당뇨를 앓아왔다고 한다. 전신건강 상태가 좋지 않고 거동도 불편해서 매번 자녀분들이 번갈아 가면서 직접 모시고 한 시간이 넘는 거리에 있는 필자의 치과에 내원한다. 효자도 이런 효자들이 없는 듯하다. 필자가 중간에 그냥 틀니를 사용하는 게 어떻겠냐고 여러 번 말씀드렸지만, 끝까지 임플란트를 하겠다고 고집했다.

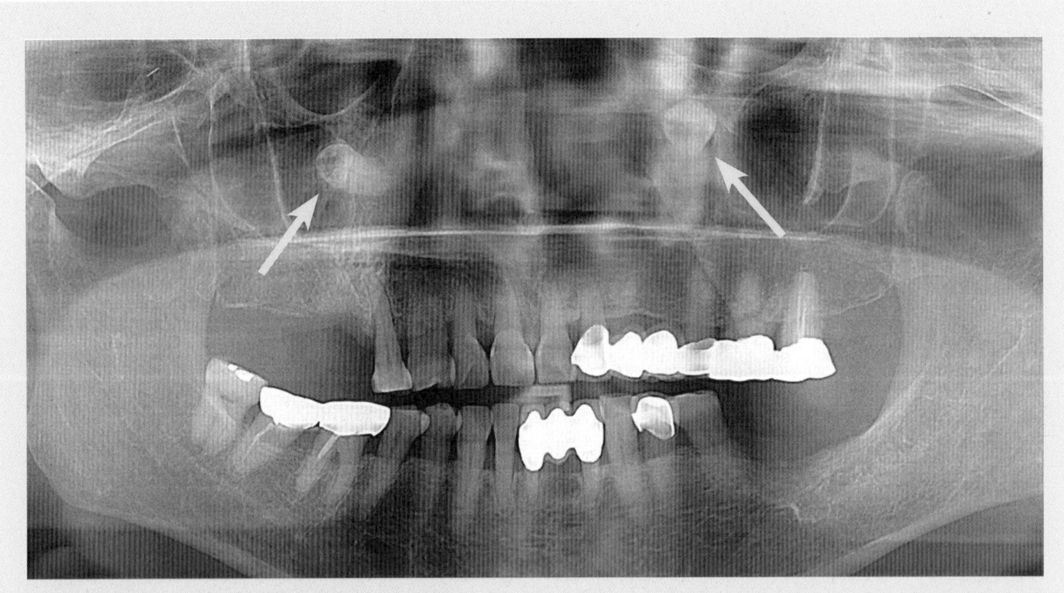

1.29 2011년 초진 당시 파노라마 방사선 사진
필자가 이 어머님의 성함은 처음부터 외우고 있었다. 정말 뺄 필요가 없는 완전 매복치에 나중에라도 문제가 생길까 걱정이라 빼달라는 분들에게 이 분 파노라마 사진을 꼭 보여드리기 때문이다. 이렇게 눈 밑에 송곳니가 있는 경우도 지금까지 문제가 없었으니 주기적으로 체크하자고 하면서 말이다.

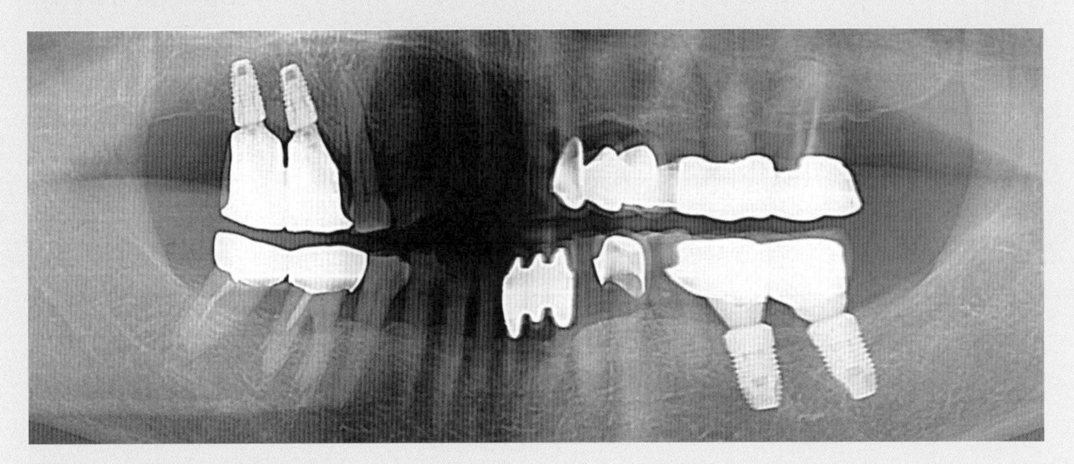

1.30 임플란트 1차 치료 완료 후

10년 전에 우선 1차적으로 내원 당시 무치악 부위는 통상적인 임플란트 과정으로 마무리하였다(**1.30**). 식립한 게 마음에는 안 들지만, 당시 필자의 실력으로는 그런대로 만족한 케이스였다. 물론 10번대는 좀 더 부끄러운데, 마침 보철과에서 보철도 좀 이상하게 한 것 같다. 당시 보철과에서 덴티움 어버트먼트 선택에 문제가 좀 있었나 보다. 패스가 워낙 좋지 않아서 기성 어버트먼트를 쓸 수가 없어서 커스텀을 고른 듯하다. 지금 개념으로 보면 정말 최악의 어버트먼트와 크라운이라고 보여진다.

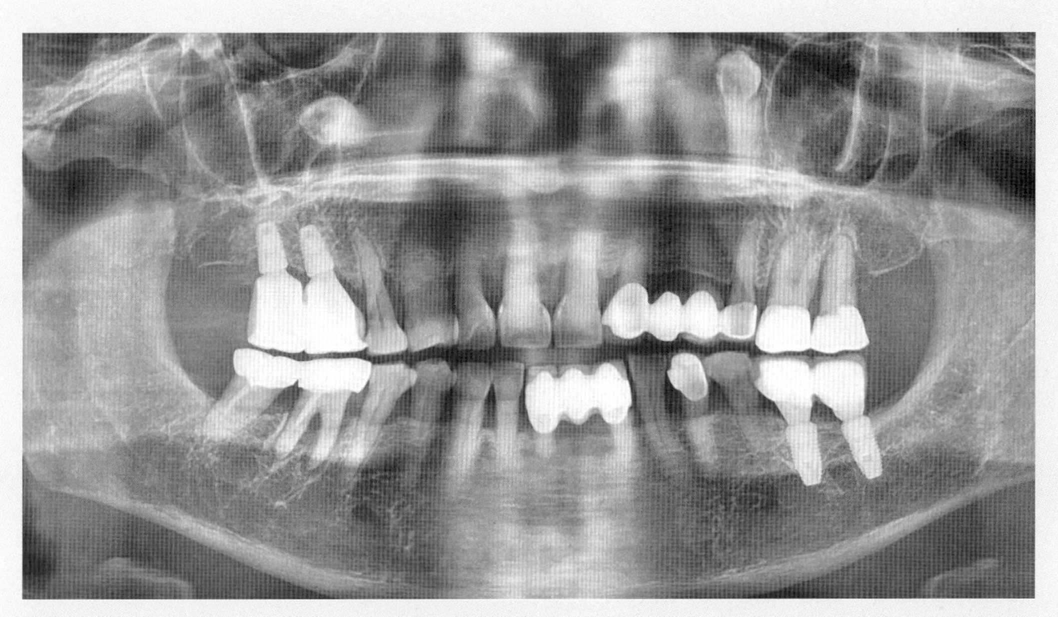

1.31 3년 후 46번 치아와 하악 전치부 불편을 호소하며 내원하였다.

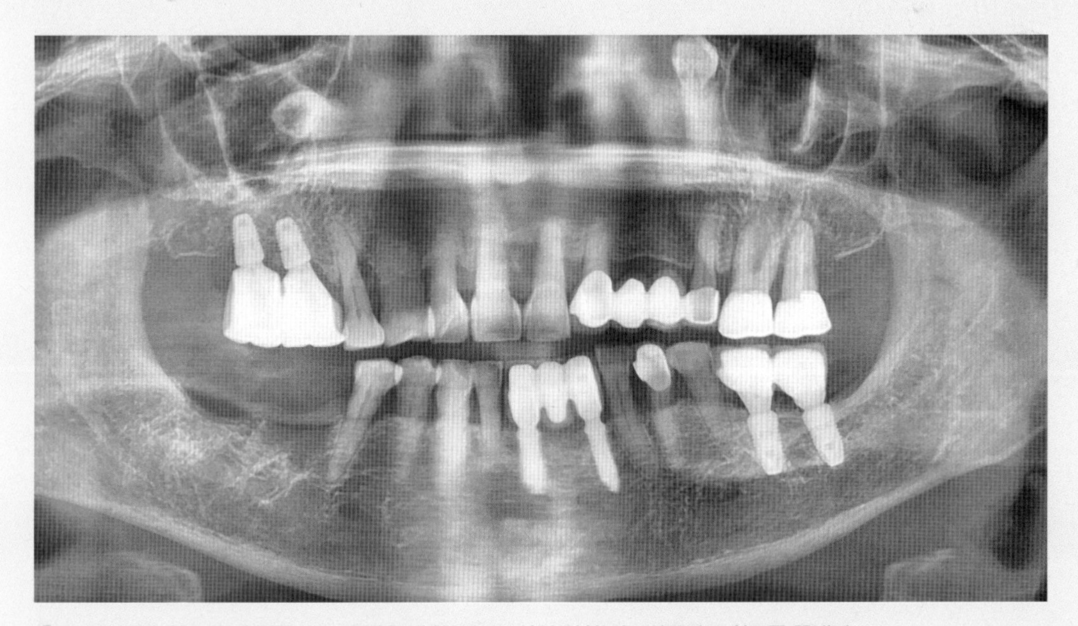

1.32 잇몸 치료 끝에 결국 46, 47번은 발치하였고, 하악 전치부는 임플란트 치료를 끝냈다.

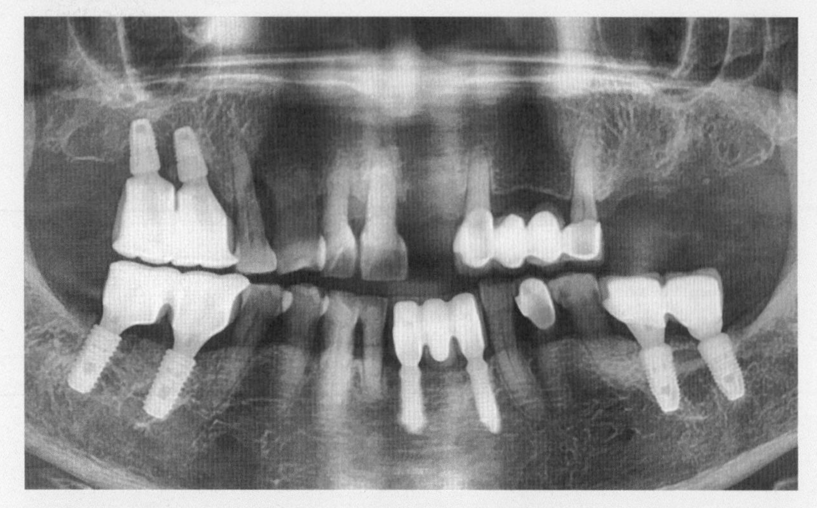

1.33 5개월 후 46-47번 임플란트를 완료하였으며 21번 상악 전치와 상악 좌측 대구치를 발치하였다. 15번이 동요도가 심해지고 16, 17번 임플란트에 골소실과 염증 소견을 보였다. 어버트먼트의 형태가 얼마나 중요한지 다시 한번 깨닫게 되었다.

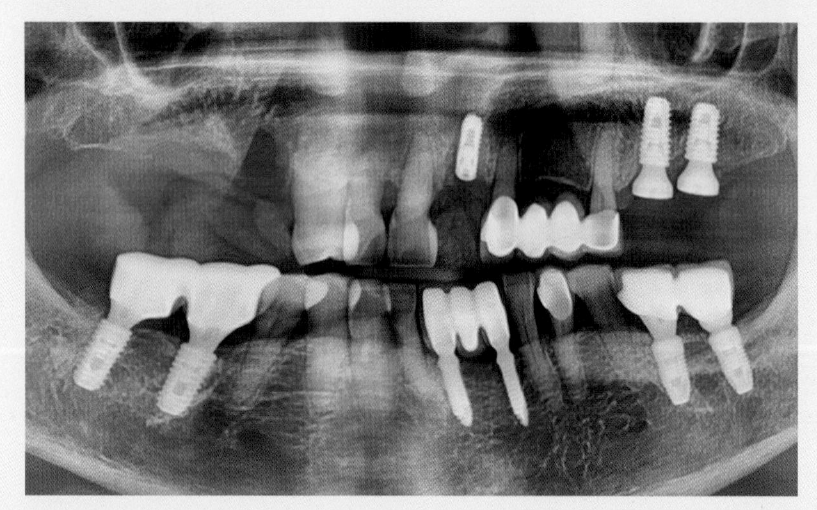

1.34 6개월 후 16, 17번 임플란트가 제거되었으며, 15번 치아도 발치하였다. 지금 뜬금없이 치아 번호에 관심을 가질 필요는 없다. 13번은 눈 밑에 있기 때문에 여기서는 보이지 않는다. 이어서 22, 26, 27번 임플란트가 식립되었다.

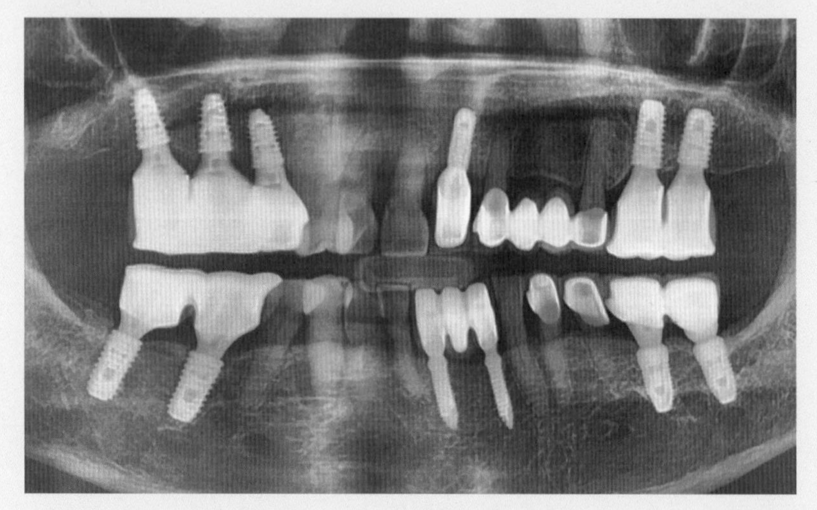

1.35 16개월 후 모든 임플란트 치료가 완료되었다. 환자는 긴 임플란트 치료를 마치고 이제 너무 멀어서 못 오겠다며, 집 근처 치과를 다니기로 했다.

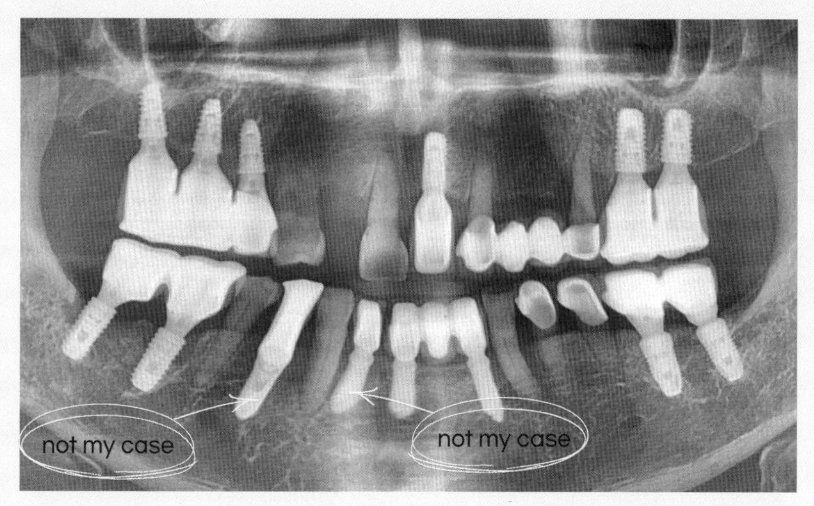

1.36 14개월 후에 다른 치과에서 42, 44번 임플란트를 시행한 후에 너무 맘에 안 든다고, 아무리 힘들어도 필자에게 12번을 다시 치료받으시겠다고 내원했다. 46, 47번 임플란트 주변에 염증 소견이 보이지만, 본인은 자각하지 못하고 있었다. 이때부터 적극적으로 임플란트 치료를 보류하자고 설득하였다.

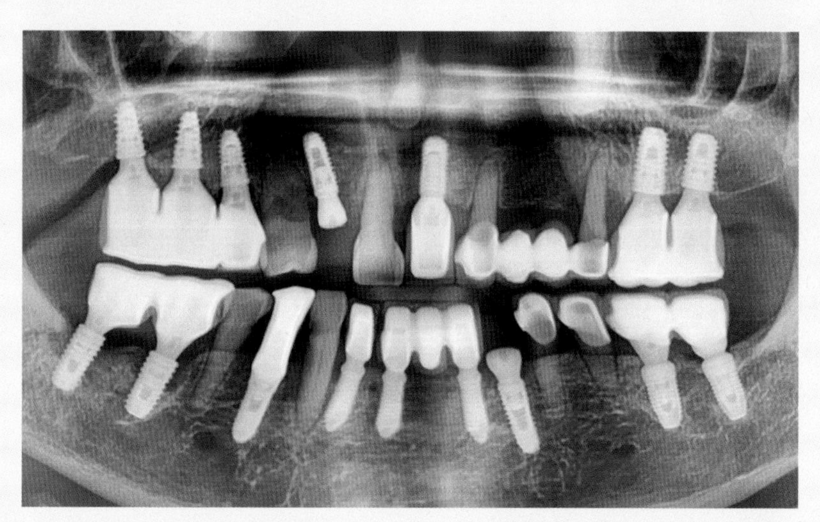

1.37 2개월 후 설득에 실패하여 12번 임플란트 식립 후에 34번 치아를 발치였으며, 2개월 후에 이 영상처럼 식립하였다. 40번대 임플란트에는 여전히 염증 소견이 보였으나 환자의 자각 증상이 없었다.

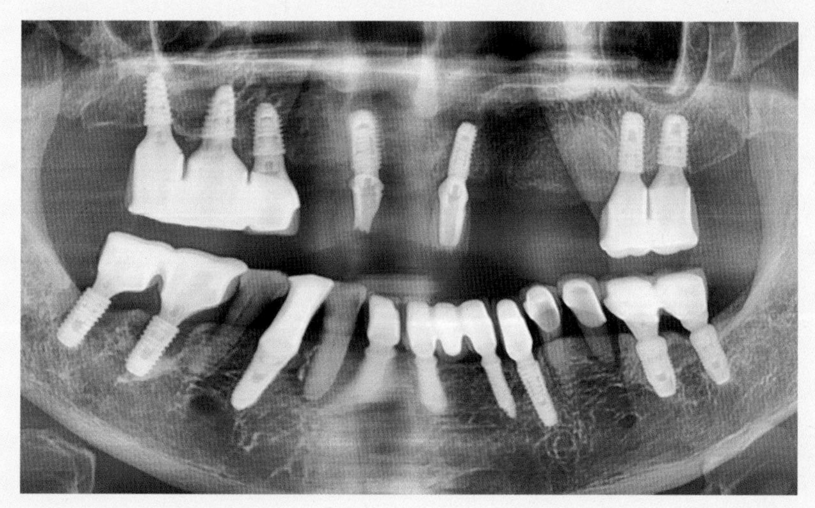

1.38 7개월 후 잔존하던 상악 치아를 모두 발치하였다. 이때도 꾸준히 임플란트 치료를 보류하자고 설득하였다.

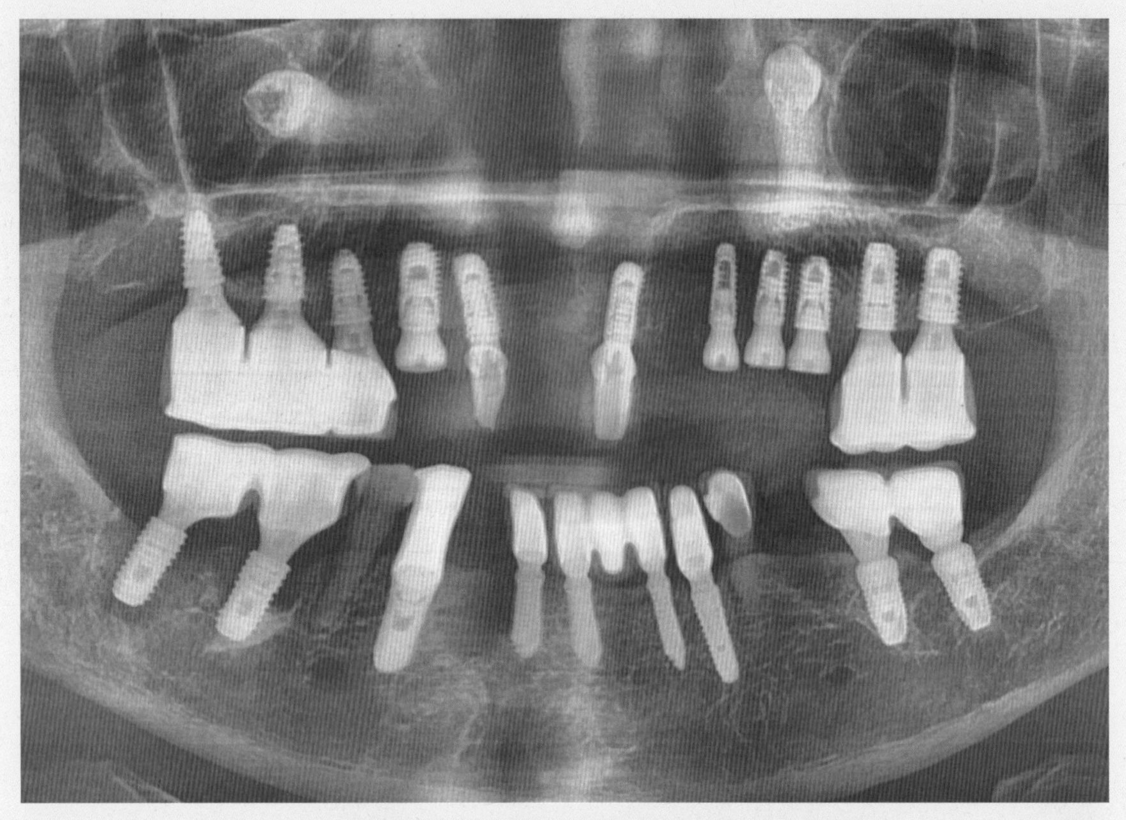

1.39 1개월 후 상악에 추가로 임플란트를 식립하였고, 하악에 자연치아 두 개를 추가로 발치하였다. 여기서 왜 상악 좌측에 3개를 바짝 붙여서 심었는지 의아해 할 것이다. 기존의 보철물을 건드리지 않으면서 크라운을 하려면 어쩔 수 없는 선택이었다. 24, 25번 임플란트를 브릿지로 엮어야 하고, 눈 밑에 있는 13번을 대신하여 상악 전치부 나머지 임플란트와 연결될 브릿지의 지대치가 될 임플란트가 필요하였다. 임플란트 세 개를 조금만 더 벌렸으면 좋았을 것 같은 아쉬움이 들지만, 식립 당시에는 12번 발치와를 피해서 심으려고 노력했던 것 같다.

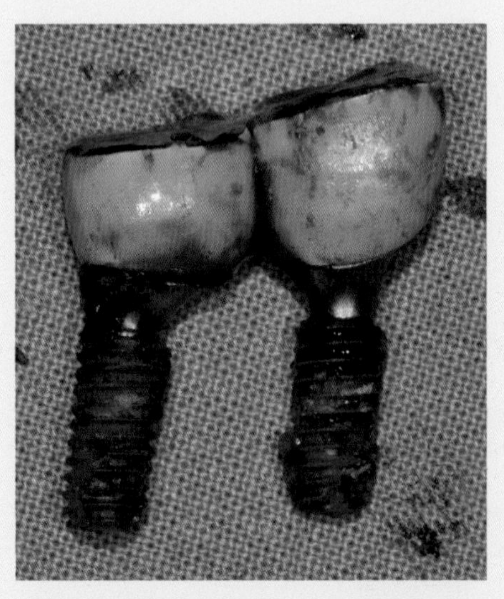

상악 좌측 임플란트를 식립한 지 두 달 후인 2020년 2월에 46, 47번 임플란트를 제거하였다.

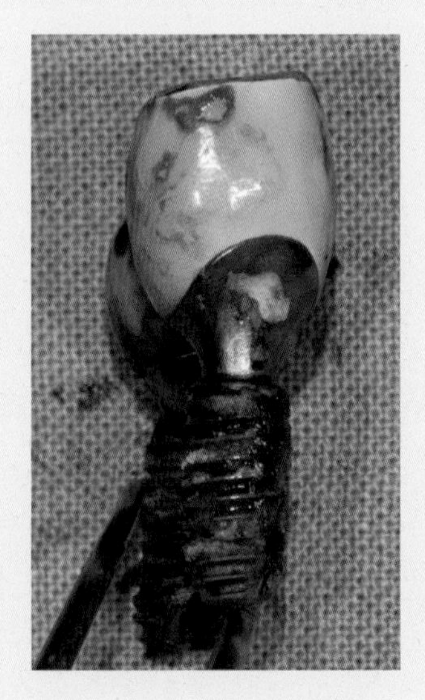

1.40 크라운 세팅 후 4년 5개월 만에 제거된 임플란트 어버트먼트의 근심면에 선명하게 시멘트가 잔존하고 있다.

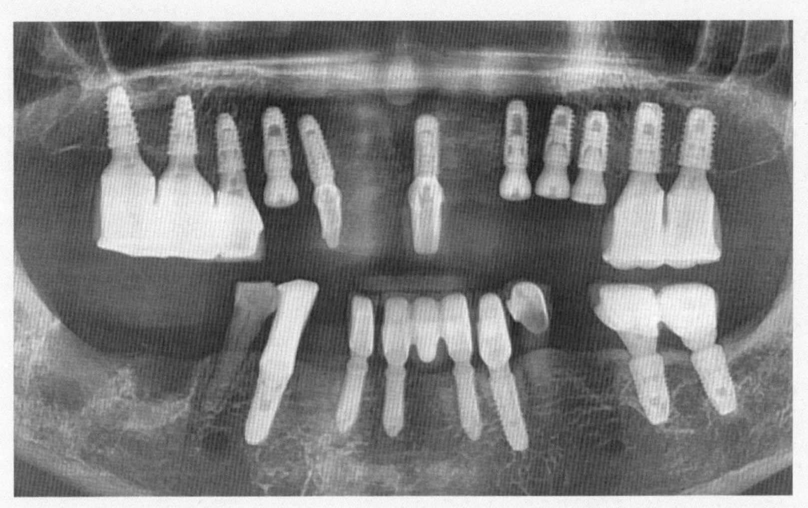

1.41 임플란트 제거 두 달 후 파노라마 방사선 사진(2020년 2월) 사실 임플란트 제거 직전까지도 환자는 이 부분에 불편함을 크게 못 느꼈던 것 같다. 필자의 필요에 의한 발치였는지도 모른다. 이것까지 발치하고 노인 보험틀니 건강보험 적용이 욕심났는지도 모른다. 이미 보험임플란트 두 개는 모두 소진한 상태였기 때문에 보험 틀니만 떠올랐나 보다. 마침 코로나 바이러스로 세상이 어지러웠기 때문에, 환자에게 사람이 많은 곳에 다니지 않는 것이 좋다고 주장하였으나, 틀니 사용 설득에 실패하여 또 다시 임플란트의 여정이 계속되었다.

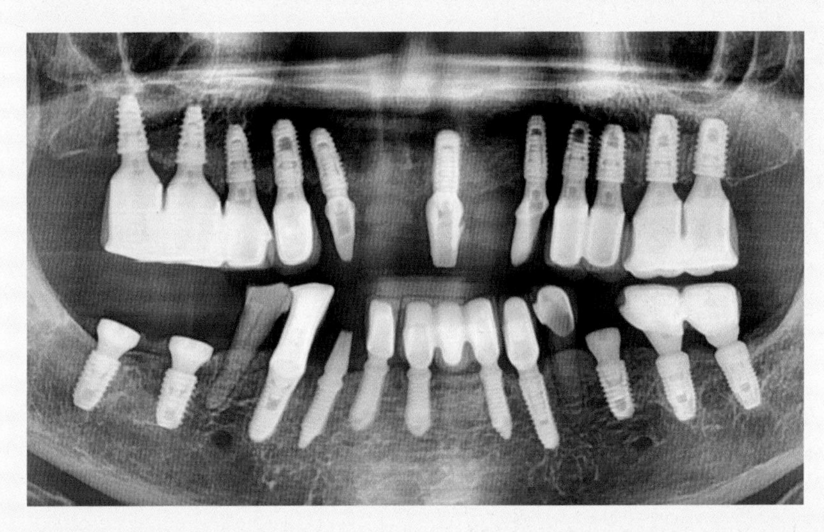

1.42 제거 10개월 후에 하악 무치악 부위 임플란트를 모두 식립하였다. 너무나도 떨리고 힘든 시간이었다. 환자는 당뇨만 심한 게 아니라 혈압도 높았다. 그 사실을 깜빡했다. 사실 환자를 진료하면서는 필자가 너무 떨려서 필자의 혈압을 먼저 생각했었다.

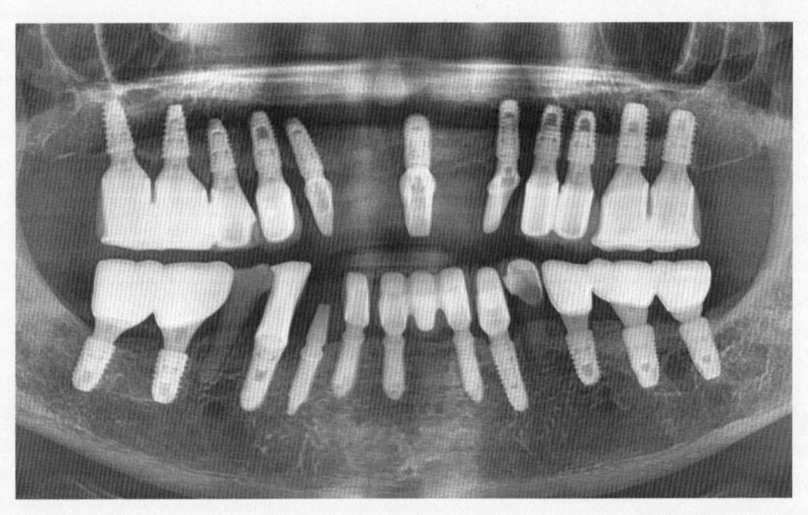

1.43 2021년 3월, 전치부를 제외한 모든 임플란트의 보철이 완료되었다. 보철과에 물어보니 전치부는 진지바 리모델링 중이란다. 왜 23번을 저렇게 멀리 심었냐고 반문했다. 23번은 환자의 왼쪽 눈 밑에 있고 저건 원래 24번 자리인데 최대한 23번화 시키려고 노력하며 심은 것이라고 설명하였다.

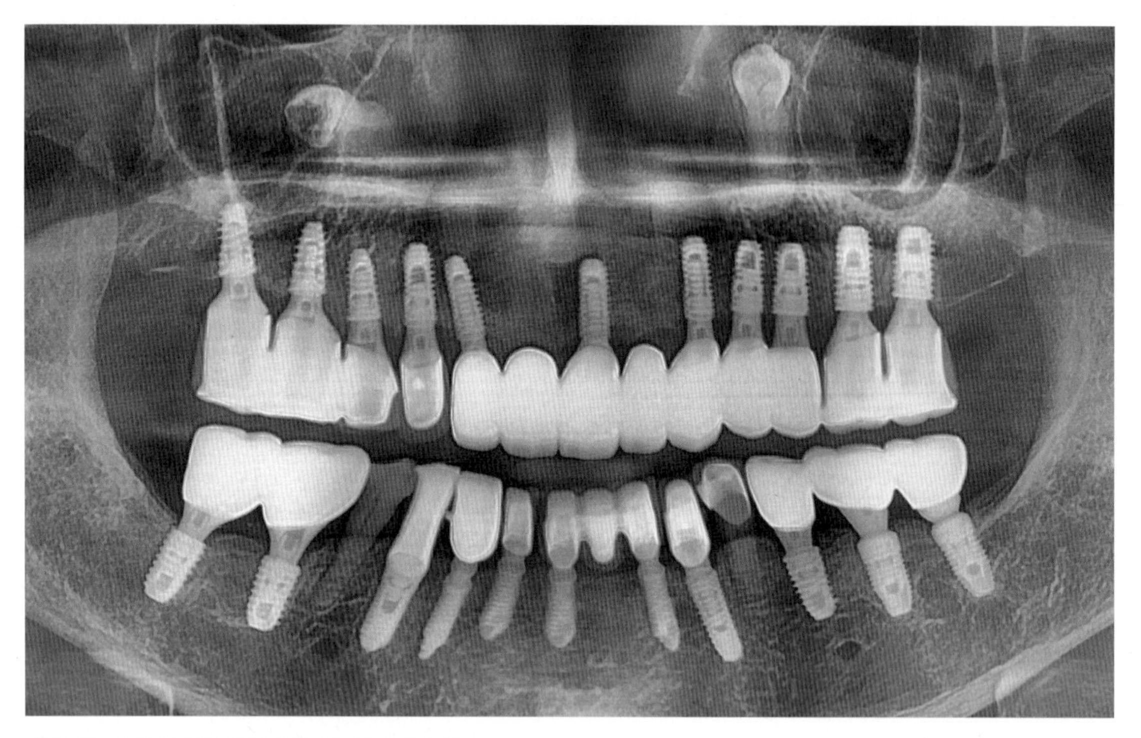

1.44 2021년 5월 최종 임플란트 보철 완료 후
10년간의 임플란트 대하드라마가 끝이 났다. 그러나 늘 그렇듯이 아직도 끝났다고 할 수는 없을 것이다. 임플란트란 끝이 없는 그냥 그 자체가 늘 과정인 치료인 듯하다. 눈 밑의 송곳니도 아직은 아무 문제 없이 잘 있고, 필자도 환자도 아직은 모두 건강한 상태이다. 그러나 임플란트 치료는 계속된다.

필자가 이 케이스를 이렇게 길게 올린 이유이기도 하다. 필자에게는 대하드라마 같은 케이스인데, 마지막 클라이막스에 제거한 46, 47번 임플란트 어버트먼트에 이렇게 잔존 접착제가 보일 줄이야….

물론 이 잔존 시멘트가 이 임플란트 주위염의 주 원인이라고 생각지는 않는다. 환자를 육안으로 보고만 있어도 점점 쇠약해지는 것을 느낄 수 있었고, 치아나 임플란트 뭐든 하나씩 갑자기 나빠지는 것들을 볼 수 있었기 때문에 굳이 원인을 찾으려고 하지도 않았다. 어쨌든 필자는 의사로서 사명감을 가지고 끝까지 최선을 다하기로만 마음 먹었을 뿐이었다. 그런데 이 잔존 시멘트가 필자에게 더 확고한 생각을 들게 하였다. 환자분이 돌아가시든… 내가 죽든… 그 직전까지 임플란트가 필요하다면 최선을 다해서 성실하게 임할 것을 스스로에게 맹세하였다.

누구나 임플란트 주위염이라고 하면 잇몸이 붓거나, 염증이 있거나, 골소실이 있는 것을 생각할 것이다. 그러나 그런 소견 없이도 식사를 하거나 임플란트 주위 잇몸이 움직일 때마다 통증을 호소하는 경우도 있다. 물론 이런 증상이 반복되다 보면 염증이 생기거나 골소실이 올 수도 있다고 생각한다. 그러나 이처럼 아무 증상 없이도 진행되는 경우도 매우 많다.

임플란트의 잇몸 계속 관리

임플란트에서 잇몸 관리의 중요성은 모두가 동의할 것이다. 그러나 과연 어떻게 할 것인가에 대해서는 의견이 분분하다.

여기서 임플란트에서 부착치은은 별로 중요한 게 아니라는 명제에 대해서 다시 한번 이야기해 볼 필요가 있다. 임플란트 주변에 부착치은이 없어도 크게 문제가 없다고 주장하는 사람들도 있지만, **임플란트 주변에 부착치은이 없으면 잇솔질 할 때 잇몸이 아파서 환자들이 이를 잘 안 닦기 때문에 문제가 된다.** 그래서 지속적인 관리를 위해서라도 임플란트 주변의 부착치은은 매우 중요하다고 생각한다.

1.45 필자와 막역한 조현재 교수와 함께

서울대 예방치과의 조현재 교수가 이전에 필자 치과에서 아르바이트도 하고 다른 치과에서 예방치과 진료를 직접 하기도 했었다. 그때 필자에게 임플란트 주변에 염증이 심했던 환자를 오로지 비외과적 치주치료와 치간칫솔 세워꽂기 등 온갖 종류의 구강위생관리를 총동원하여 회복시켰다며 케이스 하나를 보여주었다(**1.46**).

오래전 케이스라 필자뿐만 아니라 조현재 교수도 기억이 가물가물하다고 하지만 이 케이스를 보면 급성으로 염증이 생겨서 임플란트 주변의 골이 소실된 듯하고, 잇솔질로 급성 염증이 제거된 후에 골이 재생된 것(아마도 골의 프레임은 남아 있던 상태여서)이라고 유추해 볼 수 있다. 만성적으로 오랜 기간 동안 소실된 골이 구강위생관리로만은 재생되기는 힘들 것이라고 생각한다. 그러나 이 케이스에서 우리가 새겨 보아야 할 것은 쭉 뻗어 올라가는 어버트먼트의 모양과 길이이다. 기성 어버트먼트

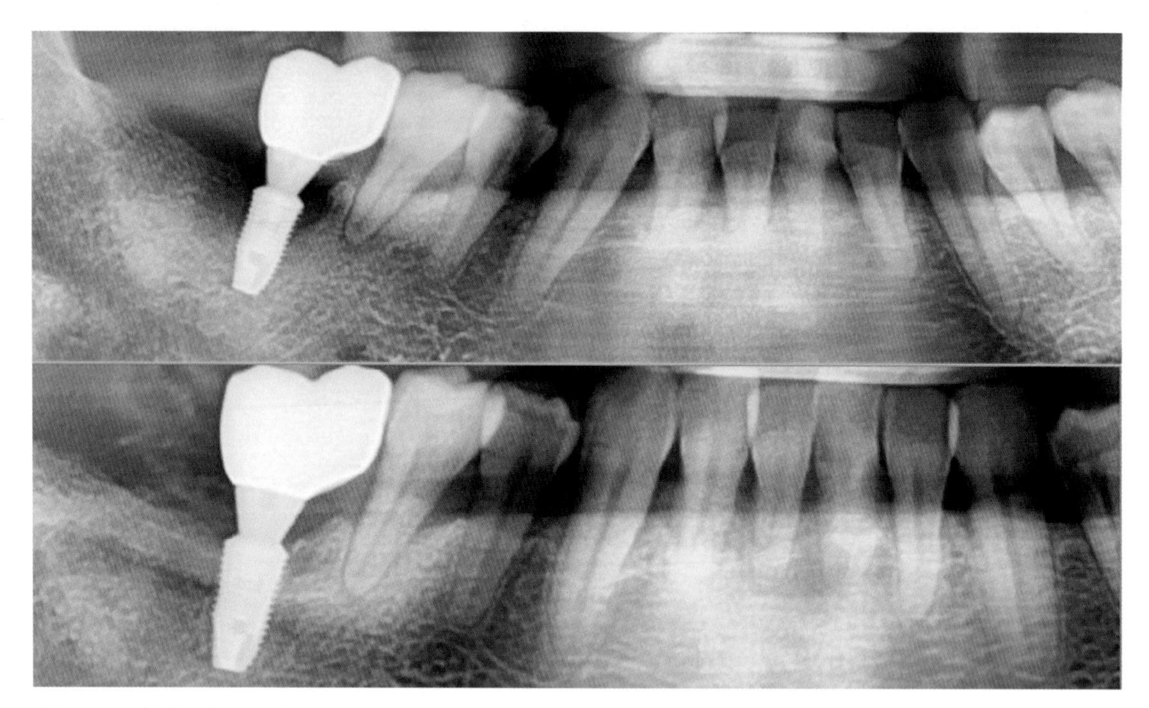

1.46 조현재 교수가 필자에게 보여준 케이스

를 사용한 케이스로 보이지만 기본적으로 쭉 뻗어서 4–5 mm 이상 올라갔기 때문에 구조적으로 문제가 없어서 골과 잇몸이 다시 건강한 상태로 재생된 것이라고 생각된다. 또한 어버트먼트와 임플란트 사이에 마이크로 갭이나 무브먼트가 없기 때문이기도 할 것이다. 이 책에서 끊임없이 강조하고 있는 "가늘게 쭉 뻗은 어버트먼트의 중요성"을 여기서도 보게 된다.

CHAPTER 8-2

픽스처와 어버트먼트의 파절

Mastering dental implants

임플란트 픽스처의 수평파절

필자가 처음 임플란트를 배우던 20년 전에는 이러한 임플란트의 수평 파절이 중요한 이슈였다. 그러나 당시에는 임플란트를 타이타늄 Grade 2, 3 위주로 만들었기 때문에 많이 발생했던 것 같고, 요즘 임플란트들은 앞서 언급했듯이 대부분 최소 타이타늄 Grade 4 이상을 사용하기 때문에 임플란트 자체의 수평 파절은 거의 발생하지 않는다.

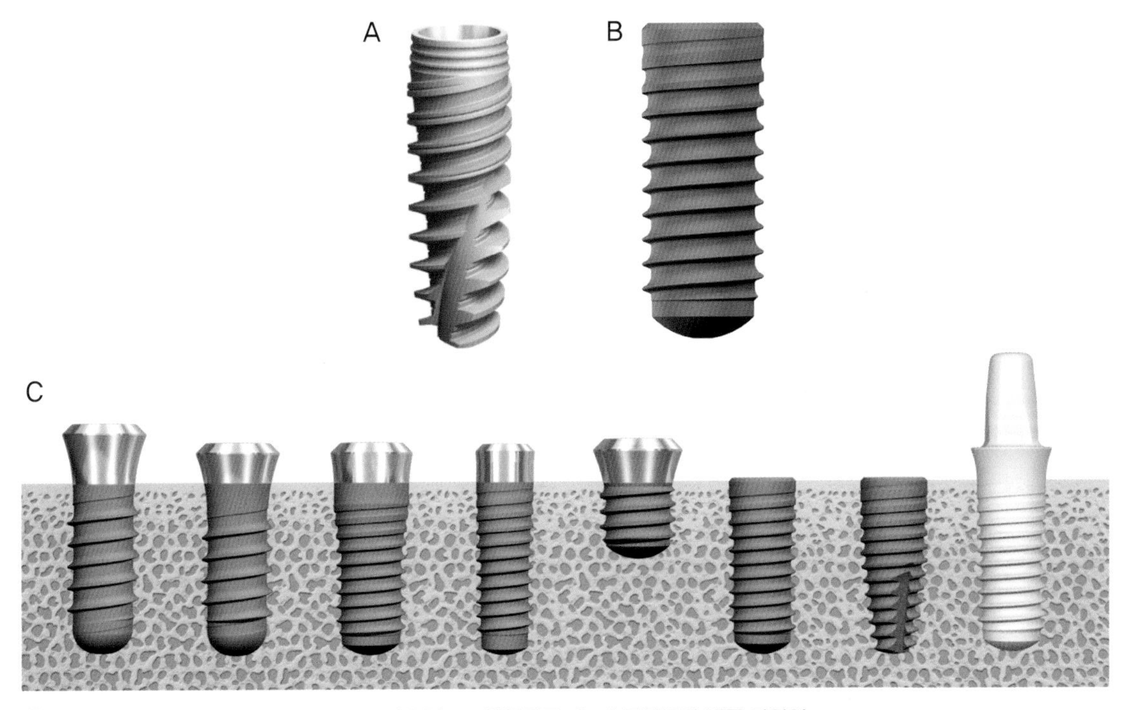

2.1 **A**: 노벨 액티브 임플란트, **B**: 스트라우만 BL 임플란트, **C**: 스트라우만 제품 라인업

비교적 흔하게 보고되는 케이스들은 노벨바이오케어의 노벨 액티브 임플란트 케이스이다. 스트라우만 임플란트에서는 거의 보고된 경우를 못 봤는데, 스트라우만 임플란트는 임플란트의 쓰레드가 대부분 작기 때문에 임플란트의 기본 코어가 크고, 그 재료 또한 앞서 이야기한 대로 록솔리드이기 때문일 것으로 추정된다. 노벨액티브는 아무래도 임플란트 치근단으로 갈수록 쓰레드를 크게 해서 코어 사이즈를 줄인 것이 가장 큰 이유겠지만, 각각의 보고된 케이스들을 보면 결국 임플란트의 식립 방향과 높이가 잘못되어 있거나, 어버트먼트 임플란트 크라운의 형태가 필자가 말한 형태가 아닌 잘못된 형태인 경우가 많다. 그로 인해서 임플란트의 크레스탈 본이 흡수되고 apex에 수평적 로드가 가해져서 파절되는 것으로 추정해 볼 수 있다. 노벨액티브 임플란트를 실제 엑스레이로 보면 정말 코어가 얇고 부러질 것 같은 느낌이 든다. 최근에 나온 스트라우만의 BLX도 결국 노벨액티브 스타일을 모방했다고 본다. 필자도 써보고 싶은데 노벨은 이제 한국 시장에서 철수한다고 한다. 어쨌든 여기서도 결국 임플란트의 가장 중요한 부분은 올바른 방향과 높이 그리고 적절한 어버트먼트의 길이와 모양이라고 볼 수 있다.

임플란트 픽스처의 수직파절(Tearing)

임플란트 픽스처의 찢어지는 현상(수직파절)은 모든 임플란트에 골고루 잘 나타나고 있다. 필자가 한국 치과의사이다 보니 특히 오스템 TS 임플란트의 테어링 케이스들을 주변에서 자주 보게 되는데, 필자가 봤을 때는 단순히 제조사만의 문제가 아니라 **시술자의 잘못이 크다고 생각되는 경우가 대부분**이었다.

필자가 생각하는 일반적인 임플란트의 테어링 이유

1. 잘못된 사이즈의 선택

기본적으로 오스템은 소구치에도 싱글로는 4.5 이상의 사이즈를 권장하고 있다.
이 부분은 **3-2장 임플란트의 지름의 선택**의 지름 부분을 참고한다.

2. 임플란트 크레스탈 주변의 골흡수

여러 가지 이유가 있겠지만 결국 골소실이 와서 픽스처를 크레스탈 쪽에서 꽉 잡아줘야 하는데 그것이 부족하게 되면 오로지 임플란트 픽스처의 코로날 쪽 칼라의 강도로만 교합력을 견뎌야 하다 보니 테어링이 생길 수 있다고 본다.

3. 잘못된 임플란트의 위치

특정 방향으로 너무 잘못 심어져서 교합력이 분산되지 않고 특정 방향으로 지속적인 힘이 몰리게 되는 경우가 종종 있다. 물론 그로 인한 골소실이 먼저 진행되고 테어링 되었을 것이라고 본다. 물론 테어링이 먼저 되고 나서 골흡수가 있을 수도 있다고 생각한다.

4. 잘못된 임플란트의 높이

임플란트를 너무 높게 심어서 정상 교합력에도 어버트먼트와 픽스처의 마진에 캔틸레버형 힘이 너무 많이 작용하게 되는 경우를 종종 본다. 이것도 마찬가지로 이런 구조적인 잘못으로 임플란트 주변에 골소실이 발생하여 테어링이 생기게 된 것으로 추정해본다.

5. 임플란트 어버트먼트의 길이와 모양의 잘못

앞서 너무 많이 언급해서 넘어간다. 이로 인한 임플란트 치경부의 골소실이 테어링의 원인이 될 것이라고 본다.

6. 어버트먼트를 픽스처에 정밀하게 세팅하지 못한 경우

앞서 어버트먼트를 픽스처에 패시브하게 맞춰야 한다는 말을 여러 차례 강조하였다. 그렇지 못하면 조금만 지나도 어버트먼트와 픽스처의 마이크로 갭과 무브먼트가 발생하여 크레스탈 본로스가 오고, 그로 인해서 약해지고 상처 난 픽스처가 주변의 골까지 없어지면서 테어링이 되는 것이라고 본다. 물론 마이크로 갭 앤 무브먼트로 테어링이 먼저 오고 그로 인해 골소실이 가속화될 수도 있다고 본다.

7. 임플란트를 너무 세게 심는 경우(강한 식립 토크)

임플란트를 너무 강한 토크로 심다 보면 헥사에 무리가 가고(잔류응력), 그로 인해 손상된 헥사가 위에 언급된 원인들과 복합적으로 작용하여 수직파절의 원인이 된다고 할 수 있다.

결국 원인들을 보면 가장 중요한 것은 임플란트의 올바른 위치 · 방향 · 높이, 어버트먼트의 적절한 길이와 모양이고, 그것을 픽스처에 패시브핏이 이루도록 정확하게 세팅하는 것이라고 볼 수 있다.

이러한 테어링은 오스템 TS 말고도 여러 타 회사 제품에서도 다양하게 나타난다. 심지어 알로이로 픽스처를 만드는 바이오허라이즌이나 Zimmer 제품 등에서도 보이는 것을 보면 분명 술자의 잘못을 90% 이상으로 보지만, 보이지 않는 부분에 **제조사의 불량이 있을 경우도 완전 배제할 수는 없다**고 본다. 제조 과정상에서 충분히 임플란트에 잔류응력이나 미세한 크랙이 간 상태로 제작될 수도 있기 때문이다.

제조사의 잘못을 따지자면 노벨바이오케어를 빼놓을 수 없다. 앞서 다뤘던 노벨의 트리알로브 인터널핏 어버트먼트의 경우는 로브의 얇은 면에서 파절이 너무 많이 보고되고 있다. 그래서 이제는 거의 사용되지 않는 것으로 아는데, 노벨의 주력 제품인 노벨 액티브의 경우 와이드로 가더라도 치경부의 지름을 굵게 하기보다는 백테이퍼를 줘서 줄여버렸기 때문에 임플란트 크레스탈 쪽의 칼라가 매우 얇아지게 되었다. 그런 상태에서 위에 오스템에서 원인이라고 보여진 문제들이 똑같이 발생한다면 어느 제품보다도 테어링이 많이 생길 수 있다고 본다. 제조사에서 술자들의 잘못된 식립까지 모두 다 고려할 수는 없다고 하더라도 조금은 더 고려했어야 한다는 생각도 든다.

CASE 1

여기서 한 가지 사례를 보고 가보자.

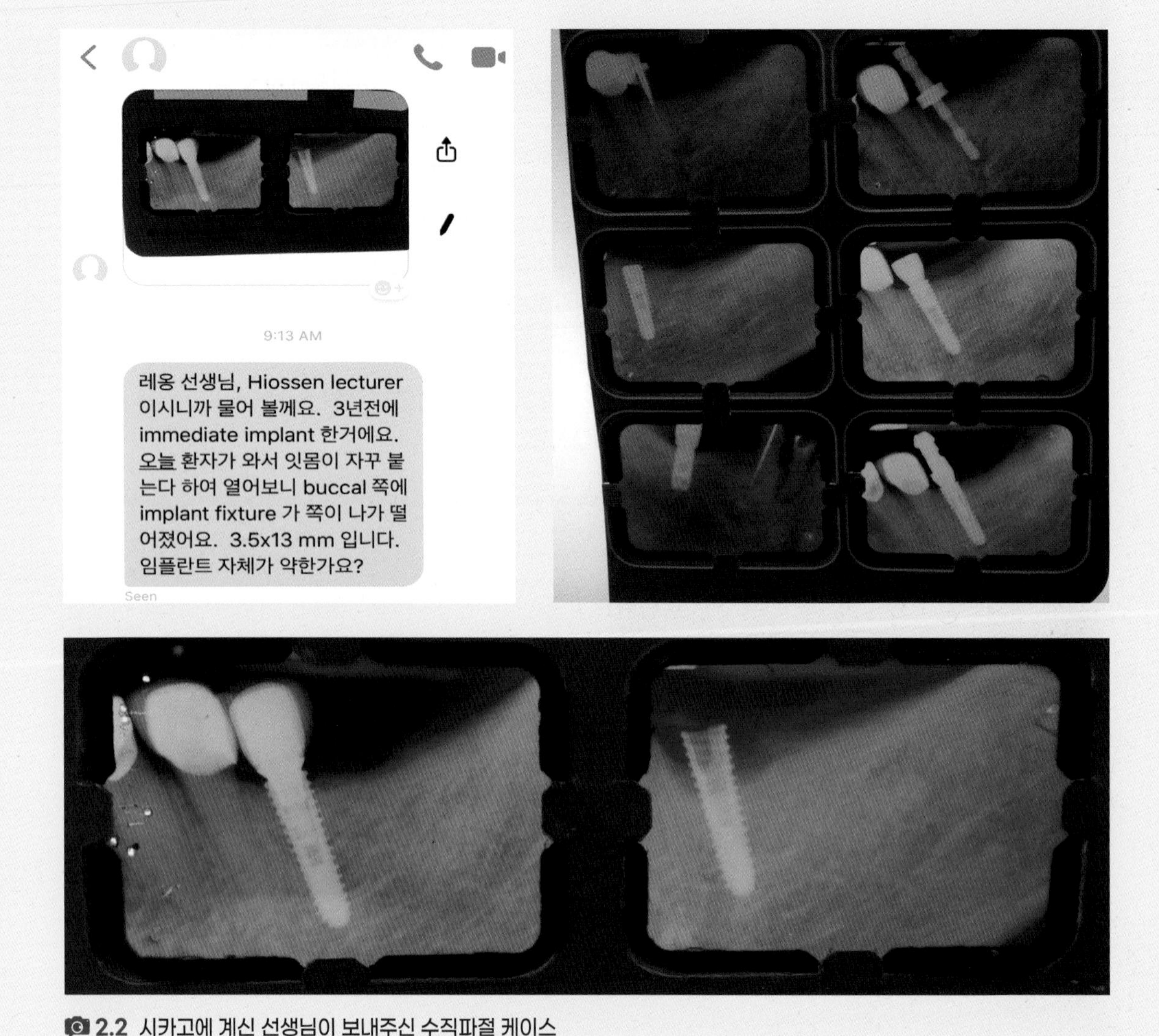

2.2 시카고에 계신 선생님이 보내주신 수직파절 케이스

시카고의 선생님께서 필자에게 케이스를 보내주었다(**2.2**). 하악 5번 또는 6번으로 추정되는 곳에 지름 3.5에 13 mm 임플란트를 식립하였으나 3년 만에 테어링 되어 찾아온 환자에 대한 질문이었다. 우선 사이즈만 봐도 왜 테어링이 되었는지 바로 알 수 있다. 거기다 임플란트가 높게 심어졌고, 어버트먼트의 길이가 매우 짧은 것에서 한 번 더 추정해볼 수 있다. 결국 크레스탈 본로스가 왔을 것이고 그나마도 얇은 픽스처를 잡아주던 골이 없어지니 속절없이 테어링 되었을 것이다. 이와 같은 너무나 뻔한 케이스 말고도 SNS에 제조사만을 원망하는 케이스들이 많이 올라오는데, 필자 눈에는 술자의 잘못도 큰 것으로 추정되는 케이스들이 대부분이었다.

CASE 2

필자의 수직파절(tearing) 케이스 보기

이제 필자가 직접 경험한 수직파절 케이스를 보기로 하자. 그 오랜 시간 동안 필자의 치과에서는 픽스처 테어링은 한 번도 없었는데, 책이 대박나라고 하느님께서 일부러 최근에 두 개의 케이스를 보내주신 듯하다. 그중 하나가 이 책의 공저자이기도 하고, 함께 일하는 동료인 편영훈 원장의 케이스이다(📷 2.3). 후배지만 필자가 많이 배우고 의지하는 매우 실력이 좋은 구강외과 의사이다. 그런데 시술한 지 1년 만에 24번 임플란트가 테어링 되었다. 어버트먼트 모양과 크라운의 모양이 정상인 것을 감안하면 패시브하고 정밀하게 체결이 잘 안되었는지, 특정한 충격이나 과도한 교합력 등 수많은

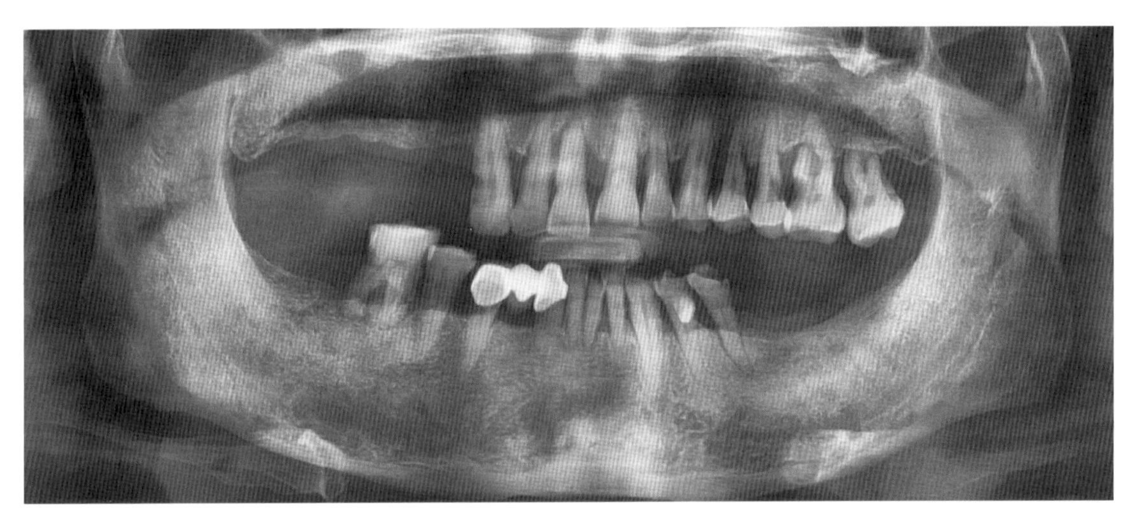

치료 전 파노라마 방사선 사진

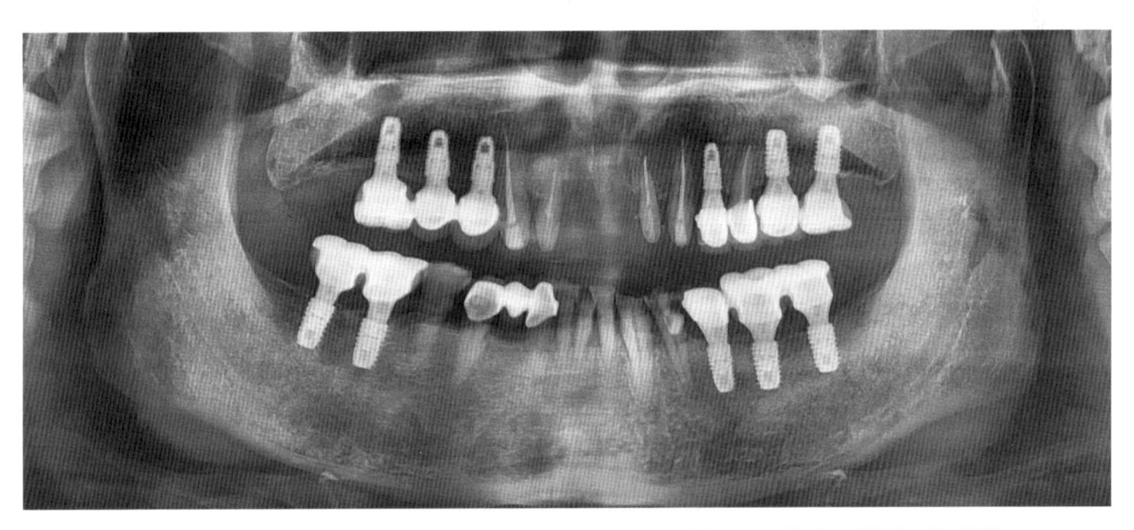

어금니 치료를 완료한 후 전치부 치료만 진행 중인 상태(24번을 식립하고 5개월 만에 보철 후 2개월이 지난 상태)

📷 2.3

것들을 고민해 볼 수도 있을 것이다. 그러나 우선 아무리 1소구치라고 하더라도 싱글임에도 4.0 지름을 사용한 것을 1차적 원인으로 생각해 볼 수 있다. 물론 그렇다고 다 파절되는 것이 아니므로 여기에 정말 제조사의 결함부터 시술 과정에서의 수많은 문제점 등도 고민해봐야 한다.

필자도 원인 분석을 위하여 차트도 다 읽어 보고 사진도 면밀히 보았지만, 우선은 다른 원인을 찾지 못하였다. 혹시라도 식립 과정에서 과도한 토크가 사용되었는지 확인하였으나 초기고정이 좋지 못했다고 기록된 걸 보면 과도한 식립토크에 의한 손상도 아니었다. 어쨌든 현재 재치료 중이고, 언제든 다양한 원인으로 발생할 수 있다는 점은 고민해 볼 필요는 있다.

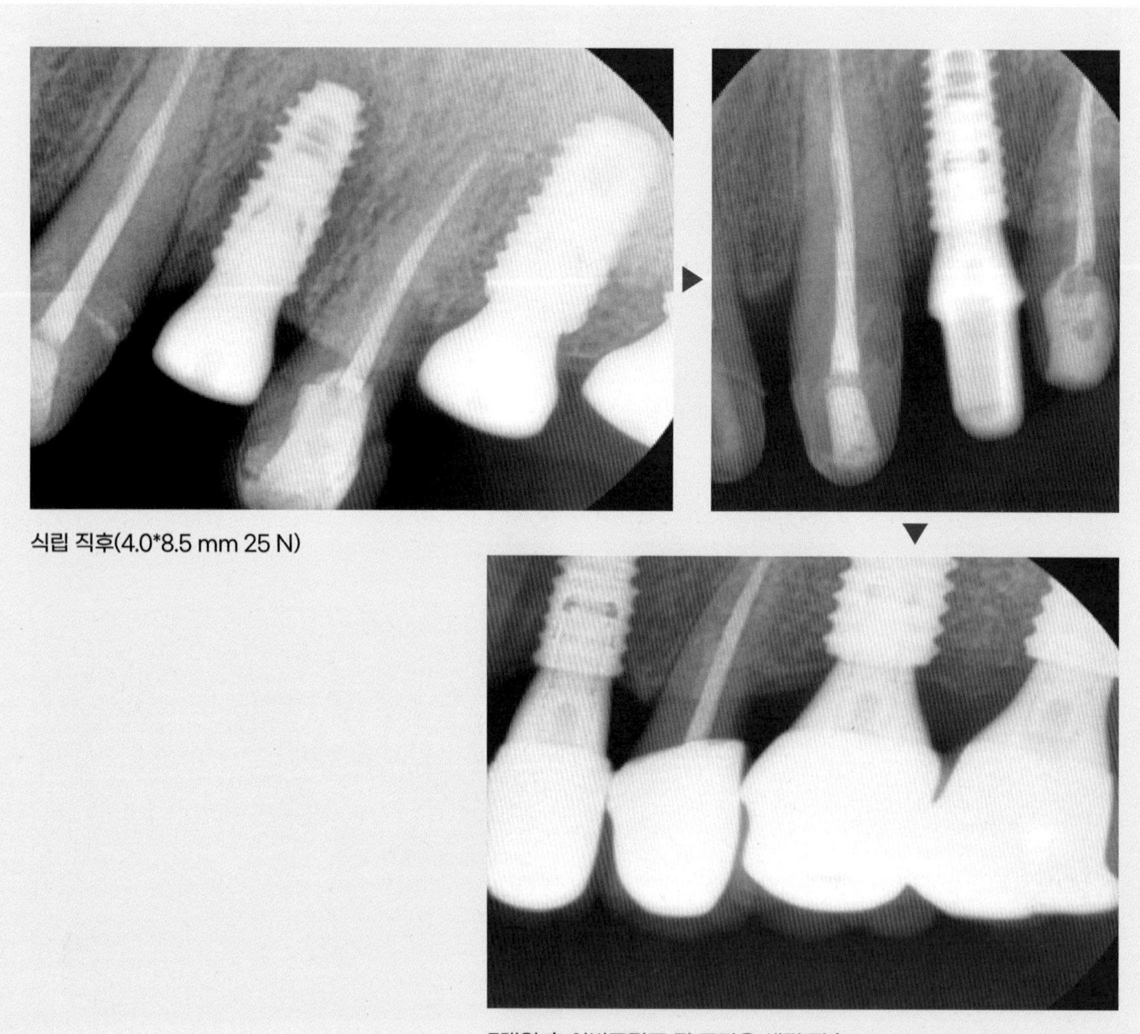

식립 직후(4.0*8.5 mm 25 N)

5개월 후 어버트먼트 및 크라운 세팅 직후

2.4

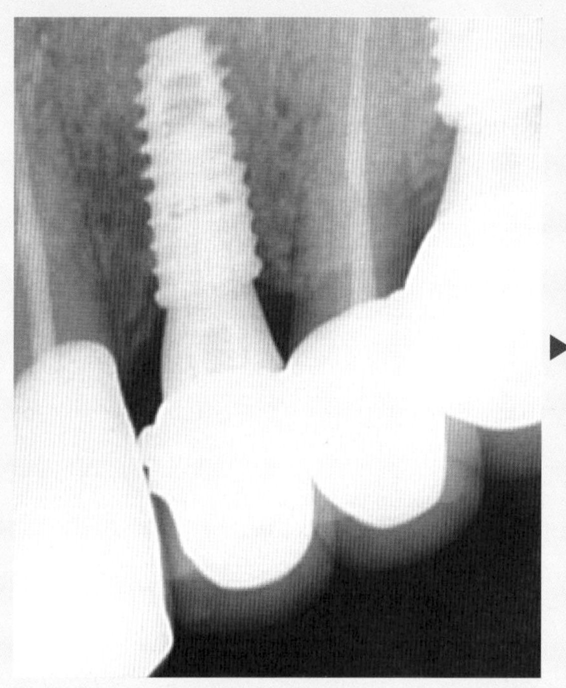

12개월 후 크라운이 흔들린다고 내원

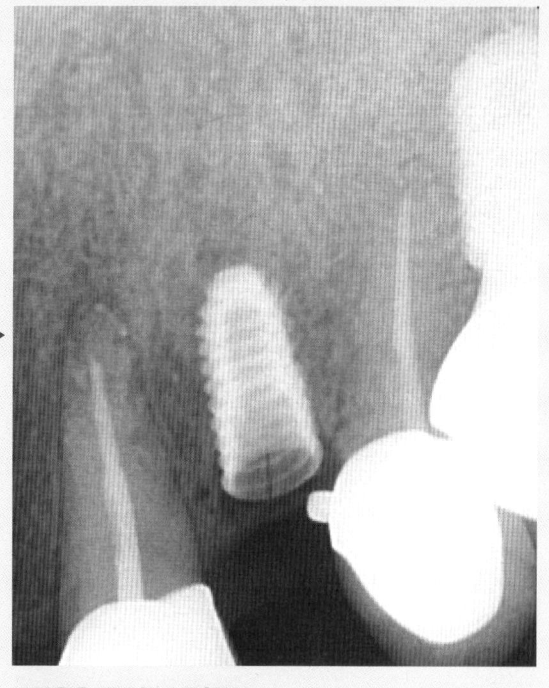

크라운을 제거한 표준촬영
선명한 수직파절 선을 볼 수 있다.

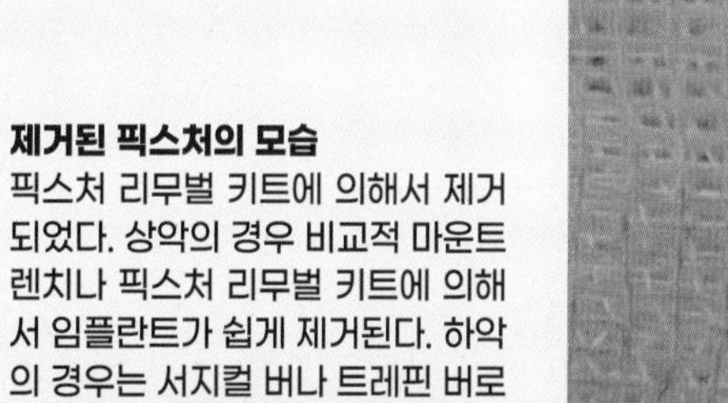

제거된 픽스처의 모습
픽스처 리무벌 키트에 의해서 제거되었다. 상악의 경우 비교적 마운트 렌치나 픽스처 리무벌 키트에 의해서 임플란트가 쉽게 제거된다. 하악의 경우는 서지컬 버나 트레핀 버로 인접골을 삭제해야 하는 경우가 대부분인 듯하다.

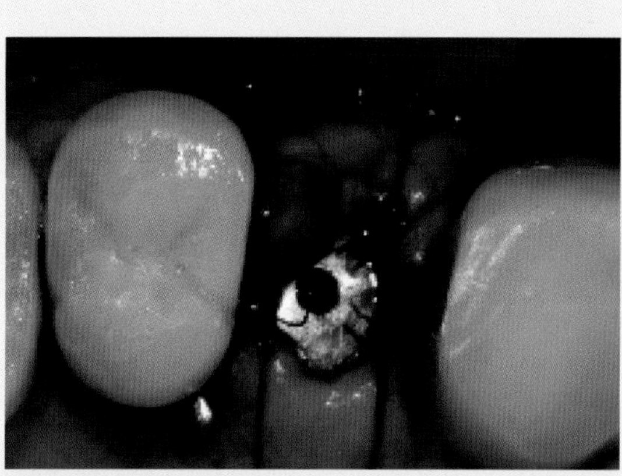

제거 직후 재식립한 모습
골소실이나 염증 소견이 보이지 않아서 바로 재식립하였으며, 현재 치료는 진행 중이다.

2.5 24번 통상적인 치료 과정

이제 필자의 케이스를 보자.

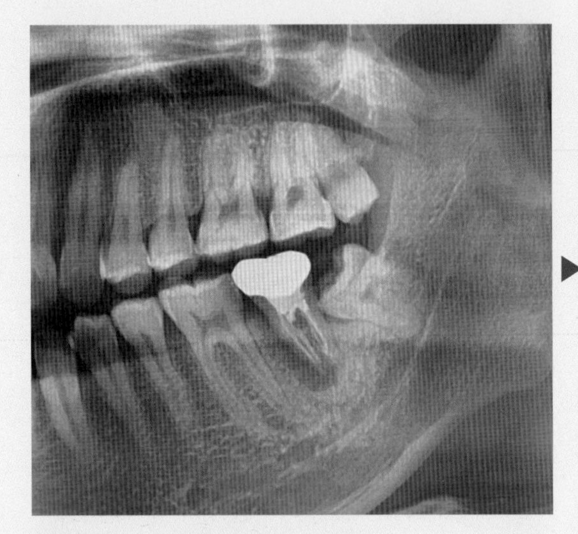

발치 전 파노라마 방사선 사진

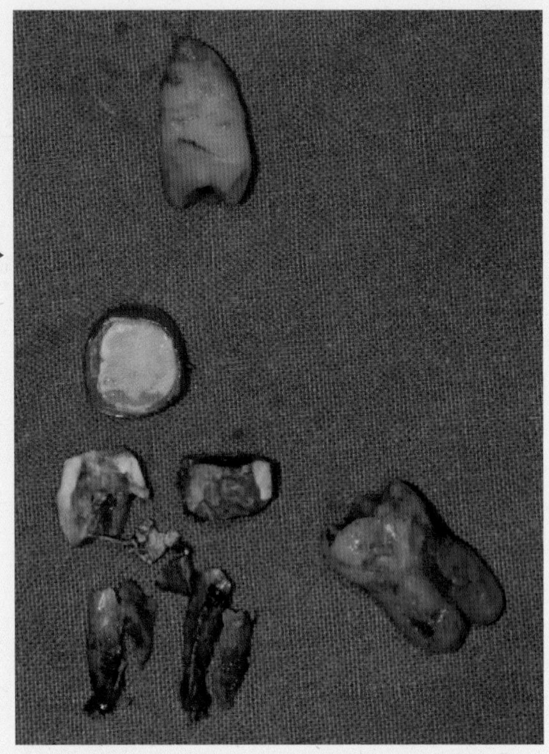

사랑니와 함께 발치된 37번 치아

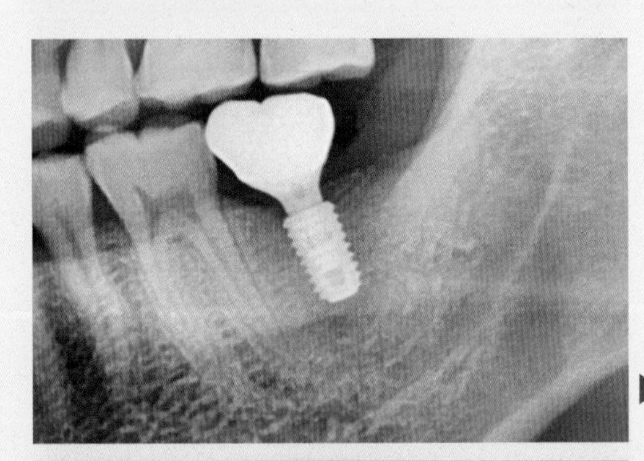

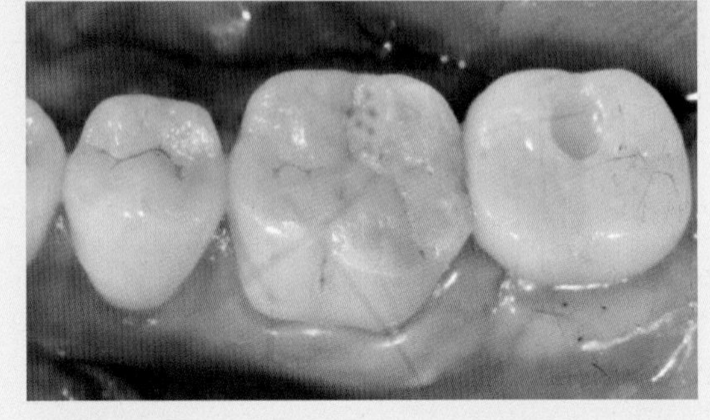

세팅 완료 직후

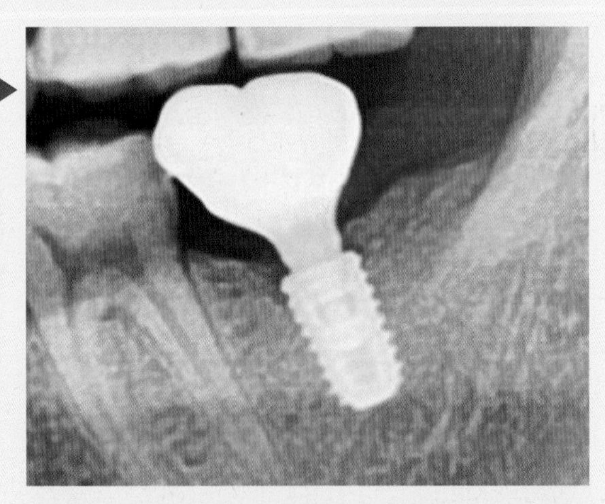

세팅 후 14개월만에 급성 치주염으로 내원했을 때의 파노라마
처음에는 수직파절로 진단하지 못하고 스크류 루즈닝으로 판단하여 리타이트닝 후에 경과를 보기로 하였다.

2.6

필자는 아직까지 테어링이 없는 것이 드문 자랑 중에 하나였는데, 드디어 올 것이 왔다. 사랑니와 2대구치를 발치하고 통상적으로 진행된 임플란트였다. 약간 설측으로 식립된 듯한 느낌이 들지만 인정 범위를 벗어났다고 생각되지는 않은 케이스였다. 그런데 식립 4개월 만에 테어링이 되었다(**2.6**).

필자가 크라운을 직접 안 하기 때문에 보철과에서 세팅 과정 중에 패시브핏이 되지 않게 잘못 세팅했는지는 알 수 없다(📷 2.7). 다만 어뎁 사진에서 크라운을 누르면서 찍은 걸 보면 완전한 패시브핏이 이루어진 것이라고 보기는 어려울 수도 있다. 그러나 어쨌든 4개월 만에 테어링 되어 나타났고 환자는 필자에 대한 신뢰도가 너무 떨어져서 필자에게 더 이상 진료받고 싶지 않다고 하셨다고 한다. 너무 슬픈 케이스이다. 물론 수많은 원인을 모두 다 고려해 볼 수 있을 것이다. 다만 설측으로 잘못 심어진 것, 이 환자는 30대 젊은 남자로 전체 치아에 교모가 심한 것, 전치부 심미보철물도 크랙이 자주 가고 파절되는 것 등으로 보아 과도한 교합력 또한 원인 중 하나일 거라고 추정할 뿐이다.

이 케이스에서 명확한 것은 수직파절이 골소실보다 먼저 나타났다는 것이다.

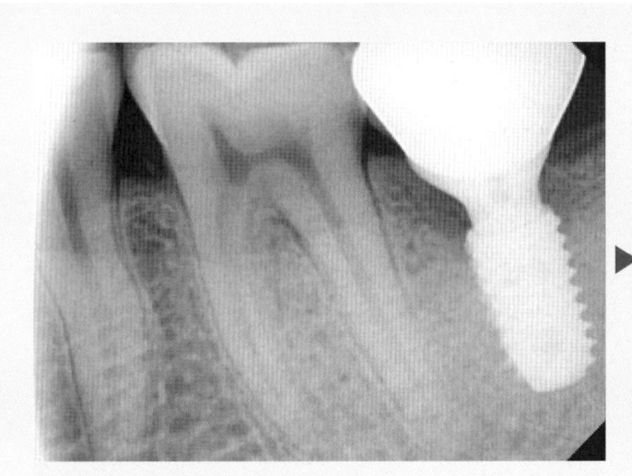

재부착 2주 후. 특이소견은 없다.

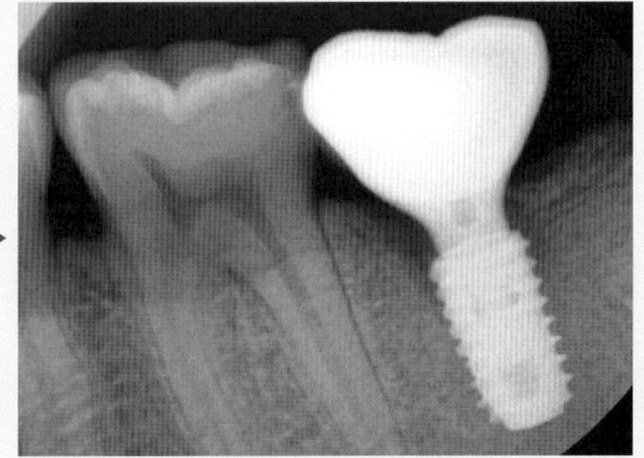

재부착 3개월 후. 골소실이 관찰된다.

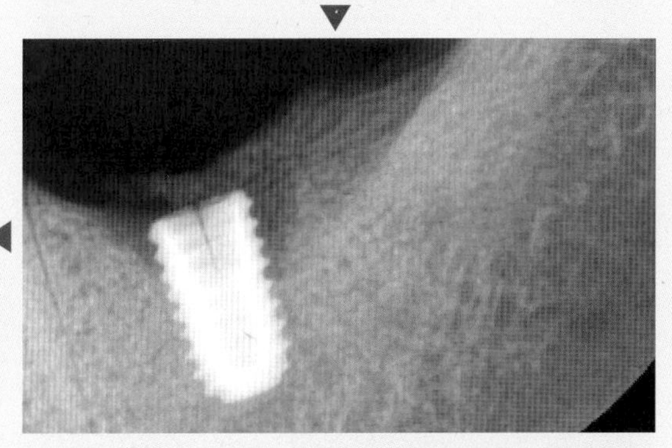

재부착 8개월 후. 명확한 수직파절 선과 골소실 소견이 보인다.

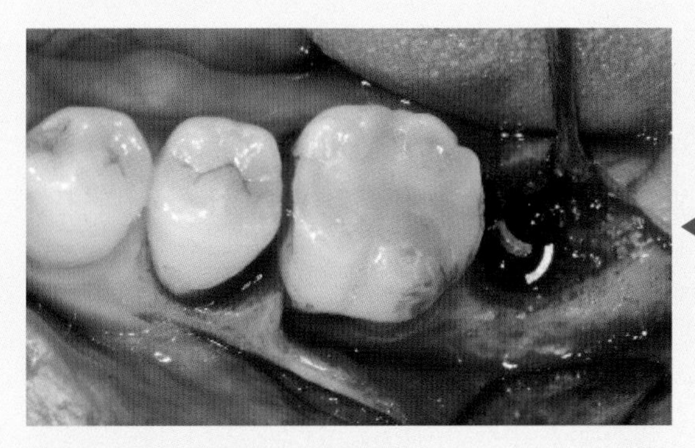

플랩을 형성하여 파절편이 확인된다.

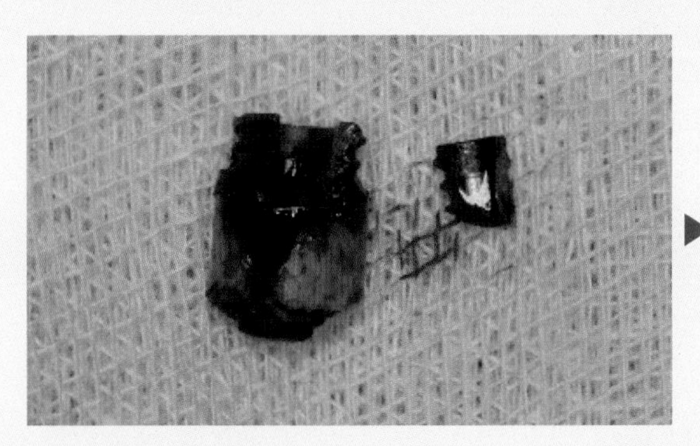

제거된 파절된 임플란트

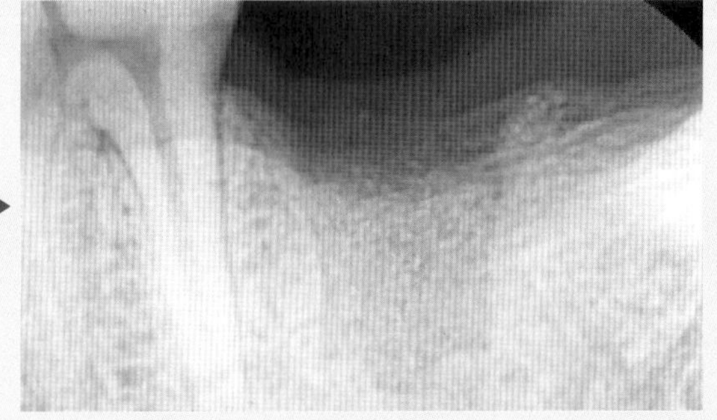

제거하고 골이식한 뒤 표준촬영

📷 2.7

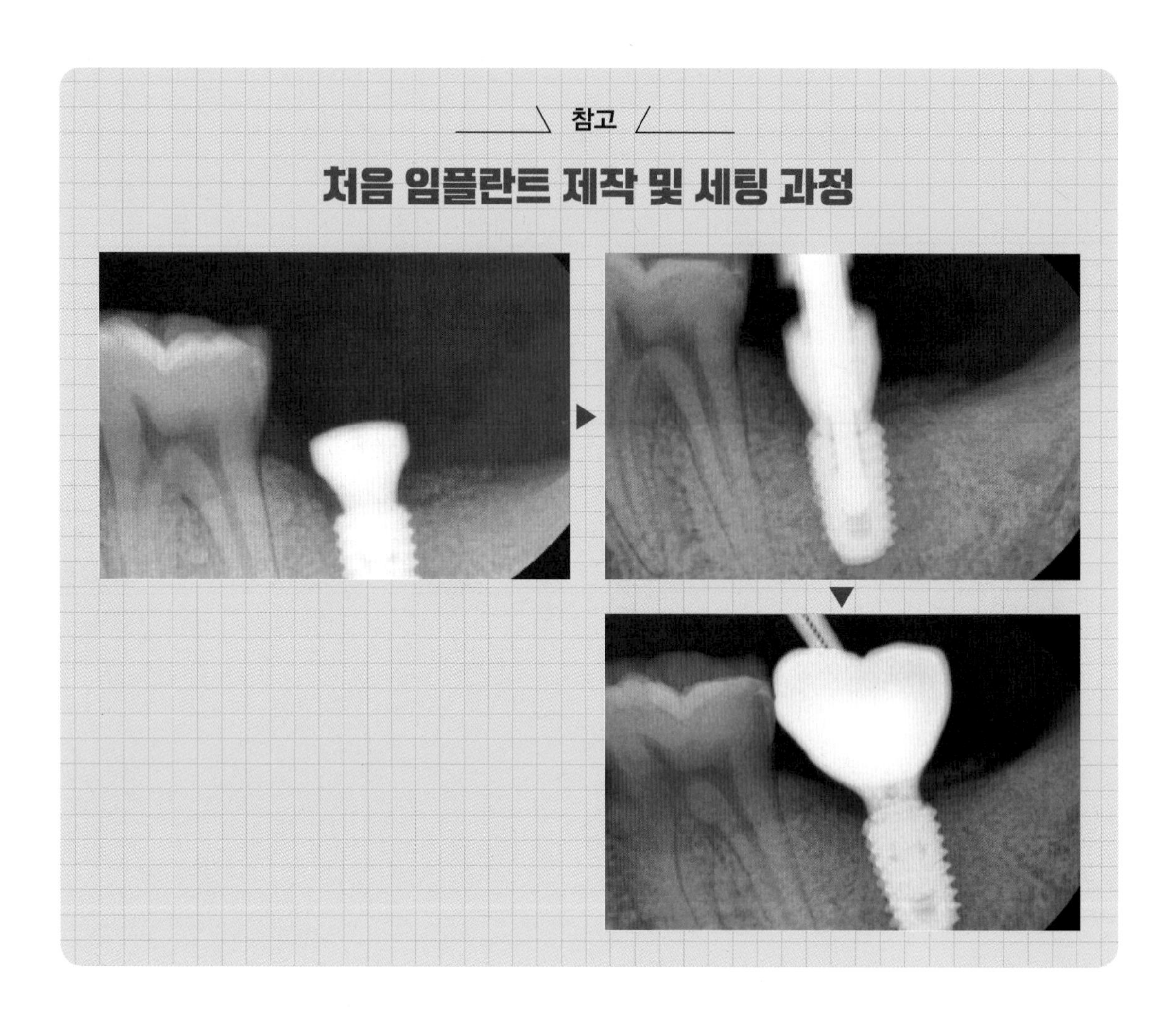

한 업체의 관계자에 따르면 **실험실에서 지속적이고 반복적으로 픽스처의 수직파절 실험을 해도 픽스처는 파절되지 않는다**고 한다. 교합력에 의한 픽스처 수직파절은 불가능하다는 취지에서 한 말인 듯 하지만, 어떤 원장님들은 결국 샘플 수가 적어서 그렇게 나왔을 뿐인 것이라고 한다. 그렇다면 샘플 수를 늘리면 파절되는 것이 나올 것이라며 불량품이 생산된 결과라고 해석하기도 한다. 그럴 수도 있지만 필자가 생각해 보면 실험실에서라면 최소한 어버트먼트와 픽스처의 연결은 매우 견고한 상태로 패시브하고 완벽하게 장착된 상태로 실험을 했을 것이기 때문에, 패시브 핏의 부재 또한 중요한 원인일 수 있다고 생각해 본다. 물론 초기에 본로스가 생긴다면 수직파절이 더 빨라지거나 예방되지는 못할 듯하다.

필자가 임플란트 책을 완료하려고 하는 시점에 필자의 치과에 갑자기 임플란트 수직파절 케이스가 세 개나 발생하여 반성하는 의미에서 추가로 올려본다.

CASE 3

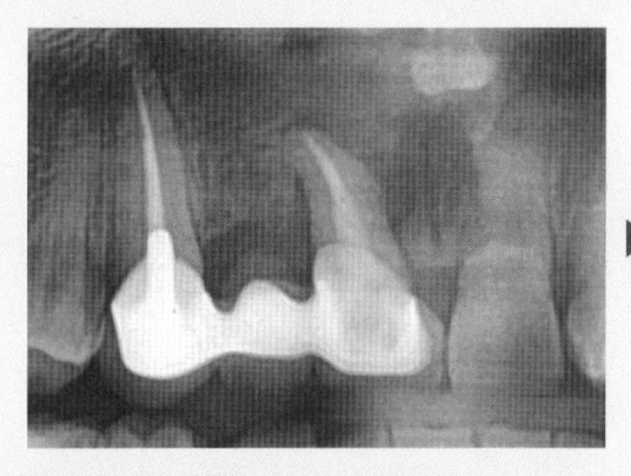

발치 전 파노라마 사진. 그래프트

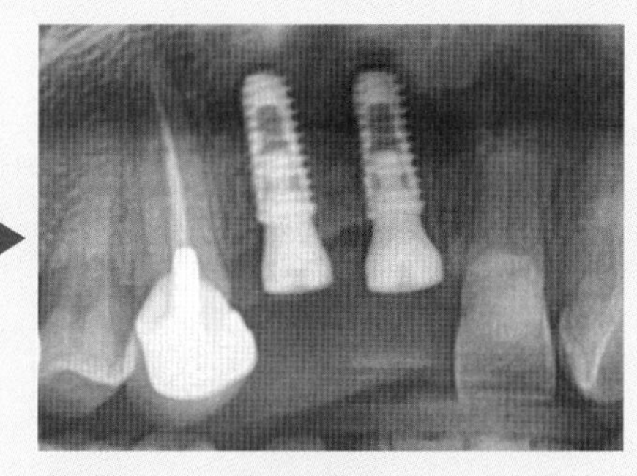

발치 후 2개월 뒤 식립 직후

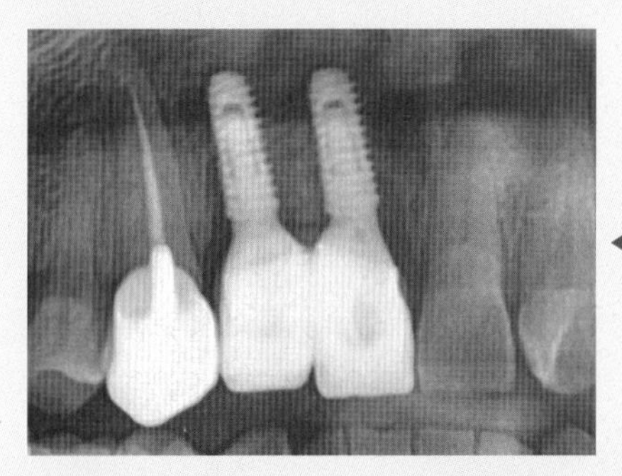

세팅 후 14개월 만에 급성 치주염으로 내원 시 파노라마

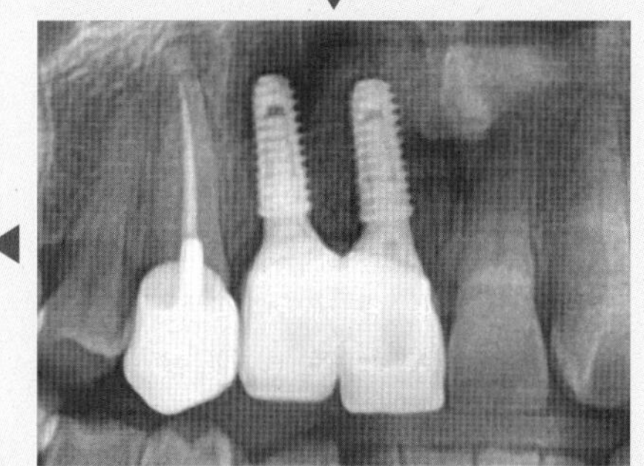

식립 3개월 반 뒤 세팅

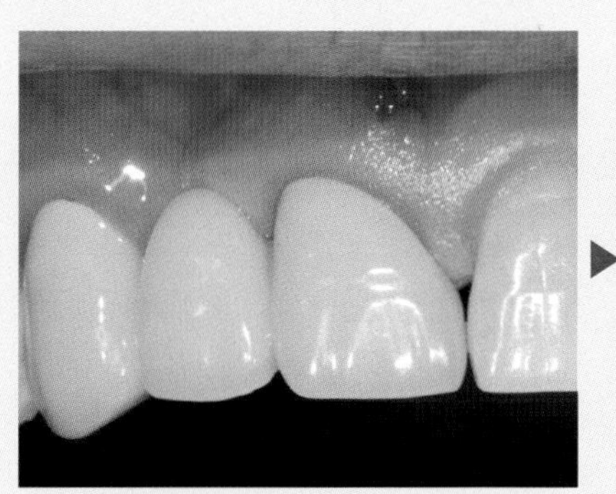

발치 전 임상사진

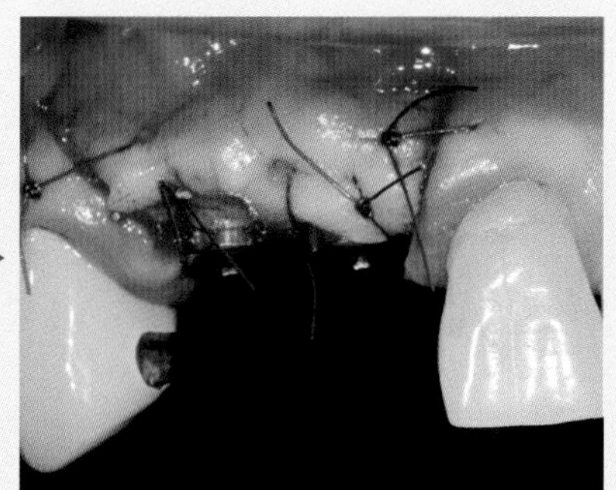

발치 후 2개월 뒤 식립 직후

식립 후에 잇몸 상태 등을 전혀 신경 쓰지 못한 것이 너무 후회되는 케이스이다. 필자가 미국에 머물고 있어서 그랬을 수도 있지만, 너무 아쉽다. 잇몸 모양도… 수직파절도…

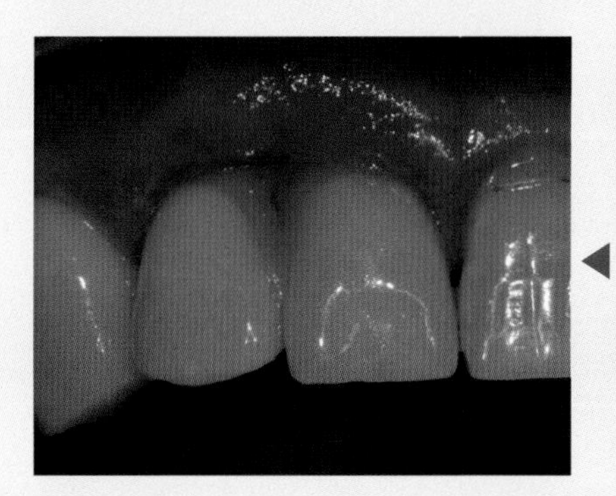

세팅 14개월 뒤 잇몸 염증으로 내원하하였을 때 임상사진

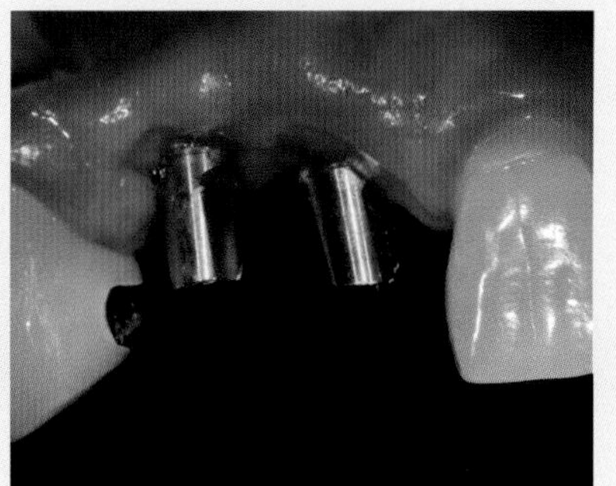

식립 3개월 뒤 임시치아 상태

2.8

필자가 미국에 있을 때 잠깐 귀국하여 급히 식립한 케이스로, 식립 이후에는 필자 치과의 GP 선생님이 임시치아부터 최종 세팅까지 진행한 케이스이다(2.8). 의무기록이나 사진 기록이 자세히 없어서 정확한 자료가 부족하고, 해당 선생님은 퇴사한 뒤라 명확하게 원인을 알 수는 없으나 너무 아쉬움이 남는 케이스이다. 우선 필자가 충분히 깊게 심었다고 생각한 듯하지만 잇몸이 매우 얇은 타입임을 감안하면 1 mm 정도 더 깊게 심었다면 어땠을까 반성해 본다. 이럴 때만 되면 늘 깊게 심는 원장님이 생각난다. 또한 보철 과정을 자세히 모르지만 정말 아쉬움이 남는다. 템플레이트이든 어떤 임시치아를 했든 잇몸을 너무 누른 형태로 유지된 것 같다. 특히나 두 임플란트 사이의 잇몸은 너무 눌려있었던 것으로 보인다. 보철을 서두르지 말고 템포러리 어버트먼트에 텀포러리 크라운으로 gingival remodeling을 한 후에 시행하였다면 어땠을까 생각해 본다. 인접골로부터 4 mm 이상이면 파필라가 차올라왔을 텐데… 우선 식립부터 잘못되었다고 볼 수도 있지만, 그렇게 식립한 임플란트에 최악의 크라운을 장착한 것 같다. 혹시나 수직파절의 이유를 한 가지 더 고려해 본다면 이런 3.5 mm 지름의 미니 임플란트는 픽스처의 어버트먼트 월이 얇아서 특히나 너무 세게 심으면 안 되는데, 필자가 너무 세게 심지 않았나 하는 의심도 해본다. 그래도 아무리 생각해도 잘못된 보철물이 가장 큰 원인이긴 한 것 같다.

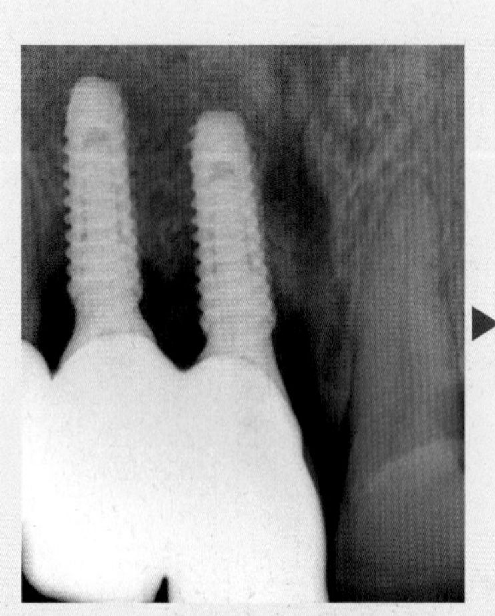

보철물 제거 직전 표준촬영

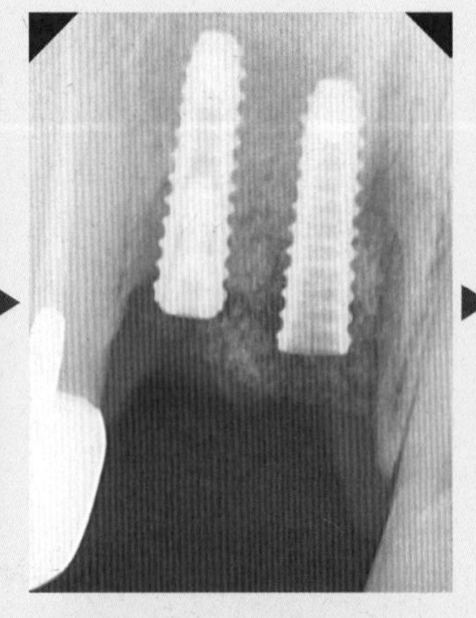

보철물 제거 후 표준촬영
수직파절 선이 선명하게 보이고 있다.

제거된 픽스처
통상적인 필자의 방법대로 근원심 치조골 삭제 후 엘리베이터로 발치하듯이 제거하였다. 임플란트에 골이 붙어서 제거된 부분이 또 아쉬움을 좀 남긴다.

2.9

CASE 4

필자의 페이닥터가 2년 전에 치료를 완료한 케이스로, 환자는 50세 남자 환자이며 47번부위에 4.5에 8.5 픽스처를 식립하였다(📷 2.10). 픽스처 수직파절의 원인은 추정만 할 뿐 정확한 원인은 아무도 알 수 없다. 그러나 이 케이스에서는 픽스처 사이즈가 원인이 아닌가 생각해 본다. 성인 남자의 최후방 대구치에 왜 5.0 직경이 아니라 4.5 직경의 임플란트를 식립하였는지 이해가 가지 않는다.

성격도 좋고 수술도 잘하는 경력 많은 의사였는데, 처음에 진료를 시작할 때는 긴 임플란트를 심다가 신경손상 케이스도 만들고 픽스처 방향도 좋지 않았었다. 필자와 함께 근무하면서 혼도 나고 같이 공부도 하면서 필자의 임플란트 철학을 많이 공유하였는데, 그때까지만 해도 필자가 수직파절 케이스가 하나도 없었기 때문에 지름에 대한 교육을 덜 했던 것 같다. 너무 아쉬운 케이스이다. 테어링의 이유가 단순히 직경만의 문제는 아니라는 것은 아니지만, 5.0을 심을 수 있었는데, 왜 굳이 4.5로 심어서 수직파절의 원인을 만들었을까 하는 아쉬움이 남는다(물론 그것이 원인이라고 단정할 수 없지만).

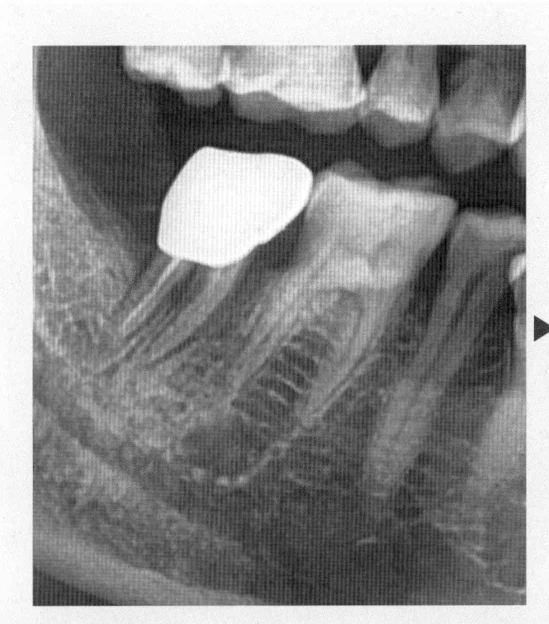

발치 전 파노라마

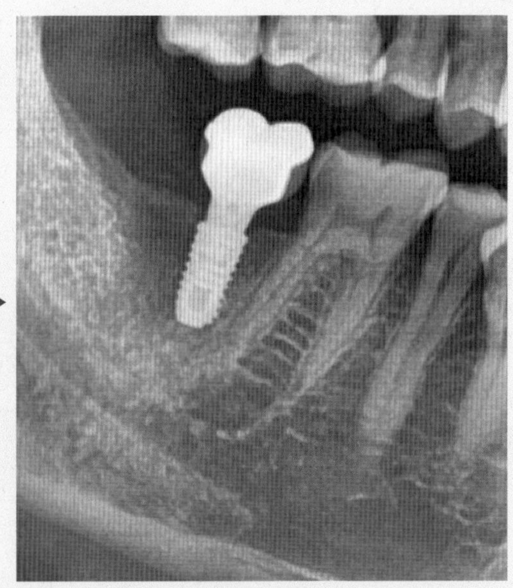

임플란트 크라운 세팅 한 달 후 파노라마

📷 2.10

2년 만에 픽스처가 흔들린다고 재내원하였을 때 다시 35N으로 조였으나 바로 다시 풀어져서 검사를 해보니 수직파절로 진단되었다. 픽스처 제거 키트를 이용하여 제거하려고 했지만 실패하여 5.2 mm 트레판 드릴을 이용하여 제거하였다. 환자 매니지를 위해 제거 즉시 6.0 사이즈 임플란트를 바로 그 자리에 재식립하였다.

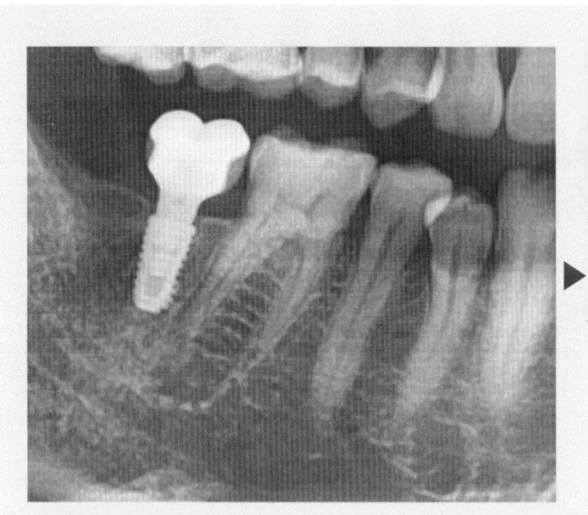

임플란트 세팅 2년 후 파노라마

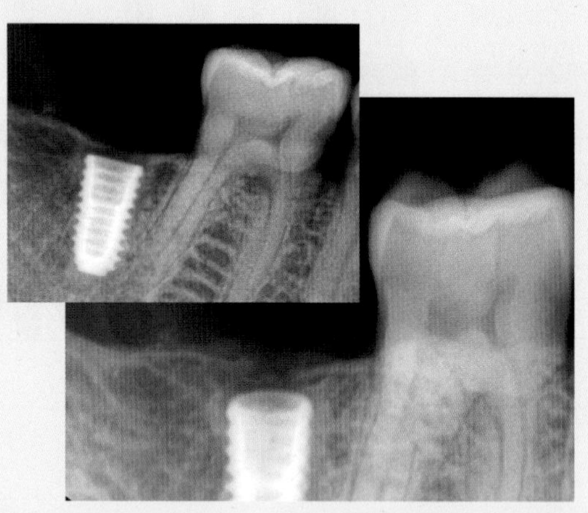

수직파절로 진단되어 제거를 앞둔 픽스처 표준촬영

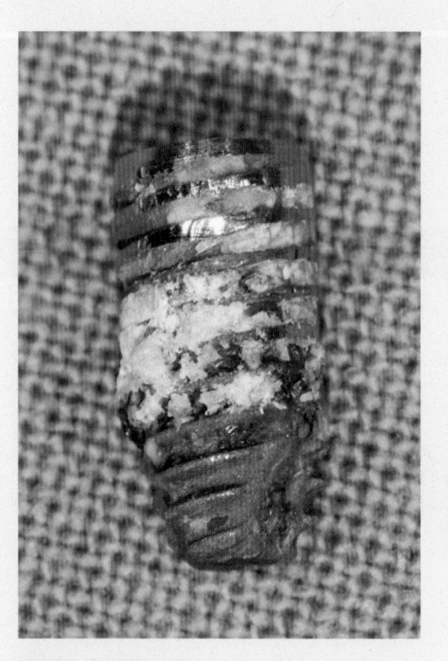

제거한 후의 픽스처
트레판 드릴로 제거하였기 때문에 픽스처의 외면도 조금 삭제된 것을 볼 수 있다.

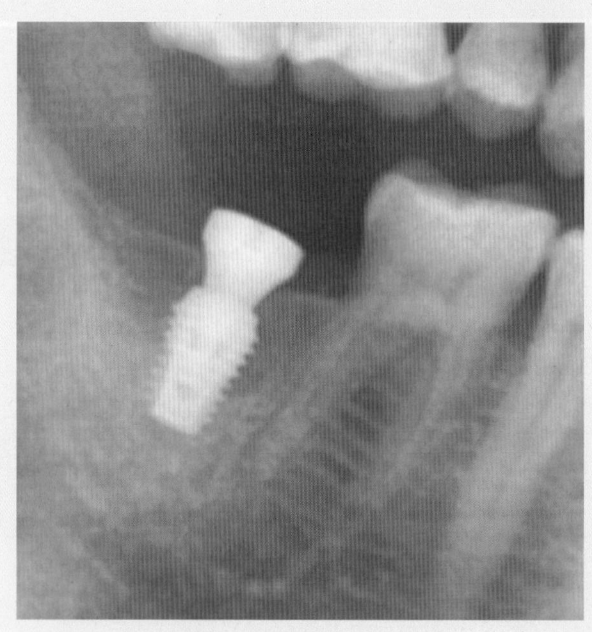

제거 직후 식립한 임플란트 파노라마

2.11

CASE 5

이 케이스도 수직파절된 임플란트는 필자가 식립한 케이스는 아니다. 57세 여자 환자로 2015년에 내원하여 필자가 2017년까지 1차로 치료를 완료하였으며, 필자가 미국에 있는 동안 2018년 말부터 재내원하여 파트너 원장님이 이어서 진행한 케이스이다(2.12). 13번 송곳니 부분에 S사의 3.5 직경에 10 mm의 임플란트를 식립하였으나, 크라운 세팅 2년 후인 2021년 4월에 수직파절로 진단되어 제거하였다. 환자가 매우 화를 내어 다시는 부러지지 않게 심겠다고 설명드린 후 강한 록솔리드의 스트라우만 BLT 임플란트로 재식립하기로 하였다고 한다.

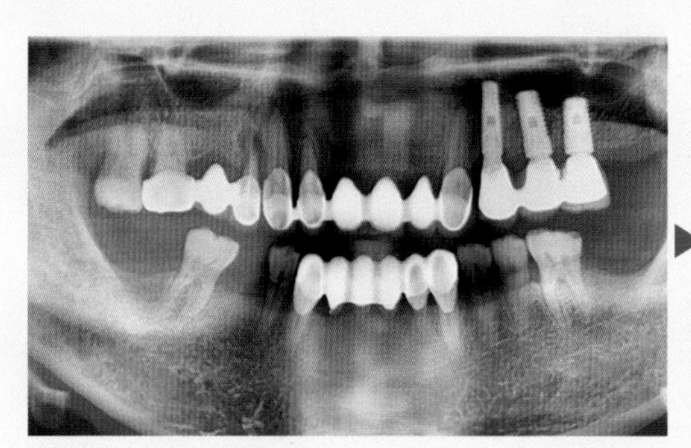

치료 전 파노라마 방사선 사진

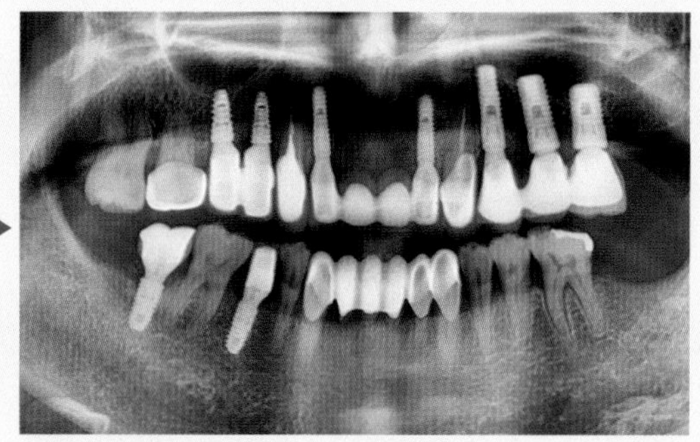

필자의 1차 치료 완료 후 파노라마. 여기 1차 치료까지는 필자가 진행하였다.

2.12

수직파절의 원인에 대해서는 마찬가지로 수많은 것들을 고민해 볼 수 있지만, 우선적으로 상악견치에 3.5 미니 사이즈 임플란트를 식립한 것을 가장 큰 원인으로 생각해 본다. 물론 운이 좋게도 필자가 그보다 2년이나 더 먼저 식립한 12==22번 임플란트도 미니 사이즈인데 아직은 이상 없이 사용하고 있다. 이미 이 환자는 주치의가 파트너 원장님으로 바뀐 상태이므로 교합조정 등 사후 관리에도 신경을 많이 써달라고 해야 할 듯하다.

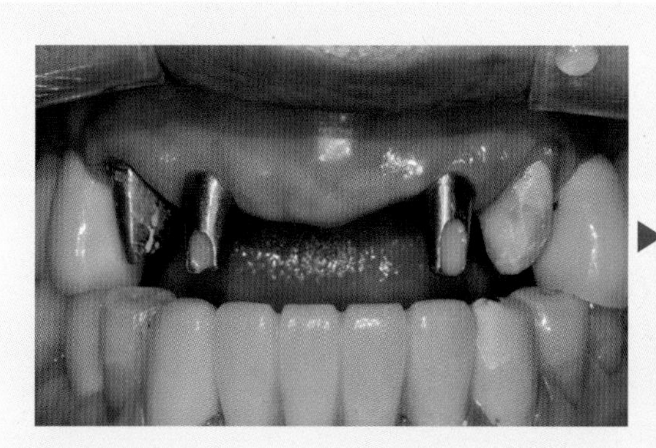

필자가 식립한 상악전치부 임플란트 세팅 직전 임상사진

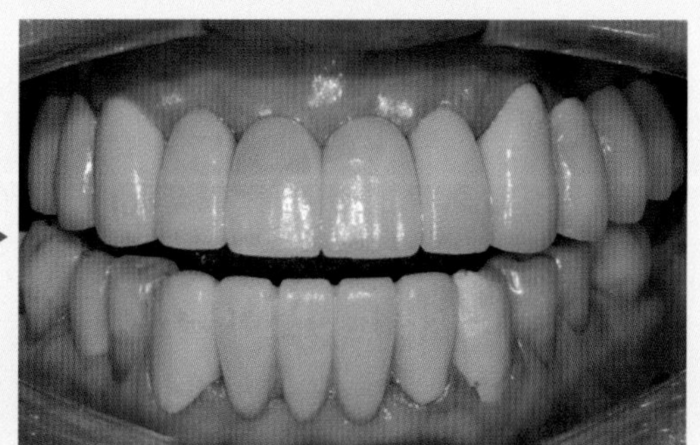

상악 전치부 세팅 직후 임상사진
상악 전치부마저도 전혀 gingiva remodeling 없이 보철이 진행되었다. 안타까운 한국의 임플란트 현실이다.

2.13

13번 임플란트 수직파절 보기

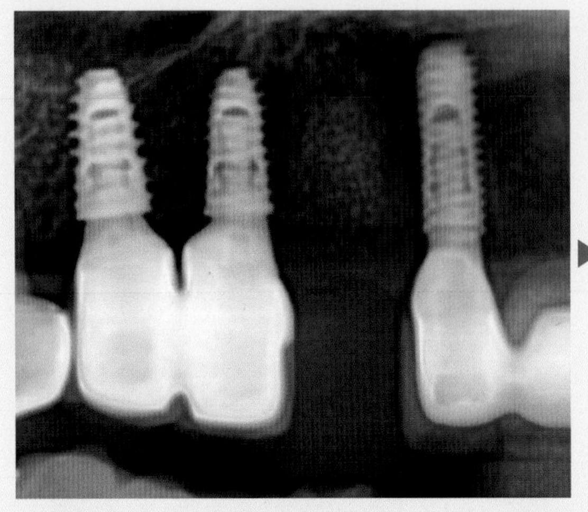

구강외과 원장님에 의해서 13번 상악견치 제거 후 발치와 보존술이 시행되었다(필자는 원칙적으로 하지 않는다).

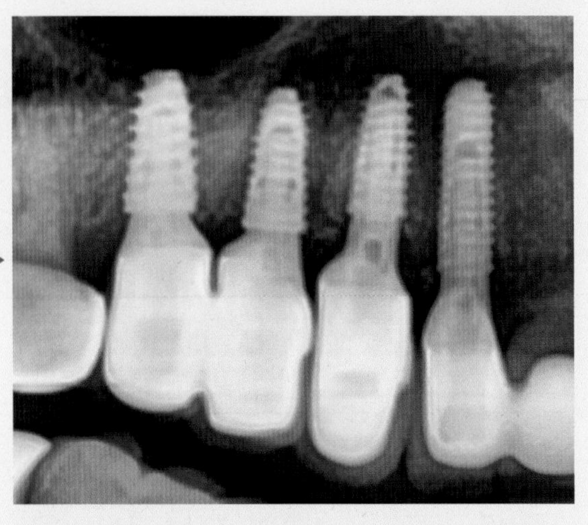

발치와 보존술 14주 후 임플란트가 식립되었고 11주 만에 크라운이 세팅되었다.

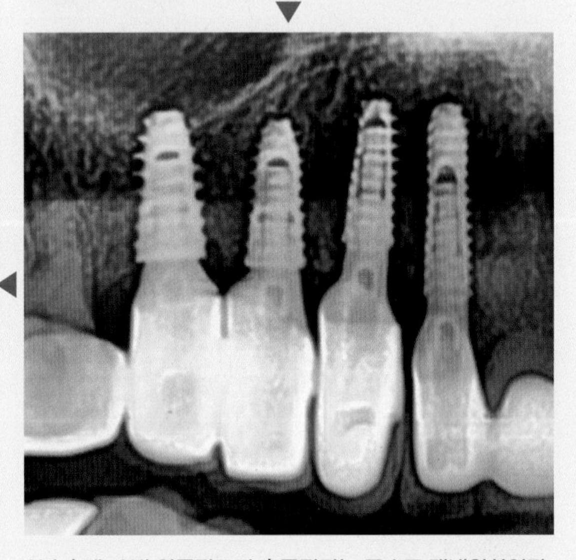

2년 후에 13번 임플란트가 흔들린다는 주소로 재내원하였다.

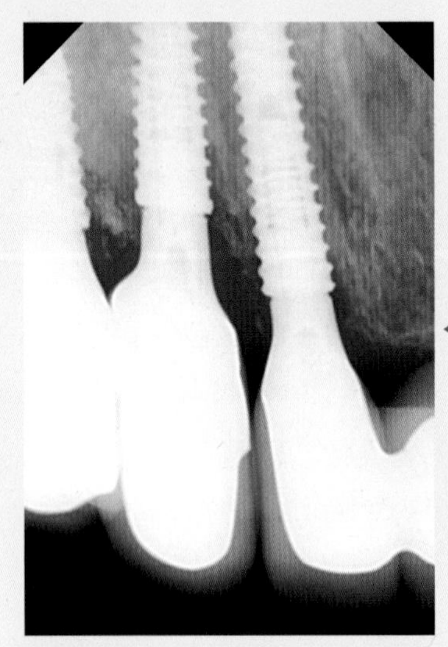

크라운 세팅 2년 후 표준촬영

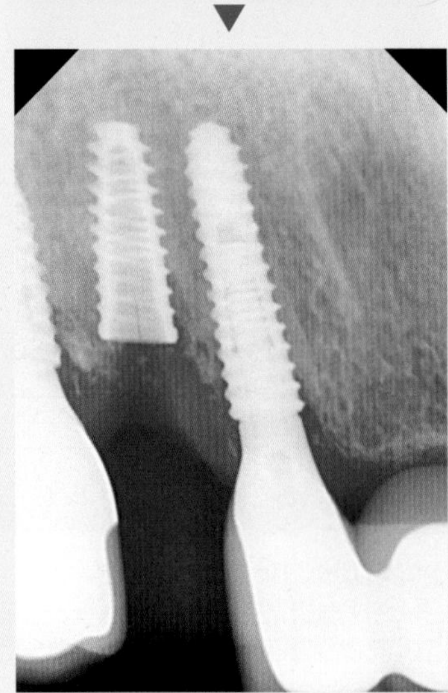

어버트먼트를 제거하자 수직파절된 픽스처를 볼 수 있다.

2.14

참고

14, 15번 임플란트의 어버트먼트 이머전시 프로파일의 아쉬움

세컨 서저리 직후

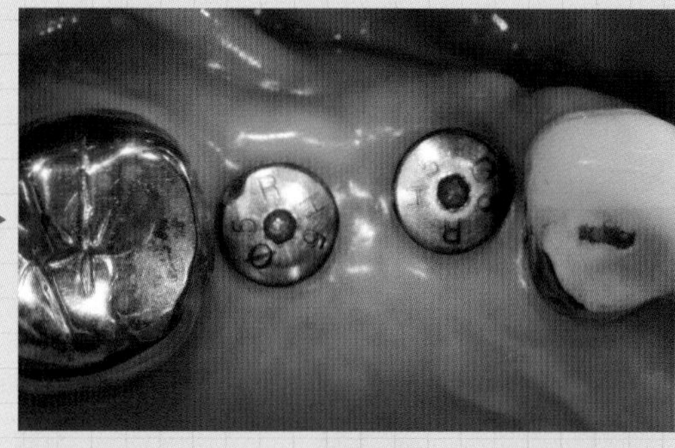

세컨 서저리 3주 후

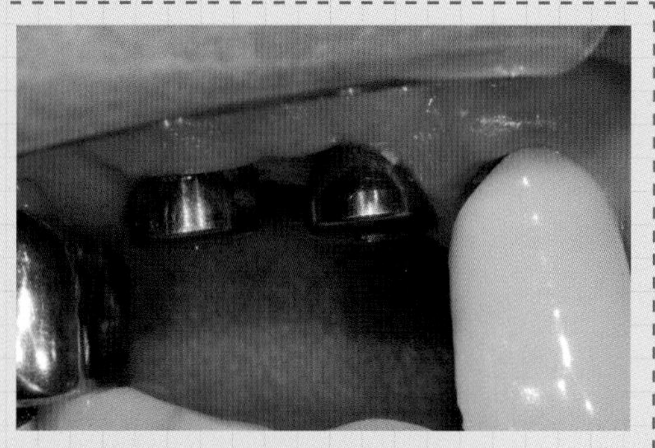

14, 15번 임플란트 크라운 세팅 전 임상사진
두 임플란트 mesial과 distal 잇몸의 gingival height는 5 mm에 가깝지만 두 임플란트 사이는 이제 고작 2 mm 정도만 형성된 것을 볼 수 있다. 그러나 여기도 기다리면 잇몸이 충분히 차오를 수 있는데 굳이 여기를 뚱뚱한 어버트먼트로 눌러버리니 두 임플란트 사이에 골 소실이 발생한 듯하다.

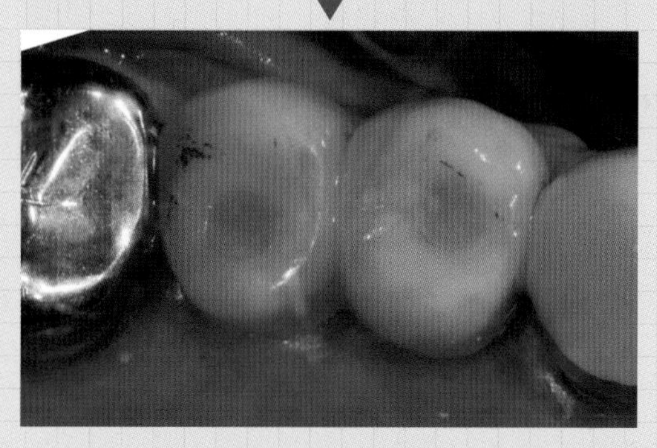

14, 15번 임플란트 세컨 서저리부터 파이널 세팅까지 과정
세컨 서저리 2주 후에 봉합사를 제거하면서 임프레션하고 한 달도 지나지 않아서 크라운 세팅한 모습

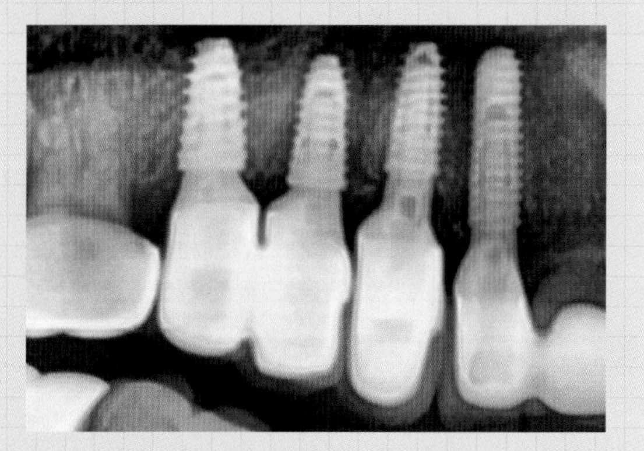

발치와 보존술 14주 후 임플란트가 식립되었고 11주 만에 크라운이 세팅되었다.

세팅 전 14, 15번 임플란트 부위의 잇몸 사진을 보면 좀 더 깊게 심었다면 어땠을까 하는 아쉬움이 있다. 하지만 필자가 좋아하는 영삼플랩 방식은 임플란트 사이 잇몸 두께가 회복되는 데 최소 2달 반이 걸린다는 것을 감안했어야 한다고 생각한다. Gingival remodeling까지는 못하더라도 나중에 차오를 잇몸 두께 정도는 고려하여 emergency profile을 만들었다면 어땠을까 하는 아쉬움이 든다.

최근 사진을 보면 14, 15번 임플란트 주변으로 골소실이 보이기 시작해서 더욱더 아쉬운 부분이다. 최근에는 필자가 보철과에 강력하게 이 부분을 피력하고 있으며, 템플레이트를 제작할 때도 임플란트 주변 잇몸(특히 임플란트 사이) 잇몸을 누르지 못하도록 지시를 하고 있다. **7-1장**에서 다룬 어버트먼트의 길이와 모양, 본레벨과 컨택포인트에 따른 잇몸 두께와 모양의 변화에 대한 내용을 염두에 두어야 한다. 그래도 보철과의사가 늘 필자 마음대로 해주는 게 아니다 보니, 최근 1–2년 사이 임플란트가 1 mm 정도 더 깊어진 듯하다.

어버트먼트의 파절이란 픽스처 내부에서 파절된 것을 말한다. 픽스처 밖에서 크라운 연결 부분에서 파절되는 경우는 매우 드물지만, 그나마도 타이타늄 베이스에 지르코니아 어버트먼트의 연결 부분 파절이 대부분이기 때문에 논외로 한다. 필자의 철학대로라면 그것은 타이타늄 베이스(Ti-base)와 지르코니아의 연결구조의 파절 때문만이 아니라 파절을 막기 위해서 이 부분이 너무 일찍 두꺼워지는 것이 싫어서 필자는 권하지 않는 편이다. 다시 말해서 가늘고 쭉 뻗은 어버트먼트가 아니라 픽스처 상부에서부터 뚱뚱한 어버트먼트가 생길 수밖에 없기 때문이다.

어버트먼트의 파절은 앵킬로스가 특히 많을 뿐 모든 회사의 제품에서 골고루 나타난다. 과도한 교합력 등을 제외하고 필자가 생각한 가장 유력한 원인으로는 어버트먼트의 정밀한 세팅이 이루어지지 않은 것을 꼽는다. 그러나 결국 앞서 픽스처의 테어링에서 다뤘던 모든 문제들이 어버트먼트 파절에도 영향을 미칠 것으로 본다. 어버트먼트가 갑자기 '딱' 하고 부러졌을 리 없고, 아마도 마이크로 갭과 무브먼트가 지속적으로 작용하면서 피로파괴성으로 파절된 것이 아닌가 추정해 본다.

CASE 1

필자의 두 번째 어버트먼트 파절 케이스이다(2.15). 환자의 진술에 의하면 10년 전에 필자가 시술하였다고 한다. 다만 크라운의 모양은 필자의 이모 케이스에서 보았던 그 이상한 어버트먼트와 크라운이었다. 임플란트는 덴티움 제품이고, 어버트먼트도 덴티움 제품으로 추정해 본다. Internal friction type의 덴티움 어버트먼트의 헥사 구조가 우리나라에 처음으로 소개되다 보니 구조적으로 조금 약하게 디자인되었다는 말을 여러 번 들었다. 그래서 임플란트 헥사 파절이 매우 흔하다고 한다. 필자가 그동안 어버트먼트 파절을 겪어보지 않은 것은 나름대로 똑바로 잘 심고 보철도 훌륭한 보철과 의사가 보철을 했기 때문이라고 볼 수도 있지만, 단순히 운이 좋았다고 볼 수도 있다.

어버트먼트 모양이 이상해서 메지알 본이나 진지바에 어버트먼트가 걸리고 혹시 패시브핏이 이루어지지 않아서 파절되었나 하는 생각을 해보기도 했다. 하지만 40대 남성이 싱글 임플란트를 10년간 잘 사용하다가 최근에 흔들림을 느꼈다는 것으로 보면, 임플란트 구조적인 문제에 의한 피로파절이라고 볼 수도 있을 듯하다. 크라운을 제거하고 어버트먼트 헥사 부분을 제거하였다. 덴티움에서는 이런 케이스가 흔한지 전용 제거 키트가 있어서 손쉽게 제거하였다. 사실 필자가 사용법대로 하였지만 잘 나오지 않아 조심조심하고 있자, 옆에 있던 여성 보철과 페이닥터가 그냥 힘으로 확 잡아 빼니 나왔다. 필자보다 힘이 세지는 않을 텐데… 아마도 필자만큼 그 케이스를 소중하게 생각하지 않은 것인지 아니면 더 소중하게 생각해서 였는지 알 수는 없지만, 그렇게 제거되어서 통상적인 방법대로 임플란트 크라운을 지르코니아로 재제작하여 부착하였다. 참고로 필자는 덴티움의 픽스처 파절은 한 번도 경험해본 적이 없다. 둘다 튼튼하게 만들 수 없어서 픽스처와 어버트먼트 둘 중 하나가 약해야 한다면 필자는 차라리 어버트먼트이다. 픽스처 파절은 너무 절망적이기 때문이다.

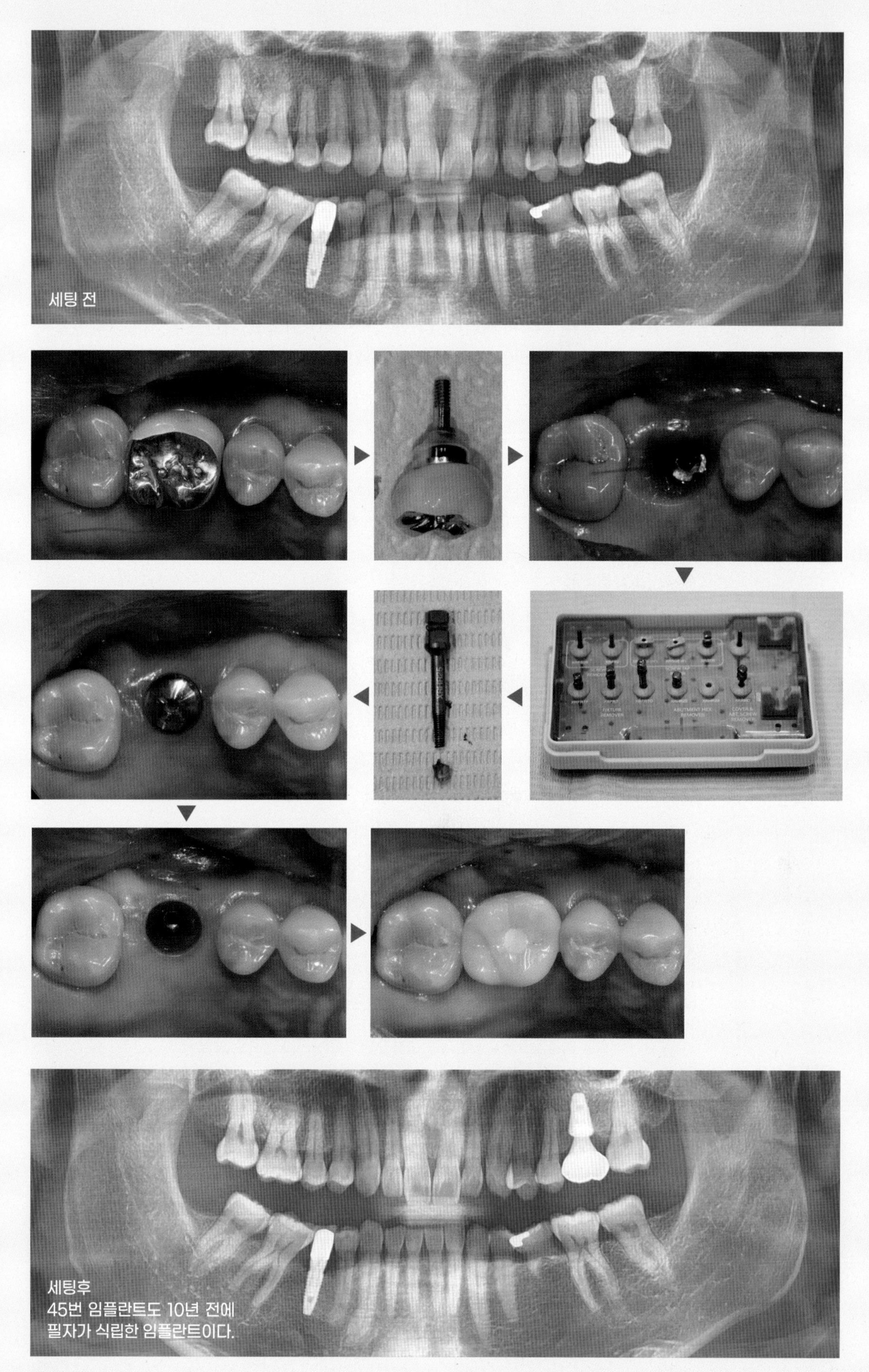
세팅 전
FIXTURE REMOVER
ABUTMENT HEX REMOVER
세팅후
45번 임플란트도 10년 전에
필자가 식립한 임플란트이다.

2.15

CASE 2

50대 덩치 좋은 남자 환자로 2011년에 26, 27번 임플란트 진료가 마무리되었는데, 2017년에 임플란트가 흔들린다는 주소로 내원하였다. 필자에게 천운이 따른 것인지 다행히 스크류는 파절되지 않았고, 어버트먼트의 헥사 부분만 파절되었다. 남은 헥사 부분을 제거하기 위해서 많은 노력을 하였지만, 26번 어버트먼트 파절편은 제거하지 못하였다. 이것이 필자의 첫 번째 어버트먼트 파절 케이스여서 필자는 파절된 어버트먼트 제거하는 키트가 있는 줄도 몰랐던 것 같다. 27번 어버트먼트 파절편은 초음파 스켈러와 하이스피드 핸드피스를 이용하여 제거하였지만, 26번 어버트먼트 파절편은 제거하지 못하였다. 결국 26번 임플란트를 제거하고 다시 식립하였다. 26번을 좀 더 메지알로 잘 심고 싶었지만, 이전 임플란트 제거한 곳으로 고스란히 밀려 들어가서 어쩔 수 없이 방향은 예전과 비슷해져 버렸다.

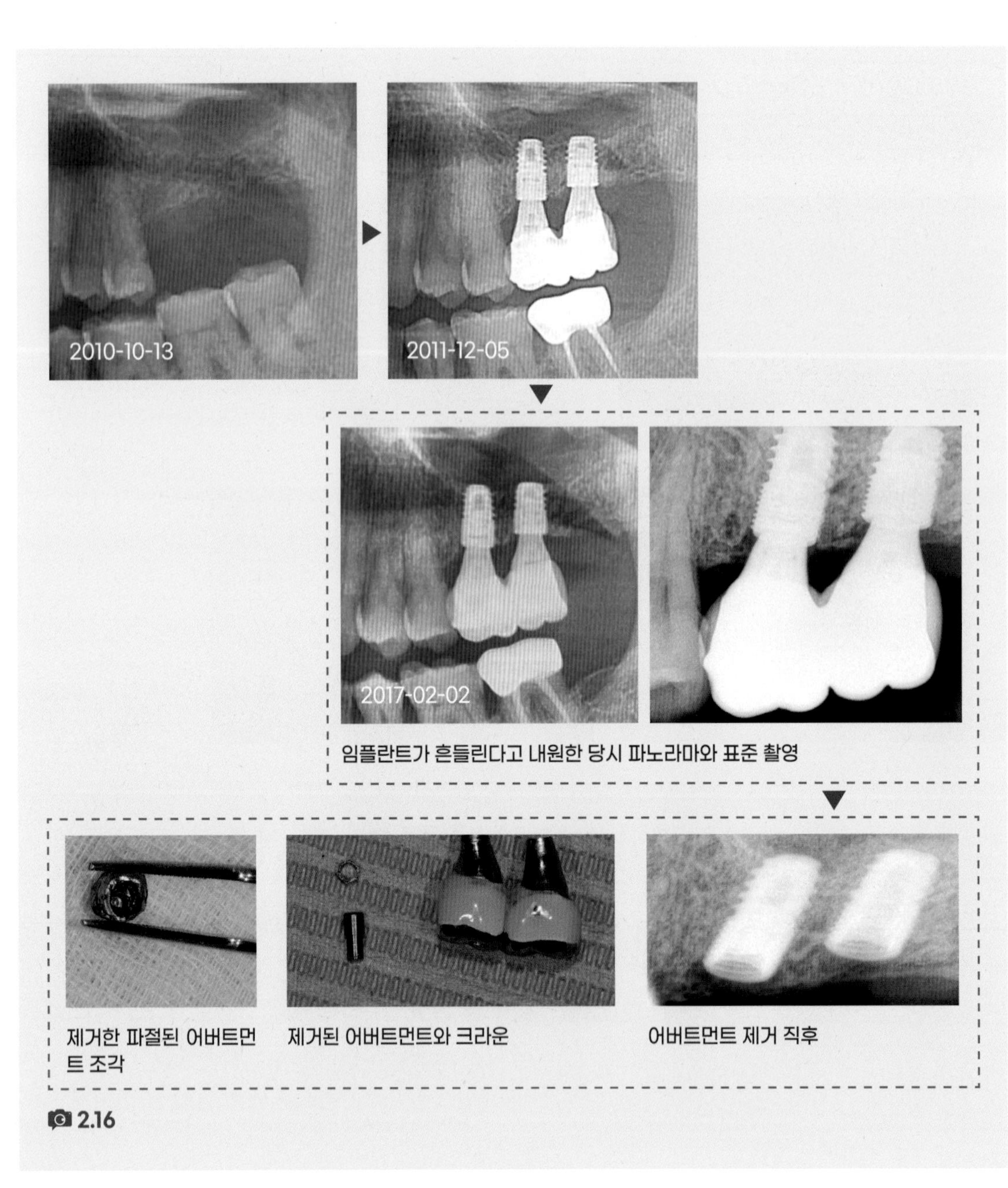

임플란트가 흔들린다고 내원한 당시 파노라마와 표준 촬영

제거한 파절된 어버트먼트 조각

제거된 어버트먼트와 크라운

어버트먼트 제거 직후

2.16

이 환자에게서는 왜 어버트먼트가 파절되었을까? 많은 생각을 하게 되었다. 필자가 담당하는 환자에게서 본 첫 번째 어버트먼트 파절이었고, 아무리 덩치 좋은 남자라고 해도 두 개를 브릿지로 이은 임플란트 크라운에서 파절되었기 때문이다. 크라운은 필자가 하지 않았기 때문에 알 수가 없지만, 아무래도 세팅 당시부터 정밀한 세팅이 이루어지지 않은 것으로 추정된다(2.16). 그렇지만 브릿지로 이어져 있기 때문에 그것을 잘 느끼지 못하고 지낸 것이 아닌가 고민해 본다. 브릿지의 경우는 어버트먼트의 회전을 막아주기 때문에 이러한 경우에도 특별한 증상 없이 기능할 수 있다. 그렇지 않고서야 어버트먼트 두 개가 동시에 파절되어 나타나기는 어렵다고 생각한다. 물론 하나가 파절된 상태로 좀 버티다가 나머지 하나마저 파절되면서 흔들림을 느껴서 왔을 수도 있다. 모든 가능성을 열어놓고 고민해 보지만, 결국 정밀한 크라운 세팅이 가장 중요한 부분이 아닌가 생각된다.

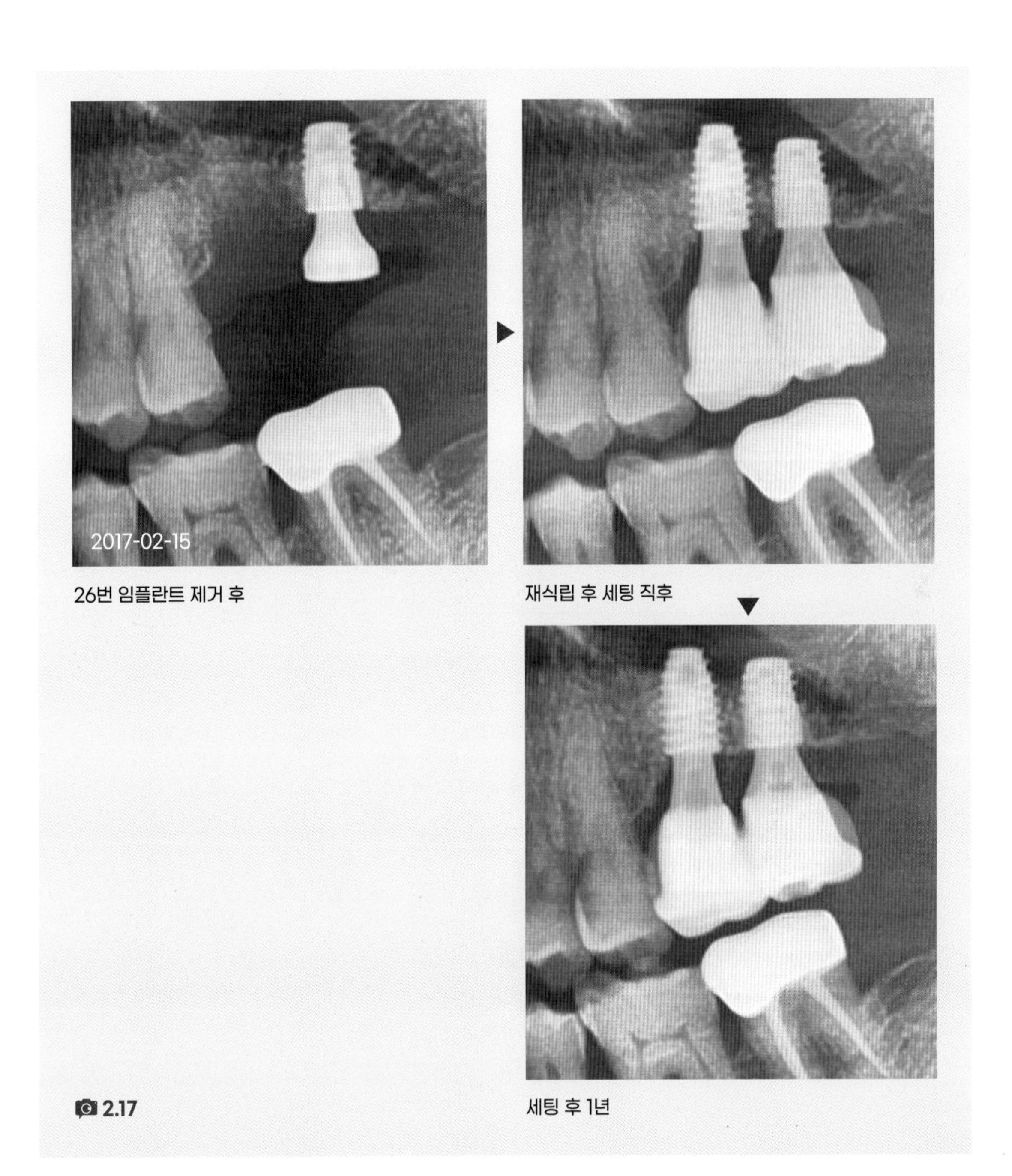

26번 임플란트 제거 후

재식립 후 세팅 직후

세팅 후 1년

2.17

CASE 3

환자는 40대 중반의 건강한 남성이며, 필자가 12년 전에 식립한 36번 임플란트의 어버트먼트가 파절되어 제거하고, 새롭게 임프레션하고 크라운을 재제작하여 마무리한 케이스이다. 37번 임플란트는 2년 전에 필자의 라이브 서저리에서 수강생이 식립하고 마무리한 것으로, 환자가 형편만 좋다면 건장한 남성임을 감안하여 크라운 두 개를 다 제거하고 새롭게 브릿지로 크라운을 재제작을 하고 싶었던 케이스이다. 필자가 12년 전에 심은 임플란트나 최근 라이브 서저리에서 수강생이 심은 임플란트나 패쓰에 조금 아쉬움이 있다.

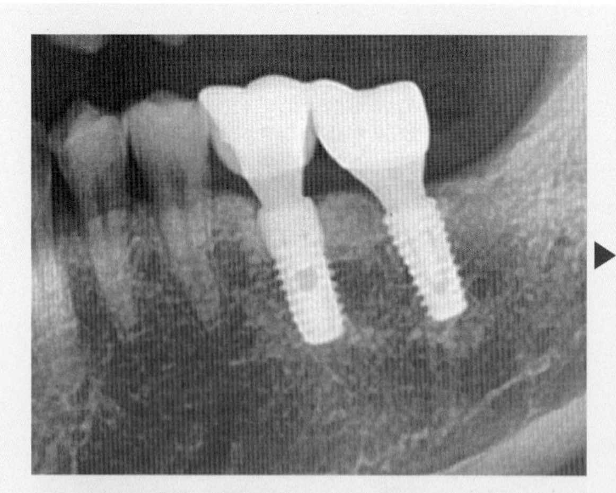

36번 임플란트가 흔들린다는 주소로 내원

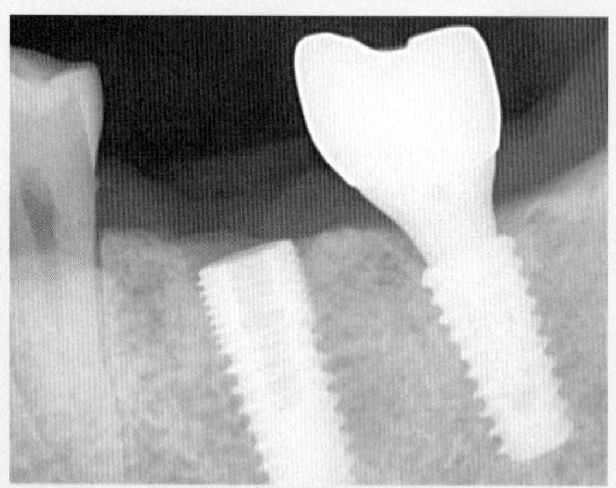

스크류를 풀어서 임플란트 제거한 모습
부러진 어버트먼트가 보인다.

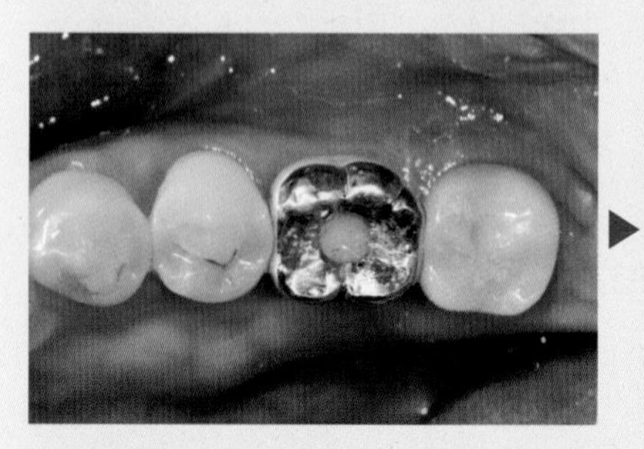

SCRP 크라운 스크류 홀을 통해서 쉽게 크라운 제거

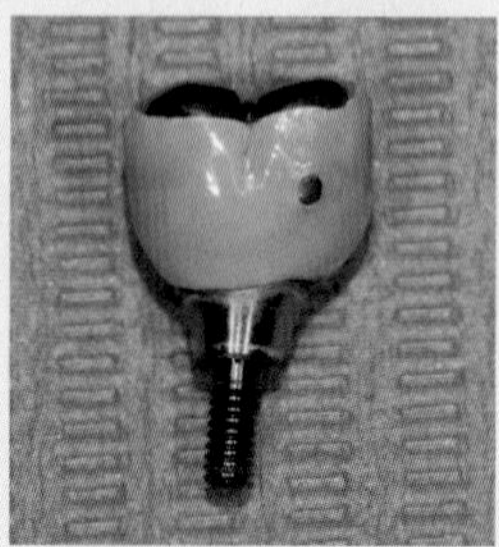

스크류를 풀어서 제거된 어버트먼트와 크라운

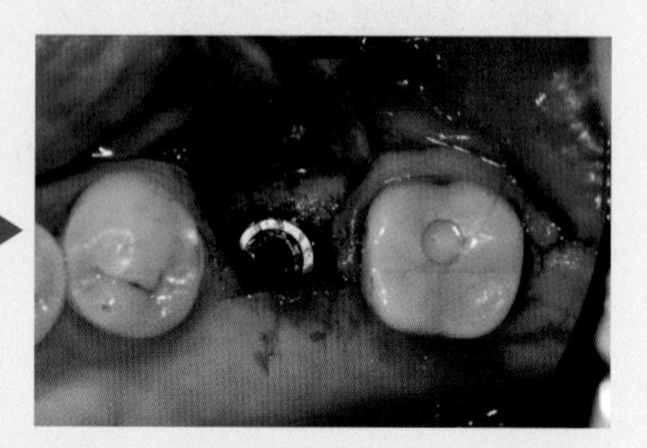

크라운 제거 후 플랩을 형성하여 파절된 어버트먼트 확인

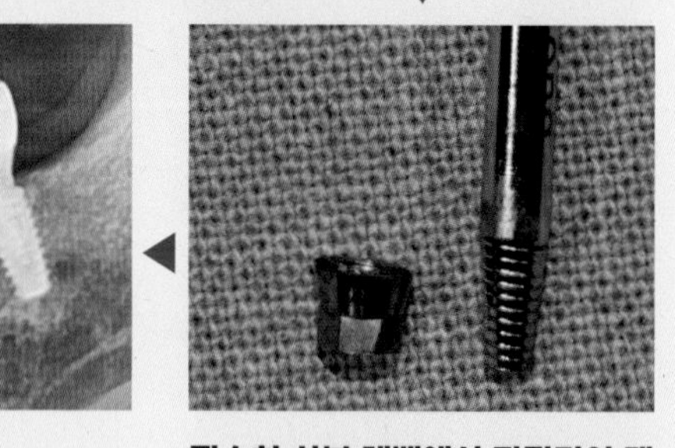

픽스처 상부 레벨에서 파절되어 제거된 어버트먼트. 어버트먼트 파절편이 쉽게 제거되지 않아서 어버트먼트 헥사 내부를 하이스피드 핸드피스에 330버를 이용하여 내부에 스크래치를 좀 만들어서 제거용 기구가 미끄러지지 않도록 하여 제거하였다.

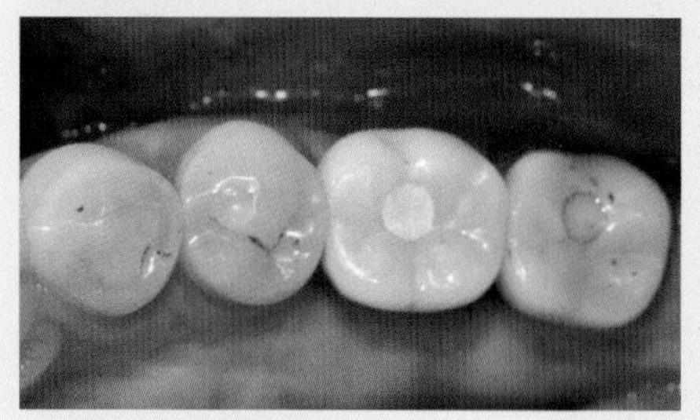

새롭게 제작하여 부착된 크라운의 임상사진과 파노라마 방사선 사진

2.18

오스템의 KS 시스템

오스템에서 새로 나온 KS 시스템이다. 어버트먼트 각도가 15°로 커져서 임상적으로 여러 개를 보철할 때 편하다고는 하지만, 정말 두 임플란트가 30° 이상 틀어지게 심을 거라면… 빼고 다시 심어야 한다고 생각하기 때문에 필자에게는 큰 이점은 아니다. 각도가 15°로 커져서 싱크다운은 좀 적어지겠지만 필자는 원래 싱크다운이 적어서 이 또한 큰 이점은 아니다. **필자가 고려하고 있는 이유는 강도 때문이다.** 최근 들어 필자도 임플란트 픽스처의 수직파절을 좀 경험하다 보니 사용을 긍정적으로 고민하게 되었다. 이 제품은 기존 TS 시스템보다 2.4배나 강력해진 피로파절 강도라고 강조하였으며, 또한 어버트먼트 커넥션이 깊어져서 강도 증가에 도움이 된다고 한다. 전치부에 4.0을 식립하면서도 픽스처의 얇은 벽의 두께 때문에 망설여진 경우가 많고, 특히나 소구치 부위에 무조건적으로 지름 4.5를 식립하기에는 골폭 등에서 좀 무리인 경우가 많다. 그래서 그런 경우에 사용해보려고 하는데 제품 출시 2년 후에 사용한다는 원칙이 있어서 여지껏 기다리고 있었다. 이제 거의 2년이 다 되었으니 이제 사용해 볼까 한다.

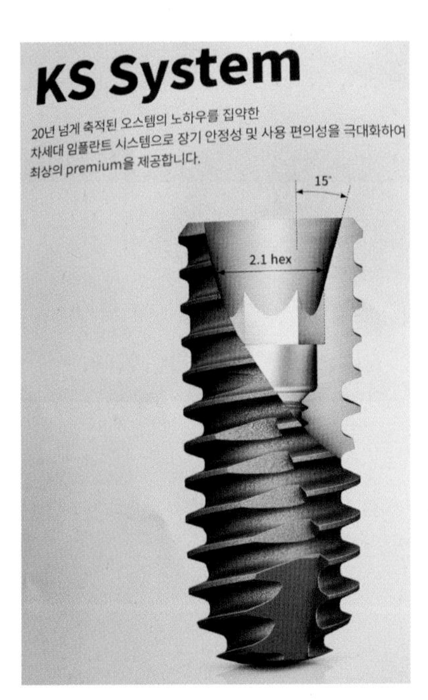

2.19 어버트먼트 내부 각도가 15°로 되어 있다는 KS 시스템 광고

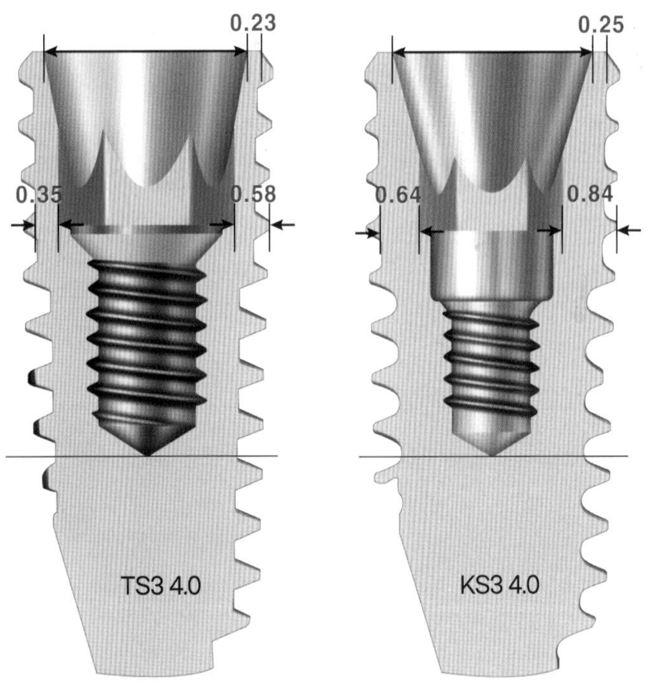

2.20 4.0 지름의 레귤러 사이즈 픽스처의 내면을 비교해본 것이다. 픽스처 내벽이 거의 두 배 가까이 증가한 것을 볼 수 있다.

덴티스의 SQ New 4.0 레귤러 픽스처

필자가 오스템 다음으로 많이 사용하는 픽스처는 덴티스 임플란트의 원큐라는 제품으로, 사이즈가 4.0으로 표기되어 있지만 실제 사이즈는 4.2였다. 반면에 새롭게 나온 SQ 시스템 또한 표기는 4.0으로 되어 있으나 지름은 앞서 설명한 대로 실제보다 작게 만들어져 있다. 그러다 보니 파절의 위험이 높다.

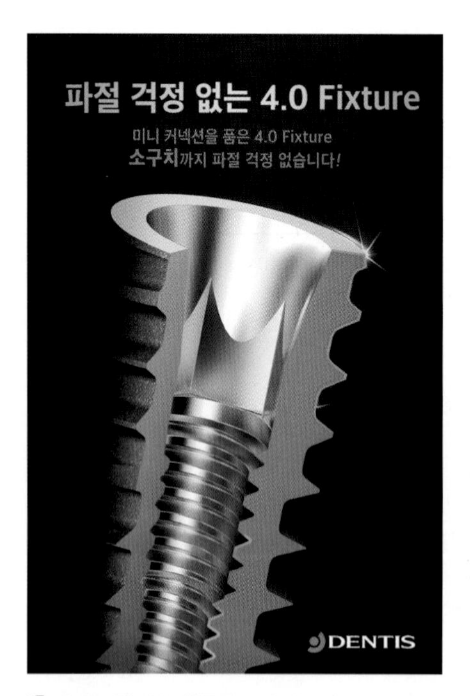

2.21 덴티스 임플란트의 신제품 SQ 4.0 임플란트 광고

그래서 덴티스는 4.0 레귤러 사이즈 임플란트에 3.5 미니 사이즈 어버트먼트를 장착하였다. 실제 임플란트 4.0에서는 어버트먼트 파절보다는 픽스처 파절이 매우 높기 때문에 어버트먼트를 줄이고 픽스처 벽을 두껍게 했다고 보면 될 것이다. 개념은 그렇지만 실제로 이 4.0 제품에 기존 미니 어버트먼트가 장착되지는 않고 별도로 제품 라인업이 구성되어 있다고 한다. 앞으로 상악 전치부 등에 효자 노릇을 할 듯하다.

최근 메가젠의 주력 제품 블루다이아몬드 임플란트

이 제품을 써보려는 가장 큰 이유는 내부 어버트먼트 연결 각도가 오스템의 KS와 같은 15°라는 것도 있지만, 필자가 사용하는 유일한 수입 임플란트인 스트라우만 BL & BLT와 호환이 된다는 장점 때문이다. 하다못해 스트라우만 임플란트는 힐링 어버트먼트마저 비싸기 때문에 여러모로 필자에게 도움이 될 듯하다. 또한 스트라우만 BLT의 장점을 몇 가지 더 갖고 있어서 상악전치부나 소구치 부위 공간이 협소한 곳에도 유용할 것이라 본다.

2.22 메가젠 블루다이아몬드 임플란트

더 우수한 초기고정력 확보를 위한 Fixture Thread Option

동일한 Core Diameter, 다른 Thread Depth를 적용하여 어떠한 Bone Density 에서도 더 우수한 초기고정력 확보와 임플란트 식립을 용이하게 합니다

· **단단한 Bone을 위한 Regular Thread**
BLUEDIAMOND IMPLANT®의 KnifeThread® Design이 기존 Implant 보다 식립을 보다 쉽고 용이하게 합니다

· **Bone이 약하고 골질이 좋지 않은 경우를 위한 Deep Thread**
더 긴 KnifeThread® 의 길이가 우수한 초기 고정력을 보장합니다

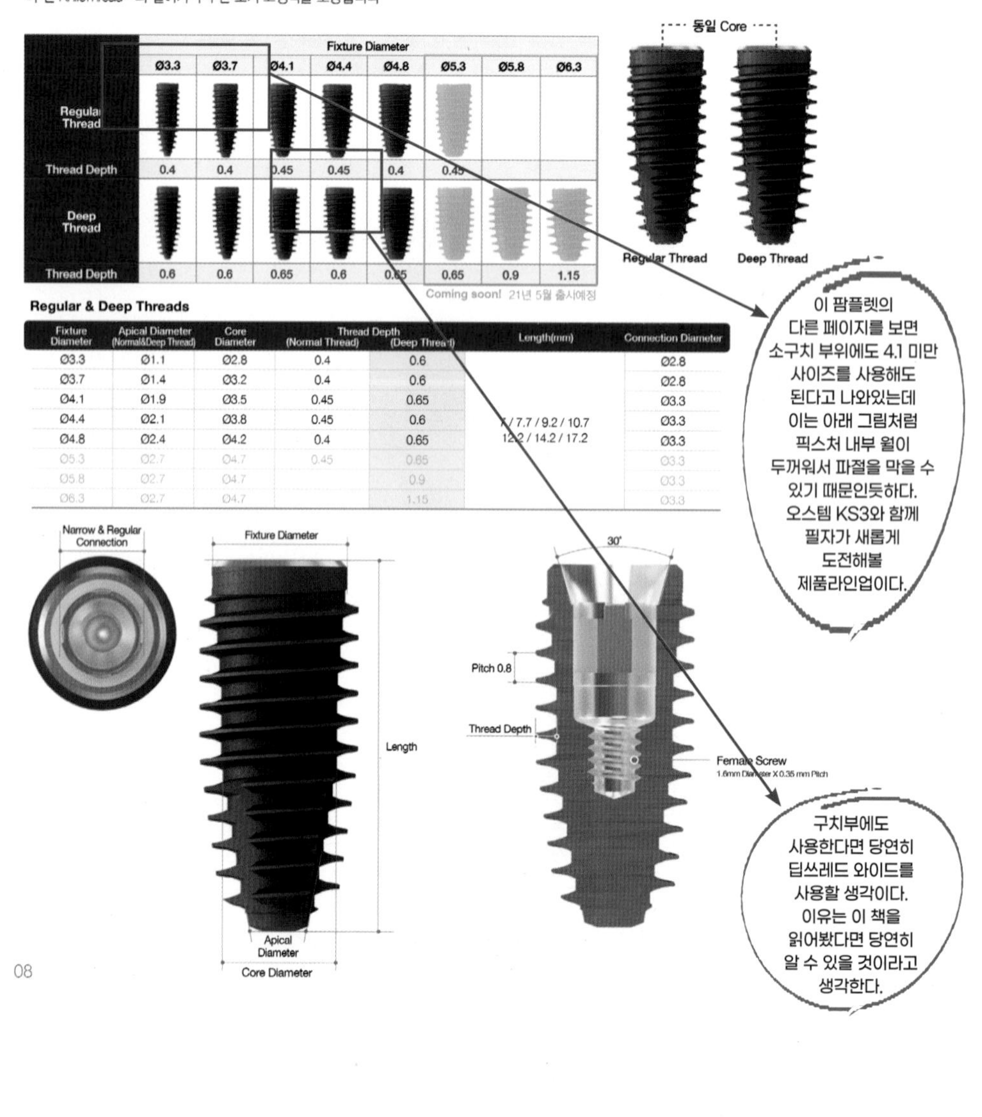

	Fixture Diameter							
	Ø3.3	Ø3.7	Ø4.1	Ø4.4	Ø4.8	Ø5.3	Ø5.8	Ø6.3
Regular Thread								
Thread Depth	0.4	0.4	0.45	0.45	0.4	0.45		
Deep Thread								
Thread Depth	0.6	0.6	0.65	0.6	0.65	0.65	0.9	1.15

Coming soon! 21년 5월 출시예정

Regular & Deep Threads

Fixture Diameter	Apical Diameter (Normal&Deep Thread)	Core Diameter	Thread Depth (Normal Thread)	Thread Depth (Deep Thread)	Length(mm)	Connection Diameter
Ø3.3	Ø1.1	Ø2.8	0.4	0.6	7 / 7.7 / 9.2 / 10.7 / 12.2 / 14.2 / 17.2	Ø2.8
Ø3.7	Ø1.4	Ø3.2	0.4	0.6		Ø2.8
Ø4.1	Ø1.9	Ø3.5	0.45	0.65		Ø3.3
Ø4.4	Ø2.1	Ø3.8	0.45	0.6		Ø3.3
Ø4.8	Ø2.4	Ø4.2	0.4	0.65		Ø3.3
Ø5.3	Ø2.7	Ø4.7	0.45	0.65		Ø3.3
Ø5.8	Ø2.7	Ø4.7		0.9		Ø3.3
Ø6.3	Ø2.7	Ø4.7		1.15		Ø3.3

2.23 메가젠 블루다이아몬드 임플란트

마침 메가젠 블루다이아몬드 팜플렛에 EZ Crown이 함께 있길래 올려본다. 현재 임상뿐만 아니라 강의와 연구분야에서 타의 추종을 불허하는 보철계의 떠오르는(이미 너무 뜬듯하지만) 허중보 교수님이 발명한 것으로 알려져 있다. 필자가 보철을 직접 하지는 않지만 워낙 좋다는 이야기를 많이 들어서 보철과 선생님들과 의논하여 꼭 사용해 보고 싶었던 제품이다.

▸▸ EZ CROWN

누구나 한번쯤 경험해봤을 파절에 대한 해답을 찾으세요!

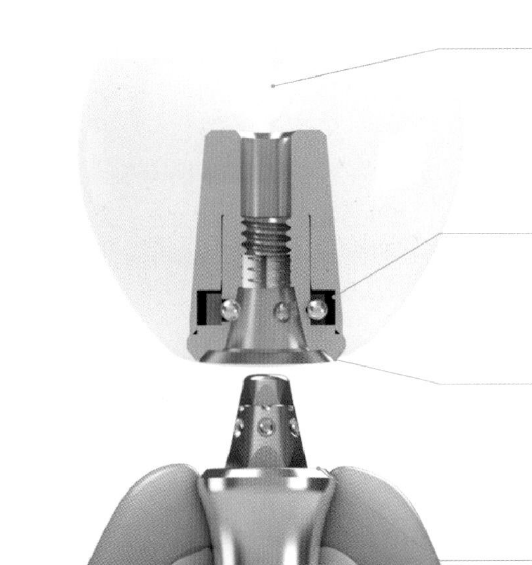

No screw hole

- Abutment의 반구형 Groove에 Cylinder의 Zirconia Ball과 Nitinol Spring이 체결되는 〈EZ LOCKING 방식〉에 따라 Screw 및 Hole이 없는 임플란트 보철이 가능.
- 심미적이고 이상적인 교합점을 얻을 수 있음.

보철물 탈부착 용이(High retrievability)

- 〈EZ LOCKING〉 방식에 의한 Abutment와 Cylinder의 체결은 스프링의 탄성과 지대주의 Hexa Top의 편측 12.5도를 보상하는 구조에 의하여 탈부착이 용이.
- 보다 간편한 보철물 수리 및 임플란트 주위염 처치 가능.

No cement

- 탈부착이 자유로워 구강외에서 Final Crown과 Cylinder를 접착하여 시멘트를 완벽하게 할 수 있는 컨셉으로 구강내 잔존 Cement를 완벽히 차단할 수 있음.

쉽고 간편한 유지 관리 프로토콜

- Abutment가 Convertible Abutment 역할을 하기 때문에 임플란트의 모든 작업(인상채득, 보철물 제작, 유지관리)이 Gingiva Level에서 진행됨.

Less sinking, less loosening

- One-piece 지대주가 35Ncm으로 Fixture와 체결되고 지주대 위쪽에 Crown이 장착되는 구조로, 내부 연결형 구조에서 발생하는 Sinking 현상을 최소화함.
- Screw의 풀림 현상을 최소화

46

2.24 EZ CROWN

임플란트라는 진료는 하면 할수록 뭔가 계속 고픈듯한(?) 느낌을 지울 수가 없다. 이 책을 쓰면서 지금까지의 필자의 임플란트 삶을 되돌아볼 수 있었고, 앞으로 살아갈 임플란트 인생도 함께 그려볼 수 있는 좋은 시간이었다.

필자가 교합과 보철적인 지식이 너무 짧아 감히 보철과 교합적인 문제를 거론하지 못한 것을 널리 양해해 주시길 바라는 마음이다. 앞서 강조한 내용들만 유념하여 임플란트를 식립한다면 임플란트야말로 스트레스 없는 즐거운 치료가 될 것으로 생각된다.

여기서 이 책을 마치는 데 두서없이 쓴 글들에 미련이 많이 남아 추후 기회가 된다면 임상 케이스 위주로 임플란트를 부위별, 시기별로 다양한 변수에 따라 어떻게 잘 심을지에 대해서 집필을 이어나갈까 한다.

독자 여러분들께 작은 도움이라도 되셨기를 바라며, 끝까지 읽어주셔서 대단히 감사드린다는 말을 마지막으로 이 책을 마친다.

감사합니다. 사랑합니다.